SARTRE

ANNIE COHEN-SOLAL

Sartre

GALLIMARD

This edition published by arrangement with Pantheon Books, a division of Random House, Inc. New York.

La salle nº 1 du Nouveau Drouot est tendue de moquette rouge; des rails métalliques fixés au plafond projettent sur l'assistance une lumière brutale, presque insoutenable. Paris, 12 juin 1984, trois heures de l'après-midi : la chaleur moite et lourde semble stagner partout. « Allons, allons, pressons, s'il vous plaît... Allons... pressons un peu... Pas là, monsieur... 16 par une dame à gauche... Pas au centre... Pas à droite... Allons, allons... Couvre-t-on l'enchère?... » La salle du Nouveau Drouot est un lieu de passage : par la porte ouverte, des touristes entrent et sortent; des filles en jean, des filles en short viennent jeter un œil; c'est comme une escale. Qu'y a-t-il, en fait, à observer? Rien, si ce n'est l'étrange ballet des acheteurs : hommes de main, petits clercs en complet gris, ils lèvent un bras, donnent un signe imperceptible, sans passion véritable, comme des automates pilotés à distance.

Ce jour-là, j'ai assisté à la vente de lettres d'amour de Montherlant, de notules de Gérard de Nerval, d'un petit mot de Proust pour sa mère, d'un livre dédicacé de Romain Rolland... Et puis ce fut le tour de Sartre. « Nous vendons maintenant le lot 115, annonce le commissaire-priseur, des manuscrits de Jean-Paul Sartre. » Et l'on présente à la salle six pages in-4º, brouillon de Qu'est-ce que la littérature?. *Mise à prix : 3 000 francs; acheté 4 800 francs. Puis c'est le manuscrit de* La Mort dans l'âme : *544 pages; emporté pour 85 000 francs. Un cahier de 274 pages, les* Notes pour une morale, *75 000 francs. « Allons, allons, pressons s'il vous plaît... » Le commissaire-priseur s'impatiente. Il avale une pastille Valda. La valeur Sartre serait-elle en baisse? « Allons, allons, maintenant, c'est deux pages... S'il vous plaît... Je vends deux pages des* Mains sales... *» Elles partent pour 1 800 francs. La suite se vend assez vite : 3 500 francs pour 7 pages du* Diable et le Bon Dieu. *6 000 pour six pages des* Mots. *12 000 pour 29 pages inédites sur le tribunal Russell.*

Quatre ans après la mort de Sartre, c'est la vente aux enchères. La dispersion des premières reliques. Certains de ses proches sont dans la salle; ils se saluent; ils ne s'étaient pas vus depuis quatre ans. La Bibliothèque nationale a exercé son droit de préemption sur le manuscrit de La Mort dans l'âme *et sur celui des* Notes pour une morale. *Pour le reste, on croit savoir que les acquéreurs sont étrangers, américains peut-être. On se salue; on se sépare; on s'enfonce dans la fournaise de la rue. Étrange cérémonie... Toute sa vie, Sartre a éparpillé ses manuscrits; en a offert; en a perdu. « Sartre, ça ne se vend pas très bien, affirme l'expert, qui s'y connaît, c'est comme s'il y en avait trop... » Plus tard, un article du quotidien* Libération, *évoquant la vente aux enchères de notre patrimoine littéraire, confirmera ces présomptions. « Une lettre de Baudelaire à sa mère atteint 150 000 francs... Neuf briques pour un mot de Maupassant à un ami... A ce petit jeu transactionnel, Sartre est dévalué... »*

Cette scène m'avait semblé fort déplaisante : on ne voit pas volontiers les valeurs symboliques auxquelles on attache du prix aussi brutalement chiffrées, exposées, et vendues. Puis emportées par de petits monsieurs en complet gris, tellement anonymes. Tous ces manuscrits étaient de la main de Sartre; certains d'entre eux, même, restaient inédits. Où étaient-ils donc partis, envolés? Seraient-ils jamais consultables? Réapparaîtraient-ils un jour? Donc, Sartre était coté, et plutôt mal coté. Était-ce vraiment la quantité qui cassait ainsi le marché? Ou bien une sorte de doute sur la valeur de son œuvre, qui apparaissait – et peut-être après tout était-ce inévitable – directement après la mort de l'écrivain? Car depuis la mort de Sartre, en avril 1980, son œuvre traversait, cela était certain, une sorte d'espace périlleux, de zone à grands risques, dont la cérémonie de la vente aux enchères n'était peut-être que le moins douloureux des symptômes. Et pourtant, à bien y regarder, il y avait, dans ce mystérieux ballet des manuscrits : apparition, disparition, risque imminent de réapparition, comme une sorte de mouvement perpétuel autour de l'œuvre sartrienne, une mobilité, une survie.

Les années immédiatement postérieures à la mort d'un écrivain sont bien aléatoires et le biographe qui entreprend son enquête dans cette période-là s'expose aussi à toutes les tempêtes, à tous les vents contraires, et partage avec l'écrivain les aléas de la traversée. A plusieurs reprises j'ai mesuré les limites d'une telle entreprise; j'en ai aimé les joies, aussi. Car les apparitions d'un témoin inattendu, d'une photo méconnue, d'un enregistrement de la voix de Sartre sont souvent venues ébranler des grands pans de l'enquête. On croit connaître, on croit savoir, et puis, soudain, un document imprévu vous bouscule, vous surprend, et vous oblige à recommencer encore. Parfois, par contre, c'est une pièce manquante du puzzle qui vous obsède et qui vient vous hanter jusqu'à la découverte. J'avais beaucoup entendu parler du roman Une défaite, *que Sartre avait écrit à l'âge de vingt ans. Les anciens normaliens que j'avais rencontrés m'avaient alléchée à l'avance : « Un fameux roman, qu'il fallait avoir lu! Un véritable mythe à l'École normale! » Ce texte, je l'avais donc recherché, attendu, espéré longuement. Je fus d'abord déçue : ce n'était, à première vue, qu'un roman de jeunesse, imparfait – ni vraiment abouti, ni brouillon bâclé –, qui se déroulait en une succession de chapitres juxtaposés, d'inégale qualité, comme autant de pièces mal ajustées. Au cœur de ce fatras, pourtant, un ensemble de vingt pages superbes, intitulées « Un conte de fées », et qui scintillaient comme un trésor. Un ensemble clos, parfaitement agencé, une petite œuvre d'art. Le héros du roman, Frédéric, précepteur dans une famille bourgeoise, y inventait à mesure pour Jenny et Louise, ses deux petites élèves, et pour leur mère aussi, qu'il cherchait à séduire, un vrai conte de fées. Qui, comme tous les contes de fées, commençait par « Il était une fois... ». C'était l'histoire d'un Prince « d'une merveilleuse intelligence et d'une exquise beauté » mais qui, impassible et froid, « ne croyait pas à l'âme des hommes » : il vivait entouré d'automates. Ses sujets, qui ne s'y trompaient pas, l'avaient baptisé le « Tyran ». Un jour, le Prince mal aimé s'en fut dans la forêt pour une longue chevauchée.*

« Le Prince cingla son cheval et partit au galop. Il eut alors une horrible pensée : “ Est-ce que toutes les choses ont une âme? ” Il passait le long d'un pré où de longues herbes vertes frissonnaient. “ Est-ce que...? ” Quel était ce frisson qui les parcourait comme une âme? Quelle vie obscure était en elles? Un immense dégoût le saisit à cette idée. Il éperonna sa bête qui prit peur et fila comme un trait. Des arbres échevelés par la vitesse vinrent à lui et disparurent comme des cartes... Et toutes choses semblaient vivre, vivre d'une vie obscure, haineuse, qui lui donnait des haut-le-cœur, une vie tendue vers sa vie. Il se croyait au centre d'un monde immense qui l'épiait. Il était guetté par les ruisseaux, par les flaques du chemin. Tout vivait, tout pensait. Et soudain, il songea à son cheval : elle aussi, cette bête docile... Vous, Jenny, qui avez peur des araignées, figurez-vous que vous fuyez à cheval une armée d'araignées et que tout à coup vous vous apercevez que votre cheval est une araignée immense. C'est vous donner une faible idée de sa terreur et de son dégoût... Se maintenant avec peine sur sa selle, le Prince regardait ces êtres immenses et obscurs, qu'il croyait si bien connaître et qui lui semblaient maintenant de monstrueuses apparitions : les Arbres. Il se mit à hurler. Mais une basse branche le heurtant violemment au front le désarçonna, son imagination déréglée lui montra un instant la chevauchée qu'il venait d'accomplir sous l'aspect d'une course infernale s'achevant dans un engloutissement total, et il tomba sur le sol, assommé. »

Cette chevauchée du Prince, je la découvris très peu de temps après la triste cérémonie de la salle des ventes. Dans la zone de tempête que traversait l'œuvre de Sartre, elle s'imposa, pour sa part, comme un signe très faste. Bien que je ne fusse pas alors en mesure d'en saisir toutes les richesses, je sentais qu'il s'agissait là d'un moment fort précieux. Car, au terme de sa chevauchée, le Prince, jadis isolé, découvrait le monde.

Et un monde fait de grouillement, de trop-plein de vie, qui lui apportait à la fois l'évidence de sa liberté et de l'existence des autres. Au terme de sa chevauchée, le Prince était politiquement transformé. « Il guérit, écrit Sartre, il s'habitua peu à peu à vivre entouré d'âmes. Il devint un homme comme les autres, meilleur que les autres simplement. Il ne pouvait pas supporter la pensée qu'une âme pût souffrir. Il chassa ses ministres et gouverna lui-même avec justice... » Puis le Prince découvrit l'amour, il aima une bergère : la femme devint une médiatrice... La chevauchée du Prince, c'était un étrange labyrinthe où tous les thèmes, tous les motifs de l'œuvre sartrienne, semble-t-il, s'enchevêtraient. Où tous les domaines en étaient effleurés. La chevauchée du Prince annonçait, sous la plume d'un étudiant de vingt ans, les thèmes majeurs de son œuvre à venir : on y décelait des esquisses de La Nausée, *de* L'Être et le Néant. *Et c'était* La Nausée *racontée aux enfants. On pouvait même y découvrir, sans beaucoup d'efforts, une véritable allégorie de la vie même de Sartre.*

Une vente aux enchères, un texte inédit : cinq ans après la mort de Sartre, son œuvre continuait de vivre. Elle vivait de son rythme propre; inattendue, rétive à tout contrôle. Sartre, par générosité, avait donné des manuscrits comme on offre un cadeau; par désinvolture, il en avait perdu. Ces gestes assurent aujourd'hui des milliers de pages à venir. Ces gestes préservent désormais son œuvre : toujours ouverte, toujours vibrante, et pour longtemps encore inachevée. Comme si, avant de partir, il avait délibérément oublié de fermer ses dossiers, d'éteindre la lumière. Comme si, dans une dernière et folle tentative, il avait passionnément refusé d'abandonner son œuvre aux autres, de se livrer à la capture.

A. C.-S.
17 juin 1985.

« Je ne suis à l'aise que dans la liberté,
échappant aux objets, échappant à moi-même...
Je suis un vrai néant ivre d'orgueil et translucide..
Aussi est-ce le monde que je veux posséder. »

Jean-Paul Sartre,
Carnets de la drôle de guerre.

I

En marche vers le génie!

1905-1939

PLEINS FEUX SUR JEAN-BAPTISTE

> « Mon père avait eu la galanterie de mourir à ses torts... En filant à l'anglaise, Jean-Baptiste m'avait refusé le plaisir de faire connaissance. Aujourd'hui encore, je m'étonne du peu que je sais sur lui... Mais de cet homme-là, personne, dans ma famille, n'a su me rendre curieux... »
>
> *Les Mots.*

« Ma bonne petite sœur, je tiens ma promesse, et je vais te parler du bal de samedi. C'était un bal magnifique, excessivement bien organisé. Il se passait dans les salons de l'hôtel Continental; les salons sont immenses et fort luxueux : il y avait là, samedi soir, trois mille personnes certainement, et formant un public très choisi; les toilettes étaient belles et offraient un très beau coup d'œil. Il y avait, bien entendu, beaucoup d'uniformes, et de très beaux uniformes, comme ceux des officiers et ingénieurs de la Marine. Étaient présents deux ministres anciens élèves, Cavaignac et Guieysse. A onze heures, M. Faure était annoncé : à l'entrée, les commissaires du bal (j'étais du nombre) lui ont formé la haie en présentant l'épée. Le président a eu l'air fort content et il l'a manifesté en nous donnant un jour entier de congé pour lundi... » Paris, 22 janvier 1896. Comme toutes les semaines, un jeune polytechnicien, né à Thiviers (Dordogne), racontait à sa sœur Hélène, restée au pays, les menus faits de sa nouvelle vie. Jean-Baptiste Sartre, à vingt et un ans, avait été admis 46e sur 223 au concours de la « promo 95 ». Ce fils d'un médecin du sud-ouest de la France était un individu petit, mince, brun et ténébreux : dans son regard, nulle étincelle, mais le sérieux, la lassitude, l'intensité des hommes sans âge, trop mûrs à vingt ans, trop vieux à trente. Onze ans plus tard, il sera mort, sans avoir vraiment vieilli, après avoir procréé un fils, Jean-Paul, qu'il connaîtra à peine. Avec son bel uniforme et sa gigantesque

Paris, le 22 Janvier 1896

Ma bonne petite sœur,

Je tiens ma promesse, et je vais te parler du bal de samedi. C'était un bal magnifique, excessivement bien organisé. Il se passait dans les salons de l'Hôtel Continental; ces salons sont immenses et fort luxueux; il y avait ce samedi soir, trois mille personnes certainement, et formant un public très choisi; les toilettes étaient belles, et offraient un très beau coup d'œil. Il y avait, bien entendu, beaucoup d'uniformes et de très beaux uniformes, comme ceux des officiers et des ingénieurs de la marine.

....

Ton frère X,

Sartre

moustache, on eût dit un enfant déguisé, un modèle réduit, un vrai soldat de plomb. L'aurait-on seulement remarqué, cet homme en miniature, sans l'ornement disproportionné de son extraordinaire moustache? Qui agressait, dès l'abord, magistrale, batailleuse, brune, flambante, point de mire absolu. Qui provoquait et s'imposait : ironie contenue, prestance et raideur sauvages, clin d'œil, enfin, de ces hommes trop petits qui se jouent de leur taille.

Jamais Jean-Paul Sartre ne mentionna son père, Jean-Baptiste Sartre, plus longuement que sur une page, et en passant. Jamais Jean-Paul Sartre ne raconta qu'il avait été polytechnicien. Jamais il ne laissa paraître une ou deux choses que, pourtant, il savait : que son père, sujet brillant, double bachelier et trois fois lauréat au concours général, fils de famille aisée, avait très tôt choisi d'arracher ses racines, de rompre les amarres, de jouer l'aventure, ailleurs, très loin du petit bourg périgourdin où il était né. De Jean-Baptiste à Jean-Paul, pourtant, combien de points communs! Physiquement, c'est copie conforme. Le père : cent cinquante-six centimètres; le fils : cent cinquante-sept. Et puis des tempéraments de marginaux derrière ces deux jeunes hommes bien nés, honorablement dotés par la fortune et par la société, et promis, dès le berceau, aux trajectoires rassurantes de la moyenne bourgeoisie dont ils étaient issus. Jean-Paul Sartre, devenu écrivain, décidera de brouiller les pistes, troubler ses biographes, dérouter ses suiveurs. Fils de personne, il se choisira, décidant officiellement que le père de Sartre n'existe pas. Certes, ce père, il ne le connut pas : Jean-Paul avait quinze mois quand Jean-Baptiste mourut. Et lorsqu'on l'interrogeait à ce sujet, l'écrivain se retranchait derrière l'absence de traces, le silence de la famille ou bien, tout simplement, leur rendez-vous raté. « Mon père? reprenait-il avec indifférence. Ce n'était qu'une photo dans la chambre de ma mère... » Et il ajoutait, pour conclure : « Je n'ai pas eu de père », de cette voix définitive, avare du moindre effet, qui coupait tout contact avec l'interlocuteur, immédiatement après la dernière syllabe prononcée : « Je n'ai pas eu de père. » Affaire classée.

En 1960, pourtant, en pleine période d'indifférence affichée, l'écrivain Jean-Paul Sartre, alors âgé de cinquante-cinq ans, travaillait à un livre autobiographique – son plus beau livre, peut-être – qui serait publié trois ans plus tard : *Les Mots.* Brusquement, et sans juger utile d'en informer qui que ce soit dans son entourage, Sartre prit le train gare d'Austerlitz et descendit à Périgueux. Il se souvenait vaguement que son père y avait une sœur, la tante Hélène Lannes, qui demeurait jadis rue Saint-Front, perpendiculaire à la cathédrale. Jean-Paul Sartre sonna au 7 de la rue Saint-Front; c'était une maison bourgeoise, face à l'ancien bâtiment maintenant délabré qui avait été le centre de la franc-maçonnerie à Périgueux. Pas de réponse. Il sonna de nouveau. Rien. Puis il descendit chez l'antiquaire du rez-de-chaussée et s'enquit de Mme Lannes. « Mme Lannes? Elle est morte depuis peu, trois mois peut-être... » Cela faisait plus de trente ans qu'il avait rompu tout contact avec cette tante qu'il n'aimait pas et qui était le dernier survivant de la famille paternelle. Elle avait terminé sa vie en « vieille belle », racontent encore ses voisins, en vieille dame un peu cocasse, qui forçait sur le rouge à lèvres et le rouge à joues, et se promenait dans Périgueux, hiver comme été, en tailleur noir, portant autour du cou un renard argenté miteux sur lequel était piquée une rose rouge. Un de ses voisins, sans penser à mal, l'avait un jour surnommée « Madame-de-Rentre-en-Ville ». Derrière cette porte close, pourtant, il y avait encore, le jour où Sartre sonnait, un coffre bourré de lettres, de photographies et de souvenirs qui serait récupéré, plus tard, par le propriétaire de l'immeuble. L'écrivain n'eut donc, malgré ce sursaut de curiosité, rien de bien flambant à raconter sur Jean-Baptiste et se contenta pour *Les Mots* d'étouffer encore un peu plus ses quelques souvenirs indigents. Ce coffre, ces lettres, ces photos et tant d'autres souvenirs de Jean-Baptiste furent retrouvés en 1984 dans les dédales rocambolesques d'une enquête sur la famille. Prélude à sa biographie, voici donc, pour cet enfant sans père, sous forme de livre dans le livre, le récit de ce que fut Jean-Baptiste et quelques-unes de ces informations que Jean-Paul Sartre, écrivain, était allé chercher à Périgueux...

Six heures du matin, lever au son du clairon. Six heures à six heures trente, étude. Six heures trente à huit heures trente, cours en amphithéâtre. Huit heures trente, premier déjeuner composé d'une tasse de lait ou d'un morceau de fromage (gournay ou roquefort)... Jean-Baptiste apprécia-t-il ce rituel militaire sans faille comme il avait, semble-t-il, apprécié le prestige de l'uniforme? Et lorsqu'il prit possession de son nouveau trousseau avec grand et petit équipement, perçut-il ce jour-là qu'il se coulait dans une nouvelle identité qui avait bien des avantages? Capote-manteau avec pèlerine... Un gilet... Deux pantalons de première tenue... Un pantalon de cheval... Deux tuniques... Un képi de première tenue avec son carton... Quelques mois plus tard, il demandait à ses parents une petite allocation financière : « Il faut absolument que j'aie quelque chose à me mettre sur le dos et sur les jambes cet été, puisque je ne porterai plus mon uniforme d'X et que je serai déjà officier. J'ai trouvé une excellente occasion de m'habiller très élégamment et à très bon marché. Si mon père peut m'envoyer 80 ou 100 francs je me fournirai complètement. Ce sera le commencement de mon trousseau. Que mon père considère cela comme un prêt s'il veut. Dès l'an prochain, je pourrai commencer le remboursement [1] *. »

Depuis trois ans que Jean-Baptiste étudiait à Paris – il avait fait ses classes préparatoires du lycée Henri IV – il transmettait, dans ses lettres au pays, observations sociales et perceptions politiques auxquelles ses premiers contacts avec la capitale lui permettaient d'accéder. Il savait que son frère aîné, Joseph, allait comme d'habitude acheter des cochons à la foire d'Excideuil et poursuivait, sa gibecière sur l'épaule, la collecte des œufs, des canards et des chapons dans les métairies dont la famille était propriétaire. Il savait que sa sœur Hélène apprenait, à la maison, et grâce aux talents de sa mère, la recette de l'omelette aux pelures de truffes, des conserves de tomates, ou du gâteau de cerise. Il savait que sa mère, pieuse et conventionnelle, ne sortait bien sûr que pour la messe, et recevait, le vendredi, les demoiselles de Magondeaux avec la femme du maire et la fille du notaire. Il savait, encore, que son père, en carriole à cheval, criait toujours : « Hue, dia » pour avancer plus vite, lorsqu'il allait, du côté de Saint-Germain-des-Prés ou de Saint-Sulpice-d'Excideuil, secourir une femme en couches ou un fermier atteint du tétanos. Il savait, enfin, que sa grand-mère Theulier, assise dans le salon de la grande maison familiale de la rue du Thon, tricotait derrière la fenêtre, tout en commentant les allées et venues autour des bâtiments qu'elle voyait dans le même axe : l'église, la pharmacie. « Tiens, c'est encore la fille Lacombe qui va chercher quelque chose... Sa mère serait-elle à nouveau souffrante... ? » C'est à eux tous qu'il s'adressait, Jean-Baptiste, lui le provincial monté à Paris, lorsqu'il racontait pour sa famille de Thiviers, dans le Périgord, le bal de l'X en présence du président de la République, ou bien, trois ans plus tôt, les manifestations qui avaient célébré dans la capitale les premières joies de l'alliance franco-russe. C'est à eux tous, encore, qu'il s'adressait, le jour où, ayant attendu en vain au train de deux heures et demie son frère et sa sœur qui s'étaient annoncés pour une visite, il répondit par une lettre incendiaire : « C'est sans doute la peur de dépenser les 7 sous du télégramme, leur lançait-il sur la fin, qui vous a dispensés de me prévenir de cette annulation... »

En venant vivre à Paris, Jean-Baptiste avait bel et bien coupé les ponts avec son milieu familial, et son succès à l'École polytechnique lui permettait de poursuivre une rupture qu'il avait

* Les notes sont regroupées en fin de volume, p. 667.

déjà largement entamée. Depuis la capitale, et fort de ses nouvelles expériences, il sermonnait sa sœur Hélène, lui envoyait des petites piques de frère paternaliste, des leçons de morale : « Tu as trop tendance à te laisser éblouir par le mouvement, par les fêtes, écrivait-il par exemple le 12 novembre 1893. Réfléchis et tu verras comme tout cela est creux, vide... Si tu avais vécu quelque temps seule dans la foule des indifférents... Songe qu'il arrive à Paris une foule de jeunes filles de ton âge; leurs parents ne pouvaient plus les nourrir, et elles se sont jetées dans Paris, n'ayant que quelques francs dans leurs poches. Après des mois de misère, ajoutait-il encore, elles trouvent des places dans des magasins de nouveauté, et elle gagnent 35 francs, 45 francs, à Paris!!! » Il ira même jusqu'à envisager, pour sa sœur provinciale, une ébauche de sensibilisation politique! « Si ces jours-ci tu as souffert du froid, écrit-il ce jour de janvier 1894, tu dois compatir à toutes les misères des pauvres. Que j'en ai rencontré, couverts de guenilles, grelottant de froid! Jeudi soir, j'en ai vu un dans un urinoir qui tentait de se réchauffer les mains en les lavant avec sa salive. Et devant leurs yeux roulent des équipages conduits par des cochers dont le cou est entouré de fourrures. Je comprends que ces gens-là soient indignés, exaspérés, anarchistes. Car, comme autrefois, la foi ne fait plus de ces miséreux des martyrs. Sois généreuse pour les pauvres : et toi, estime-toi heureuse. Si tu n'as pas tous les plaisirs de ton imagination, tu vis au moins dans le bien-être... » Jean-Baptiste avait débarqué à Paris près d'un quart de siècle après la Commune de Paris, et les rues de la capitale manifestaient, pour le voyageur attentif, les signes éclatants de cette grande industrie qui était alors à son apogée. En dehors de ces quelques notations, Jean-Baptiste poursuivit-il plus avant ses investigations politiques et sociales? Rien ne permet de le penser. Il arrivait, pourtant, dans le centre de la vie du pays, à une période particulièrement agitée de l'histoire de France. Séquelles de l'Empire, amorce de l'ère radicale, souvenirs humiliants de la défaite de la guerre de 70 qui avait fait de la nation française un corps mutilé. Années difficiles, pour un pays qui tâtonnait, à la recherche de son identité. Et ces informations dont Jean-Baptiste avait pris connaissance dans les journaux pendant l'année 1894, n'étaient-elles pas, à elles seules, le symbole patent d'un pays en profond bouleversement? Successivement, il avait donc appris l'assassinat du président de la République, Sadi-Carnot, puis la condamnation du capitaine Dreyfus. Deux événements bien sombres qui n'avaient pas manqué de provoquer, derrière les hauts murs blancs de la Montagne-Sainte-Geneviève, des émotions louables : on ne voit pas ainsi disparaître ou condamner deux anciens polytechniciens sans en prendre pour son grade. Même si cette France qui avait condamné Dreyfus perpétuait les traditions de son armée restée, en majorité, royaliste, cléricale et souvent antisémite.

Non, Jean-Baptiste ne fut pas excessivement mobilisé par les secousses de l'Histoire. Il voulait « arriver », disait-il encore à sa sœur, et entrer à Polytechnique. Cette prestigieuse école militaire n'avait-elle pas, depuis un siècle, donné au pays, outre ses ingénieurs d'élite, des philosophes comme Auguste Comte ou Georges Sorel, des hommes d'État comme Sadi-Carnot, de grands marins – dont Jean-Baptiste aimait tant l'uniforme – comme les amiraux Rigault de Genouilly et Courbet, acteurs des guerres coloniales françaises en Indochine? « Former des ingénieurs en tous genres, prescrivait la loi du 21 ventôse an II (11 mars 1794) qui avait transformé l'École centrale des travaux publics en École polytechnique. Rétablir l'enseignement des sciences exactes, poursuivait le texte, qui avait été suspendu pendant les années de crise de la Révolution. » Depuis un siècle, donc, la France fournissait à l'École polytechnique ses « forts en maths » sérieusement triés par un concours redoutable. Et, depuis un siècle, l'École polytechnique restituait au pays ceux dont elle prétendait faire, en deux années d'école militaire et d'études serrées, l'élite active du pays. Jean-Baptiste y étudia l'astronomie, la stéréotomie, la mécanique, le dessin d'architecture, la littérature et, dès la première année, ses résultats confirmèrent les bonnes dispositions dont il avait fait preuve à son concours d'entrée : il obtint 13,50 en instruction militaire, 14 en épures de stéréotomie, 14 encore en littérature et en histoire, 15,67 en astronomie et 17,6 en mécanique. Il vécut la vie studieuse et privilégiée de ses camarades de la promotion 1895, assidu aux autres bals de la saison, celui de Saint-Cyr, celui de l'Hôtel de Ville, friand de théâtre, ou bien plus simplement de ces interminables parties de poker avec ses camarades du « casert 23 » : Chapelot, Perra, Lafargue, Vallantin, Marsollier ou Schweitzer... Et face à tous ces garçons, poupons joufflus et moustache naissante, qu'on dirait directement passés du berceau à l'uniforme, il était sérieux, Jean-Baptiste, l'œil attentif sous la fameuse moustache, placide, sombre, déjà blasé en quelque sorte.

Quand, au classement final après deux ans d'étude, Jean-Baptiste apprit qu'il était vingt-septième sur une promotion de 223 élèves – la « botte » dans le lexique interne –, il décida très vite que peu lui importait de tirer les bénéfices d'un si bon rang, et s'engagea dans la marine. Était-ce parce qu'à Thiviers, dans une maison mitoyenne de la sienne, avait jadis vécu l'amiral Fourichon, ministre de la Marine et de la Guerre en 1870, dont on racontait encore en souriant une rocambolesque histoire de départ en ballon avec Gambetta? C'est que rares étaient les marins originaires du Périgord : pour preuve, les camarades de promotion qui accompagnaient Jean-Baptiste dans ce choix, Cloître, Denquin et Marteville nés respectivement à Saint-Brieuc, Calais et Cherbourg, trois orphelins de père marin, choisissaient une vocation de toujours, marquée par une indélébile hérédité [2]. Lui, non : il choisit de sillonner les mers, depuis cette ville de Thiviers, passage obligé entre Limoges et Périgueux, ville clef, ville frontière aux temps où, dans l'Aquitaine anglaise, on devait procéder à la collecte des impôts de passage, depuis cette ville de Thiviers où les nostalgies historiques se nourrissent bien plus de ces canons forgés localement, de châteaux forts, ponts levis et arbalètes dans les mâchicoulis, que de batailles navales, et autres armadas espagnoles ou anglaises. Jean-Baptiste se forgea des rêves, des projets autour de cette flotte de cuirassés, de torpilleurs, d'avisos et de canonnières qui venaient de remplacer les frégates et vaisseaux de haut bord. Après Paris, après Polytechnique, le choix de la marine n'était-il pas, de fait, la plus marquante de ses ruptures avec Thiviers? Car il savait que cette carrière le mènerait à l'autre bout du monde, l'emportant loin de son pays pour de très longs voyages : trois, quatre, cinq ans peut-être. Avant d'embarquer, le 1er octobre 1897 à Brest, sur la frégate à voile la *Melpomène,* il se rendit à Thiviers, une dernière fois avant le grand départ.

Il revit les rues étroites et escarpées qu'on emprunte en montant de la gare pour se rendre à l'église : l'impasse des Clous, la rue des Huiles, la rue du Puy-de-l'Archer, la place des Trois-Coins, la place du Chapeau-Rouge, et les belles maisons médiévales du vieux Thiviers, avec leur torchis et leurs poutres brunes. Il retrouva les ormes de la grand-place, le clocher carré de l'église, le château de son ami Magondeaux, derrière et puis, à côté, la pharmacie acquise en 1821 par son arrière-grand-père Jacquot Theullier et léguée plus tard à son grand-père Jean-Baptiste Chavoix, pharmacien de première classe. Enfin, face à la pharmacie, la grande maison familiale de la rue du Thon, que son grand-père avait achetée pour 1 000 francs à Joseph Faure en 1862. C'est dans cette maison que Jean-Baptiste était né, là qu'il avait vécu jusqu'au jour où il avait quitté Thiviers pour étudier à Périgueux, puis à Paris. Une énorme maison bien cossue, gros cube de pierres blanches et lisses, de trois étages, qui bénéficiait d'une des places stratégiques les plus enviables du bourg : en plein centre, à moins de dix mètres de l'église, moins de cinq de la pharmacie. Une maison de vingt pièces, avec un grand jardin et qui composait, avec la propriété de La Brégère, ses fermes et ses 37 hectares, la majeure partie de la fortune familiale. Acquisitions effectuées par la famille de sa mère qui, grâce aux mérites conjugués de la profession de pharmacien et du choix de jeunes filles bien dotées, se constitua, au milieu du XIXe siècle, en l'espace de deux décennies, dans Thiviers et ses environs, un solide petit capital immobilier qui serait évalué, en 1920, à plus de 150 000 francs. La mère de Jean-Baptiste, d'ailleurs, en épousant le docteur Eymard Sartre, n'avait-elle pas reçu une dot de 20 000 francs, « dont 12 000 de la main à la main »? C'était elle, l'héritière des fortunes accumulées par les familles Theulier, Chavoix, Poumeau-Delille, Barailler-Laplante et Fuehle-Sablière. De Tourtoirac, d'Excideuil, de Bordeaux, de Juillac en Corrèze, ils avaient tous convergé vers Thiviers, petit bourg bien vivant, pour bénéficier des mouvements du commerce des alentours. Jean-Baptiste allait donc retrouver, en cet été 1897, et pour la dernière fois avant longtemps, cet espace du Périgord vert où la famille de sa mère avait laissé tant de traces. Car les Theulier et les Chavoix avaient fourni à la France, depuis la Révolution de 1789, un nombre impressionnant de maires, de sous-préfets, de conseillers généraux, de députés qui représentèrent la Dordogne ou le Périgord auprès des assises nationales. Jean-Baptiste l'aurait-il oublié, que les plaques de rues, les monuments aux morts ou bien tout simplement la *vox populi* se seraient largement chargés de le lui rappeler. De lui rappeler, tout d'abord, le plus lointain de ses ancêtres, Léonard Barailler, sieur de Laplante, chirurgien des armées navales de Louis XV, en 1740. De lui rappeler, par exemple, l'avocat Jean-Baptiste Chavoix (1738-1818), né à Juillac, en Corrèze, et qui avait été à la Constituante de 1789, député du tiers état aux états généraux par la sénéchaussée de Limoges. De lui rappeler – encore un Jean-Baptiste! – le docteur Jean-Baptiste Chavoix (1805-1881), né à Excideuil, qui représenta sa région aux Assemblées constituante et législative de 1848-1849, avant d'être élu député démocratique et radical de 1849 à 1881, avant surtout ce conflit qui le rendra célèbre lorsqu'il s'opposera à l'« homme de droite » de la région, le maréchal Bugeaud. Et puis, bien sûr, le premier maire de Thiviers, Jean Theulier en 1792, et tous ses descendants, Jacques, Jules, Albert, pharmaciens et élus locaux qui vendirent leur grande maison et leur superbe parc à la municipalité pour en faire la mairie actuelle. Il y avait, encore, ceux qui étaient actuellement en exercice, le docteur Albert Theulier, député républicain depuis 1881, qui avait demandé, au cours de sa campagne électorale en 1889, l'instauration d'un impôt sur le capital, ou le notaire Henri Chavoix, entré lui aussi à l'Assemblée en 1881 comme député républicain. Toute cette hérédité de notables locaux, solidement installée dans l'histoire du Sud-Ouest, Jean-Baptiste allait donc la rejeter en choisissant des espaces rigoureusement étrangers aux Chavoix et aux Theulier pour construire sa vie professionnelle. Et peu lui importait que dans les mémoires du Sud-Ouest ses ancêtres eussent été longtemps les symboles d'une gauche radicale, « gauchiste » même, franc-maçonne vraisemblablement, en tout cas au dire de certains « violemment anticléricale et volontiers sectaire ». Non, malgré ses succès et ses compétences, Jean-Baptiste ne serait pas un notable local.

Il ne serait pas davantage fidèle, d'ailleurs, à l'héritage de sa famille paternelle, plus paysanne : c'est son frère Joseph qui reprendrait ce flambeau-là. Quant à lui, Jean-Baptiste, que ressentait-il en retournant à Puifeybert, le hameau où son père était né? Il se souvenait que, petit garçon, il aimait ces voyages où il accompagnait le docteur, pour des visites, en carriole à cheval : une petite heure de Thiviers à Corgnac-sur-l'Isle, et puis encore vingt bonnes minutes pour monter depuis Corgnac sur cette route en lacet qui passe par Coulonges et longe le petit groupement de cinq feux, à peine un hameau : Puifeybert. Au coin de la route, une croix de granit, sobre et haute, portait gravée, en chiffres romains, la date de son érection : 1836. Au bout du chemin, au-delà des basses-cours, des poulaillers, des étables, des écuries, on arrivait à la ferme centrale de la métairie Sartre. Longue, étirée, basse, conjuguant pierres sèches des murs et meulières d'angle dans une architecture un peu désordonnée, elle avait été construite en 1805 par l'arrière-grand-père de Jean-Baptiste. Sous la Restauration, une grosse citerne de 240 barriques avait été ajoutée dans le jardin, avec un four à pain. Une vraie ferme Sartre, dans ses proportions : pas une encadrure de porte qui ne dépassât en hauteur un mètre soixante-dix! Et une vue superbe, qui expliquait en un seul coup d'œil toute la trajectoire de la famille Sartre, histoire et sociologie intégrées : lorsqu'on se tenait devant le mur d'entrée, un peu à gauche, en effet, on pouvait voir, dans le même axe, à quelques mètres de là, d'abord en contrebas, les tours d'ardoise du château de Laxion, et puis, à l'horizon, le clocher carré de l'église de Thiviers. Alors l'histoire de la famille se racontait d'elle-même, naturellement inscrite dans ces trois bâtiments : l'ancêtre fermier Sartre avait été lié aux propriétaires du château de Laxion, la famille Chapt de Rastignac, comtes de Ribérac et de Montagrier, dans ce fief de haute, moyenne et basse justice sur la paroisse de Corgnac; puis, après la Révolution française, il avait, en 1805, construit les premiers corps de bâtiments de sa ferme; son fils, Pierre, né en 1806, avait ensuite développé la métairie familiale jusqu'à ses proportions de 20 à 30 hectares; le fils de Pierre, enfin, Eymard, né en 1836, avait quitté le hameau de Puifeybert, pour poursuivre ses études à Thiviers, puis à Périgueux et à la prestigieuse université de médecine de Montpellier, où il avait, trois siècles après Rabelais, obtenu, avec sa thèse sur le lipome, le grade de docteur en médecine; il s'était ensuite installé, unique médecin de Thiviers, avant d'y épouser l'une des plus riches héritières du bourg, la fille du pharmacien, et de vivre avec elle dans cette maison de la rue du Thon, face au clocher de l'église. Le château de Laxion était une belle construction du XVIIe à l'allure bizarrement féodale: « Lorsqu'en 1850, à la mort du baron Curial, on le vendit, raconte-t-on encore dans le pays, il ne fallut pas moins de trois jours pour compter tous les sous d'or... » Du château de Laxion, donc, au clocher de Thiviers en passant par la ferme de Puifeybert, trois générations de Sartre s'étaient donné la main pour effectuer cette ascension sociale pure et dure, en image d'Épinal: un fermier engendra un gros métayer qui engendra un médecin de campagne... Jean-Baptiste allait pousser encore plus avant la réussite: avec lui, ce serait Paris, et puis Polytechnique. Pourtant, pour les gens du pays, pas de nom qui sonne plus paysan que celui de Sartre, « lou sartrou », disent-ils en roulant les *r* et en accentuant les finales, « mais tout le monde sait bien que ça vient de " sartor " qui veut dire " tailleur à domicile " en patois périgourdin! »

Jean-Baptiste savait tout cela, comme il sentait, dans les affectueux discours qui accueillaient son père en patois, lorsqu'il s'en retournait à Puifeybert, tout le chemin parcouru. Car le « docteur Eymard » y était bien sûr resté l'enfant chéri du pays: jusqu'à sa mort, en 1913, il s'y rendit, régulièrement, une fois par mois, soigner les gens des hameaux alentour. Il y avait, dans la ferme familiale, après le porche couvert et après la salle à manger, une petite pièce dans laquelle il s'installait pour recevoir les malades. « Si tu pouvais payer, tu payais, racontent encore les habitants, si tu ne pouvais pas, il te soignait quand même: un très bon docteur pour les pauvres! » « On allait parfois le chercher à Thiviers, pour des urgences, raconte Mme Raynaud. En remontant ici, sa jument broutait sur le bas-côté, et le docteur Eymard laissait faire, il n'était pas pressé: " Té, petit, va pas si vite ", criait-il par contre quand le cheval galopait [3]. » Et il poursuivait ses visites dans ce Périgord vert, si vallonné, si charmeur, et il s'en allait, du côté du Vieux-Sarrazac, de Petit-Bois-Loubet, de Puybarbeau, de Nègrevergne ou de Saint-Jean-de-Côle, s'efforçant d'expliquer à certains malades que les prières en patois n'avaient pas grand effet sur la guérison de leur blessure, que leur « ôu noum dou Pai e dou Fis e sent Pière e sent Paul » ne changerait en rien le cours d'une diphtérie, ou d'une mauvaise bronchite. Superstitions, paganisme, obscurantisme quasi médiéval sévissaient encore parmi certains paysans bas-limousins ou périgourdins, qui croyaient ainsi se protéger contre le mal suprême qu'était encore pour eux la civilisation urbaine. Et le docteur Eymard, avec ses quatre, cinq, six visites par jour, gagnant fort mal sa vie, était devenu en Dordogne, et dans un large périmètre qui touchait la Corrèze, la Gironde, la Haute-Vienne ou la Charente, une personnalité fort respectée, aussi bien par les paysans que par l'ensemble des notabilités locales.

Le médecin de campagne, si dévoué et bienfaisant, restait pourtant à l'intérieur de sa famille un individu assez taciturne, dont on rappelait toujours l'athéisme radical, le bon coup de fourchette et la légendaire retenue, disons, du côté du porte-monnaie. Jean-Baptiste allait encore assister, cet été 1897, aux dîners silencieux, aux tensions contenues et à cette guerre larvée et stérile que s'étaient toujours livrée ses parents. La religion? L'argent? Les origines sociales? Trois raisons majeures, au moins, attestaient cet état de fait : ses parents n'étaient pas du même monde, et le mariage n'avait pas arrangé les choses, loin de là; entre le docteur Eymard et son épouse Élodie, née Chavoix, ce fut comme un long silence, la lente indifférence d'un mariage qui s'étira pourtant durant quarante-six ans, mais la maison de Thiviers était spacieuse, et chacun s'y repliait habilement sur ses propres territoires. Et Jean-Baptiste avait, pendant les quinze années où il partagea la vie de sa famille, toujours observé que sa mère se lançait – peut-être par dépit – dans d'extraordinaires programmes religieux ou gastronomiques, qui occupaient largement son temps : lorsqu'elle « faisait boucherie », par exemple, ou bien lorsque, selon sa propre expression, elle devenait pendant trois mois « fabricante de conserves », organisant dans sa cuisine, au gré des saisons et des récoltes de ses métairies, une véritable usine de traitement alimentaire. D'ailleurs, n'était-elle pas au cœur de cette région gastronomique par excellence, et détentrice suprême de certaines de ces recettes que l'on ne se léguait que de mère en fille et comme en héritage? Foies gras d'oie truffés, confits de canards, boudins aux châtaignes, cassoulets, salmis de pintades, omelette aux cèpes, confitures de coings, eau-de-vie de prunes, c'étaient là quelques-uns des fleurons de cette infatigable cuisinière. Pendant l'été 1897, pour son Jean, pour son J.B. – comme elle aimait encore à l'appeler –, elle redoubla de petits soins et d'attentions gastronomiques. Pourquoi était-elle à ce point attachée à lui? Parce qu'il était son petit dernier, parce qu'il était l'absent, ou bien tout simplement parce que c'était lui le petit génie de la famille? Elle n'en savait rien, mais elle était bien fière d'avoir beaucoup prié pour qu'il entrât à Polytechnique, et si elle se désolait maintenant de ce départ imminent, c'est surtout parce qu'elle ne savait pas quand elle le reverrait. Elle restait, pourtant, à Thiviers, avec ses deux aînés, Joseph et Hélène, mais ce n'était pas la même chose! Le couple Eymard Sartre-Élodie Chavoix avait, en effet, produit une drôle de portée : trois enfants, chacun à trois années de distance. Joseph, d'abord, qui avait trente ans, cet été-là. Et puis Hélène, vingt-sept ans, Jean-Baptiste, enfin, qui aurait vingt-quatre ans le 5 août 1897. Hélène n'était pas très jolie – c'était le portrait de sa mère –, un lourd visage en face de lune, épais et flasque, de petits yeux, une bouche triste et large aux coins tombants : elle restera fille à marier jusqu'à l'âge de trente-trois ans, secondant à la maison sa mère dans les travaux culinaires, rêvant amèrement à l'éventuel prince charmant, admirant peut-être à l'excès ce héros qu'avait toujours été pour elle son frère cadet et prestigieux, l'aventurier de la famille : J.B. Il y avait bien, auprès d'elle, l'aîné, Joseph, mais pour elle comme pour sa mère, ce n'était vraiment pas la même chose! Et ce Joseph, que certains Thibériens décrivent encore aujourd'hui comme « un être simple », « un imbécile heureux », « celui à qui l'on faisait porter le cierge à l'église, histoire de l'occuper », était-il aussi débile que l'on voulait bien le faire croire? Il avait été, certes, très peu à l'école, il parlait avec difficulté, bégayant lourdement, mais il était gentil et serviable. On ne lui connaîtra jamais de femme, et presque jamais de métier : « agent d'assurances » peut-être pendant une courte durée, mais ce célibataire sans profession s'efforça toute sa vie de jouer le rôle de régisseur du domaine. Il vécut ainsi, au rythme des saisons, des bonnes et mauvaises récoltes, des vendanges, des distillations, arpentant le pays de la métairie de La Brégère à celle de La Combe, harcelant les paysans, ne manquant jamais une foire au bétail, du marché aux bœufs de Thiviers au marché aux cochons d'Excideuil. Rapportant, dans sa musette, sa collecte de la journée, véritable fournisseur pour la cuisine de sa mère. Entre « Mme Eymard » et son fils Joseph, d'ailleurs, s'installa peu à peu une complicité de couple, le fils apportant à la mère cet attachement à toute épreuve auquel le père avait failli : il allait à la poste, taillait les pelouses du jardin, tançait vertement les domestiques ou se précipitait chez la voisine, garçon de courses ou majordome dévoué et servile. Se rendait-il compte, pourtant, parfois, du mépris dans lequel le tenaient ses propres mère, frère et sœur? Car lorsqu'il devait se rendre en visite chez des cousins, par exemple, ou chez des proches, de grandes concertations entre Élodie, Hélène et Jean-Baptiste tentaient de contrôler à vue les maladresses que ce brave Joseph risquait de dire ou faire, comme d'habitude!

Jean-Baptiste était de retour à Thiviers, et pourtant rien ne l'y attachait vraiment, et rien ne l'aurait empêché, cet été-là, d'aller s'embarquer à Brest pour commencer sa carrière de marin. Ni les attentions gastronomiques de sa « bonne petite maman », ni les voyages à Puifeybert, ni sa belle chambre de la rue du Thon. Ni même ces virées à bicyclette qu'il aimait encore faire, du côté de Château, avec ses deux copains d'enfance, Magondeaux et Durieux, avant de courir se baigner dans la Laveau, entre les magnolias, les noisetiers et les haies de roseaux. Jean-Baptiste s'arrachait donc de Thiviers, mais aisément, parce qu'il n'aimait ni le milieu étouffant de la vie de province, ni les ragots, ni les messes, ni la vie paysanne, ni, bien sûr, cette atmosphère empoisonnée de la maison familiale.

Le 1er octobre 1897, dans le port de Brest, l'aspirant de première classe Sartre M.J.B.E. - pour Marie Jean-Baptiste Eymard -, c'est ainsi qu'on le nommera désormais, entrait au service de la Marine nationale. Il s'embarquait sur la frégate à voiles la *Melpomène* où, sous les ordres du commandant Testard, capitaine de vaisseau, il serait initié aux techniques de l'entretien et du gréement d'un navire dans cette école de gabiers, réputée entre toutes. Le 20 octobre, la *Melpomène* quitta le port de Brest, le 11 novembre, elle était à Madère, le 5 décembre, aux îles Canaries, le 22 décembre, à Dakar au Sénégal, et puis deux jours plus tard, à Saint-Vincent, dans les îles du Cap-Vert, avec retour sur Brest via Rufisque et Dakar. « Sert avec beaucoup de zèle et d'activité... Montre beaucoup de goût pour le métier de la mer », nota au bout de six mois d'exercices le commandant Testard, certain de voir déjà, en Jean-Baptiste, se profiler un futur amiral [4]. Mais Jean-Baptiste avait-il vraiment eu le temps de connaître la mer? Il avait appris à monter sur les mâts et les enfléchures, à prendre des ris, à surveiller les espars, les hunes, les dromes et les racages, à distinguer le gréement dormant et le gréement courant.

Après ces prémices tropicales dans l'escadre de la Méditerranée occidentale et du Levant, les choses devinrent rapidement beaucoup plus sérieuses. A Cherbourg, il prit passage sur le *Bruix* pour rejoindre, via Manille, la baie de Kouang-tcheou-wan : c'est là que mouillait le *Descartes* où il était désormais affecté. Ce croiseur de deuxième classe n'avait que quatre ans d'âge, mais quatorze canons et une puissance de 5 500 chevaux; il appartenait à l'escadre de l'Extrême-Orient et du Pacifique occidental. Sous les ordres du capitaine de vaisseau Philibert et du capitaine de frégate Serpette de Bersaucourt, le *Descartes* allait occuper, on va le voir, une place stratégique importante dans l'escadre de la région. Et s'il croisa ces baies superbes, ces îles et ces rizières autour de l'île de Kouang-tcheou-wan, aux confins de la Chine, de l'Indochine, du Japon et des îles Philippines, s'il appareilla, pendant deux années ininterrompues, de la baie d'Along pour Hoiteou, Hong Kong, Woosung, Nagasaki, Pagoda, Nankin et

Manille, ce fut selon un plan bien particulier. Jean-Baptiste, dès les premiers mois de son arrivée dans ces mers extrême-orientales, eut à peine le temps de s'initier aux rudiments de son nouveau poste, qu'il dut assurer une campagne de guerre dans le golfe du Tonkin. Ses compétences mathématiques allaient heureusement être mises à profit, puisqu'on l'affecta au service des montres et de la timonerie; il entra alors dans l'emploi du temps parfaitement réglé d'officier de quart; calculant la ligne de foi, serrant de près l'état absolu, balançant le sextant, rédigeant le journal des montres, écoutant attentivement le gabier chanter les fonds, saluant les grains. Mais l'apprentissage ne traîna pas : c'était la guerre.

Jean-Baptiste, en effet, entrait dans la marine vers la fin des grandes manœuvres coloniales, à l'heure où France, Allemagne, Grande-Bretagne, Espagne et Amérique se partageaient, en Extrême-Orient, de précieux territoires. Il apportait son concours à l'heure où le vice-amiral de Beaumont, commandant en chef de l'escadre de l'Extrême-Orient, pressait l'amiral Besnard, ministre de la Marine, et le ministre Hanotaux, au Quai d'Orsay, de lui accorder des troupes en plus grand nombre, des bâtiments plus modernes, ce qui lui permettrait de mener à bien ses projets d'annexion et d'acquérir telle île, telle concession, tel comptoir. « Du point de vue commercial, écrivait Beaumont, l'acquisition de Kouang-tcheou-wan est susceptible de donner de belles espérances. Le pays est riche, bien peuplé, bien cultivé, productif de récoltes variées, et irrigué de nombreuses artères fluviales et maritimes. La population travailleuse a accepté notre arrivée avec une indifférence bienveillante, calculant simplement les bénéfices qu'elle peut réaliser avec nous. Il n'en a pas été de même du côté des mandarins et des lettrés qui sentent très bien le danger de notre voisinage et la fatalité de nos extensions futures [5]... » L'acquisition de la baie de Kouang-tcheou-wan fut très précisément la première campagne de guerre à laquelle Jean-Baptiste – alors affecté au poste conjoint des montres et du canonnage – participa sur le *Descartes*. Depuis des années déjà, l'amiral y avait envoyé ses hommes pour relever des cartes, délimiter des territoires, effectuer des travaux, des sondages pour mieux connaître cette zone clef, si précieuse sur le plan stratégique, qui lui permettrait d'accroître son rayon d'influence. Au nord-est du golfe du Tonkin, au nord de l'île de Hai-nan, placée sur la côte sud-est de la Chine entre Hong Kong et le delta du fleuve Rouge, Kouang-tcheou-wan était effectivement remarquablement située. Pendant les mois de mai et de juin 1898, attentif derrière ses canonniers, Jean-Baptiste dut donc obéir aux ordres du commandant Philibert qui menait l'ensemble des opérations depuis le *Descartes*; Jean-Baptiste servit avec « zèle et courage », mais sans vraiment s'identifier à l'attitude générale de ses supérieurs. « Le commandant Philibert est dur et remuant », écrira-t-il d'ailleurs un an plus tard à son père, lorsqu'il quittera le *Descartes,* à la première bonne occasion. Il dut donc obéir, mais sans enthousiasme, lorsque le commandant Philibert exposa ses plans : il avait rencontré le colonel Tcheng, commissaire de la baie de Kouang-tcheou-wan, pour lui exposer ses griefs contre les populations du village voisin : vols et attaques à main armée, « populace très remuante »; il avait également rencontré le sous-préfet de Sui-kai. « Le préfet était ému et irrité, raconta à ses hommes le commandant Philibert, il venait d'être mal reçu par les habitants du village de Hoiteou, ajoutant que ces gens étaient stupides, ne voulaient rien entendre, étaient menés par des sociétés secrètes, et refusaient toute conversation avec les Français... »

Et ce qui devait arriver arriva : l'affrontement eut lieu du 12 au 15 juillet 1898, l'amiral se fit alors un plaisir d'en relater tous les détails au ministre de la Marine. « Le 12 juillet à 3 heures 50 de l'après-midi, après de Hoiteou, écrivit-il, des bandes chinoises de 500 à 600 hommes armés de fusils, de coupe-coupe, de lances, de boucliers, sortirent brusquement d'un ravin. Un autre groupe de 300 hommes au moins sortait alors dans le même temps d'un village du Sud; les ordres semblaient être donnés par un Chinois de ce groupe qui portait un drapeau rouge; un feu assez vif était dirigé sur nous. Le commandant Philibert, arrivé aussitôt à terre, fit signaler à son bâtiment de tirer sur les rassemblements et sur Hoiteou. Le feu des canons de 65 fut dirigé sur les rassemblements et sur Hoiteou-can et les villages environnants; on compta près de dix morts et de nombreux blessés parmi les Chinois. A 4 heures 45, le feu avait cessé... » On passera sur les actions complémentaires, sur les patrouilles de protection, sur les sections de marins, envoyées sur le terrain « pour s'assurer qu'aucune bande ne se cachait plus dans les nombreux buissons et replis du terrain ». On passera sur les opérations d'intimidation ordonnées les jours suivants, comme, par exemple, le 15 juillet, ce « tir très lent effectué à des heures variables par les canons de 100 du *Descartes* et les canons de 65 du fort sur les villages voisins abandonnés, en faisant à chaque coup légèrement varier les impacts, de façon à empêcher les habitants de rentrer chez eux, de continuer leur vie ordinaire, et afin de les tenir constamment en éveil... » On aura compris, enfin, que les détails de cette campagne impérialiste forcenée écœurèrent définitivement Jean-Baptiste. Elles marquèrent sa pauvre carrière d'officier de marine : « Campagne de guerre au Tonkin », écrivirent fièrement sur son dossier ses supérieurs hiérarchiques. La guerre, en effet, avait déjà profondément marqué ses premiers mois de service : n'avait-il pas assisté, depuis le *Bruix,* à l'un des épisodes les plus spectaculaires de la guerre hispano-américaine qui avait pour enjeu l'île de Cuba? C'était le 1er mai 1898, en rade de Manille, et la flotte espagnole avait été anéantie en quelques heures sous le feu nourri et répété de l'amiral George Dewey.

Après les opérations coloniales, les intempéries : l'été 1898 fut détestable dans la région : gros vent à rafales, grains nombreux, pluies torrentielles, mers fortes, typhon, graves dégâts militaires. Après les intempéries, nouvelles opérations de répression. « Les récentes annexions de territoire par les Européens, écrivit au ministre le vice-amiral, ont développé une grande fermentation en Chine : on doit craindre partout des insultes fréquentes de la populace. » A nouveau, Jean-Baptiste fut chargé du maintien de l'ordre dans ces populations de l'empire du Milieu, « imbues », toujours selon l'amiral, « d'une défiance héréditaire à l'égard des Européens, et se livrant constamment à leurs habitudes séculaires de rapines ». Il fallait, poursuivait-il, « leur faire entendre raison, puisque, menées par des sociétés secrètes, elles tentaient de renverser la dynastie tartare qui régnait à Pékin »... Fatigué du commandant Philibert, de son zèle belliqueux, Jean-Baptiste quitta le *Descartes* pour le *Jean-Bart.* « Le service y est bien moins pénible, expliquait-il à sa famille, l'administration plus fraternelle. J'ai vu le moyen de finir plus tranquillement ma campagne, je l'ai pris. » Et il décrivait les événements qui l'attendaient. « Nous allons quitter la baie d'Along. L'*Entrecasteaux,* le *Descartes* et le *Jean-Bart* partiront en ligne de file pour Kouang-tcheou-wan... où nous devons faire une démonstration afin de faciliter à notre profit le travail de délimitation. Combien de temps resterons-nous là-bas? Je l'ignore, un mois, deux mois, ou quelques jours. Je ne sais. Et après? Je le sais encore moins. Tout cela n'est pas fort intéressant : j'aurais préféré un voyage au Japon. La campagne d'Extrême-Orient est bien gâtée, bien dénuée d'intérêt : nos gouvernants ont une si grande peur des conflits avec l'Angleterre qu'ils bloquent tous les bateaux français en Indochine pour être sûrs que nous ne serons vus par personne et, partant, ne porterons ombrage à personne. Aussi, maintenant, je n'attends plus que mon retour qui s'approche chaque jour... »

L'attirance de Jean-Baptiste pour la mer, mise à mal par cette campagne de guerre au Tonkin et par les excès du commandant Philibert, était-elle en train de s'éteindre? « La campagne d'Extrême-Orient est bien gâtée, bien dénuée d'intérêt... J'aurais préféré un voyage au Japon. » Est-ce l'aventurier qui parle ici, le pacifiste, l'officier qui savait, selon son commandant, « se montrer doux et ferme » avec ses inférieurs hiérarchiques? C'est en tout cas un homme déçu, un peu amer, et bien désenchanté. Un homme que les dernières semaines en mer de Chine n'épargnèrent vraiment pas. A cette longue série de déboires, il ne manquait que la maladie. Et elle vint : Jean-Baptiste tomba malade en août 1899. Non pas de cette épidémie de dengue qui s'était développée sur le *Jean-Bart,* non pas de la fièvre typhoïde dont succomba un mois plus tard le lieutenant de vaisseau Latapie, mais d'une entérocolite de Cochinchine, qui nécessita son rapatriement en France. Voyage de retour long et pénible pour l'enseigne de vaisseau de 1re classe, Sartre M.J.B.E., qui fut recueilli au 5e dépôt de rapatriés de Marseille. Ironie du sort : pendant que Jean-Baptiste, couché et malade, était ramené en France, le commandant Philibert, lui, s'enorgueillissait d'un autre voyage, « triomphal » celui-là. Depuis le 24 août, en effet, « le pavillon de France flottait sur la baie de Kouang-tcheou-wan et sur l'île de Nachau » et Philibert avait « exprimé le désir de regagner le Tonkin par la route ». Accompagné de son acolyte le colonel chinois Tcheng, il eut donc la joie d'effectuer un voyage de soixante kilomètres, « avec cent soldats bien équipés et armés, drapeaux, trompettes, tam-tam, parasols, chaises à porteurs, coolies de bagages, qui dura plus de trois jours, au milieu d'un concours de populations stupéfaites qui n'avaient jamais vu d'Européen. Leur attitude, poursuivit le commandant, ne fut ni enthousiaste ni agressive, mais simplement curieuse avec ce sentiment particulier du Chinois barbare vis-à-vis de l'Europe. Somme toute, conclut-il, l'impression produite fut grande, et plus d'une figure sérieuse nous parut refléter la grave pensée que mon passage au milieu de ces populations formait la date d'un tournant de leur histoire et que pour eux une ère nouvelle allait s'ouvrir ».

Jean-Baptiste, pour sa part, revint en France bien éprouvé par ces campagnes et par cette maladie, rapportant, somme toute, des images, des impressions fortes, quelques soieries chinoises pour offrir à Thiviers, mais fort peu de passion pour les choix belliqueux de ses supérieurs hiérarchiques. D'ailleurs, c'est vraiment là que prit fin dans sa tête sa carrière d'officier de marine. Il poursuivit encore, on va le voir, jusqu'en novembre 1905 ses séjours à bord de certains bâtiments, mais le cœur n'y était plus, il était fréquemment affaibli ou souffrant, on l'affecta souvent à des postes pour lesquels il n'avait ni compétence ni intérêt, on le mit dans des situations d'échec, on s'étonna de la lenteur de son avancement en grade, on nota même, cruellement, parfois que « son embarquement comme chef de quart sur un navire en escadre était un véritable ennui pour son commandant qui, en réalité, la nuit à la mer, devait faire le quart » : bref, le cercle vicieux. La vie de Jean-Baptiste se résuma alors à quelques dates, quelques déplacements : 1er décembre 1899, dépôt de rapatriés, Marseille; 13 décembre 1899-13 mars 1900 : hôpital de Toulon; mars à juin 1900 : Thiviers, congé de convalescence. Dix mois de reprise de service en mer, à bord du *Linois,* dans la Méditerranée. Puis quatre mois de cure à Plombières. Puis un an de service sur le *Loiret,* attaché à la rade de Cherbourg. Puis de nouveaux embarquements sur le *Calédonien,* la *Couronne,* le *Dupuy-de-Lôme* et le *Bouvines.* Adjoint à l'officier de tir, puis responsable des écoles de pointage, il sembla, au cours de l'année 1903, avoir totalement recouvré ses compétences et, surtout, sa santé. Durant presque deux ans, alors, ses commandants noteront tous, sans exception, face au chapitre santé : « excellente ».

Un beau jour, tandis que, sous les ordres du commandant du *Bouvines,* le capitaine de vaisseau Dufaure de Lajarte, Jean-Baptiste s'occupait avec « une persévérance et une patience dignes d'éloges » des écoles de pointage, il eut droit à une escale et se retrouva à Cherbourg, seul. Il savait que l'un de ses anciens camarades de la promotion 95, Georges Schweitzer, y était devenu, entre-temps, ingénieur du génie maritime. Il chercha son adresse et alla le trouver. Quelques jours plus tard, Schweitzer présenta à Jean-Baptiste sa sœur, Anne-Marie, qui avait à peine vingt et un ans. Au bout de quelques semaines, Jean-Baptiste écrivait simultanément deux demandes en mariage : l'une, destinée au père d'Anne-Marie, qui était professeur à Paris, M. Charles Schweitzer; l'autre, destinée, comme le voulait la coutume, à son supérieur hiérarchique. La première, on n'en connaît pas la teneur. Quant à la seconde, elle reprenait la forme traditionnelle du courrier officiel : « Commandant, écrivait Jean-Baptiste, je vous prie de vouloir bien transmettre à Monsieur le Préfet maritime de Toulon la présente demande tendant à me faire autoriser à épouser Mademoiselle Anne-Marie Schweitzer habitant chez ses parents à Paris, 13, rue Mignard, XVIe arrondissement. » « L'union projetée entre M. Sartre et Mlle Schweitzer me paraît réunir toutes les conditions de convenance désirables », avait approuvé le contre-amiral, commandant la 2e division de l'escadre du Nord.

Jean-Baptiste Sartre épousa Anne-Marie Schweitzer le 5 mai 1904, à Paris. Seule sa mère avait fait le voyage depuis Thiviers, pour assister à la cérémonie religieuse. « C'est, mademoiselle, une éducation de femme moderne que l'on vous a donnée dans le milieu cultivé où vous avez grandi... » affirma sans ironie l'abbé Dibildos dans son allocution en l'église de Passy. « On vous a appris à aimer les œuvres de haute et pure beauté classique, on vous a initiée aux méthodes des sciences. Vous voilà bien préparée à devenir la compagne d'un homme " nourri aux

Escadre du Nord
2ème Division

Garde-côtes cuirassé
le "Bouvines"

Bord, le 29 mars 1904

L'enseigne de vaisseau Sartre

à Monsieur le Capitaine de Vaisseau,
Commandant le "Bouvines"

Demande en autorisation
de mariage

Autorisation n° 110
accordée le 14 avril 1904

Commandant,

Je vous prie de vouloir bien transmettre à Monsieur le Préfet Maritime de Toulon la présente demande tendant à me faire autoriser à épouser Mademoiselle Anne-Marie Schweitzer habitant chez ses parents à Paris.

Transmis à Mr le C. Amiral
Comt la 2e Divon de l'Escadre du Nord.
avec 2 pièces jointes :
1° Certificat du Maire du XVIe Arrondt de Paris
2° Renseignements du Gouverneur Militaire de Paris.
L'union projetée entre Mr Sartre
et Melle Schweitzer me paraît
réunir toutes les conditions de convenance
désirables.

Bord, le 10 Avril 1904

Le COMMANDANT
Lanson

Sartre

[illegible] avec avis conforme
à M. [illegible] Vice-Amiral
Commandant en Chef
le 11 avril 1904
Le Contre-Amiral
Commandant la 2e Division.

Fleyger

Transmis pour la suite
à Monsieur le Vice Amiral Comt
en chef Préfet Mme à Toulon
Massinon. Brest, le 11 avril 1904
P. Ordre [illegible] Major
[illegible]

[illegible]

mathématiques »... Mettez-vous à son école, mademoiselle : lisez les livres qu'il vous donnera et soyez attentive à ses commentaires; suivez-le dans ses propres études. Donnez à votre intelligence cette fermeté et cette étendue que nous avons la fatuité d'appeler viriles [6]. » A une époque où la répartition des rôles entre l'homme et la femme – à lui l'intelligence, à elle le cœur – tenait encore bon, ce discours ne choqua pas la foule : Anne-Marie serait assurément devenue la parfaite épouse d'un amiral de la flotte française. La très jolie mariée qui dépassait d'une bonne tête son officier en uniforme n'avait certainement pas fait ce mariage par intérêt : l'enquête réglementaire à laquelle la gendarmerie avait dû procéder tendait à vérifier que la jeune fiancée possédait, avec sa dot, de quoi compléter le maigre salaire de la marine. Anne-Marie avait reçu de son père une dot de 40 000 francs, cela avait suffi.

Trois mois après son mariage, Jean-Baptiste rejoignit en rade de Brest son cuirassé le *Bouvines*; et, très vite, il exprima son souhait d'obtenir un congé de six mois sans solde à Paris pour affaires personnelles. « Je désire quitter la marine, expliquait-il, ce congé me permettrait de rechercher une nouvelle situation. » On lui accorda ce congé : 15 novembre 1904-15 mai 1905, et Jean-Baptiste partagea pendant six mois la vie de sa femme, rue de Siam, à Paris, XVIe arrondissement. Pour Noël, le jeune couple se rendit à Thiviers. « Je meurs d'envie de venir voir la famille et le pays où J.B. a passé son enfance », avait écrit six mois plus tôt à sa belle-mère la femme de Jean-Baptiste. Le jeudi 24 décembre 1904, Jean-Baptiste et Anne-Marie – on l'avait surnommée « You » dans sa famille et les Sartre suivront cette coutume – arrivèrent en gare de Thiviers par le train de six heures du soir. Ils étaient accompagnés de Joseph qui avait abrégé une visite chez les cousins de Croisset et les avait retrouvés dans le train. Longue jupe de taffetas noir, veste d'astrakan noir, chapeau bleu-gris très clair en feutre mélusine garni d'un cache-peigne de violettes blanches, You fit beaucoup d'effet en arrivant. « Très simplement mise, mais avec goût », commenta sa belle-mère, qui craignait quelque excès choquant de la Parisienne. Cérémonie des cadeaux : You avait apporté pour la grand-mère Theulier un grand et beau fichu de laine noire, deux poches de bonbons pour son beau-père, un coussin de satin jaune, enfin, avec application de dentelle Richelieu qu'elle avait cousu elle-même pour sa belle-mère. Puis ce furent les visites : les Vincent, les Hellier, les Dussutour, les Farrand, les Lacoste, les Lapouyade, les Hautefort, monsieur le curé, enfin, reçurent le jeune couple. Certains rendirent la visite : Mme Dussutour, Mme Durieux, Mme Hellier. Il y eut de merveilleux dîners gastronomiques en famille, auxquels se joignit, le dimanche 27, Joseph Jollivet qui était de passage. Seule ombre au tableau : l'absence d'Hélène; elle était mariée, depuis six mois, au capitaine Frédéric Lannes, en poste à Montpellier, et n'avait pu se déplacer. Le temps fut splendide pendant ces trois jours, et la famille Sartre sembla apprécier la nouvelle venue, qui était jolie, éduquée, réservée. Tout spécialement le docteur Sartre qui, au dire de sa femme, « a redoublé d'amabilités et de prévenances pour elle, mais sans faire de gros frais de porte-monnaie : il a beaucoup causé avec elle ». « You a conquis tout le monde ici, par sa gentillesse toute simple, raconta pour sa part Jean-Baptiste, mais nous passons ici en feu follet. » Ce fut vraiment un feu follet : trois jours plus tard, ils étaient repartis par le train de deux heures. Alors, à Thiviers, on commenta longuement : J.B. avait mauvaise mine, il était amaigri, et l'on s'inquiétait du retour de ces fréquentes migraines. You, par contre, semblait rayonnante. « Elle porte très bien son poupon, écrivit Mme Sartre mère à sa fille Hélène, elle n'a pas le ventre très fort, poursuivit-elle, ce sont les hanches qui sont fortes. Sa figure n'est pas très changée, elle a toujours un joli teint, en un mot, tout fait supposer qu'elle aura une grossesse heureuse. Elle est déjà presque à la moitié, c'est pour les premiers jours de juin, l'événement... »

En effet, l' « événement » dont You était porteuse réjouissait les Thivériens et compensait un peu les inquiétudes qui renaissaient devant la santé à nouveau flanchante de ce pauvre J.B. Dans ces lettres on pouvait lire à l'avance le programme des mois à venir : réjouissances et inquiétudes; à Thiviers on avait vu juste. « Ils ont l'air très heureux ensemble », concluait la femme du docteur Sartre. Certes, ils avaient l'air heureux, et You raconta que le voyage ne l'avait pas du tout fatiguée, au contraire, que son beau-père avait été « charmant tout à fait » pour elle, que « la chère maman » s'était « ingéniée à les gâter », que tout le monde, enfin, les avait « accueillis de façon charmante ». Commentaires plats, dans les limites de la bienséance bourgeoise, et qui n'en disaient pas bien long.

Plus tard, l'enfant dont elle était alors enceinte deviendrait Jean-Paul Sartre. Lui non plus ne parla pas beaucoup du pays de son père : quelques allusions, discrètes, et souvent impossibles à décoder, comme dans son premier livre, *La Nausée.* Mais, explicitement, il ne se référa jamais ni à Thiviers, ni au Périgord et manifesta, quand l'occasion lui en était donnée, une farouche horreur de la chlorophylle. Un jour, abordé dans un restaurant par une jeune femme nommée Sartre, originaire du Sud-Ouest, et qui se présentait comme une cousine lointaine, il répondit fort civilement aux questions que l'inconnue lui posait, mais laissa tomber la conversation et poursuivit son repas. Unique concession, peut-être dérisoire, au pays de Jean-Baptiste? Le seul foie gras qu'il acceptât de manger pour Noël, qu'il exigeait « du Périgord », et cuit, comme à Thiviers, comme à Puifeybert, « dans une pâtissière de terre ». Quant aux quelques livres hérités de Jean-Baptiste, un ouvrage de Le Dantec sur l'avenir de la science et un autre de Weber : *Vers le positivisme par l'idéalisme absolu,* il les parcourut distraitement et, très vite, il les vendit.

LES MALHEURS D'ANNE-MARIE

> « On me montre une jeune géante, on me dit que c'est ma mère. De moi-même, je la prendrais plutôt pour une sœur aînée... Elle me raconte ses malheurs et je l'écoute avec compassion : plus tard, je l'épouserai pour la protéger. Je le lui promets... »
>
> *Les Mots.*

La Coquille... Bussière-Galant... Lafarge... Nexon... Limoges... Était-elle satisfaite de son voyage, cette Anne-Marie de vingt-deux ans, si élégante en astrakan noir, qui voyait, dans le train du retour, passer les noms des villes et des villages où elle n'était encore jamais allée? Était-elle enthousiasmée par Thiviers, ou bien déçue et réticente? Était-elle surprise, joyeuse, étonnée? Elle ne disait rien. Elle ne parla pas à Jean-Baptiste. Docile, elle avait trouvé tout le monde « charmant » et elle avait tout dit. On ne s'improvise pas critique, loquace ou rebelle après tant d'années de passivité et de silence. Elle ne s'exprima donc pas, au retour de Thiviers, mais elle perçut très fortement ce sentiment étrange d'un vrai décalage culturel.

Anne-Marie Schweitzer, avant d'épouser Jean-Baptiste, avait grandi en jachère, petite fille puis jeune fille délaissée, sans projet précis pour la vie future, comme une longue liane taciturne. « Les Schweitzer sont nés musiciens », avait affirmé son père. Elle joua donc, sur le piano de ses parents, les plus difficiles des sonates de Beethoven, et chanta, en s'accompagnant elle-même, des lieder de Schubert et de Brahms. S'initia à la couture, au dessin, toujours avec un réel bonheur. Tranquille, silencieuse, passive, elle se soumit gentiment à son destin de jeune fille de bonne famille qui ne revendiquait rien et subissait les coups du sort avec la distinction des femmes de son milieu. Comme tous les Schweitzer, elle était grande, mince et d'une solide culture. Mais sa beauté ne se montrait jamais ni ravageuse ni insolente : de grands yeux clairs, une bouche sensuelle, une épaisse chevelure et un regard tranquille de jeune fille sage et résignée, un peu écrasée par les hommes.

D'ailleurs Charles Schweitzer, le père d'Anne-Marie, ou Philippe-Chrétien, son grand-père, n'étaient-ils pas reconnus comme de fortes personnalités? Dans la petite ville de Pfaffenhoffen, coincée dans l'extrême triangle nord-est de la France, le seul nom de Schweitzer provoque encore des souvenirs chez les habitants, et la grosse maison cossue de Philippe est restée la plus riche des demeures de cette rue principale, droite, propre et fleurie. Depuis que leur ancêtre Jean-Nicolas Schweitzer, fils d'un batelier de Francfort-sur-le-Main, était arrivé à Strasbourg en 1660, où il devint pasteur, les hommes de la famille avaient tous choisi d'exercer le métier d'instituteur. Une véritable dynastie que cette famille Schweitzer : depuis le fils de l'ancêtre pasteur jusqu'au grand-père d'Anne-Marie, sept générations de Schweitzer se succédèrent dans les écoles de petites villes alsaciennes, Boofzheim, Eckwersheim, Pfaffenhoffen, enfin. Mais le grand-père d'Anne-Marie décida, du fait de nouvelles circonstances historiques, de rompre à contrecœur la longue chaîne d'enseignants dont il était issu. Au rétablissement de l'Empire, il afficha ouvertement ses idées de gauche, refusa de prêter serment à Napoléon III, perdit son poste de fonctionnaire et se fit épicier. Féru de politique et républicain jusqu'à la moelle des os, il devint, par la suite (de 1875 à 1886), maire de Pfaffenhoffen : consciencieusement, il commenta dans son journal, alternativement en français, en allemand et en dialecte alsacien, la plupart des événements politiques de l'époque. « C'est au nom de l'ordre et de la liberté que réclame le pays que je vote : " Non! " » écrivit-il rageusement au moment du plébiscite du 8 mai 1870 [1]. Philippe-Chrétien, pourtant, allait doublement manquer le coche, c'est-à-dire l'avènement de la IIIe République où seraient appliquées la plupart de ses idées, tant pédagogiques que politiques. Il avait en effet choisi de rester en terre allemande, après la défaite de la France en 1870, et il arrivait à l'âge de la retraite au moment même où débutait cette période que d'aucuns nommeront plus tard l' « âge d'or du protestantisme ». Où Jules Ferry, pour élaborer sa nouvelle conception de l'enseignement primaire, s'entoura d'une véritable équipe de pédagogues protestants et protestants *libéraux* – comme Félix Pécaut ou Ferdinand Buisson. Le *Dictionnaire pédagogique*, véritable Bible de l'enseignement primaire, reprenait la plupart des idées que les protestants libéraux avaient toujours développées et transmises : foi dans le libre arbitre de l'enfant, dans la Raison, l'Histoire et la Nature, avec l'ambition de former des individus libres et autonomes, à l'esprit critique acéré. « Il était réservé à la IIIe République, s'enorgueillissait Ferdinand Buisson, de reprendre l'œuvre éducatrice de la Révolution là où elle l'a laissée... » Avec la flamme des militants, avec l'abnégation des missionnaires, ces pédagogues éclairés se donnèrent un idéal clair et ambitieux : régénérer la France contre l'enseignement sclérosé dispensé par les nombreuses congrégations catholiques; éduquer le peuple tout en donnant à chacun le sens de la responsabilité individuelle. « L'organisation de notre enseignement primaire, avant le XXe siècle, affirmait d'ailleurs l'universitaire Bréal, est fils du protestantisme... » Les Schweitzer avaient tous appartenu à cette minorité sûre de sa foi, forte et fière, à cette minorité pure, républicaine et militante, à cette minorité dans une minorité : les protestants libéraux.

Parmi les cinq enfants de Philippe-Chrétien Schweitzer, trois garçons : Auguste, « le plus riche », qui créa à Paris une affaire de commerce avec le Pérou; Louis, « le plus pieux », qui devint pasteur à Kaysersberg puis à Gunsbach et engendra le célèbre Albert Schweitzer; Charles, « le plus intelligent » – c'est lui-même qui l'affirmait –, le père d'Anne-Marie. Charles était l'aîné des cinq enfants, « enfant prodige » selon sa mère qui le destinait à une carrière de pasteur; remuant et forte tête, il avait été, pour une histoire de femme, chassé du séminaire protestant où il était élève, puis avait sans beaucoup d'efforts préparé l'agrégation d'allemand. Le 1er mai 1872, il opta pour la France puis épousa à Mâcon, où il enseignait, une jeune fille du pays, Louise Guillemin. De ce couple un peu artificiel, naquirent trois enfants : Georges, qui devint polytechnicien – promotion 95; Émile, un futur professeur d'allemand, comme son père; Anne-Marie, enfin. « Georges est des trois enfants celui que je préfère, expliquait parfois la mère d'Anne-Marie, c'est celui qui fait le moins de bruit », commentait-elle très sérieusement. C'est qu'elle ne semblait pas très maternelle, cette Louise Guillemin qui avait épousé Charles Schweitzer; ni vraiment mère, ni vraiment épouse, d'ailleurs. En d'autres temps, gageons qu'elle eût préféré une vie de femme autonome et libre : nullement effacée, mais véhémente, mais cultivée, mais pleine d'humour, cette rebelle avait choisi de s'enfermer dans une bizarre maladie chronique pour résister à la personnalité, un peu écrasante, de son impressionnant mari. Elle refusa par exemple de le suivre à Paris, lorsqu'il fut muté au lycée Janson-de-Sailly, inscrivit ses trois enfants en pension : les deux garçons chez les dominicains – elle était catholique –, la fille chez les bonnes sœurs, et s'installa définitivement dans son rôle de malade. Elle résista ainsi, des années, quittant le lit de la maison de santé d'Arcachon pour celui de la maison de campagne de ses parents près de Saint-Gobain ou pour celui qu'elle occupait, épisodiquement, dans une chambre à part, sous le toit de Charles Schweitzer, elle fit donc la grève de la vie, comme d'autres, parfois, font la grève de la faim. Et pourtant, quelle femme! Cynique, orgueilleuse, tolérante, elle citait volontiers Voltaire, Diderot et l'*Encyclopédie,* adorait les bons mots, les boutades, cherchait, maladroitement et avec les moyens du bord, une identité de femme et vécut non pas avec, mais à côté de Charles Schweitzer, cet agrégé d'allemand, trop sûr de lui, trop méprisant, trop théâtral, que rien n'empêchait – et surtout pas la présence de sa femme – de plaisanter longuement avec ses frères en dialecte alsacien, après les repas de famille...

C'étaient là sans doute quelques-unes des images, quelques-uns des souvenirs qui occupaient Anne-Marie, secouée dans ce train, entre Périgueux et Paris. Il y avait, certes, la perception trouble de disparités culturelles de taille entre les Schweitzer et les Sartre – n'iraient-elles pas en s'accroissant? Il y avait, surtout, la conviction profonde que la vie de couple n'était pas une chose évidente : son père et sa mère lui avaient montré une association ratée, mais batailleuse, mais colorée; les parents de J.B. se trouvaient, pour leur part, englués dans des rapports bien plus conventionnels : conflits lourds et permanents partagés tous les jours, sous le même toit, dans l'indifférence et sans recours. Malgré ces sinistres exemples, pourtant, tout porte à croire que les mois qui suivirent furent, pour les deux voyageurs, une période heureuse; que J.B. s'occupa d'elle, en grand frère, en protecteur, comme il s'était jadis occupé de sa sœur Hélène; qu'Anne-Marie trouva, enfin, quelqu'un qui lui parlait, lui conseillait des lectures, appréciait ses talents. L'année 1905 allait commencer et, quelques mois plus tard, Anne-Marie mettrait au monde « une petite Annie » ou « un petit Paul » comme elle disait, avec à l'évidence une préférence pour la fille. L'année 1905 allait commencer et, pour Anne-Marie et pour l'enfant, l'officier de marine décida de renoncer aux voyages au Japon dont il avait rêvé jadis. Guerres coloniales, maladies, pressions hiérarchiques avaient bien vite érodé ses motifs de départ : alors Jean-Baptiste n'eut de cesse de revenir à terre. Il courut les ministères, les cabinets, se présenta à un emploi de « rédacteur de la marine », sollicita même des soutiens officiels, envisagea les solutions les plus saugrenues.

La petite Annie ou le petit Paul naîtrait dans les premiers jours de juin, vers la fin mai, peut-être, avec un peu de chance, espérait Jean-Baptiste dont le congé sans solde prenait impérativement fin le 15 mai; les règlements étaient stricts : tout écart serait puni. Ce fut alors une sorte de course contre la montre pour trouver un emploi à terre avant ce funeste 15 mai, avec peut-être le secret désir que l'enfant naquît avant terme. Mais You et J.B. eurent tôt fait de comprendre que l'espoir était vain : l'administration de la marine ne leur ferait pas de faveur particulière, et pour l'enfant ils avaient, somme toute, dû se tromper dans leurs calculs, en le programmant un mois trop tôt. Le 14 mai 1905, à contrecœur, J.B. quittait Paris pour Toulon. Le 29, désespéré, il embarquait sur le torpilleur de haute mer *La Tourmente,* comme officier en second, direction la Sicile puis la Crète, avec escales à Messine, Palerme, La Canée. De chacun de ces ports, il télégraphia à sa femme; et tous ces premiers jours de mer il attendit l'annonce de la naissance. « Je vais embarquer de Toulon, écrivit-il à Thiviers, bien triste à l'idée de quitter You à la veille d'être mère, et tellement navré de ne pouvoir embrasser mon enfant... » Et You, de son côté, disait la même chose : « Je suis bien malheureuse en l'absence de mon cher Jean, mais j'ai un peu d'espoir de le revoir en octobre; s'il a un embarquement de seulement dix-huit mois, je suis bien décidée à aller le rejoindre à La Canée, en Crète... Actuellement, poursuivait-elle, je suis tellement énorme que je ne peux sortir soir et matin. Si vous le voulez bien, je vous mènerai mon bébé vers la fin septembre : il sera beau et fort à ce moment-là. Pour le baptême, précisait-elle encore, on attendra J.B., mais on fera ondoyer l'enfant dès sa naissance. » Et l'on s'organisa, comme le montrent ces lettres, avec l'absence de Jean-Baptiste : un père marin, c'était déjà un peu un père fugueur. Alors, en Crète, à Thiviers, à Paris, tout le monde attendit. Les Schweitzer avaient loué pour le mois de juillet une grande maison dans le Mâconnais et l' « erreur de calcul » dérangeait bien des choses : plus l'enfant tardait à venir, plus faibles étaient les chances qu'il pût être déplacé hors de Paris. Enfin, ce contretemps était vraiment fâcheux. « Toujours aucune nouvelle de notre petit marin », écrivait depuis Thiviers la future grand-mère Sartre, en date du 21 juin. Quelques heures plus tard, deux télégrammes étaient postés par le grand-père Schweitzer, l'un pour la Crète, l'autre pour Thiviers : il annonçait la naissance d'un garçon [2].

Jean-Paul Sartre venait au monde en retard et, dès l'abord, bousculait bien des projets familiaux. Mais il arrivait au monde en même temps qu'un certain nombre d'événements politiques qui allaient marquer le siècle. 1905, c'était l'année de la première révolution russe, de la guerre russo-japonaise, ou, plus proche de lui, de la loi de séparation de l'Église et de l'État. Car à Thiviers, pendant qu'on attendait l' « événement », manifestations de rue et soulèvement spontanés témoignèrent des tensions sournoises de la petite ville où partisans et adversaires de la fameuse loi s'opposaient. Dans tout le Périgord, d'ailleurs, on s'agitait beaucoup depuis qu'en 1901 une loi avait été votée pour interdire l'enseignement aux congrégations religieuses. Depuis, surtout, que Mgr Delamaire, évêque de Périgueux, s'était publiquement opposé à Émile Combes, le ministre des Cultes du président Loubet. A Thiviers, trois personnalités représentaient le combat anticlérical : le maire, un républicain de gauche, le docteur Prévost; un de ses conseillers généraux, Rey, particulièrement belliqueux. « Nous avons réussi à attraper à la gauche le cléricalisme », déclara-t-il cet été-là; un imprimeur franc-maçon, enfin, et non des moindres puisque le père Fargeot était celui qui imprimait le quotidien *L'Indépendant de Thiviers.* Le 22 février 1904, un groupe de trois cents femmes s'était même rassemblé devant l'église de Thiviers; et, solennellement, elles avaient promis de « rendre le règne de Dieu à la Patrie et à la Liberté de la France ». « Je marche contre l'omnipotence religieuse et congréganiste, pour la prépondérance de la société civile », avait alors répliqué le conseiller général. « A bas les juifs et les franc-maçons », reprenaient les femmes. « A bas l'abrutissement clérical. Vive la raison, vive la lumière et vive l'école laïque! » scandaient leurs ennemis. De sa fenêtre de la rue du Thon, la femme du docteur Sartre était aux premières loges pour assister aux déchirements publics des Thibériens. Le 21 août 1905, elle écrivait à sa fille Hélène : « La petite Marie Jousseix vient d'être nommée titulaire à l'école de Thiviers. J'ai eu l'occasion de voir sa mère à la sortie de l'église. Je la plains vraiment, poursuivait-elle, connaissant l'esprit de certains Thibériens. Pauvre fille, elle sera surveillée! Elle est effrayée à l'avance, mais ne veut rien changer à ses habitudes de religion. » Ainsi les conflits sur la laïcité de l'enseignement prirent-ils parfois des tours un peu personnels dans les milieux bien-pensants de Thiviers. La loi de séparation fut votée le 9 décembre 1905 : l'héritier des Sartre et des Schweitzer allait avoir six mois.

Et c'était bien lui l'événement de l'année pour ces deux familles-là. Charles Schweitzer, un passionné de photographie, avait mitraillé son petit-fils, seul ou avec sa mère, sous tous les angles possibles. On envoya des photographies sur le torpilleur de haute mer *La Tourmente* qui croisait toujours au large de la Crète; on en envoya à Thiviers. Comme dans toutes les familles, on s'extasia sur les photos; elles furent montrées à tous les visiteurs de la rue du Thon, et même envoyées à Hélène, à Montpellier. Et puis, à Thiviers, on se prépara à le recevoir dignement : « J'ai passé une partie de l'après-midi, écrivit la nouvelle grand-mère Sartre, à remonter mon berceau, ou plutôt votre berceau. Je l'ai fait repeindre, blanchir le filet et la frange, j'ai trouvé assez de cretonne pareille à la doublure des rideaux pour le doubler puis j'ai trouvé de vieux rideaux de lit en mousseline pour faire les rideaux, en un mot j'aurai fait un superbe berceau et à peu de frais. Si on veut bien me le conduire, mon berceau sera prêt pour recevoir J.P. » Et l'on s'essayait déjà à lui trouver des diminutifs, comme pour l'intégrer avant même de le connaître. Alors que J.P. devenait célèbre dans le petit cercle de la famille, J.B., lui, sur son torpilleur, s'ennuyait ferme. « Je n'y ai pas vécu comme un bourgeois », expliquait-il vertement à sa sœur Hélène qui lui avait reproché son indifférence, « et il ne m'était pas loisible d'écrire une lettre. Sais-tu ce qu'est un torpilleur? Depuis quatre mois je vis sur un torpilleur, j'y mange et j'y dors, je ne le quitte pas... Fais travailler un peu ton imagination, essaie de te figurer les mers très dures de la Crète, la chaleur de l'été ici et tu comprendras. » Et Jean-Baptiste ajoutait, accablé : « J'entrevois le retour, et ce sera, je crois, le retour définitif. Il est possible que j'aie au mois d'octobre une très bonne occasion de quitter la marine... Je serai redevenu heureux lorsque j'aurai retrouvé une vie normale. Tu as eu des nouvelles de ma femme et de mon petit Paul. J'ai eu cette compensation de les savoir toujours en très bonne santé. Paul est magnifique, paraît-il. Qu'il me tarde de le connaître, ce cher petit, et de retrouver sa maman! Il y a beaucoup de bonheur qui m'attend là-bas. Crois-tu quelle sottise cela est de vivre ici... » Jean-Baptiste, malgré tous ses efforts, malgré tous ses souhaits, n'eut aucune occasion de quitter la marine : le 2 juin, il avait fait une demande de permutation d'embarquement; le 18 juillet, il avait reçu une recommandation du ministre du Commerce pour l'obtention d'un poste à terre; le 23 août, il fut inscrit sur la liste des candidats de rédacteur; le 10 septembre, enfin, il demandait un congé d'un an sans solde pour « rétablir sa santé » : rien n'y fit. Août, septembre, octobre : son « petit Paul » comme il le nommait eut deux mois, puis trois, puis quatre, et Jean-Baptiste se languissait, impuissant au large de la Crète. C'est la maladie qui le rapprocha de son fils : le 5 novembre, il fut rapatrié au 5e dépôt de Toulon, cinq ans très exactement après son premier retour en catastrophe depuis la baie d'Along. Une semaine plus tard, il était rue de Siam, auprès de You qu'il trouva superbe de santé et de son petit Paul.

Premier tête-à-tête entre un père et un fils. « Nous avons pesé quelque temps, lui et moi, sur la même terre, voilà tout », écrira plus tard le fils. Quant à Jean-Baptiste, il vivait avec beaucoup d'émotion la découverte de son enfant : « Mon petit Paul est un enfant délicieux, racontait-il à ses parents. Il s'amuse de tout, remue perpétuellement, s'agite, crie à tue-tête, rit aux éclats mais jamais ne pleure. Son regard est curieux, intelligent et très doux...

installé à côté de moi, dans son fauteuil tout près de la fenêtre, il regarde la rue, ce qu'il aime beaucoup, et s'amuse avec un chapelet que je ramasse fréquemment... Il est très avancé pour son âge, moi je n'y connais rien mais je trouve mon petit très beau... » Jean-Baptiste s'extasiait sur un enfant de cinq mois et dépérissait lentement : « Je ne puis dire que je suis revenu en excellente santé, admettait-il, ces six mois d'été m'ont été très durs à tous points de vue, mais je n'ai besoin que de repos et de soins, et surtout, j'ai besoin d'être chez moi. » Pour les fêtes de Noël 1905, le trio Sartre – le père, la mère, le fils – réveillonna en famille au 16 de la rue de Siam; l'enfant adora l'arbre, les bougies, J.B. goûta au colis de Thiviers, il se sentait « mieux, mais pas fort ». Et l'on se préoccupa du baptême de « petit Paul » : à Paris, à Thiviers?

Contrairement à ce que J.B. avait espéré, pourtant, le repos, les soins, la vie de famille ne vinrent pas à bout de sa rechute. C'est que les mois d'été en Crète avaient provoqué d'une part la rechute de son entérocolite de Cochinchine, d'autre part révélé un point de bronchite, élégamment appelé « induration pulmonaire du sommet droit ». Alors la vie de Jean-Baptiste fut sinistrement rythmée par des visites au conseil supérieur de santé de la Marine, par des lettres administratives qui demandaient que le congé de maladie avec demi-solde fût transformé en un congé de maladie avec solde entière, vu que les soins de ces deux affections étaient longs et dispendieux. Premier congé de convalescence de trois mois à compter du 12 novembre; prolongé de trois mois à compter du 12 février; prolongé encore de trois mois à compter du 12 mai; *idem* encore à dater du 4 août. Entre-temps, la grand-mère Theulier était morte, à plus de quatre-vingts ans, dans la maison de la rue du Thon; sur son testament, elle faisait de ses trois petits-enfants Sartre les principaux héritiers de ses propriétés et Jean-Baptiste se partageait notamment le domaine de La Brégère avec son frère Joseph. Le 11 mai 1906, Jean-Baptiste annonçait à sa mère une drôle de nouvelle écrite pour la première fois, d'ailleurs, sur un papier de deuil, à bordure noire : « Du changement. Nous allons à Thiviers avec tout notre mobilier. Tu vas revoir César et sa fortune, écrivait-il mystérieusement. Tout pesé, tout bien réfléchi, nous avons intérêt à laisser nos meubles à Thiviers... Je t'expliquerai plus tard... J'ai trouvé un déménageur qui se charge de l'opération... You et Minet sont enchantés, ravis d'aller à Thiviers, et ma foi! moi aussi. Le bon air me fera du bien. Mon mieux persiste, mais ne s'accentue pas. Je traînerai ici, je crois. » Et il ajoutait encore, pour tempérer la nouvelle : « Ne t'inquiète pas; nous ne vous fatiguerons pas. Mais il y a beaucoup à réfléchir tout de même... Minet embrasse fort sa grand-mère... » Le 15 mai 1906, on vit donc arriver, suivis de tous leurs meubles,

les trois Sartre qui s'en revenaient au point de départ : J.B., You et « petit Paul », dit « J.P. », dit « Minet », dit « Poulou ». Retour contraint et forcé mais, somme toute, plein de bon sens, puisqu'il fallait au malade une convalescence à la campagne, que le malade n'avait pas grande fortune, qu'il venait, enfin, d'hériter d'une grande propriété en pleines terres, à cinq minutes de Thiviers. J.B. et sa femme s'installèrent très vite à La Brégère; quant au bébé, il fut laissé à Thiviers, ce qui était en effet plus pratique. Le docteur, la grand-mère Sartre et Joseph s'épuisaient en fréquents aller et retour entre les deux maisons, portant des nouvelles de l'enfant. Au mois de juillet le grand-père Schweitzer vint rendre visite à son gendre à La Brégère, et soutenir Anne-Marie qui s'inquiétait. « Pauvre petite, commentait la femme du docteur Sartre, elle a tant de chagrin que cette présence de son père est un peu de baume. Jean aussi est content. M. Schweitzer l'a trouvé bien vieilli, bien changé et, tout en ayant encore de l'espoir, je crois bien qu'il comprend enfin la triste vérité... » En trois mois d'été, donc, J.B. avait encore décliné : on le vit « misérable », puis « en meilleure forme », puis soumis à « des poussées de fièvre », plus tard encore « désespéré ». Le malade était pourtant suivi conjointement par deux médecins : par son père, d'abord, par son ami d'enfance, aussi, Jean-Louis Durieux, qui venait l'examiner tous les jours. Jean-Baptiste devait en fait lutter sur deux fronts simultanés, et son organisme résistait de plus en plus mal. Il y avait l'entérocolite qui l'affaiblissait tous les jours davantage, et la tuberculose qui faisait son chemin sur un terrain miné. Quant au bébé, lui aussi, il s'affaiblissait – était-ce parce qu'il perdait sa mère? Et la grand-mère Sartre en vint même à parler de ses « deux malades » : « Poulou, écrit-elle, a très bien reconnu son grand-père Schweitzer et lui a fait la fête. Mais le pauvre petit est bien malmené par la dentition... » Et elle ajoutait, en fin de lettre, à sa fille : « Je suis *vieille,* bien *vieille,* et pourtant il me faut redevenir jeune et chanter malgré mes peines pour endormir et amuser Poulou... » Tout le monde fut donc convié à amuser Poulou qui, à un an passé, devait sentir bien des choses dans cet environnement morbide. Joseph s'occupa alors beaucoup de lui, ainsi que la petite bonne Juliette à la veille d'être renvoyée.

Le 16 septembre 1906, au terme de cet été misérable, Mme Sartre écrivit encore à sa fille Hélène : « J'ai été obligée d'aller à La Brégère, Jean a passé une mauvaise journée, le temps s'étant rafraîchi à la suite d'une ondée. Il a été convenu qu'ils allaient revenir ici dès demain. Ton père ira chercher Jean avec toutes les précautions que nécessite son état. Quant au pauvre bébé, il sera confié à la garde de Joseph : tu trouveras ce pauvre petit aussi chétif qu'il était beau en photographie... Il demande un petit agneau et il a souri lorsque je lui ai dit: " Je vais écrire à tante Hélène pour qu'elle en envoie un à son petit Poulou. " » Le 17 septembre, comme convenu, le docteur Eymard Sartre se rendit à La Brégère pour ramener J.B. et You dans la maison de Thiviers. Jean-Baptiste toussa tout le long du trajet. Son père l'aida à monter dans la voiture, l'aida à s'installer au premier étage. On lui mena son « petit Paul », qui pleura beaucoup, parce qu'il faisait ses dents. Quelques minutes plus tard, à six heures du soir, ce 17 septembre 1906, Jean-Baptiste mourut dans sa chambre d'enfance.

Cimetière de Thiviers, mercredi 21 septembre 1906, onze heures du matin; une foule immense attend l'arrivée du convoi funèbre sur la place du Docteur-Jules-Theulier. Les amis d'enfance tiennent les cordons du poêle, ceux de l'École polytechnique, venus en délégation, portent le drap mortuaire. L'épée et les insignes de Jean-Baptiste sont placés sur le cercueil. Fleurs, couronnes et bouquets se déploient tout autour. Le docteur Durieux, ami d'enfance de Jean-Baptiste et son dernier médecin, rappelle dans son discours les étapes de la carrière et de la maladie d'un homme jeune qui avait tout fait pour réussir sa vie et la manquait, qui avait disposé les pions et ne pouvait les jouer. « S'il eût suffi de soins éclairés, d'attentions affectueuses, de veilles sans nombre, de sanglots étouffés, pour réaliser le miracle de la santé rendue, poursuivait l'orateur, ce miracle eût été réalisé par celle qui fut vraiment l'ange du foyer. Mais, en revanche, que de reconnaissance chez le jeune malade! Quand se livra la suprême lutte, le pauvre agonisant trouva à plusieurs reprises la force surhumaine d'adresser, entre deux étouffements, à celle qu'il laissait, quelques derniers sourires. Tel le geste de main duquel, naguère encore, il saluait de loin, sur le navire en marche, les personnes chères qu'il quittait momentanément, il m'apparut que ces derniers sourires étaient non point un signe d'adieu, mais un signe d'au revoir. C'est pourquoi, m'unissant au deuil de sa jeune veuve, de son petit enfant, de ses malheureux parents, de ses nombreux amis, j'adresse au cher disparu un adieu plein d'espérance. »

L'hebdomadaire local, *L'Indépendant du Périgord,* consacra tout un article à l'événement, rappelant que Jean-Baptiste avait devant lui « le plus brillant avenir et qu'il serait certainement devenu une gloire pour la cité de Thiviers ». Anne-Marie était âgée de vingt-quatre ans, son fils de quinze mois. Elle porta de longues robes noires, de longs voiles de crêpe noir retenus dans ses cheveux par un bandeau blanc. Elle habilla son petit garçon de ces costumes de marin que portent parfois les enfants, avec un grand col rayé de bleu marine et blanc. Seul rappel de Jean-Baptiste, peut-être, avec un portrait un peu solennel de l'enseigne de vaisseau en uniforme qui, accroché au-dessus du lit de son fils, disparaîtra en 1917.

L'intermède Thiviers n'avait pratiquement duré pour Anne-Marie que le temps de l'agonie de Jean-Baptiste. Elle ne se doutait pas qu'il allait, en fait, se poursuivre beaucoup plus longtemps et même, plus tard, l'entraver durement. Pour l'heure, elle retournait vers les Schweitzer, trop éprouvée encore pour s'occuper de régler chez le notaire de Thiviers ses problèmes de succession. Elle laissait dans la rue du Thon ses beaux-parents bien vieillis, partagés entre un étrange sentiment de culpabilité que leur fils fût parti si tôt et un sentiment de gêne bizarre devant cette jeune femme étrangère. Deux décès dans la famille, à quelques mois d'intervalle; mais la roue tournait, et dans quelques jours arriveraient à Thiviers Hélène et son mari : c'est là qu'elle mettrait au monde le nouveau bébé de la famille, on espérait une petite fille, une compagne de jeu pour Poulou.

La Coquille... Bussière-Galant... Lafarge... Nexon... Limoges... Anne-Marie, encore une fois, regardait passer les noms des gares qui la ramenaient vers Paris. Son petit garçon, installé devant la fenêtre, observait les rivières, les bosquets, les chevaux qui passaient. Drôle de retour, que celui-là; elle n'avait d'ailleurs pas tardé à quitter Thiviers après l'enterrement : sans J.B., qu'y ferait-elle? Elle savait trop bien que ce dernier voyage n'avait été pour Jean-Baptiste qu'un retour obligé et, pour elle, Thiviers et La Brégère étaient désormais marqués des avant-signes de la mort.

BESTIAIRE PRIVÉ D'UN ENFANT-ROI

« Un enfant gâté n'est pas triste; il s'ennuie comme un roi. Comme un chien. »

Les Mots.

L'enfant blond en costume marin accompagnait une jeune femme longue et noire dans la petite voiture qui reliait Thiviers à Limoges, puis dans le train Limoges-Paris. Sentait-il, même confusément, qu'il était désormais débarrassé, auprès de sa mère, de son principal rival, Jean-Baptiste? Dès sa naissance, en effet, l'enfant avait été le seul homme auprès d'Anne-Marie, tandis que son père se morfondait, seul, au large de la Crète. Et puis Jean-Baptiste était rentré et avait, intermède malheureux, détrôné le « petit Paul », avant de disparaître. Pendant l'été de Thiviers, l'enfant tourmenté, affaibli, amaigri, avait plus que jamais perdu sa mère. Maintenant, il reprenait possession d'Anne-Marie et repartait, seul avec elle, en toute liberté, en toute quiétude : son père ne reviendrait plus. Les dix années qui suivirent furent la grande époque d'un couple d'amoureux éperdus, naufragés démunis : la mère et le fils. Ce furent également dix années Schweitzer : Anne-Marie avait ainsi choisi une solution bien sage, le retour chez ses parents. Avec, à son passif, un mariage pour rien, mais un petit garçon « très avancé pour son âge ». « Les familles, bien sûr, préfèrent les veuves aux filles mères, mais c'est de justesse », écrira plus tard l'enfant [1].

1907-1917 : plus tard, Sartre raconterait ces dix années-là, et elles seules, dans son livre autobiographique, *Les Mots.* Il écrirait, raturerait, chercherait, recommencerait, s'acharnerait comme un fou pour cerner, pour sertir, pour construire. Ainsi, pour des raisons que l'on comprendra aisément, il mettrait entre parenthèses les deux périodes qui encadraient ces années de bonheur :

directement avant, il y avait Jean-Baptiste; directement après, ce serait Joseph Mancy, le second mari, le plus détesté des deux. Les deux hommes d'Anne-Marie. Sans doute y a-t-il quelque indécence, pour les biographes obstinés, à percer de force la gangue de ces « années Schweitzer », entièrement recomposées, près de cinquante ans plus tard, par les soins de l'écrivain Sartre, dans *Les Mots.* Sans doute y a-t-il quelque impudence à planter ses outils de fouille archéologique dans un chef-d'œuvre : brillant, impérieux, écrit à l'emporte-pièce, *Les Mots* ne laisse que très peu de place au commentaire et à la glose. C'est un livre puissant, autoritaire, séducteur, irrésistible, qui prend le lecteur par des stratégies contrastées, l'emporte, le ravit, l'enthousiasme et l'abandonne enfin, traumatisé et sans défense : le choc. Ce livre, qui paraîtrait en 1963, on le lirait longtemps comme le récit, par Sartre, de son enfance : c'était à la fois beaucoup plus et beaucoup moins. C'était un roman d'apprentissage, écrit à l'âge adulte, fort en interprétations, en subjectivité et en lyrisme, divagation puissante autour de son enfance où disparaissaient tant de traces, dont Jean-Baptiste et tout ce côté de Thiviers, qu'il voulut délibérément oublier. C'était une auto-analyse, agencée par un orfèvre qui aurait truqué ses outils. C'était un autoportrait, allégrement dérisoire, où il se maltraitait généreusement. C'était un règlement de comptes. C'était une ode à sa mère. C'était une belle œuvre d'art. Oui, c'était tout cela, *Les Mots,* tout cela et bien autre chose encore. Et la biographie restait bien en deçà. Dans les pages qui vont suivre, pourtant, le biographe et l'écrivain se croiseront, se feront des signes, mais de loin et sans conséquence. Car l'écrivain, en laissant cette œuvre magistrale – forteresse imprenable –, a du même coup aidé et desservi. Il a donné des informations, des acteurs, des images précises, des clés et de grands blancs; il a, dans le même temps, subtilisé le code et brouillé toutes les pistes. On a cherché, enquêté sur ces années-là, alternativement évitant ou cognant de plein fouet l'écueil des *Mots.* Peu d'étonnement, donc, si les pages qui vont suivre se ressentent de ce face-à-face douloureux et inévitable avec l'écrivain. Non, décidément, on n'entre pas en Sartre comme dans un moulin.

On pénétrera, tout de même, dans les lieux où vécut l'enfant-roi, entouré de ceux qu'il décrivit plus tard lui-même : le grand-père, altier et tout-puissant, « un homme du XIXe siècle qui se prenait, comme tant d'autres, comme Victor Hugo lui-même, pour Victor Hugo... un bel homme à barbe de fleuve, toujours entre deux coups de théâtre, comme l'alcoolique entre deux vins [2]... » Charles Schweitzer, soixante-deux ans, dit « Karl » pour son petit-fils. A côté de lui, insolente et fière, la grand-mère « Mamie », Louise Schweitzer, cinquante-huit ans, une « femme vive et malicieuse, mais froide [qui] pensait droit et mal, parce que son mari pensait bien et de travers... Entourée de vertueux comédiens, elle avait pris en haine la comédie et la vertu [3] ». Et puis, bien sûr, Anne-Marie, vingt-quatre ans, la mère-sœur dont il partage la chambre, l'amante incestueuse : « Aujourd'hui encore, en 1963, ajoutera-t-il pudiquement dans *Les Mots*, l'inceste est bien le seul lien de parenté qui m'émeuve [4]. » Au centre de ce bizarre trio, enfin, un bambin de deux ans, bouclé, blond, adoré, superbe, Poulou, l'enfant-roi. Désormais, c'en est fini des noms que lui avaient attribués les gens de Thiviers; c'en est fini de « J.P. », de « Minet », de « petit Paul » : c'est « Poulou », le surnom donné par Anne-Marie qui prévaut et triomphe. Dans la grande maison de Meudon, puis dans l'appartement bien haut perché de la rue Le Goff, à Paris, entre Panthéon et Luxembourg, avec déplacements à Saint-Gobain dans la famille de Mamie, à Guérigny dans la Nièvre, chez l'oncle Georges, à Arcachon pour les vacances, à Gunsbach et à Pfaffenhoffen, enfin, en Alsace occupée, le quatuor Schweitzer mena une vraie vie de famille, intense et haute en couleur.

« C'était le Paradis, disent encore *Les Mots* [5]. Chaque matin, je m'éveillais dans une stupeur de joie, admirant la chance folle qui m'avait fait naître dans la famille la plus unie, dans le plus beau pays du monde... » C'était, de fait, avec la Belle Époque, l'apogée de la gaieté tranquille, de la sérénité bourgeoise, l'illusion bienheureuse du progrès et de la science. C'était le grand miracle, la période bénie où naissaient conjointement cinéma, radio, téléphone, automobile et aviation. Et la terre semblait presque conquise par les effets conjugués des impérialismes occidentaux et des nouvelles prouesses techniques : un équilibre social, un ordre mondial, qui comblaient les bourgeois en général et les Schweitzer en particulier. Sous la présidence d'Armand Fallières, pourtant, de violentes secousses sociales apparurent : soulèvements, manifestations, grèves, ébranlèrent brutalement ce faux équilibre béat. « Nous sommes ceux qui travaillent et qui n'ont pas le sou... Nous sommes ceux qui ont des outils au soleil et des vignes au bout des bras... Ceux qui veulent manger en travaillant et ceux qui ont droit à la vie. Nous sommes ceux qui ne veulent pas crever de faim... » Dans le Languedoc, la révolte des gueux secoua le monde paysan; les syndicats agricoles appelèrent à des congrès de plus en plus violents; les plus grandes foules de manifestants jamais réunies sous la IIIe République piétinèrent à Perpignan, Nîmes et Montpellier; le maire de Narbonne hissa le drapeau noir sur sa mairie et le président du Conseil, Georges Clemenceau, reçut personnellement des délégués paysans... A Paris, près du jardin du Luxembourg, dans un immeuble d'angle, derrière les rideaux d'un appartement à plafonds hauts, sixième étage sur rue, le quatuor Schweitzer accédait à ces nouvelles par la lecture des journaux *Le Temps* et *Le Matin,* exceptionnellement commentés par le grand-père. « Ce dreyfusard ne me parla jamais de Dreyfus », regrettera le petit-fils. Malgré ce mutisme, malgré cette protection extrême exercée par Charles sur ce domaine réservé aux hommes, interdit aux femmes et aux enfants, le trio des exclus devina, malgré tout, le 17 janvier 1912 que le citoyen Schweitzer avait voté pour que le radical Poincaré devînt président de la République contre le futur ministre de l'Agriculture, Pams, un « marchand de cigarettes »; le droit de vote n'étant, bien sûr, pas encore accordé aux femmes – il ne le sera qu'en 1944 – encore moins aux enfants. Guimpe de tulle à très haut col, longues jupes volantées, taille très haute plongeante et prise dans un corset, corsage en dentelle, manches bouillonnées au coude, capeline posée de biais et surchargée de voiles et de fleurs, Louise et Anne-Marie, « mes femmes », comme aimait à dire Charles Schweitzer, maintenaient, en cette première décennie du XXe siècle, les comportements et les manières que les bonnes familles se transmettaient de mère en fille. Le 3 juillet 1907, avait été votée à la Chambre des députés la première loi sur la protection du travail féminin. Pour les deux femmes de Charles Schweitzer secondées, dans leurs travaux ménagers, par une petite bonne alsacienne, les réalités des secousses ouvrières qui mettront à mort le bloc des gauches n'eurent que très peu d'écho.

Le début de la guerre de 1914, par contre, vint brutalement trouer le bel équilibre de la famille Schweitzer : c'est qu'il y avait, à la clef, la restitution à la France de l'Alsace-Lorraine perdue, et que cet espoir prenait toutes les formes possibles du délire nationaliste, « patriotard », écrirait Sartre. Comme le jour où Charles Schweitzer, pour distraire son petit-fils et ses camarades, écrivit et mit en scène une « pièce patriotique à dix personnages » : Poulou était un jeune Alsacien dont « le père avait opté pour la France » et qui franchissait « la frontière, secrètement, pour aller le rejoindre ». « On m'avait ménagé des répliques de bravoure, lit-on dans *Les Mots.* J'étendais le bras droit, j'inclinais la tête et je murmurais, cachant ma joue dans le creux de mon épaule : " Adieu, adieu, notre chère Alsace. " [6] ». L'enfant, d'ailleurs, avait lu et relu les grands albums de l'oncle Hansi, aux dessins bleus et colorés, aux ravissants villages alsaciens dont l'inévitable clocher était inévitablement couronné de l'inévitable cigogne. « Depuis quarante ans, lisait-il en pleine période d'occupation prussienne, rien n'a changé dans notre pays. Deux peuples, deux races continuent d'y vivre séparément sans se mêler jamais. D'un côté, l'Alsacien, fier de son patrimoine, de ses souffrances endurées; de l'autre, l'envahisseur, bruyant et plein de morgue, cherchant, sous prétexte de germanisation, à imposer sa Kultur... » Et tous les petits Alsaciens-Lorrains furent ainsi, pendant un demi-siècle, maintenus en respiration artificielle avec la culture française par ces dessins, ces caricatures, cette histoire de France tout spécialement écrite pour eux [7]. Au cours de la première année de guerre, Charles Schweitzer, Alsacien blessé, confiait ainsi, par exemple, comme dans cette lettre à un ami, ses inquiétudes et ses soucis : « L'année qui commence sera-t-elle celle enfin où mon cher pays pourra respirer? Un doigté délicat sera nécessaire et la plus odieuse maladresse serait de couvrir le pays d'une nuée de mandarins qui ne comprennent ni un mot de la langue, ni le plus simple élément du cœur alsacien... Cette inquiétude qui m'étreignait, comme elle étreignait de vieux Alsaciens comme moi... a un peu disparu depuis que j'ai eu l'assurance, par une relation du président Poincaré, qu'on y enverrait des administrateurs alsaciens qui connaissent le pays. Malheureusement ce sont les Chambres qui décideront et vous savez comme moi les Chambres que nous avons. Qu'ils aillent donc y faire de la politique anticléricale, nos paysans se changeront en autant de chouans [8]. » Tendresse et vigilance de ce grand amateur de spéculations politiques, véritable ambassadeur parisien des complexités de son pays. Comme de juste, l'enfant allait parfois lui emboîter le pas; ce petit-fils d'Alsacien, qui avait toujours vécu à Paris, vengerait son grand-père : « Je prendrais la relève, clamait l'enfant valeureux, par ma personne l'Alsace martyre entrerait à l'Université [9]. »

Comment, cependant, l'enfant aurait-il supporté simplement les grands éclats publics, les « apparitions » de son grand-père? « Au mois de septembre 1914, il se manifesta dans un cinéma d'Arcachon : nous étions au balcon, ma mère et moi, quand il réclama la lumière; d'autres messieurs faisaient autour de lui les anges et criaient : " Victoire! Victoire! " Dieu monta sur la scène et lut le communiqué de la Marne [10]. » Alors que toute la salle se levait en délire et applaudissait, tout autant ce personnage grandiose et théâtral que la victoire des braves soldats français, l'enfant, lui, n'en menait pas large. Un peu gêné, il regarda de loin la scène, silencieux. Pour lui, cette guerre de 14 fut surtout la découverte d'une nouvelle forme de héros qui venait contrarier bien des choses dans son univers intérieur : le héros collectif.

Jusqu'alors, en effet, cet enfant prodige avait été initié, dans les rayons de la bibliothèque de son grand-père, aux faits et gestes de tant de ces héros individuels rencontrés au cours de ses lectures. Jusqu'alors, également, il avait été lui-même placé, par les soins de Karl, dans le rôle de Poulou, héros individuel, acteur principal et diva renommée, au centre d'une interminable et rebondissante œuvre lyrique qui se donnait et se redonnait chaque jour, entre les murs de la maison Schweitzer. Dans *Les Mots,* Sartre nous raconterait donc une histoire? Il aurait été, lui, le poupon bouclé en costume marin, pris en main par son grand-père et, tel Pinocchio fabriqué par un Geppetto alsacien, serait devenu un produit bien étrange : petit monstre odieux, condensé d'adulte prétentieux, animal hybride, chien savant, caniche de salon, perroquet bavard. Reconstitution outrancière? Interprétation personnelle? Charles Schweitzer, en tout cas, écrit tout autre chose dans certaines lettres que l'on a retrouvées. « Je me suis fait, explique-t-il à un ami en janvier 1915, maître d'école de mon petit homme à qui j'enseigne, en les apprenant moi-même, l'histoire et la géographie. Rien n'est délicieux, enfin, comme de cultiver et d'ensemencer ces petites intelligences... » Avec son père Philippe Schweitzer, et son grand-père Jean-Chrétien Schweitzer, et son arrière-grand-père et ses ancêtres Jean-Louis Schweitzer et Jean-Jacques Schweitzer, depuis les premières années du XVIIIe siècle alsacien, huit générations d'instituteurs Schweitzer se retrouvèrent donc, par la personne de Charles, penchées sur les destinées, sur le libre arbitre et la culture de l'enfant de cinq ans, Poulou. Le grand-père fit donc de la formation de son petit-fils *son* affaire, ce fut une affaire d'hommes, qu'il traita entre hommes. Imposant à la petite intelligence en question un entraînement impeccable, individualisé, d'élite. Le pédagogue s'en donna à cœur joie, qui se fit maître d'école et maître tout court d'un petit homme en herbe, reprenant, dans cette vocation stimulée, dans cette occasion inouïe, toutes les forces gaspillées dans sa carrière d'enseignant modèle pour les offrir, en virtuose, à cet élève si doué, à cet élève privé, particulier, unique.

Plus tard, l'élève doué décrira à sa manière la formation historique reçue de son grand-père, racontera sa dette : « Mon grand-père m'avait appris l'histoire de notre pays : longtemps, celui-ci fut mal gouverné par des rois, il le resta jusqu'en 1793. Au XIXe siècle, il fut dominé par des empereurs dont il fallait se méfier, parce que la loi électorale qui donnait le vote à tous pouvait aujourd'hui agir sur le gouvernement, et la majorité l'emportait. C'est ainsi que j'ai appris ce qu'était la démocratie; j'appris donc à l'aimer, à la condition que certains individus, plus doués et plus courageux que les autres, sachent la diriger. Je conciliais l'anarchisme et la démocratie, ce qui revenait à faire dominer les hommes par des personnalités, par des héros. Je n'inventais d'ailleurs rien de tout cela. C'était la mentalité de l'époque [11]. »

Charles Schweitzer, on l'a vu, avait été frustré de l'éducation de ses deux fils, mis en pension par leur mère chez les dominicains. Mais dans les lycées où il enseigna, il sut mettre à profit huit générations de passion héréditaire pour l'enseignement primaire, et tout atteste qu'il ressentit ces joies et ces surprises qui gratifient, c'est bien connu, les plus enflammés des pédagogues. Charles Schweitzer allait donc s'adonner à la formation de son petit-fils avec passion, dévouement, et même parfois exubérance. Professeur retraité, il se remit au travail; grand-père pélican, il n'hésita point, après une vie professionnelle déjà bien remplie, à renoncer aux livres qu'il aurait pu lire ou écrire dans ses années de retraite – c'était son devoir et il le fit – pour créer à Paris un institut des langues vivantes, avec passion, comme toujours. Pour cet enfant nommé Poulou, il trouvait une nouvelle jeunesse, généreux et s'aimant généreux comme les grands narcissiques, éperdu de reconnaissance envers ce petit enfant qui lui donnait l'occasion de se dépenser sans compter. Ce fut comme un cadeau, comme un miracle. Ce fut sa dernière cartouche, le grand rachat de sa vie. Ce fut le dernier tour de piste de ce vrai pédagogue. La dernière grande parade d'un vieil homme généreux.

« Mon petit élève – pardonnez à un grand-père – est naturellement prodigieusement intelligent en toute chose... Je cherche ce qu'il pourrait devenir dans la vie, pas mathématicien, bien que fils de polytechnicien... Ce qui caractérise son genre d'aptitude, c'est la parole – de par son atavisme paternel, il est du pays de Bertran de Born – il ne rêve qu'aventures et poésie, mais ce sont là facteurs bien inutiles en ce XXe siècle. Batailleur et éloquent, il y a là, hélas, tout au plus de quoi faire un avocat ou un député! En attendant, il se porte bien, et a le plus heureux caractère du monde, il chante toute la journée... » La prophétie de Charles Schweitzer se révéla-t-elle exacte? On reconnaît toutefois dans ces quelques lignes des projets délibérément modernes pour la carrière de son petit-fils. Que dira-t-on, dès lors, du choix de le comparer à Bertran de Born, ce troubadour batailleur, homme de guerre et écrivain, aventurier et homme de plume? On cherchera à élucider si, plus tard, dans sa vie d'adulte, l'enfant parvint parfois à se conformer à ce modèle illustre aux côtés de qui, dit-on, mourut Richard Cœur de Lion, et qui, dans l'Aquitaine anglaise où Thiviers fut ville frontière, écrivit en langue d'oc son plus beau chant des *sirventès,* avant de se retirer, aveugle, dans une abbaye de la vallée de la Vézère, finir sa vie en méditant.

Si ce Geppetto de grand-père forma un enfant prodige, tout

De par son atavisme paternel, il est du pays de Bertrand de Born – il ne rêve qu'aventures et poésie. Mais ce sont là facteurs bien inutiles en ce vingtième siècle. Batailleur et éloquent, il y a là, hélas, tout au plus de quoi faire un avocat ou un député !

En attendant, il se porte bien et a le plus heureux caractère du monde – il chante toute la journée, et nous en sommes trop heureux après l'avoir vu si longtemps débile.

....

Votre cordialement dévoué

Schweitzer

au plus le rêva-t-il en aventurier littéraire comme il apparaît dans cette correspondance, plutôt qu'en plumitif ambitieux, comme le prétend Sartre dans *Les Mots.* Mais comment, à deux, à cinq, à sept ans, subir la personnalité d'un grand-père trop puissant, sans dériver vers une certaine anormalité? Car, hormis une seule expérience, fort brève d'ailleurs, Poulou ne reçut pas de formation scolaire publique avant l'âge de dix ans; il fut, dans ses premières années, l'élève unique de la classe unique d'un maître d'école qui était son grand-père. La musique de Bach, les écrivains classiques, le raffinement mesuré et l'approche culturelle légèrement puritaine de ce protestant qui – pour avoir abandonné ses études de théologie et tué dans l'œuf la carrière de pasteur que son père souhaitait pour lui – avait depuis « gardé le Divin pour le verser dans la culture [12] » : autant d'influences culturelles déversées sans tri sur un enfant sans protection. A l'actif de ce grand-père, presque une œuvre, du moins une série de livres sérieux, argumentés, à l'image de ses racines culturelles : pêle-mêle une thèse sur Hans Sachs, musicien, chanteur et poète du XVIe siècle – l'un des héros wagnériens des *Maîtres chanteurs* –, une thèse complémentaire en latin sur Guillaume d'Aquitaine, une méthode d'enseignement de l'allemand par la méthode directe, le *Deutsches Lesebuch,* un livre sur Jean-Sébastien Bach, composé avec les deux pasteurs-musiciens de son entourage le plus proche : son frère Louis et son neveu Albert. « Voltaire et Rousseau avaient ferraillé dur en leur temps : c'est qu'il restait encore des tyrans. Hugo, de Guernesey, avait foudroyé Badinguet que mon grand-père m'avait appris à détester [13]. » L'Alsace martyre, les philosophes des Lumières, le salut par l'éthique et par l'art, autant d'ours en peluche avec lesquels cet enfant-là fut initié à la vie, à près de trois générations d'écart. « Entre la première révolution russe et le premier conflit mondial, écrit Sartre, un homme du XIXe siècle imposait à son petit-fils les idées en cours sous Louis-Philippe... Je prenais le départ avec un handicap de quatre-vingts ans [14]. »

Dans la bibliothèque de Charles Schweitzer, plus de mille volumes. Pour l'anecdote, sachons qu'il passa près de quatre ans à ranger tous ses livres, après le déménagement de Meudon à Paris. « Mes femmes m'accablaient de malédictions, explique-t-il à un ami, d'autant que mon cabinet de lecture et le salon ne font qu'un... » Dans le cabinet de lecture du grand-père, donc, entre le piano à queue et le canapé où l'on s'asseyait pour le thé, Poulou apprit à vivre. Les livres du grand-père devinrent son terrain de chasse favori, comme d'autres trouvent au fond d'un jardin la limite fictive à leurs jeux d'enfant. Un territoire, donc. « Les livres ont été mes oiseaux et mes nids, écrira-t-il plus tard, mes bêtes domestiques, mon étable et ma campagne; la bibliothèque, c'était le monde pris dans un miroir... » Et le fils de Jean-Baptiste l'aventurier se lança dans la lecture, comme son père s'était lancé dans ses campagnes d'Indochine, sous l'excitation conjuguée du mystère, de l'imprévisible, de l'infinie variété.

Une bibliothèque d'adulte, bibliothèque classique franco-allemande : elle était tout à l'enfant pendant que le grand-père, qui avait repris du service, enseignait. Couché à plat ventre sur le tapis du salon, Poulou faisait défiler devant ses yeux, des heures durant, des pages et des pages de dictionnaire, des pages et des pages de ces synthèses condensées pour adultes, comme cette fameuse *Vie des hommes illustres,* reçue par l'oncle Georges, comme second prix d'arithmétique, vingt-cinq ans auparavant. *Les Misérables, La Légende des siècles, Madame Bovary,* tous les grands classiques de la littérature française, tous les livres d'histoire grecque y passèrent à leur tour. C'est là, dans ce cabinet de lecture, que l'enfant s'initia aux grands hommes, et sur un mode très particulier, qui restera celui de Sartre toute sa vie : il les lut, les reconnut, les fréquenta en copain, s'adressa à eux avec un grand naturel, dans l'aisance de ceux que n'arrête aucune barrière, de ceux qui se sentent immédiatement de plain-pied avec les génies : Hugo, Voltaire, Corneille, Racine, La Fontaine seront de ceux-là, véritables acolytes du Poulou de dix ans.

D'après ce que nous raconte Sartre dans *Les Mots,* l'enfant lecteur dérapa vite, et devint du même coup un enfant écrivain, fanfaron, ridicule et odieux. Mais ce dérapage fut-il, vraiment, comme il le prétend, un effet pur et simple des ambitions de son grand-père? S'il fallait, en effet, épingler l'écrivain Sartre sur la plus excessive des reconstitutions de ses années d'enfance, ce serait certainement là. Car si Charles avait suggéré à Poulou de s'essayer à l'écriture, ce ne fut que dans le projet d'une carrière d'écrivain. Et rien ne prouve qu'il excita lui-même les ambitions précoces et démesurées de l'enfant, ou qu'il l'entraîna sur les chemins de l'immortalité du génie. Bien au contraire. Lorsque Poulou lança sur son « Cahier de romans » les premiers textes inspirés par son génie précoce : « Pour un papillon », « Le Marchand de bananes », Charles Schweitzer haussa simplement les épaules. « Des bêtises », grogna-t-il en s'échappant. Il fut, d'ailleurs, le seul du cénacle Schweitzer à adopter cette attitude pleine de calme et de bon sens, qui consiste à n'accorder qu'un intérêt fort mesuré à des écrits d'enfant qui sont toujours d'une veine à la fois un peu troublante et excessivement banale. Ce furent donc les autres qui excitèrent le petit monstre et l'accablèrent de compliments. Ce fut Anne-Marie qui, extasiée, recopiait, lisait, diffusait à loisir les textes de son petit homme. Ce fut l'oncle Émile, qui offrit sur-le-champ une machine à écrire. Ce fut la grand-mère qui, chaleureusement, encourageait. Ce fut Mme Picard, une amie de la famille, qui apporta une mappemonde pour inspirer l'enfant...

Oui, c'est bien dans son interprétation du rôle de Charles Schweitzer que Sartre s'emballe dans *Les Mots*. Et c'est exactement là que son récit d'enfance reste truqué. Car les lettres du pédagogue Schweitzer montrent mesure et maîtrise. Car son comportement devant les premiers romans font de lui l'être le plus sensé de toute cette famille. Et si Sartre, fou d'amour pour sa mère, et enfermé dans un complexe d'Œdipe absolument féroce, n'avait rien trouvé de mieux, pour préserver sa mère, que de charger Charles Schweitzer de tous les péchés de la terre? Il apparaît, en effet, à l'évidence qu'Anne-Marie en remit dans l'admiration de son enfant prodige. Et si quelqu'un était à incriminer, dans l'affaire, ce serait certainement elle.

D'ailleurs, Sartre fut très en colère lorsqu'on publia un jour – il devait avoir alors près de cinquante ans – une de ses lettres d'enfant, adressée à Georges Courteline. Cette lettre était, bien sûr, fort drôle, mais démasquait-elle vraiment le petit monstre que nous décrivent *Les Mots*? Et si Sartre se mit en fureur, sans doute est-ce parce que cette lettre démantelait un peu le système d'interprétation qu'il présente dans *Les Mots*. La voici, néanmoins, et sans commentaire superflu.

1, rue Le Goff, 26 janvier 1912

« Cher Monsieur Courteline,

Grand-père m'a dit qu'on vous a donné une grande décoration. Cela me fai bien plaisir quart je rit bien en lisant Théodore et Dhantéon bourelle qui passe devant chez nous. J'ai aussi esseyé de traduire Theodore avec ma bonne allemande mais ma pauvre nina ne comprenait pas le sence de la plaisenterie.

Votre futur ami
(bonne année)
Jean-Paul Sartre 6 ans 1/2. »

Oui, *Les Mots* sera bien aussi une ode à Anne-Marie, mais une ode pudique et parfois masquée. Et les thèmes, qui parcourront ce livre à tiroirs multiples, restent très proches de certains traits les plus spécifiques de la biographie sartrienne : le thème de l'inceste, le thème de la créativité, de l'immortalité, celui de l'homme rival ou de la séduction. Une grande parenté, donc, de la vie réelle à la vie racontée. Seule l'interprétation de l'écrivain, plus tard, viendra brouiller les pistes, déguiser les acteurs. Pour l'heure c'est un enfant qui fait le dur apprentissage des autres et du monde : après une première étape de formation intensive et privée sous la seule autorité pédagogique de son grand-père, il va fréquenter l'école, puis le lycée publics, avec des bonheurs variés...

La politique? Une affaire d'hommes. L'Histoire? Une affaire d'hommes. La poésie? Encore une affaire d'hommes. Grâce à Anne-Marie et avec Anne-Marie, Poulou allait, malgré tout, accéder à des divertissements de son âge, que sa mère, traitée en mineure, partageait avec lui. Ainsi, la lecture des bandes dessinées importées d'Amérique. Ainsi, la découverte du cinématographe. Ainsi, de longues séances où, la mère au piano, le fils à ses jeux, ils partageaient dans une même pièce rêves et distractions qui, s'ils n'étaient pas vraiment menés, vécus en commun, ne s'en déroulaient pas moins dans un voisinage complice, dans une affectueuse et indispensable proximité.

« " Lacrosse est un des plus grands criminels des États-Unis. Il a réussi à me jouer d'une façon inouïe, mais je ne prendrai pas de repos avant de lui avoir fait payer cela. Je le conduirai à la potence, ce beau gentleman... " Nick se tourna vers Chick et Patsy, et leur dit : " J'ai encore juste le temps d'attraper un train pour New York; je pars immédiatement ! " » Nick Carter, « le plus grand détective d'Amérique », fit son entrée sur le marché français le 22 mars 1907. Succès délirant, immédiat. Et tous les mercredis les lecteurs français attendirent avec impatience, sept années durant, le nouveau fascicule où, en une trentaine de pages et pour vingt-cinq centimes, on était sûr de voir le plus célèbre détective de tous les temps mettre à mal un certain nombre de voyous, brigands et malotrus, grâce à ses intuitions de fin limier, son courage, sa bonhomie – qui lui permettait de convaincre en un éclair policiers, chauffeurs, infirmiers et autres braves gens de se mettre à son service –, sa méfiance généralisée des « nègres stupides, dont le courage n'est pas la qualité dominante ». Ainsi, bondissant d'un de ses innombrables pied-à-terre de New York City à une fumerie d'opium, maniant tel un magicien les déguisements et les identités, provoquant le respect, l'admiration, le secours, en glissant un très simple : « Je suis Nick Carter », jonglant avec un véritable réseau extrêmement sophistiqué, traversant l'Amérique en canot, en tramway, en train, en voiture à cheval, le détective déchaînait les passions. Et peu importait que le monde dans lequel il se mouvait fût si intégralement manichéen, si bêtement raciste, ou si totalement composé autour de lui, peu importait que ses techniques d'investigation fussent si simplement intuitives et empiriques – « Cependant le détective éprouvait plus fort et plus tenace que jamais ce sentiment de conviction intime qui l'avait si rarement trompé; quelque aux bons soins de Mr. Flammarion Editeur

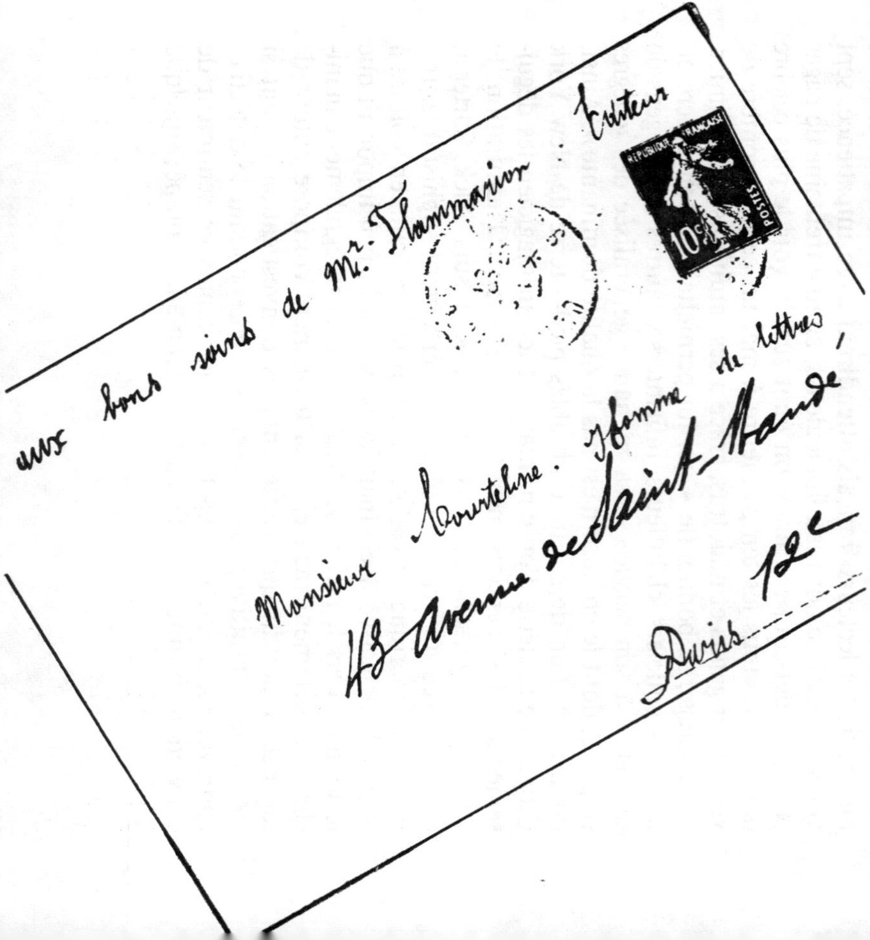

Monsieur Courteline. Homme de lettres

43 Avenue de Saint-Mandé,

Paris 12e

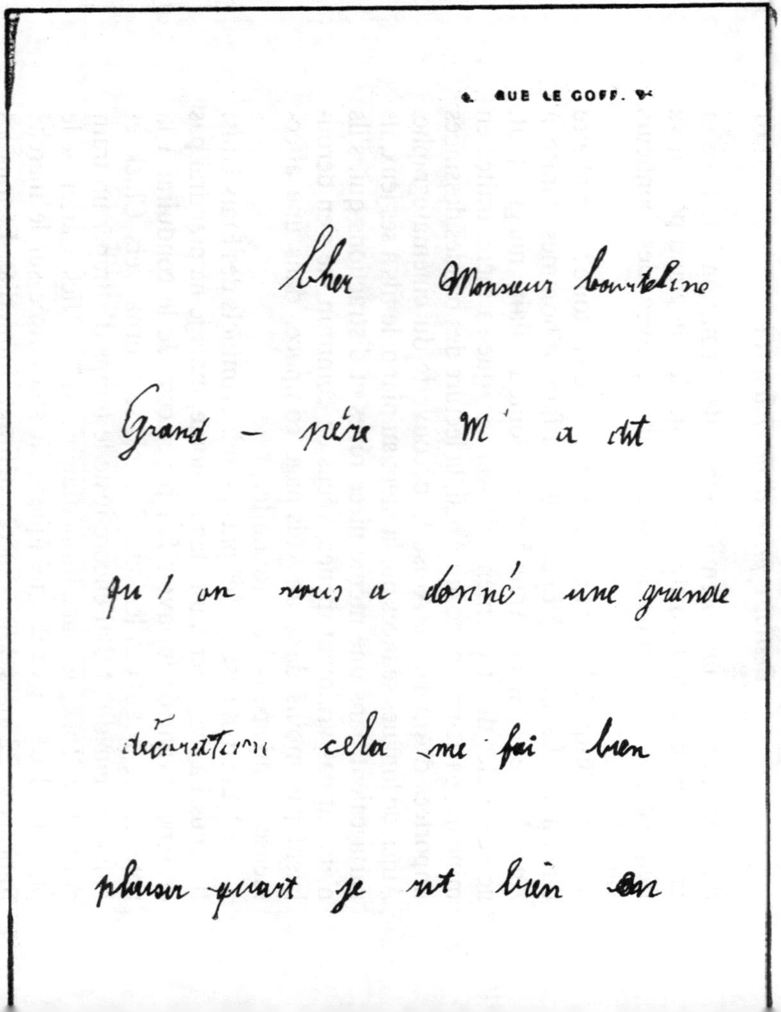

6, RUE LE GOFF. Ve

Cher Monsieur Courteline

Grand-père M'a dit

qu'l on vous a donné une grande

décoration cela me fai bien

plaisir quant je ut bien en

lisant Théodore et Phanthéon borvirelle

qui passe devant chez nous. J'ai

aussi essayé de traduire Théodore avec

ma bonne allemande mais ma pauvre

nina ne comprenait pas le sence

de la plaisanterie.

Votre futur ami
(bonne année)

Jean paul Sartre
6 ans 1/2

chose lui disait que... » – Nick Carter parvenait à tenir le suspense, de semaine en semaine, de fascicule en fascicule, de titre en titre, du *Chemin des Coyotes* aux *Voleurs d'or de Grubstake Mine*, en passant par *Les Fraudeurs de Detroit, Michigan*. Et les terrains vagues et louches de cette Amérique du XIXe siècle, les toits de New York City, les mauvais quartiers de Bowery ou de Harlem devinrent définitivement pour l'enfant-roi les terres privilégiées de l'exotisme et de l'aventure.

L'enfant collectionna les albums, empila les fascicules, entraînant sa mère dans des courses folles chez les bouquinistes qui, le long du quai des Grands-Augustins, vendaient à prix réduit des anciens numéros de la série. Systématiquement, l'enfant fouillait les casiers, à la recherche d'une nouvelle aventure; bientôt, avec la complicité d'Anne-Marie, il se constitua la plus belle des collections de *Nick Carter*; puis, très vite, il découvrit *Buffalo Bill, Texas Jack* et *Sitting Bull* et toute la production américaine y passa. Le colonel W. F. Cody, dit Buffalo Bill, emportant une belle héroïne sur son cheval, « un splendide animal, doué d'une intelligence presque humaine », protégeant les convois contre « les attaques possibles des sauvages tribus indiennes, toujours avides de sang et de butin », était devenu, avec Nick, l'idole de l'enfant. Ainsi que Texas Jack, « la terreur des Indiens », pourchassant les « outlaws », les bandits, les « desperados », et le brave Sitting Bull, couronné de plumes jusqu'au sol, ce « dernier des Sioux », à la noblesse d'âme légendaire, qui défit, en 1876, le général Custer, venu chercher des gisements d'or, autour de la rivière Rosebud [15]...

Ce fut également le chevalier de Pardaillan, et ses aventures épiques contées par le romancier Michel Zévaco, qui enflamma l'enfant-en-chambre. De l'Amérique, l'enfant passait à l'Espagne où le flambant chevalier solitaire, grandiose, libertaire, dressé contre toutes les autorités possibles, retrouvait son éternelle ennemie, la princesse Fausta. « Dans les *Romans héroïques*, l'illustre romancier Michel Zévaco, dont le nom, aimé entre les plus aimés, populaire entre les plus populaires, a l'éclatante et triomphante sonorité d'une fanfare de victoire, a jeté à profusion toutes les qualités éminentes auxquelles il doit son colossal succès, son universelle réputation. C'est de *cette œuvre remarquable* que les Pardaillan ont été extraits pour le cinématographe... » On le voit, la sobriété n'est pas de mise dans cette publicité du 12 décembre 1913. Elle reflète toute une époque, et le petit Sartre en est un acteur fervent : « Pardaillan, c'était mon maître : cent fois, pour l'imiter, superbement campé sur mes jambes de coq, j'ai giflé Henri III et Louis XIII [16]. » Enfin, c'est la découverte grisante de cet art naissant, le cinématographe, c'est, avec Anne-Marie, le délice des séances d'après-midi, où, dans le noir d'une salle de théâtre désaffecté, un pianiste improvisait à mesure, accompagnant les aventures qui se précipitaient sur l'écran, soutenant Pardaillan à Séville, poursuivant Nick Carter à New York, ou redoutant à Paris l'ombre de Fantomas, « cet être mystérieux qui semblait avoir voué à la société une haine implacable... »

« Les années 14 furent les plus heureuses de mon enfance. Ma mère et moi nous avions le même âge et nous ne nous quittions pas. Elle m'appelait son chevalier servant, son petit homme; je lui disais tout [17]... » Connivences, rituels de langage, complicités de mineurs, c'est un couple harmonieux, fusionnel. Qu'on en juge : « Un jour, sur les quais, j'avais découvert douze numéros de *Bufallo Bill* que je ne possédais pas encore; elle se disposait à les payer quand un homme s'approcha, gras et pâle... Il regardait fixement ma mère... " On te gâte, petit, on te gâte... " Je surpris son regard maniaque et nous ne fûmes plus, Anne-Marie et moi, qu'une seule jeune fille effarouchée qui bondit en arrière... Cet incident resserra nos liens : je trottinais d'un air dur, la main dans la main de ma mère et j'étais sûr de la protéger [18]. » On ne touche pas à ce genre de scène, on constate, on écoute, on regarde la mère béate devant les boucles de l'enfant, prenant des photos, faisant prendre des photos, retouchant les photos, essayant le dessin, pour rendre la joue hautaine, la bouche charnue, l'air impérial, la grande chevelure dorée, sophistiquée et mièvre.

Cet enfant que les deux femmes élevaient dans la tendresse et la mignardise avait, de plus, été doté par son grand-père d'une fonction que lui-même pratiquait largement, depuis que sa femme avait entamé contre lui une grève définitive : la polygamie. Dès que Poulou rencontrait une petite fille, s'approchait d'elle, dès qu'en vacances à Vichy, à Arcachon, on le voyait jouer avec une enfant de son âge, Charles s'enorgueillissait que son petit-fils eût une nouvelle « fiancée ». L'enfant posséda ainsi presque malgré lui, et grâce aux vertus lexicales de son grand-père, une fiancée dans chaque ville où il allait. A Thiviers, par exemple, ce fut sa cousine germaine, Annie Lannes, la fille de sa tante Hélène. Même âge, même personnalité, même orgueil, même culture, même curiosité d'esprit : quand l'enfant écrivait à sa grand-mère de Thiviers, il ne manquait jamais de l'assurer qu'il regrettait sa « cousine Ninie », mais qu'il irait « cet été la voir ». Entre le petit garçon et sa cousine germaine, ce fut, apparemment, une véritable affection réciproque, une de ces relations que l'on pourrait qualifier d'histoire d'amour pour enfants. De dix-huit mois l'aîné, Poulou s'occupait de la petite Ninie en grand frère protecteur, en galant compagnon : les deux enfants partageaient leurs vacances scolaires, échangeaient des lettres, s'envoyaient des cadeaux. Il offrit des poupées, reçut des livres et tint, parfois, à affirmer son jugement sur les jouets de sa cousine : « J'ai emporté un si mauvais souvenir de l'infâme et godiche poupée de Ninie que je lui en envoie une autre, à condition qu'elle plaque son adorable baby, et j'embrasse Ninie sur les deux joues », affirma par exemple le petit garçon possessif. Jeux d'enfants, qui se prolongeront dans l'adolescence.

Ballotté entre ces « affaires d'hommes » et ce qu'on pourrait bien nommer, faute de mieux, affaires de femmes, c'est-à-dire les plaisirs innocents des arts et lettres, le petit garçon cherchait, difficilement, sa voie. Les femmes se chargèrent de lui faire rencontrer Dieu, entreprise couronnée de succès puisque, jusqu'à l'âge de douze ans, l'enfant serait croyant, d'une foi forgée à l'institution de l'abbé Dibildos – qui avait, on s'en souvient, marié ses parents – par des exposés sur la vie de Jésus-Christ, récompensés, dans le meilleur des cas, de médailles en argent. Terrain délicat que celui de la religion, entre un grand-père protestant et violemment allergique tant aux papes qu'aux curés, une grand-mère plus libre penseuse que catholique, une mère qui trouvait à l'écoute des concerts d'orgue ou des cantates de Bach à Notre-Dame-de-Paris une ferveur dont elle-même ne savait trop si elle devait l'attribuer à l'amour de Dieu ou à celui de la musique. En vacances à Thiviers, invité chez ses amis, les Magondeaux, l'enfant recevait de sa mère des lettres qui l'exhortaient vigoureusement « à ne pas heurter, à se conformer à l'entourage catholique ». Pourtant, le jour de la cérémonie d'hommage à la Vierge Marie, le 15 août, l'enfant, inquiet, chercha à se remémorer les termes exacts de l'acte de contrition qu'il devait réciter au confessionnal, mais en vain. Quelques années plus tard, il perdra la foi, par miracle, un jour de 1920, alors qu'il attendait des camarades pour aller en classe.

Jeu de bascule bien éprouvant entre le petit homme protecteur et généreux que Charles voulait construire à son image et l'enfant androgyne dont les femmes aimaient boucler les longs cheveux. Jeu de bascule entre le grand-père fort de ses prérogatives et les deux femmes admiratives. Un jour, pourtant, ce fut le coup de force de Charles, ce fut l'appropriation, ce fut la mutilation, la coupe des boucles blondes. Il décida que son petit-fils n'aurait pas plus longtemps les attributs, les comportements, les manières d'une fausse petite fille, qu'il ne risquerait pas plus longtemps le danger d'être pris pour une poule mouillée : il le fit tondre, sans prévenir personne, affirmant ainsi qu'il était le plus fort. « Je suis devenu laid comme un crapaud », expliquera plus tard l'objet de ces débats. Anne-Marie perdit brutalement cette chose ronde et dorée qu'elle avait soignée, qu'elle avait préservée pour elle.

Entre-temps, elle avait également livré d'autres batailles, sur d'autres fronts. La succession de Jean-Baptiste n'avait pas été réglée, son beau-frère Joseph négligeait les démarches administratives comme l'envoi d'une procuration, d'une signature ou d'une autorisation; elle chercha donc à faire valoir ses droits avec politesse, d'abord, puis de plus en plus fermement. Peut-être ce combat avec les autorités administratives et juridiques explique-t-il d'ailleurs en partie que l'amour maternel d'Anne-Marie devint rapidement aussi passionné, aussi possessif parfois. Et Poulou se retrouva, petit enfant, coincé entre deux Schweitzer qui misaient d'autant plus sur lui que la vie leur avait, par ailleurs, beaucoup ôté. Dépossédé de ses fils, Charles trouvait en Poulou l'élève idéal. Dépossédée de son époux, de ses droits de tutelle, Anne-Marie restait avec ce petit Sartre, qui serait à jamais le seul homme de sa vie. Surinvestissement pédagogique, surinvestissement affectif, deux volontés très fortes d'adultes actifs, combatifs, jusqu'au-boutistes venaient échouer sur la tête de l'enfant. Il fut l'enfant miracle d'un grand-père théâtral et d'une mère sinistrée, leur plus grand combat, leur dernier recours. Il fut l'enfant unique du couple inattendu de Charles et de sa fille. Et si la grand-mère Schweitzer, Louise, marquait souvent mouvements d'humeur et agaceries qu'Anne-Marie conquît tant d'emprise sur la gestion du foyer, gageons qu'il y eut là comme la perception implicite d'une certaine usurpation de rôles. Soumis à deux pressions très fortes, à deux attentes démesurées, l'enfant chemina comme il put. Il fut le double de son grand-père et l'époux de sa mère, il eut soixante-dix ans et trente ans quand il en avait cinq, il s'évertua à les contenter tous deux, vengeant l'Alsace martyre, tenant à merveille son rôle de chevalier servant. Tout naturellement, il endossa ces rôles, magnifia ces habits, contenta ses deux commanditaires avec l'habileté de ses dons enfantins. Comment, d'ailleurs, réagir autrement quand, à six ans, on devient le produit, l'objectif, de deux adultes blessés, leur vengeance et leur espoir? Comment, surtout, éviter alors la folie?

« Chère granmère, j'ai été malade mais pas gravemen » *(sic)*, écrit l'enfant de huit ans. « Chère mère, Poulou a une petite bronchite qui le tient au lit, le docteur lui permettra de se lever sans doute demain. Mais c'en est fini pour le lycée, du moins en hiver, car si le travail y est un jeu pour Poulou, les courants d'air sont meurtriers et il faut lui éviter cela... » écrit Anne-Marie à sa belle-mère. « Actuellement, il se porte bien, écrit le grand-père Schweitzer, nous en sommes bien heureux après l'avoir vu si longtemps fragile... » Un enfant chétif, malingre, faible, un enfant très souvent alité, entre une grippe, une otite, une bronchite. Difficile d'analyser le langage de la maladie chez l'enfant, difficile d'en déduire des conséquences exactes, de déterminer le sens de ces faiblesses. Cette santé fragile ne dura pas : était-elle une fuite, une forme d'expression, une étape? Seule séquelle, peut-être, de cette période-là : le strabisme de l'œil droit. A la suite d'une grippe, il est atteint d'une taie sur la cornée, il a quatre ans; de cet œil, il ne se servira plus jamais comme avant.

Pendant que, dans l'orgueil et la maladie, Poulou trouvait peut-être un remède contre la folie, Anne-Marie, elle, s'enfermait dans une correspondance interminable avec Thiviers. A la mort de Jean-Baptiste, des négligences avaient été commises dans le règlement de la succession et Anne-Marie n'avait pas récupéré certains des biens qui composaient sa dot; elle devait désormais obtenir une procuration de son beau-père, puis de son beau-frère pour avoir le droit de toucher – combat dérisoire! – ses deux obligations Indochine de 100 francs qui venaient d'être primées. D'abord polie et confiante : « Soyez assurée que jamais je ne vous ferai le plus petit tort... » puis un peu inquiète : « Je m'étonne de votre silence... », progressivement blessée et touchée : « Vous m'accusiez d'avoir envoyé une lettre à votre notaire sans vous prévenir... », combative enfin : « S'il n'avait été *urgent* pour moi de régler ma situation de tutrice, je n'aurais jamais soulevé ces questions, j'espère que nous réglerons cette question aride, dût-il m'en coûter cher... » Détérioration si rapide des relations entre Thiviers et Paris que des intermédiaires sont nécessaires : M. Hellier, ami des Sartre, et le docteur Durieux, l'ami de Jean-Baptiste, iront successivement parler avec Anne-Marie. « Tout le monde aurait intérêt à faire cesser l'indivision », déclarent-ils tous deux fort à propos, ne négligeant pas d'ajouter que Mme Sartre « n'a pas d'autre ambition que de régler ces problèmes » et que l'on ne rencontre « dans son raisonnement que le désir d'élever son enfant ».

En octobre 1913, le docteur Eymard Sartre était décédé, à l'âge de soixante-dix-sept ans : son enterrement avait attiré à Thiviers une foule considérable, et il avait été enseveli dans le caveau de famille de marbre blanc orné d'une énorme croix, aux côtés des familles Theulier et Chavoix et de son fils « J.B. Sartre, enseigne de vaisseau ». Dans la maison de la rue du Thon, près de deux cents lettres de condoléances étaient arrivées, postées de tous les coins du Sud-Ouest, attestant l'extraordinaire popularité chére granmère

j'ai été malade mais pas gravemen . je regrète bien mes camarades et mes classes car j'aime baucou le travaill je reggrète aussi thiviers et ma cousine ninie mais j'irai cet été la voir ...

chére grand-mère je vous embrasse bien ainsi que tout le monde

votre petit fils
Jean Paul Sartre

1, RUE LE GOFF, Ve

Chère Mère,

J'ai reçu votre gentille lettre et vous en remercie. J'étais en effet en peine de ce que vous deveniez tous. Chez nous, le temps affreux actuel nous a fait souffrir, Poulou surtout qui a une petite bronchite qui le tient au lit. Il va mieux, et le docteur lui permettra de se lever sans doute demain. Mais c'en est fini pour le lycée du moins cet hiver car si le travail y est un jeu pour Poulou, les courants d'air sont meurtriers, et il faut lui éviter cela. Il est navré car ses chers amis l'adoraient, et réciproquement, et puis le lycée l'intéressait beaucoup. Il avait fait des progrès énormes, et à sa composition de français, il venait d'être premier. Le professeur me dit qu'il est remarquable ce petit !

....

— Poulou a tenu à vous écrire ses vœux chère Mère je vous adresse dès à présent les meilleurs souhaits de Noël, pour vous et tous les vôtres. Je vous embrasse affectueusement. M. Sartre du « bon docteur », du « grand docteur », de celui dont « la vie tout entière fut consacrée à l'humanité ». Toutes les notabilités de la région, maires, préfets, sous-préfets, députés, sénateurs, conseillers généraux, juges de paix, avocats, bâtonniers, notaires, toute l'aristocratie locale depuis le comte de Lestrade de Conti, le comte de Falvelly de la Marthonye, la comtesse du Seigneur, les Grangevieille de Mazaubert, les Issalène de Rouville et les Parouty du Grézeau, tous les curés, abbés, prêtres et archiprêtres, chanoines, vicaires, supérieures, médecins adjoints et médecins militaires, pharmaciens de première et de seconde classe, directeurs de banque ou professeurs, tout le monde y alla de sa lettre de condoléance depuis Bordeaux, Périgueux, Limoges, Montpellier, Juillac, Brantôme, Bourdeilles, Avignon, Excideuil, Cadaujac, Souillac, Agen, Villeneuve-sur-Lot, Toulouse, et bien sûr Paris. Ce fut comme une grande procession qui vint porter le deuil, et dire et redire à la veuve du disparu combien cette troisième perte en si peu de temps – sa mère, puis son plus jeune fils, puis son époux – était une chose cruelle, mais qu'il y avait, ma foi, quelques compensations. Comme celle, par exemple, que le docteur Sartre fût mort en chrétien. « La foi si chrétienne de M. Sartre, écrivait Mme Dussutour, ne m'a pas étonnée. Je disais souvent qu'il en serait ainsi, car à mesure qu'il vieillissait, on comprenait que les idées religieuses le préoccupaient. Vous devez tous être très heureux, ajoutait-elle, avec un certain sens de l'humour macabre, qu'il en ait été ainsi; c'est une immense consolation que le Bon Dieu a voulu donner à votre foi et à votre piété... » Ainsi donc, le docteur Sartre avait accepté l'extrême-onction, et tout le monde était sauvé. Et l'on espérait, aussi, que la lignée se poursuivrait. Mais, chose bizarre, alors que de nombreux correspondants mentionnèrent la petite Annie, personne, mais vraiment personne ne pensa au fils de Jean-Baptiste, personne n'évoqua Poulou, seul descendant, pourtant, à porter le nom de Sartre, et qu'Anne-Marie avait amené avec elle à l'enterrement. Coïncidence fâcheuse? Symptôme d'une gêne face à Jean-Baptiste? D'un rejet familial? D'une tension à l'égard d'Anne-Marie? Toujours est-il que le petit Poulou ne fut nullement considéré, dans cette volumineuse correspondance, comme un petit Sartre. De toute façon, cela tombait plutôt bien : cela irait plus tard dans le sens de ses propres ruptures.

Avec la mort du docteur Sartre, disparaissait aussi le subrogé tuteur de Poulou. Le 22 novembre 1913, le juge de paix de Thiviers décidait donc que le frère de Jean-Baptiste, Joseph Sartre, deviendrait désormais le nouveau subrogé tuteur de l'enfant : Poulou avait alors huit ans, son oncle Joseph quarante-quatre. Il est toutefois assez piquant que, pour les quatre années à venir, l'idiot présumé de la famille, l'oncle Joseph, devînt, et devant la loi, le responsable naturel avec Anne-Marie de notre enfant prodige! « Nous avons vraiment un temps calamiteux, écrivait ainsi Joseph pendant l'année 1910. S'il faisait beau, la récolte serait assez bonne, mais il faudrait maintenant beaucoup de chaleurs et pas de pluies car les terrains sont complètement défoncés; et les blés commencent à jaunir. Madame la Comète ne devrait vraiment plus faire de ces farces. Nous l'avons vue hier soir... » Entre l'éclipse de soleil du 30 août 1905 qu'il observa, en astronome, depuis le balcon de sa chambre, et la comète de juin 1910, entre les récoltes, les pluies, les vendanges et les foires de la région, Joseph poursuivit sa vie d'homme de la campagne, secondant sa mère, écrivant à sa sœur, surveillant les métairies familiales. A l'évidence, la profonde dérive entre le couple Sartre Anne-Marie-Poulou et le couple Sartre Élodie-Joseph fut infiniment plus rapide qu'on ne l'aurait imaginé mais, somme toute, assumée des deux côtés. « Il y a longtemps, écrivait la grand-mère Sartre, que je n'ai eu de nouvelle de You et de Poulou. Il est vrai que j'aurais dû lui écrire. Mais que lui dire? Rien, car je n'ai rien à lui dire. » Parfois, quand même, elle exprimait une certaine amertume. « You se promène partout, ironisait-elle, partout, excepté à Thiviers, mais je n'en parlerai pas. » Et Joseph, de son côté, renchérissait ironiquement : « Elle revient de Vichy et se propose d'aller passer avec ses parents le mois de septembre au bord du lac de Lucerne : je pense qu'avec ça Poulou connaîtra sa géographie! » « Je ne crois pas que je puisse aller à Thiviers cette année, répondait la coupable à sa belle-sœur Hélène : J'aimerais bien avoir des nouvelles de la maman, mais si je ne les gâte pas à ce point de vue-là, ils sont encore plus silencieux que moi! »

L'intermède Jean-Baptiste avait été si bref, si ténu; l'intermède Thiviers se poursuivait interminablement, prenant parfois pour Anne-Marie les allures d'une farce cauchemardesque, plagiat d'un mauvais roman du XIXe siècle français. Elle allait trouver ailleurs le dénouement le plus aisé pour elle. Le 14 avril 1917, elle demandait la réunion d'un conseil de famille pour régler le problème de la tutelle de Sartre Jean-Paul, âgé de onze ans. Avec cette décision, elle se sentait, pour le moment, soulagée : « Le conseil de famille, eu égard à la tendresse de la dame Sartre à son enfant, et dans la mesure où le sieur Mancy inspire toute confiance, consacre à la dame Sartre la tutelle de son enfant, et lui donne pour cotuteur le sieur Mancy Joseph, ancien directeur général de la marine, directeur des établissements Delaunay-Belleville à La Rochelle. »

Anne-Marie se remariait. Et, pour la seconde fois, avec un polytechnicien, camarade de promotion de son frère Georges. En premier choix, elle avait pris Jean-Baptiste Sartre, fils d'un médecin du Périgord. En second choix, elle se rabattait sur Joseph Mancy, fils d'un cheminot de la région lyonnaise. Ainsi était-elle parvenue à offrir du moins à son fils un véritable tuteur, à acquérir l'assurance de pouvoir désormais régler en toute indépendance l'éducation de l'enfant. Elle faisait passer les intérêts de Poulou d'un Joseph à un autre Joseph. Elle savait qu'elle serait maintenant secondée dans ses combats, soutenue par une véritable assise financière. Car la pension militaire de veuve qu'elle avait presque arrachée au Conseil d'État n'était pas bien lourde. « Permettez-moi, Monsieur l'Amiral », avait-elle entre autres écrit, le 22 décembre 1906, poursuivant sinistrement la longue série des lettres administratives de Jean-Baptiste, « d'ajouter que les modestes ressources dont je dispose m'inspirent de vives inquiétudes sur mon avenir et sur celui de mon enfant âgé de dix-huit mois. Momentanément, j'ai trouvé asile dans ma famille, mais je ne saurais me résoudre à rester indéfiniment à la charge de mon père, vieil universitaire sans fortune... » Plus de six mois de tracasseries juridico-administratives entre le ministère de la Marine, le Conseil d'État, le conseil supérieur de la Santé : l'enseigne de vaisseau Sartre avait-il oui ou non succombé à une rechute de sa première atteinte? Ou bien, définitivement guéri de sa première entérocolite des pays chauds, était-il mort de cette « induration du sommet du poumon droit », en d'autres termes de tuberculose? Tout le débat tendait à déterminer si, oui ou non, Anne-Marie Schweitzer avait épousé un homme qu'elle savait condamné, dans le but de bénéficier de sa pension. Elle avait commis une maladresse car, encore honteuse apparemment de toute la mythologie tuberculeuse, elle avait affirmé que, si son mari était définitivement guéri au moment du mariage, il était bien mort d'une rechute de la première maladie. Débat d'experts, assurément fort déplacé dans ce cas-là. Le 13 juillet 1907, sa demande était déclarée recevable : elle bénéficiait de 833 francs annuels pour elle et pour son fils. En 1917, avec son second mariage, tous ses problèmes financiers disparaissaient également. Débarrassée des pesanteurs de Thiviers, elle ôtait de sa chambre à coucher le portrait de Jean-Baptiste dans son grand uniforme et quittait les Schweitzer une seconde fois. Croyant avoir définitivement gagné son fils. En fait, elle le perdait.

Fin du règne des Schweitzer qui avait, contre toute attente, duré près de dix ans. Sartre, à plus de cinquante ans, raconterait ces années-là dans *Les Mots*. « Poulou n'a rien compris à son enfance », s'écrierait, offusquée, Anne-Marie. Sartre ne garderait pas beaucoup d'attachement pour la famille de sa mère et lorsqu'un jour l'un de ses cousins Schweitzer lui envoya, croyant lui faire plaisir, un arbre généalogique de la famille, il le mit au panier, l'ayant à peine regardé. Après la vente des livres de Jean-Baptiste, il renvoyait ainsi, dos à dos, en un combat fictif, Schweitzer contre Sartre, les deux familles dont il était issu. Et dont lui-même, seul, se sortait indemne.

SCÈNES DE VIE ROCHELAISE

> « A La Rochelle, je fis une découverte qui allait compter pour le restant de ma vie : les rapports profonds entre les hommes sont fondés par la violence. »
>
> « Matériaux autobiographiques ».

« La Rochelle est une ville de cinq à six heures, une ville de crépuscule automnal. Le vieux port, au soleil couché, est estompé par la grisaille livide des derniers rayons... Les pâles couleurs du ciel empiètent sur les vieilles tours gardiennes de l'Anse... Dans le port, sommeille une eau épaisse, plaquée de blanc comme ces noirs paludes de benzine laissés sur le pavé par une auto. Les bateaux à voiles rentrent silencieux, comme surnaturellement... » L'enfant de douze ans, vêtu de culottes longues, à l'air buté, qui arrivait en classe de 4° A au lycée de La Rochelle pour la rentrée de septembre 1917 saurait même, quelques années plus tard, chanter à sa manière les magies de la lumière rochelaise qui attirait, aux premiers jours de l'automne, dessinateurs et peintres amoureux de couleurs [1].

L'expérience rochelaise, pourtant, fut de bout en bout un calvaire. De lui-même, Sartre évitera toujours de s'y référer; il n'en parlera que très tard, et uniquement lorsque, interrogé sur son adolescence, il ne pourra plus se dérober. Une belle série de coups du sort le surprit à La Rochelle, comme à un tournant, et par traîtrise. Son narcissisme fut mis à rude épreuve, et Poulou bascula, du paradis schweitzérien – où rien n'était trop beau pour cet enfant gâté –, vers le monde réel des lycéens violents et cruels qui n'éprouvaient que rejet méprisant pour le petit monstre fanfaron qui venait les narguer avec ses lectures vieillottes, ses mots d'esprit oiseux, son physique impossible, ses manières de Parisien.

Anne-Marie, en obtenant la cotutelle pour Joseph Mancy, avait mis fin aux infinies correspondances avec Thiviers, à toutes ses tracasseries administratives qui avaient empoisonné sa vie depuis la mort de Jean-Baptiste. L'entrée de Joseph Mancy cassait net la cellule Schweitzer et fournissait à Anne-Marie une autonomie financière, un soutien social et psychologique, un appui juridique dans la gestion de sa tutelle; d'une certaine manière, donc, il la sauvait de ce statut bâtard, bancal et dépendant de jeune-veuve-mère-chez-ses-parents. A trente-quatre ans, elle aurait un mari polytechnicien, une maison, une femme de chambre, des relations sociales, un père pour son enfant. Et tomberait, somme toute, après tant de maldonnes, dans le lot commun des femmes qui font du statut de leur époux le sens même de leur vie.

« Ma mère n'a certainement pas épousé mon beau-père par amour. Il n'était d'ailleurs pas très aimable. C'était un grand garçon maigre, avec les moustaches noires, un teint assez vallonné, un très grand nez, d'assez beaux yeux, des cheveux noirs. Il devait avoir quarante ans [2]. » Ce fils d'un employé des chemins de fer à la compagnie P.L.M. avait donc côtoyé Jean-Baptiste à l'École polytechnique; le jour où Mancy entra dans la vie d'Anne-Marie, le portrait de l'infortuné marin disparut définitivement. Exit Jean-Baptiste, son uniforme et ses traces déjà frêles. Joseph Mancy, à l'évidence, tint à battre Jean-Baptiste sur plus d'un front : ce dernier n'avait su offrir que les charmes tout-puissants de ses aventures marines, régnant en maître par son absence, n'offrant aucune prise : aucun défaut, aucun reproche, la pureté absolue. Jean-Baptiste avait glissé dans la mort à l'heure de commencer. Joseph Mancy fera le travail avec dix ans de retard, mais le fera à sa manière, pour rattraper le temps perdu, et bien. Ce fils de prolétaire deviendra-t-il vraiment, comme Sartre l'a toujours prétendu, un patron de fer? Toujours est-il que ce non-père deviendra un beau-père présent et un véritable mari : cette comédie sociale dont Jean-Baptiste n'avait pas goûté, Joseph Mancy, lui, la jouerait jusqu'au bout. « Ma famille s'est rompue, expliquera plus tard Sartre. Je me suis retrouvé avec un monsieur qui jouait à être mon père et qui m'était totalement étranger. » Dans les deux maisons cossues que le trio occupa successivement à La Rochelle, chacun des membres de cette nouvelle équipe eut du mal à se faire aux deux autres. Un enfant de douze ans face à l'homme de quarante-trois ans qui lui prenait sa mère. Un adolescent possessif et jaloux face à un adulte responsable. Une femme qui tentait, tant bien que mal, de ménager l'époux contre le fils. Joseph Mancy, l'intrus, avait repris de Jean-Baptiste la paternité flanchante. Il reprendrait de Charles Schweitzer le flambeau culturel. Virage sec : après les classiques franco-germaniques du XIXe siècle, le jeune Sartre allait, sans transition, entendre vanter les mérites des sciences exactes. Tous les soirs, dans le grand salon de l'avenue Carnot puis de la rue Saint-Louis, Joseph Mancy se faisait un devoir d'imposer à l'adolescent de longues séances de géométrie et d'algèbre qui, parfois, se terminaient par une gifle.

Parallèlement à l'éducation de son pupille, Mancy tenta de régler avec plus de poigne qu'Anne-Marie la succession de la grand-mère de Thiviers : elle mourut en 1919 laissant trois héritiers, Jean-Paul Sartre, son oncle Joseph et sa tante Hélène. Le partage prit des allures sordides, la tante fut coriace, l'once vorace, Poulou reçut des restes de vaisselle : six torchons, trois cuillers à café... Et lorsque Anne-Marie demanda à son beau-frère qu'un logement de vacances fût réservé pour elle et son fils dans la propriété de La Brégère – son lot d'héritage, où il allait désormais vivre veul – Joseph repoussa radicalement la requête. « Il est à craindre qu'en se prolongeant ces relations ne perdent de leur aménité », commentait Joseph Mancy qui avait pris la relève de sa femme et trouvait, pour sa part, des mots bien plus durs pour réclamer le bon droit de son pupille, l'argent pour ses études, pour meubler sa chambre. Ingratitude du beau-fils envers cet homme qui se donnait tant de mal pour le défendre ? Peu à peu, Jean-Paul Sartre s'apercevrait que cet homme autoritaire, ce patron briseur de grève en 1920, ce bourgeois conventionnel vivait dans un monde rigoureusement opposé au sien. Qu'on en juge : lorsque, quinze ans plus tard, Sartre parlera de son amie Simone de Beauvoir, son beau-père se refusera toujours à la rencontrer, à la recevoir pour la simple raison qu'ils n'étaient ni mariés, ni fiancés. Pour l'heure, Poulou est détrôné par Joseph Mancy qui lui prend Anne-Marie, tombant, selon ses propres termes, au rang de prince déchu, de « prince de second ordre ».

« L'ambiance familiale était faite de raideur morale, de religion du travail, de rigueur apostolique, toutes caractéristiques du calvinisme français dont La Rochelle est la capitale », dit la biographie d'un peintre rochelais. Dans cette ville de province ravissante, préservée du monde derrière ses tours et son vieux port, orgueilleuse de ces chapitres qui la montrent, dans tous les livres d'histoire de France, résister, protestante et fière, à tous les sièges dont elle fut la victime, la bonne société rochelaise, lente, raffinée, fermée, se rencontrait dans des dîners où l'on n'invitait pas d'étrangers; les dames se retrouvaient pour des thés autour des célèbres petits gâteaux du pâtissier Langlade; les familles, enfin, se promenaient le dimanche dans ces promenades parallèles à la mer, appréciant beaucoup le jardin du casino, ce club fermé et privé où l'on jouait aux boules. Merveilleux état d'esprit de la province française, caractéristique de cette jouissance égoïste des bourgeois français, sûrs de leurs prérogatives, certains de leur protection. Élégance rochelaise qui, de plus, se drapait dans ce « parler rochelais », fait de résidus de l'ancien français et du lexique maritime, comme le « bail », comme le « timbre ». Derrière leur argent, leurs rituels, leurs connivences de langage, leurs rideaux en dentelle, les Rochelais, méfiants et frileux, n'avaient pas, pour les nouveaux venus dans la ville, un œil intéressé ou même curieux. Plutôt rien, de l'indifférence.

Une base américaine s'était installée dans le port de La Pallice, en bordure de la ville, dès le début de la guerre. Cette base numéro 7 reçut 800 000 tonnes d'armes, ainsi que 175 000 chevaux et mulets pour lutter contre les Allemands, tandis qu'au large du port, les sous-marins allemands torpillaient paquebots et bateaux de pêche. Le lycée avait offert certains de ses locaux pour installer une infirmerie. La gare de La Rochelle voyait arriver des troupes de prisonniers de guerre, qu'on envoyait directement vers le fort de l'île de Ré. Le port recevait, par paquebots entiers, réfugiés de la Belgique et du nord-est de la France. « Que vous dire de cette affreuse guerre? s'enflammait à sa manière Charles Schweitzer, dans son orgueil d'Alsacien. O la sale, l'abominable race allemande... » Depuis La Rochelle, Jean-Paul Sartre apprenait à lire les premières traces de l'Histoire dans le monde. C'est à La Rochelle qu'il entendit parler de la révolution russe de 1917. A La Rochelle, aussi, qu'il s'aperçut que la guerre de 14-18 avait laminé le XIXe siècle, ainsi que ces héritages qu'il avait, par ses deux grands-pères, jusque-là, reçus.

Le monde qu'avaient raconté Eymard Sartre et Charles Schweitzer, cette France morcelée, écartelée, pays-puzzle sans unité culturelle, mais atomisé dans des bastions régionaux très forts, bascula, dès la fin de la Grande Guerre, vers sa dimension moderne, hexagonale et unifiée. Entre la France que ses grands-pères avaient connue en 1850 et celle, de l'après-guerre de 14, où leur petit-fils vivrait ses années d'adolescence, le pays venait de traverser sa période de restructuration sociale la plus profonde, la plus bouleversante. Et ses deux grands-pères, de quoi témoignaient-ils donc, sinon d'un monde bientôt englouti? Et quelles informations lui fournissaient-ils donc, sinon celles, déjà désuètes, d'un monde archaïque et fermé, jetant ses derniers feux? La guerre de 14 mit à mort ces dernières résistances, ces derniers bastions, et Jean-Paul Sartre allait pouvoir ajouter, au privilège d'être un enfant sans père, celui de venir à maturité au moment précis où les mondes de ses grands-pères devenaient totalement caduques. Enfant sans amarres, famille distendue, période de grand bouleversement social, tout allait être au rendez-vous pour qu'au moment voulu, libre comme l'air, indépendant, il se sentît merveilleusement bien dans ce rôle libérateur de « fils de personne » qu'il jouera à loisir. Héritier, donc, il le fut pleinement, mais dans un monde en totale rupture avec celui de ses grand-pères. Héritage, sans continuité, la distinction est importante.

Au lycée de garçons, en partie réquisitionné pour la guerre, Sartre fit tout de suite impression par ses culottes longues, élégantes et déplacées. Car dans la bourgeoisie rochelaise, où l'on habillait les garçons avec les costumes retaillés du père, cette élégance toute parisienne marqua, dès le départ, l'adolescent d'une de ces différences qu'on ne pardonne pas chez les enfants. « Écrémées vers le haut » par le collège Fénelon, dit le collège des bons pères – où étaient envoyés les enfants de l'aristocratie catholique de la ville –, privées, vers le bas, de ces enfants qui, pour commencer leur apprentissage, avaient arrêté leur scolarité, les classes du lycée de garçons formaient un ensemble encore très hétérogène. Restaient surtout au lycée les fils de cette haute bourgeoisie protestante et les fils des milieux ruraux, internes le plus souvent, issus de familles d'ostréiculteurs et de pêcheurs des bourgades avoisinantes.

« Une classe violente », dira Sartre. En effet, parmi le groupe des adolescents du même âge qui, privés de la présence des hommes adultes retenus sur le front de l'Est, faisaient les cent coups dans les rues de la ville, le groupe du lycée fut le groupe tampon. Pris entre deux feux : celui des « covacs », les élèves des bons pères, plus conventionnels, plus sages, en uniforme et celui des « voyous », des « petites frappes » – comme les appelle Sartre – qui, au même âge, ont arrêté leur scolarité et sont déjà en apprentissage. Bandes rivales qui se cognent et se battent, qui se toisent et s'affrontent dans les rues de la ville. Sartre, comme les fils du lycée, se ligua avec ceux des « bons pères » contre les « voyous ». Rapports de force brutaux, conflits de classe nécessaires dans cette petite ville fermée, où l'on n'ouvre sa porte qu'aux Rochelais de la même classe sociale. Conflits accrus pour le jeune garçon déjà passablement ridicule et fort mal intégré. Pour couronner le tout, il ne grandissait pas et racontait des « coups » en permanence. Les enfants ne sont pas tendres, c'est bien connu ; mais dans cette conjoncture où tout se liguait pour exacerber les conflits, le pauvre Sartre, se débattant comme un beau diable, en fit tous les frais. Il fut le souffre-douleur, l'exclu, le rejeté. Même impression, d'ailleurs, chez ses camarades de jeu à Thiviers : boudant le croquet, boudant le ballon, boudant tous les jeux, il n'était pas vraiment populaire chez les enfants du Sud-Ouest. « Très imbu de lui-même, incapable de s'amuser », entend-on dire partout. Seule distraction qui attira pourtant ce petit intellectuel et flatta son narcissisme, la découverte des nouveaux appareils photographiques « à plaque ». Sartre, une couronne de lauriers sur la tête, adorait, dit-on, se faire photographier. « Fais attention, surtout, à bien rendre l'expression des traits! » demandait-il, cabotin, au photographe en herbe qui officiait [3]. Cette réputation de « sale gosse » le poursuivit même jusqu'à Périgueux; apparemment, sa cousine Annie avait elle-même souffert d'un certain nombre de « bêtises » commises par ce sacré Poulou. Après chaque période de vacances passées ensemble, la petite fille revenait meurtrie des mauvais coups de son cousin préféré. A tel point que, parfois, Anne-Marie devait intervenir en juge-arbitre : « Il ne t'a pas oubliée, tu sais, écrivait-elle à la petite fille, malgré les malices qu'il a pu te faire, en grand polisson qu'il est! »

« Un garçon hargneux, coléreux, querelleur, désagréable avec les autres », se souvient Guy Toublanc, le plus jeune élève de sa classe, intrigué par cette « légère tendance à se croire supérieur et ce garçon bizarre, qui ne fréquentait pas beaucoup [4] ». Qui allait épater les autres en prenant publiquement le contre-pied du professeur de français : telle transposition en prose d'une pièce en vers avait été maladroitement rédigée par le professeur; lui, Sartre, aurait proposé autre chose. A son âge, Sartre fait déjà partie de toute la mythologie du lycée qui, comme partout, repère les individus un peu déviants. Le père Loosdregt, professeur de français, un peu ridicule, sera le plus chahuté; il est vrai que son gros nez un peu violacé lui avait valu chez les élèves le surnom de « Pif d'Azur » – il inspirera d'ailleurs à Sartre une nouvelle de jeunesse « Jésus la Chouette ». Quant à Riemer, le prof d'allemand, c'était le personnage le plus original du lycée, journaliste, poète et même publicitaire avant la lettre, il avait le génie des pseudonymes : Jean Populo, il écrivait des articles sur le collectivisme dans un journal de gauche, *La Démocratie*, et provoquait en duel ses détracteurs; Jean de la Genette, il rédigeait des vers de circonstance lors de la mort d'un élève ou pour les disparus de la Grande Guerre; sous son propre nom, il traduisit le poète allemand Lenau, et fit la publicité du chausseur Poindessous.

« Un garçon remarquable, reconnaît à son tour Gontrand Lavoissière, un de ses camarades de classe. Un garçon intelligent, qui travaillait sans en avoir l'air, bon camarade, mais renfermé, et peu expansif [5]. » On se souviendra de lui, de son caractère, de ses lectures, de ses manières différentes. Mais l'on oubliera, chez les Rochelais, l'adolescent fabulateur, le bouc émissaire de la classe. Qu'on en juge : le jeune Sartre, déjà ébranlé dans son narcissisme par la présence de Joseph Mancy, puis ridiculisé dans son lycée, chercha pour s'en sortir, pour éviter les hostilités, des moyens tout intellectuels. « J'ai tenté un certain temps de m'opposer aux persécutions, racontera-t-il plus tard, soit en me battant – mais les résultats étaient imprévisibles – soit en entraînant les autres dans des projets. » Parfois, souvent, les projets sont mal bâtis, pleins de fissures, et la chute est rude. Comme le jour où l'enfant, fantasmant sur les femmes des quartiers chauds de La Rochelle, sur les maisons closes de la rue des Voiliers, s'inventa, se forgea une vie sexuelle riche, dense, et, bien sûr, fausse, pour rivaliser avec les jeux verbaux de ses copains. « J'ai dit qu'il y avait une fille avec qui j'allais à l'hôtel, explique-t-il; c'est surtout ça qui peut paraître surprenant, c'est-à-dire que je la rejoignais l'après-midi, puis nous faisions ce qu'eux prétendaient faire avec les filles... J'ai même fait écrire par la jeune femme qui avait la fonction de bonne chez ma mère une lettre adressée à moi : " Mon cher Jean-Paul... " La lettre a été lue... [on a deviné] la supercherie... j'ai avoué... ça a fait le tour de la classe... » Débats d'un noyé, maladresses d'un jaloux, échecs d'un enfant grotesque : croyant se défendre, il s'enfonça davantage; croyant faire le malin, il se ridiculisa. « Je me vois encore tournant dans le Mail, poursuit-il, autour de mes camarades... attendant qu'on veuille bien m'appeler pour entrer dans ce groupe. Ils m'appelaient à la fin, mais enfin je pense qu'ils se faisaient un plaisir de ne pas m'appeler tout de suite[6]. » La Rochelle, ou la ville des mauvais sorts. Tous les adolescents, dira-t-on, ont subi ce genre de vexation, ce genre d'injure cruelle. Enflammés à taper sur le « Boche » qui leur enlevait les hommes, les petits Rochelais de la guerre de 14 avaient, plus que jamais, cette violence rentrée et collective qu'éprouvent seuls les adolescents en périodes de guerre; alors, tout l'individu sur lequel le malheur et les circonstances veulent qu'on projette des instincts de violence – comme ce fut le cas du jeune Sartre – devient doublement bouc émissaire, surtout quand il y met du sien, comme il le fit. « Les Rochelais étaient beaucoup plus frustes, et moins cultivés que mes camarades de Paris. » Beaucoup plus tard, Sartre raconte : « Ils me battirent souvent. Ils étaient, pour la plupart, seuls avec leur mère, leur père étant parti au front. Leurs rapports familiaux étaient bouleversés par l'absence de père; témoin ce fils d'un professeur de dessin, un de mes camarades, qui menaça sa mère avec un couteau à la main parce qu'elle lui avait encore servi des pommes de terre à déjeuner[7]. » C'est donc à La Rochelle qu'il apprit la violence, à La Rochelle encore qu'il posa sur le monde ses premiers regards « politiques »; là qu'il découvrit l'anticolonialisme : « C'est venu spontanément, expliquera-t-il plus tard, peut-être en voyant des nègres, des Arabes et des Chinois transportés de leur pays dans nos usines... »

Dans cette classe d'adolescents nerveux, dans cette ville en guerre, où rien – ni la société, ni l'histoire, ni l'âge – n'épargne les tensions et les conflits, gageons que les douleurs du fils de famille y furent certes violentes, mais étaient-elles supérieures à celles d'un Deschênes qui – pupille de la nation et boursier dont la mère, veuve, avait un emploi de fille de salle à l'hôpital – parvenait tout de même à gagner tous les ans le premier prix de mathématiques? On comprendra dès lors pourquoi, avec la fin de la Première Guerre mondiale, la situation s'inversera : Sartre changea de camp. Si, en 1917, il tape encore avec les riches sur les « voyous », il va très vite choisir de passer la ligne, définitivement, pour se ranger, contre les nantis, du côté des marginaux. La Première Guerre mondiale effaça en France tous les vieux restes de l'aristocratie que la Révolution n'avait pas réussi à enterrer; dans ce grand mouvement, l'enfant choyé par ses grands-pères et leurs bagages de plomb remit, lui aussi, les compteurs à zéro. Décidant délibérément de gommer ses origines, de rompre avec ses grands-pères, il se jeta dans une lutte un peu démesurée : celle d'un enfant de quinze ans, désespéré, lucide et follement orgueilleux, en révolte contre son beau-père, contre la société et contre ses racines. La guerre de 14 le modifia profondément : il avait expérimenté certaines des tensions les plus dures de la société rochelaise; il avait également appris que son oncle, le capitaine Lannes – le père de sa cousine Ninie –, avait été tué en 1917, et qu'il était enterré à Thiviers, auprès de Jean-Baptiste. Une perte de plus, donc, en ces années rochelaises où se télescopèrent, à un rythme soutenu, tant de défis divers. Fils de personne, déclassé, bâtard, avant-gardiste, l'adolescent sortait somme toute des épreuves de la guerre avec certains atouts pour affronter la nouvelle ère qui commençait alors [8].

Derniers soubresauts d'un adolescent lucide, orgueilleux et fou : entre douze et quinze ans, attaqué sur tant de fronts, mis à l'épreuve par tant de stigmates, Jean-Paul Sartre, furieux, enragé, lança les fondations d'une personnalité sociale : la sienne. Trouvant une énergie considérable pour s'arracher du personnage de petit garçon singeant l'adulte, de la délicatesse d'enfant gâté, de fils unique, de fleur de serre qu'Anne-Marie avait, en partie, créés. Lucide, il le fut, et fort douloureusement; peut-être même fut-ce là sa seule vraie force en ces temps difficiles. « Je suis un génie », se dit-il de plus en plus. Haine, violence, maladresse, réflexes de bête traquée, le prince adulé se réveilla crapaud, l'enfant-roi misérable fanfaron, cherchant sa voie dans un indescriptible mélange d'échecs, de rejets, de mensonges et de haine de soi. Avec, à la clef, les habituels tourments d'une puberté naissante : recherche des « poules » comme ils disent, rivalités de jeunes garçons excités, dans la grande course aux filles. Le pouvoir de séduction restant, à cette heure-là, la dernière carte, comme on joue son va-tout au poker, la dernière, la seule issue pour garder la face, dans la provocation, l'escalade, le bras de fer.

Écoutons-le narrer ses derniers cauchemars rochelais. 1919, c'est un enfant de quatorze ans, il est avec son groupe, sur le Mail, qui longe le vieux port. Il attend la petite Lisette Joirisse, « la jolie petite fille d'un vendeur d'attirail pour bateaux, je la trouvais fort belle ». Négociations au sein du groupe, Sartre est demandeur, en état de vulnérabilité avancée; il exprime son désir de rencontrer Lisette, les camarades acquiescent mais, en douce, ils préviennent la petite fille. « Elle est partie à bicyclette le long des allées et je l'ai suivie... mais le jour suivant, elle s'est tournée vers moi et devant mes camarades elle m'a dit : “ Vieux sot, avec ses lunettes et son grand chapeau... ” » « Ben voyons, t'es trop moche », lancent les copains[9] : échec de la séduction qui était pourtant l'ultime planche de salut...

Dernier avatar rochelais, enfin, dans cette lamentable escalade de la dernière chance. Du côté d'Anne-Marie, c'est fini, plus rien à espérer pour un éventuel retour en arrière; du côté des filles, deux échecs, et publics, c'est beaucoup. Pour la séduction, c'est une très, très mauvaise passe. Reste à séduire les camarades : une idée, les combler de cadeaux, et puisqu'ils sont amateurs, leur acheter des gâteaux mais non pas comme les lycéens des pains au chocolat du pâtissier du lycée, non, beaucoup plus élégant, des babas au rhum à trois sous de chez Langlade, rue du Palais. Pour aboutir à ces fins, une seule tactique possible : voler de l'argent dans le sac d'Anne-Marie. Pendant quelques semaines, l'enfant redevint roi en sursis, grandiose, généreux, malgré sa culpabilité. Jusqu'au jour où Anne-Marie découvrit l'argent dans la poche de la veste de l'enfant : soixante-dix francs. « J'ai dit, explique Sartre, que c'était de l'argent que j'avais volé pour rire à Cardinaud. » Bref, s'enfermant dans une rocambolesque falsification, il perdit la face auprès de sa mère, auprès de ses copains, auprès de lui-même, auprès enfin, suprême douleur, de son grand-père Schweitzer qui le rejeta, et tint même à l'humilier en repoussant le geste de l'enfant qui se pressait pour ramassait une pièce tombée par terre. Dégringolant de ridicule en grotesque, démasqué à chaque manœuvre de faussaire, bafoué publiquement à chaque nouvelle tentative de séduction, que lui restait-il d'autre à faire que de retomber dans les livres? Lectures, abonnement aux bibliothèques et cabinets de lecture de la ville, plongeant dans Ponson du Terrail et Claude Farrère, il s'ouvrit à d'autres influences. Et puis continua d'écrire. Ce qui faisait d'une pierre deux coups puisque, en écrivant, il se protégeait et contre ses camarades et contre Joseph Mancy. « Le fait d'écrire, explique-t-il plus tard, me mettait au-dessus de lui. » Et il ajouta : « Il trouvait qu'on ne décide pas à quatorze ans de faire de la littérature. Ça ne correspondait à rien pour lui... De sorte que ça a été, constamment, le type contre lequel j'écrivais. Toute ma vie [10]. »

A l'arrivée à La Rochelle, la processus était déjà enclenché, l'enfant-écrivain déjà en germe. La guerre, la violence, la solitude, la persécution, la jalousie, les échecs jouèrent sur cet éveil littéraire le rôle de véritables aiguillons, et provoquèrent certains textes directement autobiographiques. Le premier roman était intitulé *Histoire du brave soldat Perrin* : « Un jeune soldat français pénétrait dans le camp allemand où se trouvait le Kaiser venu visiter le front; il le faisait prisonnier et l'emmenait chez nous; là, au milieu du camp français, il tranchait les liens du Kaiser, qu'il avait ramené ligoté sur son propre dos, et le défiait en combat singulier, à coups de poing. Le Kaiser acceptait le combat d'où dépendait, en somme, l'issue de la guerre; le soldat français était boxeur et battait le Kaiser, qui tombait par terre, évanoui sous les coups... Je ne finis pas le roman, écrit encore Sartre, mais j'étais aussi fier que si j'avais gagné la guerre [11]. » Refuge, repli, vengeance, le roman de cap et d'épée *Goetz von Berlichingen* qu'il écrivit ensuite entre treize et quatorze ans allait avoir plus d'une fonction. Ce héros, sorti du Moyen Age allemand, faisait régner la terreur en battant les gens autour de lui, tout en ne cessant de vouloir leur bien, ce qui lui vaudra une mort terriblement cruelle : la tête dans l'horloge du clocher à la place du chiffre XII, il sera décapité par l'aiguille à midi...

Coïncidence? Pur hasard? Sartre souffrit, vers la fin de l'été 1921, d'une sérieuse affection à la tête, pour ses dernières vacances rochelaises. « Poulou a pris froid dans un bain de mer, explique à son beau-frère Joseph une Anne-Marie un peu inquiète. Un abcès dans l'oreille s'est aggravé, poursuit-elle, et il a fallu lui faire une opération - le trépaner - car il y avait une menace de méningite... Poulou se promène fièrement dans les rues aussi alerte et solide qu'auparavant, si ce n'est que sa pauvre tête est tout emmaillotée et bandée... Les pansements sont longs [12]. » L'enfant romancier avait décapité Goetz von Berlichingen. Quelques mois plus tard, c'est lui-même qui porterait « fièrement » sa pauvre tête bandée. Acte d'automutilation? De culpabilité exacerbée? Les interprétations sauvages ne manqueraient certainement pas. L'enfant de quinze ans quitte donc La Rochelle dans un état de puissance extrême: c'est le macrocéphale, l'homme à la cervelle bandée. En provocateur, il vient se remettre sous la coupe de Charles Schweitzer, à Paris. Fin d'un acte, fin d'une séquence. L'enfance est terminée. Rideau. L'adolescence aussi. « Et puis le lecteur aura compris que je déteste mon enfance et tout ce qui en survit », écrira l'auteur des *Mots.*

MILLE SOCRATES

> **« La première période, dans ma vie de jeune homme et d'homme, va de 1921 à 1929, c'est une période d'optimisme, le temps où j'étais " mille Socrates "... »**
>
> ***Carnets de la drôle de guerre.***

Rapatrié d'urgence à Paris, l'adolescent fabulateur et révolté fut réinscrit au lycée Henri IV où il avait déjà passé deux ans, avant La Rochelle. Mais cette fois, suprême punition, avec le statut d'interne : plus question de courir les filles. Celui qui était encore fortement imprégné d'une « violence fruste et barbare de provincial » ne se rendrait chez ses grands-parents qu'une seule fois par semaine, après avoir chanté la messe du dimanche matin, et dormirait en dortoir collectif avec les provinciaux. Il retrouvait, parmi les fils de bourgeois du Quartier latin, certains camarades quittés trois ans plus tôt : Bercot, Gruber, Nizan, Frédet. Il mesurait l'impact de La Rochelle au retard, surtout, qu'il avait pris dans ses lectures. Et se rendit compte immédiatement que Claude Farrère ou Ponson du Terrail n'intéresseraient jamais ses pairs; par contre, il se mit à avaler, boulimique, leurs dernières lectures : Morand, Proust, Valéry, Giraudoux... En quelques semaines, il était à flot.

La grande affaire de ces années-là fut sans aucun doute, pour ce fils unique que Sartre avait toujours été, pour cet exclu, pour ce solitaire, la rencontre avec un autre fils unique, le face-à-face avec un autre écrivain en herbe, l'amitié avec Paul Nizan. Car, phénomène exceptionnel, Nizan avait, sur Sartre, l'avantage d'une plume rapide et prolixe. Il avait déjà écrit poèmes et nouvelles. Et, dans les quatre années qui vont suivre, Nizan publiera trois nouvelles, deux poèmes, quatre essais de critique littéraire dans des revues d'étudiants ou des journaux d'avant-garde, saluant Proust, imitant Jules Laforgue, Giraudoux, essayant les dadaïstes, consultant Jean-Richard Bloch, appréciant Barrès. Assurance, précocité, maturité, aisance, Nizan pénétrera le monde littéraire parisien sans le moindre délai, sans la moindre entrave : c'est lui qui va entraîner Sartre.

Ils ont seize, dix-sept, dix-huit ans ces deux pensionnaires au lycée Henri IV, et des expériences similaires : leurs enfances d'enfant-adulte, teintées de morbide, leurs précoces boulimies de lecture, leurs ambitions d'écrivain. Ils vont, très naturellement, se lier et, dans ce couple, inventer façade commune, défense commune, allure commune, personnalité commune. Nitre et Sarzan, Sartre et Nizan, Nizan et Sartre ils seront désormais, et pour quelque six, sept années. « Je ne peux pas parler de Sartre sans parler de Nizan », disait par exemple Raymond Aron – qui ne les rencontrera que plus tard – quand il fut sollicité d'apporter son témoignage au lendemain de la mort de Sartre. Associés, intégrés, complices, ils vont désormais cheminer ensemble. « Nous fûmes indiscernables, ajoutera plus tard Sartre. Son portrait, j'eusse été capable de le faire : taille moyenne, cheveux noirs. Il louchait comme moi, mais en sens inverse, c'est-à-dire agréablement. Le strabisme divergent faisait de mon visage une terre en friche; le sien convergeait, lui donnait un air de malicieuse absence même quand il nous prêtait attention [1]. » Et qu'importe que Nizan fût, par son père, petit-fils de paysans bretons analphabètes et soumis, il transmettait à Sartre l'ardeur, l'avidité, la boulimie culturelle qu'il avait, après son père, construite comme la seule voie, la voie royale d'accès au monde. Ce que Sartre avait reçu dans l'indolence, l'évidence, la contingence, Nizan l'avait vécu dans la nécessité, le malaise, les chaos. Nizan avait même très tôt, épaulé par ce père travailleur honnête, vécu par procuration les miracles de l'enseignement public de la IIIe République. Et le travail de fourmi que les grands-pères et arrière-grands-pères de Sartre avaient – tant en Alsace que dans le Sud-Ouest – accompli dans la ferveur, c'était pour promouvoir des enfants bien doués comme le père de Nizan. Tous deux avaient été élevés dans le culte de l'enseignement laïc et républicain. Mais pour l'un, c'était un dû; pour l'autre, un miracle. Et cette promotion sociale par la culture, Nizan l'avait reçue de son père comme une richesse inappréciable. De ce fait, il possédait cette avidité tonique que rien ne remplace, la passion du savoir. Sartre était un nanti, Nizan un parvenu. On le verra : la différence de statuts modifie bien des choses quand il s'agit de passer à l'acte. Sartre le nanti sera, toutes proportions gardées, plus passif que Nizan le parvenu. Pour l'heure, regardons un peu vivre ce couple désassorti. L'un moyen :

Nizan, l'autre très petit : Sartre. Soit, ils louchent tous deux : Nizan vers l'intérieur, Sartre vers l'extérieur. Mais tandis que Nizan, délicat, raffiné, secret, élégant, frappe par sa recherche vestimentaire, Sartre fait plutôt figure de vilain petit diable salace et débraillé.

Entre les deux garçons, d'ailleurs, c'est bientôt une véritable fraternité : Sartre présente en grande pompe à Nizan la cousine dont il est si fier, Annie Lannes; elle vivait désormais seule avec sa mère, à Périgueux, où Nizan avait passé plusieurs années d'enfance. « Mon camarade Nizan, écrit un jour Sartre à sa cousine, est devenu directeur de la Ligue antialcoolique, et voudrait fonder une section à Périgueux... Cela t'intéresserait-il? » A son tour, Nizan intervient auprès de la petite Annie. « J'ai appris, soutient-il avec une assurance certaine, que vous vous intéressiez vivement à l'œuvre et aux travaux de la Ligue nationale contre l'alcoolisme dont je suis le vice-président... Cette ligue, d'abord limitée à Paris, a tout intérêt à s'étendre en province. Je serais heureux, conclut-il, de vous compter parmi mes gracieuses collaboratrices. » Entre Paris et Périgueux, entre les jeunes filles du collège pour jeunes filles où étudie Annie et nos deux internes parisiens, s'élabore toute une correspondance d'adolescents qui se rencontrent peu et s'idéalisent beaucoup. « John-Paul » demande un jour à « Anny » de l'appeler : « *I want to talk with you about something – that, perhaps, you'll not be sorry to do...* » explique-t-il mystérieusement. Et puis il tient une chronique de ses années d'internat, rappelle son « collier de misères, avec le bachot, et au bout du bachot la culbute »; évoque « les mêmes petites occupations sans intérêt (philosophie [*sic*!] et physique) qui sont indispensables pour aller moisir dans une chaire de professorat »; exulte lors d'un succès : « J'ai poussé un soupir de soulagement lorsque je me suis vu débarrassé de cet examen inutile et ennuyeux »; décrit ses sorties au spectacle : « J'ai trouvé le moyen d'aller voir *Dédé*, cette opérette sur laquelle tu as dansé, Anny; en entendant chanter le couplet " Je m' donne... " j'ai pensé à Thiviers et à mes vacances de Pâques »; poursuit, enfin, son rôle de grand frère conseiller : « Je t'envoie un seul des devoirs promis, car j'ai trouvé l'autre complètement idiot... Je t'embrasse fraternellement, c'est-à-dire sur le front »; prépare, enfin, avec impatience l'arrivée d'Annie à Paris : « J'espère que tu viendras me voir à Normale, vieille maison hospitalière où je serai très libre. Je t'embrasse très tendrement... » Sartre-Nizan-Anny : un trio intéressant. D'autant que Nizan avait perdu, quelques années auparavant, sa propre sœur décédée d'une maladie de cœur à l'âge de sept ans, et que la photo de la petite fille, exposée dans toutes les pièces de la maison, maintenait dans la famille une atmosphère permanente de mort et de tristesse. Très naturellement, Nizan deviendra donc l'ami d'Annie Lannes; mais c'est Poulou, « le joli cousin », que les petites filles de Périgueux avoueront parfois apercevoir dans leurs songes [2]...

Épaulé par la complicité, la fraternité, l'amitié de Nizan, Sartre retombe donc sur ses pieds, se forgeant en quelques mois une personnalité écrasante. Pour l'ensemble de cette classe d'élite – latin et grec – dans un des meilleurs lycées de France, Sartre n'est bientôt plus que le « S.O. », c'est-à-dire le « satyre officiel ». « Il m'avait longtemps semblé désirable d'être et surtout de paraître très méchant », expliquera-t-il plus tard. Gaulois, ricaneur, ironique, Sartre excelle dans la facétie, la blague, la gaudriole. D'autant que Nizan l'épaule, le seconde, l'inspire presque. Galvanisé par tant de luxe, Sartre vivra une grande période de séduction et, toutes proportions gardées encore, de célébrité. Il obtient des résultats exceptionnels dans sa carrière scolaire : le prix d'excellence et, comme en se jouant, les deux baccalauréats, ainsi que d'innombrables premiers prix en dissertation française, version latine, philosophie qu'il partage équitablement avec Nizan. Sartre « a certainement de l'étoffe et de l'originalité », au dire de M. Georgin, son professeur de français qui concède à Nizan un véritable « don pour les lettres ». Il est toutefois conseillé à tous deux d'acquérir de la méthode, d'assurer les connaissances grammaticales, bref de consolider les acquis. Notre couple explosif se taille bientôt une telle réputation que, délaissant les cours de « Cucu-philo », alias M. Chabrier, leur professeur de philosophie, il se lance dans des discussions d'homme à homme avec les khâgneux du très célèbre Alain, se faisant même parfois inviter à ses cours, nettement plus à leur niveau. « Sartre et Nizan, explique l'un d'eux, Georges Canguilhem, n'en finissaient plus de parler en marchant interminablement autour de la cour de récréation; et nous, les khâgneux d'Alain qui avions deux, trois, quatre années d'avance sur eux, nous étions déjà plutôt enclins à les considérer comme nos pairs [3]. » Parlant philosophie, parlant littérature, évoquant les amours de Swann et de Charlus, comme s'ils les avaient quotidiennement côtoyés, ils s'en vont, à quelques mètres de là, préparer au lycée Louis-le-Grand leur concours d'entrée à l'« École ». Dernière image des années lycéennes : Nitre et Sarzan, ivres, joyeux de fêter leur succès au baccalauréat, auraient vomi, moitié par provocation, moitié sous l'effet des circonstances, sur les pieds du proviseur du lycée Henri IV : du moins, tels les présente la légende. Et Sartre, régénéré, galvanisé, heureux, s'en alla passer des vacances d'été entre Guérigny et La Brégère. Il était soulagé de son bachot, optimiste et débordant d'idées : il était mille Socrates.

Les khâgneux n'avaient nulle part la réputation de jeunes gens vraiment proprets mais, au lycée Louis-le-Grand, le négligé était soigné avec un snobisme très particulier. Et Sartre, on s'en doute, s'y trouva fort à son aise. Les mains enfoncées dans les poches d'une longue blouse grise avachie, les internes poussaient la tradition du « pur esprit » jusqu'à ne se déshabiller qu'exceptionnellement : en passant de la salle d'étude au dortoir, ils se contentent d'enlever leur blouse pour dormir; le matin, ils arrivent dans la salle de cours en pantoufles, chemise de nuit et tricot serrés dans un pantalon trop large, l'éternelle blouse fermant le tout. La douche? Une fois par semaine et encore, jamais pendant les périodes de composition. Internes, demi-pensionnaires et externes allaient ainsi passer plusieurs années de leur vie - deux ans dans les meilleurs des cas, quatre ou cinq dans les pires - mêlés, à plus de cent, dans une grande salle en gradins où se succédaient les professeurs des cinq disciplines du concours : philosophie, français, latin-grec ou langues, histoire. Ceux que le directeur de l'École normale supérieure avait encore récemment qualifiés de « troupes d'élite de la nation », les prix d'excellence, les têtes de classe, les mentionnés au bac, les primés au concours général, affluaient dans les classes d'hypokhâgne et de khâgne du lycée Louis-le-Grand, triés par les professeurs et les proviseurs de l'ensemble du pays. Cette année-là, le lycée Gay-Lussac de Limoges, le lycée Pierre-de-Fermat de Toulouse, le lycée Bugeaud d'Alger avaient envoyé, des provinces et des colonies, leurs meilleurs éléments, pour tenter, dans des conditions optimales, le concours d'entrée à l'École normale supérieure. Pérennisant un système d'études où bachotage et élitisme sont les maîtres mots du système pédagogique. Véritable bouillon de culture, la khâgne de Louis-le-Grand n'avait pour sa part pas volé sa réputation : 50 % de ses effectifs « intégraient » chaque année, par la porte étroite du concours où les promotions littéraires ne comptaient pas plus, ces années-là, de trente élus par an. D'ailleurs les quelques centaines de mètres qui séparaient Louis-le-Grand - au coin de la rue Saint-Jacques et de la place du Panthéon - et l'École normale supérieure ne faisaient qu'accroître, cruellement, la soif de succès.

Beaucoup de fils d'instituteurs, de professeurs, de directeurs d'école, parmi les provinciaux. Comme si, par génération spontanée, la culture des années 20 s'était donné pour cible de reproduire le plus longtemps possible cette République des professeurs qui était en place depuis 1878. Parisiens et pensionnaires, demi-pensionnaires et internes, fils de la haute bourgeoisie et fils d'enseignants, pratiquants et athées, ils se retrouvèrent donc dans cette classe en gradins, à la rentrée 1922 pour l'hypokhâgne, d'abord, puis à celle de 1923 pour la khâgne, toutes origines, toutes ambitions et tous accents confondus. Adolescents de seize à dix-neuf ans, ils allaient, pendant deux ou trois ans, lire des milliers de pages, écrire des centaines de pages, écouter des heures et des heures de cours, prendre des notes, relire leurs notes, s'essayer au concours par des compositions, des concours blancs, des colles, disserter sur l'immanence et la transcendance chez Platon et chez Kant, expliquer un texte de Flaubert, traduire Shakespeare, Homère, Virgile, retracer les origines de la Révolution française ou de la Commune de Paris, enfoncés, englués, noyés dans des ailleurs dont ne les détournait aucune des techniques – exposé, dissertation, explication... – qu'ils tentaient d'acquérir avec la plus grande maîtrise possible, comme on répète dans un cirque un numéro de haute voltige. Serre de haute lice, pépinière bien gardée, forteresse préservée; les événements extérieurs, le monde, la politique n'ont pas vraiment droit de cité dans cet empire où règnent en maîtres thème latin et version grecque. Deux, trois, quelquefois quatre ans de régime sec - dictionnaire Gaffiot et classiques Larousse – avant de passer le portail sacré et de retomber, ahuris, dans le monde extérieur. Pour l'heure, ces jeunes hommes appliqués et studieux se détendent comme ils peuvent, mi-fiers, mi-pudiques, inventent des farces, se flairent, se regroupent, par déterminismes sociaux, géographiques ou encore, parfois, par affinités réelles [4].

« Nous allons en hypokhâgne/ Travailler comme des cochons/ Cependant que – sans un pagne –/ Les copains sont au boxon (*bis*)/ Nous faisons bien de l'Histoire/ Tandis qu'ils p'lot'nt des putains/ Le calice est long à boire/ Et de merde il est tout plein (*bis*)/ A la plac' des seins de femme/ Nous caressons des Bailly/ Quand on a du Dieu dans l'âme/ On cuve ça sans un cri * . * Note : cf. Jules Laforgue [5]. » Poème cosigné Sartre-Nizan qui confirme, si besoin est, cette asepsie totale, cette mise à l'écart volontaire, provisoire et absurde, sacrifices consentis et autres privations temporaires. « Le lycée était une espèce de grande caserne de briques pâles, écrira plus tard Nizan, avec des cadrans solaires à inscriptions dorées, où des garçons de dix-neuf ans ne pouvaient pas apprendre grand-chose sur le monde à force de vivre parmi les Grecs, les Romains, les philosophes idéalistes et les doctrinaires de la monarchie de Juillet [6]. »

« C'était un plateau vosgien aux flancs hirsutes... » : premières armes, premiers essais littéraires au cours de ces années studieuses. Entraîné par Nizan, Sartre publie deux contes dans une éphémère revue littéraire : la *Revue sans titre.* Deux sinistres comptes rendus de la vie de professeur en province, deux portraits minutieux et pessimistes où éclatent son ironie, sa capacité de détection du morbide et du mesquin, son dégoût pour les vies conventionnelles, lâches ou exclues. Louis Gaillard, écrit-il notamment, « eut le malheur de lire de ses vers à ses élèves, de bonnes brutes alsaciennes, il se fit chahuter, reçut plusieurs encriers sur la tête, s'aigrit, s'attrista et vint dorloter, aux grandes vacances, sa mélancolie dans le calme et frais silence des hauteurs vosgiennes ». Alsace, La Rochelle, on retrouve la trace de ses propres déplacements, ainsi que celle de ses propres comportements. « Sa fille semblait tenir d'elle ce désir fou d'être considérée, écrit-il encore. On pouvait d'ailleurs prévoir que le temps, amincissant ses lèvres, jaunissant et découvrant ses dents, ridant ses joues, ferait d'elle une mégère en tous points semblable à sa mère [7]. » Mépris pour le professeur, jouissance dans la provocation conjointe des bourgeois, des provinciaux et des professeurs, l'âge du règlement de comptes bat son plein. La lecture de Bergson a-t-elle déjà agi? Est-elle en train d'opérer sur ces premières recherches? Dans « Jésus la Chouette, professeur de province », Sartre reprend, en effet, à la première personne, certains éléments autobiographiques des années passées à La Rochelle. Auto-analyse et écriture : aurait-il déjà expérimenté, à l'âge de dix-huit ans, toutes les techniques qui seront, pendant les plus longues années de sa vie, la voie royale d'accès au salut?

Tandis que Sartre produisait ces deux petits contes, plongeant dans une histoire toute récente, explorant les champs embrouillés de sa jeune vie intérieure, Nizan, lui, traçait déjà les prémices d'une œuvre, avec des nouvelles plus élaborées, plus ambitieuses et qui, très simplement, s'intitulaient « Complainte du carabin qui disséqua sa petite amie en fumant deux paquets de Maryland ». Nizan, surtout, affirmait déjà une écriture personnelle, alors que Sartre, essoufflé dans des récits personnels, avait eu besoin, pour ce premier pas, d'emprunter le nom de jeune fille à sa grand-mère maternelle : comment expliquer le pseudonyme de Jacques Guillemin, derrière lequel il choisit de se masquer? Comment juger cette parade? Y aurait-il, là encore, des marques, des symptômes de leur écart?

Même écart lorsque Sartre, ébahi, au hasard d'un article de Nizan, retrouve une citation, une référence, une idée apportée par lui-même, quelque temps auparavant. « Cet animal-là, confie-t-il alors à son copain Frédet, il fait vraiment feu de tout bois! » Déjà se confirment, semble-t-il, deux styles, deux comportements, deux profils littéraires : Sartre, plus englué peut-être dans un défrichage personnel, tout à son travail de décodage besogneux, écrivant des textes autocentrés faute de distance. Nizan, plus élégant, plus audacieux, plus précoce peut-être, mû par une urgence que Sartre ne connaît pas. Que se passa-t-il, d'ailleurs, entre eux durant les quelques mois que dura leur première brouille? Nitre et Sarzan étaient devenus, ces deux années-là, la véritable mascotte de la classe, distrayant le public quand les professeurs disparaissaient, pendant les récréations, dans l'étude du premier étage, tenant salle ouverte, dans leurs représentations régulières. Dans, par exemple, ce jeu du phonographe : Sartre, debout devant une table recouverte de tissu noir, tourne une manivelle imaginaire tandis que Nizan, caché sous la table, imite le son nasillard d'une chanson de Bruant... Et puis ils gagnent des émules à ce rituel linguistique qu'ils se sont inventé : « Si fait », « Oui-da », « Parbleu », ce mixte inattendu du ton solennel de la comtesse de Ségur appliqué à des plaisanteries salaces et gauloises. Le cocktail nouveau qu'ils avaient forgé entre eux était peu à peu devenu le *nec plus ultra* de ces jeunes gens de goût, ou, plutôt, le signe de reconnaissance des plus littéraires d'entre eux, de leur supériorité sur ceux qu'ils considéraient – certainement à bon droit – dans la classe comme « bassement scolaires ».

Pendant cette période de brouille, Sartre écrit un texte, « La Semence et le Scaphandre », dans lequel on peut lire, à mots très peu couverts, un récit de leur amitié. De cette amitié, il raconte : « Elle était plus orageuse qu'une passion. J'étais dur, jaloux, sans prévenances ni douceur, comme un amant maniaque. Lucelles, indépendant et sournois, cherchait les occasions de me tromper, inventait de temps à autre des prétextes pour fuir le dimanche ou le jeudi. Il se créait souvent aussi des amis; il fut pris d'une brève passion pour un juif algérien puis pour un Marseillais. Il m'évitait alors pendant des jours. Je ne m'y résignais pas. Puis lassé de nouveaux visages il revenait à moi, qu'il retrouvait agressif et bilieux, quoique étouffant de ne pouvoir dire ma tendresse [8]. » Amitiés d'adolescents, amitiés possessives, amitiés exclusives. Qui eût dit, devant ce couple désassorti d'un gaulois et d'un élégant que Nizan, sournois et indépendant, faisait souffrir Sartre? Qui eût dit que Sartre, au verbe facile, à l'agressivité moqueuse, vivait, parfois, les affres du rejet? A cette époque de sa vie pendant laquelle Nizan, renfermé et distant, se confine dans ses livres, Sartre se déchaîne. Dans ce déchaînement, semble-t-il, Nizan puise agressivité verbale, rire, dérision, puissance cynique qui lui font alors défaut, et cette brutalité provocante le séduit. Un silencieux et un braillard, un élégant et un débraillé, un calme et un violent, tels ils resteront, complémentaires et différents, jusqu'en 1927. Et Nizan goûte sans conteste ces procès universels dans lesquels, englobant le monde tout entier, Sartre joue au grand inquisiteur. Et puis ce sont les marches, les grandes marches à travers Paris, et l'occasion de mêler topographie littéraire et projets philosophiques. On les retrouve, Rastignac à Montmartre, ou bien encore Proust dans les jardins des Champs-Élysées, croisant, tels des personnages de roman, le quai d'Orsay, la Sainte Chapelle, les allées du bois de Boulogne. Dans leurs jeux, dans leurs connivences culturelles, ils se traitent simplement de surhommes : « Nous nous promenions à travers Paris, racontera plus tard Sartre, comme deux surhommes qui profitions de notre adolescence pour mettre au point nos mythes et nos théories. Quelquefois, un troisième surhomme venait avec nous, c'était un bon camarade, mais nous nous disions en secret, Nizan et moi, qu'il n'avait aucun des traits de la surhumanité, et nous lui faisions croire qu'il était des nôtres, par simple humanité... Pourtant, nous aimions les hommes... Il faut ajouter que l'idée de surhomme avait, paradoxalement, développé en nous l'idée d'égalité. Nous n'étions pas encore devenus les égaux des hommes, pensai-je, de ces vastes foules où nous nous glissions quelquefois. Ceux-là restaient nos inférieurs, mais nous étions profondément égaux l'un à l'autre, et aussi à tous les surhommes du monde, que nous ne connaissions point, qui ne nous connaissaient pas, mais qui devaient sûrement exister en province ou dans d'autres pays du globe. Aussi étions-nous légionnaires d'une cohorte d'égaux dont nous ne connaissions que deux d'entre eux : nous. Aussi avions-nous des pensées qui procédaient à la fois d'un aristocratisme légèrement nietzschéen et d'une conception vaguement égalitaire d'une société qui n'existait pas [9]. »

« Cela est bien beau, dis-moi, et tu vas le noter sur ton petit carnet... Afin d'en rire. » Cérémonieux et amusé, Sartre restitue à son ami Frédet le petit carnet beige sur lequel ce dernier note, jour après jour, citations et pensées selon ses lectures, ses découvertes, ses passions. Montherlant, Proust, Hâfiz y côtoient Saint-John Perse, Giraudoux et les alphabets hébraïques, cunéiformes ou hiéroglyphiques. Euphorie des découvertes et des mélanges, Sartre sera un véritable fervent de ce petit carnet, le parcourant, le recopiant, s'en inspirant. Frédet, fils de chirurgien qui partage avec lui l'aisance culturelle de la bourgeoisie parisienne, accompagne Sartre, dans ses découvertes littéraires, ses recherches des textes les plus avant-gardistes de l'époque [10].

Mélanges divers, dilettantisme absolu, papillonnades culturelles, jusqu'au jour où Colonna d'Istria, le mémorable professeur de philosophie – « un individu infirme, terriblement rabougri, et bien plus petit que moi », décrira Sartre –, suggère, à l'appui d'une dissertation sur la durée, la lecture des *Données immédiates de la conscience.* Bergsonien, Sartre ne le deviendra jamais totalement; cette lecture pourtant, dans ces années de genèse intellectuelle, joue sans conteste le rôle d'un coup de foudre, d'une évidence, d'un révélateur absolu. « J'y trouvai aussitôt, expliquera-t-il plus tard, une description de ma propre vie psychique. » A partir de la lecture initiatique, Sartre devient philosophe dans la ferveur et la nécessité, ayant compris qu'il tient là un outil beaucoup plus puissant, beaucoup plus opérationnel qu'aucune autre révélation antérieure. Désormais, il confère, à ce qu'il nomme la philosophie, un statut d'une omnipotence extrême. Même si, à cet égard, il invente, pour son propre compte, pour ses besoins personnels, une définition de la philosophie strictement et exclusivement personnelle. « Ce que je nommais " philosophie ", notera-t-il ultérieurement, c'était tout simplement de la psychologie [11]. » Immédiatement, comme une boussole qui trouve son nord, les mille Socrates trouvaient leur centre : la philosophie serait leur instrument suprême. Collaboratrice idéale, puisqu'elle autorisait du même coup l'accès à deux champs d'intérêt privilégiés : la vie psychique de l'écrivain en herbe; le monde romanesque qu'il allait créer. Et Sartre, nanti de sa clef magique, s'en fut préparer le concours d'entrée à l'École normale supérieure.

M. Colonna d'Istria avait de quoi se réjouir : sur vingt-huit admis à l'E.N.S., quatorze élèves étaient passés entre ses mains, à la khâgne de Louis-le-Grand. « Je suis très heureux de vous adresser mes félicitations bien affectueuses, écrit-il à Nizan le 8 août 1924. Les résultats du concours ont été très satisfaisants pour moi... Vous formerez à l'École un groupe de jeunes philosophes que je serai heureux de suivre dans les succès que l'avenir promet [12]. » Pour les succès à venir, il était presque certain de ne pas se tromper dans ses augures. Ce qu'il ne savait pas encore? Que nos deux brillants khâgneux allaient partager leurs lauriers à venir avec d'autres philosophes de la même promotion, comme un certain Raymond Aron, un certain Daniel Lagache, venus, eux, du lycée Condorcet.

Le premier contact avec l'École normale supérieure était plutôt surprenant : « Les conditions de vie matérielle à l'École sont absolument en opposition avec le souci d'hygiène le plus élémentaire. Le dortoir n'est pour ainsi dire jamais aéré ni même balayé. La poussière s'accumule sous les lits, imprègne les effets, sature l'air que l'on respire. La toilette du matin ne peut se faire qu'avec des moyens tout à fait primitifs : encore heureux celui qui parvient à conserver sur sa tablette une minuscule cuvette! Sinon il faut aller se laver à un minuscule robinet coulant sur un évier crasseux dans un réduit, qui sert en même temps au décrottage des souliers, au dépôt des balais et des poubelles des garçons. Si la nourriture est à peu près satisfaisante, le service l'est beaucoup moins; les assiettes mal lavées, à fond noirâtre, et les couverts encrassés sont de merveilleux véhicules de microbes [13]. » Insurrection isolée? Cet élève, peut-être un peu délicat, de l'École normale supérieure exprime en fait à son directeur les plaintes latentes de toute la promotion. Car la pépinière d'élite à laquelle ils ont accédé, après avoir ferraillé dur, se trouve être, en 1924, une pépinière encore plus sale, encore plus vétuste et encore plus crasseuse que Louis-le-Grand. Le petit déjeuner? Bu à la cuiller dans une assiette à soupe. Les boissons? Interdites au repas, sauf une timbale personnelle. Derrière la grille du 45, rue d'Ulm, une haute bâtisse carrée, et de longs couloirs, aux angles droits qui amortissent l'écho, autour de la cour intérieure carrée, vitrée et fleurie de roses au printemps et du célèbre bassin où, sous le jet d'eau, les antiques poissons rouges, parfois, se chatouillent; dans ces couloirs passent de jeunes normaliens, intelligences désincarnées, purs esprits, lorsqu'il s'agit de rejoindre, dans leur vase clos, espaces d'étude et espaces privés. L'École normale supérieure, en 1924? L'une des institutions les plus prestigieuses de France, orgueil de la nation, porte-drapeau, enfin, d'une tradition typiquement française et même unique au monde : les grandes écoles. Snobisme puritain des intellectuels ou restrictions budgétaires d'une après-guerre somme toute encore proche, les contingences matérielles s'estompent vite derrière le système d'études, de relations, de lectures, les réseaux, codes et rituels qui, immédiatement, se mettent en place et tissent, déjà, amitiés et rejets pour les quatre années à venir.

« Tu es un conquistador. – Dis plutôt un con qui t'adore. » Déguisé en Gustave Lanson – le directeur de l'École normale supérieure –, portant barbe blanche, casque colonial et guêtres, Sartre fit un malheur, dès ses premiers mois d'École, dans une inoubliable prestation à la traditionnelle revue des élèves. Samedi 28 mars 1925, à l'amphi Fischer, dit l'amphi Fouard, le théâtre des Folies normaliennes présente sa « revue à grand spectacle » : « La Revue des Deux Mondes, ou le Désastre de Lang-son ». Dans ce public bien rangé de parents, de professeurs, de filles de professeurs, on est fort amusé par ces plaisanteries, ces calembours, cette raillerie gentille : les normaliens, n'est-ce pas, peuvent tout se permettre! « L'École cassée », « Forêts demi-vierges », « La Paix des rastas » : ces jeunes gens bien doués qui égratignent sans risque l'autorité, la culture, et bien sûr l'École normale supérieure.

Deuxième acte : les yeux amoureusement plongés dans ceux de Daniel Lagache qui – chignon, veste à fleurs et longue jupe de gitane – incarne Dona Ferentes [14], Sartre entonne la chanson des « grues et des boas [15] ». Avec Canguilhem et Lagache, ils ont couru les fripiers, du Marais à la place Pigalle, pour dénicher costumes, déguisements, accessoires exotiques. Ce qu'ils veulent? Railler la nouvelle manie normalienne, la vogue des carrières dans les grandes organisations internationales, la S.D.N., par exemple. Une vogue dont la scène de Lanson, séduit par Dona Ferentes, une riche Brésilienne pulpeuse et aguichante, est censée, gentiment et néanmoins métaphoriquement, rendre compte. Musique professionnelle, Sartre au piano – « Les Schweitzer sont nés mucisiens! » avait assuré Charles Schweitzer –, costumes suggestifs, textes bourrés d'allusions littéraires, libertés gauloises, on rit gentiment dans les familles de professeurs, et leurs jeunes filles endimanchées rougissent délicatement, parfois. Lagache, merveilleux travesti maquillé à outrance, dépasse de trois têtes notre Sartre barbu qui commence à craquer sous les assauts de la belle Brésilienne. La scène de séduction n'est pas loin d'aboutir quand s'ouvre la porte du fond et que l'on voit, au premier rang des spectateurs, s'installer MM. Édouard Herriot, président du Conseil, Paul Painlevé, président de la Chambre, et François Albert, ministre de l'Instruction publique. Tous trois « archicubes [16] », respectivement issus des promotions 1891, 1883 et 1898. Costume trois pièces et montre à gousset dans la pochette du gilet, ces dignes membres du cartel des gauches vont applaudir, en souriant, les facéties d'un inconnu de vingt ans nommé Jean-Paul Sartre, le jour où, pour la première fois, il s'approprie le rôle, le costume, les manières du directeur de l'École normale supérieure, âgé de soixante-dix ans : Gustave Lanson. Que dire de cette complicité élitiste, de ces traditions solides, de cette connivence normalienne qui soudent, le temps d'une fête, des hommes différents, opposés, ennemis souvent, par ce lien dérisoire et puissant à la fois, par cette seule adresse : 45, rue d'Ulm?

La complicité normalienne joua certainement à plein, ce 28 mars 1925, pour un homme comme Édouard Herriot. Car le jour où il assiste à la danse d'amour de Sartre et de Lagache, il n'est plus qu'un président du Conseil en sursis. Depuis l'accession de la gauche au pouvoir en mai 1924, crise monétaire et erreurs de gestion ont contribué à accélérer le processus de dégradation politique, avant qu'Édouard Herriot ne soit, le 10 avril 1925, contraint, notamment par Poincaré, à la démission. Ouvrant ainsi une période exceptionnellement instable, période de grande désillusion, s'effritant dans une suite de cabinets mort-nés jusqu'en 1926, avant que le retour de Poincaré ne vienne stabiliser le franc jusqu'à la grande crise monétaire de 1929. Quel sens avait donc, pour le président du Conseil, cette présence tant insolite qu'inattendue à la revue de l'École, alors que lui-même traversait une remise en question sans précédent, que le pays connaissait une crise politique ouverte? « Quelle surprise! » se disait en coulisses Georges Canguilhem, fort occupé à improviser un petit texte pour saluer l'illustre spectateur. Sur l'air du *Petit Soldat de bois*, il concocta en quelques minutes des vers de circonstance, se taillant un fier succès! « Herriot, si on avait su plus tôt ta venue, chanta donc Canguilhem/ On t'aurait fait dans la revue/ Une place tout aussitôt/ Tout de même tu as eu raison/ De venir prendre une leçon/ Ne fais pas comme Lanson... » Tant d'à-propos charma les professeurs, enchanta leurs filles et ravit Herriot. Puis on poussa les bancs, on offrit un verre et Herriot, montant sur une table, dissipa bien vite le mystère de sa présence. Debout, au milieu des comédiens, des parents, des professeurs, il accepta volontiers de reprendre les chansons qui, dans sa promotion de l'époque, lui avaient donné une réputation de « joyeux drille ». A la suite de Lagache, à la suite de Sartre, à la suite de Canguilhem, le président du Conseil chanta. Mais s'il chanta, ce ne fut pas du tout dans ce geste gratuit des jeunes normaliens irrévérencieux. Plus tard, seulement, certains comprirent qu'il y avait peut-être eu là, dans le geste d'Herriot, un désir, inconscient ou délibéré - comment savoir? -, de se faire reconnaître par son corps d'origine et peut-être aussi - qui sait? - de se faire plébisciter par lui [17].

Les années suivantes, Sartre poursuivit gaiement la démonstration de ses talents d'acteur, de chanteur, de pianiste même. Et puis, sa hauteur d'un mètre cinquante-sept, il la mettait alors pleinement à profit puisqu'il lui suffisait d'une barbe et d'une Légion d'honneur pour apparaître, sans autre signe extérieur, comme le sosie de Gustave Lanson. En 1926, dans la revue au titre délicatement proustien d'« A l'ombre des jeunes billes en fleur », il eut même les honneurs de la presse. « L'élève Sartre, lisait-on dans *L'Œuvre* du 22 mars, a brillamment tenu le rôle de M. Lanson. » A côté de l'article, suprême honneur, une photo de l'apprenti acteur! La revue de 1927, dans un tout autre genre, reste de mémoire de normalien la plus méchante, la plus violente, la plus scandaleuse enfin. Et Sartre, on s'en doute, n'y fut pas étranger. Dans ce milieu normalien les clivages s'étaient vite fait sentir, entre groupes confessionnels d'abord - « talas » et « patalas [18] » -, entre groupes politiques ensuite. Socialistes, communistes, valoisiens, il y en eut pour tous les goûts. Sartre rejoignit les patalas et les pacifistes, groupe minoritaire essentiellement composé d'anciens élèves d'Alain, qui réagissaient avec la dernière colère contre toute référence à l'armée et à la guerre de 14. Ils s'insurgèrent particulièrement, pendant l'année 1927, contre la loi Paul-Boncour qui prétendait « instituer dans l'ordre intellectuel une orientation des ressources du pays dans le sens de la défense nationale ». Ils élaborèrent une pétition qu'ils réussirent à faire signer par cinquante-quatre élèves de l'École, toutes promotions et toutes disciplines confondues. Ils axèrent, enfin, toute la revue de 1927 sur cette résistance à la « militarisation » de l'E.N.S. Principaux acteurs, cette année-là : Sartre, bien sûr, et les « alaniens » bien connus : Canguilhem, Péron, Lebail, Lucot et Broussaudier.

Sur l'air de *La Marseillaise*, on entendit – ô scandale – un élève qui, déguisé en capitaine, s'enorgueillissait d'un cynisme belliqueux assez particulier : « Je suis entré dans la carrière/ Quand le métier avait du bon/ On pouvait espérer la guerre/ Et gagner pas mal de galons... » Puis, sur l'air du *Temps des cerises*, ils tapaient encore plus fort : « Mais quand reviendra la guerre bénie/ Lieut'nants, colonels, députés, sénateurs/ Seront tous en fê-ê-te [19]... » A la première répétition, quelques sifflets fusèrent. A la représentation publique, ce fut un véritable chahut : protestations violentes dans la salle contre cette « bande de voyous tyranniques qui persécutent les autres sous prétexte de pacifisme », certains élèves huent le spectacle, d'autres se lèvent : un vrai scandale. Quelques jours plus tard, la presse s'empare de l'affaire et Gustave Hervé, dans *La Victoire*, n'aura pas de mots assez durs pour s'insurger contre ce haut lieu de l'élite intellectuelle française où le drapeau français se trouve souillé, l'armée française conspuée, sans que sanction soit prise. Gustave Lanson avait perdu son fils unique à la guerre de 14 et persistait depuis, disait-on, dans une dépression qui le tenait très écarté des affaires quotidiennes. Le scandale de la revue de 1927 l'atteignit directement : commission d'enquête, conseil de discipline, blâmes aux élèves, suspicion dans la presse, la renommée de l'École prenait à l'occasion un « coup dans l'aile », comme aiment à dire les militaires! Les railleries gentilles des années 1925 et 1926 avaient brutalement fait place à une véritable opération subversive. Le folklore traditionnel des normaliens bien élevés venait d'exploser sans douceur, dans cette bombe, dans ce crachat à la face du directeur. « Manifestation de parti et de haine sociale », commente le rapport militaire qui fiche les principaux acteurs sous le signe « P.R. » pour « parti révolutionnaire ».

Sartre fut donc, en ces années d'École, le redoutable instigateur de toutes les revues, de toutes les plaisanteries, de tous les chahuts. Ce rôle de boute-en-train, de clown méchant et de pitre cruel, il le joua sans trêve. Excellant, surtout, dans la création d'un clan et l'invention de canulars contre ses camarades; certains, les plus cruels, restèrent d'ailleurs célèbres [20]. Celui par exemple qu'il fit contre Roger Delbiausse en envoyant, à la police, une lettre qui le dénonçait comme le meurtrier d'une femme de diplomate récemment assassinée dans le quartier. Ou celui qu'il organisa, avec Larroutis, Baillou, Herland et Nizan, en inventant que l'aviateur Lindbergh – qui venait de traverser l'Atlantique en vol solitaire – allait être nommé « élève d'honneur » de l'E.N.S. Toute la presse est ameutée par nos jeunes « canuleurs »; l'événement est annoncé dans tous les journaux. Une foule de cinq cents journalistes, photographes et curieux, bloque alors la rue d'Ulm de la rue Rataud à la rue Claude-Bernard. « Après nous être bien payé leur tête, raconte Sartre, nous avons fait descendre Bérard, qui ressemble un peu [à Lindbergh], par un bec de gaz de la rue Rataud et, un quart d'heure plus tard, il est arrivé en taxi. Aussitôt, ovation de notre part, on l'a saisi aux épaules et porté en triomphe. Le public a marché et un vieux monsieur lui a baisé les mains. Cependant que le piano et deux violons dans la salle de musique entonnaient *La Marseillaise* avec chœurs de bonne volonté. Peu à peu la foule s'est dispersée et à 10 h 3/4, quand Bérard est ressorti pour aller à un cours, il ne restait plus que trois agents qui l'ont filé toute la matinée [21]. » Une enquête est ordonnée, les journaux du soir décochent « quelques perfidies à l'égard de Lanson » et le directeur de l'École normale, du moins à ce que prétend Sartre, donne sa démission, en partie à cause de ce canular, en partie à cause de cette série d'affaires qui jetaient une certaine déconsidération sur la réputation de l'E.N.S. Sartre, à vingt ans, serait donc l'un des principaux artisans de la chute de Lanson, à commencer par les gentilles railleries des revues de 1925 et 1926, par le scandale de celle de 1927 et par les incessants canulars qui, auprès de la presse, de la police et des institutions autorisées, contribuent, sans nul doute, à discréditer l'aura dont bénéficiait jusqu'alors l'École normale supérieure.

Sartre a-t-il vraiment provoqué la patience de Lanson dans une sorte de défi personnel, depuis son entrée à l'École? Ou bien a-t-il suivi un mouvement que d'autres initiaient et dont il ne fut qu'un rouage subsidiaire? Sans aucun doute, et à plus d'un titre, le face-à-face entre les deux hommes mérite d'être suivi, car il porte avec lui un lourd poids de symboles : s'attaquer à Lanson, ce n'est pas, de la part de Sartre, s'attaquer à une banale expression de l'autorité. C'est remettre en cause LA sommité, LA référence, LE « patron du français », selon les termes mêmes de Charles Péguy. Depuis le début du siècle, en effet, Lanson a cumulé les pouvoirs : tour à tour auteur d'un très célèbre manuel scolaire qui bouleverse les méthodes, les techniques, les domaines de l'enseignement de la littérature française au lycée, puis fondateur de la méthode historique appliquée à la recherche littéraire, enfin critique de premier plan dans des journaux grand public et spécialisés. S'adressant à tous les publics, du plus érudit au plus populaire, maîtrisant toutes les expressions, de la critique journalistique au manuel scolaire en passant par la biographie et l'interprétation, Lanson avait des interlocuteurs partout. Les professeurs de Sartre avaient été formés par lui, ses livres de littérature française écrits par lui. Lanson avait supprimé des programmes scolaires et universitaires l'enseignement de la rhétorique au profit de l'histoire littéraire. Il avait mis à mort Brunetière et sa tradition d'analyse subjective des œuvres; mis au rebut les auteurs du XVIIe – comme La Bruyère ou Fénelon – au profit de ceux, infiniment plus à son goût, comme Voltaire et Diderot, du siècle des Lumières. Triple dette, triple marque, donc, de Lanson sur Sartre : ce que Sartre attaque, c'est, par Lanson interposé, toute la tradition dont il sera à la fois le fils le plus richement doté et le plus violent contestataire. Ne perdons pas de vue cette image d'un Sartre raillant Lanson devant Herriot, président du Conseil : c'est la République des professeurs face à la République des Lettres. C'est la vénérable vieille garde assistant aux facéties d'un normalien bien doué, le plus doué peut-être de la génération montante. Ne perdons pas de vue cette image d'un Sartre provocateur, irrespectueux et subversif. Elle reviendra, tel un leitmotiv, régulièrement, à toutes les étapes de sa vie. Ni l'âge, ni les succès, ni les honneurs, rien ne viendra jamais à bout de l'humeur irrévérencieuse que Sartre sécrète en lui comme un antidote. Et s'il est le seul normalien à prendre l'habit du directeur, peut-être est-ce aussi parce que, derrière tant d'attributs pédagogiques de la IIIe République, Charles Schweitzer, également, se profile...

Quelle vérité, pourtant, derrière cette façade de boute-en-train? Quelle recherche, derrière la méchanceté de ce petit bonhomme hirsute et maladroit qui s'embrouillait toujours dans ses nœuds de cravate? Quelle profondeur derrière ce crâneur râblé qui s'était donné une musculature exceptionnelle dans le gymnase de la rue d'Ulm, pour faire, avec panache, le grand soleil autour de la barre fixe [22]? Pour exceller, surtout, à la boxe ou la lutte à main plate, tandis que les autres, tel Aron au tennis, Canguilhem ou Lucot au rugby, préféraient des sports d'équipe ou d'adresse. Pourquoi ce choix d'un sport d'agressivité et de force pure? Que cachaient encore sa réputation, son prestige et cette renommée que, secrètement, certains autres devaient bien parfois lui envier? Était-ce son fameux roman dont on parlait comme d'un mythe, les yeux brillants [23]? Était-ce sa voix superbe, forte,

Sartre en boxeur par Paul Nizan.

juste, ses dons d'improvisation au piano – qu'il enseignait aussi, dans la salle de musique –, l'alliance d'un musicien-né, d'un acteur doué, d'un écrivain créatif, d'un metteur en scène désopilant ou d'un provocateur de première classe? Était-ce encore le prestige de son intelligence, de ses jugements tranchés, de sa très forte identité? Toujours est-il que Sartre s'imposait : à son entrée dans le réfectoire, à l'heure des repas, une immense clameur : « Sartre...! » annonçait ses tonitruantes arrivées et masquait une surprise qui ne tardait pas, quelques secondes plus tard, à éclater : « ... et Nizan! » Toujours est-il que cette communauté d'hommes, que ces rituels, que ces cérémonies lui fournirent des amitiés, un public, et qu'il s'y sentit bien. Enfin, après deux années d'études intenses, de bourrage de crâne, de compétition – comme le furent celles de l'hypokhâgne puis de la khâgne –, les années normaliennes apportèrent une liberté nouvelle, une vacuité, une euphorie qui suffisent – presque – à tout expliquer.

Dans ces années indécises, hétérogènes, dans ce pays qui allait célébrer tambour battant l'anniversaire de la Grande Guerre, où Poincaré redevenait l'homme fort, l'homme providentiel, les normaliens lisent, scrutent, cherchant dans l'instabilité de leurs gouvernants des points d'ancrage plus fuyants que jamais pour construire leur identité politique. Le « cercle Jean-Jaurès » qui réunit les étudiants socialistes organise des rencontres, discussions et débats avec des hommes politiques, parfois très célèbres. Ainsi, à la grille du 45, rue d'Ulm, se présenteront successivement MM. Léon Blum, Marcel Cachin et Marc Sangnier (ce dernier, ancien polytechnicien, avait été, par les hasards de l'alphabet, le voisin direct d'un certain Jean-Baptiste Sartre sur les photos de la promotion 95). Le groupe des étudiants socialistes se retrouve par exemple, le 25 novembre 1924, dans une manifestation totalement inattendue lors du transfert des cendres de Jaurès au Panthéon : discours du président Herriot et présentation d'un certain nombre de normaliens à des personnalités politiques, dont Léon Blum. Maître d'œuvre de ces présentations, Lucien Herr, le bibliothécaire de l'École qui, bien que retraité dès le mois de juin 1925, laissera une empreinte majeure de socialiste et de dreyfusard sur nos jaurésiens. Certains étudiants socialistes de l'époque, Georges Lefranc ou Raymond Aron, par exemple, soutiendront jusqu'au bout l'expérience du cartel des gauches, indépendamment de leur lien avec la S.F.I.O. de l'époque : on retrouve Raymond Aron à l'Assemblée nationale assistant, comme spectateur, aux débats budgétaires qui opposèrent, durant l'année 1926, Herriot à Poincaré. « Transporté de joie » par la victoire du cartel des gauches, Aron manifestait alors volontiers dans les rues de

Paris, surtout lorsqu'il s'agissait de contrer les étudiants de l'Action française; Aron lisait *L'Œuvre, Le Quotidien, Le Temps*, autant de quotidiens dans lesquels il construisait avec patience sa propre identité politique; Aron rêvait, dans une propédeutique à ses engagements futurs, à une éventuelle réconciliation franco-germanique [24]. Sartre, pour sa part, ne connut, durant les années de ses vingt ans, ni le romantisme révolté de son ami Nizan, ni la réflexion réaliste de son ami Aron. Spontanément anarchisant, Sartre ne s'intéressa ni aux partis politiques institutionnels, ni aux débats parlementaires. Ne manifesta pas dans les rues, ne lut pas les journaux, ne s'enflamma pour aucune cause, ne perdit aucune illusion puisqu'il n'en avait pas. Trouvant, chez ses camarades pacifistes, une violence verbale qui lui seyait, une ironie et une distance plutôt adaptées à son personnage. Ces quatre années d'École normale, qu'il se rappellera plus tard comme « quatre années de bonheur », il les mit à profit, pour sa part, dans un long travail personnel d'auto-analyse.

Pendant qu'en 1926, Jean-Paul Sartre, déguisé en Lanson, poursuivait, dans ses revues, chansons et canulars, ses règlements de comptes avec l'autorité, la pédagogie active, la génération de son grand-père, l'armée française et quelques autres fantômes privés, pendant que, stimulé par ses lectures de Cocteau, des dadaïstes et des surréalistes, il s'inventait une violence esthétique et supérieure, Paul Nizan, lui, suivant d'autres lectures, s'embarquait pour un long voyage : l'Angleterre, l'Égypte, l'Éthiopie, et enfin Aden où il devenait précepteur dans une famille française. Voyage cathartique, voyage-rupture : au retour, Nizan serait un autre. Le 14 juillet 1926, revenant d'une sortie avec ses camarades, Nizan écrit à une amie : « C'était le jour de la fête nationale : mes camarades m'ont emmené par les rues. Il y avait là Sartre, Péron, Larroutis, Cattan et moi. Mais l'âge du groupe est fini. Ce n'était plus six copains qui marchent ensemble, mais Sartre, mais Péron, mais Nizan, chacun dans son existence et n'étant avec les autres que faute d'avoir mieux à faire. A minuit, Larroutis et Sartre étaient ivres. Cattan l'était. Péron et moi ne trouvions pas cela drôle. Nous sommes rentrés [25]. » L'âge du groupe cesse pour Nizan dès son retour d'Aden : il a vingt et un ans; successivement, il se fiance, se marie, fait des enfants, adhère définitivement au Parti communiste et poursuit très naturellement sa carrière de journaliste et d'écrivain. Rejetant, pour commencer, avec la dernière violence, les années d'École normale, les systèmes d'École « prétendue normale et dite supérieure », les professeurs, les élèves, les locaux pêle-mêle. « Si l'on me demande pourquoi je restais là, écrira-t-il, haineux, c'était par paresse, incertitude, ignorance des métiers, et parce que l'État me nourrissait, me logeait, me prêtait gratuitement des livres et m'accordait cent francs par mois [26]. » Terminant par une estocade impitoyable : « Cette institution que les nations envient à la République... dresse une troupe orgueilleuse de magiciens... il y règne l'esprit de corps des séminaires et des régiments. »

Nitre et Sarzan encore ils étaient en 1924, lorsqu'ils avaient choisi de rester ensemble dans une même « turne », partagée avec d'autres. Nitre et Sarzan encore, lorsque ensemble ils provoquaient le reste du monde avec leurs canulars, leurs lectures qui les soudaient en un couple supérieur et impénétrable, lorsqu'ils décidaient, provocateurs, d'afficher sur leurs murs le portrait de Mussolini, lorsque Sartre, trop tôt réveillé, se déversait en injures sur Nizan [27], lorsque tous deux, un peu ivres, un peu gais, s'animaient en une discussion un peu trop chaude, chez La Baronne, ce banal café de la rue Gay-Lussac où se concoctaient la plupart des canulars par téléphone, et qu'ils chérissaient pour avoir le luxe de répondre, interrogés sur l'endroit où ils avaient passé les dernières heures : « Mais voyons, j'étais chez La Baronne! » Effet assuré.

L'édifice Nitre-Sarzan se fissure sans drame, sans haine, sans véritable rupture, mais avec la douceur de ces lentes dérives que connaissent certains couples par accumulation de silences, chacun voguant naturellement vers ses intérêts propres et s'éloignant de l'autre avec autant de détermination que de tendresse : le couple Sartre-Nizan se défit doucement. Nizan s'éloigna de la rue d'Ulm et de Sartre en même temps. Sartre eut d'autres amitiés et, pendant le voyage de Nizan à Aden, il vécut en trio avec Aron et Pierre Guille. Avec Aron, il partageait le statut privilégié – et très peu perceptible au demeurant – de non-boursier : quatre élèves de leur promotion avaient été jugés, au vu des ressources financières de leur famille, trop aisés pour recevoir ce « pécule » de 100 francs par mois que leurs camarades utilisaient comme « argent de poche ». Sartre, Aron, Lecœur et Bérard furent de ceux-là et bénéficièrent exclusivement de la pension du 45, rue d'Ulm. Tout en « courant le tapir », comme les autres : sport favori des normaliens, à la recherche d'élèves particuliers, pour arrondir les fins de mois; donnant, qui des cours de latin, qui des cours d'anglais, qui des cours de littérature. Ainsi, Nizan se retrouva chez des royalistes dans un château de Vendée et dans une famille de gros commerçants qui partaient pour Aden. Guille « tapirisa » un jeune Parisien, Albert Morel, et s'enflamma pour la mère de son élève. Il entraîna Sartre dans ses visites et Sartre s'enflamma aussi vite.

« Le petit homme est un peu chafouin », annonce Pierre

Guille à Raymond Aron. Seule technique, apparemment, qu'ils ont trouvée, pour parvenir à savoir ce que pense réellement Sartre – dit « le petit homme » – de tel exposé d'Aron, de tel texte de Guille. « Une des particularités de Sartre, disait encore récemment Raymond Aron, il a si peu supporté le face-à-face que, pour savoir ce qu'il pensait réellement de mes exercices, j'allais le demander à Guille et Guille me le transmettait... Cela ne m'aurait pas gêné, ajoute encore Aron avec une émotion inattendue, s'il m'avait dit que mon exposé n'était pas bon; une fois il a trouvé bon mon exposé sur Rousseau, une autre fois, il a estimé quelconque une approche de la psychologie; dans les deux cas, il avait raison, mais enfin, il aurait pu me le dire! » Un code s'imposa donc entre ces jeunes gens sensibles et maladroits et le petit homme fut alternativement « un peu chafouin » et « un peu complimenteur » selon ses confidences négatives ou positives au tiers du trio : nos trois jeunes gens susceptibles en amitié parvinrent ainsi, cahin-caha, à se communiquer leurs jugements réciproques. Pas de gênes, par contre, dans les échanges philosophiques, les duels interminables, que Guille, littéraire, suivait avec distance, entre ses deux camarades philosophes et, peut-être, secrètement rivaux. Raymond Aron raconte : « J'étais alors son interlocuteur préféré. Toutes les semaines, tous les mois, il avait une nouvelle théorie, il me la soumettait et je la discutais : c'était *lui* qui développait des idées et *moi* qui les discutais; pour ma part, je ne lui soumettais pas de théories, tout simplement parce que je n'en avais pas. Il essayait une idée et, quand ça ne marchait pas, quand je n'accrochais pas, il passait à une autre; parfois, quand il se sentait trop coincé, il se mettait en colère, comme le jour où je n'ai pas apprécié son opposition, à partir de Nietzsche, entre l'inertie absurde des choses et la conscience ou le pour-soi; je ne voyais pas bien comment l'ombre en face de nous pouvait être une matière qui n'était pas significative [28]. »

De Jean-Paul Sartre à Raymond Aron, en ces années de jeu philosophique de haut vol, une complicité, une complémentarité étonnantes : Sartre, l'inventeur tout fou, audacieux dans un besoin urgent de maîtriser, de savoir, de conquérir; Aron, le méthodique, le rationnel, le prudent, explorant le monde philosophique avec la finesse extrême des intelligences scrupuleuses et attentives; Sartre, plus attentif à se déchiffrer lui-même; Aron, plus acharné à déchiffrer le monde; Sartre, plus rigide, plus obscur; Aron, plus souple, plus négociateur; Sartre, constructeur de magistrales visions du monde; Aron, promoteur d'outils théoriques adéquats; Sartre, le génial inventeur; Aron, l'intelligence exquise; Sartre, l'affirmation péremptoire; Aron, la pondération raffinée; Sartre convaincant, Aron suggérant, Sartre osant,

Aron tempérant; Sartre exposant ses projets définitifs, la philosophie qu'il était en train d'élaborer et son roman, qui s'en inspirait; Aron nuançant, suggérant des lectures, des adoucissements, des prudences. De l'un à l'autre, en ces années où ils partagèrent la même chambre, les mêmes livres, les mêmes cours, une véritable joute, ballet philosophique interminable et complaisant. Bien sûr, il y aura les brouilles, les ruptures, les injures même, mais lorsqu'au sortir de leurs vies ils se retrouvèrent inopinément sur le perron d'un grand édifice public et qu'Aron, s'approchant d'un Sartre désormais aveugle, prononça un « mon petit camarade » qui resta célèbre, la tendresse des années d'École, l'intimité philosophique, la jonglerie amicale, et l'argument ontologique chez saint Anselme si durement critiqué par Aron à ce cours de Brunschvicg, et le rôle du concept de la liberté chez Kant, tous ces souvenirs avaient comme bouleversé Aron, et le reste avait disparu.

Côté jardin, un Sartre agité, noceur et volontiers salace. Côté cour, un grand travailleur, lisant à toute allure plus de trois cents ouvrages par an, Platon, Schopenhauer, Kant et Spinoza, Chrétien de Troyes et Mallarmé, Nerval et Cervantès, Aristote, Bergson, Shakespeare et Tolstoï, Maine de Biran, Erasme et Giraudoux, Sénèque, Lucrèce, saint Augustin, Casanova, Ramuz, Stendhal et Cicéron [29]. Il était « mille Socrates », il était insatiable, productif, scandaleux. L'année 1926, par exemple, il écrivit, dans la foulée, chansons, poèmes, nouvelles, romans – dont un roman mythologique sur Ganymède et sa sœur Hébé, qui retraçait, tout simplement, l'attaque de l'Olympe par les Titans –, des essais littéraires, essais philosophiques, prépara même très sérieusement une « théorie compliquée sur le rôle de l'imagination chez l'artiste », prélude, expliquait-il, à une Esthétique complète, découvrit, enfin, la contingence. Il y avait en lui du Rabelais et du Quasimodo. « Une force qui va », disaient certains; « Un chic type », affirmaient les autres; « Un bonhomme méchant et cruel », soutenaient les derniers. En tout cas, c'était « l'homme à la fameuse puissance de travail » qu'on enviait, qu'on admirait, qu'on craignait. Une personnalité qui déjà, à l'âge de vingt ans, et dans les limites de l'École normale, traînait derrière elle son poids de mythes et d'anecdotes. « On devinait en lui, raconte Jean Baillou, une très grande rigueur intellectuelle : il s'exprimait par positions tranchantes et sans nuance et, quand il pensait, on se trouvait en face d'un raisonnement très solide, très étayé, d'une fort grande tenue... Ce qui était d'autant plus étrange pour nous, ses contemporains, qui restions encore à l'époque particulièrement hésitants quant à nos propres projets. » Et Armand Bérard ajoute à son tour : « Sartre s'est *fait* entièrement : il s'est *fait* costaud, il s'est *fait* écrivain, à force de volonté. Même Nizan cherchait sa voie. Je me souviens même avoir entendu Sartre un jour déclarer simplement : “ Ça me serait égal de vivre prisonnier comme Cervantès, ou moine bénédictin, pourvu que je puisse écrire chaque jour. ” » Georges Canguilhem, enfin, décrit pour sa part ce qui l'impressionnait : « Sartre, c'était d'abord, à vingt ans, une puissance intellectuelle formidable qui venait de l'étendue de ses lectures ; et puis une façon lyrique de parler de tout, sans anxiété ; une audace, enfin, et je dirais même du “ culot ”, ce qui le différenciait encore davantage des gamins que nous étions tous. »

Studieusement, il adopta, pour la préparation de ses examens, une technique d'appropriation des grands textes en vigueur à l'époque : il les recopia. Pliant, puis découpant sommairement en huit petits rectangles de taille mal assortie le médiocre papier bleu ou beige fourni par l'E.N.S., il couvrait les fiches obtenues de gauche à droite, de haut en bas, sans la moindre marge, sans la moindre respiration, de son écriture urgente – les lettres se chevauchant, la graphie se déformant – de ses lectures, de ses notes, de Kant, Platon, Descartes ou la liberté, selon le programme. Il obtint en 1928 les certificats de psychologie et d'histoire de la philosophie ; en 1929, ceux de philosophie générale et de logique ; de morale et de sociologie. Il fréquenta sans élan les cours de ses professeurs, ne se reconnaissant absolument pas dans la tradition du rationalisme idéaliste de Léon Brunschvicg ; totalement réfractaire au scientisme positiviste, il poursuivit son exploration de celui qui l'avait attiré vers la philosophie : Henri Bergson. Il essaya de se forger une troisième voie, entre spiritualisme et positivisme, tâtonnant vers des pensées de la créativité et du devenir, inventant de toutes pièces une philosophie de la liberté totalement laïque. Naviguant sans maître, mais à la seule intuition de ses propres besoins intellectuels, il fréquenta les grands textes comme il avait, enfant, fréquenté les grands hommes. Négligeant des professeurs qu'il jugeait sans envergure, il tourna vers Descartes, vers Kant et vers Spinoza ses questions personnelles, empruntant chez les uns, empruntant chez les autres, glanant de-ci de-là concepts et catégories adéquats, pour inventer son propre système de pensée, composite et cohérent. « Nizan, Aron et moi-même, écrira-t-il plus tard, nous étions fort injustes pour ces pauvres gens [les professeurs] qui avaient vraiment le *sens* de la philosophie mais qui manquaient d'outils. » Contre ces « pensées élégantes et molles », ils se placent tous trois « sous le signe de Descartes » et de sa « pensée révolutionnaire » qui « tranche et taille », et aucun philosophe n'est alors plus salutaire pour eux que ce « penseur à explosions [30] ».

Un jour, invité à répondre à l'enquête du journal *Les*

Nouvelles littéraires sur « les étudiants d'aujourd'hui », Sartre donna un petit texte extrêmement dense. Qu'on en juge : « C'est le paradoxe de l'esprit, écrivait-il, que l'homme, dont l'affaire est de créer le nécessaire, ne puisse s'élever lui-même jusqu'au niveau de l'être, comme ces devins qui prédisent l'avenir pour les autres, non pour eux. C'est pourquoi, au fond de l'être humain comme au fond de la nature, je vois la tristesse et l'ennui... Nous sommes aussi libres que vous le voudrez, mais impuissants... Pour le reste, la volonté de puissance, l'action, la vie ne sont que de vaines idéologies. Il n'y a nulle part de volonté de puissance. Tout est trop faible : toutes choses tendent à mourir. L'aventure surtout est un leurre, je veux dire cette croyance en des connexions nécessaires qui pourtant existeraient. L'aventurier est un déterministe conséquent qui se supposerait libre... Nous sommes plus malheureux, mais plus sympathiques [31]... » Il a vingt et un ans; en germe, déjà, dans ce texte, les futurs thèmes de *La Nausée,* de *L'Être et le Néant.* Peut-on faire de sa vie une création esthétique? C'est le choix de l'aventurier qui, seul, vit sa vie comme un roman. Bergson aide Sartre à ancrer sa philosophie dans sa propre expérience intérieure; Descartes assure la dimension rationnelle de cette philosophie du sujet; Platon, pour sa part, ajoute les éléments esthétiques. Ce qu'il construit ici, à partir de toutes ces lectures, c'est son propre système, une forme de réalisme psychologique : conceptualisation de son expérience intérieure et fondement de son projet esthétique. La philosophie serait, en quelque sorte, une propédeutique à la psychologie et à la création romanesque. Dans la révision des épreuves de *Psychopathologie générale* de Jaspers, dans les visites aux présentations de malades à l'hôpital Sainte-Anne où il se rend le dimanche matin, en compagnie de Nizan, Aron et Lagache, dans son diplôme d'études supérieures, enfin, qu'il choisit de soutenir avec Henri Delacroix, Sartre défriche surtout le champ de la psychologie. « L'image dans la vie psychologique : rôle et nature » obtient la mention très bien. Alors que Nizan, déjà spinoziste, trouve dans le système communiste une idéologie qui le rassure, Sartre propose quant à lui des explications très cohérentes sur ses projets à venir : la philosophie, sera toujours pour lui un moyen d'accès, un outil privilégié vers le roman. Prenant son bien chez les grands philosophes, mais ne se reconnaissant vraiment en aucun, fréquentant les cours de ses professeurs, mais ne sympathisant vraiment avec personne, sans maître, sans tutelle, il affirme sa détermination. « Je vis un peu trop de l'admiration que les autres ont pour moi », expliquera-t-il ultérieurement.

« Je veux être l'homme qui sait le plus de choses », lance un jour Sartre à un Daniel Lagache, étonné de tant d'assurance, de tant d'orgueil [32]. Années de grande boulimie culturelle, d'explorations dans tous les sens, d'appropriations multiples. Le philosophe, centre du monde, jette ses coups de sonde dans l'analyse des comportements humains, et c'est la passion pour la psychologie, la psychopathologie, la rédaction de son premier roman; le philosophe se passionne pour les nouvelles formes d'art qui s'affirment, et ce sont les courses aux séances du dernier film de Murnau, du dernier Griffith, au Studio des Ursulines, au Ciné-Latin, ou au Studio 28, et c'est un article enthousiaste : « Apologie pour le cinéma : Défense et illustration d'un art international ». Avide, impatient, « beaucoup plus ouvert que nous aux idées contemporaines », affirme Canguilhem, Sartre investit les champs de la pensée et de la création avec d'autant plus d'appétit qu'il est en face d'une avant-garde, d'un art de pointe. « Le cinéma est le signe de l'époque, écrit-il à la fin de son article, aussi ceux qui ont eu vingt ans en 1895 le rendent responsable de l'inévitable écart qu'ils trouvent entre leur état d'esprit et le nôtre. On lui reproche, comme à Socrate, de corrompre la jeunesse, on l'associe au dancing... Mais le cinéma s'adresse à tous... Ce ministre qui disait, tirant sa montre : " A cette heure-ci, tous les élèves de France font le même devoir de français " serait satisfait. A dix heures du soir, à Saint-Denis, à Barbès, sur les Boulevards, à Marivaux, à Gaumont, des hommes différents, de classes différentes, assis dans la salle obscure comme dans la nef d'une cathédrale, tendus vers l'écran, sont unis dans la même angoisse ou dans la même joie, car au même instant ils ont vu sur la toile blanche le visage fou d'André Nox ou le sourire de Charlot. Le peuple s'est donné sans réserve. Les " gens instruits " ont fait plus de façons [33]. » Sartre, le philosophe, après avoir « tranché de tout », applique au cinéma les nouvelles méthodes de sa culture classique : avec ses propres catégories, il se penche sur l'art nouveau par excellence et l'explique en le phagocytant, selon une technique qu'il peaufinera au fil des ans. D'ailleurs, comment aurait-il résisté au « vagabond Charlot », à ses aventures et à la découverte de ces nouveaux « héros, hâves, sympathiques et fripons »?

Nizan s'était fiancé, puis marié avec une jeune fille qu'il avait rencontrée au tout premier bal de l'École. A la mairie du Ve arrondissement, le 24 décembre 1927, les témoins de ce mariage s'appelaient Jean-Paul Sartre et Raymond Aron. Pour Sartre, cependant, la vie conjugale est un objet bizarre, et ses relations féminines vont très vite prendre un tour personnel. Les normaliens épousent volontiers, on le sait, des sévriennes, des agrégatives, des filles d'enseignants, hormis ceux qui décident d'une carrière dans la diplomatie ou dans la finance et l'on voit, très tôt, dans ce choix d'une compagne, se dessiner le projet de toute une vie à venir.

Pour sa part, dans le domaine amoureux, Sartre essaya tous les genres. Sa première véritable liaison débuta en 1925, aux alentours de Thiviers, et de manière particulièrement morbide. L'hécatombe de la famille Sartre semblait ne jamais devoir cesser : 1906 : Jean-Baptiste; 1913 : le docteur Eymard Sartre; 1917 : le capitaine Lannes; 1919 : la grand-mère Sartre... La maison de la rue du Thon avait été vendue aux enchères le 27 juin 1910, et Joseph observait avec désolation les transformations que faisaient subir à la maison familiale ses nouveaux propriétaires : « Cela me donne mal au cœur, écrivait-il. On dit que c'est un marchand drapier de Limoges qui l'a achetée... » Et il énumérait l'une après l'autre chacune des pièces de la maison avec sa nouvelle affectation. Une fortune se dissolvait, s'émiettait, une autre fortune s'installait dans les lieux et leur redonnait vie. « Si je te disais, écrivait encore Joseph à sa sœur Hélène, que je suis encore à attendre des nouvelles de Poulou... Je voulais lui écrire, mais, réflexions faites, j'attends qu'il soit disposé à me donner de ses nouvelles. En avez-vous? C'est bien de l'indifférence [34]. » En effet, depuis que Joseph avait refusé de laisser à Poulou la jouissance d'une chambre à La Brégère pendant la période des vacances, les choses ne s'étaient pas améliorées entre eux, et le jeune homme n'appréciait pas démesurément ces rappels trop évidents de l'hécatombe familiale dans lesquels son oncle excellait. S'il n'aimait pas aller à Thiviers de son plein gré, il serait pourtant bientôt contraint de s'y rendre : sa cousine Annie, qu'il avait même chaperonnée à Paris pendant les mois où elle était venue y étudier, était tombée malade : tuberculose! Très vite, on sut qu'elle ne pourrait pas être sauvée, et elle mourut en 1925, à l'âge de dix-neuf ans, pendant que Sartre achevait sa première année d'École normale. Avec Annie, disparaissait le dernier individu jeune et stimulant qu'il ait jamais connu du côté de Thiviers. Au dire de ses camarades de classe, elle serait d'ailleurs vraisemblablement devenue « le double féminin de son cousin [35] ». Provocatrice, supérieure, brillante, insolente, elle était à la fois crainte et admirée par ses professeurs qui ne savaient jamais vraiment comment traiter cette enfant à la culture hors du commun. Sartre n'a jamais parlé d'Annie, mais il a donné son nom au personnage féminin de *La Nausée* et à l'amie qu'il prend en exemple dans *L'Être et le Néant* : traces pudiques qui resteront longtemps secrètes.

Sartre se rendit donc à Thiviers et, une nouvelle fois, pour assister à un enterrement. Il y avait là de moins en moins de gens qu'il connaissait, mais il revit sa tante Hélène, son oncle Joseph et Mme Mancy qui s'était également retrouvée auprès d'eux pour ce nouveau drame. Sartre y fit surtout la connaissance de la cousine germaine d'Annie du côté paternel; elle était la fille de Joseph Jollivet, pharmacien de première classe à Toulouse, et d'une sœur de Frédéric Lannes; cette année-là, elle avait vingt et un ans. Sartre repéra immédiatement la jeune fille au milieu de ces adultes inconnus. « J'ai rencontré Simone Jollivet à l'enterrement d'une cousine à Thiviers, racontera-t-il plus tard. Nous avons suivi l'enterrement joyeusement. Puis ma tante Hélène a invité une quinzaine de personnes à déjeuner. Je m'embêtais avec ces gens que je comprenais mal, des notabilités de Thiviers, médecins, notaires, etc. J'essayais de parler à cette jeune femme qui avait aussi envie de me parler, mais nous étions troublés dans notre conversation par les questions des médecins et des notaires. Alors, à peine le café avalé, nous sommes partis, la jeune femme et moi, et nous nous sommes promenés tous les deux dans les prés. Là a commencé une liaison qui a duré plusieurs années [36]. » Simone Jollivet avait transposé en province, à Toulouse, la vie exhibitionniste et libertine de ces jeunes femmes des années folles qui fréquentaient les cafés de Montparnasse et adoraient les hommes de lettres. Dans les mêmes années, Nancy Cunard rencontrait Louis Aragon, Colette Peignot croisait Crevel, Picasso, Buñuel. Simone Jollivet, dit « Miyette », dite « Camille », dite « Toulouse », fit entrer, dans la turne de Sartre et de Nizan, une atmosphère très particulière de provocation et de scandale. Elle avait inventé de leur offrir, en guise d'abat-jour, l'une de ses petites culottes dont le souvenir très précis est parvenu jusqu'à nous grâce à la mémoire prodigieuse d'Henriette Nizan : « une petite culotte en coton mauve, avec un entre-deux de dentelle mécanique ocrée ». Puis, au second bal de l'École, elle était apparue au bras d'un Sartre chaussé de guêtres, élégant et gandin, et elle avait fait sensation, dans une robe extravagante et, dit-on, libertine. Relation épisodique et tourmentée entre un Sartre amoureux et cette grande jeune femme à la belle chevelure blonde, aux yeux bleus durs, à l'élégance surchargée. Relation douloureuse pour un Sartre passablement maltraité par les caprices de son amie qui imposait des nuits d'attente sur un banc à la belle étoile, qui racontait ses autres aventures, et le mettait en compétition avec les hommes riches qui pouvaient, eux, l'entretenir aisément.

« Il faudrait pourtant s'entendre. Oui ou non, voulez-vous me voir? Je n'admets *absolument pas* ces façons de me considérer comme le Monsieur à qui on écrit une lettre tous les quinze jours à heure fixe pour le conserver dans sa bande de flirts, et à qui l'on fait l'aumône de trois jours une fois par an [37]. » De temps en temps, visiblement échaudé par certains excès, Sartre s'insurge. Une autre fois il ira même jusqu'à se rebiffer franchement : « Évitez donc, lance-t-il alors à Simone Jollivet, de me donner de temps à autre un morceau de sucre comme à un caniche. » Malgré les rebuffades, cette histoire d'amour à épisodes durera – en pointillé – presque trois ans. Et notre Sartre amoureux-malheureux vivra de grands émois avec elle pour quelques jours et alternativement à Thiviers, à Toulouse, à Paris. Une relation passionnelle, donc, à rebondissements multiples et particulièrement riche en échanges littéraires : Sartre – comme il l'avait fait jadis avec Annie – aime à conseiller des lectures, à solliciter des opinions, à confier ses projets secrets, à découvrir ses travaux en chantier. « Mon cher amour, écrit-il plus tard, il ne me plaît guère que tu dises " m'aimer à la passion *comme la Marietta* " laquelle était une cuisse légère qui aimait vaguement Fabrice. L'expression " aimer à la passion " est du cru d'une vieille maquerelle qui voulait lui soutirer le plus d'argent possible. Mais j'aimerais que ton amour pour moi ressemblât à celui de la Sanseverina pour Fabrice [38]. » Et, parfois, il passe aux aveux : « L'homme à la fameuse " puissance de travail " se bat les flancs pour travailler plus d'un quart d'heure par jour [39]. » Ou encore : « J'étais, jusqu'à l'année dernière, très mélancolique de tempérament parce que j'étais laid et que j'en souffrais. J'ai absolument chassé cela car c'est une faiblesse [40]. »

C'est pour Simone Jollivet, pour sa « petite fille en porcelaine », comme il l'appelait joliment, que Sartre va écrire son premier roman, *Une défaite.* Très directement inspiré des relations en trio du couple Richard Wagner-Cosima-Frédéric Nietzsche, fortement nourri de ses récentes expériences de préceptorat chez M. et Mme Morel, influencé enfin par les douleurs de l'amour avec Simone Jollivet, ce roman de jeunesse est un document étonnant. Et s'il fallait trouver des preuves à la très précoce maturité des thèmes et des obsessions sartriens, *Une défaite* fournirait là le dossier central. Trois personnes : Richard Organte, le créateur âgé, compositeur et écrivain; Cosima, sa jeune femme; Frédéric, le précepteur des trois petites filles de Cosima, admiratif de Richard et amoureux de sa femme. Un trio, donc. Inutile, bien sûr, de souligner lourdement ou même d'épiloguer facilement sur les références à la biographie sartrienne : J.B., Anne-Marie, Poulou; Charles Schweitzer, Anne-Marie, Poulou; Joseph Mancy, Anne-Marie, Poulou... En tout cas, quelle extraordinaire référence aux Schweitzer, dans ce texte écrit à l'âge de vingt ans par un petit-fils ingrat! Car la culture germanique de Sartre sert de trame à l'ensemble de l'intrigue. Pour se documenter, il relit, d'ailleurs, Schopenhauer, Nietzsche, la vie de Wagner, de nombreuses histoires de la musique, des vies de musiciens. Sartre relut encore E.T.A. Hoffmann et *Ecce Homo,* et commanda à la bibliothèque de l'École normale la partition du *Crépuscule des dieux.* Se souvint-il, alors, que le cousin de sa mère, Albert Schweitzer, avait pendant un temps rendu visite, à Bayreuth, à une Cosima très âgée et qu'il avait entretenu avec elle une intéressante correspondance?

Sur fond de culture schweitzérienne implicite, pourtant, Sartre va parler de lui et de lui seul. Dans une superbe ébauche de toutes les thématiques de l'œuvre sartrienne à venir : la créativité comme esthétique; l'inceste; le trio; le couple d'oppositions homme fort/homme faible, homme jeune/homme mûr; le regard d'autrui; la liberté sociale et métaphysique; la fixité sociale et l'avènement du salaud; la mauvaise foi... *Une défaite,* c'est également un roman d'amour, et d'amour malheureux. Un roman d'apprentissage, et d'apprentissage raté comme l'indique le titre. Mais le double échec – intellectuel et affectif – s'inscrit là comme un véritable moteur, tremplin pour rebondir vers un optimisme à tout crin. « Au fond, sa défaite était une victoire », écrit par exemple le romancier novice, en toute fin d'un chapitre.

Une chose, pourtant, intrigue immédiatement. Car dans *Une défaite* Sartre semble se projeter lui-même, et à la fois, dans les deux personnages masculins : Richard et Frédéric. Et leur relation, leur échange, leur dialogue intime résonnent étrangement : ne serait-ce pas le propre dialogue entre le Sartre de vingt ans et le Sartre de soixante-dix ans? Une lente élaboration intellectuelle à deux? Le va-et-vient permanent entre le maître et l'élève? Comme une libre circulation entre deux intelligences et deux expériences qui se stimuleraient l'une l'autre, s'affronteraient et s'enrichiraient en permanence. Certains passages, à cet égard, forcent définitivement tous les doutes : « Frédéric n'était pas l'ami d'Organte, car il ne se sentait pas son égal. Il avait pour lui une affection qui ne comporte pas de nom... Ce qu'il aimait le plus profondément en Richard, c'était la Force qu'il lui prêtait. Lorsqu'il pensait à lui, il ne voyait pas son visage, mais il serrait les poings, l'esprit traversé par la vague image d'un torrent ou d'une charge de cavalerie. Il murmurait quelquefois en lui-même des mots comme " un torrent " ou bien " la Force " et il sentait une Présence intérieure, sans savoir au juste s'il prenait conscience de la Force de Richard ou de la sienne propre... Il aimait vraiment pour lui-même ce grand corps d'athlète voûté. Il était pris de frissons à sa vue, transporté d'extase à l'idée de leurs futurs combats. Le corps s'en mêlait : il aurait voulu se frotter à lui comme à un mur et surtout lutter avec lui, pour de bon, l'étreindre d'un effort puissant et tenter de le jeter à terre. Leurs causeries dépassaient toujours le sec appareil dialectique qu'il espérait avant de voir Organte [41]. »

Tous les lecteurs normaliens de ce manuscrit [42] – car il en eut – retrouvèrent là certains des traits du crâneur musclé, du boxeur hebdomadaire de la salle de gymnastique, du canuleur puissant et cruel, du créateur d'une théorie par jour. Force physique, puissance musculaire, créativité forcenée, y étaient donc liées avec la plus extrême nécessité : « Il avait dans les muscles, ses muscles de lutteur, écrivait encore Sartre, un incessant besoin de se battre, d'écraser. Les joies et les douleurs de son organisme gigantesque étaient d'une frénésie inouïe. Quand il écrivait, il serrait son porte-plume à le briser. Pas une phrase de ses livres, pas une mélodie de ses opéras, où il ne se soit donné tout entier, sur laquelle il n'ait pesé de tout son poids [43]. » Et les mythes de Samson, de Michel-Ange, d'Antée, du Phénix sous-tendent en filigrane ce long duel complice.

La relation avec Simone Jollivet s'achèvera sur le mode même qui l'avait toujours colorée : celui d'une passion à épisodes. Et les deux amants de Thiviers resteront, tout au long de leur vie, en contact amical. Elle parviendra à réaliser un de ses plans : être la maîtresse de Charles Dullin, deviendra comédienne, dramaturge et ce qu'on appelle communément « femme de lettres », toujours dans la démesure et l'extravagance. Quant au roman qui restait, somme toute, un des fruits de leur liaision, ceux qui l'avaient lu dans l'entourage de Sartre en reprendraient encore, près de vingt ans plus tard, certains éléments. « Vous avez encore pris votre ton Frédéric », lui lançait parfois Mme Morel, ou : « Vous voilà redevenu le lamentable Frédéric! » explosait-elle encore parfois, en riant.

Après l'extravagance, la convention. Sartre se fiance avec la cousine d'Alfred Péron, un camarade de promotion, qu'il rencontre à Usson-en-Forez où il est invité à passer des vacances d'été. « Je crois qu'elle avait besoin d'une passion, et c'est moi qui lui ait fait exagérer son sentiment pour moi » : plus tard, il reconstituera de manière assez rocambolesque et extrêmement cynique cet épisode qui dura près d'un an. Aron et Guille avaient, chacun, envoyé une lettre de félicitations au nouveau « fiancé » qui se plaignit de leur médiocrité. La jeune fille vivait à Lyon, il la voyait peu, mais l'affaire prit parfois un tour un peu spécial. « Comme ses parents voulaient en savoir davantage sur moi, ils m'ont fait filer par un détective privé qui leur a dit qu'à l'École on m'avait entendu parler de ma fiancée en termes désagréables et même grossiers [44]. » La relation s'achèvera d'elle-même avec le premier concours d'agrégation. A l'étonnement général – le directeur de l'École normale lui-même le mentionna –, à la joie d'Aron – qui, d'après la légende, en aurait piétiné son chapeau de joie –, Sartre fut collé dès l'écrit, Aron reçu premier. Ses futurs beaux-parents refusèrent alors d'accorder la main de leur fille à un étudiant qui, quoique normalien, n'avait pas réussi le concours suprême. Double échec pour Sartre et pour ses parents, déboutés dans la très officielle demande qu'ils avaient eux-mêmes effectuée auprès des parents Péron. « Je suis allé seul dans un pré avec une bouteille et là, j'ai bu... J'ai même pleuré. Pleuré parce que j'avais bu d'ailleurs, mais c'était bien. Je ne veux pas dire que je le faisais exprès mais j'étais content de payer mon écot de ces quelques larmes. J'étais soulagé [45]. » Plus tard, il ne parlera que par allusions rares de cette « fiancée » qui, disait-il, était surtout la « fille d'un épicier ».

Avec l'agrégation, ce fut la fin des années d'apprentissage – *Bildungsjahren,* aurait dit notre philosophe germaniste. S'il entra dans le folklore normalien, ce ne fut pas, comme d'autres, qui investissent le 45, rue d'Ulm à vie, tels un port d'attache, une confrérie, une nouvelle famille, cotisent à l'association des anciens élèves, fréquentent régulièrement les revues de leurs cadets et assistent, tout les ans, au banquet de leur promotion. Sartre ne remit jamais les pieds à l'École normale supérieure, ne cotisa pas à l'association des anciens élèves, ne versa surtout pas dans le culte de la rue d'Ulm. Si bien que l'année de sa mort, au moment de procéder au rite de sa notice nécrologique, les discussions furent vives : « Il n'a jamais cotisé, il n'a donc pas droit à la notice », disaient les purs et durs, les légalistes. « Ce fut pourtant le normalien le plus célèbre du monde », répondaient les laxistes. L'affaire en resta là : l'association des anciens élèves de l'École normale supérieure ne rendit pas, à ma connaissance, de dernier hommage à celui qui avait pourtant vécu là, selon ses propres termes, « quatre années de bonheur ».

L'orgueilleux ne pouvait pas faire moins, face aux parents, face aux camarades, qu'un coup d'éclat pour le second concours. Soixante-seize candidats se présentèrent à l'agrégation de philosophie en juin 1929 : Sartre remporta la première place sur les vingt-sept admissibles, puis la première place sur les treize reçus. « Intelligence pénétrante rigoureuse et bien nourrie de connaissances, mais qui a paru parfois manquer de sûreté », avaient noté, parmi les membres du jury, MM. Parodi et Wahl. Pourtant Sartre, vraisemblablement stimulé par les conseils de Raymond Aron qui avait recommandé le bon sens, la stratégie de la sécurité, plutôt que l'originalité à tout prix avait très largement devancé, à l'issue des épreuves écrites, le second candidat. Sartre évita donc les écarts de génie aussi bien pour les dissertations de l'écrit « Liberté et contingence » et « Rôle de l'induction dans les sciences déductives ». Pour sa fameuse leçon d'oral « Psychologie et logique », il se laissa davantage porter par ses propres idées. « Sa leçon d'agrégation fut remarquable, nous raconte aujourd'hui Maurice de Gandillac. Il a parlé avec une assurance extraordinaire : le jury et tout particulièrement le président Lalande ont été absolument subjugués [46]. » A la première place de cette promotion 1929 d'agrégés de philosophie, Sartre distançait de peu le candidat classé second et qui était, en l'occurrence, une candidate : Mlle Simone Bertrand de Beauvoir. « Rigoureuse, exigeante, précise et technicienne, raconte encore Gandillac, elle était la plus jeune de la promotion : elle n'avait que vingt et un ans; elle était donc de trois ans la cadette de Sartre et avait réussi ce tour de force de sauter une année d'études, puisqu'elle avait préparé dans le même temps son diplôme d'études supérieures et le concours de l'agrégation. D'ailleurs deux des professeurs du jury, Davy et Wahl, m'ont plus tard confié qu'ils avaient longuement hésité entre elle et Sartre pour la première place. Car si Sartre montrait d'évidentes qualités, une intelligence et une culture fort affirmées, mais parfois approximatives, tout le monde s'accordait à reconnaître que LA philosophe, c'était elle. »

Cette seconde année de préparation au concours, Sartre l'avait passée à la cité universitaire du boulevard Jourdan, puisque à la suite de son premier échec il n'avait plus droit à la chambre de la rue d'Ulm. Année toujours bouillonnante, cours en Sorbonne, préparation en groupe avec Nizan, Maheu et Gandillac. Tous les agrégatifs de cette année 1928-1929 avaient repéré l'imposant trio des normaliens Sartre, Nizan, Maheu, avaient consacré des réputations, celle de Sartre surtout qui « n'avait pas une mauvaise tête », mais dont « on disait qu'il était le plus terrible des trois » et même que l'on « accusait de boire ». Parmi les jeunes filles que Maheu rencontrait à la Bibliothèque nationale et dans les amphithéâtres de la Sorbonne, Sartre avait déjà donné son avis sur une agrégative de philo, grande, sérieuse, avec des yeux bleus. « Sympathique, jolie, mais mal habillée », avait-il lancé, supérieur, d'une voix définitive et condescendante. Ainsi commença la relation de Sartre avec Simone de Beauvoir que Maheu avait surnommée « le Castor », « parce qu'en anglais, *beaver* veut dire castor » et que le castor est un symbole de travail et d'énergie. Une relation qui allait durer cinquante et un ans.

On laissera Sartre et le Castor raconter eux-mêmes cette rencontre devenue presque mythique et qui sera pratiquement le centre du premier volume des souvenirs de Simone de Beauvoir dans les *Mémoires d'une jeune fille rangée.* Cependant, un de leurs camarades de cette année-là, Maurice de Gandillac, donne une version un peu différente de ces premiers moments : « Ce ne fut pas du tout, nous dira-t-il, dans le genre " Enfin Sartre vint " comme elle se plaît à le raconter dans ses mémoires; il y avait tout un groupe de gens, de contemporains, qui se connaissaient plus ou moins, se fréquentaient, et cela durant un certain temps; parmi eux, Sartre, Nizan, Maheu, Merleau-Ponty, Simone de Beauvoir et moi-même. C'est par Merleau-Ponty que j'ai connu Simone, par moi qu'elle a connu Maheu, par Maheu qu'elle s'est rapprochée de Sartre et de Nizan. Mais tout cela prit place au long de cette année universitaire au cours de laquelle nous préparions l'agrégation. » Pas de « coup de foudre » donc, semble-t-il, selon Gandillac, mais un rapprochement plus lent, plus raisonné, et peut-être plus banal qu'on ne l'imagine.

Rituels de rencontre autour des textes au programme, codes complices entre deux étudiants saturés de lectures, exacerbés par les conventions de l'examen, les pressions des épreuves. Première véritable rencontre, en effet, dans l'excitation des derniers jours précédant l'oral : Sartre avait offert à la jeune fille de « réviser avec eux », dans sa chambre de la cité. « Il y avait un grand désordre, raconte-t-elle dans ses mémoires, de livres et de papiers, de mégots dans tous les coins, une énorme fumée. Sartre m'accueillit mondainement, il fumait la pipe. Silencieux, une cigarette collée au coin de son sourire oblique, Nizan m'épiait à travers ses épaisses lunettes avec un air d'en penser long. Toute la journée, pétrifiée de timidité, je commentai le " discours métaphysique " [47]. » Mal habillée, soit. Mais ils furent tout de même obligés de reconnaître qu'intellectuellement, elle « tenait la route ». Sartre, Nizan et Maheu inclurent la jeune fille dans leur trio de travail : « C'était Sartre, de loin, qui en savait le plus long, explique-t-elle, il se mettait en quatre pour nous faire profiter de sa science, c'était un merveilleux entraîneur intellectuel... je fus éberluée par sa générosité, car ces séances ne lui apprenaient rien et pendant des heures il se dépensait sans compter... Quand il avait assez payé de sa personne, il mettait un disque sur le plateau du phonographe [48]. » Serviable, disponible, distrayant, drôle, généreux, tonique, Sartre fut, pour la durée des épreuves, pour l'été qui suivit et pour les deux années à venir, le compagnon amoureux, le grand frère solide et conseilleur, l'interlocuteur stimulant de cette jeune personne de trois ans sa cadette, et qui était en train de rompre les amarres avec son passé de jeune fille rangée, élevée dans une institution catholique privée et entourée de conventions familiales qu'elle était bien décidée à ne plus respecter. « Je vais vous prendre en main », lui lança-t-il, comme un défi, avant le départ en vacances.

Alors vinrent les rencontres, multipliées, accumulées, et les joutes intellectuelles entre ces deux machines à penser, épuisées par les concours, mais toujours emballées pour des développements personnels. « Tous les jours, toutes les journées, raconte-t-elle, je me mesurais à lui et dans nos discussions je ne faisais pas le poids... Un matin... je lui exposai cette morale pluraliste que je m'étais fabriquée... : il la mit en pièces... Je dus reconnaître ma défaite [49]. » Quand, au bout de trois mois, elle parla de lui comme du « double » dont elle avait rêvé à l'âge de quinze ans, quand les échanges de lettres furent quotidiens, quand le jeu leur permit d'inventer un avenir libéré de toute contrainte, quand enfin Sartre prit conscience du service militaire qui le guettait, de toutes les libertés qu'il devrait pour un temps concéder, ils s'assirent face à leurs vies à venir et réfléchirent. Sartre, d'emblée, imposa ses lois : le voyage, la polygamie, la transparence. Il n'entendait renoncer à aucune de ces saines dispositions. Pour éviter l'ennui d'une carrière de professeur en province, il avait demandé un poste de lecteur au Japon, pour l'année qui succéderait à sa libération du service militaire. Il tenait à ce voyage, il le ferait. De même, les amitiés féminines l'avaient toujours tenté, il ne les abandonnerait pas. Dans cette situation de quadrature du cercle, il devint, bien sûr, créatif, ne voulant perdre ni sa nouvelle amie, ni ses lois essentielles. Alors il inventa les concepts d'« amour nécessaire » et d'« amours contingentes », de même que l'idée d'un « bail de deux ans ». Simone de Beauvoir resterait donc ainsi sa relation affective privilégiée, sans lui en interdire d'autre. Il pourrait aussi la voir tout à loisir pendant ses deux années de service militaire, avant de partir pour le Japon. Et la transparence était sauve. « Je songeai surtout, écrira-t-il plus tard, évoquant les années pré-castoriennes, à affirmer cette liberté contre les femmes. C'était d'autant plus comique qu'elles étaient loin de me courir après et que c'est moi qui courais après elles... Une fois, je fus pris au jeu. Le Castor accepta cette liberté et la garda [50]. »

Le service militaire incita le soldat météorologue de deuxième classe, matricule 1991 à, selon ses propres termes, « une très grande modestie ». Au fort de Saint-Cyr, puis à la caserne de Saint-Symphorien, près de Tours, il fut initié à la manipulation des ballons, des théodolites, des sextants, des octants, des boussoles. Il s'ennuya ferme, dans cette « vie trop réglée », subissant tant bien que mal cet « état de tous les séquestrés [51] ». Il écrivit beaucoup, pour se protéger contre la hiérarchie, l'ordre, les contraintes militaires. Ainsi virent le jour trois textes « intermédiaires », trois textes de ces années de flottement entre rue d'Ulm et professorat. Trois textes dits « de jeunesse » : *La Légende de la vérité*, un conte en trois parties dans lequel se succèdent la légende du certain, la légende du probable, la légende de l'homme seul. Forme héritée des classiques grecs, débat profondément ancré dans les préoccupations intellectuelles personnelles de Sartre puisque Schweitzer et Mancy s'y retrouvent, de fait, rejetés dos à dos; ce conte ne sera qu'en partie publié, on le verra plus tard. Ses deux pièces, *Épiméthée* et *J'aurai un bel enterrement*, rejoindront à leur tour les tiroirs. Retour du thème de l'artiste, de l'homme seul, opposé à l'ingénieur, faisant face à sa propre mort à venir. Le Castor fut la première lectrice de ces textes, la première commentatrice. Entre-temps, elle avait décidé de repousser au maximum la date de son entrée dans l'enseignement et, aussi longtemps que Sartre resterait soldat, elle vivrait à Paris, non loin de lui. « J'avais envie de me laisser un peu aller. Au bonheur, à l'amour de Sartre... explique-t-elle. C'est lui qui m'a dit : Mais enfin, Castor, pourquoi ne pensez-vous plus? Pourquoi ne travaillez-vous plus? Vous vouliez écrire! Vous n'avez tout de même pas envie de devenir une femme d'intérieur, non [52]? » Et le petit homme sollicita son Castor de toute son énergie, la stimula pour qu'elle conservât son autonomie, pour qu'elle prît la plume, pour que intellectuellement, elle se maintînt sans faille dans une activité créatrice, une recherche critique permanente. Elle se décida donc à commencer un roman. Leurs plans, cependant, furent modifiés par la force des choses au moment où le jeune soldat apprit qu'il ne serait pas l'heureux élu du poste de lecteur à Tokyo, mais qu'il était nommé au lycée du Havre à compter du 1er mars 1931, en remplacement d'un professeur atteint de dépression nerveuse. Le bail de deux ans était arrivé à terme, le voyage lui était refusé, il fallut donc réviser le pacte. Déception pour lui : le Japon l'avait longtemps attiré, la province française le rebutait tant! Déception pour elle : à la rentrée d'octobre 1931, elle est nommée à Marseille! Ils trouveront les moyens de faire face, de négocier à vue leurs nouvelles échéances. Au sortir de ses années de jeunesse, la porte est bien plus étroite qu'il ne l'avait escompté. Le temps de ses escapades loin de la caserne, il fut encore « mille Socrates ». Puis il prit à la gare Saint-Lazare le train à destination du Havre. « Juste le temps de lire un polar », s'amusera-t-il à dire, après le premier voyage.

UN SEUL SOCRATE

> « C'est brusquement que je devenais un seul Socrate... Jusque-là, je me préparais à vivre... Et puis voilà que je jouais la pièce, tout ce que je faisais était désormais fait avec *ma vie...* »
>
> *Carnets de la drôle de guerre.*

En mars 1931, c'est l'entrée en scène irrémédiable, avec le rôle si redouté de professeur de lycée en province. Il avait souhaité Tokyo, il obtenait Le Havre. Il avait espéré échapper à la carrière d'enseignant, il restera au Havre jusqu'en juin 1936. L'armée française, la province française, l'emploi du temps d'un professeur, il tombe de plain-pied dans le monde réel, dans le travail et la vie quotidienne, dans les horaires, les salaires, les relations sociales figées, hiérarchisées, dans ce rôle, enfin, parfaitement assigné, à laquelle l'avaient destiné ses études : Normale supérieure, puis l'agrégation, une place bien définie, bien cadrée, avec un métier, des obligations, des rituels, des comportements à votre égard, bref toute une machinerie qui vous recevait, vous intégrait, vous programmait, vous tenait sur des rails, sur vos rails, à vie. Il devenait fonctionnaire, c'est-à-dire employé de l'État jusqu'à l'âge de la retraite, pris en charge, payé pendant les vacances scolaires et les congés de maladie, dans une alliance implicite avec l'État que rien ne viendrait déranger. En franchissant la porte, puis la cour à statues du lycée François-Ier, en montant dans le « cabinet de Monsieur le Proviseur » qui, derrière une lourde portière de cuir noir, sentait la cire et le propre, en pénétrant dans ces longs couloirs hauts de quatre mètres quinze, en visitant la chapelle, la cour d'honneur interdite aux élèves de ce lycée gigantesque qui occupait un quartier entier, en écoutant le lourd silence, statique, ordonné, des lieux réservés aux professeurs, Sartre était, immédiatement, pris au piège dans le monde intemporel et rassurant de la province française avec ses attributs bien connus : le silence, la propreté, l'ennui. C'était la capture. Brusquement, il devenait un seul Socrate. Brusquement, tout s'effondrait.

Le 12 juillet 1931, quatre mois après son entrée en fonction au lycée, il fit sa première apparition publique dans la ville du Havre. Dans le grand gymnase décoré et fleuri, c'est la rituelle cérémonie de distribution des prix, à laquelle sacrifiaient, chaque année, tous les proviseurs de tous les lycées de France. Cérémonie figée, patinée par des années et des années de répétition, de tradition. Cérémonie sociale, cérémonie familiale, qui fait pénétrer dans l'univers fermé et quotidien du lycée ces intrus d'un jour que sont les parents d'élèves et les personnalités invitées. Qui, brutalement, arrache les murs d'une classe et projette en public les palmarès, listes de noms d'élèves, censés représenter l'image d'une année de travail. Cérémonie injuste et cruelle qui pousse à bout le système d'enseignement où les maîtres mots sont compétition et sélection, qui extrait les « meilleurs » et oublie les autres. Qui troque blouses, galoches, mains tachées d'encre violette, contre vêtements du dimanche et déguisement des « grands jours ». Cérémonie qui octroie, dans la solennité glacée et le silence théâtral, couronnes de lauriers, piles de livres à tranche dorée, alternant lectures de palmarès, applaudissements, présentation des meilleurs, poignées de main officielles, fiertés, hontes, regards aux parents, aux camarades, aux professeurs, au sous-préfet, cérémonie phare, cérémonie absurde. Au fond de la salle, une grande estrade reliée à la cour du lycée par un long tapis rouge. Assis au centre, les parents et personnalités. Autour, sur les gradins, par classes et par années, tous les élèves au grand complet. Mises en place successives de plus de huit cents « spectateurs », avant que ne commence le long défilé des professeurs en toge, qui s'avancent en file sur le long tapis rouge, derrière le proviseur et le censeur, puis montent un à un s'asseoir selon une étiquette savante sur la grande estrade enguirlandée de buis et de fleurs.

« Mes chers amis, chaque pays, disait Sainte-Beuve que je cite de mémoire, a ses réjouissances nationales. La Belgique a ses combats de coqs, l'Espagne ses corridas; nous avons les distributions de prix... » Jean-Paul Sartre s'avança devant le micro et, à toute allure, à la fois pudique et puissant, gêné et ironique, d'une voix brève, économique, grinçante, inattendue, il figea l'auditoire rassemblé par un ton jusqu'ici inconnu. En juillet 1931, Sartre a tout juste vingt-six ans et la tradition veut que le plus jeune professeur du lycée soit chargé par le proviseur du discours qui préface l'ensemble de la cérémonie. Les parents d'élèves, les personnalités découvrent ce jour-là celui dont ils ont entendu parler comme d'une « tête », puisqu'il est normalien, dit-on de source sûre, et major de sa promotion à l'agrégation de philosophie. Dans sa toge noire avec jabot et épitoge jaune – comme tous les littéraires –, trois rangs d'hermine blanche au bas de l'épitoge – comme tous les agrégés –, empêtré dans les plis d'une toge trop longue pour lui, Jean-Paul Sartre se retrouve, étonné, cloué dans le rôle de vedette d'un jour, devant le public choisi et distingué d'une sous-préfecture de province, chargé d'inaugurer un genre de cérémonie qu'il ne goûte – on s'en doute – que très modérément.

Ce fut M. Albert Dubosc, conseiller général de la Seine-Inférieure, et président de la commission départementale, qui, cette année-là, présida la séance. Il avait été chargé de ce rôle par M. le censeur, Robert Blondel – toge noire, deux grands pans de couleur –, en l'absence de M. le sous-préfet, empêché. Coincé entre ces deux hommes, entre les prétéritions d'ouverture et la proclamation des résultats, entre les introductions conventionnelles de deux hommes non moins conventionnels, Sartre peste. Qu'on en juge : M. le censeur Blondel, fils de militaire de carrière, mena, au dire de certains, la discipline du lycée, tambour battant et même plus, prenant le lycée pour un type particulier de caserne, exigeant, tant des professeurs que des élèves, rangs ordonnés, salut obligatoire, rigueur extrême. Le « remuant sujet » qu'avait été, quelques années auparavant, le Sartre de l'École normale, brutalement catapulté dans le cénacle des tenants de l'ordre, ne pouvait pas faire moins que de se cabrer. Il envoya donc, telle une grenade incendiaire, son discours vers les seuls élèves. Jouissant de lancer, de son estrade solennelle, un brûlot vers les spectateurs. Choisissant, dans cette cérémonie asphyxiante et guindée – qui lui imposait de changer de rôle, d'âge, de style, de place –, une trouée vers le large, planche de salut, en pactisant avec les jeunes, les élèves, les mineurs, les adolescents, ses seuls véritables confrères. Délibérément désireux de séduire les jeunes et d'offusquer les vieux. De plaire ici; de scandaliser là. Incapable d'avaler sa place, sa toge, son estrade, son rang hiérarchique. Poussant même le luxe jusqu'à oublier, dans ses formalités d'adresse, un « monsieur le conseiller général », un « mesdames, messieurs » qui auraient été requis par le plus laxiste des protocoles, il démarra son discours à une allure d'enfer, se tournant ostensiblement vers les gradins, éperdument dédaigneux des murmures qu'il allait provoquer. C'est peu de dire que, ce 12 juillet 1931, dans la bonne société du Havre, Sartre fit scandale.

Les distributions des prix, poursuivait-il, « sont précédées d'un sacrifice expiatoire. Le plus jeune des professeurs prend à sa charge tous les péchés de l'année et fait publiquement pénitence : c'est ce qu'on appelle le discours d'usage. Lorsqu'il en prononce le dernier mot, la purification est achevée : ainsi, chaque année, tous les lycées de France abordent en état de grâce l'année scolaire nouvelle. Cette punition est moins dure pour le bouc émissaire que pour ceux qui l'écoutent : au moins peut-il choisir son sujet; ce sujet c'est à peine s'il faut qu'un lien ténu le rattache à la cérémonie. J'use de mon droit : je vais parler du cinéma». Sourires, rires, intérêt dans les rangs des élèves assis par classe, sur les bas-côtés. Consternation, gêne, silence dans les rangs des parents assis au centre. Plongeant dans les meilleurs de ses souvenirs d'enfance, ridiculisant les rites de la cérémonie et le proclamant bien haut, parfaitement sincère et heureux de parler de ce qu'il aime, parfaitement libre face aux conventions qu'il démolit, il va citer Anatole France, Ésope et Pirandello, il va choisir cette ville guindée et froide, ces grands bourgeois hautains et glacés, pour démontrer, force détails à l'appui, que... le cinéma est « réellement un art ». Heureux, plus que jamais, lorsqu'il porte l'estocade finale : « Vos parents », poursuit l'orateur sans même s'adresser à eux, mais en les provoquant par la bande, « vos parents peuvent se rassurer : le cinéma n'est pas une mauvaise école. C'est un art... qui reflète la civilisation de notre temps. Qui vous enseignera la beauté du monde où vous vivez, la poésie de la vitesse, des machines, l'inhumaine et splendide fatalité de l'industrie? Qui, sinon *votre* art : le cinéma? » Et, reprenant son souffle, il ajoute : « Allez-y souvent. Mais c'est un divertissement pour la mauvaise saison; auparavant, prenez de bonnes vacances [1]. »

Provocation gratuite? Démagogie facile? C'est qu'on ne goûte pas du tout la plaisanterie dans les rangs de l'aristocratie havraise. C'est qu'on apprécie fort peu ce jeune petit monsieur, ses références inadmissibles, son discours déplacé et choquant. Et l'on s'indigne déjà de l'influence néfaste et pernicieuse qu'il risque d'imposer aux enfants. On se méfie, on pressent un danger, on se rebiffe, on s'offusque, en attendant la suite. Derrière des mains gantées, des chapeaux à voilettes, ces dames de la Côte, dans les crissements, les voix étranglées, retinrent, mais non sans mal, des hoquets bien-pensants et outrés de tant de mauvais goût. D'ailleurs, à la distribution des prix de l'année suivante, on verra le même énergumène, soutenu à sa droite et à sa gauche par deux de ses collègues, MM. Bonnafé et Isoré, s'avancer en titubant sur le long tapis rouge, se faire hisser sur l'estrade et disparaître peu après par un escalier de secours : on ne le revit plus. Mais on apprit avec consternation, on se répéta avec effroi qu'il était ivre, et qu'il avait, la veille au soir, fêté avec ses bacheliers leur succès dans un... dans une... bref avec des dames... comment dire?, enfin qu'il avait été vu, ivre, la veille au soir, avec ses élèves, dans une maison close de la ville!

Ce n'étaient pourtant là que les prémices, les manœuvres d'approche : les relations que Sartre entretint, cinq années durant, avec la ville du Havre, furent passionnelles, lourdes, violentes, charnelles. Et les vertueux parents d'élèves allaient trouver bien d'autres occasions de se laisser aller à leurs discours scandalisés. Entre Sartre et Le Havre, ce fut un corps-à-corps, tour à tour fasciné et sinistre, dépressif et romantique, grinçant et envoûté. Aucune ville de la province française ne possède, à l'égal du Havre, une représentation topographique de sa société et de ses classes aussi brutale, aussi claire : une image d'Épinal. En bas, dans le quartier du port, pas loin de la gare, les rues chaudes, les bas quartiers, les docks. Sur la falaise, dominant la ville, Sainte-Adresse et la côte Félix-Faure, avec son opulence, ses villas bourgeoises, vue sur la mer et jardins à l'anglaise, nurses et enfants modèles. Dans les classes de Sartre, mêlés, chaque année, fils d'armateurs et fils de dockers : la haute bourgeoisie havraise était encore, dans les années 30, formée des fils de ces protestants venus d'Alsace ou de Suisse au XIXe siècle; attirés par le développement industriel des grands ports, des grands échanges maritimes, ils s'étaient lancés, avec succès, dans le commerce du sucre, du café, du coton, des épices, ils avaient prospéré, s'étaient enrichis. Ils possédaient des maisons à trois, quatre étages, employaient parfois jusqu'à six domestiques, et « descendaient » à la gare en fiacre ou en diligence. Sartre, immédiatement, repéra son camp : celui des bas quartiers et des fils de dockers. Et, pour commencer, il choisit de vivre dans un hôtel mémorable, crasseux, minable, sinistre, qui répondait au joli nom d'« hôtel Printania ».

Une première tentative, pourtant, l'avait auparavant conduit boulevard François-Ier, chez une logeuse qu'un ami connaissait : « J'ai trouvé dans un recoin une maison bourgeoise, écrit-il, racontant la scène, je suis entré dans un vestibule bourgeois plongé dans une obscurité bourgeoise... [la veuve Dufaux] m'est apparue... Pour moi... elle est typique de la veuve et de l'abjection humaine. L'idée de vivre chez elle m'a fait prendre la fuite [2]. » Allergies trop criantes, pour qu'un simple compromis soit possible. Ni logeuse, ni maison bourgeoise, ce sera l'hôtel, « dans ce quartier du Havre que j'aime tant, contre la gare », écrit-il le même jour. Dans un espace ouvert aux vents, un lieu délaissé, coincé dans le triangle de la rue Charles-Laffitte – une rue vague, presque une impasse – et une petite ruelle sans nom, entre gare et port, l'hôtel Printania recevait surtout voyageurs de commerce et individus attardés qui arrivaient par les derniers trains, tard dans la nuit. Et la chambre de Sartre, « chambre borgne dans un hôtel borgne », dira un de ses élèves, donnait à la fois sur la gare de triage aux verrières animées, et sur la centrale électrique. Disjoncteurs et transfos, de couleur grise et verte, cassant, par leur enchevêtrement de fils et d'acier, les hauts murs de brique rouge, bourdonnant sans cesse, pénétrant dans la chambre même de nuit et de jour, présence inquiète et laborieuse. « Un boucan d'enfer », dit un élève. Mais Sartre en avait décidé ainsi : de sa chambre, telle une vigie, il entendrait les appels des sirènes et les sifflements des trains. De ce lieu de halte, ouvert aux départs maritimes, aux départs terrestres, il écouterait la ville du Havre. Sur le qui-vive, comme d'un marchepied, prêt à sauter du train en marche, voyageur clandestin. « Tout ce que les hommes font la nuit, je l'entends, écrit-il à cette époque. Toute la rue passe par ma chambre et coule sur moi [3]. »

C'était le début des années 30, et ce quartier du Havre, entre gare maritime et gare ferroviaire, portait, comme nul autre, les marques vives de la crise économique. Sartre aima ces populations perdues qui se réfugiaient dans les cafés du port, les caboulots, il devint piéton du Havre, dans la proximité des gens qui chavirent, dans l'adversité des soirs d'hiver glauques et humides, marcha entre les bassins du port de commerce, où se mêlaient odeurs de poisson, de mazout, de goudron et d'air marin, où flottaient poussières et escarbilles de charbon, où avançaient les wagonnets, où s'attroupaient, crochet à la main, les dockers attendant la criée. Il se familiarisa avec les pavés gras, les lumières crues des lampes du petit matin, les lumières magiques de la nuit qui glissaient au ras de l'eau, avec le ballet des caisses que l'on décharge, des grues que l'on anime, des balles de coton que l'on accroche, avec la danse du port, le travail des dockers, avec ces va-et-vient violents et rythmés, ces mouvements d'hommes, de mécaniques, de remorqueurs, d'écluses, de cargos, d'amarres, ouverts au grand large, orchestrant le commerce, ces échanges du pays avec le monde entier. Un univers d'étranges pirates à boucles d'oreilles qui vendaient leurs perroquets et de marins tatoués, de marins ivres, de rixes et de bordels qu'ont raconté, à leur manière, les romans de Francis Carco, les chansons de Mac Orlan, les photos de Brassaï. Sartre aima la rue des Galions et ces maisons de rendez-vous qui avaient nom L'Étoile Violette, La Lanterne Rouge, La Java. Comme il aimait les voix lourdes, les textes pathétiques des chansons de Damia et de Fréhel : « Dans les bas quartiers de la ville/ Il est une rue sans nom », chantait la première. « Dans la tristesse et la nuit qui revient/ Je reste seule isolée sans soutien », répondait la seconde. C'est là, au Havre, que Sartre prit, dans sa vie quotidienne, des habitudes qu'il garderait toujours; là qu'il s'appropria les lieux publics, là qu'il fit de la fréquentation du café, de l'hôtel, une coutume, une règle de vie, une nécessité, une éthique. Une choucroute pour midi au « Guillaume Tell » : grandes banquettes de velours rouge élimé, dorures et plantes vertes. Une grande cannelée de 35 centilitres pour un franc vingt-cinq au café de la Grande Poste : avec sa pipe et son stylo, regardant distraitement les entrée et sorties, il travaillait des heures durant, devenant peu à peu l'un des habitants de cette faune mêlée qui était la vie même.

Les élèves du lycée du Havre, pour leur part, n'étaient pas restés insensibles au discours de Sartre, à son apologie du cinéma. Ils avaient repéré l'homme, d'autant que depuis quelque temps le quotidien *Le Havre libre* s'était fait le champion de la préservation de la jeunesse contre certains dangers, notamment le cinéma, qui les corrompaient, les dévoyaient. Le discours de Sartre tombait donc à pic. « Les parents gueulaient devant ce discours, raconte Jean Giustiniani, mais moi, j'avais été emballé par ce qu'il disait, c'était plein d'astuces... Quand Sartre est arrivé dans la classe, en octobre suivant, on savait déjà : " Celui-là, c'est un anar, il est sympa "... » Pendant tout son séjour au lycée du Havre, Sartre aura une seule salle de cours, *sa* salle, isolée, au premier étage, dans le coin extrême de l'aile gauche du lycée, en entrant. Une salle en gradins, fort spacieuse, avec au fond un immense poêle à charbon, de grandes fenêtres lumineuses ouvrant sur les arbres et les pavillons de la rue déserte. « On a vu arriver ce petit bonhomme, poursuit Giustiniani, les mains dans les poches, sans chapeau – ce qui était rare –, fumant la pipe – ce qui était très insolite –, il s'est immédiatement mis à parler sans notes, en s'asseyant sur son bureau : nous n'avions jamais vu ça [4]. » Entre Sartre et la première génération de ses élèves, huit ans, neuf ans d'écart. Et, tout de suite, des signes de complicité. Ainsi, à la rentrée d'octobre 1935, il « entra pour la première fois dans sa classe en veston de sport, en chemise noire et sans cravate; nous comprîmes tout de suite qu'il ne serait pas un prof comme les autres... Cordial et non conformiste, ajoute Robert Marchandeau, en vérité, il ne professait pas, il parlait avec de jeunes amis [5] ». Contestataire et compétent, le cocktail attira tout de suite!

De tous côtés, les cinq promotions de bacheliers du Havre qui connurent Sartre regorgent de témoignages chaleureux – à part de rares notes discordantes dont nous reparlerons. Le plus enthousiaste d'entre eux, peut-être, Jean Giustiniani, dont la trajectoire sociale, la carrière professionnelle fut si profondément marquée par la rencontre avec Sartre qu'il en devient comme un modèle, un prototype de cette influence décisive, capitale, irrémédiable. Orphelin de père, « Giusti » vivait avec sa mère, une couturière; il aimait la vie du port depuis qu'il avait pris l'habitude de monter à bord des bateaux où il bavardait avec les marins étrangers, toujours accompagné de son meilleur copain, Morzadec, dit « Morza », dont la mère était bistrotière au quartier Saint-François; les deux garçons avaient vu défiler, dans ce café pouilleux, marins, putains, voyageurs de passage : ils y apprirent l'anglais, ils y apprirent le monde. Ils deviendront tous deux, et brillamment, agrégés d'anglais, plus tard. « Un petit homme est venu remettre en question tout ce que j'avais appris au cours d'années studieuses. Jean-Paul Sartre fut mon maître, un maître à penser, raconte Giustiniani, c'est lui qui – je n'hésite pas à le dire – m'a fait ce que je suis... »

Pédagogie de la responsabilité, pédagogie de l' « éveil » avant la lettre : chaque semaine, phénomène nouveau à l'époque, un élève prenait la parole pour faire un exposé. Pédagogie du respect de l'élève, démolissant immédiatement les barrières artificielles de la hiérarchie et de l'autorité : « Les autres professeurs nous avaient parlé comme on parlait à des " morpions ", Sartre nous parlait comme à des hommes, d'égal à égal, nous obligeant à une réflexion personnelle, à un esprit critique permanent, une remise en question constante des idées reçues, une honnêteté intellectuelle exemplaire » (Giustiniani). Grande première, également, dans la classe du « père Sartre », cette conception très particulière de la discipline, « celle d'un Mai 68 avant la lettre » selon Pierre Guitard qui explique : « Nous pouvions fumer en classe, tomber veste et cravate en été [6]. » René Picard rappelle pour sa part une anecdote amusante, le jour où, arrivant au lycée à vélo, mais sans cravate, l'élève qu'il était fut happé par le proviseur qui commença à critiquer cette absence de correction. Sartre, qui passait par là, prit la défense de l'élève en répondant ironiquement : « Mais voyons, monsieur le proviseur, avez-vous déjà vu Charles Pélissier sur son vélo avec une cravate [7]? » Une pédagogie, enfin, qui semble plus soucieuse de développer des esprits que d'enfourner mécaniquement des connaissances. Logique et psychologie furent les deux disciplines auxquelles Sartre consacra la majeure partie des cours et exposés de l'année, ravi de développer, devant ces garçons avides qui découvraient la philosophie, ses dernières lectures en psychologie pathologique, par exemple; il parlait alors des séances de Sainte-Anne auxquelles il avait assisté, quelques années auparavant, racontant, aux interclasses, ses années d'École normale. En revanche, pour la morale et la métaphysique, deux disciplines prévues à l'examen, Sartre renvoyait ses élèves aux manuels.

Entre Sartre et ses élèves, les échanges ne se limiteront pas, loin de là, à la seule salle de classe. Au Guillaume Tell, à la Grande Poste, ils prendront ensemble un panaché, un demi, avant les parties de ping-pong, de poker, les discussions à bâtons rompus; Sartre les interroge sur leurs goûts, sur leur vie, les taquine, se raconte. A leur tour, Morza, Giusti et deux ou trois autres invitent Sartre et deux autres « profs sympas » à partager avec eux des pique-niques traditionnels sur la plage du Havre, dès que le temps est clément, en mai, en juin. « D'abord, nous nagions, raconte Giusti, Sartre nageait longtemps, il était très résistant, puis nous mangions, nous buvions, et nous chantions. Un soir, Sartre nous a chanté des chansons formidables, des chansons paillardes, des airs d'opérette, des choses aussi qu'il avait écrites lui-même. Nous restions ensemble jusque vers minuit. » « Traîne tes couilles par terre / Prends ta pine à la main mon copain/ Nous partons en guerre / A la chasse aux putains... » chantait Sartre, boute-en-train. « Il nous encanaillait », commente, cinquante ans plus tard, Pierre Brument [8]. Et puis, encore, ce sont les séances de cinéma au Kursaal, dans la rue de Paris. En ces premières années du parlant, les spectateurs criaient, hurlaient, participaient, littéralement transportés dans l'action. Ensemble, ainsi, ils virent *Le Collier de la reine,* par exemple. Il fut pour eux grand frère, copain, animateur, initiateur, confident. Un jour, trois des collègues les plus anticonformistes de Sartre, Isoré, prof d'anglais, Rasquin, prof de gym, et Bonnafé, prof de français, l'ayant convié à les accompagner à la salle Charles-Porta où ils s'entraînaient à la boxe, une habitude se mit en place. Sartre avait, à l'École normale, formé sa musculature seul, il avait appris la lutte au sol et les barres asymétriques. Au Havre, il fut alors stimulé par la « boxomanie » des années 30 : Le Person, un Havrais, était champion de France des poids légers et beaucoup de jeunes Français rêvaient de l'égaler. Sartre, on s'en doute, entraîna ses élèves à la salle Charles-Porta : « J'ai besoin, disait-il, d'un sparring-partner. » Râblé, robuste, résistant, rapide, doué d'un bon souffle, Sartre fait le coup de poing avec ses élèves, initiant beaucoup d'entre eux à l'uppercut du gauche, au crochet du droit, leur apprenant à porter leur garde, à s'exercer au punching-ball, au saut à la corde. Le maître eut bientôt, avec ses élèves, des adversaires de valeur : plus jeunes, plus grands, ils possédaient parfois une allonge redoutable, notamment Picard, qui dépassait de quarante centimètres le petit père Sartre.

Au Havre, pourtant, on l'imagine, Sartre ne compta pas

que des « groupies ». A commencer par le proviseur et le censeur de l'établissement qui voyaient d'un œil assez perplexe cette grande salle toujours ouverte devenir jour après jour un véritable bastion du gauchisme dans l'établissement, un point absolu où toutes les règles en vigueur dans le lycée, toutes les traditions, toutes les lois se trouvaient brutalement annulées et tombaient, inutiles, vieillottes, dans le camp des conventions absurdes. Sans discipline rigide, sans registre de présences, sans correction régulière de copies, sans rituel d'examens, de notes, sans compétition, sans apprentissage mécanique, Sartre ne démontrait-il pas magistralement qu'il obtenait autant – sinon plus – de succès au bachot que ses confrères? Et bafouait ainsi, comme on souffle sur un château de cartes, des années d'enseignement traditionnel. De même ne faisait-il pas disparaître, comme par magie, la frontière conventionnelle entre professeurs et élèves, entre lycée et vie quotidienne, entre apprentissage de la philosophie et apprentissage de la vie? Dans les années 30, avec cette pédagogie-là, il fut un précurseur. Et en choqua plus d'un.

Les classes du lycée du Havre reflétaient assez bien la sociologie de la ville puisque, hormis les bourgeois catholiques qui envoyaient leurs enfants à l'institution Saint-Joseph, se rencontraient, au lycée François-Ier, enfants de la « Côte » et enfants de la ville basse. Jacques-Laurent Bost – le benjamin des enfants du pasteur Charles Bost qui fut longtemps aumônier du lycée – sera élève de Sartre à la rentrée 1935 et deviendra un ami, un intime, un fidèle toute sa vie. Il raconte cette étrange société havraise : « C'est aux éclaireurs unionistes que j'ai perçu la différence entre les protestants grands bourgeois et les autres; entre ceux de la Côte, avec leurs maisons, leurs domestiques, leurs fiacres, et ma famille par exemple, celle d'un pasteur fauché; c'est aux éclaireurs, aussi, que j'ai rencontré ceux qui n'allaient plus au lycée, mais arrêtaient leur scolarité après le certificat d'études[9]. » Dans les classes de Sartre, une énorme majorité de fils de bourgeois; certains racontent à leurs parents l'atmosphère des classes, le style du prof de philo et certains parents, outrés, viennent se plaindre au proviseur : ses méthodes, son « style bohémien » sont fort mal vus et l'on murmure même que les trous dans ses chaussettes sont si énormes qu'ils débordent de ses chaussures! Certains élèves, d'ailleurs, trouveront quand même le moyen de retomber dans le cycle de la provocation, comme dérangés par ce nouveau système. Tel celui qui, tous les lundis matin, arrivait systématiquement avec dix minutes de retard et, enlevant son chapeau mou, interrompait le cours par un : « Bonjour, monsieur Sartre » qui se voulait drôle. « Un crétin de droite ! » commente Bost.

Point culminant, peut-être, de ces grincements inévitables, de ces hoquets havrais, l'antipathie que noua à l'égard de Sartre son collègue rouennais, M. Troude. Cela n'aurait dérangé personne si le collègue en question n'avait jugé bon de se venger sur les élèves de Sartre, lorsqu'il les examinait, en fin d'année, pour le baccalauréat. Patiemment, Sartre déjoua le stratagème, soutenant ses élèves, les préparant lui-même en métaphysique – discipline dans laquelle Troude ne manquait jamais de les questionner – la veille de l'examen, intervenant personnellement pour défendre ses « ouailles ». « La pénétrante intelligence de Sartre, raconte Georges Le Sidaner, alliée à sa résolution, l'avaient totalement emporté sur la bilieuse rancune de M. Troude, qui ne lui pardonnait pas d'avoir été pour nous un maître exceptionnel [10]. » Les inspecteurs, de leur côté, ne s'y trompèrent pas, qui reconnurent la « parole facile », l'« enseignement personnel qui a de la valeur », les « exposés remarquables, nourris, très au courant des travaux récents », la « pensée ferme et personnelle que les élèves écoutent avec plaisir », « le zèle, l'originalité, la vigueur intellectuelle peu commune, les dons remarquables, les services de premier ordre, augurant du plus bel avenir [11] ». Sartre, pour sa part, eut toujours, plus tard, des pensées émues pour ses élèves du Havre, ces premières promotions de jeunes. Là naquit en effet sa complicité avec l'adolescence, avec ce ferment de vie, de révolte, de haine. Cette complicité ne disparaîtra jamais : « Ce n'était pas tellement les premiers de la classe que j'aimais, dira-t-il plus tard, je m'intéressais surtout à ceux qui avaient des idées, une réflexion qui commençait, à ceux qui n'étaient pas faits, qui se faisaient [12]. » Premier hommage public en 1980, après la mort de Sartre : la rue Ancelot, qui longeait sa salle de classe du lycée, fut débaptisée par la municipalité pour devenir la première rue Jean-Paul Sartre. Depuis, au dire du proviseur, la plaque de la rue est régulièrement souillée [13]. Contestation oblige?

Le Castor était elle aussi devenue, pour les lycéens du Havre, une personnalité mystérieuse et attachante. Sartre avait expliqué d'abord qu'elle enseignait à Marseille, puis à Rouen, et surtout l'on savait que le mercredi, après les cours, il partait en courant pour ne pas manquer le train de Rouen. Certains avaient d'ailleurs choisi un mercredi pour attacher entre deux boutonnières de son pardessus un cadenas fermé à clef : de sorte qu'il dut rejoindre « Simone » en veston, un jour d'hiver ! Les élèves avaient également entendu mentionner d'autres noms, ceux du petit cercle que Sartre et le Castor avaient, peu à peu, organisé autour d'eux. Petit cercle? Bestiaire, plutôt, puisque à tour de rôle le Kobra – alias le petit homme – et son Castor côtoyèrent le Boubou et la Baba, le Lama et la Lamate, Pelote et le Mops, le Bel Eute, le Zuorre, le Lapin, le Grand Duc et la Douairière. Respectivement : Sartre et Simone de Beauvoir, Fernando et Stépha Gérassi, Maheu et sa femme, Albert Morel et sa sœur, la femme de Pierre Guille, Marc Zuorro, Hélène de Beauvoir, Paul et Henriette Nizan. Dans ce bel échantillon zoologique, beaucoup de traces des années normaliennes, mais surtout consolidation du cercle des intimes. On se souvient de l'amitié de Sartre pour Mme Morel, la mère de son « tapir », dite « Cette Dame ». Le Castor sera intégrée par la tribu Morel, sera invitée dans leur appartement du boulevard Raspail, dans leur maison de La Pouëze, sur les bords de la Loire, ou dans celle de Juan-les-Pins, au bord de la Méditerranée. Un petit réseau, donc, tissé progressivement, dans les fluctuations d'amitiés, les mobilités géographiques, à partir des amitiés d'École normale; le Castor s'y était intégrée, avait intégré ses amis, les Gherassi. Peu à peu, des élèves-amis viendront, à tour de rôle, dans les cercles plus ou moins intimes du réseau, certains resteront à vie, d'autres passeront leur chemin.

« Avant même de définir nos relations nous leur avions tout de suite donné un nom : “ C'est un mariage morganatique. ” Notre couple possédait une double identité. D'ordinaire nous étions M. et Mme M. Organatique, des fonctionnaires pas riches, sans ambition et satisfaits de peu. Parfois... nous allions dans un cinéma des Champs-Élysées ou au dancing de La Coupole, et nous étions des milliardaires américains, M. et Mme Morgan Hattick [14]. » Dans le volume de ses mémoires intitulé *La Force de l'âge,* Simone de Beauvoir a rendu compte, on le sait, de leurs expériences communes de l'entre-deux-guerres; retraçant le détail de leurs voyages, de leurs lectures, de leurs rencontres, dans un « nous » qui confond les deux individus en un personnage siamois indiscernable. A l'origine, pourtant, le « pacte » prosaïque imposé par Sartre, le « bail de deux ans », presque une boutade. Ce couple va devenir, pour plusieurs générations, un modèle de rechange, un rêve de complicité dans la durée, une réussite magistrale puisque, apparemment, il parvenait à concilier l'inconciliable : ses deux partenaires restaient libres, égaux et sans mensonge. Ce couple exceptionnel, comment naquit-il? Comment se resserra-t-il? Comment chemina-t-il? Au-delà de tous les modèles, le petit homme et son Castor parvinrent, tout en évitant le mariage, à établir un échange, un dialogue entre égaux qui dura, semble-t-il, longtemps. Ils y parvinrent, soit, mais à quel prix? Ils y intégrèrent certains, mais avec quel statut? Ils en rejetèrent d'autres, mais avec quels dégâts? Simone de Beauvoir, en acceptant le pacte de liberté, en développant sa propre autonomie, en respectant celle de Sartre, allait donc le prendre au piège de ses propres exigences. Ensemble, désormais, ils cultiveraient des goûts communs, des rejets communs, ils inventeraient, peu à peu, une véritable contre-culture du quotidien, dans l'anticonventionnel, la provocation, la haine des salauds, la fréquentation des lieux publics. « Vous me faites regret », « Ça me fait tout poétique », « Ça m'a rarement fait si gratuit et si nécessaire », écrivait Sartre à sa « petite fleur », à son « charmant petit Castor » : élaboration d'un lexique de groupe qui, accompagnant les surnoms du bestiaire, construirait des signes de complicité, impénétrables et fantasques. Ensemble, ils traqueraient le fait divers et adoreraient la transparence : « Mes moindres sentiments, mes moindres pensées étaient dès leur naissance publics, écrira-t-il en 1939. Jusqu'à cette guerre, j'ai *vécu public* [15]. » Ensemble, ils découvriraient Céline et Faulkner et Kafka; ensemble, ils visiteraient Naples et Barcelone, Londres et Athènes, Hambourg et Rabat; ensemble, ils tenteraient de trouver les dernières-nées des boîtes de jazz de Paris, ils aimeraient boire, cul-sec, jusqu'à l'ivresse. Couple physiquement dépareillé; elle grande, lui petit – comme Anne-Marie et Jean-Baptiste –; elle frappante de beauté, lui plutôt laid, ils seraient inséparables rhéteurs et amis intimes. Lui, grand frère et soutien constant, comme lors de l'oral de l'agrégation; elle, écoute et conseil. Ils mettraient en commun lectures, projets, amis, argent, dépensant à deux en un voyage la somme dont il avait hérité de sa grand-mère maternelle. Deux intellectuels inventeront contre la société où ils répugnent à « s'intégrer » des usages, des normes, des codes, de nouveaux modèles qui, plus tard, feront des adeptes. Pour l'heure, ce ne sont que des professeurs de philosophie qui haïssent violemment la province française et passablement leurs collègues, qui vivent à l'hôtel et au café, et qui, bizarrement, se vouvoient.

Cependant, toujours, Sartre écrivait; au café, ou dans la salle de la bibliothèque municipale. En 1930, son manuscrit *La Légende de la vérité* fut présenté par Nizan à Jacques Robertfrance, directeur des éditions Rieder. Refusé. Vers la même époque, son roman *Une défaite* fut proposé par Malraux, et toujours via Nizan, à Gallimard. Refusé. Un extrait de *La Légende de la vérité* parut dans un numéro de la revue *Bifur* que Nizan avait entièrement chapeauté, mais toute l'argumentation de ce texte se trouvait du même coup amputée. Pendant son service militaire, reprenant ses réflexions, poursuivant ses recherches, élaborant les idées qu'il avait lancées en 1928 dans l'entretien des *Nouvelles littéraires,* il avait commencé un long travail sur la contingence. Tout de suite polémique, il choisit une forme – détail majeur – à la fois didactique et sérieuse, héritée des XVIIe et XVIIIe siècles, le « factum ». Reprenant la tradition des Voltaire, Beaumarchais, Furetière, il partageait avec Nizan cette habitude de nommer « factum » tout type d'analyse volontiers agressive. Dès ses années de service militaire, il s'engagea donc dans ce « factum sur la contingence » : l'aventure, on va le voir, sera longue et sinueuse.

« Je me représente la gloire, écrivait-il naguère à Simone Jollivet, comme une salle de danse remplie de messieurs en habits et de dames décolletées qui lèvent leur coupe en mon honneur. C'est tout à fait image d'Épinal, mais j'ai cette image-là depuis mon enfance. Elle ne me tente pas, et pourtant la gloire me tente [16]... » Il avait alors vingt et un ans et nageait dans la certitude d'une carrière imminente d'écrivain célèbre. « Celui qui n'est pas célèbre à vingt-huit ans doit renoncer pour toujours à la gloire », avait-il un peu plus tard recopié dans son carnet de pensées. Citation de Töpfer qu'il avait alors aisément reprise à son compte, à mille lieues d'imaginer qu'il ne serait pas « célèbre » à vingt-huit ans, qu'il ne le serait pas non plus à trente, ni à trente-deux... Qu'il aurait largement trente-trois ans lorsque sa première œuvre littéraire serait publiée. Que la célébrité et la gloire, il ne les connaîtrait, contrairement à ses prévisions, qu'après la Seconde Guerre mondiale, à l'âge de quarante ans. Entre-temps, il fut bien près, selon ses prophéties, de renoncer pour toujours à la gloire, reçut vexations, blessures, remises en question, rejets, que son narcissisme encaissa, tant bien que mal, comme autant de camouflets, de gifles, de mauvais cauchemars, dans une crise personnelle si dure, si profonde, si radicale que tout autre y eût, définitivement, perdu pied. S'il se sortit de là, ce fut presque miracle, à force de travail, de lucidité, de douleurs et d'échecs.

Pendant les années havraises de Sartre, ses camarades Aron et Nizan faisaient leur chemin : le premier en Allemagne, dans la tradition des Bouglé, des Durkheim ; au retour, il publierait sa thèse et ses deux premiers livres. Le second, après une adhésion au Parti communiste dans une période particulièrement sectaire, allait devenir un militant aussi radical et intransigeant que possible. Activiste, il allait très tôt, et simultanément, pénétrer dans les domaines de l'édition, du journalisme, de la politique : on le retrouverait directeur de revue, candidat aux élections législatives de 1932, libraire rue Lafayette, permanent enfin en

1933. Il publierait ses deux premiers pamphlets en 1931 et 1932, son premier roman en 1933. Toute l'année 1934, il la passerait à Moscou. Face à ces deux parcours, celui de Sartre étonnerait presque. De Nizan ou de Sartre, les condisciples de l'École normale ne savaient qui donner gagnant. La question, en 1933, ne se posait même plus. Pendant qu'Aron enseigne, à l'université de Cologne, la philosophie française; pendant que Nizan, à Bourg-en-Bresse, part en campagne électorale, Sartre, au Havre, traverse une expérience éprouvante pour son narcissisme, presque sans aucun dialogue avec son temps. Le petit monstre à la Schweitzer, le normalien chahuteur et avide avait tout escompté, sauf l'échec. Le jeune Sartre s'était pris pour le « jeune Sartre », convaincu de son génie, de sa célébrité, de sa biographie, de son talent. Il s'était ébroué dans les eaux délicieuses d'un écrivain en devenir, s'était soûlé de vies possibles et romancées, de Goethe à Shelley, et de Nietzsche à Byron, s'était épuisé dans des constructions grandioses, des conjectures sublimes, des tentations élégantes et infinies, s'appropriant simplement des vies de grands hommes, essayant en coulisses, privilégié et favorisé, tous leurs costumes resplendissants, lui seul autorisé à connaître, à expérimenter cette liberté absolue, se faufilant dans leurs discussions, pénétrant leurs complicités, seul admis de plain-pied dans leur intimité, sans manière, entre égaux, dans cette élite fermée et distinguée des hommes de lettres.

Ce que le jeune Sartre n'avait absolument pas escompté? Que cette carcasse de vie préfabriquée restât vide, que cette illusion biographique s'effondrât piteusement, avec le rejet systématique par les éditeurs de ses premiers écrits, avec le renvoi, la sentence négative, bref l'interdiction officielle qui lui était faite d'accéder aussi simplement au monde littéraire de ses fantasmes. L'enfant n'avait jamais eu le moindre doute : écrire et être célèbre, c'était tout un. Anne-Marie avait toujours tout recopié, tout applaudi; puis les amis avaient admiré, parfois souri. Mais jamais, nulle part, ne s'était glissée la moindre des failles dans cette équation : écriture = célébrité. Nulle part n'avait été prévu le moindre espace pour l'inattendu, l'imprévisible, le monde extérieur. Entre lui-même et le monde, la bulle avait été parfaitement scellée depuis l'origine, excluant toute contamination extérieure. Entre Sartre et la célébrité, alors qu'il n'avait que vingt-cinq ans, c'était l'évidence d'un pacte exceptionnel, avec l'écriture pour intermédiaire. Peu à peu, prenant conscience qu'il s'était fourvoyé, il se remit en selle : il avait plus d'un tour dans son sac. Il s'était trompé? Il remit en poche ses manuscrits refusés et poursuivit ses recherches, labourant son sillon, certain, résolu, déterminé. Son fameux « factum sur la contingence » l'accompagna partout, ces années-là : trois versions successives complètes du manuscrit, quatre titres recensés, plusieurs lecteurs, de nombreuses coupures, des influences en cours de route, des voyages, des rencontres, le manuscrit bénéficiera, au bout du compte, de toutes les expériences de Sartre, avant de voir le jour, au bout d'un interminable tunnel, au printemps de l'année 1938, sous le titre : *La Nausée.*

C'est en 1926, semble-t-il – selon les souvenirs de Raymond Aron –, que Sartre avait élaboré, pour la première fois, ses idées sur la contingence, alors que, dans le cours de Léon Brunschvicg, il s'interrogeait sur la philosophie de Nietzsche [17]. Puis il s'était amusé à illustrer le concept dans son article sur le cinéma. Il avait ensuite commencé à réfléchir sur son idée de l'« homme seul », avait élaboré ses premiers textes, dont *La Légende de la vérité* où il réglait ses comptes, dans un premier temps avec son grand-père – en faisant un sort à la philosophie idéaliste –, dans un deuxième temps avec son beau-père – en faisant un sort à la connaissance scientifique –, renvoyant Schweitzer et Mancy dos à dos. Son service militaire lui avait donné une leçon d'humilité, l'avait « incité à une très grande modestie », son expérience havraise l'avait confirmé dans ses choix d'homme seul, sa réflexion sur la contingence allait désormais se développer sur un nouveau contexte expérimental. Et, dès sa première version, le manuscrit qui allait devenir *La Nausée* se présenterait sous la forme d'un journal intime, à la première personne, sous la forme du journal d'Antoine Roquentin qui vit seul à Bouville et y fait des recherches sur un érudit du XVIIIe siècle, Adhémar, marquis de Rollebon.

« Moi je vis seul, entièrement seul. Je ne parle à personne, jamais. Je ne reçois rien, je ne donne rien. L'Autodidacte ne compte pas. Il y a bien Françoise, la patronne du Rendez-Vous des Cheminots [18]. » Aucun autre manuscrit n'arrachera jamais à Sartre les terribles douleurs d'enfantement qu'il accepta pour *La Nausée.* L'univers pauvrement peuplé de la ville de Bouville, la promenade du dimanche dans une ville de province, les bruits nocturnes des filles de cuisine à travers la cloison d'une chambre d'hôtel sordide, et Roquentin qui traîne son existence comme un chaland qui passe, étranger, voyeur, détectant l'envers du décor, visitant les dessous d'une société plus que toute autre masquée, la société de province. Ressentant successivement « une espèce d'écœurement douceâtre », « une sorte de nausée », un détachement et une proximité dans les objets et les hommes. Recherchant pureté – « n'avoir ni sang, ni lymphe, ni chair » –; liberté – « Je ne sais pourquoi ce matin c'est cette amère et somptueuse liberté que je retrouve » –; lucidité exacerbée – « Je ne peux plus expliquer ce que je vois. A personne » –; ivresse glissante – « Voilà : je glisse tout doucement au fond de l'eau, vers la peur » –; solitude vertigineuse – « Je restais tout près des gens, à la surface de la solitude, bien résolu, en cas d'alerte, à me réfugier au milieu d'eux » –; haines puissantes – « Je me demandai, un instant, si je n'allais pas aimer les hommes. Mais, après tout, c'était leur dimanche et non le mien... il n'y a pour moi ni lundi ni dimanche ». Faisant ses expérimentations étourdissantes par appropriation, par ingestion, par intériorisation : racine de marronnier, verre de bière, galet plat et lisse, main humaine. Passant d'une insomnie dans sa chambre d'hôtel, à une ennuyeuse et superflue copulation avec la patronne du café; d'un morne après-midi à la bibliothèque municipale, à une expérience ontologique sur le banc d'un jardin public : « Qu'ai-je à perdre? : pas de femme, ni d'enfants, ni de mission spéciale en ce monde. Je ne suis pas un chef, ni un responsable, ni tout autre genre de con [19]. »

La première version du « factum sur la contingence » tirait déjà à merveille tous les acquis de l'expérience havraise, tressant les thèmes qui se développeraient et s'affirmeraient dans la deuxième, puis la troisième version : la « vraisemblance », catégorie par excellence de la pensée bourgeoise et des « salauds », la critique de l'humanisme – qui deviendra une page magistrale et inoubliable –, la réduction de la mémoire à une fiction vraie, l'illusion de l'aventure, enfin et surtout la perception de l'existence et de la contingence, dans une expérience limite, avant la catastrophe de l'hyperlucidité et de la folie. Nous connaissons par Simone de Beauvoir le rôle capital qu'elle joua dans l'élaboration progressive de ce manuscrit : c'est elle, notamment, qui, dès la première version, ressent les afféteries d'un style encore très « dix-neuvième »; elle qui renâcle devant un exposé trop plat de la contingence; elle qui suggère aussi le choix d'une progression dramatique. Car elle est devenue, depuis son entrée dans la vie de Sartre en 1929, son interlocuteur, son critique, son principe de réalité; elle a repris, symboliquement s'entend, des mains d'Aron, le rôle privilégié de conseiller réaliste qu'il exerçait à l'École normale. C'est bien sûr également elle qui, découvrant avec Sartre de nouvelles voix dans la littérature contemporaine, sera le témoin de choix avec qui discuter, confronter, s'enthousiasmer, justifier. Pour l'élaboration de *La Nausée,* parmi d'autres influences : Céline, Kafka, Queneau. Différentes vagues passeront sur le manuscrit : celle de l'écriture insolente, incisive, décapante du *Voyage au bout de la nuit* qui paraît en 1932 et recueille le salut unanime de la critique jusqu'à celui du communiste Nizan, avant d'être traduit en russe par le non moins communiste couple Aragon-Triolet. Celle des nouvelles de Kafka, comme *Le Terrier* ou *La Métamorphose,* que l'on commençait alors à traduire en France; celle de Queneau, enfin, qui, Havrais de naissance, bousculait allégrement, dans *Le Chiendent,* une langue trop conventionnelle et qui disait, avec l'amertume, l'ironie, le panache qu'il ne perdra jamais, le quotidien de la banlieue, du café, du compartiment de train ou le sordide de la mouche qui s'ébat auprès du bock de bière écumant sur un zinc.

Avec toute la finesse, toute la méticulosité de son intelligence, Simone de Beauvoir allait annoter le manuscrit, suivant, pas à pas, et dans le sens où elle l'avait prescrit, l'intervention dramatique, le montage romanesque, le dépoussiérage du style. Elle commenterait les deux personnages annexes, les comparses de Roquentin : Ogier P. dit l'Autodidacte et Anny; elle assisterait à leur intervention dans l'univers lunaire de Roquentin. Elle serait, suprêmement, le spectateur privilégié des premières métamorphoses du réel sous la baguette de Sartre romancier. Car, de son expérience amoureuse avec Simone Jollivet, il décrirait les frustrants, les étouffants échanges de Roquentin avec Anny, les extraordinaires tirades sur les « moments parfaits ». Avec Anny, seul grand rôle féminin de son premier roman, Sartre faisait, à l'actrice en mal de rôles qu'était Simone Jollivet, un cadeau prestigieux, à l'image des cadeaux qu'il fit et fera toujours aux femmes. Il lui faisait, en fait, un double cadeau, puisqu'il lui donnait aussi le prénom d'Annie Lannes, sa cousine germaine, son double féminin, qui avait été aussi l'amie de Simone avant de mourir; c'est à l'enterrement d'Annie Lannes à Thiviers, on s'en souvient, que Sartre avait rencontré Simone, où cette dernière avait, en quelque sorte, pris un relais affectif. Sartre les mêlait donc ainsi avec pudeur et passion dans ce premier personnage féminin qui les associait pour toujours et donnait à la petite « Ninie », disparue à l'âge de vingt ans, une sorte de vie éternelle.

Dans le manuscrit, Simone de Beauvoir découvrit également le sort que Sartre faisait à la connaissance et à l'aventure, à ces deux modes privilégiés d'appropriation du monde. « Chacune de mes théories était un acte de conquête et de possession, écrira-t-il en 1939. Il me semblait qu'à la fin, en les mettant bout à bout, j'aurais conquis le monde à moi tout seul. » Pour Jean-Paul – le philosophe, fils de Jean-Baptiste – l'aventurier, la découverte, la conquête, l'appropriation du monde passent en effet par la connaissance. D'ailleurs, immédiatement après l'agrégation, Sartre n'avait-il pas souhaité obtenir un poste à l'étranger? On lui avait proposé le Japon, il avait sauté de joie, mais quelqu'un d'autre le lui avait soufflé. N'avait-il pas, à la même époque, confié au Castor ses envies de départ, ses rêves de grands voyages? « A Constantinople, écrit-elle, il fraterniserait avec les débardeurs, se soûlerait dans les bas-fonds avec les souteneurs. Il ferait le tour du globe et ni les parias de l'Inde, ni les popes du mont Athos, ni les pêcheurs de Terre-Neuve n'auraient de secret pour lui [20]. » Il n'obtiendra pas de poste au Japon, il ira au lycée du Havre. L'année suivante, il chercha à nouveau le départ, demanda un poste au Maroc, mais n'obtint rien et resta au Havre. Sartre et Simone de Beauvoir voyageront, pourtant, à toutes les vacances scolaires, comme des professeurs : Noël, Pâques, trois mois l'été, mais dans les limites raisonnables de l'espace européen : Espagne, Italie, Grande-Bretagne, Norvège, Belgique, Grèce, avec une seule incursion en Afrique du Nord, au Maroc. Mais les voyages, comme l'Histoire, comme également la politique, allaient résister au travailleur; à peine allait-il trouver la force, là-bas, de défaire certains nœuds. Il allait, plutôt, transporter avec lui ses obsessions, ses feuillets, annexant de temps en temps une atmosphère, une idée, une lecture, reconnaissant, depuis son abattement absolu, une parenté, un clin d'œil, une complicité ponctuels, découvrant, au hasard, des matériaux de bric et de broc, dont il pourrait faire quelque chose dans son factum.

« Brusquement l'idée de voyage ou plus précisément d'aventure m'était apparue et s'était installée en maîtresse », note Antoine Roquentin dans son journal – et dans un passage supprimé dans l'édition définitive de *La Nausée* : « Des fois, je m'arrêtais, je comptais sur mes doigts les pays et les villes que j'avais vus : ce n'était pas assez, ce n'était jamais assez. Et je repartais... Je suis parti pour le Japon... Je suis resté un an à Tokyo et à Osaka, j'ai fait quelques économies, puis je suis parti me promener à Java, à Shanghai, en Indochine. Mes dernières attaches avec la France étaient rompues : j'avais appris la mort de Vélines à Tokyo, au retour d'une excursion en Corée. J'étais vraiment seul au monde : de ma famille il ne devait rester qu'un de mes cousins dans le Périgord, un Roquantin avec un " a " [21]. » Traces de Jean-Baptiste, traces de Thiviers. Le fils de Jean-Baptiste envoyant son premier héros, aventurier de rechange, dans ces voyages que lui-même ne ferait pas, sur les traces de son propre père. Le fils de Jean-Baptiste retrouvant, loin du culte de l'exotisme, un des bienfaits suprêmes des grands voyages : la coupure radicale des racines, la rupture – illusoire? – avec le passé, la famille, la province d'origine. Thiviers, d'ailleurs, avec Jean-Baptiste et Annie, rôde encore, semble-t-il, partout dans *La Nausée,* surtout quand il lance, haineux : « Vous, Ducoton, préfet, vous, Impétraz, inspecteur d'académie, Bourgadié, inspecteur des

Ponts et Chaussées... puissants par vos vertus, le respect des gens en place et des idées reçues, l'épargne, les bonnes manières; et vous autres, génies de moindre importance dont on lit le nom sur les plaques, au coin des rues... conseillers municipaux, médecins, économistes... vous tous enfin, jeteurs de sort qui régnez sur Bouville, en vain vous acharnez-vous sur moi, je ne crains pas vos maléfices [22]. »

Cocktail à l'abricot ou simple bock de bière? La légende hésite encore sur le type de boisson qui accompagna le jour béni où Aron, de passage à Paris, rencontra Sartre et Simone de Beauvoir et leur exposa ses plus récentes découvertes philosophiques. Simone de Beauvoir affirme qu'il s'agissait, sans nul doute, d'un cocktail à l'abricot; Raymond Aron, de son côté, jure ses grands dieux que ce n'était qu'un verre de bière. Sartre, à ma connaissance, ne se prononça pas sur l'identité de la boisson : le dossier reste ouvert. Quand Aron, au début de l'année 1933, proposa cette rencontre au café, tous trois s'attendaient à un échange intéressant, certes, sur leurs dernières lectures, leurs travaux récents, lui en Allemagne, eux en France, mais nul n'avait escompté que, ce jour-là, quelque chose de plus se produirait. Ce fut plus qu'une simple rencontre, Sartre parla de son « factum sur la contingence », Aron de ses dernières lectures, de la philosophie allemande; le miracle se produisit, enfin, quand Aron comprit les intentions de Sartre et esquissa une approche de la phénoménologie : ce verre, cette table, les phénoménologues en parlaient sur un mode philosophique... Il n'en fallait pas davantage pour que Sartre se sentît immédiatement en état de familiarité, il acheta le livre qu'Emmanuel Levinas avait publié chez Alcan, trois années auparavant, et qui s'intitulait : *Théorie de l'intuition dans la phénoménologie de Husserl.* Il le feuilleta maladroitement, le dévorant presque, avec l'impression de tomber à chaque page sur du familier et de reconnaître quelque chose : à première vue, de toute façon, Husserl abordait fréquemment le concept de contingence. C'est ainsi que Sartre rencontra Husserl. Jusqu'en 1939, dans le domaine philosophique, il lira Husserl, exclusivement. Ce sera, une fois encore, un face-à-face, un corps-à-corps. Pendant six ans, Sartre va explorer les *Méditations cartésiennes,* les *Idées directrices pour une phénoménologie*; il va s'affronter à ces lectures difficiles avec une obsession unique, il va plonger dans Husserl, s'y immerger totalement. C'est pour approfondir sa connaissance de Husserl qu'il demande, en 1932, à succéder à Raymond Aron à l'Institut français de Berlin pour une année de recherches : « Rapports du psychique avec le physiologique en général », écrivait-il en remplissant son dossier de bourse. Le principe était intéressant : il conserverait son salaire de professeur et Aron le remplacerait au lycée du Havre.

Rencontre passionnée avec Husserl. Le professeur du lycée du Havre découvrit le philosophe juif allemand qui avait, en 1883, soutenu sa thèse de mathématiques à l'université de Vienne, puis découvert la philosophie par sa rencontre avec Brentano; qui avait, après ses premiers travaux en logique mathématique, élaboré ses recherches philosophiques dans ses cours à l'université de Göttingen, puis à celle de Fribourg; qui, dès 1916, stimulait ses premiers disciples en Allemagne, puis en France; dont la pensée, enfin, allait révolutionner la philosophie du XXe siècle.

Si Husserl provoque immédiatement chez Sartre un tel coup de foudre, c'est sans doute déjà en partie à cause de Descartes. Du Descartes des *Méditations* qui fascine Husserl puisqu'il est le type même du « héros qui a entrepris de partir, avec ses seules forces, à la recherche d'une première vérité, et qui pour cela a dû commencer par le doute méthodique et hyperbolique : faire table rase des croyances les plus assurées et du savoir le mieux constitué [23] ». On se souvient du mépris dont Sartre entourait ses professeurs de philosophie à l'École normale, on se souvient également de son attrait pour les grands hommes qu'il fréquentait, comme avec amitié, dans ses lectures : Kant, par exemple, et surtout Descartes, ce « penseur à explosions », cette « pensée révolutionnaire contre les pensées élégantes et molles », accédant à la connaissance « par glaives étincelants [24] ». Démarche de purification cartésienne, austérité ontologique, exigence de rigueur extrême, constat de faillite de la philosophie spéculative, assignation à la philosophie d'un projet fondamental, « assurant, dans son déroulement même, sa propre fondation [25] » : Sartre découvrait, dans la phénoménologie de Husserl, une démarche intellectuelle dont chaque étape, chaque thème, chaque détour le reportait à la sienne propre. S'étonnera-t-on d'apprendre que Sartre n'assista pas aux conférences données en 1929 par Husserl à la Sorbonne? Organisées sous les auspices conjoints du département d'allemand et de la Société française de philosophie, elles avaient en tout cas attiré Jean Cavaillès et d'autres. De même, Sartre n'avait pas, alors, prêté attention à Heidegger dont la leçon *Qu'est-ce que la métaphysique?* avait pourtant été publiée dans le même numéro de *Bifur* que son extrait de *La Légende de la vérité.* Une fois seulement sa propre réflexion sur la contingence entamée, mûrie puis expérimentée dans sa vie havraise et illustrée dans la première version de son « factum », Sartre rencontrera Husserl, ce « génie », son « maître [26] ». Complètement enfoui dans son projet philosophique, cheminant avec le « Descartes du XXe siècle » qui l'aide à penser à la fois la science et l'être au monde, certain de se trouver dans la perspective la plus révolutionnaire de la pensée, la plus urgente, la plus essentielle, Sartre découvre, avec Husserl, la phénoménologie qui restera, toujours, *la* rencontre de sa vie; il n'en démordra jamais. Il a trouvé sur son chemin le monument de la pensée du XXe siècle, sa référence privilégiée, il va y consacrer, désormais, l'essentiel de son activité.

« Husserl m'avait pris, écrira-t-il plus tard, je voyais tout à travers les perspectives de sa philosophie... j'étais " husserlien " et devais le rester longtemps. En même temps, l'effort que j'avais fourni pour *comprendre,* c'est-à-dire pour briser mes préjugés personnels et saisir les idées de Husserl à partir de ses principes propres et non des miens, m'avait philosophiquement épuisé cette année-là... Il me fallut quatre ans pour épuiser Husserl [27]. » Les journées berlinoises seront, en effet, épuisantes : Sartre s'y est programmé un emploi du temps draconien. Le matin, lecture de Husserl, l'après-midi, rédaction de la seconde version de son factum. Dans une passion et une intensité extrêmes qui engloutissent toute son énergie, toute son attention, d'autant que déjà il entreprend de critiquer Husserl, notamment sur ses réfutations du solipsisme exposées dans *Logique formelle et Logique transcendantale,* ainsi que dans les *Méditations cartésiennes* : « La conception de l'Ego que nous proposons, écrit Sartre, nous paraît réaliser la libération du Champ transcendantal en même temps que sa purification. Le Champ transcendantal, purifié de toute structure égologique, recouvre sa limpidité première [28]. » Débats abstraits, débats essentiels, Sartre le philosophe prend position sur le débat de l'Ego : « Pour la plupart des philosophes, l'Ego est un " habitant " de la conscience... Nous voudrions montrer ici que l'Ego n'est ni formellement, ni matériellement *dans* la conscience : il est dehors, *dans le monde*; c'est un être du monde, comme l'Ego d'autrui [29]. » Débats purement formels? Sartre insiste sur cette réfutation ponctuelle de Husserl qui sauve, dit-il, la phénoménologie de son idéalisme ou des reproches justifiés à son égard d'être une « doctrine-refuge » : « Il me semble, conclut-il, que ce reproche n'a plus de raison d'être si l'on fait du Moi un existant rigoureusement contemporain du monde et dont l'existence a les mêmes caractéristiques essentielles que le monde [30]. » Et, enfonçant le clou, il triomphait : « Rien n'est plus injuste que d'appeler les phénoménologues des idéalistes. Il y a des siècles, au contraire, qu'on n'avait senti dans la philosophie un courant aussi réaliste. Ils ont replongé l'homme dans le monde, ils ont rendu tout leur poids à ses angoisses et à ses souffrances, à ses révoltes aussi... Il n'en faut pas plus pour fonder philosophiquement une morale et une politique absolument positives [31]. »

Ce dépassement de Husserl par Sartre parut sous forme d'article, avec pour titre : « *La Transcendance de l'Ego,* esquisse d'une description phénoménologique »; c'était en 1936, dans le numéro de la revue *Recherches philosophiques,* publiée sous la direction de Koyré, Puech et Spaier. Ainsi, les recherches de Sartre s'inscrivaient dans le courant français de la phénoménologie, puisqu'elles voisinaient, par exemple, avec la préface de *Vers le concret* par Jean Wahl, avec des traductions d'articles de Heidegger, Conrad Martius, Oskar Becker et Karl Löwith, avec des essais de Gabriel Marcel sur la « Phénoménologie de l'Avoir », avec les « Esquisses phénoménologiques » de Minkowski. Cet article de Sartre avec sa critique de Husserl suscitera, dans le monde des phénoménologues, réactions et argumentations de chapelle, aussi bien en Amérique latine qu'au Portugal, en Israël et en Suède que, bien sûr, en Allemagne, en Angleterre, ou aux États-Unis : polémiques pointues, discussions par-delà les continents, longue chaîne de réfutations entre initiés, se renvoyant la balle depuis 1936 pendant près d'un demi-siècle pour savoir si, oui ou non, la transcendance de l'Ego établie par Sartre est « profondément erronée [32] ». Ou si Sartre, ici, a raison contre Husserl.

Toujours sous l'influence de Husserl, Sartre poursuit ses propres recherches philosophiques à son retour d'Allemagne. En 1935 et 1936, il écrivit *L'Imagination* et *L'Imaginaire*; en 1937, il « essaya de mettre au jour [ses] idées en commençant un grand livre, *La Psyché* [33] » qu'il abandonna par la suite et dont ne subsista que l'*Esquisse d'une théorie des émotions.* Les années 30 sont donc la grande période de formation, d'élaboration du Sartre central : le philosophe. Il y génère, il y mature, il y expérimente les outils intellectuels qui seront les siens plus tard, il y élabore des concepts, des catégories, des argumentations qui sont et seront le fondement même de sa vision du monde. Cette dimension, unique peut-être parmi les romanciers de son temps, ne saurait être sous-estimée : le projet de mariage très intime entre une philosophie et une littérature que Sartre s'était forgé, dès l'École normale, va, lentement, prendre forme, même s'il n'intervient pas dans l'espace chronologique qu'il avait escompté. Le philosophe émergera antérieurement au romancier; le créateur de concepts précédera le créateur de fiction. Mais le projet sera respecté, les deux carrières chemineront de front. « Les écrivains contemporains sont en retard sur les philosophes, écrira-t-il en 1939 dans une lettre à Paulhan au sujet de Faulkner. Ces conceptions du temps ne sont que l'envers romanesque des théories qu'on trouverait chez Descartes et chez Hume. Je pense qu'il serait plus intéressant de romancer le temps de Heidegger, et c'est ce que j'essaierai pour ma part [34]. » Dialogue philosophico-littéraire qu'il ne mena pas sans mal, d'ailleurs, dans sa propre logique : des tiraillements, des tensions, des urgences, souvent, le sommèrent de choisir, comme en automne 1937, par exemple, alors qu'il est plongé dans sa philosophie. « J'écrivis quatre cents pages en trois mois dans l'enthousiasme et puis je m'arrêtai par raison : je voulais terminer mon livre de nouvelles. J'étais encore si pénétré de mes recherches que mon travail littéraire me parut, pendant plus de deux mois, profondément gratuit [35]. » Tiraillements qui dépasseront même, plus tard, les intentions personnelles de Sartre : comme philosophe il existera avant d'être romancier, il aura des lecteurs, des interlocuteurs, des références. Delacroix, son directeur de D.E.S., lui commandera un ouvrage pour sa collection chez Alcan et Jean Wahl le poussera, en 1940, à transformer *L'Imaginaire* en une thèse d'État en Sorbonne.

Littérature ou philosophie? Littérature et philosophie, puisque sans cesse au Havre il poursuit ses découvertes des romanciers contemporains, mais surtout ses interprétations de leurs techniques, ses analyses minutieuses de toutes les mécaniques à l'œuvre dans la fiction de son temps. Tous les mois, dans la salle de la Lyre havraise, il prononce une conférence littéraire : ce long cycle auquel assistent, le soir, des amoureux de la littérature précède de six ou sept ans ses articles de critique littéraire dans la *N.R.F.* qui lui vaudront, en 1938 et 1939, une certaine « renommée ». Phénomène intéressant : les conférences de la salle de la Lyre havraise investiguent, déjà, les mêmes domaines. Faulkner, Dos Passos, Virginia Woolf, Joyce, Huxley, la technique du monologue intérieur sont ainsi, tour à tour, avec un sérieux, une culture, une exigence remarquables, présentés, introduits, démontés dans une ville de province où ces propos en 1931-1932 restent très novateurs; ces romanciers, encore totalement méconnus. Au cours d'une de ses premières « causeries », comme il les nomme lui-même, il montrera l'évolution de la technique du monologue intérieur, qui apparaît pour la première fois en 1887 dans *Les lauriers sont coupés,* le roman d'Edouard Dujardin : « Pourquoi en 1887? se demande Sartre. Pourquoi pas en 1870 ou en 1900? » Et de rattacher l'apparition de cette technique à l'épanouissement du mouvement symboliste, avec son « culte de la vie intérieure », sa découverte de l'inconscient – « l'inconscient, monde ignoré, inexploré, l'inconscient, grande vague, dont la conscience n'est que l'écume », affirme-t-il alors. Il soulignera encore l'influence wagnérienne de l'œuvre d'art totale, pour montrer comment « ce procédé, issu d'un courant d'idées nettement idéaliste, passe aux mains des néo-réalistes anglais, se stylise et s'enrichit... d'abord limité à nous découvrir une conscience, [il] finit par intégrer l'univers entier... pour servir les fins d'un réalisme absolu... »

Surprenantes de soin et de richesse, ces « causeries littéraires » préparées pour les Havrais! Leur manuscrit inédit – de petites feuilles soulignées, travaillées, reprises plusieurs fois – témoigne d'une préparation encore presque universitaire, d'un travail d'érudit, mais aussi, déjà, en filigrane, d'un romancier à l'œuvre. Elles furent l'outil conceptuel capital, le versant réflexif et théorique d'un écrivain encore méconnu, elles furent sa recherche personnelle : la philosophie était là rejointe par des spéculations de critique littéraire. En mentionnant, avant même la traduction française de leurs œuvres, les noms de Schnitzler, de Dos Passos et de Faulkner, dès le début des années 30, devant quelques auditeurs havrais, Sartre, encore, innovait [36].

Pendant que s'élaborait la très complexe machinerie de pensée sartrienne, pendant que s'empilaient les couches d'expériences, les strates d'écriture et les niveaux de pensée, pendant que la mécanique hésitait entre concepts, genres, directions également urgents, l'homme Sartre s'était géographiquement déplacé. Délaissant les cafés du Havre, il avait, pendant neuf mois, appris à goûter les innombrables sortes de bières brunes dans les irrésistibles *Kneipen* de la ville de Berlin. Tout en poursuivant, on s'en doute, avec la même ardeur, ses recherches philosophiques, mais dans un autre contexte : celui de la Französische Akademikerhaus, Landhausstrasse 14, dans le quartier de Wilmersdorf, à Berlin. Nouveau contexte géographique, nouveau contexte historique. Ses élèves havrais l'avaient observé, des heures durant, noircir des feuilles de papier au café, dans la bibliothèque municipale, ou encore entre deux cours; ses collègues de Berlin le regarderont, éberlués, se noyer dans ses recherches, au café, à la brasserie, ou dans sa chambre du premier étage. Et les autodafés de l'année 1933, et les discours de von Papen devant la Humboldt Universität glisseront sur le savant au travail, glisseront sur sa philosophie en gestation *« wie Wasser von einer geölten Ente »*, comme dit justement un proverbe allemand [37].

Beaucoup de rapprochements culturels franco-allemands, en ce début des années 30. « Problèmes franco-allemands d'après guerre », « Dynamisme et statisme en Allemagne et en France » : colloques, discussions s'échangent ces thèmes à la mode en 1930-1931. Et des intellectuels français comme André Chamson, Jean Guéhenno, Vladimir d'Ormesson ou le jeune Raymond Aron se retrouvent pour s'interroger sur le « dynamisme » du peuple allemand, hasardant parfois les termes d'angoisse, ou de fuite en avant. Rapprochements d'une après-guerre, dans les termes fort civils, fort courtois, fort mesurés que savent présenter à merveille les débats d'universitaires; mais encore et surtout poursuite de la grande tradition culturelle germanique, de son pouvoir de fascination absolu sur les intellectuels européens. Depuis Goethe, depuis Schiller, depuis Heine et Novalis, la culture allemande n'avait jamais failli et l'empire prussien n'avait jamais démenti sa réputation tout au long du XIXe siècle. Pour Sartre, pour Aron, comme pour les générations qui les avaient précédés, aller faire un séjour culturel outre-Rhin, c'était faire le pèlerinage essentiel, retrouver le socle de la pensée européenne, explorer les sources mêmes de leurs influences et de leurs passions. Est-il nécessaire de rappeler les origines alsaciennes des Schweitzer, la composition de la bibliothèque du grand-père, de souligner les thèmes choisis par le normalien Jean-Paul Sartre dans son premier roman? Pour lui, plus fortement que pour Aron, certainement, le voyage en Allemagne est une évidence et une nécessité.

La Maison académique française de Berlin participait de cette tradition culturelle; depuis deux ans qu'elle avait ouvert ses portes, elle tentait d'établir une sorte de passerelle privilégiée entre jeunes chercheurs de haut niveau, tous agrégés, la plupart du temps normaliens : un repaire de qualité supérieure. Une maison allemande à Paris avait été d'ailleurs prévue, mais les aléas politiques du régime nazi allaient enterrer cet aspect du projet. Lorsque Sartre, poussé par Aron, pose sa candidature pour l'année 1933-1934, il obtient immédiatement une réponse positive. A l'automne 1933, il est fort bien accueilli dans la villa de Wilmersdorf qui avait jadis appartenu au général von Klück, et qui, dans cette rue résidentielle, faisait face à l'église suédoise : on lui donne la grande chambre du premier étage, avec de superbes boiseries anciennes, balcon sur jardin, tout le charme de l'ancien fumoir [38]. Il y rencontre une espèce de communauté un peu insolite, qui lui rappellerait, vaguement, ses années d'École normale : car il y avait là, sous la direction d'Henri Jourdan, un groupe de jeunes professeurs de son âge, littéraires aussi bien que scientifiques, et dont les recherches justifiaient ce séjour. Landhausstrasse, Sartre rencontra Eugène Susini, un normalien germaniste de deux ans son aîné : garçon très érudit ouvert et chaleureux, d'origine corse, petit, râblé, catholique pratiquant, aux cheveux crépus et noirs de jais : c'est à lui que Sartre confiera un jour : « Husserl, c'est ce que j'ai trouvé de plus fort dans la philosophie allemande après Kant [39]! » Il rencontra aussi un certain Klee, un Alsacien gigantesque – il mesurait plus d'un mètre quatre-vingt-dix – qui avait réussi l'agrégation d'allemand, mais se distinguait par une certaine rigidité méprisante, un racisme ouvert, ne sympathisant pas avec grand monde dans la Maison et préférant ouvertement les contacts avec les Allemands. Il y avait également là Jean Ehrard, un ancien camarade de la « promo 24 », que Sartre retrouva sans grande chaleur, semble-t-il; il y avait encore un ancien normalien agrégé de mathématiques, Jean-André Ville, accompagné de sa femme – dont nous reparlerons –, que Sartre avait baptisés « les lunaires ». Et Henri Brunschwig, un agrégé d'histoire qui avait étudié à l'université de Strasbourg avec Marc Bloch et se sentait un peu décalé face à cet « aréopage de normaliens » : il n'avait pas été emballé par ce séjour à Berlin, n'aimait pas les Allemands et recevait avec fort peu de plaisir les émanations de l'antisémitisme déjà largement sensibles dans la République de Weimar; il restera cependant quatre années complètes à Berlin. Pascal Copeau, enfin, le fils de Jacques – l'un des fondateurs de la *N.R.F.* –, qui venait de terminer ses études de sciences politiques et commençait une carrière de journaliste comme correspondant à Berlin pour *Le Petit Journal* et *Les Nouvelles littéraires*: il habitera Landhausstrasse avant de trouver une chambre en ville. C'est lui, et de loin, qui, pour les besoins de son travail, sera le plus réceptif de tous à la situation politique locale.

« Échec caractérisé », « Le charme est rompu », « La force d'attraction paraît brisée », écrivait au lendemain des législatives allemandes de novembre 1932 le pourtant très compétent ambassadeur de France à Berlin, André François-Poncet. Cet agrégé d'allemand et ancien journaliste qui conservera son poste de 1931 à 1938 analysait encore avec un certain optimisme la période de crise que traversait l'Allemagne. Il n'était pas le seul, parmi les observateurs français, à commettre ce genre d'erreur de diagnostic, à sous-évaluer le risque du nazisme déferlant. « La disparition de Hitler de la scène politique est à prévoir », écrivait *Le Populaire.* « Hitler décline... l'autorité suprême ne lui appartiendra pas », répondait *L'Écho de Paris.* « Hitler a manqué le coche », renchérissait *Les Débats.* Autant de jugements à chaud émanant de commentateurs avertis, à la veille de l'élection du 30 janvier 1933. Lorsque, à cette date, Hitler devint officiellement et légalement chancelier du IIIe Reich, l'opinion française s'alarma-t-elle? Fort peu, semble-t-il, puisque, même après cet événement pourtant sans nuance, les doutes persistent largement, les hésitations subsistent face à la manière de « gérer » ce nouveau phénomène. « Il est possible que le nouveau chancelier s'use rapidement à ce jeu », écrit *Le Temps.* Pourtant *Mein Kampf* qui a été publié en 1925, et que l'ambassadeur François-Poncet a lu dans le texte, aurait eu de quoi inquiéter, notamment, une personnalité aussi avertie que lui. Et cependant non, cet « expert de l'Allemagne éternelle » qu'était François-Poncet, ce germaniste respecté que l'on « saluait dans le Tiergarten » lors de sa promenade rituelle, celui dont on répétait partout les « bons mots », même lui n'a pas su s'inquiéter [40].

« Pour nous qui ne sommes guère habitués aux grandes manifestations de la rue, le spectacle était solennel et puissant. Une " clique " de fifres et de tambours, sur le geste d'un tambour-major adolescent, scanda une marche militaire. Les étendards rouge et blanc à la croix gammée s'élevèrent au-dessus des têtes découvertes. Un crêpe était noué à la hampe des drapeaux dont la section avait eu des morts dans les émeutes. Ces étendards cravatés de crêpe étaient nombreux. Goebbels ayant fini de parler, trois cris brefs s'échappèrent de la foule... Les peuples qui ont le goût et le besoin d'un mysticisme quelconque offrent facilement les apparences les plus monstrueuses de la collectivité [41]. » Pierre Mac Orlan, envoyé spécial de *Paris-Soir* pour suivre l'avènement de Hitler au pouvoir, envoie à Paris des descriptions certes sinistres de la rue berlinoise, mais sans sonner l'alarme, sans se décider à arrêter le train. Quelque part, se dit-on, tout cela n'est pas sérieux. D'ailleurs le pittoresque sinistre de la ville intéresse également beaucoup Mac Orlan : « Dès le premier contact avec la ville de Berlin, écrivait-il, on comprend que la misère est là, tapie comme une bête monstrueuse et uniforme, mais on ne la voit pas tout de suite, malgré cette longue et célèbre Friedrichstrasse... La Mülackstrasse, à deux pas de l'Alexanderplatz, est une rue où la misère domine comme une chanson à la mode. Celles qui en sont annonciatrices sont les lugubres filles qui attendent un client... C'est là que peut se situer dans sa vraie coloration le romantisme criminel allemand [42]. » Sartre ne fut pas, semble-t-il, sensible au pittoresque de la ville. Et, lorsqu'à l'automne de l'année 1933 – soit neuf mois après l'accession de Hitler au pouvoir – il arriva à Berlin, il ne fut ni plus ni moins perspicace que les autres.

Aurait-il, comme Christopher Isherwood, pénétré dans ces pensions de famille de la Wassertorstrasse, sordides et sinistres, aurait-il, comme Isherwood, fréquenté l'appartement cossu des Landauer près du Tiergarten, ou leur propriété de campagne sur le Wannsee, aurait-il parlé littérature avec Natalia Landauer, ou philosophie avec son cousin Bernhardt, aurait-il vécu dans l'intimité de ces grands bourgeois juifs au comble du raffinement culturel européen, aurait-il lu avec eux les lettres de menaces qu'ils recevaient quotidiennement, aurait-il suivi les expropriations, les insultes, les pressions, sans doute aurait-il pénétré plus profondément les arcanes d'un nazisme déjà éclatant. « Berlin est une cité à deux centres», écrit Isherwood dans *Adieu à Berlin*. Sartre perçut-il les grandeurs et les décadences de la société berlinoise des années 30? Ses joyaux et ses monstres? Perçut-il les derniers feux d'un monde en décomposition? Les rues lépreuses de Kreuzberg et le monde pourrissant qui dégénérait derrière les façades cossues de la Budapesterstrasse, dans les soirées trop fastueuses qu'on y donnait encore? Perçut-il les signes fulgurants de ces personnages damnés, acteurs déjà sinistres d'une farce qui n'était plus la leur? Perçut-il, dans la voix rauque de Sarah Leander, les traces de ce monde en faillite, lorsque, allant jusqu'au bout de son hystérie, elle chantait: *« Irgendwo, irgendwann, kommt das grosse Liebe an... »*? Il fut, certes, l'un des spectateurs de ces scènes quotidiennes, mais n'accéda pas aux coulisses. Il resta, comme les autres, spectateur antinazi, spectateur occupé.

Affamé de Husserl, Sartre débarquait surtout dans un microcosme français qui n'avait rien pour le surprendre, il se retrouvait, comme aux beaux temps de la rue d'Ulm, pris en charge dans un groupe organisé, genre pension de famille, avec un salaire régulier, un logement assuré, des repas à heures fixes dans la salle à manger de la villa, une bibliothèque sur place et de nombreuses facilités pour fréquenter les manifestations de la vie culturelle berlinoise, comme ce cinéma d'avant-garde près de Friedrichsbanhof, comme ce club d'étudiants de la « Humboldthaus », comme ces théâtres autour du Kurfürstendamm, comme ces journées de navigation à voile sur le Wannsee. Il succédait, aussi, à Raymond Aron, et personne, Landhausstrasse, ne put s'empêcher de se livrer à des comparaisons entre les deux personnalités, de rappeler la *Flüssigkeit*, la fluidité avec laquelle Aron parlait la langue face à un Sartre qui peinait, la supériorité du premier face à la quasi-humilité du second, l'ironie du premier, sa sensibilité aux événements, son intérêt pour les visites des hôtels du XVIIIe siècle du côté du Tiergarten, ou d'Unter den Linden, ses conversations inopinées avec des étudiants rencontrés dans les tramways; face à l'obsession de Sartre pour ses lectures, pour ses recherches, pour son manuscrit, presque exclusivement, et son désintérêt évident – barrière de la langue? – pour d'éventuelles rencontres. Comment, d'ailleurs, Aron n'aurait-il pas été personnellement sensibilisé à l'antisémitisme du régime nazi? Le directeur de la Humboldthaus, venu proposer au directeur de la Maison française de faire entrer un de ses jeunes protégés français au comité des étudiants allemands, avait refusé successivement la candidature d'Aron, puis celle de Brunschwig: « C'est un peu... gênant... comprenez-vous? » avait-il déclaré à Henri Jourdan [43].

Au cœur de la petite colonie française qui fonctionnait en vase assez clos, Sartre menait les premières étapes de son corps-à-corps avec Husserl, se débattant comme un beau diable dans les concepts les plus abstraits du maître, menant de front la seconde version de son factum et ses premières réfutations du solipsisme husserlien. Montant volontiers, avec Brunschwig, à une heure avancée de la nuit pour discuter avec Susini dans sa petite chambre haut perchée, qu'on avait surnommée le « colombier ». Acceptant, parfois, de se faire entraîner par Copeau, qui avait découvert une nouvelle *Kneipe* réservée aux homosexuels, dans un quartier populaire du vieux Berlin, près du canal. S'essoufflant, tous les matins, devant sa fenêtre où, après avoir endossé plusieurs pulls de laine, il faisait des mouvements de gymnastique, pour perdre les kilos qui l'avaient engraissé, de trop de bières, de trop de *Würsten.* Ou bien convainquant Brunschwig de l'accompagner à la piscine ultra-moderne de la Neue Welle, pour une séance de natation à bout de souffle dans un cadre inouï, qui allait même jusqu'à offrir de fausses vagues! Trouvant, enfin, dans cette amitié avec Brunschwig, des moments de grande complicité : Sartre expose sa théorie du salaud, Brunschwig sa perception de l'antisémitisme, de son expérience à Mulhouse, Sartre interroge. Brunschwig mentionne un article qu'il vient de rédiger sur Chateaubriand, Sartre demande à le lire et le critique minutieusement, en le reprenant page à page. Tout en commentant leurs brutales rencontres, au détour d'une rue, avec les manifestations les plus odieuses du fascisme triomphant. Comme le jour où, à Wilmersdorf, une bande de S.S. et de S.A. excités avaient arraché le feutre de Susini. Comme celui où Copeau, hors de lui, racontait les autodafés de livres auxquels il venait d'assister, ou les discours de Goebbels qui hurlait à la radio [44]. Comme celui, enfin, où ils allèrent, en groupe, à Tempelhof pour assister dans cette grande « Halle » des quartiers populaires du nord de la ville à des fêtes gigantesques que les Allemands, seuls, semblent pouvoir provoquer; grande coulée de mousse de bière brune, débuts d'ivresse, petites femmes rondes, découvertes et appétissantes, et c'est la levée de toutes les défenses, on chante, on danse, on touche, on chahute, on entre dans le cercle bienheureux et glissant de la réjouissance de groupe. « J'ai vu avec horreur à Berlin, racontera-t-il, combien les Allemands jouissaient de cette simultanéité-là... : l'un lançait son chapeau en l'air, pendant que l'autre dansait et que le troisième soufflait dans un cor de chasse [45]. » Petites scènes du groupe français isolé dans une Allemagne bruissante et monstrueuse; petites scènes d'un microcosme déphasé, d'un îlot noyé, scènes quotidiennes, imperméables parfois au contexte alentour; conversations françaises d'intellectuels français soudés entre eux par la langue, la complicité, les références communes, n'accédant jamais – ou presque – à la réalité du IIIe Reich, puisque confinés dans leurs travaux, leurs lectures, leurs horaires, leurs habitudes. Puisque, surtout, ce n'était pas l'Allemagne contemporaine qui les avait attirés là, mais tel écrivain du Sturm und Drang, tel philosophe du XIXe siècle, telle période historique révolue [46]. Le petit groupe français vivrait donc son confort intellectuel dans les limites rassurantes de la villa de Wilmersdorf, ne rencontrerait donc, pour ainsi dire, l'Allemagne que par accident et comme fortuitement. Des Français timorés, peu inclins à braver la barrière de la langue, doublés d'intellectuels emmurés dans l'espace ponctuel et rétréci de leur recherche : tels ils furent, tels ils restèrent. Cela ne devait pas beaucoup contribuer à leur ouvrir les yeux. Ils échangèrent des plaisanteries françaises aux repas, vécurent le train-train banal et sournois des groupes isolés en milieu étranger et qui, par crainte d'aborder l'inconnu, se cramponnent à leurs frères de circonstance, plutôt que de se lancer à la découverte des indigènes. Sartre, bien sûr, fut un compagnon idéal de ces grandes tablées françaises, raconta Le Havre, chanta ses chansons, parla du Castor. Un jour, avant Pâques, il annonça à Brunschwig qu'elle allait lui rendre visite et que cela posait un problème de chambre : Brunschwig offrit la chambre en ville qu'il occupait depuis peu et qui serait plus pratique pour deux. Seule objection, peut-être, la réprobation de sa logeuse devant un couple non officiel. Et voilà nos deux camarades partis acheter des alliances dans la première bijouterie venue, pour accueillir dignement le Castor.

« Voilà des années que je suis entouré de femmes et je veux toujours en connaître de nouvelles... Je préfère parler avec une femme des plus petites choses que de philosophie avec Aron... Je ne sais si, un temps, je n'ai recherché la compagnie des femmes pour me décharger du poids de ma laideur... J'avais certainement un appétit de beauté qui n'était pas vraiment sensuel, mais plutôt magique [47]. » Avec le Castor, il avait trouvé réunis la beauté et le dialogue : avec elle, il formerait un double couple. Couple homme-femme, où il jouirait de s'identifier à sa beauté; couple d'amis où il poursuivrait sans trêve- comme autrefois avec Nizan, avec Guille, avec Aron – ses élucubrations, ses théories, ses projets. Elle, solide, active, organisée, réaliste, saurait devenir son meilleur conseil, son soutien, sa première admiratrice, son roc. Et puis il était parti pour Berlin : « J'étais bien décidé à connaître l'amour des Allemandes mais je compris au bout de peu de temps que je ne savais pas assez d'allemand pour converser. Ainsi démuni de mon arme, je demeurai tout stupide et n'osai rien tenter; je dus me rabattre sur une Française [48]. »

Quand le Castor arriva à Berlin, qu'elle y fut accueillie avec la fameuse alliance, Sartre parla également de cette « femme lunaire» pour laquelle il avait une réelle sympathie. Marie Ville, épouse de l'un des pensionnaires de la Landhausstrasse, partageait donc les repas du groupe et fascinait Sartre, depuis le premier jour, par son mutisme, sa nonchalance, sa beauté passive. « Il trépignait d'impatience et de curiosité à son égard, raconte Brunschwig, elle l'intéressait parce qu'elle était amorphe, et il voulait à tout prix arriver à ce qu'elle s'exprime, à ce qu'elle sorte d'elle-même. » Plus tard Sartre s'interrogera sur ce phénomène, sur cette « structure la plus essentielle », cette « espèce d'âpreté isolée... pour connaître toutes les " natures ", la souffrance, la jouissance, l'être-dans-le-monde ». « C'est de là, écrira-t-il ensuite, que vient cette attraction magique qu'exercent sur moi les femmes obscures et noyées [49]. »

Première crise dans l'édifice affectif Sartre-Beauvoir, première intervention d'un amour contingent aux côtés du nécessaire. Le Castor se rendit à Berlin dans des conditions difficiles pour elle, dépassant largement le délai de vacances qui lui avait été autorisé. Faut-il voir là la marque d'un danger pressenti? Une visite diplomatique pour resserrer l'entente? Au dire de certains, Sartre aurait vivement souhaité pouvoir prolonger d'une année ses recherches philosophiques dans sa chambre de Wilmersdorf; après le passage du Castor, il n'en parla plus et s'en fut retrouver le lycée du Havre. Mais il était autre. « Philosophiquement épuisé par Husserl » pour cette année-là, il avait même tenté d'aborder Heidegger à la suite, mais en vain : « Je commençai Heidegger et j'en lus cinquante pages mais la difficulté de son vocabulaire me rebuta... Mon erreur avait été de croire qu'on peut *apprendre* successivement deux philosophes de cette importance comme on apprend l'un après l'autre les commerces extérieurs de deux pays européens [50]. » Au mois de juin 1934, à l'heure de son départ de Berlin, l'homme de vingt-neuf ans, saturé de Husserl et engraissé d'excès gastronomiques d'outre-Rhin, n'est même plus un seul Socrate; c'est un philosophe en devenir, un écrivain laborieux; il va affronter une crise personnelle, un rite de passage, le cap de la trentaine.

Derrière lui, il laissera quelques amitiés, comme celle de Brunschwig, et quelques images insolites. Celle, mystérieuse, que garda de lui l'ambassadeur François-Poncet : Sartre, absolument muet durant tout un dîner à l'ambassade, n'avait pas daigné desserrer les dents devant ses voisins de table [51] ! Ou celle, enthousiaste, que le critique littéraire Albert Béguin, alors lecteur à Halle, rapporta de sa visite à Berlin. « Il en revint, raconte sa femme, ébloui par l'intelligence d'un jeune philosophe nommé Jean-Paul Sartre... Il en parla plusieurs jours, comme ébranlé par le choc [52]. » Paradoxalement, le séjour berlinois s'achève sans que

Sartre, piéton des villes par excellence, amoureux des contacts charnels – il en eut avec Paris, avec Le Havre, plus tard avec Naples, Rome ou New York –, ne passe à l'acte avec Berlin. Nulle part, on ne retrouve la trace de ses marches dans la ville, nulle part de référence à ses attraits. Cette ville qui aurait pu, peut-être, infiniment mieux qu'aucune autre, susciter son imagination et ses fantasmes, refusa-t-elle alors de se livrer?

HUMEUR NOIRE, FOLIE ET VOYAGES DIVERS...

« Nous avions besoin de démesure pour avoir été trop longtemps mesurés. Tout cela se termina par une drôle d'humeur noire qui tourna à la folie vers le mois de mars de cette année-là... »

Carnets de la drôle de guerre.

Au retour de ce qu'il appellera plus tard ses « vacances berlinoises », il retrouve le train du Havre, les horaires du lycée, les saluts ironiques de ses collègues, les voyages à Rouen. Contraintes plus douloureuses encore qu'auparavant, après l'entracte de Wilmersdorf. Reprise d'une série d'habitudes déplaisantes, mais néanmoins, désormais, tout à fait irrémédiables, puisque le salut par l'art avait de jour en jour perdu de son actualité, de son acuité. « Le Castor et moi, assis dans un café nommé Les Mouettes, nous déplorions que rien de neuf ne pût nous arriver... » Nostalgies diverses, d'une « vie de désordre » par exemple, besoin d'authenticité, désillusions, lassitudes, tristesse de se sentir pris entre les griffes d'une existence « pâteuse et manquée », si éloignée de la « vie de grand homme » qu'il avait rêvée. D'ailleurs la crise de la trentaine fondit sur lui au retour d'Allemagne, avec son cortège de signes magiques, rituels et irrémédiables, avec ses images, ses paniques, ses accusations. Cette crise débuta – ô symbole schweitzérien! – par une histoire de cheveux, le jour où, devant la glace, il s'aperçut pour la première fois qu'il devenait chauve. « Ce fut pour moi un désastre symbolique », conclura-t-il plus tard, expliquant que l'« enchauvissement » (*sic*) devenait pour lui « le signe tangible du vieillissement ». « Longtemps je me suis malaxé la tête devant des glaces », achève-t-il enfin [1]. Avec la perte des premiers cheveux, le seul Socrate qui perdurait bascula définitivement. L'enfant merveilleux était mort – avait-il jamais existé? –, le sacrifice des boucles blondes par le grand-père et les affres du crapaud tondu désormais estompés, blessure bien lointaine et bien mièvre. A l'automne de l'année 1934, il n'était plus au Havre qu'un professeur de province petit, gras et déjà vieillissant; fini les certitudes de grand homme, l'espace illimité où projeter ses rêves d'écrivain célèbre. Il avait désormais la physionomie irrémédiable d'une tabatière enflée, d'un vilain petit bouddha épais et repoussant. Et Guille qui le taquinait à plaisir en lui prenant le ventre à pleines mains à travers son chandail, pour lui faire passer la graisse!

Ce retour d'Allemagne s'effectuait donc sur des bases déjà passablement pourries; une série de coups durs allait en achever la dégradation. Ce serait une période noire, une suite de plusieurs années dures et sèches. Entièrement sous le signe de la marginalité sociale, de l'exploration de situations limites. Sartre y fut dépressif, y « envisagea la mort à plusieurs reprises avec indifférence », poursuivit son activité d'observateur, plus que jamais attentif à « déchiffrer le monde ». La philosophie, avait-il décidé dans ses années de Louis-le-Grand, serait son arme suprême; il explora toutes les tendances de la psychologie, pour parvenir, d'abord, à se déchiffrer lui-même; puis il lança ses coups de sonde obstinés et puissants en direction du monde, dans une volonté totalisatrice, la philosophie devenant alors l'outil idéal d'investigation, de conquête, d'appropriation. Pendant ces années-là, ce système fonctionnera ainsi à plein régime : observateur, déchiffreur, voyeur même, il le sera plus lucidement que jamais, ne négligeant aucune limite. Ainsi, à son retour, recevant de son ancien professeur de l'E.N.S., Delacroix, une commande pour la collection de philosophie qu'il dirigeait chez Alcan, Sartre proposa un livre sur l'imagination, occasion d'intégrer ses lectures de Husserl et de poursuivre ses réflexions sur le statut de l'image. Occasion, aussi, de comprendre la nature de l'image chez les sujets hallucinés : l'expérimentation d'un hallucinogène tenta le chercheur, fascina l'explorateur, passionna le philosophe. Il se rendit chez Daniel Lagache, devenu médecin à l'hôpital Sainte-Anne où ils avaient ensemble, dix ans auparavant, assisté à ces fameuses présentations de malades qui les avaient, pour la première fois, mis en contact avec la psychopathologie. Lagache lui-même venait d'achever pour la collection de Delacroix un ouvrage intitulé *Les Hallucinations verbales et la Parole.* Les hallucinations visuelles, auxquelles Sartre s'intéressait, se révélaient particulièrement sous effet de mescaline : les effets duraient de quatre à douze heures, le produit ne donnait lieu à aucune accoutumance, mais parfois à des « retours » plus ou moins agréables dans une durée d'un an après l'expérience. A l'hôpital Sainte-Anne, en janvier 1935, sous surveillance médicale et pour des motifs scientifiques, Sartre fut donc piqué par Lagache à la mescaline de Merck, un hallucinogène dérivé du peyotl, « la plante qui fait les yeux émerveillés ». « J'ai pu constater, raconte-t-il dans *L'Imagination* [2], un bref phénomène hallucinatoire. Il présentait, précisément, ce caractère latéral : quelqu'un chantait dans une pièce voisine et, comme je tendais l'oreille pour entendre – cessant par là même de regarder devant moi –, trois petits nuages parallèles apparurent devant moi. Ce phénomène disparut naturellement dès que je cherchai à le saisir... Il ne pouvait exister qu'*à la dérobée* et d'ailleurs il se donnait comme tel ; il y avait, dans la façon dont ces trois petites brumes se livraient à mon souvenir, sitôt après avoir disparu, quelque chose à la fois d'inconsistant et de mystérieux, qui ne faisait, à ce qu'il me semble, que traduire l'existence de ces spontanéités libérées *sur les bords* de la conscience... » En fait, Sartre fit un très mauvais voyage et ne recommença plus. « Il avait vu, raconte Simone de Beauvoir, des parapluies-vautours, des souliers-squelettes, de monstrueux visages ; et sur ses côtés, par-derrière, grouillaient des crabes, des poulpes, des choses grimaçantes [3]. » Dans son cas, les hallucinations ne se révélèrent ni oniriques, ni esthétiques, mais cosmiques et fantastiques, avec les habituelles dislocations de l'espace et du temps. Rien ne se produisit de très extraordinaire mais, étant donné l'état de doute et de fatigue qu'il traversait alors, cette expérience provoqua chez lui des « retours » pénibles et le rendit peut-être plus vulnérable aux chocs psychologiques qu'il ne l'était auparavant. Il entrait aussi, par ce voyage, dans la grande famille des artistes qui depuis Baudelaire, Artaud, Michaux et les surréalistes, tout récemment encore René Daumal, faisaient de l'usage de certaines drogues une condition d'accès à des états de transcendance, d'hyperlucidité, de voyance, sans lesquels toute activité poétique perdait son véritable sens de déchiffrement du monde. Avec d'autres visées, Sartre allait en partie retrouver des préoccupations littéraires de son époque. Ses limites intérieures, il avait souhaité les sonder dans le développement très théorique et très conceptualisé de ses recherches philosophiques ; sans aucune intention mystique, poétique ou purement formelle. Mais il saura accéder aux préoccupations de Daumal qui écrivait, en 1930, que « quelque chose d'absurde peut être donné dans l'intuition ». Il saura, également, retrouver, dans sa propre esthétique de vie des années 30, des terrains d'entente cordiale tout à fait essentiels avec les surréalistes. Cette esthétique des marges, si opposée à la morale communiste de l'homme nouveau et de la construction du socialisme, contribuera, on va le voir, à classer Sartre, dans les rangs du P.C.F., comme un produit dégénéré et décadent du capitalisme, comme le dernier cancrelat d'un système en décomposition avancée.

Parmi les échecs que Sartre eut à subir en ces années noires, une histoire d'amour malheureux, qu'on pourrait nommer, faute de mieux, l'« histoire d'Olga ». Première véritable atteinte à l'édifice nécessaire-contingent du couple qu'il formait avec le Castor, puisque l'affaire berlinoise de la femme lunaire avait été, somme toute, facilement digérée, l'histoire d'Olga allait solliciter du couple un dépassement de leurs projets, de leurs habitudes, dans une menace véritable à leur équilibre, un danger extrême qui les emporta tous trois dans un tourbillon qui aurait pu se terminer très mal. Il en résulta des traces indélébiles : deux années de détresse et un personnage de roman pour un petit homme déjà en piètre état; un roman pour Simone de Beauvoir qui raconta cette histoire dans *L'Invitée* – publié en 1943 – puis dans ses mémoires, et contribua à donner au grand public des éléments d'information réels sur la vie privée de Sartre; une entrée définitive d'Olga dans la « petite famille » pour le meilleur et pour le pire. Olga Kosakiewicz avait été l'élève de Simone de Beauvoir à Rouen, le professeur n'avait pourtant remarqué cette originale jeune fille – on l'appelait « la petite Russe » – que vers la fin de l'année scolaire. « Olga, c'était quelqu'un, raconte encore aujourd'hui [4] Simone de Beauvoir; très intelligente, très orgueilleuse, avec beaucoup d'élégance et des gestes raffinés. Il y avait en elle une force qui lui avait été donnée petite fille et qui lui était restée; elle avait reçu une éducation assez systématique et bizarre, dont elle gardait les traces, comme ce goût d'aller, même en hiver, marcher au petit matin, pieds nus, dans la rosée... Une mère, française, partie seule en Russie comme gouvernante dans une famille de nobles assez riches; le fils de la famille s'était épris de cette très jolie femme, l'avait épousée... » Ils avaient eu deux filles : Olga et Wanda. Olga, qui était née à Moscou, avant que ses parents ne fuient la révolution de 1917, avait conservé, de son éducation, de ces histoires de famille, une sorte de « dédain d'aristocrate en exil », qui, dit le Castor, « s'accordait avec notre anarchisme antibourgeois [5] ».

Mystérieuse, slave et capricieuse Olga! Ses cheveux blonds qui envahissaient un long visage triangulaire, son teint pâle, ses grands yeux écartés, ses tocades brutales, ses pas de danse en pleine rue, ses fantaisies provocatrices et rayonnantes, son authenticité naturelle, sa spontanéité victorieuse tracèrent autour du professeur désabusé comme un cercle de feu. Sur fond de musique, de littérature, de jeux d'échecs, de grandes rasades de liqueur, de promenades sulfureuses dans la ville de Rouen, Olga était devenue, pendant l'année 1934, la grande amie de Castor. C'est pendant ses « retours » de mescaline, plus tard, qu'elle se rapproche de Sartre; il traverse des crises pénibles, se croyant poursuivi par des langoustes; la jeune fille l'écoute, l'égaie, partage ces délires en riant, l'entraîne dans de longues promenades, de grands voyages, d'interminables et précis échanges verbaux, moments privilégiés de capture de l'espace. Et, très vite, Sartre tombe dans une passion totale qui le tiendra deux ans. « J'étais nerveux, inquiet. J'attendais, chaque jour, le moment de la revoir et, par-delà ce moment, je ne sais quel impossible rapprochement. L'avenir de tous ces moments... c'était cet amour impossible [6]. » Deux années d'un amour malheureux, torturant; deux années d'une jalousie morbide et exacerbée, d'obsessions, de vertiges. Olga ne cédera pas, ne le repoussera pas non plus totalement; il restera ainsi dans l'espace trouble et insupportable des amour ambiguës, des situations de doute; il vivra, fébrile et désespéré, dans l'attente d'un geste, d'une ouverture, d'un changement; il cherchera à séduire avec son humour, son intelligence, sa générosité, son imagination. « Ma passion pour elle, poursuit-il, brûla mes impuretés routinières comme une flamme de bec Bunsen. Je devins maigre comme un coucou et éperdu [7]. » Crises, terreurs et jeux dangereux entre le petit homme et la jeune fille : elle ne supportait plus sa « tyrannie » jalouse; il perdait la tête devant ses interminables caprices; ils n'en finissaient plus de se faire des scènes, de prendre, chacun son tour, le Castor à témoin. « Passion et folie », n'hésitera-t-il pas à écrire pour qualifier ces années-là.

La jeune fille fantasque et charmeuse ébranlait l'édifice intellectuellement construit cinq ans plus tôt. Sartre avait souhaité conserver porte ouverte aux amours nouvelles : l'occasion se présentait, là, avec une brutalité soudaine, et testait à l'épreuve des faits les catégories d'« amour nécessaire » et d'« amour contingent », enterrait, dans le vertige, la jalousie, la folie, le désespoir, des cadres élaborés par la seule intelligence, dans un processus décharné, ignorant des blessures profondes. Ignorant, surtout, combien toute construction de ce type peut aisément être soufflée, balayée et anéantie par une passion brutale; ignorant ces strates de vulnérabilité extrême où conduit l'amour quand il vous envahit, pulvérise vos dernières certitudes, dans la dépendance précaire d'une présence, d'une voix. « Pour la première fois de ma vie, écrit-il encore, je me suis senti humble et désarmé devant quelqu'un et j'ai désiré apprendre [8]. » Toutes ses illusions, toutes ses certitudes tombaient devant les rejets délicats et gracieux d'une jeune fille de dix-huit ans qui s'appelait Olga. Plus d'illusion biographique, plus de Byron, plus de Shelley, plus de « grand homme » à l'horizon, mais un homme qui ne savait pas plaire, qui se sentait tout à la fois « vieux, déchu et fini ». La chute de l'ange ne laissait plus d'espoir : une jeune fille lui refusait le monde. Toute sa vie, insatiable, il cherchera auprès des jeunes une sanction à ses recherches, à ses pensées, à ses écrits. Il va mettre entre les mains d'Olga son fameux « factum », ses premières nouvelles; d'elle, il va quêter une approbation, une parole, une reconnaissance; d'elle, n'importe quel mot comptera infiniment plus que d'un éditeur quelconque. A la jeunesse appartiennent naturellement la force, l'insolence, le présent, la provocation, le rire, l'assurance, la puissance, la férocité, l'esprit critique et sulfureux, l'élégance conquérante, la désinvolture suprême: axiome dont Sartre ne sortira jamais. « Bien plus qu'honnête », avait négligemment écrit Olga après sa première lecture du manuscrit qui deviendrait *La Nausée.*

« Sans me le formuler, écrit plus tard Simone de Beauvoir, j'en voulais à Sartre d'avoir créé cette situation, et à Olga de s'en accommoder; c'était quand même une rancune confuse, et comme honteuse d'elle-même, d'autant moins facile à subir que je ne me l'avouais pas [9]. » Dans l'histoire d'Olga, en effet, Sartre et le Castor deviennent des rivaux : retour des vieux schémas, possessivité, exclusion, jalousie... Retour des catégories conventionnelles? Annulation brutale des acquis de l'union libre, de la transparence? « Nous voulions bâtir un véritable trio », écrit Simone de Beauvoir qui, par le récit, parvint apparemment à recentrer une situation fort douloureuse pour elle-même, à reprendre les rênes. « Une vie à trois équilibrée, poursuit-elle, où personne ne serait sacrifié: c'était peut-être une gageure, mais cela méritait d'être essayé [10]! » L'idée de « trio », la « tentative d'annexion » d'Olga par le couple Sartre-Beauvoir, et toujours selon les termes mêmes du Castor, se posèrent-elles exactement en ces termes pour Sartre? Ou bien fut-ce une recomposition rétrospective par une femme malheureuse et habile? Déjà, dans les premiers mois de leur couple, raconte toujours Beauvoir, Sartre et elle-même avaient été excités par le fantasme d'« adopter » une jeune fille un peu perdue rencontrée dans un bar. Et elle analyse à cru les différentes étapes de ce phénomène de fascination, de cette tentative d'annexion : jeunesse contre expérience. « Nous avions le culte de la jeunesse, écrit-elle encore, nous chargeâmes donc Olga de valeurs et de symboles. Elle devint Rimbaud, Antigone, les enfants terribles, un ange noir qui nous jugeait du haut de son ciel de diamant [11]. » Difficile d'interpréter dans la clarté totale le duel que se livrèrent là Sartre et Simone de Beauvoir. Toujours est-il que la force du Castor, sa maîtrise, sa détermination éclatent ici sans conteste; elle fit preuve d'une puissance d'airain, ne perdant jamais des mains l'ensemble de la situation. « Je refusai, écrit-elle toujours, le désordre qu'Olga eût introduit dans ma vie... Je m'appliquais à la réduire à ce qu'elle avait toujours été pour moi... je n'allais pas lui abandonner cette place souveraine que j'occupais, moi, au centre exact de tout[12]. »

« Olga était étrange et douce... d'une tendresse jouée de fleur meurtrie. » Quelque temps après la fin de sa « folie pour Olga », Sartre décrit au Castor un déjeuner avec la jeune fille, triste ce jour-là, avec des jeux de physionomie d'une « moiteur un peu onctueuse [13] ». Olga resta sans aucun doute l'une des deux ou trois passions de la vie de Sartre; directement, il en parla peu; sauf lorsque la conversation tournait autour de la jalousie. « Moi, je ne suis pas jaloux », répondait-il, d'un revers de voix. Admettant, toutefois, lorsqu'on insistait, pour savoir si, par le passé, il n'en avait pas le souvenir : « Oui, pour Olga, une fois j'ai même cassé une vitre », répondait-il, comme par erreur. Et s'il parla de l'histoire d'Olga, ce fut par fiction romanesque interposée, à travers un discours à clefs, comme – on l'a vu – il aimait le faire : dans sa série romanesque *Les Chemins de la liberté*, rédigée à partir de 1939 et publiée en 1945, un personnage féminin Ivich porte les troublants raffinements d'Olga, surtout dans les scènes chaotiques qui la mettent face à Mathieu, double de Sartre : dominatrice, exotique, dépressive, saccadée, Ivich restera un personnage très fort de l'univers romanesque sartrien. Avec ses gestes gratuits, comme lorsqu'elle mutila sa main avec une cigarette enflammée –, avec ses foucades blessantes, ses heures de défense négative et d'ennui, ses tirades impatientes, ses attentes floues. « Elle s'abandonnait avec une insolence boudeuse aux situations les plus déplaisantes », écrira entre autres le romancier, dans un de ses meilleurs passages. Le plus poignant restera sans doute cette scène de café entre Mathieu et Ivich devant un verre de menthe à l'eau qu'elle commande, puis avoue détester; puis refuse de décommander prétextant que, de toute façon, elle n'a pas soif, qu'elle regarde ensuite comme un objet, taquinant la jolie couleur verte de deux glaçons carrés, finit par boire, enfin, alors que Mathieu téléphone. « Elle regardait le verre et Mathieu la regardait. Un désir violent et imprécis l'avait envahi : être un instant cette conscience éperdue et remplie de sa propre odeur, sentir du dedans ces longs bras minces... Être Ivich sans cesser d'être moi [14]. » En écho à ces scènes, quelques lignes des *Carnets* : « J'avais certainement un appétit de beauté qui n'était pas sensuel mais plutôt magique. J'eusse voulu manger la beauté et me l'incorporer... Je souffrais par rapport à toutes les jolies personnes d'un complexe d'identification [15]. »

Six ans plus tard, Olga se maria avec Jacques-Laurent Bost, un des élèves préférés de Sartre au Havre; elle ne sortit jamais de la « petite famille », fut souvent même entretenue financièrement par le couple-roi, joua dans la première pièce de Sartre le rôle principal, mais ne gagna jamais son autonomie par rapport au cercle des amis, des intimes, des admirateurs; plus tard, on le verra, le petit cercle se structurera progressivement, dans une organisation fort intéressante, dont Olga sera un des membres. En tout cas, elle ne rompt pas avec Sartre et, en épousant un ami, se liera doublement avec eux; sa sœur Wanda deviendra elle-même quelques années plus tard la maîtresse de Sartre. Lentement, la famille prendra forme : Lionel de Roulet, un élève de Sartre, épousera Hélène de Beauvoir, la sœur du Castor.

L'histoire d'Olga mit en lumière leur mythe commun de la transparence; et si elle réapparut dans les deux œuvres littéraires de Sartre et de Beauvoir, elle y prend, cependant, des significations fort décalées. *L'Invitée* raconte l'histoire d'un trio impossible, qui s'achève par un meurtre, celui de la jeune fille, Xavière, en état d'annexion potentielle par le couple. Dans les allusions de Sartre, rien de tel, aucun projet en « trio », seulement un amour malheureux. Mythe commun de la transparence, entre Sartre et le Castor? Arme de protection chez elle, dans un choix du récit véridique *ad extra*? Esthétique de vie chez lui, dans un souci de préserver des zones d'ombre, de pudeur. S'agissait-il vraiment de la même chose?

Dernière étape dans la chute narcissique de Pardaillan : on refusa, chez Gallimard, le manuscrit de son factum sur la contingence, *Melancholia*. Au retour de Berlin, il avait travaillé à une troisième version du manuscrit qui maintenant, lui semblait-il, intégrait suspense narratif et philosophie. Nizan avait servi d'intermédiaire pour la proposition de ce travail; quelques semaines plus tard, Sartre recevait un petit mot; l'ouvrage n'était pas retenu. « Ça m'a fait quelque chose, racontera-t-il plus tard, je m'étais mis tout entier dans ce livre et j'y avais travaillé longtemps; en le refusant, c'était moi-même qu'on refusait, mon expérience qu'on excluait [16]. » L'aventure du factum et de sa publication n'est pas finie, on en verra les suites bientôt; Sartre est déçu, il continue d'écrire; il écrit, en dépit ou, peut-être, à cause de l'impasse, dans un emploi du temps particulièrement intense, entre ses cours, ses amours, ses voyages en train, ses déjeuners obligés avec M. et Mme Mancy : enseignant, observant, consignant, déjeunant, écrivant, dormant, écrivant... Son acuité visuelle devient-elle particulièrement vivace, en ces années-là, dans une pression conjuguée de trop d'échecs? Tous ses textes d'alors portent la marque profonde de ces années noires : très violemment anarchiste, supportant fort mal tous ces rejets, il scrute le monde, les marges de la société, les bas-fonds, dans ce qu'ils livrent de plus morbide, de plus obscène, de plus repoussant. Dans le même temps, très réceptif au fait divers banal et criminel, il se passionna pour l'affaire des sœurs Papin, pour l'affaire Violette Nozières. Cette dernière fut, à l'âge de dix-huit ans et demi, accusée d'avoir empoisonné son père et sa mère : le procès, qui s'ouvrit en octobre 1934, fit couler beaucoup d'encre, choquant la moralité française bien-pensante et petite-bourgeoise, d'autant que la jeune fille accusait son père d'inceste à son égard, depuis le début de son adolescence. Les surréalistes Breton, Éluard, Mesens, Péret s'enflammèrent pour Violette, pour le scandale provoqué par elle, admirèrent surtout qu'elle parvînt à flétrir la respectabilité de la famille. Même état d'esprit, dans ce domaine, entre le couple Sartre-Beauvoir et les surréalistes. Même anarchisme foncier, même rejet de l'hypocrisie sociale, même radicalité dans leurs exigences.

Pendant ces années d'humeur noire, il écrivit beaucoup, posant sur le monde un regard d'observateur scrupuleux, maniaque un peu, voyeur presque. Il observa sans cesse, d'un regard que n'entamait aucune tentation d'enjolivement, les tares, les monstruosités, les obscénités du monde. Atmosphères perceptibles dans sa correspondance de l'époque, dans les nouvelles qu'il écrivit alors, dans ses voyages, ses rencontres de villes. « On a trouvé du sang sur la braguette du vieillard », écrit-il au Castor pendant l'été 1934, précisant que son grand-père « gâte complètement ». « La demoiselle, poursuit-il, était persévérante du poignet... elle venait l'après-midi, lui faisait verser quelques gouttes de sang et le laissait dans un état de surexcitation inouïe [17]. » « La vieille catholique salope tricotait », lui écrit-il encore en avril 1936, depuis un hôtel de province, « la geignarde mère cousait... un jeune officier vétérinaire, au képi de velours vert, au visage mou et nerveux à la fois, de la viande rose, la bouche veule et sensuelle figée en un éternel sourire détaché et vaguement insolent [18]... » « Les Napolitains », écrit-il à Olga cette fois, depuis la ville de Naples durant l'été 1936, « sont peut-être les seuls gens d'Europe dont un étranger peut dire quelque chose... parce que ce sont les seuls qu'on *voie* vivre de bout en bout... » Et Sartre de lui écrire une lettre de trente-deux pages, sous l'emprise de ces scènes « affreuses mais d'une étrange beauté », de lui décrire ces enfants qui « ont le derrière nu » : « Partout des enfants, partout des derrières ou de petits sexes tremblants qu'ils secouent dans tous les sens... Et de fait tout ce grouillement de derrières sales et de sexes, ça fait terriblement animal. » Décrivant en détail les rues napolitaines dont l'indécence absolue le fascine : « C'est dans ce monde intermédiaire que les Napolitains font les actes principaux de leur vie. Si bien qu'il n'y a plus ni dedans ni dehors et que la rue est le prolongement de leur chambre, ils l'emplissent de leurs odeurs intimes et de leurs meubles. » Le secret de l'attirance magique que Naples a pour Sartre, c'est que Naples, impudique et transparente, n'a pas de secret, que ses habitants assis et dehors sont « occupés à faire tout ce que les Français font en cachette [19] ».

Les atmosphères reprises dans ces quelques lignes de correspondance reviennent, avec la même obsession, mais de manière infiniment plus scabreuse dans les nouvelles qu'il écrit à la même époque : « Soleil de minuit », « Érostrate », « Dépaysement », « La Chambre » et « Intimité » sont de cette veine. Concentrés littéraires comme il n'en écrira plus jamais dans sa vie, concentrés de ce regard fixé sur le morbide, la folie, la sexualité pathologique; sketches, croquis, photographies de scènes et de situations sociales, il livre là peut-être le nœud le plus douloureux de lui-même. Et un personnage comme Paul Hilbert qui envoie une rafale de mitraillette sur la foule, dans un geste mégalomane et désespéré, au coin de la rue Delambre et du boulevard Edgar-Quinet, dans le périmètre sartrien de Montparnasse, n'est-il pas en partie un double de l'écrivain, mais un double qui a glissé, qui a sombré dans un irrésistible mouvement vers la démence? Voyages exploratoires d'un Sartre lui-même en désarroi majeur, qui s'intéresse de plus en plus à comprendre de l'intérieur les manifestations de pathologie dans la vie quotidienne, ces lieux limites où s'entretient la folie, comme les asiles par exemple : une journée entière, ils visitèrent, avec le Castor, Bost et Olga, l'hôpital psychiatrique de Rouen : une découverte qui les marqua longtemps.

L'expérience majeure, déterminante, fondatrice, l'expérience la plus dévastatrice et la plus salutaire de la vie de Sartre? Sans le moindre doute, ce fut cette mauvaise passe, cette ornière précoce, cette panne inattendue. La crise de la maturité – celle de l'actrice vieillissante et perdant son public, celle de l'homme en retraite –, qui survient au détour d'une vie, dans la perte d'un charme, d'une capacité, d'un talent, atteignit Sartre précocement. Ses spectateurs, ses admirateurs, ses lecteurs qui existaient, avec certitude, avec nécessité, dans les fantasmes de ses dix ans, de ses vingt ans, disparurent subitement. Et l'admiration d'Anne-Marie qui avait soutenu, charpente d'acier, tout l'édifice d'amour-propre et d'évidence, non relayée, non féconde et sans postérité, devint, du coup, un inutile bibelot. Tout s'effondrait autour de lui; tout s'effondrait en lui; et son identité, façonnée si tôt en un alliage si dur, prenait brutalement la forme d'une monstruosité absolue. Chute de l'ange dans l'envers des choses, les coulisses du décor, les rouages de la mécanique. Blessure narcissique si radicale, si fatale, qu'elle renvoyait une lumière crue, hyperlucide, aveuglante sur lui-même et le monde à laquelle il parvint à faire face. Et ce fut également son salut : il bascula dans le « comment » des choses, dans cette lisière ténue où l'on n'aborde que rarement, en état de psychose ou bien d'ivresse extrême. Si le programme de sa vie ne se déroulait pas comme prévu de longue date, qu'entraînait-il, sinon la mort de son héros; au mieux, sa remise en question radicale? Pardaillan s'était donc trompé, enfourné dans une impasse totale, un mensonge immonde à lui-même : Quasimodo. Si cette panne mit à mort l'enfant prodige et son génie potentiel, elle ne vint pas à bout des ressources de l'homme qui, sept ans plus tard, remonta à la surface, avec une mécanique provisoirement réparée, un moteur qui tournait à nouveau. Il avait entrevu des expériences de bateau ivre, de limites sociales, de marges absolues. Il avait observé, de loin, les mouvements des hommes dans les cafés et les hôtels, depuis son point de vue privilégié de vigie sociale; il avait, depuis ses nuits d'insomnies dans la province française, écouté, attendu, laissé venir à lui les bruits, les mouvements, les soubresauts de la vie, comme s'ils étaient venus d'un autre monde. « Tout ce que les hommes font la nuit, je l'entends... Toute la rue passe par ma chambre et coule sur moi... je suis de passage... comme en visite... je suis libre [20]. »

Les années 30, pour tant d'autres âge d'or de la littérature française, seraient son calvaire, son grand trou, sa traversée du désert, ses années de désespoir, de doute, d'isolement. La France fleurissait d'écrivains, d'éditeurs, de revues : Malraux, Gide, Barbusse, Romain Rolland, Martin du Gard, Nizan, Morand, Aragon, Drieu La Rochelle, Guéhenno, Chamson, Maurois, Duhamel, Jean-Richard Bloch, les surréalistes, Bataille et tant d'autres écrivaient, publiaient, voyageaient, s'engageaient et tissaient l'histoire de leur temps, pendant que Sartre, embourbé dans une vie, une carrière qu'il méprisait également, lentement glissait, perdait pied, les yeux moins que jamais fixés sur cette ligne d'horizon qu'il avait trop regardée, qui l'avait aveuglé et que, maintenant, il haïssait. Les années 30 seraient sa noyade mais aussi sa richesse, elles seraient son calvaire et sa période d'écriture la plus intense, ses années de vache maigre et ses années fécondes, ses années les plus cruelles et les plus fastes, les plus marginales et les plus envoûtées, les plus asociales et les plus fertiles. Pendant qu'il travaillait, qu'il observait, qu'il consignait, qu'il luttait, tout le reste, bien sûr, disparut, autour de ce combat privé de l'homme avec son monstre. Tout le reste? Pêle-mêle : l'histoire, la politique, la guerre d'Espagne, la construction d'un homme nouveau en

U.R.S.S., la victoire du Front populaire en France, les défilés, les grèves, les congés payés, la montée du fascisme en Allemagne, les ligues d'extrême droite, les grandes vagues populaires, les grandes aspirations collectives, la conviction d'une ère nouvelle, d'un internationalisme fait de justice, d'égalité, le renversement de l'ordre du monde, les chants révolutionnaires, les drapeaux, les poings levés, l'absolue évidence, la certitude de la victoire finale, la haine des exploiteurs, l'ivresse des exploités, la mystique de l'Union soviétique, paradis absolu de toutes les justices sociales, la grande messe des intellectuels main dans la main avec les travailleurs dans d'innombrables associations, comités, conventions pour lutter contre le fascisme montant, pour chanter les lendemains meilleurs, pour célébrer en grande pompe l'idéal absolu de la santé du monde qu'il suffisait ainsi de réveiller, pour s'enivrer de ce triomphe en marche, pour militer, pour convaincre, pour dénoncer, pour énoncer la ligne juste, la plus juste, la seule véritable ligne révolutionnaire.

L'année 1935, par exemple, l'une des plus pénibles de cette période pour l'écrivain en puissance, fut également celle de grands regroupements des troupes littéraires, celle de la grande liesse de la gauche unie, précédant le Front populaire, celle des rassemblements des artistes européens dans les congrès antifascistes du mouvement Amsterdam-Pleyel. Le 23 juin 1935, à la tribune de la salle de la Mutualité, à Paris, André Gide, André Malraux, Louis Aragon et Paul Nizan, côte à côte, accueillaient, du poing droit levé, les premières mesures de *L'Internationale*, devant un public très chaleureux : ce congrès international des écrivains pour la défense de la culture rassembla, pendant cinq jours, Huxley, Forster, Pasternak et Babel, autour des écrivains français. Roger Martin du Gard accepta même d'en être, et le vieux Henri Barbusse, deux mois avant sa mort, transmit au public le message de Gorki, qu'il lut d'une voix solennelle. Beaucoup d'invités, donc, de tous les côtés de l'éventail politique : seul Montherlant, jugé trop à droite, n'avait pas été convié. Aragon, en ancien surréaliste, expédia quelques mots à la mémoire de René Crevel qui venait de se suicider. André Breton tenta vainement de soulever les foules en faveur de Victor Serge, emprisonné en U.R.S.S. Il n'y parvint pas et s'en expliqua dans un article violent : ce congrès, écrivait-il, « s'était déroulé sous le signe de l'étouffement systématique, étouffement des problèmes culturels véritables ». Y suivaient accusations de flagornerie et d'infantilisme à l'intention des communistes, ces « nouveaux conformistes à toute épreuve [21] ». Car c'est bien d'une divergence éthique qu'il s'agit aussi entre communistes et surréalistes, et les rapprochements entre un homme comme André Breton et un homme comme Georges Bataille, dans le mouvement « Contre-Attaque », témoignent bien de cette recherche : comment lutter contre le fascisme, sans pour autant se fondre dans une structure politique, dans un parti ?

C'est également durant l'année 1935 que Sartre eut l'occasion d'une grande conversation politique avec Nizan qui, après une année entière en U.R.S.S., racontait, dans ses tournées de meetings en province, les acquis de l'expérience soviétique : c'est à Rouen que les deux hommes se rencontrèrent à nouveau. Après le discours de Nizan, ils dînèrent à quatre, l'orateur, Sartre, le Castor et Colette Audry; c'est elle, l'amie, la collègue de Simone de Beauvoir, qui, militante de la C.G.T.U., avait eu avec eux les conversations politiques les plus élaborées, avait sollicité de leur part une adhésion, au moins au syndicat des enseignants. Sartre et le Castor l'avaient baptisée la « communiste », mais ils ne comprenaient pas bien sa position sympathisante et critique à l'extérieur du P.C.F. ; « on est au P.C., ou on n'y est pas », disait le petit homme qui, par ailleurs, considérait que, pour un ouvrier, il n'y avait pas d'autre salut. Nizan fit donc ce soir-là, autour de l'Union soviétique, un discours que Colette Audry qualifia de « très révolutionnaire ». Après une période très dogmatique et très sectaire, Nizan prenait le tournant de l'ouverture avec son Parti; outre ces apologies de l'Union soviétique, il allait être chargé par Thorez de la politique de la main tendue à l'adresse des catholiques; permanent depuis déjà trois ans, il avait acquis des galons au cours de cette année complète à Moscou et dans des républiques soviétiques d'Asie et du Caucase; dans la vie littéraire, c'était quelqu'un : candidat pour le Goncourt dès son premier roman, il correspondait avec Gide et Drieu La Rochelle, avait guidé Malraux en U.R.S.S. « Si vous prenez le pouvoir, que ferez-vous d'André Malraux ? » lui lança abruptement le petit homme dans la conversation. « On l'enfermera dans une pièce, on le fera écrire et on le surveillera », répondit calmement Nizan [22].

Quelques mois plus tard, parut chez Gallimard le quatrième livre de Nizan, un roman intitulé *Le Cheval de Troie* qui restera son livre le plus dogmatique. Il y peignait notamment, sous les traits d'un personnage qu'il nommait Lange, un professeur de lycée en province, individu particulièrement désespéré, négatif et anarchisant. Et qui, opposé à un groupe de héros positifs – des militants communistes –, jouait donc à merveille un rôle de repoussoir ambigu et dangereux. « Lange sortait de l'École normale, écrivait Nizan, c'était pour presque tous ses collègues une raison de plus de le haïr. Il était à l'extrême limite où la culture rejoint l'épuisement dans une terre frontière de la solitude et de la mort... Lange sourit : – Je n'aime pas les marxistes. Je n'aime pas les psychanalystes non plus... Vous posez une question qui n'a pas de sens. Tout ce qu'il importe de fixer, c'est le rapport de l'homme seul à l'Être... Mon indifférence est plus radicale que la tienne [23]. » Ce pessimisme radical devient, peu à peu, une des dynamiques du roman qui s'achève dans une manifestation de masse au cours de laquelle Lange bascule vers le terrorisme incontrôlé et rejoint les ennemis les plus haïssables de la classe ouvrière. Nizan n'avait certainement pas d'intention perverse à l'égard de son petit camarade, et les deux hommes, on le verra, poursuivront des relations cordiales et assez complices jusqu'en 1940. Mais, lorsque, pendant et après la Seconde Guerre mondiale, Sartre tentera des rapprochements avec le P.C.F., peut-être cette image de Lange, nourrie des propres textes de Sartre, viendra-t-elle brouiller toute rencontre. « C'était la première fois de sa vie », écrivait encore Nizan, que Lange « était introduit à l'acte d'un groupe : c'était une défaite. Pas de chance [24] ». Sartre, en effet, ne pouvait pas adhérer à ce roman enflammé, nourri des expériences militantes et des convictions définitives du petit camarade de ses quinze ans. Ne pouvait pas adhérer à ces longues stances idéalistes qui annonçaient l' « explosion de l'Histoire », la victoire sur la mort, le nouveau monde qui naissait, la puissance inéluctable du prolétariat international qui renversait l'ordre des choses. Éthique de la collectivité, « tonalité de propagande », avait écrit un critique, non, décidément, *Le Cheval de Troie* n'emporterait pas l'adhésion de Sartre; à l'occasion, il dit à Nizan qu'il lui avait semblé se reconnaître en partie dans le personnage de Lange. « Nizan affirma d'un ton nonchalant, mais avec fermeté, raconte Simone de Beauvoir, que c'était Brice Parain qui lui avait servi de modèle. Sartre lui dit avec bonne humeur qu'il n'en croyait rien [25]. »

Au printemps de l'année 1936, *Melancholia* avait été renvoyé à Sartre sans ménagement par les éditions Gallimard, le lecteur Seeligmann ne l'ayant pas retenu. Une deuxième offensive aura lieu quelques mois plus tard, offensive lancée conjointement auprès de Gaston Gallimard et de Jean Paulhan par Pierre Bost, le frère aîné de l'ami-élève de Sartre – qui était romancier, scénariste et lecteur dans la maison – et par Charles Dullin, qui vivait maintenant avec Simone Jollivet et se chargeait d'intervenir sur l'autre front. Le vendredi 30 avril 1937, le petit homme annonce enfin à « son charmant Castor » que « *Melancholia* est pour ainsi dire pris et que M. Paulhan veut [lui] placer une nouvelle à la *N.R.F.* et une autre dans *Mesures* [26] ». Ajoutant une phrase pudique et sobre, conclusion à elle seule de ces années de doute et d' « humeur noire » : « J'aimerais bien aussi, si je pouvais, lui

disait-il, vous expliquer dans quel état bizarre et plus spécialement agréable je suis à l'intérieur mais l'exposé des états d'âme me sera sans doute interdit par le peu de temps dont je dispose... »
Il n'y aura donc pas d'état d'âme; d'ailleurs, désormais, il faut faire vite.

UN INTERMÈDE EXPRESS : DEUX ANNÉES DE BONHEUR

> « Tout se mit à me sourire... Je me sentis tout à coup pénétré d'une formidable et profonde jeunesse, j'étais heureux, et je trouvais ma vie belle. Non point qu'elle eût rien de la " vie d'un grand homme ", mais c'était *ma* vie... »
>
> *Carnets de la drôle de guerre.*

« *Melancholia* est pour ainsi dire pris... » : l'information, quoique officieuse encore, provoqua, sur la vie du petit homme qui s'effilochait lentement, un effet totalement magique : dans la foulée, deux succès, qu'il avait longtemps attendus, vinrent prolonger ses joies successives. On lui annonça, d'abord, qu'à la rentrée d'octobre 1937, il occuperait un poste à Paris, plus précisément au lycée Pasteur de Neuilly. Et les jeunes femmes à qui il faisait la cour se mirent enfin à accepter ses avances avec plus de sourires. La période faste qui s'ouvre alors pour lui viendra vite se briser sur la montée des périls et les débuts de la Seconde Guerre mondiale. Entre-temps, l'écrivain Jean-Paul Sartre n'aura bénéficié que de quelques mois, un peu plus d'un an, pour faire son entrée – et quelle entrée! – sur la scène littéraire française. Entrée retardée encore, pour son factum, par une série de manipulations dont le récit, on va le voir, est déjà à lui seul tout un roman.

Car l'histoire de Jean-Paul Sartre avec la maison Gallimard commence sous de bien mauvais auspices. Et celui qui va devenir, selon les chiffres du 31 décembre 1978, l'un des dix produits les plus rentables de la maison d'édition, avait, par deux fois, été éconduit, avant que des « coups de pouce » privés ne sollicitent, une troisième fois, son acceptation. Selon ces mêmes chiffres, quelques-uns de ses titres atteindront les deux millions d'exemplaires pour la seule version française et, avant sa mort, Sartre signera avec les Gallimard un contrat d'exclusivité pour tous ses inédits à venir, sans aucune restriction. C'est peu de dire, donc, qu'il ne fut pas ingrat, qu'il ne conserva pas des deux premiers refus un souvenir trop cuisant : ni de celui, en 1930, de *La Légende de la vérité,* ni de celui, en 1936, de *Melancholia.* « Esprit supérieur, à saisir immédiatement », avait écrit sur sa fiche le philosophe de la maison, Bernard Groethuysen. « Sartre, un type remarquable, à ne pas laisser filer », répétait Brice Parain, convaincu par Nizan et par la rumeur normalienne. « Livre génial, remarquable, extraordinaire, qui sera probablement l'œuvre unique de cet écrivain », disait la dernière fiche de Jean Paulhan, celle de l'acceptation définitive [1]. Et ce dernier donna à Sartre une explication qui vaut ce qu'elle vaut, mais qui a, du moins, le mérite de préserver leurs deux susceptibilités : il y avait eu méprise, expliqua donc Paulhan à Sartre, le manuscrit de *Melancholia* avait été orienté vers le domaine des publications de la revue de la *N.R.F.,* éventualité qui avait semblé, bien sûr, à repousser; ce n'était qu'à la seconde proposition, par l'intermédiaire de Dullin et de Bost, qu'on avait réellement compris l'objectif du projet : un ouvrage à part entière. Sartre fut-il dupe de ces explications rétrospectives?

« Je suis entré glorieusement. Sept minables attendaient à l'entresol, qui Brice Parain, qui Hirsch, qui Seeligmann. J'ai décliné mon nom, demandé à voir Paulhan à une bonne femme qui maniait des téléphones sur une table. Elle a pris un de ces téléphones et m'a annoncé. On m'a dit d'attendre cinq minutes. Je me suis assis dans un coin, sur une petite chaise de cuisine, et j'ai attendu. J'ai vu passer Brice Parain qui m'a vaguement regardé sans avoir l'air de me reconnaître... Un petit monsieur fringant est apparu. Linge éblouissant, épingle de cravate, veston noir, pantalon rayé, guêtres et le melon un peu en arrière. Une face rougeaude avec un grand nez coupant et des yeux durs. C'était Jules Romains [2]. » Premiers pas d'un écrivain dans les locaux de son futur éditeur, premières impressions, premières notations. Sartre pénétrant chez Gallimard, c'est un peu Roquentin entrant dans un jardin public : nulle fioriture, nulle admiration, nul état d'âme, mais une perception du monde à l'état brut. Les épreuves d'Olga et autres avaient brûlé les élans excessifs, les passions inquiètes, les orgueils impatients des mille Socrates.

Ironique, distant, extérieur presque : toutes les étapes de ce premier périple chez Gallimard, Sartre les franchira sur le même mode. Paulhan? « Un grand type basané... une moustache qui va passer au gris... un peu gras [3]. » Brice Parain? « Un ton de jeune aîné que je n'aime pas [4]. » N'avait-il pas, d'ailleurs, commencé, quelques mois plus tôt, par une espèce de boutade, lorsqu'il s'était agi de répondre à Paulhan? Jacques-Laurent Bost avait dicté le texte, avait timbré et posté l'enveloppe: l'élève escortait son professeur dans un monde à l'envers, et Sartre avait adoré raconter l'anecdote sous forme de farce. Les relations du petit homme avec son ancien élève Jacques-Laurent Bost illustrent à elles seules, pour cette période, certains des traits, certains des comportements les plus caractéristiques de Sartre. Qui, en effet, obtint pour l'écrivain une réponse, un rendez-vous avec l'éditeur, si ce n'est Bost intervenant auprès de son frère? Les deux tentatives de Nizan, l'ami d'enfance et désormais écrivain reconnu, n'avaient pas abouti. Seules avaient réussi les relances de Dullin et celles d'un « gamin de vingt ans », Jacques-Laurent Bost, élève de Sartre en terminale deux années plus tôt. Un très beau garçon que ce « petit Bost », le benjamin des enfants du pasteur libéral du Havre: yeux clairs, teint mat, profil de prince, le charme inné et foudroyant, l'aisance contenue par cette légère réserve des protestants qui les fait parfois pencher la tête de côté, ou croiser les bras, ou afficher par des gestes maladroits une infime gêne qui ne rend que plus irrésistible leur séduction. Dès son retour de Berlin, Sartre avait remarqué ce garçon intéressant qui redoublait sa classe et qui n'avait pas eu, semble-t-il, l'année précédente, avec Raymond Aron, de contacts très chaleureux, malgré les parties de ping-pong échangées de temps en temps. « A l'époque, j'étais gauchiste à mort », raconte aujourd'hui le petit Bost: l'amitié fut-elle attisée par la complicité de deux protestants en rupture de ban, par la reconnaissance de deux tempéraments radicaux, par les fascinations réciproques de l'homme de vingt ans et de l'homme de trente? L'amitié Sartre-Bost va durer, au fond, jusqu'à la mort du petit homme. Copains, alliés, ils deviennent pratiquement inséparables, et Bost jouera, au moment même où tout se décide, deux rôles clefs dans la vie de l'écrivain.

Deux rôles clefs? Car outre celui, actif, de maillon intermédiaire auprès de son frère Pierre et des Gallimard, Bost sera de plus, à son insu, un modèle, un instigateur pour la nouvelle de Sartre, « Le Mur », dernière-née et première publiée de tout son éventail de textes. Le « gauchiste à mort » qu'était Bost tenait aussi à faire, depuis Le Havre, le voyage de Paris, pour participer aux gigantesques manifestations de masse qui, en 1935 et 1936, préparèrent l'avènement, puis l'arrivée au pouvoir du Front populaire. « Vous venez avec moi? demande-t-il à Sartre. – Ça ne m'intéresse pas, je n'aime pas les défilés », répondait immanquablement le petit homme. Puis Bost lui demanda de l'aider à s'engager aux côtés des troupes révolutionnaires dans la guerre d'Espagne. « Mollement », Sartre l'envoya à Nizan, qui l'envoya à

Malraux qui posa deux questions : « Avez-vous fait votre service militaire? Savez-vous vous servir d'une mitraillette? » Et d'ajouter, déçu à ces deux réponses négatives : « Je me demande s'il existe, chez Gastine-Rénette, un stand d'entraînement à la mitraillette [5]. » Pour Bost, le chemin vers l'Espagne s'arrêta chez André Malraux, mais Sartre tira de ces anecdotes certaines anticipations pour sa nouvelle « Le Mur », apparemment rédigée dans les premiers mois de l'année 1937. Tout de suite repérée par Paulhan, à qui Sartre la remet lors de sa première entrevue, cette nouvelle va initier une sorte de chassé-croisé intéressant entre les deux hommes.

Le 30 avril 1937, en ce jour béni des premiers pas dans le cénacle et de la rencontre avec Paulhan, deux ouvrages commencent alors leurs vies parallèles à l'intérieur de la maison Gallimard : les nouvelles que Sartre apporte avec lui ce jour-là, et le factum, bien sûr. Pour les premières, ce sera une opération rapide et simple : publiées intégralement et célébrées à peine deux mois plus tard. Le factum, pour sa part, va encore subir un cheminement à épisodes et patienter quelque douze mois supplémentaires avant d'être publié. C'est Brice Parain qui est chargé de faire « travailler l'auteur », c'est lui qui négocie avec Sartre les coupures des pages trop crues et « passibles de poursuites » : un mois et demi de travail auquel se livre à contrecœur Sartre, mais passage obligé avant que le manuscrit ne soit définitivement accepté. « Mon cher Parain, il n'y a plus un mot cru dans le texte, écrit-il excédé, au début du mois de juin, et j'espère que tout le monde sera content. En tout cas, moi, je ne peux pas faire davantage [6]. » Qu'avait-il donc supprimé, sous les pressions de Parain et du conseil juridique des éditions, l'avocat Me Maurice Garçon? Des passages « un peu... libres », selon sa propre expression. Dans un premier temps, il supprimera sans rechigner quelque quarante pages. « Garçon souhaiterait que tu corriges encore, en supprimant les termes trop crus », répond brutalement Parain. Et, afin d'enfoncer le clou, il ajoute que « Gaston Gallimard est aussi de cet avis [7] ». Quel choix avait donc Sartre? Ces coupures, ces censures – même rétrospectivement justifiées – étaient devenues la « condition *sine qua non* » de la publication. Et son premier ouvrage se verra soumis à un bizarre phénomène qu'on pourrait, faute de mieux, qualifier d'accouchement collectif, puisque le « produit fini » aura besoin de l'intervention de l'accoucheur, de la sage-femme et du forceps.

« Monsieur, nous vous envoyons un contrat signé pour votre ouvrage intitulé *Melancholia.* Nous vous demandons de changer ce titre, qui ne nous paraît pas très favorable au lancement de l'ouvrage. Voulez-vous y réfléchir? » avait écrit à son tour Gaston

Gallimard [8]. Par retour de courrier, il recevait de la part de l'auteur une proposition de rechange, à la fois maladroite et touchante; tout écrivain devient-il forcément désarmé, lorsqu'il s'agit de son propre manuscrit? « Puisque " Melancholia " ne vous plaît pas, écrivait-il, que pensez-vous de " Les Aventures extraordinaires d'Antoine Roquentin "? On pourrait mettre sur la bande, suggérait-il encore, " Il n'y a pas d'aventures ", ou quelque chose comme ça... J'aimerais bien que ce titre convienne, concluait-il encore, parce que je ne peux pas en trouver d'autres. » Brève réponse de Brice Parain qui commente, bien sûr, que cette bande ne « serait indiquée que si on voulait voir fuir le public [9] ». Ces modifications, ces mutilations, furent-elles douloureuses pour Sartre? Il avait choisi le titre *Melancholia* - vraisemblablement sur le conseil de Simone Jollivet - par référence à la gravure *Melencolia* de Dürer et, plus largement, à toute une tradition de la mélancolie dans la pensée classique [10].

« Je marche dans les rues comme un auteur... » : le jour de l'acceptation définitive du manuscrit fut aussi pour Sartre celui de sa propre reconnaissance, et peut-être également d'une véritable naissance. « Je soupçonne bien fort, ajoute-t-il encore, que cet état de mésaise où j'étais tous ces jours - et que j'attribuais à des motifs subtils - venait tout simplement de ce que *Melancholia* n'était pas encore très certainement pris [11]... » Car, de fait, chez Gallimard, dans le petit cercle de « la maison », le manuscrit de *Melancholia* se lisait de plus en plus : Paulhan, puis Groethuysen, puis Parain, puis enfin le patron Gaston Gallimard. Printemps puis été 1937 : *Melancholia* fut reçu, puis commenté dans les couloirs; un petit nombre de lecteurs de choix se transmit, dans l'escalier, au détour des portes fermées, des réunions à huis clos, commentaires, compliments, questions. Très vite, on sut dans la maison que c'était gagné : la crédibilité d'un livre ne se mesure-t-elle pas, d'abord, à ces lectures accumulées, à cette bascule brutale d'un manuscrit vers une véritable critique de groupe qui, avant même son impression, légitime le texte, le métamorphose, anticipe la lecture publique des lecteurs et des journalistes? « Toujours un très bon signe », commente Robert Gallimard [12]. C'est ainsi, dans les découvertes et les discussions, que Gaston Gallimard apporta sa contribution définitive et décisive : « Gaston Gallimard propose pour ton livre un titre que je trouve excellent : " La Nausée " », écrit encore Parain le 12 octobre 1937, titre « qui serait d'autant plus à choisir, poursuit-il, que personne ne recule ici devant son allure un peu rébarbative. Qu'en penses-tu [13]? » La vie fœtale du manuscrit, successivement intitulé « Factum sur la contingence », « Essai sur la solitude d'esprit », « Melancholia », « Les Aventures extraordinaires d'Antoine Roquetin », s'acheva donc sur cette superbe trouvaille de Gaston Gallimard : parrain magnifique, il baptisa l'enfant et donna sur la tête du nouveau-né le coup de baguette magique que son père, éreinté par sept années de travail, ne pouvait pas lui-même donner. Parcours du combattant interminable et héroïque : *La Nausée* voit le jour en avril 1938, soit plus de huit ans après avoir été commencé.

Pendant que se négociaient coupures de textes et changements de titres, entre deux trains, entre deux hôtels, entre deux rendez-vous, il reprenait ses pages : correspondance privée, nouvelle, article, notes sur les lectures de Heidegger qu'il découvrait alors. Il découvrait également un nouveau contexte, celui des élèves de Neuilly au lycée Pasteur où il avait pris son poste en octobre 1937. Il découvrait les longs murs de briques rouges et les toits d'ardoise, les couloirs vieillots et les salles de classe, tristes par définition. Il découvrait de grands jeunes gens élégants, pour la plupart fils de cette grande bourgeoisie protégée dans les longues avenues tranquilles de ce quartier-jardin, dans l'ouest de la capitale. Classes mélangées, puisque le lycée servait de territoire scolaire commun à Neuilly, banlieue grand-bourgeoise, et à Levallois, banlieue modeste; affrontements ténus en classe, affrontements plus violents au-dehors les jours où les jeunes lycéens fascistes d'Action française ou des Camelots du roi vendaient à la criée leurs journaux respectifs. « La première semaine de cours, raconte Raoul Lévy, ce fut un concert de lamentations : nous n'avions pas le bon prof. Sartre est arrivé, dans un costume lustré, froissé, il avait un gros bouton rouge sur le nez et, les mains dans les poches, il a commencé à nous faire un cours strictement incompréhensible... le désespoir! Et puis, tout à coup, ça s'est levé [14] », poursuit celui qui deviendra, bien sûr, outre un ami du prof, prix d'excellence et premier prix de philosophie tout à la fois. « Ce qui a provoqué le retournement de la classe, c'est l'intérêt avec lequel il nous a parlé de la folie, des déviations, de la psychopathologie... » Le système est lancé : depuis Le Havre, on le connaît; à Pasteur, on aura également l'occasion d'observer, presque dans les mêmes termes, sympathies des uns, antipathies des autres, fascinations exagérées et rejets violents. On verra l'administration du lycée perplexe devant les arrivées en trombe d'un petit professeur à la limite de l'heure, déposé par un taxi devant la porte de l'établissement, et se précipitant dans la classe pour commencer à parler immédiatement. On entendra des garçons élevés bourgeoisement déclarer, le soir, en famille, froidement et en plein dîner que « les fous ne sont pas fous ou que tout le monde est fou et que personne n'est fou »; devant les réactions scandalisées de leurs parents, on les entendra poursuivre que « la colère est le réflexe du faible », ou encore souvent que « c'est un réflexe de salaud ». Bribes de phrases parfois mal digérées, accès de provocation adolescente, c'est surtout l'occasion, pour beaucoup de ces jeunes gens, d'une prise de distance accélérée et glaciale avec leur milieu d'origine; Sartre attisant des tendances critiques déjà fortement prononcées à cet âge. « Grâce à Sartre, raconte à son tour Gérard Blanchet, j'ai changé de génération [15]. » Le système, comme au Havre, se poursuivra : les parents se lamenteront, oseront le terme de « contamination », s'inquiéteront pour l'examen final, deux années durant. On remarquera à Neuilly, comme on avait remarqué au Havre, les trous dans les chaussettes, les chaussures fendues, le bizarre manteau de fourrure synthétique brune qu'il arborait l'hiver et qui lui donnait l'air d'une vraie toupie, courte et ronde : « l'allure du petit roi des bandes dessinées de l'époque », commente encore Blanchet. On remarquera la pipe, les cigarettes Boyard et l'alternance du col roulé noir – vêtement fort original pour un professeur de l'époque – avec une chemise blanche. « La chemise est chez le blanchisseur? » lancera d'ailleurs finement un élève, un jour de col roulé. « C'est ça, c'est exactement ça », renverra brusquement le petit homme avant d'embrayer sur le propos du jour.

Le plus important, somme toute, entre Sartre et les lycéens de Neuilly, se passera au Sabot Bleu, le café où se tramèrent la plupart des projets entre les garçons de Pasteur et les filles d'en face : lieu béni, lieu de rencontre privilégié en ces temps où la hiérarchie professeurs / élèves, où la séparation garçons / filles, rendaient la vie difficile. Au Sabot Bleu, on rétablissait l'équilibre, on vivait en liberté, on inhalait l'air du large interdit entre les murs de briques. C'est là que naquit l'idée du journal *Le Trait d'union* : Serge Dumartin, intelligent, littéraire, actif, mènera son idée à bien. Autour de lui, déjà, des personnalités : les futurs Chris Marker, rédacteur en chef de la revue, et Simone Kaminker (Signoret), une ravissante lycéenne d'en face qui ravageait les cœurs de ces jeunes gens – ils se battaient pour aller avec elle porter les épreuves du journal chez l'imprimeur [16]. Sartre, bien sûr, fut un parfait commensal au Sabot Bleu, offrant des boissons, des cigarettes, taquinant, provoquant, questionnant ces adolescents parmi lesquels il se sentait si bien : « Comment acceptez-vous, m'sieur, de passer tant de temps avec nous, alors que vous avez du travail? » demandaient certains, ravis et ahuris de cette situation sans précédent. « On apprend toujours, même avec les imbéciles », répondait-il [17], avant de raconter le dernier film de

René Clair, le dernier roman de Hemingway, ou de s'engager avec eux dans un échange sur l'existence de Dieu où l'avaient attiré certains : « A quoi ça vous sert, la confession? envoyait le petit homme. Vous entrez dans une cabane en bois, et puis quoi? ... Mais expliquez-moi, je ne demande qu'à comprendre », poursuivait-il, parfois pervers. Sartre fut bien, au Sabot Bleu, un parfait compagnon, simple et enjoué; il y accepta même de donner un article pour *Le Trait d'union* et, entre deux bocks de bière, écrivit un article sur le roman américain pour la revue de ces messieurs. Il faut dire qu'entre-temps, *La Nausée* avait été publié et que le prof avait très vite acquis la position d'une vedette. Les élèves avaient demandé des dédicaces pour les exemplaires personnels qu'ils n'avaient pas manqué de s'acheter. « A Raoul Lévy, pour sa bibliothèque personnelle », avait écrit Sartre avant de signer. « Une œuvre considérable, géniale, un sommet! » pensait alors ce dernier. Quelques lieutenants de très grande valeur, dans cette classe peu banale : Raoul Lévy, Jean Kanapa, Bernard Lamblin, Jacques Besse, Guy Joffroy, Jean-Pierre Huberson, Timoutchine Adjibeyli-Bey... Besse et Lamblin, deux passionnés de hot-jazz, émirent pourtant des réserves après leur lecture de *La Nausée* sur l'utilisation du thème *Some of These Days* : le prof était un peu arriéré dans ses connaissances musicales, il aimait le jazz à la manière de Cocteau, disaient-ils, plus parce que c'était dans l'air, que dans une véritable passion comme eux-mêmes. Ces lieutenants iront étudier la philosophie en Sorbonne, où ils deviendront des farouches militants de Sartre, écraseront les autres d'une prétention extraordinaire au nom de leur intimité avec le plus grand génie en littérature et en philosophie... Plus tard, ils se réveilleront, parviendront à prendre une salutaire distance, trop même peut-être, comme on le verra avec Jean Kanapa. En 1939, toujours, les étudiants de la Sorbonne les regarderont comme des bêtes curieuses, les baptisant les « petits Sartre ».

Intellectuellement, c'est certain, il fait coup double auprès des élèves : un professeur inouï, doublé d'un romancier génial! De plus, il leur donne à voir un modèle de vie, le sien, rigoureusement opposé à tous les modèles familiaux dont ils sont issus : « Je n'ai rien, je ne possède rien », explique le petit prof, parlant de sa chambre d'hôtel de la rue Delambre, les y menant parfois : un lit, un lavabo, une table et une chaise, un complet gris, et quelques livres, c'est tout. « Une jeune femme, une actrice, explique Blanchet, venait parfois le chercher à la sortie des cours. On se disait : bizarre, d'abord, pour un homme de son âge de ne pas être marié; il n'a pas l'air homosexuel non plus; il a une ou plusieurs maîtresses, dont une actrice... : épatant! » Et puis, bien sûr, Sartre fut définitivement victorieux de toutes les réticences le jour où une citation de Heidegger – il en parlait sans cesse dans ses cours – fut proposée comme sujet du baccalauréat. Ses élèves, grâce à lui, esprit critique à toute épreuve et responsabilité à tout moment, avaient appris à percevoir la lutte des classes et les racismes rampants, à accepter l'autre, à démystifier la folie, à attaquer radicalement le mariage, la propriété privée et autres symboles de la vie bourgeoise, à détruire hiérarchies factices et conventions inutiles... : une véritable éducation civique! « Il y a le bon juif et le mauvais juif », avait lancé un élève pendant l'année 1938. « Vous parlez comme un primitif, avait renvoyé Sartre exaspéré, cherchez-vous donc à tout prix un bouc émissaire? » Pendant ce temps-là, alors que, mine de rien, il observait ces lycéens d'extrême droite, il travaillait sur une nouvelle, « L'Enfance d'un chef », mettant à profit sa qualité de regard critique, scrutant les comportements, les gestes. Et toujours, il provoquait parmi les élèves d'inévitables détracteurs, comme Alfred Tomatis qui, tout en saluant le « brio des improvisations, la vitalité et l'éclat de son intelligence », raconta plus tard comment, « en prenant au sérieux et à la lettre tout ce qu'il disait, une partie de la classe sombra dans le désespoir, allant chercher une solution à son angoisse dans la drogue et même en certains cas extrêmes dans le suicide... L'homme..., concluait-il enfin, était par sa vitalité et sa pénétration d'une stature exceptionnelle [18] ».

Mi-figue, mi-raisin à son tour, l'inspecteur général Davy, sensible déjà à la carrure de l'écrivain-professeur, fit, le 14 mars 1939, un rapport d'inspection un peu ambigu et sans doute justifié, dans un lycée où, à l'époque, abondaient pourtant les écrivains-professeurs, comme Robert Merle, Georges Magnane et surtout Daniel-Rops, professeur d'histoire. « Qui est familier avec la N.R.F. et a lu *La Nausée* ou *Le Mur,* écrivait l'inspecteur, ne saurait entrer dans la classe de M. Sartre sans s'attendre à y rencontrer le talent. Et M. Sartre a en effet un talent d'expression tout à fait certain, et une vérité et une propriété et une distinction de langage remarquables. Une prise aussi non moins certaine, je crois, sur ses élèves, qui d'ailleurs vu leur âge et leur qualité de jeunes gens d'un grand lycée parisien ne peuvent avoir qu'un préjugé favorable à l'égard d'un professeur qui est en train de se faire un nom dans le monde des lettres et qui en même temps semble rester un peu le camarade de ses élèves et leur parle en circulant familièrement parmi eux et sans user d'aucune note. Mais précisément le contraste n'est que plus grand entre une telle allure et le monologue absolu et absolument dogmatique que j'entends sur l'émotion. Même des élèves familiers avec le point de vue phénoménologique doivent, je le crains, suivre assez difficilement une leçon dont d'ailleurs on ne s'assure à aucun moment devant moi qu'ils la suivent bien et comprennent si et dans quelle mesure l'émotion en effet " nie le monde " ou " déstructure le réel " ou " simplifie les conduites ". On a un peu trop l'impression de formules imposées comme la vérité définitive et sans qu'il soit suffisamment consenti à montrer si en effet elles expliquent en épuisant la vérité de l'émotion [19]. » Beau rapport, en effet, où passent toutes les contradictions déjà d'un philosophe dont les lectures germaniques contemporaines dépassent celles de tout inspecteur, même de grande valeur : un philosophe théoricien qui enseigne à des débutants, un romancier nouvelliste qui gagne sa vie comme professeur, voilà des données qui rendent peut-être un peu ardues les contingences étriquées de la préparation au bachot. L'inspecteur général Davy le comprit-il? Dès lors, Sartre est fort à l'étroit dans son habit de professeur, dont les coutures craquent de partout, sous la pression de ses autres activités, sous leur emprise inéluctable [20].

« Qui est ce nouveau Jean-Paul? » demande André Gide à Paulhan [21] dès sa première lecture du « Mur », dans la revue de la *N.R.F.* « Il me semble qu'on peut beaucoup attendre de lui, poursuit-il. Quand à [sa] nouvelle, je la tiens pour un chef-d'œuvre... » Conversations littéraires autour de cette première découverte : « Combien je préfère cela au *Temps du mépris* de Malraux », explique Jean Schlumberger à son ami Gide. Et ce dernier de répliquer : « Moi aussi, du reste, ce qu'écrit Malraux peut être fort intéressant, mais il n'a pas le sens de la langue [22]. » Tout est prêt pour le succès. Après lectures et commentaires des éditeurs, ceux des critiques : rarement, salves d'applaudissements auront été plus nourries. *La Nausée* et *Le Mur* publiés, après des cheminements parallèles, à quelques mois d'intervalle, assurent une entrée en force de l'écrivain Jean-Paul Sartre dans le monde des lettres. Et, paradoxalement, cette trop longue attente jouera en fin de compte en faveur de l'écrivain : c'est une arrivée groupée pour le public qui commente, dans la foulée, *La Nausée* et *Le Mur,* passant de l'un à l'autre, rebondissant, tissant des liens, pénétrant d'un seul coup dans l'univers terrible de Sartre.

« L'un des débuts littéraires les plus éclatants de ces dernières années... »; « l'une des œuvres les plus âpres... »; « un écrivain dont on peut tout attendre... »; « un livre blessant et profond... »; « il résume plusieurs tendances de la littérature contemporaine... Kafka, Joyce, Rabelais, Dostoïevski, Flaubert, Céline, Proust, Nietzsche... »; « un dessein magnifique... une entreprise si rare qui mérite les plus grandes louanges... une expérience bouleversante...

exister sans être... [dans] un contact non pas avec les choses, mais avec leur existence... » : Maurice Blanchot; « un esprit tout à fait original... »; « un poète véritable... »; « un des plus purs artistes... »; « un de ces esprits critiques d'une impitoyable rigueur, qui sont le sel de la terre... on sort ébloui... » : Jean Cassou; « le premier roman d'un écrivain dont on peut attendre... premier appel d'un esprit singulier et vigoureux... nous attendons avec impatience les œuvres et les leçons à venir... » : Albert Camus; « Jeune écrivain remarquable, à mi-chemin entre Céline et Kafka... »; « un roman philosophique, un vrai... a fait rendre aux objets leur maximum d'existence... »; « un roman poétique... Sartre a entrepris d'annexer à la sensibilité du XXe siècle des terres nouvelles... » : Claude-Edmonde Magny [23]. Seul Céline, peut-être, avait, quelques années auparavant, provoqué un tel ouragan d'intérêt avec sa première œuvre : le fameux *Voyage.*

« *Le Mur,* une œuvre d'une telle densité... un talent prodigieux éclate à chaque page... des dons exceptionnels... un chef-d'œuvre... le temps s'y cassera les dents... »; « Quels dons magnifiques! Quelle façon désinvolte et autoritaire de nous plonger dans le flot trouble de la vie et de nous y faire, comme on dit vulgairement, " boire la tasse ", jusqu'à la suffocation et au vomissement... personne n'aura plus que Sartre... exprimé l'horreur de vivre... magistral... chef-d'œuvre... »; « Le plus remarquable début qu'on ait vu depuis longtemps... un écrivain très fort... »; « on peut déjà bien parler d'une œuvre à propos d'un écrivain qui, en deux livres, a su aller droit au problème essentiel... » : Albert Camus; « talent vigoureux, indéniable... »; « un don d'analyste féroce, une acuité de vue saisissante, un style excellent, net, délié, sans bavures, caractérisent son indéniable talent... »; « *La Nausée* avait été la révélation de l'an dernier; *Le Mur* n'apporte aucune déception, au contraire, sur cet écrivain du talent le plus rare... »; « La langue est pure, nue et pleine... [par cette] méditation sur l'existence, Sartre intègre à notre littérature un thème absolument nouveau... » : Gaëtan Picon; « *Le Mur* peut se comparer aux meilleurs moments de *La Condition humaine...* » : Gabriel Marcel [24].

Entre-temps, déjà, trop vite peut-être, on parle de lui pour le prix Goncourt. « La rumeur publique porte des titres aux Goncourt, écrit le critique du journal *Paris-Midi.* Ont-ils lu *La Nausée* de M. J.-P. Sartre? Il faut, même s'ils n'en ont pas envie, qu'ils la lisent. Plusieurs critiques et des premiers l'ont lue et lui ont trouvé un goût de chef-d'œuvre. C'est écrit dans les journaux; on se le passe de bouche à oreille. On dit même que plusieurs des Dix, sans les nommer, par discrétion... Bref, un favori, comme on parle depuis que les éditeurs ont des " écuries " et que les prix sont des

“ courses [25] ”. » « Chef-d'œuvre », « favori », « rumeur publique », le tourbillon parisien est en route et, même si Sartre ne remporte pas le Goncourt, cette *vox populi* si rapide, si précoce, si instantanée, semble désormais le gage irréfutable de son succès d'écrivain. D'ailleurs, depuis le mois de novembre 1938, Paulhan l'a engagé à la *N.R.F.* pour une chronique mensuelle régulière et un salaire fixe de 400 à 500 francs; tout en le laissant entièrement libre des sujets choisis. Et, sur la lancée de ses nouvelles, il commence un roman : « J'ai trouvé d'un coup le sujet de mon roman, brusquement, écrit-il au Castor, ses proportions et son titre... le sujet, c'est la liberté. Voici le titre (le deuxième volume s'appellera : *Le Serment*) [26]... »

Tant de louanges, tant de saluts, et tous les critiques y allaient de leur préférence : « “ Le Mur ”... œuvre remarquable, d'une puissance et d'une originalité exceptionnelles. Mais on peut estimer “ La Chambre ” supérieure encore... “ L'Enfance d'un chef ” est un véritable petit roman satirique de cent pages », écrivait par exemple André Thérive pour *Le Temps.* « “ L'Enfance d'un chef ” esquisse magistralement et de la façon la plus pertinente... la liquidation morale de toute une jeunesse », estime pour sa part André Billy dans *L'Œuvre.* Personne ne remarqua, personne ne pouvait remarquer que, dans l'ensemble du recueil de cinq nouvelles *Le Mur* – intitulé comme la première nouvelle de la série –, deux textes témoignaient, pour la première fois, de l'attention de Sartre pour les problèmes historiques de l'époque. Successivement, dans le recueil qui paraît en février 1939 : « Le Mur », « La Chambre », « Érostrate », « Intimité », « L'Enfance d'un chef ». Hormis les trois nouvelles centrales – petites saynètes magistrales marquées par une pathologie féroce –, la première et la dernière dessinent à merveille cette emprise grandissante des événements politiques sur l'écrivain. Quel autre texte, d'ailleurs, présente, à l'égal de « L'Enfance d'un chef », une analyse plus aiguë des mouvements fascistes de l'entre-deux-guerres française? Et l'itinéraire de ce Lucien Fleurier que Sartre traque dès son enfance, et la métamorphose de cette « grande asperge » qui, le même jour, perd son pucelage et passe aux Jeunesses patriotes, et le récit des étapes de ces apprentissages simultanés que sont la politique et l'amour, et l'acquisition d'une véritable identité sociale dans la haine des ouvriers, la haine des juifs, la haine des femmes, tous ces moments de l'adolescence d'un jeune bourgeois français, Sartre les maîtrise à merveille. Il excelle, surtout, quand, racontant les premiers pas de Lucien auprès des jeunes fascistes, il parvient à démonter les mécanismes qui, progressivement, font basculer les velléités vers une adhésion définitive : on séduit d'abord Lucien, on le flatte, on l'encense, dans une émulation facile, on excite sa haine des juifs, et puis, un jour, c'est lui qui frappe à mort un brave citoyen français avant d'annoncer, déterminé, le lendemain : « C'est décidé, je suis avec vous... » « Le vrai Lucien – il le savait à présent –, écrit Sartre, il fallait le chercher dans les yeux des autres, dans l'obéissance craintive de Pierrette et de Guigard, dans l'attente pleine d'espoir de tous ces êtres qui grandissaient et mûrissaient pour lui, de ces jeunes apprentis qui deviendraient *ses* ouvriers [27]. » Balançant entre la peur, le mépris, la puissance, la lâcheté, Lucien Fleurier devient, au long de ces soixante-quinze pages, un symbole : petit condensé magistral, la nouvelle renferme déjà certains thèmes, certaines clefs, bref déjà en germe presque tout le Sartre d'après-guerre. Sa métamorphose achevée, Lucien se regarda dans un miroir : « Je vais laisser ma moustache », décida-t-il. Conclusion dérisoire et provisoire à cette phase littéraire d'avant-guerre, la plus littéraire de toute la vie de Sartre [28].

Le moteur avait mis tant de temps à partir; en l'espace de quelques mois, et tout le monde le sait, on ne peut plus désormais compter sans Sartre dans la littérature française contemporaine. D'ailleurs, très vite, Paulhan l'intègre, l'invite, le sollicite. Miracle de la condition d'écrivain : des années de silence, des échecs successifs, des doutes radicaux, des années en marge, des ornières insondables; et puis, brutalement, la percée, l'ouverture, la trouée presque violente tant le contraste est fort. Les écrivains français, on l'a vu, découvrent un météore; ils y sont aidés, toutefois, par la campagne de presse menée par Jean Paulhan : dans ses rencontres, dans ses correspondances, il ne manque jamais une occasion de parler du « jeune » novice, sollicitant à la lecture, s'adressant à tous ses amis du monde des lettres. A Jules Supervielle : « As-tu lu du Sartre [29] ? »; à André Gide : « Avez-vous lu *Le Mur* de Sartre? Ce sera quelqu'un [30] »; à Roger Martin du Gard : « Je tâche d'aiguiller Sartre vers une " campagne romanesque ". Je ne connais pas de jeune écrivain qui en soit plus capable que lui. Et *tout* est à dire [31]... »; à Ungaretti : « Lis-tu *Mesures*? Il me semble que Sartre est quelqu'un de grand. Il a les pieds pris dans toute une boue de littérature d'après guerre, mais il dépasse déjà tout cela, s'il le réfléchit [32]. »

Stimulé par son nouvel interlocuteur, excité par la publication de ses livres qui s'annonce à l'horizon, Sartre va traverser dans la première moitié de l'année 1938 la plus faste de ses périodes de création littéraire. Entreprenant à la fois deux projets : sa nouvelle « L'Enfance d'un chef » et un article sur François Mauriac pour la *N.R.F.*, deux moments de choix dans sa vie d'écrivain. Libéré de toute contingence, de toute urgence, il va trouver dans l'écriture une forme d'identité que des peurs, peut-être trop pesantes, l'empêchaient auparavant d'exprimer. Sur ces deux textes, d'ailleurs, se construira définitivement son image avant que n'éclate la guerre. Car il y apparaît combatif, presque hargneux, dur, sans compromis; à peine a-t-il acquis la certitude de sa publication qu'aussitôt, sans ambage, il délimite son champ, pose les barbelés, dénonce ses ennemis. C'est peu de dire qu'il va vite en besogne, il provoque en duel, pugnace et féroce, ceux que, dès le départ, il souhaite rejeter. Ses deux premiers ennemis sont donc d'une part l'extrême droite fascisante qui, sous l'influence intellectuelle de Maurras, fleurit chez les lycéens et les étudiants de l'Action française; d'autre part, une certaine littérature bien-pensante, catholique et un peu académique, représentée pour lui par l'écrivain François Mauriac. Retour de Pardaillan, de sa plume et de son épée, à la rescousse du petit homme qui renoue là avec Poulou. Longues négociations avec Paulhan, complice de ces deux duels en perspective, premier spectateur enjoué de celui qui est en train de devenir « quelqu'un ». Paulhan, merveilleux détecteur de talents, sent alors la situation, et tout son flair d'éditeur consiste, à ce moment-là, à laisser Sartre « lâcher les chiens ».

« Cher Monsieur, je suis d'accord avec vous pour la suppression que vous me proposez. J'aimerais toutefois conserver l'idée que l'Action française est une conspiration... Vous savez comme moi que Maurras a écrit : " Nous ne sommes pas un parti, nous sommes une conspiration. "... N'ai-je pas rajouté une feuille au bas de la première feuille des épreuves de l'article Mauriac? Il me semble qu'elle était suffisante... Voyez-vous autre chose à dire, cher Monsieur [33]? » Merveilleux témoignage de la correspondance Paulhan-Sartre en ces premières années de leur relation : Sartre, déférent, courtois, reconnaissant, accepte, sous la pression de Paulhan, toutes les coupures, toutes les modifications, toutes les atténuations qu'on lui impose. Cela ne durera pas, le « grand Sartre » acceptera fort peu, plus tard, de se plier à une quelconque atténuation de sa pensée. Au détour des coupures, des suggestions, des invitations mondaines chez Mme de Bassiano, par exemple, se tressent projets, suggestions, lectures à venir : une véritable correspondance entre hommes de lettres. « Cher Monsieur et ami, je viens de lire votre lettre sur le pouvoir des Mots », écrit Sartre d'une écriture tremblée depuis le bateau qui l'emmène en vacances à Casablanca, « et je suis entièrement d'accord avec vous... Vous m'avez semblé lancer une sorte de défi : qu'on me montre quelqu'un qui dans le présent, au moment même où il parle, dira : je suis sensible au pouvoir des mots. Vous vous placez ici non plus sur le terrain sociologique... mais sur le terrain psychologique : vous faites appel à l'introspection. Il me semble que sur ce point je puis vous répondre que je suis cet oiseau rare (pas si rare). Je suis sensible à quelque chose des mots qui n'est point leur sens conceptuel mais ce que j'appellerai plutôt leur sens magique [34]... » Et l'oiseau rare de se livrer à un long et brillant développement sur le pouvoir magique des mots, forçant enfin Paulhan à se dépasser lui-même, le questionnant à point nommé, allant presque le chercher au-delà de ses « analyses si fines »... Coup sur coup, après « L'Enfance d'un chef » et l'article sur Mauriac, Sartre prépare une note sur Husserl, un article sur Nizan, un autre sur Faulkner et, dans la foulée de sa dernière nouvelle, se propose d'entreprendre « un roman qui s'appellera " Lucifer " » dont il a eu la chance, ces temps-ci, précise-t-il, « de voir assez clairement le sujet » : premier emballement, sur la lancée d'un texte, d'un projet qui n'aura jamais de suite. *Toujours,* on va le voir désormais, Sartre fonctionnera ainsi, dans l'emballement et dans l'inachèvement. « Lucifer » fut la première alerte.

Imperturbable, Sartre poursuit ses analyses, ses propositions, ses suggestions. A la suite de son interprétation de Faulkner sur la conception du temps dans le roman, il annonce, sans sourciller, qu' « il y a là l'amorce d'autres études sur ce phénomène de la dissolution du temps dans la littérature contemporaine [35] ». Ses premiers articles, très remarqués, prennent donc maintenant la suite des conférences du Havre, les prolongeant, les creusant, les adaptant : Dos Passos, Faulkner seront aux mêmes rendez-vous dans la véritable théorie du roman qui s'esquisse en filigrane de cette série d'articles. Il commence, d'ailleurs, tous ses propos d'une formule définitive : « Un roman, c'est un miroir », « Le roman ne donne pas les choses, mais leurs signes », « Avec quelque recul, les bons romans deviennent tout à fait semblables à des phénomènes naturels » [36]. Il va donner des coups d'épée, défricher, massacrer, encenser. « Je tiens Dos Passos pour le plus grand écrivain de notre temps », d'une part; « Dieu n'est pas un artiste; M. Mauriac non plus. » Voilà qui est dit, voilà qui est envoyé avec la violence d'un direct du gauche décoché en plein match. Quelle surprise, dans le monde littéraire! Sa « réputation » de critique va se construire tout entière sur son article intitulé « M. Mauriac et la liberté » qui paraît dans la *N.R.F.* de février 1939. Tombant à coups redoublés sur *Thérèse Desqueyroux* et sur son auteur, il assassine un auteur de vingt ans son aîné, académicien français depuis 1932, et largement respecté partout. N'est-ce pas un peu Thiviers qu'il assassinait là, et l'écrivain régionaliste du Sud-Ouest qu'était François Mauriac? « Je ne serai jamais le chantre d'Aurillac », aimait à dire Sartre, ironiquement.

Mauriac, pour quelques années, ne se remit pas de cette décharge argumentée. Sartre, lui, s'était taillé là une solide réputation de censeur dans la petite république des lettres, où l'on allait apprendre à reconnaître ses coups d'éclat, ses coups de « gueule », ses passions et ses haines.

Deuxième ennemi immédiat dans le monde littéraire parisien : Robert Brasillach qui, interpellé par « L'Enfance d'un chef », réagit en hurlant, dans *L'Action française,* contre cet auteur, « ennuyeux », écrivant « mal, d'un érotisme assez sale ». Tout en lui concédant cependant un « esprit ingénieux et subtil qui ne manque pas d'une certaine intelligence haineuse », il s'indigne vertueusement sur l'atmosphère générale de ses nouvelles. « Car enfin, mon pauvre Sartre, jette-t-il apitoyé, ce ne doit pas être drôle de vivre toute la journée au milieu des mauvaises odeurs, des habitudes répugnantes, du linge sale, des chambres malsaines, et de créatures qui ignorent la douche et le dentifrice [37] ? » Critiques vite rejointes par celles de Jean-Pierre Maxence dans *Gringoire,* qui grimace et s'insurge contre cet « univers puissant et horrible tout ensemble, un univers grouillant de larves, parcouru de fièvres malignes, sur lequel pèse un ciel de plomb ; un univers d'un pessimisme si radical que, comparé à lui, le monde de M. Louis-Ferdinand Céline peut sembler presque souriant [38] ». Laissons donc Sartre à ses détracteurs, à leurs brosses à dents et à leurs peignes fins de gentils fascistes proprets... Ils se retrouveront bien vite [39].

« M. Jean-Paul Sartre qui est, je crois, professeur de philosophie ... vient de faire dans le roman un éclatant début » : accroche taquine, clin d'œil complice le jour où Paul Nizan tient à saluer lui-même l'entrée en littérature du petit camarade, tient à reconnaître publiquement le « Kafka français », le « romancier philosophe de premier plan », « l'humour féroce et le sens violent de la caricature sociale [40] »... Salut officiel dans le journal *Ce soir,* dont il est devenu depuis le mois de mars 1937 l'un des responsables avec Aragon et Jean-Richard Bloch, chargé de la rubrique de politique étrangère. Guerre d'Espagne, assemblée de la S.D.N., accords de Munich, déplacements des ministres français en Europe de l'Est, rien n'échappera plus désormais au reporter marxiste qui poursuit parallèlement sa carrière de romancier : candidat au prix Goncourt en 1938 avec *La Conspiration* qui, publié comme Sartre chez Gallimard et l'année même de *La Nausée,* obtiendra en fin de compte le prix Interallié réservé aux écrivains-journalistes. Inévitablement, on s'en doute, *La Conspiration* reçoit, à son tour, un coup de chapeau complice du petit camarade reconnaissant, et dans la *N.R.F.* cette fois, coup de chapeau à la « personnalité amère et sombre de Nizan », cet homme « qui ne pardonne pas à sa jeunesse », et à son « beau style, sec et intelligent, ses longues phrases cartésiennes qui tombent en leur milieu, comme si elles ne pouvaient plus se soutenir, et rebondissent tout à coup pour finir dans les airs [41] ». Comme ils avaient dû rêver de ce petit scénario en miroirs croisés dans leurs années adolescentes! Et combien de critiques complices n'avaient-ils pas, en pensée, élaborées dans leurs têtes respectives! Un an avant la guerre, enfin, ils vont y accéder; mais en 1940, Nizan mourra, et ce premier jeu de clins d'œil en miroirs en restera là : avec lui s'éteindra la lignée des « commandant Sartre » – que Nizan aimait à placer dans ses livres – et des « gendarme Nizan » – que lui renvoyait Sartre, coup pour coup.

Complicités toutes littéraires et à distance, pourtant, puisque les deux hommes ne se fréquenteront plus vraiment. Sartre, de son côté, expliquera plus tard qu'il lui suffisait parfois de savoir que son ami écrivait quotidiennement un éditorial de politique étrangère dans *Ce Soir,* pour se sentir, superficiellement, « dispensé » de politique active, pour imaginer aussi, un peu hâtivement, que les fonctions journalistiques de Nizan faisaient de lui un responsable politique de premier plan au sein de la hiérarchie du P.C.F. Les événements qui allaient très vite suivre se chargeraient bientôt de lui démontrer le contraire. Pour l'heure, accueilli, reçu, légalisé, Sartre regarde le monde, mais en acteur désormais, s'inquiétant déjà personnellement lors de la signature des accords de Munich en septembre 1938, plus intégré, donc plus vulnérable aux tournants de la politique et de l'histoire européenne. Au lycée Pasteur, on s'amusait à dire, dans cette classe de philosophie qui vit arriver la guerre, que le grand rival de Sartre n'était autre que... Daladier fils : Daladier Jean, fils de Daladier Édouard, président du Conseil, et qui, en lançant à la rentrée 1938 son mouvement « Les Jeunesses de l'Empire français », provoquait dans les classes du lycée Pasteur remue-ménage notoires, courrier abondant, interviews radiophoniques, et obtenait en quelque sorte une célébrité certaine. Si bien qu'un jour Sartre, voyant Jean Daladier ouvrir son volumineux courrier pendant le cours de philosophie, lui avait lancé à la cantonade : « Monsieur Daladier, je ne reçois pas de 2 à 4; je fais cours de 2 à 4 [42]! »

Plus sensible aux secousses de l'Histoire par l'intermédiaire des films – qu'il allait toujours voir avec autant de plaisir – que par la lecture régulière des journaux, Sartre allait, en cette avant-guerre bien particulière, sortir à son tour de son « sommeil dogmatique [43] ». « A partir de 1930, écrira-t-il plus tard, la crise mondiale, l'avènement du nazisme, les événements de Chine, la guerre d'Espagne, nous ouvrirent les yeux; il nous parut que le sol allait manquer sous nos pas et, tout à coup, *pour nous aussi* le grand escamotage commença : ces premières années de la grande Paix mondiale, il fallait les envisager soudain comme les dernières de l'entre-deux-guerres [44]. » D'ailleurs, à cet état d'esprit qui précéda les accords de Munich, à cette « bonace trompeuse » qui fit acclamer Daladier à son retour, à ce « lâche soulagement », Sartre sera, plus que tout autre, sensible. Quelques mois plus tard, il fera des journées de septembre 1938 le cadre historique du *Sursis,* le second roman de sa trilogie, *Les Chemins de la liberté.* De plus en plus concerné, donc, il avance vers la guerre. Et peu importe si ses lectures furent plus cinématographiques que politiques désormais, c'est lui qui portera témoignage de ces heures difficiles. Peu importe donc que ses lectures antérieures aient été Fritz Lang, Charlie Chaplin, Ophüls, Lubitsch, Pabst, ou encore Carné, Renoir et René Clair, désormais c'est lui le témoin. Tour à tour lucide, inquiet ou incrédule, il laisse l'Histoire le pénétrer, le concerner, l'intéresser : « Est-il pensable qu'on assiste les bras croisés à l'écrasement d'une nation dont nous avions garanti l'intégrité ? » écrit-il au Castor, à la suite des accords de Munich et du lâchage de la Tchécoslovaquie, constatant au passage que « les démocrates ont définitivement perdu l'espoir de faire jamais reculer Hitler » et que « c'est une véritable victoire du fascisme non seulement sur le terrain de la politique internationale mais dans les différentes nations [45] ». Il vogue maintenant, avec les autres, inquiet comme eux, tout en tissant vie littéraire et vie privée à sa manière, comme de juste.

« Tu es content ici, Poulou?
- Oui, maman.
- Heu? Pas bien?
- Mais si, maman.
- En tout cas, ça te fait du bien, c'est hygiénique [46]... »

Durant les premières semaines de l'été 1939, un Poulou de trente-quatre ans, sagement attablé entre sa mère et son beau-père, sacrifie, sans trop se récrier, au rituel des vacances en famille. Dans l'Yonne, près de la maison de Colette, on fait des promenades à pied, on lit, on va déjeuner chez les Émery, on joue au bridge... : ennui éternel de la campagne française, des mondanités estivales, des non-dits avec le beau-père. Chaque été aussi, rituellement, le Poulou se réveillera la nuit, au milieu d'une crise d'asthme, immanquablement provoquée par ces retours à la famille. Simultanément, parallèlement pourtant, il y a tout autre chose, un système de vacances particulièrement élaboré et assez équilibriste, avec le Castor et avec les autres. Car, avec la sortie de l'ornière, la polygamie du petit homme semble avoir pris des ailes: Wanda – la petite sœur d'Olga –, « Lucile », « Martine Bourdin », toutes deux étudiantes au cours Dullin, « Louise Védrine », une élève du Castor, sont venues à tour de rôle et simultanément occuper les nuits du petit homme, dans une chambre d'hôtel de Montparnasse. Ses jours de vacances, il les distribuera équitablement entre sa mère, près d'Auxerre; le Castor, à Marseille et Juan-les-Pins; « Louise V. », à La Clusaz; Wanda, à Marseille. Écrivant tous les jours à toutes les absentes, racontant tout à tout le monde, décrivant ses ébats sexuels, ses repas, ses lectures. Entretenant, en quelque sorte, par la grâce de sa plume et de son adresse, un véritable petit harem à distance, envoyant de l'argent, des cadeaux, des adresses, des promesses, les cultivant toutes, les relançant sans cesse, au gré des heures et des jours, par peur d'en perdre une seule. Entre le Castor et lui-même, désormais, un bizarre équilibre de couple que toutes les « périphériques » sont sommées, semble-t-il, d'accepter. Car malgré les nouvelles amours du petit homme pour Wanda ou pour « Louise V. » c'est avec le Castor qu'il passe deux semaines au bord de la mer chez Mme Morel, à nager, écrire, lire et chahuter avec ses amis. Et rien, apparemment, ne saurait retirer au Castor cette priorité, ce droit aux vacances, cette prérogative. D'ailleurs, n'est-ce pas elle, également, qui reçoit par le menu le plus grand nombre d'informations et qui, sollicitant peut-être, obtient du petit homme une sorte de complicité dans le récit partagé? Depuis l'histoire d'Olga, les risques sont devenus moindres et Sartre, s'il est amoureux de ses nouvelles amies, n'est plus jamais tombé dans la passion exclusive et suicidaire, dévorante et unique. Pour le Castor, donc, la maîtrise des risques périphériques est presque maintenant chose acquise : elle admet, elle supporte, elle encourage même ces aventures qui pour elle ne sont plus un danger. Et, puisque Sartre lui raconte tant, de quoi se plaindrait-elle? « Nous nous sommes tripotés sans une parole », raconte-t-il notamment au Castor, évoquant une de ses nuits avec « Martine Bourdin », « sauf coucher avec elle, j'ai *tout* fait... Une grande amoureuse... c'est la première fois que je couche avec une brune... pleine d'odeurs et curieusement velue, avec une petite fourrure noire au creux des reins et un corps tout blanc... Une langue comme un mirliton, qui se déroule à n'en plus finir et va vous caresser les amygdales [47] ». Transparence extrême, voyeurisme et polygamie : les élèves du lycée Pasteur avaient déjà été emballés par la liberté qu'ils devinaient; s'ils avaient su!

Dernières semaines d'août 1939 : sur le port de Marseille, rencontre fortuite de la famille Nizan, avant qu'elle ne s'embarque pour la Corse, déjeuner de groupe, échange d'informations sur la montée de la guerre. Ce sera la dernière rencontre de Sartre et de Nizan. « Comprends-tu, mon amour », écrit-il fin août 1939 à « Louise Védrine », « même s'il y avait la guerre, il y aurait un *après*, pour nous trois. De cela, je suis absolument certain; notre vie continuera. Mais, par ailleurs, je ne crois pas vraiment à la guerre [48] ». Désir de ne pas inquiéter une jeune fille de dix-huit ans, ou calme exagéré ? Au lendemain du pacte germano-soviétique, au lendemain de la démission de Nizan qui, écœuré, quittait le P.C.F. et l'annonçait publiquement dans le journal *L'Œuvre*, Sartre reste imperturbable : « Il est impossible que Hitler songe à entamer une guerre avec l'état d'esprit des populations allemandes, écrit-il encore à la jeune fille : C'est du bluff [49]... » Le lendemain, il était mobilisé.

Il laissait là, brutalement, sa mère, son Castor et ses maîtresses; ses articles en train pour Paulhan et la nouvelle proposition qu'il venait de recevoir de tenir la rubrique littéraire dans la revue *Europe*; laissait là ses emplois du temps équilibristes et ses élèves-amis; le manuscrit de son roman et ses lectures de Heidegger pour s'en aller, à Essey-lès-Nancy, revêtir l'uniforme de soldat météorologue de deuxième classe. « L'homme paraît à peine trente ans, de frêle stature, avec des cheveux pâles et des yeux noyés sous les lunettes, mais des lèvres minces qui, elles, semblent regarder à force de subtile sinuosité... » Ainsi Claudine Chonez, pour *Marianne*, avait-elle tenté un portrait de la révélation littéraire de ces dernières années. « L'apparence du pur philosophe, ajoutait-elle, d'un être en qui la chair et le sang se sont retirés à l'intérieur pour suralimenter l'esprit... Il a grandi entre les livres, plus tard entre les murs d'une salle de khâgne ou d'une turne d'École normale [50]. » Le romancier frêle et pâle, le pur philosophe, le prisonnier des livres laissait là ses territoires connus et récemment conquis pour une aventure lointaine, peut-être la plus hardie, avec barda et équipement, uniforme et carnet militaire, celle d'une guerre dans laquelle l'Europe sombrait, sans vraiment s'en rendre compte et tout en le sachant fort bien, celle d'une guerre dont ni lui-même ni aucun autre ne reviendrait indemne.

II

Une métamorphose dans la guerre

1939-1945

« Il me semble que je suis en chemin, comme disent les biographes aux environs de la page cent cinquante de leur livre, de " me trouver "... »

Lettre à Simone de Beauvoir, 6 janvier 1940.

Sartre serait-il vraiment « en chemin de se trouver »? Serait-il en train de se trouver, ce petit soldat en bleu marine, pantalon aux genoux, chaussettes montantes et gros godillots, veste droite à boutons dorés, béret de côté, gros ceinturon de cuir maladroitement fermé et qui sangle le tout comme un paquet? Seuls attributs physiques visibles qui le relient à son passé : une pipe d'écume claire et des lunettes rondes d'écaille brune. La pipe et les lunettes vont assurer la pérennité du Sartre de l'avant-guerre, et contre tout le reste.

« La guerre a vraiment divisé ma vie en deux [1] », dira-t-il plus tard. Nul besoin de contrôler, ce petit jeu d'avant-après fonctionne à merveille. Le Sartre de 1945 n'est plus le Sartre de 1939. C'est la grande mutation, la grande métamorphose de sa vie. A l'entrée du tunnel, professeur de philosophie au lycée, deux livres à son actif, être isolé, individualiste, peu ou pas concerné par les affaires de ce monde, totalement apolitique. A la sortie, un écrivain qui démultiplie ses talents dans des genres divers, politiquement actif et désirant l'être : un écrivain confirmé qui sera devenu, quelques mois plus tard, une célébrité internationale.

Pour l'heure, les grandes manœuvres entre Staline et Hitler, les mouvements stratégiques internationaux et les réflexions des généraux en uniformes ou autres chefs d'État moustachus n'apparaissent que très modérément à l'acteur de l'événement, au soldat de série B. Sartre est un acteur de la guerre de 1939-1945, et un soldat du cadre B, réservé aux hommes de plus de trente-deux ans. Désormais, d'ailleurs, le voici qui acquiert une nouvelle identité, qui passe sous le nivellement rituel des grands corps de l'armée. Il est devenu le soldat Sartre, matricule 1991, mobilisé au poste de sondage A.D., secteur 108, dans le régiment de la 70e division d'artillerie, appartenant au 11e groupe d'armées, sous les ordres du général François, du colonel de Larminat et du caporal Pierre.

UNE GUERRE À LA KAFKA

> « J'ai souvent pensé à Kafka, depuis la mobilisation, il aurait aimé cette guerre-ci, et c'eût été un bon sujet pour lui, il aurait montré un homme, nommé Grégoire K., obstiné à la chercher partout, sentant partout sa menace et ne la trouvant jamais. Une guerre en sursis, comme certaines des condamnations du *Procès*... »
>
> Lettre à Jean Paulhan, 13 décembre 1939.

La drôle de guerre n'est pas la guerre. Ils avaient appris de leurs pères, de leurs grands-pères, de leurs oncles, de tous les anciens combattants, de tous les poilus, par les récits innombrables de 14-18, à imaginer des tranchées, des ennemis visibles, des affrontements, des soldats héroïques. Ils vont passer plus de neuf mois entre Français, dans une interminable et absurde attente. Ils vont s'ennuyer, jouer aux cartes, lire, parler de leur femme ou de leur maîtresse, sans vraiment comprendre ni ce qui se passe, ni ce qui leur arrive. « Me voici soldat et appliqué, écrit Sartre pour sa part. Mais non pas guerrier. Je lâche des ballons comme des colombes, aux environs des batteries d'artillerie, et je les suis avec une lorgnette pour déterminer la direction des vents... J'ai le loisir de continuer mon roman et j'espère le terminer pendant l'hiver. Je songe aussi, pour servir l'actualité, à des " Réflexions sur la mort " que j'aimerais donner à la *N.R.F.* [2]. »

Le 2 septembre 1939, jour de la mobilisation générale, à la caserne d'Essey-lès-Nancy, sur le front de l'Est, le petit soldat reçoit ses vêtements militaires, il se déguise. Et lorsque le caporal Pierre, qui dirige le poste de sondage météorologique de la 70e division d'infanterie, arrive dans la chambrée chercher les trois camarades dont la liste vient de lui être donnée, il découvre, stupéfait, assis sur un lit, un troufion très occupé, un troufionécrivain. Pendant neuf mois, un petit groupe de quatre soldats, réunion de fortune d'individus aussi désassortis que possible, va tout partager dans une vie quotidienne mouvementée et cocasse. Il y a là Piederkowski, un gros commerçant parisien en vêtements pour dames; Müller, employé des téléphones en province : Pierre, le caporal, professeur de mathématiques au lycée de Bar-le-Duc; et Sartre, qui apparaît presque aussitôt aux trois autres comme un individu assez fermé, fort peu sociable, qui déteste la confidence, mais dont on sait, malgré tout, qu'il enseigne la philosophie à Paris.

La drôle de guerre? Une période d'inattendues vacances qui s'effilochent sans but, sans mouvement, dans un climat morose de désarroi, d'ennui et de molle passivité. Trente-cinq ans plus tard, racontant à Simone de Beauvoir ses toutes premières impressions de soldat mobilisé, Sartre n'aura rien perdu de sa mémoire de l'absurde : « Donc j'étais là, avec des vêtements militaires, qui m'allaient fort mal, au milieu d'autres personnes qui portaient les mêmes vêtements que moi; nous avions une liaison qui n'était pas une liaison familiale, ni une liaison d'amitié, et qui était cependant très importante. Nous avions des rôles, qui nous étaient distribués de l'extérieur. Je lançais des ballons et les regardais par la lorgnette. Il fallait agir sur soi-même pour voir le rapport entre le fait de lancer un ballon rouge dans le ciel et toute cette guerre invisible qui nous environnait. On m'avait appris ça quand je ne pensais jamais m'en servir, pendant mon service militaire. Et j'étais là, à faire ce métier, parmi d'autres gens inconnus qui faisaient ce métier comme moi, qui m'aidaient à le faire, que j'aidais à le faire, et on regardait mes ballons s'en aller dans les nuages. Et ça, à quelques kilomètres de l'armée allemande, où il y avait des gens comme nous, qui s'occupaient de ça aussi, et il y avait d'autres gens qui préparaient une attaque. Il y avait là un fait absolument historique. Je me trouvais brusquement dans une masse, où on m'avait donné un rôle précis et stupide à jouer, et que je jouais en face d'autres gens, vêtus comme moi de costumes militaires, et qui avaient le rôle de déjouer ce que nous faisions et, à la fin, d'attaquer [3]. »

Il avait appris à régner. Sur des idées, sur des mots. Il avait été, par étapes successives, plongé dans les bains doucereux de l'élite : famille, société bourgeoise, École normale, agrégation, monde du lycée, autant de lieux clos, de cocons, qui lui permirent d'échapper aux turbulences sociopolitiques. Il avait, très tôt, élaboré sa carrière d'écrivain, mesuré l'étrange et insaisissable mégalomanie des mots. Brutalement, avec la drôle de guerre, tout se casse. Acteur poussé malgré lui dans une pièce dont il ne connaît ni le code ni le programme, il savoure, lui, le démiurge, la farce la moins drôle à laquelle il lui ait été donné d'assister. Un viol. Vêtements ridicules, gestes contingents, compagnons de chambrée insolites et antipathiques. Des épreuves totalement et radicalement opposées aux choix qu'il a, jusqu'à présent, toujours été libre de faire.

Sartre, Pierre, Piederkowski, Müller : le groupe va voyager, par petits bonds, de Nancy à Ceintrey, de Ceintrey à Marmoutier, de Marmoutier à Brumath, de Brumath à Morsbronn-les-Bains, et découvrir les beautés de la campagne alsacienne et lorraine, ses tout petits villages proprets, ses maisons blanches à colombages, ses écoles fleuries, ses cafés et bars accueillants, ses odeurs de culture germanique. A la fin de l'hiver, ils passeront quelques semaines à Bouxvillers, pour revenir à Morsbronn au mois de mai 1940. Leur premier ordre de mission est déjà, à lui seul, tout un programme : il s'agit de rejoindre la caserne de Ceintrey, où se forme l'état-major de la 70e division d'infanterie. Les voilà donc envoyés à la caserne Blaudan pour prendre possession d'un camion. « Mais, si nous obtînmes la voiture, raconte le caporal Pierre, la moindre goutte d'essence nous fut réglementairement refusée. » Il y eut plusieurs démarches pressantes qui restèrent vaines. Et c'est Sartre qui trouva le moyen de sortir de cette belle impasse de bureaucratie militaire. « Il eut l'idée, explique son caporal, de rédiger, sur une feuille portant l'intitulé " République française ", un ordre de réquisition d'essence qui nous permit, auprès d'un pompiste, d'obtenir vingt litres d'essence [4]... » Mais à leur arrivée à l'état-major, les ennuis recommencèrent : le colonel de Larminat, qui dirigeait leur service, n'avait obtenu aucun ordre de mission à leur sujet et refusa donc de les recevoir. Ils furent donc renvoyés dans la nature, comme quatre mousquetaires au chômage : un mois d'attente idiote et infinie face aux beautés de la campagne lorraine, dans ses atouts d'automne.

« Nous sommes " en secteur ", écrit Sartre, non sans humour, établis à 17 dans un hôtel évacué dont les rhumatisants de petite condition constituaient, en temps de paix, la principale clientèle. Il reste des lits admirablement suspendus et des armoires à glace. Le socialisme militaire, en s'installant dans les petites pièces dont les murs sont recouverts de papier à fleurs, a pris un air idyllique et phalanstérien, on dirait une expérience de fouriéristes au moment qu'elle va tourner mal et que les membres de l'expédition commencent à se haïr. C'est assez poétique et fort intéressant [5]. » La halte à Brumath sera longue de quelques mois; petite ville typiquement lorraine, rigoureusement correspondante de Baden-Baden du côté français de la frontière. Ils logent chez l'habitant, mais prennent leurs repas dans des restaurants aux noms colorés, la taverne du Cerf, le Bœuf Noir, le Lion d'Or, tout un bestiaire frontalier y surgit. Leurs occupations? Lancer des ballons en l'air et les suivre à la lorgnette. « Ça s'appelle " faire un sondage météorologique ", explique Sartre. Ensuite de quoi, je téléphone la direction du vent aux officiers des batteries d'artillerie qui en font ce qu'ils veulent. La jeune école utilise les renseignements, la vieille les met au panier. Ces deux méthodes se valent, puisqu'on ne tire pas. Ce travail, extrêmement pacifique (je ne vois que les colombophiles, s'il y en a encore dans l'armée, pour avoir une fonction plus douce et plus poétique), me laisse de très grands loisirs [6]. »

Pendant que l'Union soviétique attaquait la Finlande, pendant que Français et Britanniques s'engagaient à ne pas signer de paix séparée, pendant que le Danemark et la Norvège étaient envahis par les soldats du IIIe Reich, pendant les neuf mois de cette drôle de guerre, Sartre occupa donc comme il put cette plage de très grands loisirs : il écrivit. Parmi les incroyables détails qu'il nota sur ses camarades de fortune, sur les lieux qu'il traversait, sur cette étrange guerre qui, après avoir plongé dans Kafka, devenait maintenant plutôt du Courteline, fort peu de traces, somme toute, concernent l'analyse des événements politiques. Mais le retour au pays des ancêtres Schweitzer provoqua, par contre, chez ce grand orgueilleux, dédaigneux de racines, de très inattendues réflexions... Dès le 2 septembre 1939, en effet, on décida de la transplantation massive de toute une population domiciliée en Alsace-Lorraine, dans... le sud-ouest de la France : il s'agissait, en effet, de parer à d'éventuelles retrouvailles entre ces habitants et leurs voisins allemands. « Strasbourg, Dordogne », écrivit alors le journal *L'Œuvre,* pour dire un peu du fantastique qui naissait là, dans cette rencontre inattendue de deux populations si rigoureusement éloignées l'une de l'autre : les Alsaciens et les Périgourdins. Sartre, depuis son poste d'observation de soldat au chômage, écouta bien sûr tous les commentaires qu'en faisaient sur place les patronnes de bistrot alsacien, les propriétaires d'hôtels réquisitionnés. Pour lui, ce déplacement de populations n'avait en fait rien d'incongru : c'était une reprise, un *bis,* une duplication. C'était les Schweitzer se rendant chez les Sartre, c'était Anne-Marie, transplantée à Thiviers, c'était son grand-père Schweitzer découvrant les détails incongrus et choquants de son grand-père Sartre, c'était le face-à-face brutal entre Pfaffenhoffen et Puifeybert : « Un des phénomènes les plus curieux de cette guerre technique, écrit-il, ç'aura été la transplantation méthodique des Alsaciens... On les a envoyés chez les croquants limousins, les derniers des hommes, arriérés, obtus, âpres au gain et misérables. Ces Alsaciens, encore tout éblouis par le souvenir de leurs cultures méthodiques et soignées, de leurs belles maisons, tombent dans ces campagnes, dans ces villes sales, chez ces gens méfiants et laids, sales pour la plupart... Leurs habitudes de propreté ont dû être choquées par ces petites villes, comme Thiviers où, il y a encore douze ans, les ordures ménagères et les excréments se déversaient dans des sentines. Toujours est-il que le résultat est clair : tous ces Alsaciens qui écrivent au pays traitent les Limousins de *sauvages.* Le mot revient dans toutes les lettres, c'est vraiment une représentation collective : " Nous sommes chez les sauvages ". Les Limousins d'autre part réagissent en traitant les Alsaciens de Boches [7]. »

Encore une fois, on le voit, Sartre se préféra Schweitzer et Alsacien. Encore une fois, il s'assimila à ces Alsaciens orgueilleux qui méprisaient l'aspect « primitif des outils agricoles de ces sauvages », exprimaient leur dégoût à la vue même de certaines nourritures périgourdines – mais était-ce la garbure ou l'omelette aux pelures de truffes? – en s'écriant, choqués : « Ils mangent des ordures! », ressentaient une vexation certaine devant la « méfiance limousine » à leur égard et une déception définitive de ne pouvoir – ainsi que le veut le « caractère alsacien, très conseilleur » – enseigner au paysan périgourdin leurs propres méthodes de travail. Puis, comme poussé par une occasion tout aussi incongrue que déroutante, Sartre en profita pour faire « un pèlerinage » à Pfaffenhoffen, « berceau de ma famille maternelle, si je me rappelle bien », précise-t-il, déjà distant. « Je me suis cru obligé d'y pèleriner. Pourquoi? s'interroge-t-il. En somme, j'espérais un peu que ce contact soudain avec une ville où j'avais vécu ferait cristalliser brusquement une nuée de souvenirs. Et puis, elle me faisait poétique, cette petite cité ensevelie au fond de ma mémoire comme la ville d'Ys au fond de la mer... » Les vacances de l'été 1913 avaient été passées chez la tante Caroline Biedermann – la sœur de Charles Schweitzer – dans cette petite ville de Pfaffenhoffen où l'enfant écrivit l'un de ses premiers textes, « Pour un papillon ». Le soldat Sartre y retourna, vingt-six ans plus tard, bardé de son fusil et de son casque, « ce qui ne sont pas, écrivit-il avec humour, les accessoires classiques du pèlerin ». Vendredi 22 décembre 1939, aux aurores, départ d'un camion militaire conduit par un gros Alsacien moustachu : Sartre est assis devant, son camarade Grener est planqué à l'arrière... Eberbach... Schweighausen... Niedermodern... Il fait bien froid : –9°, les trois soldats ne croisent presque personne sur la petite route de campagne, sinon quelques chevaux de labour, d'autres soldats, des paysans; un pâle soleil triste s'étale sous le ciel nuageux. Il est sept heures du matin. Tournée de schnaps, tournée de rhum, pour réchauffer les sangs; et puis c'est l'arrivée à Pfaffenhoffen. Sartre – qui s'en étonnera? – n'eut pas vraiment la nostalgie romantique.

« J'ai erré dans ce gros bourg, riche et un peu triste, qui ne me disait rien, écrit-il alors. Tout ce passé-là est bien enseveli, rien ne peut le ressusciter... Au détour d'une rue, je me suis trouvé devant une grande construction ocre, fort laide, avec toits d'ardoise, tourelles et pignons : c'était le magasin Biedermann. Là encore, ma mémoire est restée muette [8]. » Le pèlerin-soldat s'en retourna donc à Brumath, avec quelques mots bien cyniques sur ce village des origines. Pourtant, depuis un mois, et peut-être sous l'effet d'une autre forme de nostalgie alsacienne – plus pudique, plus déviante et plus personnelle –, il s'était mis à écrire, à penser des tranches de son passé. Et ce lieu fétiche où il se retrouvait sans l'avoir du tout cherché y était peut-être pour quelque chose...

Mais surtout, ce qui occupe alors ses journées, c'est la cohabitation quotidienne, ce sont les tensions permanentes avec ses supérieurs hiérarchiques, et plus précisément avec le plus direct d'entre eux, le caporal Pierre. Un individu, décrit Sartre, « maigre et nerveux, avec des lunettes de fer, professeur de mathématiques ». Souvenir lointain des séances d'exercices d'algèbre avec Joseph Mancy, dans la maison de La Rochelle? Allergie radicale à toute réminiscence de cet expert en chiffres? « Était-ce parce que Pierre était professeur de mathématiques, poursuit encore Sartre, qu'il ne pouvait pas vivre sans repères? Au cours de l'hiver, il avait fait le point tous les jours, il faisait souvent quinze kilomètres à pied dans la neige pour aller entendre les nouvelles dans le camion de la radio... : pendant toute la guerre pourrie, il savait la distance qui le séparait de sa femme, le temps qu'il allait rester en secteur, son numéro d'ordre sur la liste des permissionnaires [9]... »

Ce fut donc un véritable exemple d'antipathie réciproque, entre ces deux hommes, de tempéraments si différents. Qui détesta l'autre le premier? En tout cas, Sartre est convaincu que le caporal Pierre n'avait pas du tout de sympathie pour lui, et il ajoute : « On était tous les deux professeurs. Ça aurait dû, pensait vaguement Pierre, nous lier; pas moi. Pour moi, ce lien n'existait pas, alors il n'était pas content [10]. » En effet, Sartre et Pierre s'opposent tout le temps. Le caporal, maniaque, précis, méticuleux, totalement respectueux de l'ordre et de la hiérarchie, intégré dans l'armée, pathologiquement en prise sur le réel; Sartre, marginal, solitaire, atypique, maladroit avec les instruments, haïssant l'ordre et l'armée. Un jour leurs relations tournent à la paranoïa, et Sartre écrit à Beauvoir : « Vous m'auriez vu, cet après-midi, l'air triste et le poing aux dents... en telle manière que Pierre qui guette mes défaillances m'a demandé avec une supériorité ironique et compatissante si je n'avais pas le cafard ou de mauvaises nouvelles de chez moi. Je l'ai vertement renvoyé à ses affaires [11]. » Plus tard, Pierre, à son tour, racontera ces drôles d'humeurs de Sartre, qu'il juge cyclique et instable : « Au cours d'un exercice, écrit-il, il ne voulut pas tenir compte de mes conseils sur l'emplacement à donner à un théodolite, et marqua son mécontentement en me disant : " Je ne suis pas un de tes élèves " [12]. » C'est le poids de la hiérarchie, semble-t-il, que Sartre rejette le plus agressivement dans ce milieu fermé. Le professeur de lycée du Havre rechignait aux relations par le haut avec le proviseur? Le troufion supportera très mal d'être chapitré par son caporal sentencieux. Toutes les notations de Pierre se réfèrent, d'ailleurs, à la même et seule idée : Sartre est un marginal qui n'a pour l'armée ni le moindre intérêt, ni la moindre estime, qui se comporte comme un anarchiste et un farfelu. Des allusions incessantes portent sur sa désinvolture, sa saleté, sa maladresse. Dès le début, est-il précisé, « nous avons eu l'impression qu'il ne pouvait nous être d'aucune utilité sur le plan militaire [13] ».

En effet, Sartre ne joue pas le jeu. Ça l'assomme, ce rôle de deuxième classe, ces amitiés masculines forcées, ces situations d'intimité inattendues. Comme, par exemple, quand un soldat, vraisemblablement Müller, lui fait ses confidences. « Le lien affectif que ça créait d'être pour lui la personne qui connaissait sa vie et avec laquelle il parlait de choses que je devais me rappeler ensuite, ça me paraissait insupportable... Ça déplace les rapports. On est pris, on se réfère à vous, on a une sorte de respect pour la personne qui accueille les confidences et je devenais, finalement, cette chose que je ne désire pas être, le maître avec des disciples, et je n'aimais pas qu'on me fasse des confidences [14]. » Ni inférieur, ni supérieur, Sartre ne supporte ni paternalisme, ni admiration. Il se terre donc dans une attitude totalement obsessionnelle. Il sera un cloporte, replié sur ses occupations spécifiques pour qu'on l'oublie, pour qu'on le respecte, pour qu'on le laisse en paix. Soldat dactylographe, ce sera donc son rôle privilégié, bien à lui, réservé. Et l'estime lui viendra des gradés, capitaines ou colonels, qui apprennent un beau jour ses activités annexes. Regardons la saynète, fort humoristiquement rapportée par Sartre lui-même : « Un capitaine est venu – fringant, école de guerre, dîne avec le général – et m'a dit : " Et celui-là qui a l'air effondré, que fait-il? " Je n'avais pas du tout l'air effondré mais j'avais la gueule que j'ai quand je travaille. " Un travail personnel, mon capitaine. – Mais quoi? – Un écrit. – Un roman? – Oui, mon capitaine. – Sur quoi? – Ça serait un peu long à vous expliquer. – Enfin il y a des femmes qu'on baise et des maris cocus? – Naturellement. – C'est très bien. Vous avez de la chance de pouvoir travailler... " Sur quoi, il a dit aux secrétaires, non sans une pointe de mélancolie : " Les auteurs, il ne faut pas les voir de près " [15]. »

Selon le caporal – mais s'agit-il du même gradé ? – d'autres huiles de l'armée vinrent également repérer ce troufion peu commun : « A Morsbronn-les-Bains, raconte-t-il, le colonel de Larminat lui témoigna un intérêt marqué. Il avait appris entre-temps qu'il écrivait, mais il n'avait jamais lu aucun de ses ouvrages. Il considérait comme l'ornement de la division la barbe de Sartre qui se rasait rarement. Sartre transportait avec lui une pancarte avec, au verso : " On peut me faire chier ", au recto : " Défense de me faire chier ". Le colonel survint un jour où la pancarte était du bon côté au-dessus de lui, et il se réjouit de cette heureuse coïncidence [16] ! » Le soldat-écrivain est bien un phénomène intéressant dans ce petit groupe : méfiance ou admiration, il ne laisse pas indifférent. Ce qui est sûr, c'est qu'il se distingue. Combien de détails sur « sa chambre pestilentielle », sur les semaines qu'il passe « sans se laver, alors qu'il lui aurait suffi de traverser la rue et de payer dix sous pour disposer *ad libitum* d'une salle de bains dans l'établissement thermal », sur le surnom d'« homme aux gants noirs » qui lui est donné dans la caserne, car « ses extrémités étaient, jusqu'à mi-bras, noires de crasse [17] ». Témoin, encore, cette dernière anecdote, due au caporal : « J'eus avec lui une violente collision, explique-t-il, pour l'empêcher de brûler les meubles de la maison que nous habitions, car il ne voulait pas couper de bûches. Il considérait avant tout qu'il ne lui fallait pas perdre un temps qu'il employait à lire et à écrire [18]. »

Sartre va donc consacrer en moyenne près de douze heures par jour, au long de ces neuf mois, à écrire dans des salles de classe, pendant que des groupes de personnes parlent autour de lui, écrire sur ses genoux à l'extérieur, écrire pendant les gardes, écrire entre les corvées de soupe. « J'ai proposé ce soir à Pierre de monter la garde à sa place, précise-t-il à sa correspondante, pour pouvoir écrire davantage [19]. » Il écrit tout le temps, quand il ne lance pas ses ballons, il écrit comme on s'oxygène. Il écrit pour ne pas être agglutiné aux autres, pour défendre son territoire, pour se démarquer de ce tout gluant qui le dégoûte. Et il s'invente des personnages, des interlocuteurs, et il se choisit des amis. Mode actif de résistance contre la peur d'être englouti, il se recompose un monde, réinvente des modes de communication, et il survit. Avec, pour objets substituels, ses correspondants épistoliers et son petit carnet.

Pour survivre, Sartre s'inventa donc un carnet et pour la première fois de sa vie il y rédigea quotidiennement son journal intime. Ce carnet sera sa bouée de sauvetage, son salut quotidien.

Activité d'écriture tellement éloignée, pourtant, de ses tendances naturelles! A peine quelques mois plus tôt, lorsque Paulhan lui avait proposé de participer à un « Hommage à André Gide » que publierait la *N.R.F.*, Sartre n'avait-il pas déjà, de lui-même, exprimé un malaise devant ce genre en soi? « J'aimerais, avait-il répondu à Paulhan, écrire quelque chose sur son journal, et sur ce que signifie en général l'attitude " journal intime " ». C'était en août 1939 : on imagine alors quelle dut être la stupéfaction de Paulhan lorsqu'il reçut, du même Sartre, une lettre datée du 13 décembre 1939, et qui disait : « Je me suis décidé, voici deux mois, à tenir un journal, malgré le dégoût que m'inspirait ce genre d'exercice. C'est une mesure d'hygiène : j'y déverse tout ce que m'inspirent la guerre et ma condition de soldat C.T. ; de la sorte, ayant payé ma dette à l'actualité, j'ai l'esprit libre pour écrire un roman très pacifique qui se passe en 1938 [20]. » Le carnet de Sartre, ou sa mise en place d'une double vie pendant la drôle de guerre. Complice, muse, vieux camarade, le carnet transcende bientôt son statut d'objet fini et devient magique. « J'ai des tas d'idées en ce moment, écrit-il alors au Castor, et je suis bien heureux de tenir ce petit carnet, car c'est lui qui les fait naître. Ça me fait une petite vie secrète au-dessus de l'autre, avec des joies, des inquiétudes, des remords dont je n'aurais pas connu la moitié sans ce petit objet de cuir noir [21]. » Un jour, entre deux corvées, Sartre écrira quatre-vingts pages de carnet! Un autre jour, une bonne trentaine, sur un nouveau, cadeau de Simone de Beauvoir, « votre beau carnet bleu nuit [22] » comme il l'appelle. Esthétique de l'objet fétiche : « Je me sens une liberté de pensée que je n'ai jamais eue, confie-t-il encore. Outre la guerre et la remise en question, la forme carnet y est pour beaucoup; cette forme libre et rompue n'asservit pas aux idées antérieures, on écrit chaque chose au gré du moment et on n'en fait le point que lorsqu'on veut [23]. » La forme carnet, ou la découverte par Sartre d'un nouvel hédonisme d'écriture.

Entre le 23 septembre 1939 et le 21 juin 1940, Sartre vécut donc sa drôle de guerre grâce à l'intimité bienfaisante de plus de quinze petits carnets, beaux objets de cuir noir, de moleskine grise ou bien de toile bleu nuit. Plus de quinze petits carnets couverts d'une écriture serrée courant sur toutes les marges de droite et de gauche, en haut et en bas. Quinze petits carnets dont il ne reste, aujourd'hui, que cinq survivants, cinq rescapés, de ce qui constituait, peut-être, une œuvre littéraire. Ils seront publiés trois ans après la mort de Sartre, par les soins de sa fille adoptive, sous le titre *Carnets de la drôle de guerre*. Quel document! Sartre y croise des thèmes multiples : ses lectures, ses compagnons de chambrée, ses expériences du Havre, de Laon, de Berlin, ses camarades de l'École normale, ses amitiés féminines, ses amours malheureuses, ses relations au politique, tout y passe, toute sa vie antérieure défile par petites vignettes, filtrée maintenant par son œil de soldat : ainsi apparaît, pendant ces neuf mois absurdes et inutiles, un premier travail forcé de retour sur soi de l'écrivain, un « déchiffrage » comme il l'appelle. Premières esquisses, premières traces de ce qui deviendra plus tard, vers le milieu des années 50, le premier manuscrit de son autobiographie, publié en 1964 sous le titre *Les Mots.*

Dans un inextricable désordre d'idées, dans des coq-à-l'âne impressionnants qui mêlent philosophie, critique littéraire, analyse de la situation politique entre Staline et Hitler, notations sur son beau-père ou sur son rapport à l'argent, le soldat de la drôle de guerre consigne. Avec candeur, avec naïveté parfois, il se raconte à lui-même sa propre vie pour la sonder et la comprendre, dans un indescriptible et génial fatras qui mêle Husserl et Heidegger, Flaubert et Guillaume II, Aron, Guille et Nizan, le Castor, Olga et son beau-père, Faulkner, Bost et Hemingway! Une genèse, aussi, d'œuvres alors en travail, comme *l'Être et le Néant, L'Âge de raison,* d'œuvres à venir mais déjà ici ébauchées et pressenties comme *Les Mots* ou le *Flaubert.* Une mise au point, également, sur ses caractéristiques propres, défauts ou qualités : orgueil, intelligence, lucidité, mégalomanie, générosité. « J'ai besoin de dépenser, écrit-il par exemple. Non pas pour *acheter* quelque chose, mais pour faire exploser cette énergie monétaire, pour m'en débarrasser en quelque sorte et l'envoyer loin de moi comme une grenade à main. Il y a une certaine sorte de périssabilité de l'argent que j'aime : j'aime le voir couler hors de mes doigts et s'évanouir... Il faut qu'il file en feux d'artifice insaisissables. Par exemple en *une soirée* [24]. »

Comment expliquer qu'en 1939, dans les circonstances que l'on a vues, il éprouva le besoin, et pour la première fois, d'analyser sa vie? « Je pense rester fidèle à la vérité, énonce-t-il un beau jour, en distinguant trois périodes dans ma vie de jeune homme et d'homme. La première va de 1921 à 1929 [25]. » Tout ce passé qui défile comme dans la tête d'un homme qui va mourir et toutes ces tentatives maladroites pour classer, analyser, objectiver, que nous disent-ils, en fait, sur ce soldat mal à son aise? Que nous disent-ils, sinon un pressentiment que la métamorphose est proche, ou en chemin, sinon qu'il est en face d'un précipice et qu'il écrit, qu'il écrit, comme dans un acte impérieux d'exorcisme?

Prises de conscience, déchiffrages, analyses poussées à l'obsession, comme lorsqu'il parle de l'« encrassement » où il se trouvait, auparavant, « au moment où la guerre a éclaté... [mon roman] est un ouvrage husserlien, et c'est un peu écœurant quand on est devenu zélateur de Heidegger [26] ». Navigation en solitaire avec des vagues, des creux, des hauts et des bas. Le doute de soi succède à l'exaltation, le jugement rétrospectif sur soi-même n'est pas exempt d'acidités, jamais complaisant. On touche là peut-être à une permanence de la personnalité de Sartre : autocritique rétrospective très dure, très implacable et, par-dessus tout, certitude de la mutation radicale. Ainsi, la coupure brutale garantit une identité nouvelle. En d'autres termes, la conviction que de la discontinuité sort la vie. Ainsi, le 6 janvier 1940 : « Depuis que j'ai brisé mon complexe d'infériorité vis-à-vis de l'extrême gauche, je me sens une liberté de pensée que je n'ai jamais eue. Vis-à-vis des phénoménologues aussi. [27] » Est-ce le pressentiment d'une mutation en route qui provoque une nouvelle donne ? Ainsi pour la politique, ainsi pour la philosophie. Comme s'il fallait racheter son passé, laver une souillure, repartir de zéro. C'est bien un individu vierge qui renaît là, continu et rassurant pour Sartre lui-même. « J'ai relu mes cinq carnets, et ça ne m'a pas fait l'impression agréable que j'escomptais un peu. Il m'a semblé qu'il y avait du vague, des gentillesses et que les idées les plus nettes y étaient des resucées de Heidegger, qu'au fond je ne faisais depuis le mois de septembre, avec les trucs sur " ma " guerre, etc., que développer laborieusement ce qu'il dit en dix pages sur l'historicité [28]. » On voit quelle sévérité, quelle précision il applique à se regarder, se modeler, se détruire, se recentrer. « Savoir où je suis ne prend de sens qu'à partir du " où j'étais ". » Méditation sur le chemin parcouru, sur l'être en construction. Autre signe du changement, d'ailleurs, le concept d'historicité le hante maintenant plus que tout autre. Le 26 octobre, dix pages de carnet sur le sujet. Le même jour, sentant confusément ses critiques sur son apolitisme d'avant guerre, mais n'analysant encore vraiment rien clairement, il entrevoit que s'il avait vécu et pensé « cette guerre, à l'horizon, comme la possibilité historique de cette époque », il aurait alors « saisi [son]... historicité [29] ». Influence de Heidegger ? Indubitablement, mais aussi, et sans conteste, une nouvelle approche, une approche encore timide, de soi par rapport au monde. Le square de Bouville sort de son néant et vogue vers le monde.

Proche des carnets et de l'introspection quotidienne, l'exercice de la philosophie. Véritable complément du carnet tout-puissant, elle a, dit-il, « un rôle dans ma vie qui est de me protéger contre les mélancolies, morosités et tristesses de la guerre [30] ». Et il ajoute : « Je n'essaie pas de protéger ma vie après coup par ma philosophie, ce qui est salaud, ni de conformer ma vie à ma philosophie, ce qui est pédantesque, mais vraiment, vie et philo ne font plus qu'un [31]. » (Support également théorique, puisque, début décembre, il écrit à Simone de Beauvoir : « J'ai *vu* cette morale que je pratique depuis trois mois sans en avoir fait la théorie, au contraire strict à mes habitudes... Tout tourne naturellement autour des idées de liberté, de vie et d'authenticité [32]. » Moins d'une semaine plus tard, il clamera glorieusement : « J'ai achevé ma morale. » Rencontre avec Heidegger, rencontre avec une approche existentielle de la réalité, rencontre avec l'Histoire. Travail de recherche patiente, mais aussi épreuve de catharsis. « On est jeté dans une condition qui implique des tas d'irrationnels, écrit-il alors, et ce n'est pas en les masquant qu'on les supprime. Les masques, en somme, c'est tout juste prendre l'attitude d'inauthenticité à leur égard. Nous en avons énuméré des tas (naissance, génération, classe sociale, etc.), mais il y a aussi la guerre... Je me la masquais [33]. » Et, au bout du compte, c'est la découverte progressive de sa vérité, dans un exercice d'une clairvoyance certaine. « Je ne pense plus en tenant compte de certaines consignes (la gauche, Husserl) mais avec une totale liberté et gratuité, par curiosité et désintéressement pur, en acceptant par avance de me retrouver fasciste si c'est au bout de raisonnements justes [34]. » Intimement mêlé à ces recherches, à ces mutations, son roman. Qui deviendra *L'Âge de raison*, premier volume des *Chemins de la liberté*. Dès juillet 1938, il avait écrit à Simone de Beauvoir : « J'ai trouvé d'un coup le sujet de mon roman, ses proportions et son titre... : le sujet, c'est la liberté [35]. »

Le 22 octobre 1939, il achève la quatre-vingt-dixième page de ce roman sur la liberté. Il est heureux, et certain de l'achever. Le 31 décembre, tout à la fois fier et surpris, il exulte : « Savez-vous que j'ai *fini* le roman ? J'ai mis le mot fin sous une page [36]. » Et aussitôt, il entreprend une suite qu'il décide immédiatement d'intituler *Septembre*. Puis corrige encore son texte à plusieurs reprises, et ce n'est qu'au printemps 1941 que le texte définitif sera terminé. Quelle hâte, quel investissement dans ce projet romanesque ! Il veut le voir paraître à tout prix, le plus vite possible, cherche tous les moyens pour le faire parvenir à son éditeur dans les meilleurs délais. Une véritable course contre la montre, en somme. Mais qu'est-ce donc qui le presse tant ? Il va dactylographier lui-même son texte pour aller plus vite. Le 1er mai 1940, il est même convaincu de paraître en feuilleton dans la *N.R.F.* dès le mois de juillet ! Par ailleurs, en train de déchiffrer la guerre, il n'a pas à ce moment-là le moindre pessimisme sur l'issue prochaine. Sa drôle de guerre, c'est comme un séjour loin de la capitale pour profiter du calme et travailler plus à loisir. « Vous savez, écrit-il un jour, ce roman c'est une étape dans ma vie. Et j'avais si peur de ne jamais le finir [37]. »

Et c'est la période des retouches interminables, des doutes : « Je crains que l'ensemble ne fasse pas du tout existentiel [38] », des questions : « Je pense que je n'ai pas l'imagination romanesque [39] », des certitudes : « Je sais à présent qu'il sera fini. Seulement je ne sais pas du tout [censure] quand il sera publié » (22 octobre 1939) ou encore de la distance critique : « Ce matin en m'éveillant j'ai entrevu la façon dont je composais un roman... je ne suis pas " fait " pour le roman [40] ». Jusqu'à quelques jours de l'attaque allemande et du début de la débâcle, il répétera avec conviction et acharnement : « Le livre doit pouvoir paraître en octobre [41]. » Enfin, dernier signe très puissant de sa dynamique d'écriture : l'intérêt qu'il porte à sa notoriété. En avril 1940, on lui avait attribué le prix du roman populiste pour *Le Mur* : il avait cherché dans la hâte à se procurer n'importe quel extrait de presse, comme on cherche, affamé, la première nourriture venue. Il avait mis la main sur le journal *Paris-Midi* qui annonçait le prix, sous un titre accrocheur : « Un lauréat peu ordinaire ». C'était lui.

La boulimie du soldat-écrivain ne s'arrête pourtant pas là : après le carnet, la philosophie, le roman, elle va encore toucher au théâtre, et même à la critique littéraire. Avec moins de bonheur. « Je crève d'envie de faire une pièce de théâtre [42] », décide-t-il un jour. Puis, un peu plus tard : « C'est fini, j'ai déchiré les six premières pages... ça me faisait honte de les écrire... je me sentais une Walkyrie déchue [43]. » Un autre jour, il rebondit sur une autre idée : « Ce serait un petit volume de critique littéraire [44] », dont il ne reparlera pas plus tard. Et, merveilleusement inspiré, il avouera même un jour, contemplant les kilos de papier qu'il a noircis : « J'ai toujours considéré l'abondance comme une vertu [45]. »

Dernier volet, enfin, de l'activité d'écriture : Sartre épistolier. De même que le carnet, la philo, le roman le happaient hors du monde et l'aidaient à se blinder contre ses camarades, de même la présence quotidienne de ses compagnes restaurera son affectivité. Il les invite, en somme, il les convoque, ce sont elles ses véritables interlocuteurs. « Chaque jour, note le caporal Pierre, il écrivait trois ou quatre longues lettres : à Mlle Simone de Beauvoir et à d'autres femmes. Deux de ces dernières s'ignoraient réciproquement, les autres connaissaient l'existence de cette complexe correspondance et la toléraient facilement... Pendant une de ses permissions, il nous avait chargés de faire parvenir régulièrement à l'une de ses correspondantes une lettre chaque jour. Il nous avait laissé quinze lettres numérotées qu'il avait préparées. Vers le milieu de la permission, nous devions envoyer un télégramme[46]. » On imagine le scandale, dans un groupe d'hommes frustrés, qui ont au mieux une femme ou une « fiancée », au pis personne, que cet énergumène dactylographe, marginal, agressif et, en plus, bardé de femmes! La polygamie, que Sartre cultivera jusqu'à sa mort, s'engage magnifiquement en cette drôle de guerre. Ce que les biffins ne savaient pas? Parmi ses correspondantes, Mme Mancy, qui ne porte pas le même nom que lui, n'est autre que sa mère!

Une seule, pourtant, parmi le nombre impressionnant de ses correspondantes, aura le privilège des rares permissions : le Castor. De son propre chef, elle décide de quitter Paris le 31 octobre 1939 et de filer vers l'Alsace. Depuis la taverne du Cerf, elle le fait prévenir, puis attend à nouveau. « Au fond de la rue, écrit-elle, je reconnais tout de suite son pas, sa taille, sa pipe, mais il a une horrible barbe moussue qui le défigure... il revient, plus tard, rasé de frais... » Du 1er au 5 novembre, ils passeront ainsi quatre jours ensemble à Brumath, après avoir déjoué les pièges les plus grossiers qui tendent à nier, pendant les périodes de guerre, ces couples comme les autres que sont les couples non maritaux : « ma fiancée », « ma femme », « ma petite amie », Sartre dut surpasser les efforts qu'il avait déjà dû faire à Berlin, pour obtenir, à l'hôtel, une vraie chambre avec un grand lit, sans qu'on crie au scandale. Et la taverne du Cerf, et la salle du Bœuf Noir, et le café de l'Écrevisse accueillirent à tour de rôle ce couple pas comme les autres qui avait tant à se dire après huit semaines de séparation. Une atmosphère de hall de gare, de parloir de prison, avec leurs va-et-vient incessants, leurs regards impudiques, leurs bourdonnements permanents, leurs populations insolites. « Sartre croit qu'on ne se battra pas, notera le Castor dans son journal intime, que ce sera une guerre moderne, sans massacre, comme la peinture moderne est sans sujets, la musique sans mélodie et la physique sans matière[47]. » Ils burent d'affreux cafés alsaciens, d'énormes bocks de bière et de longues rasades de rhum, avalèrent choucroute et boudins aux châtaignes, et parlèrent des heures durant. Le Castor avait apporté avec elle des cargaisons de carnets, d'encre et de livres. Et pendant que Sartre, dans la journée, achevait ses obligations d'expert en météo, elle lisait les carnets qu'il avait remplis depuis les deux mois passés. « Au fond, c'est tellement simple », lui écrivit Sartre quelques heures à peine après son départ, « j'ai été profondément et paisiblement heureux... Ça fait lendemain de fête[48] ». Et puis, très vite, il s'engagea à une justification auprès de son Castor : « Il y a des moments où ça me fait drôle d'écrire quand des types crèvent comme des mouches dans le Nord et quand le destin de toute l'Europe est en jeu, mais que puis-je faire? Et puis c'est *mon* destin, mon étroit destin individuel, et aucun grand épouvantail collectif ne doit me faire renoncer à mon destin... Il faut que mon roman soit fini aux environs du 15 juin. C'est tout. C'est son seul avenir. Après ça ne dépend plus de moi... C'est tout de même *contre* la faillite de la démocratie et de la liberté, contre la défaite des Alliés - symboliquement - que je fais l'acte d'écrire [49]. »

L'acte d'écrire, avec cette correspondance inouïe, va atteindre, en quantité, des sommets presque impossibles à chiffrer. Deux mille pages pour toute la drôle de guerre? Plus? Moins? Sans interruption, en tout cas, il s'agit certainement de plusieurs lettres par jour, de plusieurs pages chacune, pendant presque un an. Le sens de ces lignes et ces lignes, peut-être, est beaucoup plus intéressant encore que le nombre de pages. Car s'il décrit, par le menu, chacun de ses compagnons de fortune, chacune des scènes de groupe, chacune de ses lectures, chacun de ses repas, n'essaie-t-il pas aussi, au fond, de garder une mainmise totale sur le monde du dehors, sur son réseau? La correspondance boulimique de Sartre pendant la drôle de guerre ne serait-elle pas, alors, comme une tentative désespérée de sortir du ghetto de l'armée? Une tentative désespérée pour faire comme s'il était toujours là, pour rester toujours extraordinairement présent, pour garder le contrôle, en quelque sorte, de ce qui se passe à Paris. « Racontez-moi toujours tout en détail, demande-t-il au Castor. C'est formidable ce que ça peut m'intéresser. » Et, depuis le front de l'Est, un petit biffin en uniforme bleu tire les ficelles, manipule, demande des compléments d'information, parle des uns, des autres, de ses élèves, de ses amis, entretient - en particulier avec Simone de Beauvoir - des relations de vie quotidienne absolument ininterrompues, comme si de rien n'était. Il règle des problèmes d'intendance, lui demande 1 000 francs, pour son usage personnel, lui conseille d'en emprunter à sa mère, d'en prêter à Camille, ou aux petites K. Il échange avec elle des conseils de lectures, réclame tel livre, conseille tel autre, émet tel projet pour plus tard... Comme si la vie quotidienne, comme si la vie littéraire ne s'arrêtaient pas. « Après la guerre, je m'achèterai une machine et je taperai moi-même mes articles comme Nizan [50] », annonce-t-il, très fier, un beau jour. Tout au long de ces mois de guerre, donc, Sartre, maintenu grâce au Castor dans une fictive double vie normale, reçoit des lettres, écrit des lettres. Et Simone de Beauvoir, à la tête de la petite famille sartrienne passablement éclatée, s'occupe des uns et des autres, reprenant leurs surnoms, leurs travers, leurs moindres faits et gestes. Wanda est à Laigle? Bost à Morzine? Olga à Paris? Camille à la campagne? Kanapa dans le Midi? Elle rend compte des déplacements des uns, des lettres des autres, des rencontres éventuelles, elle dit les scènes au Flore, cite les conversations : bref, un journal au quotidien, dans l'autre sens. « Vous savez, avoue-t-il un beau jour en bougonnant, c'est du boulot d'écrire trois lettres par jour, cinq pages de roman, quatre pages de carnet : de ma vie, je n'ai tant écrit [51]. »

Un matin de mai 1940, à Morsbronn-les-Bains, la nouvelle de l'attaque allemande leur parvient, après sept mois de fausse guerre, sept mois où ils ont cru qu'ils continueraient à jouer à la guerre. Brutalement, tout s'accélère, et la guerre se met à exister pour de bon. Brutalement, Sartre se réveille : l'issue de la guerre? Il l'avait toujours considérée avec optimisme, voire légèreté, ne ménageant pas ses canulars, ses bons mots. Le voilà tout à coup ébranlé, sonné par l'urgence, la proximité, la présence de l'ennemi. Leur retraite les mènera à Haguenau, à Breschwillers – près de Donnon –, jusqu'à Padoux où ils sont faits prisonniers le 21 juin.

Les deux mois du printemps seront leur exode. Et toujours, il tient ses carnets. Ceux qu'il va bientôt égarer. Mais quand, en 1942, il acceptera de donner un texte à Jean Lescure pour sa revue *Messages*, éditée à Genève, il choisira de réécrire la débâcle, et très précisément de reprendre la forme carnet. Le texte est fort beau, il relate les journées des 10 et 11 juin 1940. L'arrivée à Haguenau, située dans le plus extrême triangle nord-est de la France. « La ville est évacuée depuis un mois [52]. » Entrée progressive du petit groupe de soldats dans la ville morte, la mairie, l'école, la salle de classe. « Sur la chaire, il y a deux piles de cahiers roses; je les feuillette. Cahiers de compositions françaises; ils s'arrêtent tous au 10 mai 1940 : " Votre maman repasse. Décrivez-la [53] ". » Et c'est, lentement, la réception des informations encore chaotiques, douteuses, mais déjà très angoissantes : « Où sont les Allemands? Devant Paris? Dans Paris? Est-ce qu'on se bat dans Paris? Depuis cinq jours nous sommes sans journaux et sans lettres. Une image m'obsède; je vois un café de la place Saint-Germain-des-Prés où j'allais quelquefois. Il est plein à craquer et les Allemands sont dedans. Je ne vois pas les Allemands – depuis le début de la guerre, je n'ai jamais pu *m'imaginer* les Allemands – mais je sais qu'ils sont là [54]. »

Scènes de groupe entre soldats français stupéfaits. Entrée dans un décor d'opéra. Découverte d'une réalité fantôme, d'une ville squelette. Prise de conscience du chaos, de la guerre. Une perception à contre-pied de la réalité. « Nous regardons autour de nous, un peu désorientés et puis brusquement ça se met à être dimanche. Un dimanche après-midi, un dimanche de province et d'été, plus vrai que nature... Je me secoue, j'essaie de me dire : " Nous sommes mercredi et c'est le matin; elles sont vides et noires, toutes ces pièces abandonnées, derrière les rideaux. " Mais non, rien à faire, le dimanche tient bon, il n'y a plus à Haguenau qu'une seule journée pour toute la semaine, qu'une seule heure pour tout le jour [55]. »

Comme un film fantastique de Bergman, ou un roman de Boulgakov. Le soldat de deuxième classe, écrivain, romancier, philosophe, entre dans la guerre par la porte du fantastique. Et quelle découverte! C'est ça, la réalité de la guerre : les cahiers roses stoppés dans leur vie d'écolier, le faux dimanche qui s'impose et crève les yeux, le réel travesti et machiavélique, le vrai pris pour du faux... Plus tard, s'entretenant avec Simone de Beauvoir, il insistera très précisément sur ces premiers moments-là, ceux par lesquels la guerre arrive à l'acteur de la guerre, sur « ces faits qui étaient de petits faits, qui n'appartiendraient à aucun manuel, à aucune histoire de la guerre; un petit village était bombardé, un autre attendait, qui allait être pris à son tour... Je suis sorti, et je me rappelle cette étrange impression de cinéma que j'ai eue, l'impression que je jouais une scène de cinéma et que c'était pas vrai [56] ».

Impact si fort sur l'écrivain, que chacune de ces journées de juin 1940 fera plus tard l'objet d'un récit. Ainsi, dans *La Mort dans l'âme*, c'est la journée du dimanche 16 juin : « Mathieu ouvrit les yeux et vit le ciel; il était gris perle, sans nuage, sans fond, rien qu'une absence. Un matin s'y formait lentement, une goutte de lumière qui allait tomber sur la terre et l'inonder d'or. Les Allemands sont à Paris et nous avons perdu la guerre. Un commencement, un matin... A Paris, les Allemands levaient les yeux vers ce ciel, y lisaient leur victoire et ses lendemains. Moi, je n'ai plus d'avenir [57]. » Ou encore, le lendemain, lundi 17 juin : « Les motocyclistes firent le tour du terre-plein en pétaradant. Rien ne bougea, sauf des moineaux qui s'envolèrent... Mathieu, fasciné, pensait : " Ce sont des Allemands "... Il n'avait pas peur de mourir, il avait peur de la haine [58]. » Enfin, avec un certain humour littéraire, Sartre raconte à Paulhan les éléments essentiels de sa vie – le roman – tout en en rappelant le cadre historique annexe et pourtant stimulant – la guerre : « Nous avons été assez bousculés ces derniers temps, quoique demeurant toujours dans des secteurs d'un calme mortuaire (je fais une guerre à la Kafka; c'était amusant jusqu'au 15 mai; ça commence à devenir gênant maintenant que d'autres font une vraie guerre). Par contre, j'aurai fini mon roman dans une huitaine de jours et je le tiens à votre disposition – si les circonstances permettent de l'envoyer et de le publier. Sinon, il faudra attendre des jours meilleurs [59]. »

Enfin, c'est le 21 juin, décrit sur un mode toujours un peu kafkaïen à Simone de Beauvoir : « On a marché, et on ne savait pas très bien ce qu'on allait faire de nous. Il y en avait qui espéraient qu'on allait nous libérer huit ou quinze jours plus tard. De fait, c'était le jour de ma naissance et, d'autre part, le jour de l'armistice. Nous avons été faits prisonniers à quelques heures de l'armistice. On a été emmenés dans une caserne de gendarmes, et là encore j'apprenais ce qu'était la vérité historique. J'ai appris que j'étais quelqu'un qui vivait dans une nation exposée à différents dangers, et que ce quelqu'un était exposé à ces dangers. Il y avait là une espèce d'unité entre les hommes qui étaient là [60]. »

Ainsi vont les rythmes d'une vie : fantasques, capricieux, inattendus. Quelques heures, quelques journées vont marquer une vie, et étendre leur emprise démesurément. Elles vont durer parfois beaucoup plus que des années d'attente, d'ensommeillement. Ainsi vont les cycles d'une vie. Il faut les détecter, les respecter, les comprendre, les suivre, les filer presque. Sartre lui-même a donné à ces journées-là une forme, une image telles, que leur importance s'impose d'elle-même. La débâcle de mai-juin 1940 sera un temps fort par excellence, coincé entre des drôles de vacances d'écrivain au front et huit mois de captivité. Elle sera la vraie première rencontre par l'écrivain anarchiste du social et de l'Histoire, elle sera la première vraie rupture : « Tout ce que j'avais appris, écrit, les années d'avant ne m'apparaissait plus comme valable, ni même comme ayant un contenu [61]. » Première ligne de fracture : claire, nette, aiguisée comme un couteau. Pas de mauvaise foi, pas de compromis : c'est un autre qui naît là. « Au cours de la retraite, écrit le caporal, nous apprenons que nous sommes encerclés. Sartre, qui jusqu'ici avait été agressif à l'égard de beaucoup de soldats, parut alors se sentir un véritable instinct de solidarité avec les autres [62]. » La drôle de guerre engendre la rupture, bien qu'elle ne soit le lieu de rencontre ni du moindre affrontement, ni du moindre combat. La drôle de guerre s'ouvre sur la captivité. Le nouveau Sartre y sera cordial et même heureux.

UNE CAPTIVITÉ ALTIÈRE

> « Ce monde dont on nous a arrachés... qu'il paraît petit... C'est lui qui nous a rejetés et pourtant nous avons l'impression de le dominer... Tout est à nos pieds... »
>
> *Journal de Mathieu.*

Deux mois dans la caserne Haxo de Baccarat sur la Meurthe, au centre de la Lorraine, entre Strasbourg et Nancy. Enfermé avec 14 000 autres soldats. Tout change, après la guerre absurde, la fausse guerre, la drôle de guerre. La captivité, c'est la faim, jusqu'au vertige, jusqu'à la folie. C'est l'expérience de coucher à même le sol, entassé avec les autres. C'est le pillage de la bibliothèque des gardes mobiles, et la lecture pour toute activité intellectuelle. Il lit les *Mémoires* de Montluc avec ennui, un tome dépareillé de *L'Histoire des deux Restaurations* de Vaulabelle « avec un vif intérêt » parce que, explique-t-il, « j'y retrouvais les traits de cette nouvelle Restauration – celle de 40 – où Pétain, dans la France occupée, jouait le rôle de Louis XVII », *Le Tour du monde en 80 jours* [1]. Unique activité d'évasion, la lecture prend le pas sur l'écriture. Mais quelle attente? Quels projets? Sartre reste optimiste, convaincu d'être libéré prochainement, à cent lieues de redouter un départ pour l'Allemagne. Les rares témoignages sur ses deux mois à Baccarat nous rapportent de lui un instantané : il avait trouvé, dans cet ennui pesant, une espèce de petit jeu qui l'amusait beaucoup. Il prenait des bouteillons, ces marmites militaires de fer-blanc qui servent à transporter la soupe, les lançait très loin, à un bout de la caserne, puis courait, très vite, de l'autre côté, pour en recueillir l'écho... A la mi-août, c'est le transfert en Allemagne, à Trèves, tout près de la frontière luxembourgeoise. Ceux qui avaient espéré la libération, ou bien au moins le maintien en France, craquent. Sartre restera, tout au long du voyage, d'une sérénité absolue. A l'arrivée à Trèves, il est le seul à souligner, avec lyrisme, la beauté du paysage. Malgré le wagon à bestiaux qui les transporte, malgré les baraquements sordides et les barbelés.

Son camp de prisonniers? Un village de 25 000 personnes, des hommes exclusivement. Avec des baraques en bois à trois étages où l'on est entassé à quarante par chambre. Avec des règlements, des lois, un couvre-feu, des Allemands – les chefs autoritaires et les subordonnés –, des citoyens de troisième ordre – les prisonniers. Des rituels, des coutumes, des mots de passe : les Fritz, les Frisés, le Revier... Avec des distractions aussi, musique, théâtre, lecture. Une vie en autarcie où prolifèrent comme des virus combines, trocs en tous genres, resquilles, trafics divers, tentatives d'évasion. Fort peu de contacts avec l'extérieur : quelles informations sur le déroulement de la guerre? quelles nouvelles? Vaguement un poste de radio clandestin caché quelque part donne de temps en temps des détails la plupart du temps faux ou dépassés. Certains prisonniers se déplacent hors des limites du camp, pour un travail de circonstance, une corvée dans un monastère voisin. En retour, outre les bouteilles de vin et autres nourritures, ils rapportent parfois informations, livres, mouvements du monde extérieur.

« Le paradoxe de notre condition est qu'elle est à la fois invivable et facile à vivre [2] », écrit Sartre, faisant le point. Car il faut tenter d'aller au-delà des clichés : la vie du prisonnier possède-t-elle un charme caché qui se transforme plus tard en nostalgie? Malgré les poux, les puces et les punaises, malgré l'hiver glacial – moins 40° – et les privations de nourriture, un nouvel ordre s'organise, plus cruel et plus complice à la fois, plus régulier et plus protégé que dans le monde ordinaire. Un ordre rythmé par les corvées collectives, les horaires de la soupe, la barrière du couvre-feu, les distractions de groupe, les promenades du dimanche, les colis de nourriture de la Croix-Rouge, le courrier. Le camp protège tandis qu'il démunit, le camp met en veilleuse la plupart des enjeux sociaux : travail, argent, sexualité, politique. Il en crée d'autres, sur d'autres terrains, engendre de nouveaux privilèges, de nouvelles castes; les infirmiers, par exemple, particulièrement détestés parce qu'ils sont l'aristocratie : vivant entre eux, mieux nourris, échappant aux poux, obtenant du tabac et du sucre.

Première étape du nivellement, première formalité : la fouille avec souvent confiscation d'objets personnels. Puis, tondu, lavé, épouillé, le prisonnier est ensuite recensé sur une fiche qui porte sa photo. Mesure qui ratisse, émonde, élague toute spécificité, toute reconnaissance sociale. Deuxième étape : l'entrée brutale et sans antichambre dans la jungle du troc. Les plus anciens prisonniers, les Polonais par exemple, vous assaillent dès votre arrivée, vous offrant du pain rassis contre votre montre. Il est vrai qu'après une queue de six heures pour obtenir une soupe, on mangerait presque n'importe quoi. C'est, enfin, la recherche des repères, des visages connus, des privilèges de pacotille.

Ainsi Sartre se retrouvera-t-il clandestin au « Revier », faux malade à l'infirmerie, pour quelques sucres et quelques cigarettes en plus. Il y restera quelques semaines avant d'être repéré et envoyé à la baraque des artistes. L'intégration du prisonnier s'effectue en plusieurs temps : contre les Allemands, contre les violences physiques, les humiliations, les ordres arbitraires, le prisonnier fait corps avec les autres, n'est plus qu'une parcelle du tout : « Nous sommes tellement nombreux, tellement anonymes, tellement indistincts, nous ne craignons rien, la menace est devenue cérémonie [3]. » Contre l'ensemble du groupe des prisonniers, c'est le « chacun pour soi », l'enfermement dans un instinct d'autoprotection, dans un égoïsme féroce : s'évader, inventer des combines, pulsions de vie vécues seul, parfois en petit nombre.

Avec les vingt-cinq mille autres, dans ce milieu bizarre, Sartre va vivre une aventure, une sorte de traversée. Entré au camp dans un wagon à bestiaux, il en sortira à pied, libre, réformé grâce à un faux. L'étape la plus dure de la guerre, la période de mutation la plus profonde, les mois décisifs. Que se passa-t-il en lui, qu'on le retrouvât actif, militant? Comment se mêla-t-il aux autres, lui qui avait tant rechigné aux contacts durant la drôle de guerre, emmitouflé dans ses écritures obsessionnelles? Fut-il cloîtré, muré, solitaire, taciturne? ou bien maussade, pessimiste, désespéré? Là encore, il va nous surprendre : « J'ai trouvé au Stalag une forme de vie collective que je n'avais plus connue depuis l'École normale et je veux dire qu'en somme j'y étais heureux [4]. » De quoi fut fait ce bonheur de Sartre prisonnier de guerre, quelque part sur les hauteurs de Trèves, en Allemagne?

Sa première impression, sa première joie : la situation topographique du camp. De la colline Kemmel, il domine la ville, il surplombe tout : la Moselle, les villages, la ville. « Je sens très vivement que j'habite sur une montagne, au-dessus d'une ville... je confonds l'altitude de ma position géographique avec je ne sais quelle supériorité morale : tout est à mes pieds [5]. » Ou encore : « Je m'étonne que la liberté soit *en bas,* au-dessous de moi. Des prisonniers au sommet d'une montagne, ça me fait l'effet d'un paradoxe... Ce monde dont on nous a arrachés, en nous enlevant sur ce nid d'aigle, qu'il paraît petit : il a les dimensions d'un jouet. C'est lui qui nous a rejetés et pourtant nous avons l'impression de le dominer... Tout est à nos pieds : les chemins rouges du

Palatinat, le long éclair sinueux et plat de la Moselle et le peuple de nos vainqueurs... Mais pour l'instant, notre regard est plus libre que nous, plus libre que celui des geôliers de la ville. Il plane, il méprise, et cependant nous sommes là [6]. »

Sa drôle de guerre le mina, il écrivit, et beaucoup. Sa captivité l'épanouit, il s'y trouva heureux. Comme les « quatre années de bonheur » à l'École normale supérieure, dont il parlera dans la préface à *Aden Arabie.* Le parallèle est-il sommaire, ou doit-il être poussé plus loin? Entre les deux expériences, un point commun : deux institutions closes, deux communautés d'hommes. Sartre l'a fort bien saisi, qui explique plus tard : « C'était une communication sans trou, nuit et jour... il y avait des cabinets en commun. Alors, quand on en fait usage avec beaucoup de gens, l'élite disparaît [7]. » Et, alors que d'autres sortent souvent minés, abattus, mutilés par ce genre d'expérience, Sartre y prospère, y développe des talents, des activités, des stratégies de survie avec une rare prolixité. Ce qu'il aime au camp? « Le sentiment de faire partie d'une masse [8] », à tel point qu'il s'évadera, comme par défi, sans en avoir profondément envie.

Est-ce la présence constante et visible de l'Autorité qui émoustille et éperonne celui qui, enfant orphelin de père, « n'a jamais été commandé »? Car le Feldwebel allemand et ses adjoints ne badinent ni avec la discipline, ni avec la loi, ni avec la hiérarchie. « *Dass muss man tun, Punkt.* » « C'est un ordre. Point. » Un ordre absurde, sans discussion, sans explication. Mais un ordre nécessaire qui ne peut, sous aucun prétexte, être négocié : c'est la soumission ou le châtiment, genre coup de pied au cul, ou encore coup de baïonnette dans la fesse, ou crachat dans la figure. Structure classique dans ce genre d'institution où l'autorité d'un petit groupe de dirigeants tyrannise, opprime et insulte la grande masse des dirigés : une frontière, deux camps, un monde en noir et blanc. Le permis et le défendu, le bien et le mal, les responsables et les soumis. Pour la première fois de sa vie, Sartre rencontre, de plein fouet, cette répression tangible et concrète avec laquelle il n'est pas du tout question de jouer. Il faut se plier au couvre-feu, aux cabinets sans verrou, à la soupe de morue, aux poux, aux corvées. Nulle exception, nulle bavure : la moindre tentative d'évasion équivaut à jouer sa vie. Alors, deux solutions, ou bien la soumission la plus passive en attendant la fin de la guerre, ou bien les petites stratégies de débrouillardise qui vont permettre à l'individu hyperactif d'améliorer son quotidien grâce à son imagination et ses trouvailles. Sartre est, bien sûr, dans la deuxième catégorie. Il commence par se trouver une planque à l'infirmerie parmi les privilégiés. Puis, quand il en est vidé, c'est la baraque des artistes où il se fait passer pour auteur dramatique.

Et s'il joue le jeu du camp, il le joue à merveille. Participe activement à la vie quotidienne, et plus largement à la vie collective, chante, écrit, met en scène, joue, compose, donne des conférences, des cours, fait le pitre et s'évade, enfin, avec de faux papiers. Voilà les étapes d'une captivité vécue avec panache. Car, loin de le démolir, cette épreuve le stimule.

Et s'il s'épanouit, sur les hauteurs du Stalag XII D, c'est qu'il se trouve en complicité avec les autres. « L'adjudant que nous avons surnommé Pilchard nous gifle volontiers... Ce qui surprend, décourage ou exaspère les Allemands, c'est notre indiscipline d'inertie... A l'heure du couvre-feu, nous restons devant les baraques, détendus, jouissant de chaque minute volée... Pilchard crie, sa voix s'enroue de colère; les plus proches de lui rentrent, pour ressortir dès qu'il a le dos tourné, les autres attendent et disparaissent quand il approche. Il revient sur ses pas : nous sommes tous devant les portes... Au bout de dix minutes de ce manège, il perd la tête et cogne; tout le monde s'enfuit... Car notre attitude est aussi une défense contre l'avilissement... Il y a d'ailleurs beaucoup d'autres défenses : depuis l'immobilité figée jusqu'au rire bon enfant [9]. » Quelques scènes de groupe où la captivité est vécue comme une colonie de vacances, où l'usure des autorités est donnée comme la suprême jouissance, l'ultime fierté : on est prisonnier, mais on est encore un peu un homme. Peu à peu, dans ce genre de manège, se construit pour Sartre et pour les autres cette image de l'Allemand non plus stéréotypé, mais redessiné par expérience, « mélange de mauvaise foi, de tendresse un peu tremblante, de prosélytisme pédant et d'utilitarisme [10] ». Image de l'Allemand, mais aussi image du Français, « né malin, démerdard, titi parisien qui glisse entre les doigts de la grosse brute allemande... " Qu'ils nous battent tant qu'ils veulent, on s'arrangera toujours pour les baiser " [11] » : deux classes antagonistes s'affrontent, c'est une réinterprétation de la situation captive. Et Sartre joue à plein la fusion dans la masse opprimée. Dorénavant, il n'est plus l'individualiste des années 30 qui sauve sa peau tout seul : il vient de passer par l'épreuve de l'humiliation.

« Hier soir, par exemple, j'ai pris plaisir à recevoir un coup de pied au cul [12] » : celui qui avait fait l'économie de l'enfance est brutalement livré, à trente-six ans, à l'arbitraire grotesque d'un officier allemand. « Je m'étais attardé et l'heure du couvre-feu était passée depuis longtemps... Comme j'arrivais à pas de loup, dans l'allée latérale, j'ai reçu en plein visage le feu d'une lampe électrique... La sentinelle s'est mise à gueuler en me menaçant de sa baïonnette. J'ai compris qu'il n'avait pas l'intention de me plonger sa baïonnette dans le ventre mais qu'il jouait avec l'idée de m'en piquer les fesses : il attendait que je lui tourne le dos. Je fis lentement volte-face, jamais je n'ai senti si vivement et si nettement toute cette viande impotente qui se tasse au bas de mon dos. Finalement j'ai reçu un formidable coup de pied qui m'a projeté contre la porte. J'en riais encore en rentrant dans la chambrée. J'ai dit aux copains : " Je viens de recevoir un de ces coups de pied au cul ! " et ils se sont tous mis à rire de bon cœur [13]. »

Les copains ? Tout ce qu'il y a de plus hétéroclite : des prêtres surtout – presque les seuls intellectuels du camp –, de véritables amitiés – comme avec Marc Bénard, journaliste au Havre –, des copains de fortune, enfin, comme le « Braco » [14], ce petit bonhomme trapu et rusé comme un singe, originaire des Ardennes, ainsi surnommé pour son extraordinaire talent de braconnier. Parlant dans un patois ch'timi assez indéchiffrable, peut-être aussi mythomane, racontant partout qu'il venait de tuer sa femme puisqu'elle l'avait cocufié pendant la drôle de guerre... Cet analphabète est encore un des chefs occultes du camp, jonglant habilement avec ses trois mots d'allemand pour communiquer, troquant comme nul autre vêtements et nourriture. Entre Sartre et le Braco, une extraordinaire complicité, une admiration mutuelle pour des talents rigoureusement complémentaires. « Au Braco, vous pouvez demander n'importe quoi, monsieur Sartre », s'écrie le petit Ardennais en gratitude pour un service rendu. Quant à Sartre, il consacrera plusieurs pages de son journal à « ce petit bonhomme laid et crasseux, aux yeux brillants d'intelligence... qui vit donc ici sous un faux nom, volant, pillant, troquant, travaillant dur pour gagner la fortune qu'il dépensera à la libération. On lui passe les commandes huit jours à l'avance, et il est rare qu'il ne rapporte pas ce qu'il a promis... Il a pensé un moment à me protéger ; il a su que j'étais professeur et il a imaginé que je pourrais, le cas échéant, " porter sur lui un bon témoignage ". Il m'a rapporté deux fois du tabac. La troisième fois j'ai refusé [15] ».

Et puis il y a les antipathies : Sartre n'apprécie pas vraiment le « phalanstère d'invertis » où il échoue, cette baraque des artistes où se côtoient pêle-mêle des musiciens – comme Lebâtard, chef de l'orchestre du camp et musicien au Conservatoire de Paris –, des soi-disant imprésarios comme Chomisse et des sportifs en tous genres, catcheurs, lutteurs, boxeurs... « Chomisse, explique-t-il, c'était le genre de gars dont on ne savait pas d'où il venait ; on prétendait qu'il ouvrait les portières des taxis devant le cinéma Gaumont-Palace. Ce n'est pas impossible [16]. » Parmi ces prétendus artistes, certains individus peu fiables, et Sartre déteste « ceux qui ne jouent pas le jeu, qui profitent des confidences et des conseils pour s'assurer des avantages, qui pouvaient alors devenir de vrais ennemis [17] ». C'est pour les autres, ses copains, que Sartre joue à plein son rôle d'animateur, de canuleur, de boute-en-train : « Le soir, j'étais entièrement à eux : je racontais des histoires, je m'asseyais à une table, au milieu de la baraque, et je parlais, ils se marraient. Je leur racontais n'importe quoi en faisant le con... » Plus tard, décrivant à Jacques-Laurent Bost ces séances de lecture, il rajoutera un détail : « Je racontais donc des histoires drôles dans la chambrée avant que mes types ne s'endorment. Et pour savoir s'ils m'écoutaient bien, à un certain moment, je disais leurs noms, un par un. Quand personne ne répondait plus, alors je m'endormais [18]. »

On le retrouvera même, un dimanche de l'hiver 1940, avec des gants de boxe, affrontant officiellement dans un combat de poids coq, et en deux rounds, Gaillot, un jeune typographe de province. Premier round, nette domination du philosophe; au second, le typo prend l'avantage : match nul. « La fatigue m'a saisi parce qu'il y avait des années que je n'avais pas boxé, s'excuse Sartre, et j'ai été dominé. Le résultat a été match nul. Ce qui a été décevant pour moi puisque Pardaillan ne fait pas de match nul [19]. »

Merveilleusement adapté, Sartre à la fois se mêle aux autres et s'en dégage. Ainsi son aversion pour le style « vieux potes » ou « copain comme cochon » de la baraque des artistes le pousse-t-elle à choisir d'aller travailler tous les matins « après le jus » à la chefferie de la 42. L'abbé Marius Perrin, chef de baraque, dispose d'un local spacieux et chauffé, il a beaucoup apprécié une conférence que vient de prononcer Sartre. Ils ont parlé ensuite de Malraux, de Heidegger, de Rilke, dans l'euphorie de la rencontre de deux bonnes vieilles cultures classiques. Des liens se nouent : on échange des livres, on s'invite à déjeuner, on se présente des copains potentiels. Jusqu'à un certain point, et dans ces conditions, on parle un langage relativement semblable. Sartre sera donc amené à relire *Les Sermons* de Bossuet prêté par l'abbé Espitallier, professeur de rhétorique à Lyon. Avec une moue, il rend le livre, peu concerné par cette éloquence un peu facile, mais ayant malgré tout vérifié sa théorie sur le classique. Il proposera enfin à l'abbé Perrin de l'initier à Heidegger : un exemplaire de *Sein und Zeit* est rapporté clandestinement par l'abbé Etchegoyen qui travaille dans un monastère hors du camp et y a lié amitié avec le prêtre allemand antinazi. Deux heures de lecture de phénoménologie allemande avec Perrin, tous les matins, près du poêle dans la chefferie de la 42...

Somme toute, avec les prêtres, il se sent en fraternité. Malgré d'interminables discussions sur la foi. Un jour, par exemple, autour de la table de la 42, Sartre pose sa pipe et bondit : « C'est tout de même un avantage d'avoir la foi », vient de déclarer Espit. « Qu'entendez-vous par " avoir la foi "? réplique le philosophe. Possédez-vous la foi comme moi je possède cette pipe? Ou bien la foi aurait-elle avec vous, son possesseur, un lien magique? En vous faisant croyant, n'est-ce pas plutôt une attitude fondamentale que vous assumez? Vous êtes prêtre, et chaque matin, en disant la messe, vous devez bien vous souvenir de renouveler votre prêtrise. Car seuls les saints de bois sont ce qu'ils sont, n'est-ce pas [20]? » Espit, essoufflé par une telle rafale, reconnaît qu'il s'est mal exprimé, et remercie bien Sartre pour cette « leçon de spiritualité ». Quelques minutes plus tard, il confiera à un ami prêtre que Sartre est « un être à part, une espèce de prophète, un empêcheur de tourner en rond »... Malgré ces rares incartades, notre protestant qui adore blasphémer se trouve fort à l'aise avec les prêtres. Ce qu'il partage avec eux? Le célibat, l'indépendance. Les autres prisonniers ont des liens familiaux en dehors du camp, des responsabilités, des obligations, des ancrages définitifs. Eux, non. Et lui, il est comme un ballon flottant, ballon sans fil, sans amarre. Et sa grande découverte au Stalag, c'est moins la claustration que la responsabilité. « La captivité nous ramène à une horrible innocence, à l'irresponsabilité... Nous ne portons pas la responsabilité d'être ici; nous y sommes parce que nous n'en pouvons pas sortir. Quel repos pour l'esprit [21] ! »

« Témoin, témoin toujours. Témoin des autres et de soi-même... Jusqu'à la guerre, je n'ai rien fait : je jouais devant des enfants avec des idées trop anciennes pour nuire; une administration me versait chaque mois des sommes d'argent sans relation décelable avec mes bavardages : j'étais rentier, avec une mauvaise conscience, un pur consommateur... Je tournais en rond, je me prêtais quelquefois, je ne me donnais pas : j'étais une vierge réservée à d'extravagantes fiançailles, j'ai refusé tous les prétendants, parce qu'ils n'étaient pas assez beaux, en particulier la guerre espagnole parce qu'elle n'était pas *ma* guerre [22]. » Le présent détonant renvoie au passé : celui d'un homme préservé, d'un homme à l'écart. Et le présent pousse à l'action. Comme si, au contact du camp, dans cette société en miniature, sa paralysie sociale apprenait à se délier. Pour Noël 1940, il devient auteur dramatique, comme d'autres deviennent animateurs culturels, à l'occasion d'un séjour de groupe, et sous la pression étrange des circonstances. Avec quelle rapidité, avec quelle aisance il s'acquitte de son affaire! En six semaines, il se fait fort de rédiger entièrement la pièce, de choisir les acteurs, de les faire répéter et apprendre leur texte, de créer la mise en scène, de fabriquer les décors et les costumes... Tambour battant, il tournoie entre ces multiples activités, s'y donnant à plein temps, désolé de reporter à janvier ses cours particuliers sur Heidegger! Il se lance dans l'aventure théâtrale avec passion et allant, entre les barbelés glacés d'un camp de prisonniers, altier sur sa colline.

Ses amis prêtres, sidérés par l'audace du pari, le questionnent, inquiets. Très sûr, très maître de lui, il annonce fièrement le sujet : la liberté; l'intrigue : un mystère de Noël. Et se met au travail, préférant pour l'occasion écrire au milieu du brouhaha de sa chambrée, plutôt que dans le refuge un peu plus isolé de l'abbé Perrin. Ayant tracé les grandes lignes de la pièce, il distribue aussitôt les principaux rôles, convaincu que la personnalité physique de l'acteur doit en tout cas intervenir dans l'imagination de l'auteur. Il choisit Henri Leroy, Marc Bénard et le père Feller pour les principaux rôles. Et aussitôt, ceux-ci se mettent à recopier leurs rôles au fur et à mesure que Sartre avance dans le texte global. « C'est poilant! » s'écrie Leroy, totalement contaminé par l'enthousiasme de l'auteur. Et les répétitions commencent, dans le hangar – « die Halle », disent les Allemands – que le père Boisselot, l'homme de confiance, a négocié quelque temps auparavant auprès du commandant du camp, pour y tenir messes, concerts, pièces de théâtre et distractions collectives diverses. Sartre est présent à toutes les répétitions et réussit même à obtenir des Allemands une espèce de tissu-papier de toutes les couleurs pour fabriquer les costumes... Décors, costumes, répétitions, s'enchaînent à bride abattue, alors que la rédaction de la pièce elle-même vient à peine de s'achever. Le 24 décembre au soir, tout est au point. Morceau d'accordéon. « Mes bons messieurs, je vais vous raconter les aventures extraordinaires et inouïes de Bariona, le Fils du Tonnerre. Cette histoire se passe au temps que les Romains étaient maîtres en Judée et j'espère qu'elle vous intéressera. Vous pourrez regarder, pendant que je raconte, les images qui sont derrière moi; elles vous aideront à vous représenter les choses comme elles étaient. Et si vous êtes contents, soyez généreux. En avant la musique, on va commencer [23]... » Et le montreur d'images cède la place au récitant. L'intrigue, somme toute, est simple : Bariona va basculer du désespoir à l'espoir, de sa méfiance pour le Messie annoncé par les rois mages vers de nouvelles résolutions, plus constructives, plus dynamiques, et entraîner derrière lui son peuple à résister aux Romains. « Mes compagnons, soldats du Christ, s'écrie-t-il dans la tirade finale, vous avez l'air farouches et résolus et je sais que vous vous battrez bien. Mais je veux que vous mouriez dans la joie... Allez, buvez un petit coup de vin, je vous le permets et marchons contre les mercenaires d'Hérode, marchons, soûls de chants, de vin, et d'Espoir [24]. » Applaudissements, saluts de la troupe au complet, y compris de l'auteur lui-même qui jouait le rôle du roi mage noir Balthazar! Plus tard, d'ailleurs, Sartre racontera l'étrange expérience qu'il vécut là, auteur et acteur à la fois, percevant de l'estrade cette foule massée, qui l'écoutait : « Comme je m'adressais à mes camarades par-dessus les feux de la rampe, écrivit-il, leur parlant de leur condition de prisonniers, quand je les vis soudain si remarquablement silencieux et attentifs, je compris ce que le théâtre devait être : un grand phénomène collectif et religieux... un théâtre de mythes [25]. » Ailleurs, il expliquera également avoir voulu, à l'occasion, toucher la fibre sensible de la résistance à l'Allemand, par Bariona interposé... Aussitôt la pièce terminée, l'acteur Sartre se change à nouveau et file chanter, sous la baguette d'Espitallier, les cantiques et répons de Noël, pour la messe de minuit, dans la chorale du camp.

« Il a neigé cette nuit, note le lendemain matin l'abbé Marius Perrin. Tout est blanc. Peu de traces sur le sol... On ne voit pas un chat ce matin de Noël... Pas encore vu Sartre : il a bien mérité sa grasse matinée! Leroy s'est rendormi. On dirait que tout le camp est encore dans les bras de Morphée... Il faut tout de même parler de ce dont tout le monde parle ou va parler! Il me tardait de voir ce que Sartre allait faire en guise de " Noël ". J'ai vu, et, Dieu merci, il est resté lui-même. Il nous a fait plaisir sans se faire violence. Rien, dans ce *Bariona,* du mystère de Noël classique : on n'y voit ni la Vierge, ni l'Enfant, sinon en filigrane... Les hommes de Bariona s'en vont, peut-être à la mort, mais alors ils mourront pour que l'espoir des hommes libres ne soit pas assassiné [26]. » D'autres échos de la pièce ne vont, pourtant, pas du tout dans ce sens : « Sartre a fait jouer par la troupe du camp une pièce d'inspiration antisémite qu'il a écrite, précise à son tour le caporal Pierre. Le thème est le suivant : droit à la maternité d'une jeune femme, droit que son mari lui conteste [27]. »

Enfin, la voix de Sartre lui-même, trente ans plus tard, plutôt négative : « J'ai fait *Bariona,* qui était bien mauvais, mais où il y avait une idée théâtrale... Les Allemands n'avaient pas compris l'allusion à l'engagement, ils voyaient là une pièce de Noël simplement : mais les Français prisonniers avaient tout compris, et ça les avait intéressés, ma pièce [28]. » Et encore : « Si j'ai pris mon sujet dans la mythologie du christianisme, cela ne signifie pas que la direction de ma pensée ait changé, fût-ce un moment, pendant la captivité. Il s'agissait, d'accord avec les prêtres prisonniers, de trouver un sujet qui pût réaliser, ce soir de Noël, l'union la plus large des chrétiens et des incroyants [29]. »

Expérience plus importante, peut-être, qu'il n'y paraît. « C'est *Bariona* qui m'a donné le goût du théâtre [30] », avouera-t-il plus tard. « Vous m'avez écrit des lettres là-dessus, en me disant que désormais vous feriez du théâtre », complète Simone de Beauvoir. En effet, un départ est pris, même largement dû au hasard, dans ces circonstances un peu étranges. Et l'auteur dramatique novice n'attendra pas longtemps pour tenter d'améliorer sa technique. Un vrai bémol, pourtant, dans toute cette affaire, et dont parlait déjà le caporal Pierre. « Une pièce d'inspiration antisémite », disait-il. Écoutons plutôt : « Naturellement, vous autres juifs, vous ne savez pas vous chauffer... Vous êtes de vrais sauvages... La plupart de vos coreligionnaires ne savent même pas la date de leur naissance. Ils sont nés l'année de la grande crue, l'année de la grande moisson, l'année du grand orage... De vrais sauvages. Je ne vous froisse pas, bien entendu? Vous êtes un homme cultivé, quoique israélite... Voulez-vous que je vous dise : le peuple juif n'est pas pubère... Nous voudrions, dans son intérêt même, que le peuple juif se mette une bonne fois un peu de plomb dans la tête[31]... » Soit, ces paroles sont prononcées par Lelius, le fonctionnaire romain, elles doivent être lues au second degré, et surtout pas au premier. Mais tout de même, était-ce le bon endroit, la bonne époque, le bon public, pour laisser filer de telles allégations? Inconscience? Maladresse? On cherchera plus tard ce que Sartre décida de faire là.

Car, immédiatement, il se heurte, et sans douceur, aux tentatives prosélytes du groupe fasciste de Marcel Bucard qui vient d'être constitué sous les auspices de la Kommandantur. « Déjà deux cents adhésions, remarque-t-il le 25 novembre. Il n'y en aura pas chez moi, en tout cas. J'ai engueulé proprement mes types... Mais les types sont tièdes. Tièdes pour et tièdes contre. Ils sont victimes de l'illusion démocratique : ils considèrent Gilly et sa clique comme les " stars " du camp. Ils ne l'aiment pas mais pour eux c'est une personnalité amusante et connue. Ils aiment bien le voir passer, avec ses bottes et sa chéchia qui écrase son visage insolent, pâle et plat... Ils se poussent du coude quand il passe... Encore un qui trouve *sa* chance dans le camp. Ce seront ses meilleurs jours[32]. » Analyse bel et bien lucide : déjà Sartre sent la mollesse, détecte la passivité consentante et la déteste. Attaque, et tout de suite, ceux qui se réunissent pour l'heure en petit nombre mais deviendront un an plus tard le Rassemblement national populaire de Marcel Déat et feront même une manifestation à l'intérieur du camp. Tout en discutant avec des gens de tout autres étiquettes, des communistes par exemple. Un jour, il invite Marius Perrin à une réunion chez les artistes, et c'est une discussion politique assez âpre entre eux deux et des universitaires communistes. Le pacte germano-soviétique? Une astuce tactique de Staline, épisode nécessaire pour casser les reins aux fascistes, avant que n'advienne inéluctablement l'heure du socialisme, de la démocratie et des soviets, répondent les fidèles du P.C.F. Sartre n'est pas convaincu et ne ménage pas ses attaques contre les moyens mis en œuvre. Sans doute pense-t-il à Nizan, sans doute n'apprécie-t-il pas les récentes calomnies sur l'ami d'enfance, les ricanements sur sa démission...

« Longue conversation hier avec Espit, Sartre et Leroy », disent les notes de Marius Perrin aux premiers temps de l'année 1941. « Sartre n'aime pas ce qui se fait en France; sur de Gaulle, il est plutôt réservé... Il n'éprouve de sympathie pour aucun régime; celui des fascistes lui fait horreur : le pouvoir aux mains des " salauds "... Quant aux " républicains ", ce sont de vieilles barbes, tout juste bons à défiler avec les anciens combattants. Ils ont d'ailleurs, jusqu'au dernier, des " gueules de croix-de-feu ". Il ne regrette pas de ne pas avoir voté pour eux, mais il pense qu'il est temps de faire quelque chose... Le tort des hommes libres est de laisser carte blanche aux autres, qui en profitent. Il a donc décidé de sortir de sa tour, d'entrer dans la mêlée [33]. » Les projets, d'ailleurs, se poursuivent plus concrètement, puisque au cours de la même discussion Sartre poussera même jusqu'à élaborer des idées, esquisser un programme. « On ne peut pas adhérer à un parti : ils sont tous pourris, le communiste inclus... Par contre, il y a place pour une association d'un nouveau genre, qu'on pourrait appeler le " parti de la liberté ". Il serait ouvert à tous les hommes libres, quelles que fussent leurs convictions philosophiques. Son programme est prêt, ajoute Perrin, dans les grandes lignes au moins. J'y découvre beaucoup de Fourier et un peu de Saint-Simon. » Mais n'anticipons pas, encore un mois ou deux, et ces lignes mêmes seront esquissées dans la pratique par notre prisonnier, mûr pour la politique.

Que lui reste-t-il, d'ailleurs, à réaliser pour compléter ce parcours? A peu près rien, il est presque au bout. Au bout de l'expérience, au bout du parcours, au bout de la métamorphose. Il a compris l'urgence d'agir, sans pour autant renier son dégoût des partis, des bureaucraties, des enrôlements collectifs. De ses limites, d'ailleurs, il est parfaitement et intégralement conscient : « Si j'entrais, moi, dans un parti, écrit-il dans le *Journal de Mathieu,* ce serait par une générosité trop consciente d'elle-même, pour être morale. Le P.C. a bien raison de se méfier des intellectuels [34]. » Urgence d'agir, donc, mais toujours franc-tireur. Au Stalag, il a vraiment trouvé une forme d'équilibre. A découvert les autres, comme tel ethnologue une peuplade bantoue. Les a analysés, regardés, interprétés. A partagé les coups, les privations, les brimades. S'est adressé à eux, communiquant sur tous les modes possibles. A fait l'épreuve imparable et glorieuse du nivellement et des stratégies de survie. A intégré l'institution du Stalag comme nul autre, la subissant, la rejetant, la biaisant. A découvert la société par les deux bouts, expérimenté certaines réalités, comme l'autorité, l'insoumission, ou la solidarité. Rencontrant, entre les barbelés d'un camp allemand sordide, des individus marginaux et perdus, infiniment plus sympathiques, au fond, que les trois copains forcés de la drôle de guerre. Y opérant, à l'inverse des autres, une véritable délivrance. D'autres y perdront beaucoup, lui se blinde et y apprend à vivre. Le prisonnier heureux lancera encore quelques belles formules de son cru, avant de disparaître : « On peut être plus libre ici qu'en face », dira-t-il par exemple à Marius Perrin [35]. Ou bien encore, dans son journal, cette phrase un peu prophétique, datant des premiers jours de l'arrivée : « Nous ne faisons rien, bien sûr, nous sommes les sujets passifs d'une métamorphose [36]. »

Laissons donc ici Sartre, sur une dernière image de prisonnier heureux. Plus tard, interrogé dans une grande enquête sur « les lectures de prisonniers », il répondra longuement, et presque avec nostalgie, dans un étrange parallèle entre lectures d'enfant et lectures de camp : « J'ai beaucoup aimé *Au pays des tigres parfumés,* sur l'Inde, de Dekobra, livre ridicule, mais que j'ai dévoré avec passion parce qu'il m'emmenait hors d'Allemagne... J'ai aussi lu des romans policiers, *Les Filles du feu* de Nerval, le théâtre de Sophocle... des poèmes en allemand de Rilke et de Carossa. Les deux grandes découvertes que j'y ai faites furent *Le Soulier de satin* et *Le Journal d'un curé de campagne.* Ce sont les seuls livres qui m'aient vraiment donné un choc... Ce sont des lectures de hasard. Je n'ai jamais trouvé là-bas les ouvrages que j'y aurais emmenés si j'avais su devoir y vivre. Mais ces journées totalement inactives, où la rêverie avait une fonction d'évasion et où l'on évitait pourtant de trop penser au passé, la lecture avait un charme et une puissance d'envoûtement que je ne lui ai connus que dans mon enfance. Au fond on pouvait lire n'importe quoi avec passion, et les journées restaient marquées par les livres qu'on avait lus : il y avait des journées Somerset Maugham, des journées Nerval et même des journées Dekobra [37]. »

En mars 1941, Sartre sera libéré grâce à un faux certificat qui le déclare « atteint de cécité partielle à l'œil droit, entraînant des troubles de l'orientation ». Il va encore réussir à récupérer le manuscrit qui lui avait été confisqué par un officier allemand et se retrouver à Paris, dix jours plus tard, étonné et presque marri. « Je me suis évadé par raison, expliquera-t-il plus tard, je n'en avais pas tellement envie, je me disais : “ Il le faut pour être dans le coup [35] ”. »

Le Stalag XII D à Trèves ne perdra jamais pour lui cet arrière-goût parfumé des nostalgies douces, il s'en souviendra avec la tendresse que le fétichiste voue à l'objet de son culte. Et, un jour de l'été 1953, au cours d'un voyage à Amsterdam, il fera faire à Simone de Beauvoir un grand détour par l'Allemagne pour visiter avec elle les restes, sur la colline Kemmel, de la place Noire, de la Halle, des baraquements en bois surplombant la ville...

« SOCIALISME ET LIBERTÉ »

Paris, 2 avril 1941. Un an tout juste qu'il n'a pas remis les pieds dans la capitale. A quoi ressemble-t-elle aujourd'hui? A un décor d'opérette? Un cauchemar inacceptable? Un roman fantastique? Panneaux de signalisation fusant dans tous les sens, confondant tout, proposant à ses nouveaux acteurs la direction de la Kommandantur, du Deutches Institut, ou encore du Wehrmachtsgottendienst... Uniformes vert-de-gris, bottes, casquettes, drapeaux rouges à croix gammée, voitures militaires, saluts militaires : une invasion. « On peut se sentir plus libre ici qu'en face », disait-il encore quinze jours auparavant à Henri Leroy sur les hauteurs de Trèves. Tout cogne dans sa tête : les copains du camp, l'accent du Braco, les rituels du matin, cadrés, réguliers, familiers; et ici, ces hommes anonymes qui envahissent sa ville, la violent, la profanent. Il a trente-six ans, et c'est le printemps, et il rentre chez lui : mais Paris est autre, mais il est un autre... Quelle histoire!

Premier soir de liberté pour un homme étranger dans sa ville natale et qui, avant d'aller à la recherche de ses amis d'autrefois, pousse machinalement la porte d'un café : « Aussitôt, écrit-il, j'eus peur – ou presque –, je ne pouvais comprendre comment ces immeubles trapus et ventrus pouvaient receler de pareils déserts; j'étais perdu : les rares consommateurs me semblaient plus lointains que les étoiles; chacun d'eux avait droit à un grand morceau de banquette, à toute une table de marbre et il eût fallu, pour les toucher, traverser le " parquet luisant " qui me séparait d'eux. S'ils me semblaient inaccessibles, ces hommes qui scintillaient, tout à l'aise dans leur manchon de gaz raréfié, c'est que je n'avais plus le droit de leur mettre la main sur l'épaule, sur la cuisse, ni de les appeler " petite tête ", j'avais retrouvé la société bourgeoise, il me fallait réapprendre la vie " à distance respectueuse " et ma soudaine agoraphobie trahissait mon vague regret de la vie unanime dont je venais d'être sevré pour toujours [1]. »

Se réhabituer aux lieux, aux distances, aux relations entre hommes libres, avant d'affronter les véritables défis qui l'attendent. Au 23 de l'avenue de Lamballe, dans le XVIe arrondissement, première escale, la plus douillette, auprès de sa mère et de son beau-père : confort bourgeois, servante attentionnée, déjeuner enfin. Le voilà comme immunisé déjà pour replonger dans l'air étourdissant et paradoxal de la liberté. Retrouver Simone de Beauvoir? Glisser un mot dans son casier, à l'hôtel, et l'attendre, avenue du Maine, au café des Mousquetaires... « J'étais perdu. »

Depuis juin 1940, la France a perdu et son autonomie et son intégrité. Signature par Pétain de l'armistice avec Hitler, appel de Londres par le général de Gaulle : « La France a perdu une bataille, mais elle n'a pas perdu la guerre... » Le pays semble coupé en deux : zone nord/zone sud, partisans du maréchal/patriotes incorruptibles. En fait, il est en mille morceaux. Le petit monde littéraire parisien est projeté dans tous les sens comme sous l'effet d'une bombe. Les écrivains politisés se raccrochent aux directives de leur parti, de leur groupe, ou bien ils démissionnent. Et se retrouvent alors comme les autres, esseulés, perdus, plus isolés que jamais, comme des étoiles errantes à la recherche d'un centre. Tous les repères éclatent, l'écrivain est livré à sa seule initiative individuelle et fonce dans le vide : un automobiliste aveugle pilotant dans le brouillard. Et les écrivains se déplacent, en ces premiers mois de l'occupation allemande, tels des pions fous sur un échiquier brisé, selon leurs polarisations antérieures, selon les méandres de leur profil psychologique, selon leur localisation idéologique, sociale, géographique, professionnelle, familiale, selon leur âge, leur génération, leur aventure dans l'armée... Gide est mollement pessimiste, Drieu n'aime que les vainqueurs, Saint-Exupéry hésite pour le maréchal et redoute de Gaulle, Malraux prend des vacances, Breton part pour New York, Aragon écrit des poèmes de circonstance... Pour la seule écurie Gallimard, c'est la tour de Babel.

D'ailleurs, la grande innovation de la vie littéraire parisienne, n'est-ce pas cette présence de la censure allemande qui contrôle, approuve, interdit, selon ses propres lois idéologiques, tout ce que publient les écrivains français? Mieux, tout ce qu'ils publièrent. Puisque la première « liste Otto », entrée en vigueur dès septembre 1940, énonce tout simplement le catalogue des livres français interdits à la vente. Éditeur par éditeur, les noms d'auteurs et les titres se suivent, l'ostracisme est jeté, selon des lois bizarres et difficiles à déchiffrer. Pour la *Nouvelle Revue française*-Gallimard,

Malraux est banni avec *L'Espoir* et *Le Temps du mépris,* Nizan avec *Chronique de septembre,* Denis de Rougemont avec *Journal d'Allemagne.* Sartre est épargné, et le sera également dans la seconde liste, celle de 1942. En priorité semblent touchés les écrivains juifs ou antiallemands; pour les autres, c'est plus obscur! « Accrocher la France au wagon allemand », a ordonné Hitler et les instances supérieures du Reich n'ont reculé devant aucune économie pour exaucer son vœu : leur politique financière en matière de propagande idéologique est tout simplement stupéfiante. Il ne leur faut pas moins de trois organismes, l'ambassade d'Allemagne, l'Institut allemand et la Propagandastaffel, pour mener à bien leur projet : débarrasser la littérature française de toutes les vermines juive, communiste, franc-maçonne et autre, et la purifier à la mode aryenne. Organismes également chapeautés par l'antenne française d'Alfred Rosenberg et les multiples agents nazis envoyés par Berlin pour effectuer des missions spécifiques à Paris.

Parmi les nouveaux acteurs en titre qui font et surtout défont la vie littéraire française, Karl Epting, Karl-Heinz Bremer et Gerhardt Heller avaient déjà eu le privilège de savourer les joies du patrimoine culturel français, lors de leurs séjours comme lecteurs d'allemand dans les villes de province française. Quant à Sieburg, surnommé « le beau Friedrich », il est devenu une personnalité bien parisienne depuis que l'éditeur Grasset a traduit son ouvrage : *Dieu est-il français?* Otto Abetz, raffiné et fringant ambassadeur de trente-cinq ans qui avait, avant la guerre, milité pour le rapprochement franco-allemand dans le sens qui lui avait été indiqué par Ribbentrop, revient en pays conquis, francophile et grisé, marié à une Française. Tout près d'eux, l'écrivain Ernst Jünger saura confier à son journal les mots les plus choisis pour rendre compte du goût que prennent les Allemands littéraires à leurs séjours parisiens. « Paris, 6 avril 1941, note Jünger, aujourd'hui dimanche, pluie incessante. Suis allé deux fois à la Madeleine dont les marches étaient tachetées de vert par les feuilles de buis; à midi et le soir chez Prunier. La ville est comme un jardin de longue date familier, maintenant à l'abandon, mais où l'on reconnaît cependant sentiers et chemins [2]. »

Étonnante compagnie : ces nouveaux acteurs jouissent sans la moindre gêne d'une ville, d'une culture, dont l'exotisme n'avait jamais cessé de les faire rêver. Alors, de Prunier en Tour d'Argent et de Ritz en George V, ils dégustent en artistes, en esthètes, vins fins, champagnes et autres foies gras : ethnologues policés s'adonnant avec délices aux coutumes des indigènes. Et Jünger excelle dans ce genre littéraire qu'on pourrait, faute de mieux, nommer « la bonne conscience repue des esthètes germaniques [3] ».

« Je revenais en France avec l'idée que les autres Français ne se rendaient pas compte... ; que ceux qui revenaient du front s'en rendaient compte mais qu'il n'y avait pas de gens pour les décider à résister. Voilà ce qui semblait être la première chose à faire en revenant à Paris : créer un groupe de résistance, essayer, de proche en proche, de gagner la plupart des gens à la résistance, et créer ainsi un mouvement de violence qui chasserait les Allemands [4]. » Première plongée dans Paris occupé, et voilà un Sartre sortant du Stalag tel un diable de sa boîte, instantanément placé sur le champ de l'action directe, immédiatement prêt à se battre. Une métamorphose qui trouble ses proches. Dont Simone de Beauvoir qui, « désorientée par la raideur de son moralisme », décrit avec précision les nouveaux comportements, la première conversation : « Est-ce que je faisais du marché noir? J'achetais un peu de thé de temps en temps : c'était trop, dit-il. J'avais eu tort de signer le papier affirmant que je n'étais ni franc-maçonne ni juive. De tout temps, Sartre avait impérieusement affirmé ses idées, ses dégoûts, ses préférences, à la fois dans ses propos et dans ses conduites; mais jamais il ne les exprimait sous forme de maximes universelles... Ce premier soir, il me surprit encore d'une autre manière; s'il était revenu à Paris, ce n'était pas pour jouir des douceurs de la liberté, mais pour agir. Comment, lui demandai-je abasourdie : on était tellement isolés, tellement impuissants! Justement, me dit-il, il faut briser cet isolement, s'unir, organiser la résistance [5]. »

Sartre n'a pas encore pris connaissance des premières opérations résistantes, il n'a pas encore appris que pendant l'été et l'automne 1940 des groupes de patriotes se sont mis spontanément au travail, mais, à sa manière, il se prépare. Dès le mois de décembre 1940, le mot même de « résistance » s'est imposé : « Résister, c'est le cri qui sort de votre cœur à tous, dans la détresse où vous a laissés le désastre de la patrie... » Première feuille clandestine, *Résistance* avait lancé publiquement l'appel du « comité national de salut public » qui l'a fondée. Derrière ce comité, le groupe dit « du musée de l'Homme », fondé par deux scientifiques : Boris Vildé et Anatole Levitsky, plus tard rejoints par l'avocat Nordmann, les écrivains Aveline, Cassou et Abraham, l'ancien directeur de cabinet de Jean Zay. Le groupe poursuivra la publication et la diffusion de ses tracts clandestins jusqu'en février 1942; alors ils paieront très cher une arrestation. Autres mouvements de résistance spontanée, les manifestations du 11 novembre 1940, en commémoration de la victoire de 1918. Saccages des vitrines de groupes de jeunesse « collabo » sur les Champs-Élysées, et nombreuses arrestations. Et puis des publications comme *Libération,* hebdomadaire de la résistance française,

La Vraie France, Sous la botte, autant de petits groupes spontanés, dont certains auront rapidement les reins cassés, en cet hiver zéro de la résistance [6]. Du côté communiste, c'est l'isolement et la débandade. Seuls, isolés, quelques oppositionnels à la ligne dure – qui adhère totalement au pacte germano-soviétique – préparent des publications.

Dans ce contexte extraordinairement complexe où les militants politiques se retrouvent face à leurs seules initiatives individuelles, où les communistes, bâillonnés par le lien avec l'U.R.S.S., pataugent et lisent avec surprise les infléchissements subtils de la ligne dans *L'Humanité* clandestine, où les socialistes eux-mêmes ont perdu leur boussole, la détermination d'un petit homme nommé Jean-Paul Sartre rejoint dans l'intensité les premiers tracts, les premières manifestations de l'automne 1940. Nouveau-né à la politique et à la société en général, il poursuit, sur la lancée de la captivité, ses premiers pas dans l'expression de la colère brutale. D'où l'étonnement des proches, absents de l'intermède. Car, de l'intermède, il ne parle presque jamais : on ne parle pas des plaies les plus vives, surtout lorsqu'elles vous métamorphosent, comme c'est ici le cas.

« " Un jugement de fait porte sur ce qui est. Un jugement de valeur porte sur ce qui doit être... " Ce furent, je crois, ses premiers mots dictés. Nous étions au printemps 1941 et nous commencions la morale » : Jean-Bertrand Pontalis, élève de philosophie au lycée Pasteur, a vu arriver, sans aucune annonce préalable, le professeur en titre de sa classe. Retour brutal, changement radical dans l'appréhension de la philosophie. « Il tranchait. Était-ce par la voix (sèche), la parole (coupante), ce qu'avait transmis la rumeur (il ne portait pas de cravate)? Le fait est qu'il tranchait [7]. » L'homme de retour en fait presque trop dans l'austérité : complet veston avec gilet, au lieu du polo attendu, distance réservée avec les élèves face à la camaraderie déjà légendaire... Et jusqu'au silence sur l'actualité la plus directe car « pendant ces quelques mois, poursuit Pontalis, il ne nous dit pas un mot de Vichy ou de la défaite, pas un mot du Stalag d'où il venait. Mais il nous donna comme sujet de composition : le remords »... Réaménagements de surface et apparences inattendues préservent les grands travaux souterrains qui sont à l'œuvre dans le même temps. Et la violence du résistant qui s'emballe est protégée par le mutisme du professeur : le jour où Pontalis et son ami Bourla arrachent dans la classe l'affiche imposée de la photo du maréchal, entraînant la visite du censeur, Sartre les désapprouve, sans vraiment les désavouer. « C'est à ce moment que j'ai compris toute la différence qui oppose un " geste " à un " acte " », expliquera Pontalis.

Cinq, six, sept? Combien sont-ils, dans cette chambre d'hôtel aux murs marron et miteux, dans une rue étroite et oblique derrière la gare du Montparnasse, juste au-delà du cimetière? Quelques heures auparavant, Jean Pouillon avait reçu un coup de fil express de Jacques-Laurent Bost : « Sartre est rentré de captivité, viens le voir tout à l'heure, à l'hôtel Mistral... » Seuls les intimes sont là : Bost et Olga, Pouillon, le Castor, Wanda... Sartre parle longuement, d'une voix incroyablement déterminée... Chasser les Allemands hors de France... témoigner... convaincre... gagner la plupart des gens à la résistance... essayer de travailler dans ce sens... de proche en proche on y arriverait... Projet politique construit, élaboré? Plan précis de défense contre l'occupant? C'est plutôt son dialogue avec les prêtres qu'il poursuit là. Sans transition de la baraque en bois à la chambre de l'hôtel Mistral, il tient le même discours. Il est enthousiaste, il est convaincant, optimiste même : certain, par exemple, que les ébauches de révolte spontanée, que les petits groupes isolés iront se développant, se croisant, se rencontrant. Qu'ils se renforceront les uns les autres, malgré les risques de la clandestinité, la répression et les autres menaces...

Après la « famille », les amis proches : Maurice Merleau-Ponty, le « caïman de philo » de la rue d'Ulm. Il a travaillé pendant quelques mois à la constitution d'un groupe intitulé « Sous la botte » depuis la rentrée de 1940. Autour de lui, ses étudiants de l'École normale : Jean-Toussaint Desanti, agrégatif de vingt-six ans, et sa jeune femme Dominique qui étudie l'histoire en Sorbonne; François Cuzin, Simone Debout et Yvonne Picart, jeunes philosophes brillants et politisés. Leurs tracts, ils les avaient élaborés en commun avec des scientifiques de l'École, des actifs comme le mathématicien Raymond Marrot, tête pensante du groupe, libertaire et dénué de toute illusion face aux communistes. Ou encore comme Georges Chazelas, âgé de vingt-quatre ans, physicien de la « promo 37 », et son jeune frère Jean, étudiant en médecine. Tous deux prompts à l'action et courageux, de grands et forts gaillards toujours en première ligne. Ainsi avaient été élaborés des tracts urgents, sulfureux, qui appelaient au sabotage et à la résistance, sous toutes les formes possibles, sans aucun ostracisme, sans aucun sectarisme, sans aucun délai... Et puis, à mi-chemin entre la « famille Sartre » et « Sous la botte », d'anciens élèves comme Jean Kanapa ou Raoul Lévy sont très vite retrouvés : ils n'ont d'ailleurs jamais perdu le contact, ont échangé une correspondance avec le professeur-troufion puis captif, revu et fréquenté le Castor et les autres. Lévy, quant à lui, se dit « gaulliste car, avait-il expliqué à Simone de Beauvoir dès 1940, il eût été essentiel que le gouvernement français, à l'image du gouvernement hollandais par exemple, décidât de s'exiler... – Vous parlez comme les Anglais, avait-elle répondu sur un ton de reproche [8] ».

« Sartre prit à peine le temps de résumer sa captivité, puis : – Bien. Que fait-on ? Vous avez commencé quelque chose [9] ? » Dans cette chambre en désordre de l'hôtel d'Égypte, rue Gay-Lussac, première réunion de travail avec les anciens de « Sous la botte », racontée par Dominique Desanti. « Un rez-de-chaussée, dit-elle, où l'on entrait par la fenêtre, ce qui nous donnait l'illusion de pouvoir fuir au cas d'irruption policière. Car nous avions, en ces temps, la naïveté des néophytes vierges de persécutions... » Base d'entente claire entre les deux groupes : se battre contre le régime de Vichy et contre toute espèce de collaborateur, sans la moindre ambiguïté; se démarquer à droite des bourgeois, des gaullistes, en se référant au socialisme; se démarquer à gauche des communistes et de leur absurde pacte. D'où, très vite, le choix de baptiser le groupe « Socialisme et Liberté ». Car, précise Sartre, il s'agit d'ores et déjà de voir plus loin, d'élaborer un panorama global de la France libérée, de préparer une ouverture pour plus tard, d'organiser le socialisme dans la liberté qu'il faudra mettre au pouvoir une fois que le fascisme aura été vaincu... La fin de la guerre ? Sartre l'imagine à courte échéance. « Bizarrement, constate Dominique Desanti, puisque lui, l'homme d'une certaine maturité, faisait preuve de plus d'optimisme que nous, les plus jeunes, de dix ans ses cadets [10]. »

« Hitler déporte nos hommes, écrit un jour Sartre, c'est un état de fait dont nous ne pouvons nous accommoder. Si nous acceptons le régime de Vichy, nous ne sommes pas des hommes : aucune compromission n'est possible avec les collaborateurs. Car il s'agit, dès maintenant, de construire une société où la revendication de liberté ne sera pas un vain mot... » A sa machine à écrire, Dominique Desanti achève de taper le texte sur un stencil. Puis l'apporte à Chazelas et Marrot qui opèrent dans les sous-sols de l'École normale. Le caveau 50, c'est leur domaine clandestin : entre des caisses entassées et des instruments de physique, au milieu d'un bric-à-brac poussiéreux et sombre, ils ont installé leur matériel d'imprimerie. Vieille ronéo avec encre et stencils qu'on tourne à la main, blocs de papier volés au labo de physique, bouteilles d'encre et d'essence, tournevis et marteau pour les jours de panne... Ce jour-là, pendant la séance d'impression, la porte s'ouvre : « Qui est là ? » hurle une voix hystérique. Instantanément, Chazelas reconnaît Uchamp, l'intendant de l'École, un « collabo notoire », et se précipite sur l'ampoule électrique pour l'enlever. Quelques secondes de panique au cours desquelles Marrot lui susurre à l'oreille : « Tu n'as qu'une solution, maintenant, le tuer! » Scène à la Melville autour d'un texte de Sartre. Quand, brusquement, dans l'escalier, une voix, un miracle : « Monsieur Uchamp, monsieur Uchamp, vite, vite, un coup de fil pour vous, c'est très urgent... » La secrétaire de l'intendant collabo venait de sauver notre équipe d'un très mauvais pas. « Ce long discours sartrien de trois pages sur la liberté, soupire quarante-deux années plus tard Georges Chazelas, m'a fait passer par des rages épouvantables. C'était vraiment là une mauvaise plaisanterie que de nous mettre dans des situations pareilles pour des textes de ce genre... La liberté, les autres, ce n'est pas à coups de tracts philosophiques qu'ils la sentaient passer, mais bien à coups de botte dans le train [11]. »

Va-et-vient cocasses, situations rocambolesques, excès burlesques, les aventures et autres déboires du groupe ont parfois, de loin, l'apparence chaotique des péripéties d'une bande dessinée à épisodes. Qu'on en juge : Bost et Pouillon, embarrassés par la machine ronéo installée dans le salon de Mme Pouillon mère à Saint-Mandé, et qui commence à faire des taches sur la moquette : pourquoi ne l'installerait-on pas à l'extérieur, dans le jardin, par exemple? Et voilà les deux amis havrais, tournant la manivelle au soleil éclatant de ce printemps 1941 et rassemblant en plein air, au grand public, les paquets de tracts rigoureusement clandestins qu'ils venaient de sortir de la machine, dégoulinant d'encre... Un autre jour, en arrivant au rendez-vous de La Coupole, Pouillon se tourne et se retourne : sa serviette? Qu'en a-t-il fait? L'a-t-il posée sous son siège, en arrivant au café? Ou bien est-il arrivé les mains vides? Et si je l'avais oubliée dans le métro? Quelle catastrophe! Tout y est : copies d'élèves, noms, adresses, téléphones des copains, et surtout LE paquet de tracts à distribuer! Panique générale... jusqu'au lendemain... où l'objet fut retrouvé, intact, sur les étagères du bienveillant service des objets trouvés, rue des Morillons [12]... Une autre fois, encore, c'est Georges Chazelas qui tourne la ronéo chez le grand-père d'un ami, rue du Ranelagh. Car l'écrivain François Coppée a accepté d'héberger Pierre Strauss, son petit-fils, étudiant en médecine, et ses copains, pour un après-midi. Soudain, coup de sonnette : c'est la Gestapo, qui vient chercher les livres du grand-père... On s'assoit en catastrophe, qui sur la ronéo, qui sur les stencils humides, Strauss se précipite dans la cheminée pour y brûler les tracts compromettants, mais il ne parvient qu'à la défoncer [13]... Autant de scènes d'équilibriste où le danger de l'action clandestine menace le moindre geste. Danger qui, parfois, peut coûter très, très cher. Le 15 juin 1941, par exemple, au sortir d'une nuit de travail à la ronéo du caveau 50, Georges Chazelas, épuisé par une nuit blanche, s'en va coller des affiches sur les murs de la fac de médecine : appel au sabotage par bombes et grenades. Il est arrêté à six heures du matin, il restera prisonnier à la Santé pendant six mois pour avoir collé des tracts sur les murs de l'université.

Dans les frayeurs, les improvisations, les numéros d'équilibriste, le groupe croît et se développe. En juin 1941, ils sont déjà une cinquantaine, professeurs, étudiants en lettres, sciences ou médecine, ingénieurs, à travailler pour « Socialisme et Liberté ». Comment éviter les risques? Comment présenter à la police le front d'attaque le plus solide? Dorénavant, les réunions se tiendront par « cellule ». Une cellule, formée de cinq membres, chaque membre de chaque cellule ayant pour tâche de créer une nouvelle cellule, elle aussi formée de cinq membres, et ainsi de suite... Prosélytisme efficace et, de réunion en réunion, d'hôtel Égypte en jardin du Luxembourg, les projets se précisent, les fonctions se diversifient, les points de vue se multiplient, les discussions, parfois, s'enveniment.

Marrot est anarchiste, Merleau-Ponty déjà marxiste, Sartre proudhonien et résolument anticommuniste, Rigal est trotskiste... Malgré tout, les prises de parole de Sartre ne restent jamais sectaires, et il juge « indispensable » de laisser les marxistes s'exprimer. « Il roula le faux tabac dont l'herbe échevelée s'obstinait à percer le papier, raconte Desanti, colla sa cigarette, et inaugura l'ère du dialogue, du multilogue, qu'il poursui[vra longtemps] : " Bon. L'éditorial sera rédigé une fois sur deux par un marxiste et la fois suivante par un non-marxiste. " Décision qui devait amener, bien entendu, un affrontement perpétuel, et qui eût sans doute été banalement libéral pour une revue de paix. Dans cette chambre à la fenêtre close sur les oreilles, peut-être ennemies, des passants, Sartre avait jeté un pont sur ce qui devait devenir sa lutte. Ce refus de l'antimarxisme et même de l'anticommunisme devait, plus tard, l'opposer à Camus. Ce parti pris de tolérance qui résiste aux insultes des communistes, cette volonté de ne pas " décoller " des organisations d'avant-garde, étaient déjà inscrits dans la matinée du Quartier latin de 1941 [14]. » Louvoiements en effet difficiles à une époque où les militants communistes ont tant de mal à décoder les directives parfois antagonistes qui leur parviennent. « Nous tendons une main fraternelle à tous les Français de bonne volonté », dit le manifeste-programme, tandis que *L'Humanité* clandestine du 20 juin 1941 crie haro sur les gaullistes et leur mouvement « réactionnaire et colonialiste [15] ». Divergences idéologiques, bien sûr accompagnées de leurs divergences tactiques. Longues discussions entre les plus radicaux, les partisans inconditionnels de l'attentat et de l'action directe comme Marrot, « Touki » Desanti, Chazelas, et les autres. « Si l'on voit passer un train de munitions allemand, on le fait sauter, disent-ils gravement. Et pourquoi ne pas commencer par un attentat contre la librairie allemande " Rive gauche " sur le boulevard Saint-Michel [16]? » Ou encore : « Il faudrait parvenir à repérer les positions et les déploiements des unités d'aviation allemandes, pour les contrer par des opérations de sabotage [17]. » Un autre jour, c'est la cellule de Péron qui propose « de reconstituer le plan détaillé des usines Renault pour cerner les points à bombarder, les points à éviter [18] ». Les femmes, aussi, s'en mêlent, pour des opérations ponctuelles contrôlées : « C'est Debout ou c'est moi qui doit casser la tête à Brasillach [19]? » demande Simone de Beauvoir, le jour où l'on apprend la composition du train d'écrivains français pour le premier voyage à Weimar. Plus réaliste, Dominique Desanti soulève un jour la question : « Doit-on, oui ou non, distribuer nos tracts aux soldats allemands? Car il y a loin entre un Allemand et un nazi. » Seul Sartre la soutient, et la proposition s'enlise. Un peu plus tard, à son tour, Merleau-Ponty reviendra sur le problème. « Et si l'occupation allemande durait longtemps? Trente ans, quarante ans, par exemple, s'inquiète-t-il un jour auprès de Raoul Lévy. Il faudrait que je me décide à écrire des articles pour les approcher, les convaincre, les démobiliser peut-être [20]. » Jusqu'où n'iront-ils pas? Tanks et armes lourdes serviraient même à une opération commando, pour libérer un village occupé. « Sais-tu fabriquer une bombe? demande alors Pouillon à Bost, on pourrait peut-être apprendre la technique... Quelques mois plus tard, on parlera déjà de " boîtes à sardines ". »

Juin 1941, les braves petits soldats de « Socialisme et Liberté » se dépensent tant et plus. Bientôt le groupe ressemble à une fourmilière où chacun a sa place, son poste de travail : têtes pensantes qui rédigent les textes et se disputent les éditos; militants qui tapent, impriment et diffusent. Collent les affiches, enfournent les tracts dans les boîtes aux lettres, cherchent à repérer des informations clandestines. Aussi ont-ils souvent recours aux services d'un périphérique, comme Jean Rabaut ou comme David Rousset qui, depuis le ministère de l'Intérieur où il est chargé d'une revue de presse internationale, accède directement aux informations radio en toutes langues. « Malheureusement, sourit Simone Debout, les événements qu'ils nous avaient annoncés comme imminents pour les quinze jours à venir se sont souvent révélés inexacts [21]. » Plus clandestines, plus graves, les relations entretenues par Sartre avec Jean Cavaillès, le grand intellectuel résistant qui sera fusillé. « Aujourd'hui, je te demande la plus grande prudence », confie mystérieusement Sartre à Raoul Lévy avant de l'entraîner vers la rue du Val-de-Grâce, à l'hôtel des Terrasses, où habite Cavaillès. Sartre et Cavaillès, deux normaliens, deux philosophes, deux germanistes, deux protestants, deux initiés « sur le terrain » à l'Allemagne de Weimar. Mais, au fond, deux modèles opposés d'intellectuels face à l'action politique. Dans les mois à venir, on en aura la preuve. Pour l'heure, qu'observe donc cet étudiant de vingt ans qu'est Raoul Lévy? Un Cavaillès, grave et autoritaire; face à lui, un Sartre dévoué, admiratif, « presque petit garçon ». Lévy sera ainsi chargé de représenter le « groupe Sartre » auprès de Cavaillès : transmission d'informations et de messages secrets, par exemple. « En fait, je n'ai eu à faire ce travail qu'une seule fois, raconte aujourd'hui Raoul Lévy; j'en avais honte, tant les nouvelles que j'avais à transmettre me semblaient ridicules... » Car, sur le papier que lui tendait Lévy, Cavaillès put trouver deux informations. La première : enquête « avec statistiques » sur la lecture des journaux pro-allemands en zone occupée. Mais les informations y figuraient sous forme de chiffres à trois décimales... Et Raoul Lévy de penser aux travaux mathématiques de Cavaillès, à la disproportion de son geste, à la valeur scientifique de cette « enquête », pour laquelle on avait dû, au maximum, interroger une quinzaine de personnes! Deuxième information : présence de chars allemands en forêt de Rambouillet, après observation d'une grande mobilité de véhicules. D'où l'on concluait à la nécessité d'un bombardement britannique sur ces emplacements-là [22]. Les messages du groupe Sartre à la résistance active de Cavaillès : ou la contribution artisanale, amateuriste des apprentis aux véritables professionnels.

Avant la coupure de l'été, on décide de faire le point. Les deux « ténors » du groupe, Sartre et Merleau-Ponty, rédigeront chacun un texte, pour préserver l'alternance idéologique. Première fonction urgente de ces documents : tenter de diffuser les idées de « Socialisme et Liberté », essayer de rallier au mouvement d'autres intellectuels, d'autres groupes de résistance, qu'on imagine nombreux et sporadiques. Merleau-Ponty propose un texte d'une vingtaine de pages, Sartre à son tour achève le sien... une véritable constitution pour la France de l'après-guerre, en plus de cent pages serrées! « Une profession de foi », témoigne Simone Debout qui lit et relit les deux documents qu'elle transporte en zone sud, avant de les détruire dans les toilettes du train, dans la peur d'une fouille. « Sartre y exposait, poursuit-elle, un programme pour l'État futur, en se référant à des idées massivement proudhoniennes et terriblement anachroniques. Il faisait preuve, déjà, de cette grande virtuosité verbale pour laquelle nous l'admirions tant, et qu'il était le seul d'entre nous à posséder : d'ailleurs nous avions tous lu *La Nausée,* et nous avions conscience de cette carrure d'homme de lettres que déjà il possédait. » « Sa première tentative d'expression éthico-politique, ajoute Jean-Toussaint Desanti : selon lui, notre action immédiate n'aurait eu aucun sens si l'on n'avait pas élaboré simultanément une perspective politique, sociale et éthique à longue échéance, pour une France libérée de l'entrave nazie [23]. »

Comment, aujourd'hui, appréhender au plus juste ce premier document politique de Sartre, dont les dix exemplaires semblent tous, à l'heure qu'il est, complètement disparus? Comment analyser les vestiges de cette véritable constitution, comment prendre le poids des 110 à 120 articles qui embrassaient, dit-on, toutes les structures de l'État, l'économie, ou le statut des citoyens juifs inclus? On allait désormais, avait-il proposé à la suite de ses récentes lectures de Marx, créer une monnaie fondée sur le travail. Qui permettrait d'estimer la valeur d'un objet au nombre d'heures de travail nécessaires à sa fabrication. On allait également, y proposait-il, inventer un nouveau parlement, où les différentes chambres de métiers et autres corporations professionnelles se trouveraient démocratiquement représentées. Suivait une description minutieuse du pouvoir judiciaire, totalement indépendant du pouvoir exécutif, des propositions nouvelles pour une formule différente de service militaire, les principes élaborés d'une ligne politique aboutie en matière de politique étrangère... Les réactions des différents témoins, les vestiges de leur mémoire nous tiennent lieu d'information : Raoul Lévy, par exemple, éprouvait encore à l'époque une « immense admiration pour Sartre »; pourtant la lecture de cette constitution de bout en bout lui fit l'effet d'un « projet électoral vraiment bouffon [24] ».

Cette première contribution de Sartre à la pratique politique contient-elle déjà en germe certaines de ses positions à venir? On remarquera la tentation de s'enfoncer immédiatement dans un projet politique d'action concrète sur le monde. « Sartre pensait déjà, explique Jean-Toussaint Desanti, que lorsque l'on posait les prémisses idéologiques et éthiques d'un mouvement de ce type, lorsque l'on formait un projet de développement politique pour un temps donné, on procédait à une action qui avait déjà atteint son but. Mais insérer ces réflexions dans une véritable pratique politique dont il fallait, au jour le jour, contrôler les modalités, cela représentait pour lui une difficulté dont il ne prenait pas la mesure exacte, et pour laquelle, d'ailleurs, il n'avait aucun intérêt particulier [25]. » On remarquera, toutefois, la minutie extrême de certains détails : un article entier consacré au régime des enseignants dans la France de l'après-guerre. Qui prévoyait même les conditions d'obtention des congés sabbatiques pour travaux personnels ou autres programmes de recherche. Mais comment, surtout, et malgré l'état délabré de la mosaïque brisée dont nous disposons, ne pas retrouver dans ce texte la prolongation des discours du Sartre prisonnier? Comment ne pas y déceler le Sartre proudhonien, saint-simonien ou encore fouriériste dont parle l'abbé Perrin? Ne pas y percevoir certaines lignes de force qui réapparaîtront plus tard, et où l'on lit en transparence certaines traditions d'une gauche française, de ce courant que l'on pourrait assimiler, faute de mieux, à celui de l'anarchisme syndical?

Télégramme : le 21 août 1941. Centre démobilisation départemental Bourg à ministère de l'Éducation nationale et direction de l'enseignement Vichy : « Faire connaître urgence par télégramme si Sartre Jean né le 21 juin 1905 a déjà été démobilisé et à quelle date ceci en vue démobilisation éventuelle Sartre est professeur lycée Pasteur Neuilly. »

Télégramme : le 22 août 1941. Secrétariat d'État à l'Éducation nationale et à la Jeunesse Vichy à secrétariat Éducation Paris : « Sartre professeur lycée Pasteur est-il à son poste Réponse télégraphique. »

Télégramme : le 23 août 1941. Secrétariat d'état Éducation nationale Paris à secrétariat Éducation nationale Vichy : « Sartre professeur philosophie lycée Pasteur ex-prisonnier de guerre libéré est présent à son poste Stop [26]. »

Valse des messages entre Bourg-en-Bresse, Vichy et Paris pour officialiser la démobilisation du professeur de philosophie. Qui, loin de ce cérémonial, loin de sa carrière pédagogique, s'affaire considérablement en cet été 1941. Car le « C.C. du groupe Sartre » – ainsi l'appellent ironiquement les amis de Simone Debout – décide qu'il ira en zone sud, chercher, rencontrer, convaincre des écrivains renommés, comme Gide et Malraux, pour tenter d'étendre la portée de « Socialisme et Liberté ». Ces vacances seront sa longue marche, la plus longue marche de sa vie...

« On avait le droit d'envoyer des colis d'une zone à l'autre; nous expédiâmes vélos et bagages à Roanne... Et nous prîmes un billet pour Montceau-les-Mines : on nous avait donné l'adresse d'un café où nous trouverions un passeur... » Simone de Beauvoir, qui accompagne Sartre dans ce voyage, raconte. « A peine sortions-nous de la ville, la roue avant de Sartre s'aplatit. Je ne comprends pas comment je m'étais embarquée dans cette aventure sans avoir appris à réparer, mais le fait est que je ne savais pas... Il y avait des années que Sartre n'avait pas fait de long trajet à bicyclette et, au bout de quarante kilomètres, il était très mal en point [27]. » Deux Parisiens à vélo sur les routes cahotantes de la

France libre : Roanne, Bourg, Lyon, Saint-Étienne, Lyon, Le Puy, les Cévennes, Montélimar, Arles, Marseille, Grasse, Grenoble, Auxerre... quelle équipée! Deux mois d'efforts physiques inhabituels, de nuits sous la tente, de vacances parsemées d'accidents à vélo ou de rencontres politiques. « Sartre préférait de loin la bicyclette à la marche dont la monotonie l'ennuyait... Il s'amusait à sprinter dans les côtes...; en plat, il pédalait avec tant d'indolence que deux ou trois fois il atterrit dans le fossé. " Je pensais à autre chose ", me dit-il [28]. » Marionnettes mal manœuvrées, ils poursuivent leur chemin maladroit, bringuebalés dans des secousses brutales, inaptes au moindre geste technique, ils trébuchent, s'effondrent, se blessent, ne se relèvent que pour retomber. Tout leur est devenu hostile : rencontre cinglante avec la réalité de ces enfants gâtés, en train de sortir de leur bulle protectrice.

« C'était un exploit que d'arriver jusqu'à chez nous à vélo, explique Mme Pierre Kaan : nous habitions un petit village, Saint-Étienne-de-Lugdarès, dans une montagne escarpée au croisement de trois départements, le Gard, la Lozère et la Haute-Loire [29]. » Sartre était depuis l'École normale un ami des deux frères philosophes Pierre et André Kaan : ce dernier avait été un temps communiste et allait développer un des plus solides réseaux de résistance dans le centre de la France. D'où cette rencontre avec Sartre, vraisemblablement conseillée par Jean Cavaillès. Pour l'heure, Sartre montre à Kaan son projet de constitution et lui détaille les activités de « Socialisme et Liberté ». Kaan parle de son expérience d'enseignant au lycée de Montluçon, de ses contacts avec les communistes de la zone libre. « Sous un pin cévenol, j'ai entendu là, raconte Marie Kaan, l'une des plus belles leçons de Sartre, une sorte d'improvisation sur le rôle des syndicats dans la France libérée [30]. » Et les deux hommes d'imaginer ce qui pourrait naître de l'union de la résistance : un parti de gauche, nouveau et original, qui respecterait la liberté de l'individu... Une nuit chez les Kaan, puis c'est le départ vers le sud.

Marseille, août 1941. Dans un bureau de poste, Jean Rabaut, qui avait travaillé avec les trotskistes périphériques de « Socialisme et Liberté », rencontre Sartre et Beauvoir : « Sartre, une lanterne à la main, raconte-t-il, cherchait des hommes pour faire de la résistance. Laquelle? Il n'en était pas très sûr... Mais il cherchait des contacts. Il avait vu, ou allait voir le socialiste Daniel Mayer qui gagnait sa vie à Marseille [31]. » « Avait-il quelques directives à suggérer à notre groupe, quelques tâches à lui proposer? écrit Simone de Beauvoir. Daniel Mayer demanda que nous adressions une lettre à Léon Blum pour son anniversaire. Sartre le quitta, déçu [32]. » Plus tard, Mayer expliquera qu'il avait ainsi réagi dans le but exprès de tester Sartre, qui n'avait jusqu'alors aucun passé politique. « Sartre avait écrit sur la liste André Gide, poursuit sa compagne, et griffonné à côté de son nom une adresse indéchiffrable : Caloris? Valoris? Ce devait être Vallauris... Nous allâmes à la mairie demander où logeait André Gide. " M. Gide, le photographe? " s'enquit l'employé. Il n'en connaissait aucun autre... Je cherchai sur la carte Michelin... et la lumière jaillit : Cabris [33]. » Gide avait quitté Cabris pour Grasse, et c'est au café que le philosophe militant rencontre l'esthète octogénaire. Deux ans auparavant, n'était-ce pas Gide qui avait prié Adrienne Monnier d'organiser un dîner pour être présenté à l'auteur du *Mur* [34]? Sartre avait peu après accepté la proposition de Paulhan qui lui demandait un texte pour un « Hommage à Gide » dans un numéro spécial de la *N.R.F.*, qui devait sortir en novembre 1939. « J'aimerais écrire quelque chose sur son journal... A moins que vous ne préfériez (mais ça ne m'intéresserait pas autant) que je traite de Gide " expérimentateur du roman [35] ". » Mais la mobilisation avait arrêté net les élans de la critique sartrienne.

Rien ne parvint à convaincre Gide, et Sartre n'insista pas. « Hélas, je doute que la France ait en elle de quoi remonter la sinistre pente, avait confié Gide à son journal intime le 6 mai 1941... La collaboration avec l'Allemagne me paraît acceptable, souhaitable même, si j'étais sûr qu'elle fût honnête. Même je vais jusqu'à croire préférable pour un temps la sujétion allemande, avec ses pénibles humiliations, moins préjudiciable pour nous que la discipline que nous propose aujourd'hui Vichy [36]. » Aurait-il fallu plaider auprès du vieil humaniste que désormais depuis la fin juin l'U.R.S.S. était en guerre, ce qui rendrait le combat commun avec les communistes plus aisé? Aurait-il pu accrocher à l'activisme de Sartre, ce Gide qui écrivait juste avant cette visite, faisant écho à l'esthétisme parisien d'Ernst Jünger : « On ne peut imaginer vue plus belle que celle dont je jouis, à toute heure du jour, de la fenêtre de ma chambre au Grand Hôtel. La ville de Grasse, en face de moi, dominée par la cathédrale, dont la tour coupe la ligne des lointaines montagnes, le désordre harmonieux des maisons qui s'étagent dans le dévalement jusqu'au ravin profond qui me sépare de la ville. Tandis que j'écris ces lignes, le soleil achève sa course et, avant de disparaître derrière les hauteurs de Cabris, inonde d'une ineffable blondeur les murs, les toits, toute la ville... Recommencer ma vie? Je tâcherais tout de même d'y mettre un peu plus d'aventure [37]. » Assurément, ce n'était pas encore le moment de l'aventure : Sartre ne trouva qu'un écrivain stagnant en dehors de l'action, perdu sur une autre planète. « Sartre lui dit qu'il avait rendez-vous le lendemain avec Malraux. " Eh bien, dit Gide en le quittant, je vous souhaite un bon Malraux [38]. " » Puis il se met à sa table et écrit à Roger Martin du Gard : « Je ne sais pas ce que donnera [la rencontre Sartre-Malraux], car Malraux n'aime pas du tout la littérature de Sartre. Mais Sartre est averti [39]. »

Près de Saint-Jean-Cap-Ferrat, au Cap-d'Ail, dans la villa Les Camélias, vivent André Malraux, sa nouvelle compagne Josette Clotis et leur bébé. « Ils déjeunèrent d'un poulet grillé à l'américaine, fastueusement servi, raconte encore Beauvoir. Malraux écouta Sartre avec politesse, mais, pour l'instant, aucune action ne lui paraissait efficace : il comptait sur les tanks russes, sur les avions américains pour gagner la guerre [40]. » Malraux expliquera plus tard que, dès juin 1940, il était prêt à gagner Londres, qu'il l'avait fait savoir par un message qui n'était jamais arrivé [41]. Ce n'est que près de trois ans plus tard, au début 1944, que Malraux prendra une part active à la résistance. Pour l'heure, il passe ses journées au soleil en famille, avec ce bébé dont le parrain n'est autre que Drieu La Rochelle, dont la visite a précédé de trois mois celle de Sartre. Drieu, pour lequel Malraux vient d'intervenir auprès de Gide, Drieu qui prépare ses bagages pour son départ à Weimar prévu pour le mois d'octobre... Telles sont les rencontres croisées des hommes de lettres de l'écurie Gallimard en zone libre. Au moment où la résistance s'organise, au moment où est créé par d'Astier de La Vigerie *Libération* en zone sud, au moment où les jeunes étudiants de *Défense de la France* raffinent leur apprentissage de la clandestinité à Paris, les hommes de lettres parisiens en cette fin d'été 1941 ferment la porte à Sartre et admirent les couchers de soleil méditerranéens.

Repassant par Grenoble, déçus, Sartre et Beauvoir arrivant chez Colette Audry racontent que Malraux justifie son refus par le fait que la France n'est déjà plus dans le coup. Ou bien, peut-être, parce qu'il ne souhaite pas devenir un héros obscur, suggèrent-ils discrètement [42]. Simone Debout les y rencontre également. « Ce que nous faisons n'intéresse pas Malraux, dit Sartre de sa voix métallique, et de toute façon, il nous aurait été impossible de nous entendre tous les deux ; il faut un seul chef [43]... » De retour à Paris, Sartre raconte ces échecs successifs aux Desanti, qui voient revenir tout penaud le « prestigieux envoyé », encore si optimiste quelques mois plus tôt.

Avec les échecs à développer le mouvement en province, avec les refus des différentes personnalités contactées en zone sud, avec surtout les arrestations de deux camarades, le groupe « Socialisme et Liberté » traînera en cahotant sa vie fragile jusque vers la fin 1941, parfois encore quelques mois selon les cellules. Tombant, comme tant de mouvements sporadiques de la première heure, faute d'être soutenu par une institution organisée. « Méfiez-vous de Sartre, c'est un agent allemand », telle était une des calomnies que les communistes faisaient, en zone sud, circuler contre le ténor du groupe. On « apprit » aussi qu'il avait été libéré du camp de prisonniers grâce à l'intervention directe de Drieu La Rochelle, qu'il était un suppôt du national-socialisme, comme son maître Heidegger... Comment, dans ces conditions, aurait-il pu se joindre à eux? Lui qui devenait, en cette période de grande paranoïa communiste, le bouc émissaire idéal, puisque ami d'enfance de Nizan, il devait, lui aussi, être un peu espion quelque part...

« La résistance, expliquera Sartre plus tard, impliquait des normes importantes et rigoureuses, comme le travail en secret ou des missions particulièrement dangereuses, mais dont le sens profond était la construction d'une autre société qui devait être libre; par conséquent, la liberté de l'individu avait pour idéal la société libre pour laquelle il luttait [43]. » A son tour, Simone de Beauvoir évoque les interminables discussions dans lesquelles elle s'engagea avec Sartre avant la mort physique du groupe. « A vrai dire, constate-t-elle, il discutait avec lui-même, car nous étions du même avis : se trouver responsable, par pure obstination, de la mort de quelqu'un, on ne doit pas commodément se le pardonner. Ce projet, longtemps caressé au Stalag, et pour lequel pendant des semaines il s'était joyeusement dépensé, il coûta à Sartre d'y renoncer; il l'abandonna pourtant, à son cœur défendant [44]. »

Dans le bilan de l'échec, quel élément privilégier? L'inefficacité du groupe, son inexpérience et sa fragilité? Sa légèreté et son impuissance face à la montée des deux grandes organisations de la résistance, la gaulliste et la communiste? Les défections internes? Le refus de continuer à courir des risques absurdes? Les violentes attaques communistes? La torpeur grandiose des écrivains et autres esthètes pressentis pour grossir les rangs? Yvonne Picart sera arrêtée, déportée et ne reviendra jamais de Drancy. Et Alfred Péron? Il disparut et mourut vraisemblablement en déportation. Il y aura encore quelques alertes dangereuses : à l'École normale, par exemple, où Simone Debout devra transporter d'urgence, avec Jacques Merleau-Ponty, des paquets de tracts sur les toits. Elle sera encore envoyée comme « agent de liaison » faire le tour de tous les groupes de Paris et en reviendra déçue : « Ils étaient tous très honnêtes, dit-elle aujourd'hui, mais aussi peu sérieux, aussi peu révolutionnaires que possible. Je les ai quittés après cette mission pour retourner travailler auprès des communistes, infiniment mieux organisés [45]. » En octobre, il y aura à la Closerie des Lilas une rencontre entre la famille Sartre et Jean Cavaillès. « Mais, dit à son tour Pouillon, nous n'étions pas des maquisards à Paris, juste un groupe d'amis d'accord entre eux pour être antinazis, et pour le communiquer anonymement aux autres. D'ailleurs, poursuit-il, au moment où les mouvements de résistance commençaient à se structurer, un groupe comme le nôtre, isolé, sans contact extérieur, ne pouvait pas tenir le coup. Et puis l'intérêt de nos tracts n'était-il pas davantage dans leur existence que dans leur contenu [46] ? »

Lentement, les tensions et pressions diverses auxquelles le petit groupe est soumis vont achever et démolir ce pauvre radeau frêle. Tensions internes, d'abord, puisque, selon Raoul Lévy, on était vraiment en présence d'une frange oppositionnelle au sein de « Socialisme et Liberté ». « Il paraît que vous critiquez beaucoup ? » demande un jour à Lévy Maurice Merleau-Ponty, qui se plaint également de certains ridicules du groupe. « A part cela des naïfs, écrira-t-il bien des années après, née dans l'enthousiasme, notre petite unité prit la fièvre et mourut un an plus tard, faute de savoir que faire [47]. » En effet, à partir de juin 1941, après l'entrée en guerre de l'U.R.S.S. et la mobilisation active des communistes français, il leur était bien difficile de s'imposer. D'autant que le groupe Sartre manifesta toujours une volonté délibérée de se constituer en « troisième voie », entre deux machineries puissantes de résistance : les gaullistes d'une part, les communistes de l'autre. Deux organisations structurées et fortes dans leur potentiel idéologique et leurs réseaux humains. Au printemps 1941, Lévy avait été chargé de deux missions pour lesquelles on avait recommandé la plus extrême prudence : contacts avec des trotskistes d'une part, avec des communistes de l'autre. Les trotskistes avaient déjà prédit l'imminence de l'entrée en guerre de l'U.R.S.S. Les communistes avaient souhaité recevoir des informations purement quantitatives sur le groupe... Ces deux rencontres n'avaient été suivies d'aucun projet commun [48]. Et « Socialisme et Liberté » sera balayé par les vents de la résistance active, courants politiques contraires soudés ponctuellement dans des stratégies politiques à court terme. Sartre, à ce moment-là, ne travaillera ni avec les communistes, ni d'ailleurs avec les gaullistes. Contrairement à tous les autres membres de « Socialisme et Liberté », qui vont basculer dans les rangs du P.C.F. Donnée importante dans sa trajectoire politique, cette non-alliance a un sens. Il conviendra de s'en souvenir plus tard, au moment où Sartre sera uniformément accusé de jouer le rôle de « fourrier des communistes ».

La plupart des anciens de « Socialisme et Liberté » passèrent la fin de la guerre en zone libre, résistant activement, le plus souvent aux côtés du P.C.F. Interrogés sur le changement de stratégie décidé par Sartre après cet échec, tous se déclarèrent d'accord sur un point : le petit homme a réagi avec réalisme, adoptant, en la circonstance, l'attitude la plus sage possible dans le sens du combat le plus adéquat à ses propres outils. De fait, les tentatives de rallier Malraux ou Gide étaient sans doute prématurées en cet été 1941. Les groupes à venir encore trop éclatés. Le petit mouvement de « Socialisme et Liberté » et son projet de « troisième voie » ne pouvaient survivre en une période où la plupart des écrivains isolés préféraient – contrairement à Sartre – l'attentisme passif au plongeon dans l'action immédiate. Coincé dans le grand vide, entre gaullistes et communistes, persévérant et tenace, fidèle à cette troisième voie dont il ne veut pas démordre, Sartre se battra, mais autrement. Combat non pas politique à proprement parler, mais idéologique. Renonçant définitivement à l'action directe. S'écartant lui-même des grands courants de la résistance. Premier mouvement, premier recul. Les communistes ne lui pardonneront jamais ce premier rendez-vous manqué avec la politique. Peut-être parce que, engagé bien avant eux, il n'avait eu à attendre les atermoiements et directives d'aucun parti pour laisser libre cours à sa haine des nazis...

C'est la bascule, pensent les Desanti, au moment de l'entrée en guerre de l'U.R.S.S. Aujourd'hui, ils ajoutent : Nous étions déjà mûrs pour le P.C. » Ils adhéreront en 1943, après être passés en zone libre, où ils deviendront des résistants actifs. Ils s'éloignent de « Socialisme et Liberté », considérant que Sartre s'est « perdu dans les sables de l'action, puisque n'ayant ni préparation, ni compétence, ni moyens pour réaliser le projet clandestin qu'il s'était fixé [49] ». Georges Chazelas adhérera également au Parti communiste à son arrivée à Montluçon en 1942, deviendra responsable militaire de la résistance pour le département de l'Allier et terminera la guerre en libérant Moulins et Vichy, avec dix mille hommes sous ses ordres. Amèrement, il se penche maintenant sur leurs mois de clandestinité parisienne : « Cela n'a pas contribué à me faire prendre au sérieux les intellectuels. Sartre avait pour lui un potentiel énorme : un nom déjà célèbre, des gens qui le suivaient, mais il n'a pas su mettre en route ces gens, alors qu'il était mieux placé que d'autres pour le faire. Depuis le début, ils m'avaient semblé puérils : ils ne se rendaient jamais compte par exemple à quel point leurs bavardages mettaient en cause le boulot fait par les autres... Et, conclut-il, s'ils avaient appris à l'Université certaines techniques de raisonnement, en tout cas, devant l'action politique, je vous promets qu'ils ne savaient pas réfléchir. De plus, Sartre n'était absolument pas fait pour ce genre de travail clandestin, ce qu'il a d'ailleurs fort justement compris à la fin [50]. »

Raoul Lévy vivra en zone sud, jusqu'à la fin de la guerre, choisissant de passer la ligne de démarcation au plus fort des lois raciales, au moment de l'obligation du port de l'étoile jaune. Il quittera Paris en juin 1942, après que Sartre lui eut confié une sorte de ligne de réflexion pour le groupe, mi-analyse politique, mi-devoir de vacances. Sujet : « L'État chez Hegel. » Lévy ne fera pas ce travail, ne reviendra à Paris pendant la fin de la guerre que pour des visites ponctuelles, adhérera lui aussi au P.C. après la guerre, la même année que son camarade de Pasteur, Jean Kanapa. Le récit de cette expérience, Raoul Lévy nous le communique volontiers, mais d'une voix blanche et fort amère, convaincu que le projet était bien négatif, « un exutoire à la colère de chacun après lecture des journaux allemands, précise-t-il, un groupe de parlotes autour d'une tasse de thé ». Convaincu encore que Sartre était un analphabète en politique, incapable même de décrypter les journaux de l'époque. Convaincu enfin que les moteurs essentiels de l'engagement sartrien sont à chercher bien plutôt dans un « besoin philosophique d'intégrer l'Histoire à sa réflexion que dans un véritable intérêt spontané [51] ».

Libérés du pacte germano-soviétique, fin 1942, les communistes s'ouvriront à de larges alliances et, sortant de leur exil sectaire, chercheront les contacts. Alors, tout naturellement, et suivant leur mouvement de balancier, ils iront chercher Sartre, pour qu'il adhère au Comité national des écrivains et écrive dans *Les Lettres françaises* clandestines. Mais, avant cette date, Sartre est à leurs yeux un homme suspect. Suspect d'avoir été l'ami de Nizan – qui vient d'être traité de « chien pourri et de flic » par Maurice Thorez parce qu'il avait démissionné du P.C.F. –; suspect d'être un écrivain pessimiste, décadent, petit-bourgeois, ce dont *La Nausée* témoigne largement; suspect d'avoir été libéré de son camp de prisonniers avec la « charrette » des vichystes, dont Brasillach; suspect, comme l'affirment certains témoins, d'être « l'ami d'une demi-collabo [52] »... Conséquence globale de cette suspicion communiste contre Sartre : quand Jean Paulhan suggère à Jacques Decour de recruter Sartre pour *Les Lettres françaises,* celui-ci lui oppose un veto formel et absolu [53]. Cette scène a lieu dans les premiers jours de l'année 1942, avant que ne soit fusillé Jacques Decour. Sartre ne commencera à travailler avec eux qu'à partir du moment où ils ouvriront largement les portes à des alliances tous horizons, vers la fin de 1942. Mais malgré des moments ponctuels de complicité, les relations de Sartre avec les communistes français resteront toujours entachées d'une certaine duplicité. Entre eux, c'est une longue joute qui va durer quarante ans. Elle vient à peine de commencer.

On le voit, la conjoncture n'est propice ni à l'alliance ni à l'improvisation et Sartre aura, comme le dit Pouillon, la tristesse de constater qu'il n'est « ni un organisateur de mouvement, ni un homme d'appareil, mais un homme du coup par coup [54] ». Sartre va commettre une maladresse avant de s'éloigner de l'action clandestine : il accepte d'écrire un article pour *Comoedia*, l'hebdomadaire collaborationniste; selon Simone de Beauvoir, il aurait même accepté d'y tenir un éditorial régulier [55]. Et donc de participer à un journal qui, toutes les semaines, exhorte ses lecteurs à connaître l'Allemagne, à aimer les silhouettes germaniques de Kleist ou de Hölderlin, en d'autres termes, à accréditer la thèse selon laquelle la France va bien, la France s'amuse, la vie culturelle continue... Nulle trace de la guerre, nulle trace de l'oppression nazie. « Max Jacob est mort », annonce un jour un entrefilet de première page, sans la moindre précision annexe, sans l'évocation de la déportation de cet écrivain juif. Sartre accepta donc, à la demande de Delange, le rédacteur en chef de *Comoedia*, d'y faire la critique de *Moby Dick* de Herman Melville. Qui, malgré le faux pas, nous vaut une belle formule. « Personne, écrit-il, n'a senti plus fort que Hegel et que Melville que l'absolu est là, autour de nous, redoutable et familier, que nous pouvons le voir, blanc et poli comme un os de mouton, pour peu que nous écartions un peu les voiles multicolores dont nous l'avons recouvert [56]. »

Un an plus tard, à Paris, c'est la grande rafle de la population juive par la police française. Le jour où Jean-Toussaint Desanti décide de franchir le pas, de se lancer dans la lutte armée, aux côtés des communistes. Écoutons-le raconter : « Ils ne criaient pas, ce matin de 1942, les enfants juifs. Ils ne pleuraient pas. Ils attendaient simplement, entourés et gardés. Ils étaient là, c'est tout. Ils ne cherchaient aucun secours de ceux qui passaient. Et pourtant, je m'en souviens, je me disais tout en marchant : " Il va falloir que je récupère le Herstal dont j'ai fait cadeau à M. à la fin de l'année dernière. J'espère qu'il l'a bien graissé et bien caché... " C'était là ma réponse explicite et " pratique " [57]. »

DANS L'IMPASSE

« On leur donnerait de la merde, ils la boufferaient! » Un tablier bleu noué autour des reins, fourrageant dans son poêle à charbon, le propriétaire des lieux s'énerve. La veille, il s'était laissé livrer un ersatz de café puant, que tous les clients avaient avalé sans protester. Hiver 1941, sur le boulevard Saint-Germain, à main gauche en allant vers Saint-Michel, le café de Flore. Tables en acajou et miroirs au mur, chaises rouges et colonnes. Un décor banal aux proportions classiques. Mieux que quiconque, M. Boubal sait où trouver charbon, thé et tabac. Marché noir? Rien n'est vraiment sûr en cette période où règne la plus grande anarchie dans la distribution des marchandises et nourritures, selon les villes, les époques, les individus. Et la chaleur de son établissement fait de ce café l'un des plus recherchés du quartier. Assis près du poêle à charbon, mais tout de même revêtu d'un invraisemblable manteau de fausse fourrure, le petit homme écrit. Lunettes d'écaille rondes, pipe de bruyère banale, levant la tête par saccades, il travaille ici depuis trois heures. En arrivant, il a commandé un thé au lait qu'il a bu d'un seul coup. Depuis, plus rien. Parfois il bondit de sa chaise, se rue sur le mégot qu'on vient de jeter au sol; l'ouvre, en bourre sa pipe et le fume aussitôt. Quand il se tient debout, quelle drôle de silhouette dans ce manteau brun trop large et trop court; il devient un étrange petit bonhomme, trapu et rond, en mouvement perpétuel. Et peu importe si Boubal n'apprécie pas qu'on s'installe pour des heures en ne consommant qu'une seule fois. Un jour qu'on lui demandera à parler à M. Sartre par téléphone, étonné d'entendre répondre « Présent » par la petite boule de fourrure et d'encre, il deviendra plus aimable, on ne sait jamais [1]...

Le territoire de Sartre, pour son premier hiver allemand à Paris? Réduit à un triangle : Montparnasse, Passy, Saint-Lazare.

Montparnasse, c'est l'hôtel Mistral, triste et crasseux, entre l'avenue du Maine et la rue de la Gaîté. Et puis le café des Mousquetaires où il prend un «jus», le matin. Passy, c'est le domicile de M. et Mme Mancy: au 23, avenue de Lamballe, élégante artère qui descend en tournant vers la Seine depuis l'ancienne maison de Balzac, Sartre trouve une table accueillante et bourgeoise, servie par la gouvernante, qui passe son temps à faire les queues. Saint-Lazare, c'est le lycée Condorcet où il est nommé à la rentrée 1941. Entre ces trois points: Saint-Germain-des-Prés et le Flore, son quartier général. Ses rencontres? Réduites à la seule «famille»: Olga, Wanda, Bost, auxquels vient de s'ajouter Lise, une élève de Simone de Beauvoir au lycée Camille-Sée, qui a récemment quitté ses parents. Les traitements des deux fonctionnaires parviennent alors à peine à nourrir tout ce petit monde: 7 000 francs par mois pour deux, c'est large. 7 000 francs pour six, ça devient nettement insuffisant; vu que, même dans les restaurants de catégorie D, les mauvais plats coûtent de précieux bons d'alimentation. Simone de Beauvoir prend en main les rênes de cette économie de groupe: c'est elle qui centralisera les tickets d'alimentation, elle qui fera la cuisine. A côté de la chambre de Sartre, elle découvre, hôtel Mistral, une chambre avec cuisine: c'est l'aubaine! Acharnée, systématique, elle emploie toute son imagination à traquer les pistes annonçant qui un arrivage de corbeaux, qui des escalopes de poisson. Au menu du premier repas de la série: choucroute de navets arrosée de bouillon Kub! Et la cuisinière jubile. Dans cette chambre d'hôtel-salle à manger, «Sartre affirma, dit-elle, que ce n'était pas mauvais du tout. Il mangeait à peu près n'importe quoi, et à l'occasion se passait aisément de nourriture: j'étais moins stoïque [2]».

Ce petit monde se retrouve en fin d'après-midi chez M. Boubal. Anciens élèves devenus des intimes. Nouveaux élèves qui passent de temps en temps. Se saluant parfois sans se connaître, se respectant ou se rencontrant, selon des règles et des lois mystérieuses et occultes: duos, trios, quatuors... «Quand je causais avec Olga ou avec Lise, explique le Castor, quand Sartre sortait avec Wanda, quand Lise et Wanda parlaient ensemble, aucun d'entre nous n'aurait eu l'idée de s'asseoir à la table des deux autres. Les gens trouvaient ces mœurs saugrenues: elles nous paraissaient aller de soi [3].» Peu à peu, on lie connaissance avec des habitués qu'on retrouve tous les jours aux tables voisines: un certain Mouloudji, qui écrit des poèmes, et Lola, une rousse piquante. Vie au coude à coude, dans un espace ouvert à tous. Travail et amours vécus au grand jour, et que n'importe qui peut venir n'importe quand interrompre. Ni propriété privée, ni cloisonnement, ni secret: une vie sociale à nu, ou presque.

L'hiver 1941-1942 est rude. Un record de froid dans la capitale : de mémoire de Parisien, aucun hiver – à part le précédent – n'avait été si sévère. Et les restrictions en nourriture et en charbon qui fondaient de mois en mois! On était tombé à vingt grammes de viande par personne et par jour. Soixante-dix grammes de pommes de terre! Neige persistante sur les trottoirs pendant plusieurs semaines, congères et glace dans la rue, la vraie banquise dans la capitale : on avait d'abord considéré ces excès climatiques comme une des conséquences naturelles de l'invasion allemande, comme un élément d'une loi des séries, une catastrophe parmi d'autres, dans cette guerre brutale qui défigurait tout. Et puis le printemps était arrivé, la neige avait fondu et les blocs de glace qui s'effondraient des toits ajoutaient leurs menaces aux alertes fréquentes. Maintenant, on s'était un peu habitué au froid et aux Allemands, et on remarquait plus spécialement une autre donnée de ce temps qui marchait à l'envers et rendait la vie quotidienne poisseuse et ambiguë comme un rêve trop gluant dont on ne parvient pas à s'arracher. Les Allemands avaient donc imposé en France l'heure d'Europe centrale, et la nuit noire, décalée de deux heures, durait pendant l'hiver jusqu'à neuf heures du matin! Avec le couvre-feu parfois à six heures du soir, les nouvelles listes de restriction, les alertes qui forçaient aux abris souterrains ou aux stations de métro les plus proches, le territoire spatial et temporel de chaque individu continuait à fondre comme peau de chagrin.

Privations d'un côté, invasions de l'autre : il faut apprendre à manipuler son nouveau portefeuille qui comporte depuis deux ans tant de nouveaux papiers! L'Ausweis, nouvelle carte d'identité, avec son *« gultig bis zum... »,* sa validité en allemand bien sûr. Et puis les cartes d'achat : la carte de pain avec ses rations, délicatement baptisées « points », que seul le boulanger lui-même avait le droit de découper. La carte de viande avec ses bons elle aussi; la carte de charbon dont les petites cases devaient, elles, être poinçonnées par qui de droit comme pour jouer à la marelle; la carte de boucherie, celle des « produits à base de savon », la carte des textiles, etc. Coupons roses, coupons bleus, chaussures, tabac, boucherie, carburants auto, quelle valse dans les poches! Sans oublier qu'il faut tenir à jour ses inscriptions, se renseigner par la radio pour connaître les derniers arrivages de pissenlits, rutabagas ou lapins, choisir l'heure optimale pour éviter les bousculades et les interminables queues devant la boutique du crémier.

« Jamais nous n'avons été plus libres que sous l'occupation allemande. Nous avions perdu tous nos droits et d'abord celui de parler; on nous insultait en face chaque jour et il fallait nous taire... partout, sur les murs, dans les journaux, sur l'écran, nous retrouvions cet immonde visage que nos oppresseurs voulaient nous donner de nous-mêmes : à cause de tout cela nous étions libres. Puisque le venin nazi se glissait jusque dans notre pensée, chaque pensée juste était une conquête; puisqu'une police toute-puissante cherchait à nous contraindre au silence, chaque parole devenait précieuse comme une déclaration de principe; puisque nous étions traqués, chacun de nos gestes avait le poids d'un engagement [4]. » L'échec de son premier mouvement politique et la présence quotidienne de l'oppresseur nazi vont recharger Sartre comme une pile électrique. Des actes de conquête? Il en inventera trois fois plus qu'auparavant. Certains, échouant comme lui, auraient sombré, d'autres auraient cherché ailleurs. Lui, non. Bloc de haine contre l'occupant, bloc d'amour-propre dans sa détermination, le petit homme s'arc-boute. Son projet de constitution anarcho-syndicaliste ne rencontre aucune sanction du réel? Il l'empoche précipitamment et il cherche, non pas ailleurs mais en lui-même. Dans un mouvement centripète tournoyant et insensé, il se replie, il se ramasse, il creuse comme une taupe, aveugle et obstiné, sous le mur de l'impasse où il est coincé. La vie quotidienne à Paris sous l'occupation? Il en rendra compte plus tard, cédons-lui la parole.

« Il faut d'abord nous débarrasser des images d'Épinal : non, les Allemands ne parcouraient pas les rues l'arme au poing; non, ils ne forçaient pas les civils à leur céder le pas, à descendre devant eux des trottoirs; ils offraient, dans le métro, leur place aux vieilles dames, ils s'attendrissaient volontiers sur les enfants et ils leur caressaient la joue... Mais il ne faut pas oublier que l'occupation a été *quotidienne*... Pendant quatre ans, nous avons vécu et les Allemands vivaient aussi au milieu de nous, submergés, noyés, par la vie unanime de la grande ville... Ils nous paraissaient des meubles plus encore que des hommes... Pourtant il y avait un ennemi – et le plus haïssable – mais il n'avait pas de visage... On en parlait peu, d'ailleurs; plus encore que la famine, on dissimulait cette saignée ininterrompue en partie par prudence, en partie par dignité. Il semblait qu'il y eût des trous cachés dans la ville et qu'elle se vidait par ces trous comme prise d'une hémorragie interne et indécelable... Qu'on s'imagine donc cette coexistence perpétuelle d'une haine fantôme et d'un ennemi trop familier qu'on n'arrive pas à haïr [5]... »

Tête baissée, il fonce comme un bélier. Enragé, fouetté, stimulé par l'obstacle, il bande toute son énergie et il écrit, il écrit sans cesse. Rien à manger? Il se contentera de baguettes de pain. Rien à fumer? Il attendra les clopes sur les trottoirs ou sous les banquettes des cafés. Et c'est comme une folie, comme une drogue : tassé, concentré, isolé, il noircit des feuillets comme un automate. Échec de l'action directe? Il fait table rase et reprend son sillon, le repense, le creuse, le laboure. Échec des rencontres avec Gide, Malraux et les autres? Il se replie sur lui-même et trouve le moyen de féconder l'impasse. A peine a-t-il senti l'échec qu'il est déjà reparti. Les autres ne se sont souvent même pas encore éveillés. Sa haine aveugle se développe encore pour mieux atteindre l'ennemi. Qui, depuis quelques mois, sévit de plus en plus : 22 juin 1941, Hitler lance ses troupes contre l'U.R.S.S., septembre 1941 la droite et l'extrême droite française se raidissent en créant la fameuse Ligue des volontaires français contre le bolchevisme, plus connue sous le nom de L.V.F. Énormes affiches de recrutement placardées en fanfare dans toute la ville avec la précision : « Interdit aux juifs de stationner devant cette vitrine. » En septembre 1941, c'est l'inauguration au Palais Berlitz de l'exposition « Le Juif et la France » : les fascistes français exultent. Actions terroristes individuelles par contre, de la part de militants communistes isolés que la rupture du pacte germano-soviétique délivre de leurs derniers scrupules. Le 22 août 1941, au métro Barbès, un officier allemand, l'aspirant de marine Moser, avait été abattu de trois balles tirées par un inconnu avec un 6,35. C'est l'engrenage immédiat. Et le général von Stülpnagel, commandant des forces militaires allemandes en France, exige une sanction. Tribunal d'exception : Pucheu ministre de l'Intérieur du gouvernement de Vichy accepte d'inventer des décrets-lois rétroactifs pour condamner des innocents, en premier lieu juifs et communistes. Les sanctions tombent sans tarder : 16 septembre 1941, exécution à Paris de dix otages innocents; 22 octobre 1941, exécution de quatre-vingt-dix-huit otages innocents, dont vingt-sept fusillés à Châteaubriant.

« J'ai fait *mon* acte, Électre, et cet acte était bon... » La salle est houleuse, ce 3 juin 1943, au théâtre de la Cité. C'est la générale de la première pièce de Sartre, *Les Mouches.* Elle a lieu en après-midi pour éviter les coupures d'électricité. Figuration considérable, mise en scène chargée de Dullin, le consensus entre auteur et metteur en scène n'avait pas été facile! Oreste retourne à Argos, qui étouffe sous le repentir. « Les gens d'ici n'ont rien dit... Ils n'ont rien dit... Ils n'ont rien fait... », répète Jupiter qui décrit l'obsession, la lâcheté de toute une ville devant la mort de son roi. « Mon homme était aux champs, explique une vieille, que pouvais-je faire? J'ai verrouillé ma porte. » Réactions dans la salle. « Houh », braille Rebatet. Mouvements divers. On réagit, le public bruit quand le chœur des hommes d'Argos répète inexorablement : « Pardonnez-nous de vivre alors que vous êtes morts. » Oreste vient venger son père et tuera Égisthe et Clytemnestre, la traîtresse, sa propre mère, essayant d'entraîner avec lui sa sœur Électre. « Il y a des hommes qui naissent engagés, dit-il au premier acte, et il y en a d'autres, des silencieux... J'ai fait *mon* acte, Électre, et cet acte était bon... Je ne suis ni le maître ni l'esclave, Jupiter. Je suis *ma* liberté ! A peine m'as-tu créé que j'ai cessé de t'appartenir... » La salle, houleuse, supporte mal ce personnage d'Oreste qui la déroute, désorientée aussi par ces costumes rigides, ces armures raides, ces masques figés, ces lourdes postures antiques, cette angoisse.

« Le véritable drame, celui que j'ai voulu écrire, expliquera-t-il plus tard, c'est celui du terroriste qui, en descendant des Allemands dans la rue, déclenche l'exécution de cinquante otages [6]. » Allusion évidente aux horreurs de l'été 1941. Prenant du même coup position dans le débat qui opposait partisans et détracteurs des morts innocentes. Assumer ses actes, oui, même s'ils accusent des morts injustes. Contribuer également à « extirper cette maladie du repentir, cette complaisance au remords et à la honte ». Laissant couler sa haine, il envoie un pavé dans la mare, contre l'esprit de Vichy et l'autoflagellation. Première issue dans son impasse, première expression à sa théorie de l'engagement ? Et pourtant l'histoire des *Mouches* avait commencé de façon ludique : « Jean-Louis Barrault affirme, lui avait un jour impérieusement annoncé Olga, que le meilleur moyen pour une élève comédienne d'arriver à jouer un vrai rôle dans une pièce, c'est que quelqu'un écrive pour vous [7]. » La phrase ne tomba pas dans l'oreille d'un sourd. Excité par l'expérience de *Bariona,* Sartre commença très vite à imaginer un drame sur les Atrides. Écrivant sur le sable de la plage de Porquerolles dès l'été 1941. Poursuivant ensuite sur les tables les moins accueillantes des auberges jurassiennes alors qu'il remontait vers Paris à vélo.

Sans conteste, le spectacle fut un échec : salles vides, représentations interrompues plus tôt que prévu, critiques réservées. « L'œuvre me laisse insatisfait, écrit le très respecté Roland Purnal dans *Comoedia,* en dépit de certains passages d'une indéniable beauté. » Il omettait soigneusement toute allusion politique. Les journaux collabos sont franchement méchants ; seul, Michel Leiris, écrivant sous un pseudonyme dans *Les Lettres françaises* clandestines, adhère à la « grande leçon morale » : « Oreste refuse de régner et quitte sa ville natale sans intention de retour, entraînant avec lui les mouches qui infestaient la ville... Oreste commet un meurtre qui le laisse sans remords et lui confère une plénitude, parce qu'il ne s'agit pour lui ni de vengeance ni d'ambition personnelle mais d'un acte accompli librement...

Oreste a brisé le cercle fatal, frayé la voie qui mène du règne de la nécessité à celui de la liberté [8]. »

Pourquoi cet accueil mitigé? Certes le public parisien des années de guerre, nourri de Giraudoux, de Cocteau, ne s'étonne plus des références au théâtre grec. D'ailleurs, l'*Antigone* d'Anouilh est représentée la même saison, en costumes modernes, et on a l'habitude de voir des dieux être traités de « bonshommes » par des jardiniers! « Comme dans Sophocle, explique Sartre, aucun de mes personnages n'a ni tort ni raison. » Et voilà peut-être la cause réelle de cette déroute : Oreste et Électre ne sont pas aussi « lisibles » qu'*Antigone,* ou que la *Jeanne d'Arc* de Vermorel, pièce à succès pendant l'occupation, où le public décode immédiatement un combat plus clair. Car Jeanne, face aux Anglais costumés en nazis, n'est-ce pas l'allégorie immédiate de la résistance? Sartre aurait-il été trahi par lui-même, dans un projet trop intellectualisé? « Il fallait absolument redresser le peuple français, lui rendre courage », poursuit l'auteur. Il défiait la censure allemande, sans risquer son veto : faible marge de manœuvre, en une époque où la censure moraliste de Vichy semble plus prégnante que la censure politique de Paris! D'ailleurs, témoin du malaise que laissa la pièce, cet entrefilet de *Comoedia* : « La création des *Mouches* au théâtre de la Cité a suscité des mouvements divers dans l'opinion artistique. Dans sa grande majorité, la critique a jugé avec dureté l'œuvre de Jean-Paul Sartre... Cependant le retentissement produit par *Les Mouches* a été profond aussi bien dans les milieux intellectuels que chez les jeunes, qui y ont acquis une prise de contact avec un monde nouveau et ressenti une sensation de découverte. Aussi ouvrirons-nous prochainement le débat sur *Les Mouches* [9]. » Mais *Comoedia* n'ouvrit jamais ce débat! De son côté, André Castelot, dans *La Gerbe,* exprimait son véritable dégoût devant la pièce, et « la prédilection pour l'abject » manifestée par son auteur [10].

Discutée comme pièce politique, *Les Mouches* reste pourtant une véritable œuvre initiatrice dans la carrière de Sartre dramaturge. « Si *La Nausée* n'avait pas été publié, écrira-t-il plus tard, j'aurais continué à écrire. Mais si *Les Mouches* n'avait pas été représentée, je me demande, tant mes préoccupations m'éloignaient alors du théâtre, si j'aurais continué à faire des pièces [11]. » Sa relation au théâtre, c'est d'abord la rencontre avec Dullin, qui est depuis l'avant-guerre le compagnon de Simone Jollivet! Lien quasi « familial », les rencontres sont facilitées de beaucoup par des dimanches à la campagne chez « les Dullin », même si Simone est, de tout le groupe, la seule ouvertement collabo et antisémite. Malgré les tensions entre metteur en scène et auteur, Sartre subit une véritable formation théâtrale de choc. « Dullin me fit comprendre qu'une pièce de théâtre doit être exactement le contraire d'une orgie d'éloquence... Au théâtre, on ne reprend pas ses billes : quand une parole n'est point telle qu'on ne puisse plus revenir en arrière après l'avoir prononcée, il faut la retirer soigneusement du dialogue... Après les répétitions des *Mouches,* je ne vis plus jamais le théâtre avec les mêmes yeux [12]. » Intronisation, dépucelage, on est déjà loin de l'amateurisme de *Bariona,* et une pièce *représentée,* même sans l'impact escompté, n'est-ce pas, plus qu'un livre publié, un événement littéraire qui draine tout un public, alimente des rencontres, nourrit des éclats, des mouvements d'opinions, des conversations, toute une rumeur? Comme lorsque Paulhan écrivant à Jean Fautrier une lettre en date du 23 juin 1943 se réjouit : « Nous avons vu hier *Les Mouches.* Je trouve cela très beau, et Mauriac parfaitement injuste. Cette cité de repentis, on se croirait à Vichy. Et les masques, de fort beaux masques de théâtre [13]. » Et voilà Sartre basculant peu à peu de la marginalité où il séjournait jusque-là, vers des cercles littéraires de plus en plus centraux [14].

Exactement contemporain des *Mouches* dans l'écriture comme dans l'éclosion – il est publié en juin 1943 –, son ouvrage philosophique en sept cent vingt-deux pages : *L'Être et le Néant.* Rédigé dans l'urgence et l'impatience par un Sartre que traquait l'intensité folle des événements de l'année 1942. Cette année 1942 avait bien mal commencé : exposition « Le Bolchevisme contre l'Europe », départ des premiers convois de déportés juifs. A la belle époque des nazis séducteurs succédait la période du grand raidissement. Et, rapidement, les choses allaient s'enchaîner : mai 1942, Darquier de Pellepoix était nommé commissaire aux questions juives à Vichy et ordonnait le port de l'étoile jaune que tout citoyen « de race juive » devait se procurer contre trois bons de rationnement de textile. Deux mois plus tard, leur était interdite la fréquentation de tous les lieux publics : cafés, cinémas, théâtres... Dans l'entourage de la famille Sartre, ce fut des lois que l'on transgressa presque toujours. Peu d'étoiles jaunes au Flore – au coin de la rue, pourtant, dénonciations, lettres anonymes, et surtout, surtout le risque d'une rafle, d'un contrôle d'identité, et c'était le transport sur Drancy. Engrenage horrible qui profila son ombre en juillet 1942, le jour de la grande rafle de la population juive parisienne, parquée au Vélodrome d'Hiver, dans le XVe arrondissement. Opération poétiquement baptisée « vent printanier » par les services de la police et de la gendarmerie françaises qui exécutèrent avec zèle les ordres germaniques. Immédiatement après l'échec du volontariat français en Allemagne et de la « relève », le gouvernement de Vichy, décidant de frapper très fort, crée le service du travail obligatoire, le fameux S.T.O. Véritable conscription civile pour tous les Français de dix-huit à cinquante ans. Mesure insoutenable. Et les jeunes réfractaires de passer en zone sud, pour prendre le maquis : éviter à tout prix le travail forcé en Allemagne! La France se couvre d'affiches, de pancartes; l'ordre nazi asphyxiant, implacable, s'empare de la France comme un oiseau de proie; et, bien sûr, Sartre travaille. « Établissement interdit aux israélites », « Parc à jeux réservé aux enfants, interdit aux juifs », ou encore pour soutenir la campagne publicitaire du film *Le Juif et la France* : « C'est une nécessité pour tout Français décidé à se défendre contre l'emprise hébraïque d'apprendre à reconnaître le juif. » Accélération des monstruosités nazies. Accélération de l'ardeur de l'écrivain. Chaque nouvelle phrase tracée de sa main est, semble-t-il, une phrase volée, arrachée à l'occupant, un lambeau de liberté sur lequel ils n'auraient pas prise.

Et c'est le délire contre les « criminels judéo-bolcheviques ». En mai, on exécute Georges Politzer. En juillet, c'est au tour de Feldmann. Avis dans le métro, affichettes dans la rue, tout est fait pour que la terreur s'ébruite. A Paris, en vacances, Sartre écrit. Il écrit au Havre, à Pâques 1942, en visite chez Marc Bénard, un ami du Stalag. Malgré les bombardements, malgré les alertes. Il écrit au sommet du col du Tourmalet, en août 1942, « assis dans une prairie, en pleine bourrasque, très satisfait » de ses pages [15]. Il écrit surtout et sans discontinuer dans le cadre plus attendu de la maison angevine où Mme Morel les accueille. Poutres apparentes et tomettes rouges, la chambre de Sartre est vaste. Il n'en bouge presque pas, puisque les hôtesses montent chez lui pour prendre les repas et restent parfois jusqu'à minuit passé. Simone de Beauvoir tente parfois d'arracher le prisonnier à ses quatre murs. Quand elle y parvient, c'est une promenade au bord de la Loire, quelquefois une balade à vélo. Et puis retour rapide pour capter la B.B.C. qu'on écoute en groupe dans la chambre de Sartre. « Premiers revers des troupes de von Paulus à Stalingrad... », entend-on à Noël 1942 : première bonne nouvelle, après le débarquement des Alliés en Afrique du Nord!

« Il y aura des passages emmerdants. Mais il commence à y en avoir un ou deux de croustillants, par contre : un sur les trous en général et un autre tout particulièrement sur l'anus et l'amour à l'italienne. Ceci compensera cela [16]... » Qui croirait qu'il s'agit là, dans cette lettre au Castor, d'une annonce destinée à décrire le premier embryon de *L'Être et le Néant*? Et pourtant! Précisions et provocations sartriennes ne manquent pas dans ces lignes, pour raconter l'œuvre qui avait pris forme dans l'ennui et le froid de la drôle de guerre. Juxtaposition de passages emmerdants et de passages croustillants, prévient Sartre. Kilo de papier, dira Paulhan, découvrant pour sa part l'usage secondaire du livre : il se trouve, dit la légende, peser exactement un kilogramme et permet donc de mesurer, en ces dures années d'occupation, des quantités exactes de fruits et légumes... Plus sérieusement, tout de même, il s'agit de regarder ces sept cent vingt-deux pages en face : *L'Être et le Néant* est bel et bien une clef pour l'œuvre et la vie de Sartre. Car le philosophe y développe plusieurs lignes parallèles : il fonde là ses œuvres antérieures des années 30 – de fiction ou de philosophie –; il tente d'y faire le point sur les bases théoriques de son système de pensée; il approfondit aussi tous les axiomes et tous les thèmes qui constituent le credo sartrien. Et si, plus tard, certains restent perplexes lorsque Sartre, par exemple, refuse le prix Nobel; si d'autres s'étonnent des conférences de l'après-guerre, c'est qu'ils ont manqué le point central de ce livre. Tout y repose, en fait, sur l'idée d'une tension permanente entre l'être et l'en-soi, en d'autres termes entre la subjectivité et le monde. Déclaration de l'absolue suprématie de la subjectivité sur le monde, *L'Être et le Néant* est une œuvre profondément cartésienne. D'ailleurs, jusqu'en 1943, l'œuvre de Sartre n'a-t-elle pas été clairement l'odyssée d'une conscience solitaire? *L'Être et le Néant* va reprendre, expliquer et nourrir cette idée clef : orgueil de la conscience face au monde, d'où liberté absolue de l'individu. La conscience, à la fois enlisement et arrachement; la liberté, à la fois fièvre et discipline; la critique permanente; la méfiance des rôles sociaux cristallisés et figés : ainsi accède-t-on, par étapes, aux raisons qui fondent la relation de Sartre au politique, à l'esthétique, au social, à la morale. Ainsi comprendra-t-on aisément, plus tard, les liens très particuliers que la réflexion sartrienne entretint avec le marxisme, dans une familiarité et une étrangeté radicales. Ce qui provoqua chez l'homme Sartre ses différents refus face aux valeurs sociales traditionnellement acceptées.

La guerre va jouer sur toutes ces tendances à l'œuvre le rôle d'un véritable incubateur. Et permettre aux lectures de Heidegger de prendre leur place dans la pensée sartrienne. L'influence de Heidegger, notait-il dans ses *Carnets* en février 1940, « m'a paru quelquefois ces derniers temps providentielle, puisqu'elle est venue m'enseigner l'authenticité et l'historicité juste au moment où la guerre allait me rendre ces notions indispensables. Si j'essaie de me figurer ce que j'eusse fait de ma pensée sans ces outils, je suis pris de peur rétrospective. Que de temps j'ai gagné [17] ».

Faut-il voir un lien entre le raidissement de l'année 1942, terreau historique de l'œuvre, et l'incroyable radicalité de *L'Être et le Néant*? Entre l'intensité des répressions et l'explosion libertaire de Sartre? Sans conteste. Déjà, juste avant guerre, ses premiers coups, il les avait décochés contre la tradition philosophique française, qu'il baptisa globalement « essentialiste » et qu'il rejeta dans son ensemble. Opposant les phénoménologues allemands aux Brunschvicg, Lalande et Meyerson, pontes français de la « philosophie alimentaire » ou autre « philosophie digestive ». Dans *L'Être et le Néant,* rejet aussi violent des étiquettes sociales. « Comment éprouverais-je, dit-il, les limites objectives de mon être : juif, aryen, laid, beau, roi, fonctionnaire, intouchable, etc., lorsque le langage m'aura renseigné sur celles qui sont *mes* limites [18]? » Car, poursuit-il, l'aliénation, l'automutilation de l'individu et, de fait, son inauthenticité naissent de l'acceptation de ces étiquettes sociales. Il précise : « Me voici en effet, juif ou aryen, beau ou laid, manchot, etc. Tout cela, je le suis *pour l'autre,* sans espoir d'appréhender ce sens que j'ai *dehors,* ni à plus forte raison de le modifier [19]. » Ou encore : « D'une manière générale, la rencontre d'une défense sur ma route, " Défense aux juifs de pénétrer ici "... ne peut avoir de sens que sur et par le fondement de mon libre choix. Suivant, en effet, les libres possibilités choisies, je puis enfreindre la défense, la tenir pour nulle ou lui conférer au contraire une valeur coercitive qu'elle ne peut tenir que du poids que je lui accorde [20]. »

Dans l'impasse de l'action directe et subversive, étranglé par un ordre répressif quotidien intenable, Sartre d'un seul coup voit l'inacceptable. Bien sûr, il est dans l'abstraction philosophique quand il élabore sa théorie de la liberté. Mais cette réflexion-là, il l'élabore *dans et sous* ces conditions historiques. Son appel à l'authenticité et à la responsabilité, sa dénonciation de toute forme de conduite inauthentique, c'est dans une France nazie qu'il les lance haut et fort. Sa morale de l'écrivain, sous la pression folle et immédiate du bâillonnement quotidien qu'il la développe. Extrayant comme par magie, de la période d'oppression la plus sombre, un appel à la liberté et à l'anarchisme individuel.

L'ouvrage parut donc à l'été 1943. Qui le lut alors? Seul, semble-t-il, l'article de René-Marill Albérès dans *Études et Essais universitaires* en fait état au cours de cette année-là. Plus tard, viendront des comptes rendus, lentement, trois l'année suivante, neuf en 1945 et plus de quinze en 1946, quand Sartre donnera ses conférences célèbres. Pour l'heure, le livre passe donc quasi inaperçu : langue philosophique, épaisseur de la pensée, date de publication, on pourrait l'expliquer assez aisément. Et pourtant, quelle surprise, dans le monde philosophique, de voir sortir cet énorme bâtard! Ce genre mixte qui représente à n'en pas douter un remarquable traité de philosophie : classique dans la langue, le recours des textes, les références d'usage, la logique cartésienne. Mais quelle bombe dans la présentation, dans les exemples invoqués! En rupture avec la tradition universitaire alors dominante, un philosophe faisait appel à la « trivialité » de la vie quotidienne pour exposer ses théories : « Il est certain que le café, avec ses consommateurs, ses tables, ses banquettes, ses glaces, sa lumière, son atmosphère enfumée et les bruits de voix, de soucoupes heurtées, de pas qui le remplissent, est un plein d'être [21]. »

Plus tard, seulement, émergeront les adeptes, les fervents, les vrais lecteurs. Ce sera le cas, par exemple, d'André Gorz qui rencontrera Sartre pour la première fois en Suisse au cours de l'année 1946 et restera un de ses plus fidèles amis : « Je m'étais imprégné de *L'Être et le Néant,* raconte-t-il, sans y comprendre grand-chose d'abord, fasciné par la nouveauté et la complication de sa pensée, puis, à force de persévérer dans la lecture de ce gros objet, m'en infectant, en adoptant la terminologie, l'élevant à la dignité d'encyclopédie qui, puisque tout y était abordé, devait avoir réponse à tout, et me mouvant dans un univers ayant *L'Être et le Néant* pour frontières [22]. » Cette découverte de *L'Être et le Néant* sera également saluée par l'écrivain Michel Tournier qui raconte à son tour : « Un jour de l'automne 1943, un livre tomba sur nos tables... Il y eut un moment de stupeur, puis une lente rumination. L'œuvre était massive, hirsute, débordante, d'une force irrésistible, pleine de subtilités exquises, encyclopédique, superbement technique, traversée de bout en bout par une intuition d'une simplicité diamantaire... Aucun doute n'était permis : un système nous était donné [23]. » Dernier adepte sartrien de l'époque, enfin, Olivier Revault d'Allonnes qui, étudiant appliqué en Sorbonne, tressaille à « cette voix venue de l'extérieur de l'institution, qui avait le culot, par exemple, d'étiqueter comme " essentialistes " toutes les philosophies que l'on ...enseignait. N'était pas indifférent non plus que la philosophie pût s'exprimer dans un roman. Se dire dans une langue lisible par tous. Se faire au café. Certes, il y a autre chose dans le monde que des cafés, mais il y a déjà plus de cafés que de sorbonnes [24] ».

« Une phrase de *L'Étranger* c'est une île. Et nous cascadons de phrase en phrase, de néant en néant. C'est pour accentuer la solitude de chaque unité phrastique que M. Camus a choisi de faire son récit au passé composé[25]. » Enthousiasmé par le roman de Camus qui vient de paraître, Sartre lui consacre un article en vingt pages. Précis, fouillé, didactique, lumineux. Et, comme en sous-main, tacitement, il dessine une sorte de parenté. Fasciné comme une boussole qui vient de trouver un centre, il reconnaît que « *L'Étranger* est là, détaché d'une vie, injustifié, injustifiable, instantané, stérile, délaissé déjà par son auteur, abandonné pour d'autres présents. Et c'est ainsi que nous devons le prendre : comme une communion brusque de deux hommes, l'auteur et lecteur, dans l'absurde, par-delà les raisons ». Le hissant aux côtés de Hemingway, de Voltaire, Sartre assurément vient de trouver avec Camus la première occasion de louer sans limites. Reconnaissances réciproques, jeux de miroirs croisés, Camus avait déjà célébré *La Nausée* et *Le Mur;* certaines de ses phrases pourraient incontestablement s'appliquer à ses propres personnages. Un homme, disait-il[26], « analyse sa présence au monde, le fait qu'il remue ses doigts et mange à heure fixe – et ce qu'il trouve au fond de l'acte le plus élémentaire, c'est son absurdité fondamentale ». Entre les deux hommes, la reconnaissance d'une parenté certaine n'a rien d'étonnant : même type de démarche, même négation des valeurs mystiques ou morales, même radicalité pessimiste. Un rendez-vous s'ébauche : quatre mois très exactement après l'article de Sartre sur *L'Étranger,* le jour même de la générale des *Mouches,* un homme vient se présenter à Sartre, c'est Albert Camus. A la suite de cette critique, Sartre allait poursuivre, pour *Les Cahiers du Sud,* ses réflexions sur les écrivains français contemporains. Dans cette revue publiée à Marseille, avec d'autres écrivains résistants, Sartre élaborait un véritable panorama de la vie littéraire, décernant des bons points, structurant le champ, en véritable régent des lettres. Parain, Blanchot, Bataille allaient à leur tour passer sous le microscope et le couperet du maître qui reconnaît, superbe, au terme de ses analyses fouillées : « Le roman contemporain, avec les auteurs américains, avec Kafka, chez nous avec Camus, a trouvé son style[27]. »

D'autres auraient sombré, après un échec? L'impasse de la politique nous renvoie un écrivain prolifique, polyvalent, protéiforme, au bout du tunnel creusé par son chemin de traverse. A l'orée de l'été 1943, il vient d'élaborer un autre cadre, d'approfondir sa pensée. On le croyait K.O. ? Il revient deux ans plus tard, avec des œuvres violentes, coup de poing : densité de la formule, pugnacité de la pensée. Comme lorsqu'il s'attaque à Drieu, par exemple, en janvier de la même année. Dans un article où culmine la haine. « C'est un long type, crache Sartre [28], au crâne énorme et bosselé, avec un visage fané de jeune homme qui n'a pas su vieillir... Drieu a souhaité la révolution fasciste comme certaines gens souhaitent la guerre parce qu'ils n'osent pas rompre avec leur maîtresse. »

« UN ÉCRIVAIN QUI RÉSISTAIT ET NON PAS UN RÉSISTANT QUI ÉCRIVAIT [1]... »

« Mes souliers étaient étoilés de vieilles taches de savon blanc et de dentifrice et voisinaient avec d'admirables chaussures en cuir brut qui appartenaient à Delannoy [2]. » 2 juillet 1943, dans les studios de Pathé-Cinéma, première rencontre de travail : le réalisateur Jean Delannoy prend connaissance du scénario dont il a proposé la rédaction à Sartre. Première conséquence de son travail : la mise en scène des *Mouches* a brutalement cassé l'étroit cercle d'intimes où il se plaisait jusqu'alors. Et son nom vient d'exploser au-delà du petit nombre des élèves, étudiants et lecteurs qui avaient adoré *La Nausée* ou *Le Mur*. C'est Delannoy, c'est Leiris, c'est Camus, tant de nouveaux amis qui arrivent désormais vers lui.

Le sort de la guerre commence à s'inverser dans l'été 1943, qui voit l'arrestation et la chute de Mussolini. Troisième phase de l'affrontement, certes, mais qui n'empêche pas pour autant la guerre civile entre Français de se poursuivre avec une brutalité folle. Structuration des réseaux de résistance, qui gagnent dans leurs rangs tous les jeunes réfractaires au S.T.O. Montée parallèle de l'ardeur des miliciens. Le 24 avril 1943, on avait enterré le premier milicien tombé sous les coups des résistants : deux mois plus tard, un grand rassemblement des troupes du R.N.P. de Déat s'étalait au stade Pierre-de-Coubertin. Affrontements sans merci dans un Paris lugubre de 14-Juillet : arrogance des miliciens, chemise bleue et béret basque, défilant, derrière le drapeau, sur le boulevard Saint-Michel. Brutalité de leur service d'ordre spécial tapant sur tous ceux qui refusent de saluer, hurlements des femmes en robes à fleurs, hostiles, serrant les poings. « Lynchez-le ! » crient-elles... Ponctuelles images de guerre civile s'accélérant de plus en plus. Les jeunes étudiants résistants de *Défense de la France* iront braver le danger jusque dans le métro : 14 Juillet

1943, toujours, cinq mille exemplaires de leur journal clandestin y sont distribués. Paniques, mouvements de foule divers. Comment, d'ailleurs, pourrait-il en être autrement dans un pays qui, quelques mois plus tôt, a accepté de livrer à l'ennemi certains de ses hommes politiques les plus en vue, comme Blum, comme Daladier, comme Georges Mandel?

14 Juillet 1943 encore, un gros recueil de poèmes clandestins est publié par les éditions de Minuit, sous le titre *L'Honneur des poètes.* « Il est temps de redire, de proclamer, écrit Éluard dans la préface, que les meilleurs poètes sont des hommes comme les autres, puisque les meilleurs d'entre eux ne cessent de soutenir que tous les hommes sont ou peuvent être à l'échelle du poète. » Période faste à l'éclosion poétique? La vie littéraire survit, vivote, maintenue en respiration artificielle par le canal de la clandestinité. Celle des éditions de Minuit, par exemple, qui a publié, en février 1942, *Le Silence de la mer* de Vercors, alias Jean Bruller, et s'apprête à sortir pour août 1943 *Le Cahier noir* de Forez, alias François Mauriac. Celle des bulletins ou journaux, comme *Les Lettres françaises* clandestines ou encore, en zone sud, *L'Arbalète* à Lyon, *Fontaine* à Alger, *Les Cahiers du Sud* à Aix, *Poésie 4*... à Villeneuve-lès-Avignon. La littérature se faufile comme elle peut, dans des formes nouvelles adaptées à l'état d'urgence, formes emphatiques, formes lyriques. Et la poésie se retrouve comme nulle autre apte à transmettre les messages d'espoir. « Paris a froid. Paris a faim / Paris ne mange plus de marrons dans la rue / Paris a mis de vieux vêtements de vieille / Paris dort tout debout, sans air, dans le métro... » Éluard rend compte des climats douloureux d'un Paris allemand, tandis qu'en alexandrins et sous le pseudonyme de François La Colère, Aragon s'enflamme : « Vous pouvez condamner un poète au silence / Et faire d'un oiseau du ciel un galérien / Mais pour lui refuser le droit d'aimer la France / Il vous faudrait savoir que vous n'y pouvez rien... » Éclosion de l'émotion, épanouissement de la fibre poétique, c'est la pleine explosion du culte de la France et des valeurs patriotiques : « Entendez, francs-tireurs de France, dira encore Aragon, L'appel de vos fils enfermés / Formez vos bataillons, formez..., Assez manger le pain des larmes/ Chaque jour peut être Valmy... »

« Un détachement de la milice du Régent s'engage dans une rue populeuse... » Assis seul à une table, au Flore, Sartre écrit. « Le visage sous la casquette plate à courte visière, le torse rigide sous la chemise foncée que barre le baudrier luisant, l'arme automatique à la bretelle, les hommes avancent dans un lourd martèlement de bottes... » La main s'arrête, hésite un peu, le visage de l'écrivain se relève, son regard fait le tour du café; puis, rageusement, nouvelle course folle de la main. « Adossés près de la porte d'une maison de pauvre apparence, deux hommes, jeunes et costauds, écrit-elle, regardent passer la troupe d'un air ironique. Ils ont la main droite dans la poche de leur veston. » Bref éclair satisfait sur le visage du professeur de philosophie. Qui se lève, fait le tour de la table, sort du café, inspecte le ciel et rentre brusquement. Quelle inquiétude habite donc Sartre, en cet après-midi de juillet, à l'orée des grandes vacances? L'été 1943 débute bien mal : comme si l'on avait besoin que le temps se mette de la partie! Ciel gris lugubre, pluie et froid, un après-midi de septembre! En quelle saison bizarre sont donc tombés les Parisiens? Le petit homme s'agite. Pipe, encrier, stylo posés sur une liasse de feuilles en désordre, et ce regard inquiet qu'il jette autour de lui, comme s'il cherchait quelqu'un. Est-ce le contretemps, qui risque de faire enrager Wanda, d'initier une de ses colères brutales, une de ces crises qu'elle se permet au nom de l'atavisme slave? C'est vrai, il avait promis : pendant les trois semaines du Castor en zone sud, il serait tout à sa t.p.k. [3], obéirait à ses moindres volontés. Elle avait souhaité qu'il lui fît répéter son rôle : Molly Byrne, dans *La Fontaine aux saints* de Synge, et il avait obéi. Elle avait exigé qu'il restât l'attendre dans les sinistres coulisses du théâtre de Lancry, derrière la République, et il y avait consenti, malgré l'impression un peu bizarre qui avait brutalement surgi, alors qu'elle répétait un rôle de second plan : n'était-il pas devenu le genre de vieux barbon qui attend l'actrice et la suit dans tous ses déplacements? Il avait supporté une crise de nerfs et de larmes le jour de la première, et accepté, ainsi qu'elle l'avait demandé, de ne venir la voir jouer qu'à la troisième représentation. Et voilà que, ce soir où elle exigeait sa présence, il était obligé de rester attendre au Flore l'hypothétique arrivée de Merleau-Ponty : c'était la seule possibilité d'éviter une queue interminable pour prendre son billet de train, et Sartre avait accepté que le « Ponteaumerle » se déplaçât également pour lui. Mais... bref, il devait attendre là, cloué au Flore, sinon c'est lui qui irait, le lendemain aux aurores, faire la queue pour deux. Et Wanda qui serait déçue!

Que cache encore ce balancement nerveux de la main, dont l'écriture bleue se fait moins ronde, mangeant parfois irrégulièrement la marge de gauche? La partition du temps à respecter entre les femmes? Le Castor qui n'apprécierait pas s'il manquait son train et ratait leur rendez-vous du 15 juillet à Uzerche? « Au revoir, mon doux petit Castor... était-il en train de lui écrire. Je vous embrasse de toutes mes forces, mon charmant Castor que j'aime de tout mon cœur [4]. » Ou bien Wanda, qui allait pleurer, parce qu'il avait dérogé aux promesses d'un programme qui était tout à elle, et qu'il allait devoir consoler longuement? N'était-ce pas plutôt ce laconisme de Dullin qui l'inquiétait? La gêne qu'il avait cru déceler, la veille au téléphone, dans la voix du metteur en scène, n'avait cessé, depuis, de le troubler : avait-il vraiment l'intention de ne jouer *Les Mouches,* à la rentrée, qu'une seule fois par semaine? Ce serait ridicule! Dans trois jours, il irait avec Wanda déjeuner à Férolles, il y aurait des explications, il saurait à quoi s'en tenir... Certainement, la séance du lendemain devait contribuer son angoisse : car la deuxième journée de travail avec l'équipe de Pathé serait décisive. Ou bien ils acceptaient l'ensemble du scénario, avec la coloration psychologique qu'il avait ajoutée pour faire plaisir à Giraudoux, ils signeraient le contrat, et l'argent suivrait : un chèque de 37 500 francs – dix fois plus qu'un salaire mensuel de professeur agrégé! –; ou bien son scénario était refusé, et quelle déception! Tant de projets étaient liés à l'issue de la réunion du lendemain! Heureusement, grâce à Delange, il venait de trouver, pour le Castor, une source de revenus pour l'année 1944 – qui devenait inquiétante, vu son arrêt à Camille-Sée –, elle préparerait des émissions pour la radio, 1 500 à 2 000 francs par semaine. Si tout allait bien, alors ils changeraient d'hôtel et pourraient avoir avec eux Wanda et Lise et Olga et Bost...

Prosaïques, ces préoccupations de l'homme, à l'heure du tournant dans sa vie d'écrivain, au moment critique où tant de nouvelles propositions lui parviennent? Dès le lendemain il sera rassuré : scénario accepté, contrat signé pour trois autres à venir, chèque envoyé. Dès le jeudi suivant, à la même heure, il retrouvera le Castor à l'hôtel Chavanes, au-dessus de la Vézère, à Uzerche, lui apportera les chambres à air de vélo qu'elle a demandées. Ils pédaleront sur les routes somptueuses et serpentines au-dessus des gorges du Tarn. Dormiront dans des meules de foin, dans des granges. Goûteront à la relative abondance de la zone sud. Se verront offrir lait, œufs, tartes aux pommes par les paysans. Subiront pluie, vent, et terreurs diverses. Comme lorsqu'un orage brutal, noyant les deux bicyclettes parquées contre un mur, emporta dans un torrent le manuscrit du roman de Sartre. Le petit homme, riant par saccades sous une cape de cycliste en ciré jaune, aveuglé par ses lunettes trempées, récupérera l'œuvre en miettes, la séchera longtemps, reconstituant les lignes effacées [5]. Puis ce sera le havre et la douceur des lumières de la Loire, l'accueil à bras ouverts et le confort à La Pouèze, chez Mme Morel. Moments d'euphorie collective quand se confirment, à la radio, les nouvelles de la chute du Duce, l'annonce du repli des forces sur le front de l'Est. Au milieu du mois d'août, Sartre prendra le train pour un aller-retour rapide à Paris : une réunion du C.N.É. à laquelle il ne pouvait échapper.

Le Comité national des écrivains – le C.N.É., comme on l'appelle – ne l'a contacté qu'au début de l'année 1943, après le changement tactique des communistes. Auparavant, mouton noir, il restait cet individu louche, bourgeois et négatif, dont Jacques Decour ne voulait à aucun prix. Il l'avait, à plusieurs reprises, expressément répété à Paulhan, qui était impuissant. Et puis le vent avait tourné, Decour était tombé, avec d'autres, devenant un des héros du P.C.F., et peu à peu, depuis Stalingrad, les communistes abandonnant leur sectarisme du début reprenaient une tactique de grande ouverture : mouvement de balancier célèbre. Sartre, rejeté par la fermeture des vannes dans la première période de la guerre, devenait donc une proie de choix dans le grand mouvement aspirant de la deuxième phase. Et cela, il le savait parfaitement bien. Lors de la première réunion, d'ailleurs, il avait tenu à mettre les points sur les *i*, avait expliqué à Claude Morgan que le pamphlet qui avait paru contre lui en zone sud était proprement infâme. « Donc, lui avait-il dit dans un ricanement bref, si j'ai bien compris, je suis un séide du national-socialisme, *puisque* je cite et développe la phénoménologie de Heidegger. Il paraît que c'est un certain Marcenac qui a publié cette stupidité... » Gêné, Claude Morgan avait promis de mettre en garde les camarades de la zone sud, pour qu'ils évitent à l'avenir ces regrettables « erreurs [6] ». Les prémisses achevées, le travail commun avait débuté, Sartre coopérant volontiers, proposant des articles pour *Les Lettres françaises* clandestines, s'attachant dans les discussions à trouver des points d'accord, imperméable aux conflits...

Les réunions ont lieu au Quartier latin, chez Édith Thomas, 15, rue Pierre-Nicole. Le petit groupuscule des débuts s'est bien élargi : on se retrouvera à vingt-deux pour la réunion collective de février 1943, entre écrivains aussi différents que Gabriel Marcel, Éluard, Queneau, Guéhenno, le révérend père Maydieu, Leiris, Debû-Bridel, François Mauriac. Exceptionnelle concentration d'hommes de lettres! Tensions souterraines en sourdine, et divergences idéologiques *mezzo voce*, le travail peut avancer. Mais qu'on se représente la répression du narcissisme, des jalousies individuelles, des conflits de personne, du nécessaire anonymat, et l'on prendra la mesure exacte de ces rencontres clandestines! Comment, par exemple, Mauriac pourrait-il oublier rue Pierre-Nicole qu'il est en train de travailler avec celui qui, avant guerre, l'avait si cruellement blessé, si profondément atteint? Car les flèches que Sartre a décochées contre lui, Mauriac ne s'en est pas encore remis. Pourra-t-il jamais, d'ailleurs, se remettre au roman, depuis que le jeune critique l'a traité d'« auteur sérieux et appliqué qui n'a pas atteint son but »? Ces atteintes à son amour-propre, il fallait, pendant cette période, apprendre à les réprimer, à les taire, à les oublier, pour un travail commun, un projet politique. « Était-il sage, se demande d'ailleurs des années plus tard Debû-Bridel, d'accepter tant de risques, d'exposer tant de vies, pour éditer quelques pages de littérature anonyme? Tant de tâches plus directement utiles (sabotages, renseignements...) s'offraient aux résistants. Faire sauter un train était un acte de guerre, et en tant que tel justifiait tous les sacrifices [7]. » Mais un poème? On citera seulement l'exemple de ce tract clandestin qui avait été parachuté au-dessus d'un champ, avec quelques poèmes patriotiques, et qu'on avait retrouvé, illisible, taché de sang, sur le corps d'un soldat tué... Les discussions – et dans ces lieu et place, gageons qu'elles furent interminables – s'enchaînent : problèmes pratiques, papier, impression, distribution; problèmes tactiques : allons-nous, oui ou non, publier dans *Comoedia* pour noyauter le canard, ou s'y refuser radicalement pour éviter de servir d'alibi [8]? Nouvelles des éditions de Minuit, nouvelles de la zone sud... Sartre est-il à l'aise dans ce milieu, lui qui a toujours évité les appartenances, craché sur la bonne vieille orthodoxie littéraire de l'entre-deux-guerres, haï l'esprit Barbusse et autres Romain Rolland?

Ambiguïtés, mélanges, comment s'attendrait-on à plus d'homogénéité dans ces conditions historiques? Et quel patchwork dans le nº 6 des *Lettres* avec entre autres au sommaire : « La Chanson des francs-tireurs », un poème, et deux articles polémiques intitulés « L'Écran français » et « La Littérature, cette liberté ». Qui pouvait lire, derrière ces textes anonymes, imprimés pauvrement, côte à côte, les noms d'Aragon et de Sartre? Et comment mesurer maintenant ce geste d'écriture silencieux, ce don gratuit d'un texte que ne venait identifier aucune signature, aucun nom? Jusqu'en octobre 1943, d'ailleurs, *Les Lettres* ne sont rien d'autre qu'un petit tract carré de mauvais papier marron, tapé à la machine en caractères vieillots, et mis en page de manière médiocre et sommaire; où les différents articles se trouvent séparés les uns des autres non par des blancs, mais par des traits tirés à la règle, où les titres sont manuscrits, en capitales pour se différencier du texte. L'existence même de ce journal clandestin éclate comme un combat : quatre pauvres feuilles arrachées à la censure du papier, à l'interdiction d'écrire, au musellement totalitaire. Et, sur ces feuilles misérables, des mots – des armes? –, ceux, anonymes, des plus grands écrivains français.

Étrange combat! Imprécisions, maladresses, fautes d'impression, irrégularités de parution, ce n'est que grâce à Georges Adam que le journal pourra être imprimé et paraître chaque mois, de plus en plus épais, quatre, puis huit pages tirées jusqu'à douze mille exemplaires!

Certains seront lyriques, d'autres patriotiques, d'autres encore verseront dans un pathétique de circonstance: Sartre, cavalier seul, choisira la haine blanche. « Il était lâche et mou, enverra-t-il à Drieu, sans ressort physique ni moral, une " valise vide "... Il fit la fête, il prit de la drogue - tout cela modérément par pauvreté de sang [9]. » Ou encore, transperçant de son épée Rebatet et *Je suis partout*, il s'insurge contre ces « ténors à peu près dénués de talent, soit qu'ils aient perdu le peu de vigueur et de charme qu'ils avaient eu autrefois comme Céline ou Montherlant, soit que, comme Thérive ou Brasillach, ils n'aient jamais eu rien à dire ». Et, imparable, hautain, dédaigneux, il achève l'adversaire: « Isolés, méprisés, écrit-il, terroristes terrorisés, asservis sans espoir aux Allemands, dès que leur voix s'élève, elle grelotte dans le silence, elle leur fait peur... Il est clair qu'ils n'aiment pas écrire, qu'ils haïssent même la littérature parce qu'ils savent, au fond d'eux-mêmes, qu'ils n'ont pas de talent [10]. » D'autres choisiront la poésie, l'émotionnel, le culte de la patrie. Il choisira, lui, la mise à mort de l'ennemi, préférant monter à l'assaut que garder les arrières, mobilisant ses goûts personnels comme le cinéma, par exemple, crédible et authentique jusqu'au bout.

Il est avec eux *et* il est en dehors. Quoi d'étonnant, alors, si personne ne perçoit vraiment sa place, ses intentions, ses positions? Si n'apparaît pas encore que, de sa position de repli individuel, il participe ponctuellement puis revient dans son cantonnement? Ainsi les communistes par la plume de Kanapa insisteront-ils sur son isolement. Sous les traits de Labzac, son ancien élève de Pasteur décrit un Sartre de ces années d'occupation, occupé à « casser du sucre » sur le dos des communistes. « [Ils] ont une véritable maladie de la persécution, lui fait dire Kanapa. Ils voient de la Gestapo partout, des traîtres partout. Et voyez-vous ces cochons qui ont fait leur petite enquête sur nous! Comme de vulgaires flics! Ils ont une mentalité de flics, voilà la vérité [11]! » Esquisse de tensions qui deviendront violentes. Vercors, pour sa part, regrette que l'attitude de Sartre n'ait pas été plus univoque: il aurait aimé recevoir un texte de lui pour les éditions de Minuit où avait accepté de publier un Mauriac, par exemple, il aurait préféré que *Les Mouches* ne fût pas représentée grâce à l'indulgence de la censure allemande. De même aurait-il préféré que Camus acceptât de lui donner le manuscrit de

L'Étranger, pour que celui-ci échappât à Gallimard et parût clandestinement. Des restrictions sur l'attitude de Sartre, mais sans acrimonie, sans rancune véritable [12].

Il est là *et* il est en dehors. On découvre, en ces années-là, un Sartre souterrain que ses contemporains ne peuvent pas connaître, et qui fait médire certains de ceux qui lui reprochent son absentéisme. A Condorcet, par exemple, une charrette de professeurs « de gauche » comme Crouzet, l'angliciste, ou le proviseur lui-même, est constituée dès 1943 : ils sont déplacés. Sartre reste en fonction : quelle leçon en tirer? Il suffit de lire son avant-dernier rapport d'inspection, pour apprendre que le gouvernement de Vichy avait décidé de ne plus le laisser « sévir » longtemps. « M. Sartre », écrit, le 17 mars 1942, le recteur de l'académie de Paris nommé par Vichy, Gilbert Gidel, « me paraît avoir compris, en ne faisant pas figurer à ses travaux les deux volumes publiés par lui à la N.R.F., *Le Mur* et *La Nausée,* que ces ouvrages, de quelque talent qu'ils témoignent, ne sont pas de ceux qu'il est souhaitable de voir écrire à un professeur, c'est-à-dire à quelqu'un qui a charge d'âmes. Que M. Sartre médite à ce sujet quelques lignes très saines de M. André Bellesort dans *Le Collège et le Monde,* et qu'il en fasse son profit pour la conduite de sa carrière et de son existence [13]. » Merveilleux retour des choses : l'ancien professeur de Sartre à Louis-le-Grand, Bellesort, était mort quelques jours auparavant, et Vichy lui avait rendu un hommage posthume, où l'on notait la présence de Brasillach.

Le Sartre souterrain des années d'occupation, n'est-ce pas également celui qui, dès le printemps 1943 à Paris, renoue les contacts avec Pierre Kaan? Entre-temps, celui-ci est devenu secrétaire du Comité national de la résistance, travaillant de très près avec Jean Moulin en zone sud, principalement. Or le voilà, en ce mois de mai 1943, chargé à Paris d'une mission en laquelle il croit énormément : remédier aux lourdeurs de l'appareil C.N.R. dont les projets d'action ne sont ni assez directs ni assez efficaces, et créer des groupes d'action technique (A.G.A.T.E.), tournés vers le sabotage. Au cours de cette mission parisienne, Pierre Kaan rencontre également certains membres du réseau Vélite, dont Pierre Piganiol, Pierre Mercier et Raymond Crolant. Ces normaliens scientifiques, très tôt, avaient pris contact avec Londres par l'intermédiaire notamment de Roger Wybot, et s'étaient illustrés par des actions clandestines avec Cavaillès lui-même. Sartre rencontre donc Pierre Kaan à plusieurs reprises, lui manifeste son accord et son souhait d'aider à la constitution de ces groupes de sabotage [14]. Les groupes A.G.A.T.E. comprennent vite un certain nombre d'antennes, l'une en relation avec des maquis de Corrèze, dirigée par un des fils Mercier; une autre basée à Paris avec Bertrand et Sartre; une troisième, enfin, regroupant, sous le contrôle d'un autre fils Mercier et de Philippe Wacrenier, les corps francs d'étudiants « Liberté ». Trois tâches immédiates à remplir : monter un réseau de renseignements, constituer des groupes de sécurité pour des personnes menacées – comme Pierre Brossolette –, monter des opérations de sabotage.

Square Croulebarbe, dans le XIIIe arrondissement de Paris. Pierre Piganiol, prévenu par son ami d'enfance Pierre Kaan, retrouve Pierre Isler, professeur d'allemand, poussant une voiture d'enfant pour ne pas se faire repérer. On attend un troisième acolyte, prévenu par Isler : arrive le petit homme, d'un air pressé, comme protégé par son inséparable pipe. Pas de présentations, mais en marchant, les mots circulent. « Les paroles, c'est bien, dit Sartre, mais maintenant l'heure est à l'action. Il ne s'agit aucunement pour moi d'un ralliement à l'idéologie de Londres, mais il est bon aussi parfois qu'un écrivain puisse mettre la parole du canon à sa disposition, car dans les périodes d'extrêmes crises, l'écrivain devient sans voix. Voilà, je vous confirme ce que j'ai dit à Dupin [15], poursuit-il : j'ai pris contact avec des amis qui ont d'importants dépôts d'armes dans les carrières de Villejuif et d'Arcueil. » Et les projets s'enchaînent : il s'agit de faire sauter des péniches allemandes qui transportent des armes, et de localiser les bombes sur les écluses de Vernon. « Nous avons des armes, répond Sartre, nous avons des cachettes, et dès que nous en aurons les moyens, nous pourrons déclencher d'autres actions terroristes, faire sauter des wagons, j'ai beaucoup d'idées à ce sujet. Plus tard, il faudra recruter des hommes, ajoute-t-il, pour faire passer des messages, et trouver le contact avec Londres... Quant à moi, je suis prêt, j'en ai assez de me sentir muselé comme écrivain... » Rendez-vous est pris pour le mois suivant, à La Coupole. « Ce n'est pas la peine de se faire des cachotteries, glisse Isler à Piganiol, vous l'avez bien reconnu. – Non, admet ce dernier, quoique ce visage, ce strabisme, soient difficiles à porter dans la clandestinité. – C'est Sartre, conclut Isler, et, malgré son talent, malgré son courage, je ne vous cache pas que, d'après Kaan, on n'a pas beaucoup apprécié, dans les milieux du C.N.R., le fait que sa pièce ait été représentée dans ces conditions : on l'a méchamment critiqué [16]. »

Que seraient devenues les activités de Sartre dans le groupe A.G.A.T.E.? Il y eut la fin catastrophique des quarante et un jeunes fusillés des corps francs « Liberté », puis l'arrestation de Pierre Kaan en décembre 1943 à Paris. Deux catastrophes qui anticipèrent de peu l'écroulement total du réseau. « Je suis un clandestin de la clandestinité », avait pourtant confié Pierre Kaan à sa femme. Il est arrêté le 29 décembre 1943, tandis qu'il organise l'attentat du barrage de Vernon avec le fils Mercier. Il est déporté et n'en reviendra pas. Crolant mourra aussi en 1945. Les velléités résistantes de Sartre en cette année 1943 semblent bien cesser avec l'échec d'A.G.A.T.E. et la disparition de Pierre Kaan. Ces quelques rencontres ne furent-elles que velléités? Annonçaient-elles des projets plus tenaces? Les traces actives de Sartre clandestin disparaissent vers la fin de l'année 1943.

Seule émergence de sa présence ponctuelle dans ces milieux : le dossier « Très secret » reçu en mai 1944 à Alger et retrouvé dans les papiers de Georges Oudard, chef du groupe de résistance Cochet. Texte intitulé « La Résistance : la France et le monde de demain – par un philosophe » qui comporte la mention manuscrite : « Jean-Paul Sartre, normalien, adhérant au Front national. » Dans le même dossier, le texte « D'un intellectuel résistant » est, également à la main, attribué à *(sic)* « Albert Camus, agrégé de philosophie... : [illisible] politique, écrit dans la presse clandestine [17] ». Sartre ne se souvint pas avoir écrit ce texte, mais il reconnut la paternité de toutes les idées qui y figurent. Ce texte, pourtant, avait été recueilli par les soins du Comité général des experts (C.G.E.) qui, depuis sa création par Jean Moulin, enquêtait sur les potentialités des intellectuels résistants [18]? Texte marqué par toutes les douleurs subies depuis « Socialisme et Liberté », texte éminemment pessimiste, où l'on sent que, depuis les disparitions successives de Cavaillès, de Cuzin, de Kaan, Sartre n'est plus l'homme vierge qui se lançait tête baissée dans l'action concrète : l'homme a pris un coup dans l'aile. C'est également le Sartre de l'après-guerre qui parle déjà. La voix que nous retrouverons tout au long de cette année 1944, elle naît là, dans ces mois qui précèdent la Libération.

Une voix lucide mais déçue, une voix amère mais tonique, qui a pris le pouls du réel, mais également et pour la première fois – le tournant est pris – une voix qui dit « nous ». « Nous », c'est la communauté des résistants de France, opposés à ceux d'Alger. Quelques mois plus tard, il l'opposera à ceux de Londres. Première manifestation de la volonté politique de l'écrivain; accompagnée de l'analyse et de la synthèse du témoin qui *veut* parler. « Nous vivons dans l'angoisse, dit la voix, nous perdons chaque jour plus d'espoir... cette résistance est à peu près inefficace... les Français ne *lisent* pas les tracts... A quoi bon tuer un boucher de village qui collabore, lorsque Darnand est en vie et n'a été l'objet d'aucun attentat?... Que d'erreurs : il n'est pas de jour où, en Haute-Savoie, on n'abatte des innocents... La lutte revêt, la plupart du temps, l'aspect d'une agitation désordonnée... A cette lutte vaine, les forces de la France s'épuisent peu à peu... On croit déceler dans les conseils de la B.B.C. ou de Radio-Alger une espèce de frivolité... Nous assistons impuissants à un écrémage de la population française... La résistance française est, dans son ensemble, purement négative; nous savons *contre qui,* non *pour quoi* nous nous battons... Les Français luttent dans le noir... De là cette résignation amère qui caractérise la phase actuelle de la résistance : on lutte parce qu'il n'y a pas autre chose à faire, parce que notre dignité d'homme exige cette lutte [19]... »

Constat, bilan, volonté de regarder la situation sans fard, de ne céder à aucune mystification, la voix est bien grave, la déception nullement feinte. Peu à peu, on sort du tunnel et les descriptions d'ensemble font place à des critiques plus pointues, à des propositions concrètes. Refus de basculer, coûte que coûte, soit vers les gaullistes, soit vers les communistes – comme au temps de « Socialisme et Liberté » –; orientation délibérée vers une politique de la troisième voie, ces deux points reviennent sans cesse : « La majorité des Français, poursuit la voix, implacable, ne sont ni capitalistes ni communistes : ils flottent... Il n'y a aucune commune mesure entre le courage inutile de la Résistance et le sort qu'on nous prépare; en admettant même que les attentats et les sabotages fassent avancer la victoire, nous ignorons *qui* nous aidons. Rien n'est plus démoralisant que de ne pouvoir envisager les conséquences, même les plus proches, de nos actes... Le jeune bourgeois gaulliste qui assure le fonctionnement d'un poste de radio clandestin hâte peut-être l'avènement du communisme. Le jeune communiste qu'on a fusillé hier a peut-être, par sa mort, contribué à rétablir une démocratie capitaliste qu'il hait... » Et, prenant appui sur son rejet des institutions politiques, la voix achève son monologue dans un espoir inattendu : « Les Français commencent à comprendre, poursuit-elle, qu'on change l'homme en changeant la collectivité où il vit, et ils veulent qu'on la change selon les principes de la justice... Le socialisme d'État et la liberté individuelle s'opposent, cela est certain. Mais il y a d'autres formes de socialisme et, finalement, une construction socialiste qui n'aurait pas pour fin dernière la libération de la personne et la restitution de la dignité humaine, ne serait qu'une technique dépourvue de signification. Il semble qu'aujourd'hui nous ayons touché le fond : à présent il est permis d'espérer. Un gouvernement en exil qui prendrait conscience des difficultés où nous nous débattons et qui choisirait pour mot d'ordre la réalisation de la liberté concrète par la collectivisation des moyens de production, réunirait autour de lui la majorité des Français. Il donnerait à la

Résistance une foi positive; la France pourvue d'un tel message retrouverait une politique et une dignité; elle se ferait dans le monde une place nouvelle. »

Cette voix forte, vibrante, sans tremblement, sans hiatus, n'est-ce pas très exactement la voix définitive du Sartre de quarante ans? Désormais, Sartre dit « nous ». Et peu importe si, ses activités politiques, il les considère comme secondaires à côté de la littérature; le pas est franchi. Activisme, débats théoriques, rencontres, prises de conscience de tous ordres, participation à des comités organisés, louvoiements divers entre communistes, trotskistes et gaullistes, de quoi est donc fait l'engagement politique du Sartre résistant? De toutes ces tentatives, de ces essais et erreurs, des discussions avec ses étudiants, de sa décision d'écrire exclusivement dans des revues clandestines ou dans des revues de la zone libre, de son choix de ne publier que certains de ses textes, et de mettre de côté ses romans... Et puis, surtout, d'une recherche : celle d'une place dans la vie politique française, à l'écart des groupes constitués, celle d'une voix, différente des poètes et patriotes; d'une place, qu'aucune structure existante ne peut lui fournir et qu'il doit se forger avec les moyens du bord. Projet plausible, au demeurant, car il est lui-même entre-temps devenu citoyen à part entière de la république des lettres à Paris...

Glissements successifs d'un professeur de philosophie vers les centres de la vie artistique où tout se trame : le contrat Pathé assure désormais des rentrées financières fastueuses... A l'automne 1943, on va jouir du changement, dans la famille Sartre! On va d'abord déménager et laisser les murs crasseux de Montparnasse pour s'installer rue de Seine, à deux minutes de Saint-Germain-des-Prés, dans l'hôtel de la Louisiane. Au même étage, Beauvoir et Sartre. Elle, dans une grande chambre avec divan, table massive, vue sur les toits et cuisine. Lui, à l'autre bout du couloir, dans une chambre petite et dépouillée. A l'étage en dessous, « les petits », Nathalie Sorokine – une ancienne élève à elle – qui vit avec Bourla – un ancien élève à lui. Déjà, les petits avaient habité l'hôtel du Castor dans la rue Dauphine. Maintenant, Sartre était riche, et tout le monde pouvait profiter de la rue de Seine. Repas en commun, auxquels se joignaient parfois Bost et Olga, restés à l'hôtel de la rue Jules-Chaplain, derrière La Coupole. Et puis, autre joie de la vie collective, Mouloudji et son amie Lola la Brune avaient également pris une chambre à la Louisiane, où la jeune femme était devenue rapidement populaire parce qu'elle lavait et repassait les chemises des clients, à une époque où même le savon était rationné [20]!

« Cela fit un grand changement dans mon existence quand soudain le cercle de nos relations s'agrandit. » Après ces deux années austères, cette boulimie d'écriture en solitaire, Simone de Beauvoir, la première, sent la fin du tunnel. Entre-temps, elle a même frôlé un prix littéraire pour son premier roman, et elle forme désormais avec Sartre ce qu'on pourrait appeler, faute de mieux, un couple d'écrivains. Ainsi commença, dès la rentrée 1943, une nouvelle ère, celle des dîners entre gens de lettres, ainsi s'inscrivit dans le cercle des amis écrivains l'image d'un couple peu banal : le Castor – comme on prit l'habitude de l'appeler – parlant vite, réglant tout avec méthode, aux yeux de porcelaine et au visage harmonieux, dépassant d'une tête le petit homme, infatigable boute-en-train, plus métallique, plus jovial. Ainsi furent-ils reçus chez les Leiris et fréquentèrent-ils les Queneau. Ainsi invitèrent-ils à leur tour, selon les lois les plus impérissables du code de réciprocité mondaine. Ainsi apprirent-ils à fréquenter Camus, à aimer ses façons cavalières de rire, de parler, adorèrent-ils son aisance, admirèrent-ils son panache de mâle méditerranéen quand il parlait aux femmes ou quand, les enlevant par la taille, il les serrait dans le plus impeccable des paso doble qu'ils eussent jamais vus. Ainsi devinrent-ils des habitués – chez les Leiris, quai des Grands-Augustins – d'une des plus belles collections d'art contemporain : Ernst, Miró, Picasso, Juan Gris, ainsi écoutèrent-ils avec délice les anecdotes de ces anciens surréalistes, eux les deux agrégés qui n'avaient jamais frayé avec ces gens-là. Ainsi apprécièrent-ils Queneau tout spécialement un jour où, Sartre lui ayant demandé ce qui lui restait du surréalisme, celui-ci avait répondu : « L'impression d'avoir eu une jeunesse [21] ! » Ainsi le Castor apprit-elle à « recevoir », profitant des colis de Mme Morel, des trucs de Zette Leiris. « Ça ne brille pas par la qualité, avait un jour remercié Camus, mais il y a la quantité ! » Ainsi laissèrent-ils éclater leur tension contenue par les couvre-feux, les rationnements, la répression environnante en de délicieux moments de rires déployés. Complicités, réciprocités, reconnaissances mutuelles n'avaient-elles pas auparavant déjà préparé ces rencontres ? Camus critiquant *La Nausée* et *Le Mur,* Sartre critiquant *L'Étranger,* Leiris critiquant *Les Mouches,* Sartre appréciant *L'Âge d'homme,* petit jeu de miroirs en chaîne, nécessaires et inévitables, destins littéraires entrecroisés, l'histoire de leurs amitiés se construisit à la vitesse de l'éclair : rencontres régulières, réunions du C.N.É., cocktails divers, sorties communes, une fusion se fit là qu'aucune circonstance historique ne pourrait jamais égaler. Et que Beauvoir rappellera plus tard, comme s'il s'agissait un peu d'un manifeste : « Nous nous promettions, écrit-elle, de demeurer à jamais ligués contre les systèmes, les idées, les hommes que nous condamnions; leur défaite allait sonner; l'avenir qui s'ouvrirait alors, il nous appartiendrait de le construire peut-être politiquement, en tout cas sur le plan intellectuel : nous devions fournir à l'après-guerre une idéologie [22]. »

Sans conteste, avec la publication de *L'Invitée,* le premier roman de Simone de Beauvoir, avec cette histoire d'un couple en trio, les lecteurs et le grand public eurent un peu l'impression de pénétrer au sein d'un secret intime. Et le couple Sartre-le Castor devint brutalement l'acteur d'une vie privée transparente. Là furent racontés, par fiction interposée, les heurts de la passion de Sartre pour Olga – en l'occurrence de Pierre pour Xavière –, les tentatives du trio Beauvoir-Sartre-Olga – Françoise, Pierre, Xavière – pour parvenir à maîtriser jalousie, possessivité, etc. Roman qui suscita, comme le dit l'auteur elle-même, « curiosités, impatiences, sympathies », qui joua, plus que toute autre œuvre littéraire, un rôle publicitaire indéniable, choisissant délibérément de dévoiler, de montrer, d'exhiber même, ce que les couples traditionnels tiennent caché, surtout quand il s'agit d'expériences pour l'époque marginales, dans la transgression de l'ordre bourgeois. Mais ce roman scellait également une des complicités les plus importantes du couple : la complicité professionnelle. Le Castor n'avait-elle pas longuement, interminablement, repris le manuscrit de *Melancholia* puis de *La Nausée,* n'avait-elle pas discuté les thèses de *L'Être et le Néant,* devenant l'interlocuteur privilégié ? Et quand Sartre lançait ses théories sur la liberté dans une ligne presque stoïcienne – « on peut toujours être libre », disait-il –, elle avait longuement argumenté : « Alors, les femmes d'un harem, par exemple, quelle liberté ont-elles ? – Enfin, répondait-il, il y en a une qui est plus libre que les autres, mais néanmoins, c'est vrai, la marge est infime [23]. » De la même façon, avec la même réciprocité, Sartre avait aidé à la naissance de *L'Invitée* : moment de choix pour les deux écrivains en prise chacun avec sa technique romanesque, *Les Chemins de la liberté* pour lui, *L'Invitée,* puis *Le Sang des autres* pour elle. C'est d'ailleurs lui, Sartre, qui avait transmis le manuscrit de ce premier roman du Castor à Paulhan, lui qui avait participé à la discussion quand Paulhan avait déclaré : « Il faudrait tout reprendre par le début », et devant la mine désespérée de l'auteur, avait conclu avec sa légendaire souplesse : « Alors ne changez rien, c'est aussi bien ainsi... »

Cependant le professeur de philosophie continuait d'enseigner au lycée Condorcet. Assurant consciencieusement ses trois demi-journées par semaine, discutant avec les élèves, les stimulant, les taquinant. Impressionnés, ils l'avaient été, les élèves d'hypokhâgne qui s'ennuyaient à mourir chez M. L... quand ils avaient appris que l'auteur du *Mur* officiait à côté. Et ils avaient demandé au censeur la permission d'ajouter aux interminables explications de la *Critique de la Raison pure* par M. L... des séances chez Sartre. *Le Mur,* ils se l'étaient refilé sous le manteau l'année précédente, et les voilà les Balladur, les Neel, les Richard qui doublent leur ration de philo pour le plaisir. Deux années durant, donc, ils se rendront aux cours de ce professeur-copain, assis sur le bureau, jonglant avec les textes et les citations et parlant, sans la moindre note, de littérature, de cinéma, de théâtre et de philosophie. « Absolument éblouissant », s'émerveille encore aujourd'hui l'architecte Jean Balladur qui ne manque jamais une occasion de préciser, quand il parle de sa carrière, qu'il fut un élève de Sartre. « Un langage clair, ajoute-t-il, une façon unique de foncer au cœur du sujet qu'il cernait tout de suite par sa redoutable intelligence [24]. » Image d'un professeur, si peu professeur, petit et basculant presque sous le poids d'une énorme serviette de cuir bourrée à craquer; qui, profitant de la moindre interrogation écrite, ouvrait enfin sa serviette mystérieuse, en sortait des pages en vrac et se mettait à écrire, à écrire sans fin; qui débutait ses cours, sans appel réglementaire, sans code d'autorité hiérarchique, comme une rencontre entre amis, mains dans les poches – « Vous avez vu le dernier film de Clouzot? » « Alors, Balladur, as-tu avancé dans ta lecture de Hemingway? » – avant de basculer dans l'analyse du sens de l'au-delà chez Heidegger et chez Hegel. « Un âne est rétif, explique Sartre, on lui attache une carotte devant le nez et il avance pour la manger : c'est l'image de l'au-delà pour Heidegger; nous avons toujours des " possibles " qui se présentent à nous indéfiniment. Tandis que pour Hegel, à chaque fois, nous mangeons un petit peu de la carotte [25]. » Et sans véritable rupture, il bascule de la vie quotidienne à la philosophie. Leur distribue des tracts du C.N.É., leur parle de Munich, de l'obligation pour le citoyen d'assumer le dessein historique de son pays, puis termine par un cours sur la lâcheté. Les invite à boire un demi, le mercredi à midi, en traversant la rue du Havre, en face de la gare Saint-Lazare. Puis, poursuivant avec certains, les embarque avec lui pour continuer l'après-midi. Ainsi, à l'âge de dix-huit ans, Jean Balladur fit-il la connaissance de Giacometti dans son atelier, celle de Camus au Flore, assista-t-il à la générale des *Mouches,* s'amusa-t-il à une conférence chez les dominicains dans la rue de Babylone, où autour de *L'Être et le Néant* Sartre fut questionné interminablement par Gabriel Marcel, par le père de Waelhens, « Dans quelle catégorie classez-vous la rose, l'en-soi ou le pour-soi? » lui fut-il demandé, et Sartre, gêné, de s'enferrer dans des exposés théoriques [26].

Professeur et élèves se renvoyant la balle. Lui, prenant avec humour les éventuels canulars typiques. Comme le jour où dans sa classe de « taupe » – qui prépare polytechniciens et centraliens, où la philo n'est pas la matière essentielle – il avait prévu par hasard une interrogation écrite pour le 4 décembre. Il tombait à pic dans le très puissant rituel des « taupins » qui, depuis des générations, célèbrent la Sainte-Barbe en faisant ce jour-là exactement tout à l'envers. « Sainte Barbe, priez pour nous », s'entend répondre le professeur par une classe excitée dès qu'il ouvre la bouche. Puis ramasse les copies après trois sommations et écourte la plaisanterie. La semaine suivante, faisant le compte rendu desdits travaux, quelle n'est pas la surprise des taupins amusés, pris dans la fable de l'arroseur arrosé : surpassant dans l'humour les élèves qui avaient rédigé leur devoir soit en forme de spirale, soit de droite à gauche, Sartre avait tout corrigé, consciencieusement, même la copie d'un mythique élève de la taupe – dont il savait très bien qu'il n'existait pas –, montrant ainsi que le canuleur vedette de la rue d'Ulm n'était pas mort en lui [27]! Professeur parfois ironique, parfois bourru, provoquant volontiers, bousculant ses élèves. « Tu es un paresseux, Balladur, tu ne travailles pas, bref tu n'arriveras jamais à rien! » Mais il note « excellent » sur le bulletin de fin d'année. Ou encore, répondant à l'admiration vouée par l'élève Richard au philosophe Alain : « Je suis sûr, Richard, que tu portes des fixe-chaussettes et que tu te rases au coupe-chou : c'est le propre de toutes les vieilles barbes [28]! » Embouteillages considérables à la sortie des cours de Sartre : élèves agglutinés en grappe autour de lui sur le premier étage de la galerie. Sursauts d'envie chez les élèves des classes parallèles, envie attisée par les récits enthousiasmés de Balladur qui met toute sa conviction dans ses grands yeux brillants d'Oriental et raconte sans trêve sa passion pour la philosophie. On murmure même dans les couloirs que Sartre aurait poussé ses élèves à « sécher » le 11 novembre 1943 pour célébrer avec les étudiants résistants de France l'anniversaire de la manifestation du 11 novembre 1940...

Comment les élèves de Sartre – adolescents dans la guerre – ne s'étonneraient-ils pas de l'ouverture, de la disponibilité, de la générosité du professeur, à qui l'on peut tout dire, tout demander? Balladur lui demande un jour de recevoir un copain : de parents turcs, juifs émigrés, le jeune Misrahi vient de lire *L'Être et le Néant* et souhaite rencontrer son auteur. « Venez au Flore entre quatre et cinq », lui répond Sartre. Philosophie, questions privées, on vient de décréter le port obligatoire de l'étoile jaune, et Sartre s'inquiète. « Revenez donc me voir, ça me plaît bien de parler avec vous. » De fil en aiguille, de rencontre en rencontre, Sartre apprend peu à peu que le jeune bachelier s'apprête à abandonner ses études, pour continuer les petits travaux qui l'aident à gagner sa vie : porteur, commissionnaire... « Il faut préparer l'agrégation », dit Sartre avec conviction. Proposition timide, puis concrète : il versera des mensualités à Misrahi jusqu'à l'année d'agrégation, et il tiendra parole [29]... Enthousiasmes divers pour les capacités pédagogiques de l'homme Sartre, et compliments partagés par les autorités du milieu, inspecteurs, proviseurs, etc. « Brillant, à l'intelligence vive, note le proviseur, servi par une remarquable facilité d'élocution et une voix qui impose l'attention. » L'inspecteur André Bridoux, visitant la classe le 30 janvier 1943, apprécie les « remarquables connaissance et intelligence des textes, la netteté de l'expression, l'ampleur des vues ouvertes ». Remarquant plus particulièrement certains « rapprochements extrêmement suggestifs, comme lorsque M. Sartre montre que le progrès vers l'être qui s'accomplit quand on va de Descartes à Spinoza, se retrouve dans la philosophie contemporaine, de Husserl à Heidegger [30] ».

Pourtant ni ses compétences pédagogiques ni sa passion pour ses élèves ne pouvaient plus arrêter le processus : l'écrivain avait désormais pris le pas sur l'enseignant, qui bientôt allait donner sa démission. Déjà l'attendent des projets en tous genres, cinéma, théâtre, journalisme, plutôt dans les cercles littéraires que chez les universitaires. Sous le professeur des années d'occupation, « l'écrivain qui résistait » avait fait son chemin et allait l'emporter...

CHEF SPIRITUEL POUR MILLE JEUNES GENS...

« Trois œufs et un paquet de nouilles » : les détails d'alimentation sont devenus le leitmotiv de toutes les conversations, de toutes les correspondances dans la France occupée, et Sartre n'y résiste pas. Ainsi Mlle de Beauvoir apprend-elle qu'il n'a plus de coupon de pain et qu'il doit en emprunter 700 grammes à Wanda; que faute des arrivages de nouilles escomptés, il a reçu des pommes de terre; ou encore que grâce à Jean Lescure il vient d'obtenir une denrée infiniment plus précieuse qu'aucune autre : cinquante grammes de tabac blond envoyés spécialement pour lui par un « admirateur » suisse et – comble du raffinement – par la voie royale de la valise diplomatique! Plus se prolongea l'occupation allemande, plus sévères furent les privations, plus violents les conflits qu'elles entraînèrent. « Un marché noir effréné... d'indicibles privations... des gains scandaleux », note dans ses *Mémoires de guerre* Charles de Gaulle en date du printemps 1944.

A la même époque, commence une lutte sans merci entre miliciens et résistants : le 31 janvier 1944, le gouvernement de Vichy a en effet délégué à la milice la « mission de repérer les foyers de propagande adverse, de rechercher les meneurs de forces hostiles, de réprimer les menées et les manifestations antigouvernementales ». Mission exécutée parfois avec un zèle excessif puisque les miliciens créent les « francs-gardes », véritables groupes militaires, et stimulés par les discours violents de Darnand, qui décrète la lutte armée ouverte contre *tous* les résistants. Armés par les Allemands eux-mêmes, ces groupes fascistes vont engager une véritable guerre civile dans toutes les régions de France : Pâques rouges dans le Jura, massacres d'Ascq, exécution des vingt-trois « terroristes étrangers » condamnés dans le procès dit de « l'affiche rouge » : leurs photos, collées dans le métro parisien, appellent à la délation la population civile... La petite cellule de l'hôtel de la Louisiane allait peu à peu souffrir dans sa chair des massacres de cette guerre. « Une nuit, raconte Beauvoir, je crus que le ciel et la terre explosaient... Sartre vint me chercher et m'entraîna sur la terrasse de l'hôtel; l'horizon était embrasé et quelle fantasia dans le ciel!... Ce tumultueux spectacle dura plus de deux heures. Nous apprîmes le lendemain que la gare de la Chapelle était en miettes et entourée de décombres; des bombes étaient tombées au pied du Sacré-Cœur [1]. »

Les plus grandes villes françaises sont bombardées : Le Havre, durement touché, perdra entre autres l'hôtel Printania. Menaces géographiques, menaces physiques : l'étau se resserre. Un jour, Mouloudji effondré annonce l'arrestation de Lola et d'Olga Barbezat, au cours d'une rafle chez des amis résistants. Sartre intervient auprès d'une connaissance qui « semble au mieux avec Laval », et c'est l'attente : quelques semaines plus tard, après un internement à la prison de Fresnes, elles réapparaissent [2]. Cette fausse alerte précéda de peu un véritable drame dans la « famille ». On connaît l'attachement porté par les deux professeurs aux « petits » Sorokine et Bourla, logés à l'hôtel même : « Ils sont gentils, écrit un jour Sartre au Castor partie aux sports d'hiver, je trouve chaque jour mon couvert mis, une écuelle, un bol, une cuiller et un couteau, sur la nappe tigrée, c'est touchant [3]. » Discussions quotidiennes, repas communs, la collectivité fonctionne à plein. Et le couple si contrasté formé par Sorokine et Bourla s'y intègre totalement : elle, grande, blonde et lisse, lui noir, bouclé, intense, portant fièrement ses racines de juif espagnol émigré, deux adolescents de vingt ans, littéraires et passionnés. « Il faut faire confiance au vide », expliquait-il après ses expériences d'écriture poétique. Il était certain de la défaite à terme du nazisme : « Et en cas de victoire allemande? lui avait demandé un jour Sartre. – La victoire allemande n'entre pas dans mes plans, avait-il répondu abruptement [4]. » Le jour où l'on apprend l'arrestation de Bourla, toute la « famille Sartre » est touchée. Longue attente, intervention d'un Allemand qui, dit-il, le sauvera contre plusieurs millions : l'argent est trouvé, et Beauvoir accompagne Sorokine à Drancy qui, derrière les barbelés, salue de loin celui qu'elle croit être Bourla, encore en vie grâce à l'« ami allemand »... Peu à peu elles s'apercevront qu'elles ont été mystifiées par cet Allemand, que Bourla a été abattu dès le début de son arrestation. « Bourla avait vécu tout près de moi, écrit Simone de Beauvoir, je l'avais adopté et il n'avait que dix-neuf ans. Sartre tentait pieusement de me convaincre qu'il n'est pas plus absurde de mourir à dix-neuf ans qu'à quatre-vingts [5]. »

Parallèlement à cette accélération des brutalités physiques, aux chocs qu'il vient de ressentir dans sa chair, Sartre poursuit son ascension dans les hautes sphères littéraires, alternant les genres, pour assouvir son extraordinaire boulimie d'écriture : cinéma, théâtre, critique littéraire, roman, articles politiques... Une hiérarchie, dans tout ce programme? « J'ai fini l'article Parain et me suis remis au roman avec délice, écrit-il un jour, c'est tellement plus amusant que de parler du langage [6]. » Va-et-vient incessants entre les moments de jouissance pure – la fiction – et les moments de pensum – la critique. Et, sollicité par Paulhan, qui ne cesse de le harceler – « J'attends impatiemment la suite de l'article Parain [7] » –, le critique littéraire poursuit son activité de sabrage et de défrichage de la littérature française contemporaine. Paulhan se repaît-il de ce double jeu qu'il contrôle à merveille, faisant publier d'une main, faisant sabrer de l'autre? Toujours est-il que, dans cette affaire, Sartre est son homme mieux que quiconque, lui qui n'y va pas par quatre chemins pour lancer les injures, décerner des bons points, esquisser dès à présent les limites, les frontières de la littérature de demain, trier le bon grain de l'ivraie, mettre à mort les agonisants, promouvoir les nouvelles plumes, selon ses propres haines et ses propres coups de cœur : après avoir parlé de Camus, c'est au tour de Blanchot, de Bataille, de Parain et de Ponge d'être un à un par lui minutieusement scrutés, décortiqués, jugés. « Il ne fut pas donné à tous les mécontents de diriger leur colère contre le langage. Il fallait pour cela lui avoir attribué d'abord une valeur singulière. Ce fut le cas de Ponge et de Parain. Ceux qui croyaient pouvoir décoller les idées des mots ne s'inquiétèrent pas trop ou appliquèrent ailleurs leur énergie révolutionnaire. Mais Ponge, mais Parain avaient défini d'avance l'homme par la parole. Ils étaient pris comme des rats, puisque la parole ne valait rien. On peut vraiment dire, en ce cas, qu'ils ont désespéré : leur position leur interdisait toute espérance. On sait que Parain, hanté par un silence qui se dérobait toujours, se porta aux extrêmes du terrorisme et revint à une rhétorique nuancée. Le chemin de Ponge est plus sinueux [8]. »

Pendant qu'il pose une à une les pierres de l'édifice qui fera de lui le véritable régent de la vie littéraire française, Sartre découvre les délices d'une certaine vie sociale tourbillonnante. Événements littéraires, sollicitations diverses, rencontres nouvelles, les occasions se succèdent à un rythme rapide : février 1944, jury du prix de la Pléiade où Sartre, siégeant entre Malraux, Eluard et Camus, obtient le succès de son « poulain » Mouloudji, déjeuner au restaurant Le Hoggar en l'honneur du lauréat. Mars 1944, dans l'appartement de Marcel Moré à Paris, rencontres littéraires et discussions entre hommes de lettres : Sartre y parlera du sens du péché, autour des thèses de Bataille, avec Klossowski, Hyppolite et le père Daniélou. Avril 1944, c'est le premier congé « pour raisons de santé » demandé par Sartre au ministère de l'Éducation. Et puis, enfin, c'est Jean Grenier qui, se penchant vers Simone de Beauvoir au café de Flore, pose la question fatale : « Madame, êtes-vous existentialiste ? »

Enfin, et surtout, une certaine soirée fit date pour nos deux écrivains, pour leurs proches : tout commença, au printemps 1944, par la pièce que venait d'écrire Picasso et qu'il intitula : *Le Désir attrapé par la queue.* Lointaine parodie des œuvres d'avant-garde des années 20, ce texte plaisait à Leiris, qui proposa d'en faire une lecture publique : le metteur en scène serait Albert Camus. Distribution prestigieuse, texte exceptionnel, événement unique, tous les éléments étaient réunis pour que la soirée fût belle. Et elle ne manqua pas de l'être. Sartre joua le rôle du « Bout rond », Leiris celui du « Gros Pied », Dora Marr de « L'Angoisse grasse », Simone de Beauvoir de « La Cousine »... Plusieurs répétitions, des invités nombreux parmi lesquels des hommes de théâtre comme Jean-Louis Barrault, des peintres comme Georges Braque, des écrivains comme Salacrou, Bataille, Limbour, des personnalités comme le docteur Jacques Lacan et Sylvia Bataille... Excités par l'atmosphère, éméchés par l'alcool, nos apprentis comédiens restent quelques instants après le départ du public, chantent, et c'est bientôt l'heure du couvre-feu. Leiris alors, propose : « Si vous passiez la nuit ici ? » Chansons, musiques, les intimes envahissent la nuit, l'habitent. Nuit totalement vierge dans une ville morte : nul bruit, nul mouvement, nulle lumière. Griserie d'être les seuls éveillés, d'être ensemble, et de chanter, d'exulter, de rire contre le silence imposé, contre l'ordre nazi. Après Mouloudji, Sartre se mit au piano, et joua deux de ses œuvres favorites : « Les Papillons de nuit », « J'ai vendu mon âme au diable »... Nuit de fête jusqu'à cinq heures du matin, qui ouvrit la série des « fiestas », lia nos écrivains à Picasso et Dora Marr, les rapprocha de Salacrou et de sa femme, entraîna près de Bataille. Dans ces milieux surréalistes Sartre et Beauvoir allaient puiser une jeunesse qu'ils n'avaient pas eue [9]... Au cœur de la vie artistique parisienne des années d'occupation, Sartre et son Castor devinrent des acteurs à part entière. Des acteurs drôles, boute-en-train, toujours disposés à la fête, des hôtes inventifs et spontanés. Qui reçurent dans leur chambre d'hôtel, ou dans la maison des amis, celle de Bost à la campagne; celle de Camille, décorée et superbe, où se déchaîna un soir l'imagination collective : « Nous étions toute une foire, raconte Beauvoir, avec ses histrions, ses charlatans, ses pitres, ses parades. Dora Marr mimait une course de taureaux; Sartre au fond d'un placard dirigeait un orchestre; Limbour découpait un jambon avec des airs de cannibale; Queneau et Bataille se battaient en duel avec des bouteilles en guise d'épée; Camus, Lemarchand jouaient des marches militaires sur des casseroles; ceux qui savaient chanter chantaient et aussi ceux qui ne savaient pas; pantomimes, comédies, diatribes, parodies, monologues, confessions, les improvisations ne tarissaient pas [10]. »

Après toutes les atteintes au territoire de l'individu, les restrictions alimentaires, le couvre-feu qui tombait de plus en plus tôt, les alertes, les bombes, les amis exécutés, c'est le déchirement temporaire du bâillon : une forme, peut-être illusoire, de libération collective, de jouissance ponctuelle. Fugues nocturnes, laisser-aller provisoires, et la vie continue... : théâtre, cinéma, politique, l'emploi du temps de Sartre est désormais très rempli. Trop, peut-être, avec risques de surmenage : « Question humeur, écrit-il à cette époque, j'étais un peu vexé de voir mes scénarios refusés, je suis si habitué aux éloges, à présent, que, lorsqu'on ne m'en fait pas, ça me désoriente [11]. » Effectivement, on ne lui fit pas d'éloges. « Découragé par la médiocrité des scénarios que nous recevions chez Pathé, j'ai été voir Sartre », raconte Jean Delannoy [12]. Enthousiasme de l'écrivain dont on connaît les liens privilégiés avec le cinéma, les relations complices : on se souvient du discours de distribution des prix au Havre, de la passion pour l'écriture cinématographique, qu'il transmet en jubilant à ses élèves. « Un découpage habile peut toujours rapprocher, entrelacer les scènes les plus diverses, leur expliquait-il : nous étions aux champs, nous voici à la ville; nous croyions y demeurer : l'instant d'après nous ramène aux champs... rappelez-vous le *Napoléon* d'Abel Gance [13]. » C'était pourtant un moment privilégié : les noms de Cocteau, de Pagnol, de Prévert, accédaient à l'écran, célébrant les premières noces superbes de la littérature et du cinéma. Pour Sartre, ce devait être un mariage manqué. Un mariage maladroit, comme ces mariages d'amour-passion entre deux adolescents trop assoiffés, trop idéalistes, trop semblables peut-être, et qui ratent le réel, sans trop comprendre pourquoi.

« De lamentables insuccès », dira-t-il lui-même de la plupart de ses collaborations avec le cinéma. Et, de fait, il reste et restera toujours un étranger au monde cinématographique. Le regardant avec fascination, comme il regarde avec fascination toutes les techniques d'avant-garde, mais ne sachant, ne pouvant y pénétrer, piétinant derrière la vitre avec maladresse, spectateur malheureux... Cette position d'étranger, elle éclate à la lecture d'« Un film pour l'après-guerre », un article qu'il écrit en avril 1944 pour *Les Lettres françaises clandestines.* Article très didactique, très poussif, assez indigeste. « Nous allons prendre un cas particulier qui va nous permettre de démontrer comment, actuellement, commence-t-il, le cinéma ne peut se sortir de la voie qui lui est imposée... » : discours, méthode, rhétorique de professeur, où sont passés l'éclat, la virtuosité, l'élégance du critique? Et qui veut-il convaincre quand il expose une conception terriblement traditionnelle du film qui « seul, affirme-t-il, peut parler de la foule à la foule, peut revendiquer cette place exceptionnelle d'*art des foules* »? Soit, il tente d'avancer la nécessité d'engagement, le devoir politique du cinéma, mais pourquoi le fait-il avec tant de lourdeur? Pourquoi, également, s'attaque-t-il à mots couverts aux scénaristes contemporains, aux productions de cette année-là, « les obscénités soporifiques de certaines comédies dites " parisiennes ", jetées en pâture au public comme un os à ronger »? Et quels modèles prône-t-il sinon ceux de son enfance, qu'il nomme « les grands pionniers du film, les Griffith, les Cecil B. De Mille, les King Vidor, les Eisenstein »? Premier aperçu d'une des limites de la voracité intellectuelle de Sartre, de sa mégalomanie parfois – rarement – avortée, l'exemple du cinéma est patent. Et, s'il croit posséder les outils intellectuels suffisants pour parler du film, s'il a certes la passion, la culture et la technique pour entrer dans le monde des scénaristes, un handicap majeur pourtant l'entrave et le gauchit. Les Cocteau, les Pagnol, les Prévert, ces écrivains passés avec tant d'aisance dans le milieu cinématographique, en quoi prévalaient-ils sur lui? Doit-on chercher des raisons du côté de sa formation, très universitaire, de sa spécialité, la philosophie, très théorique, de sa pratique particulièrement affinée de la rhétorique d'école, d'une certaine rigidité à pénétrer les domaines trop éloignés de ses territoires personnels? Ses différentes tentatives pour conquérir, pour inséminer de nouveaux terrains d'expression, indéfiniment, le cinéma, le journalisme, le théâtre, la politique, seront parfois heureuses, parfois moins, selon des lois qu'on tentera peu à peu de percer. Son point de départ, son système de référence permanent, la philosophie, à partir duquel il va explorer des terres inconnues, s'ils lui confèrent une légitimité certaine aux yeux de ses contemporains, sont-ils vraiment tout-puissants, sont-ils vraiment adéquats pour réussir ces nouvelles conquêtes? On y reviendra plus d'une fois. Pour l'heure, Sartre s'exprime sur le cinéma contemporain, « ce géant, dit-il, qu'on a enchaîné, qu'on a contraint à peindre des miniatures». Car, ajoute-t-il, «c'est qu'on a peur de lui».

Et il poursuit son travail de scénariste. Écrivant, successivement, et comme d'un même jet de plume, *Les jeux sont faits, Typhus,* ainsi qu'un scénario sur la Résistance. Croisant les thèmes des *Mouches* et de *Huis clos* – la prochaine pièce qu'il prépare déjà –, répondant à l'actualité directe, toujours obsédé par les villes malades, par les lieux clos, par le malaise insoutenable des habitants. Ottawee, une ville de l'archipel malais, est décimée par une épidémie. «C'est affreux, crie Nellie, de traîner dans cette ville où rôde le typhus, on sent la mort à tous les coins de rue... Je n'ai plus un sou, je ne sais même pas où coucher ce soir, et je n'ai pas un abri [14].» Travail technique sur le synopsis avec le scénariste Nino Frank qui s'étonne: «Pour la première fois, je rencontrais un dialoguiste qui voyait par plans et non par scènes... qui écrivait avec une rapidité extrême un dialogue très ramassé, très précis; étonnamment instinctif, donc cinématographique [15].» Puis c'est le tour du découpage technique auquel se livre Jean Delannoy lui-même. Ellipses, coupures, les deux amis admirent le talent du réalisateur, mais ce travail de laminoir les déçoit. «Les circonstances perdent de leur âpreté, chaque pointe est émoussée, toute trace de démesure effacée. Le réalisateur nous oppose avec autorité sa connaissance du public, les canons d'Hollywood, les nécessités de l'écran. ... Sartre me fait signe de ne plus insister. Et, en sortant: " J'en ai assez de ce scénario. Laissons faire. L'important, c'est qu'on le tourne [16]. "» Ce sera chose faite dix ans plus tard avec le film *Les Orgueilleux. Les jeux sont faits* verra le jour en 1947.

Le scénario sur la Résistance ne sera jamais tourné. Sartre, pourtant, y croyait vraiment: il s'en était ouvert, à demi-mots, dans un article où il exposait les sujets dont le cinéma de l'après-guerre devrait, d'urgence, se préoccuper: «Personne ne pourra, à notre place, commençait-il, parler des déportations, des fusillades, des combats des soldats sans uniforme... Il ne s'agira pas de faire un film de propagande... Le metteur en scène qui aura le courage d'entreprendre un tel film devrait y penser dès maintenant et dès maintenant rassembler des documents: il cherchera simplement à témoigner. Mais ce témoignage aura pour effet de rendre du même coup au cinéma sa largeur et sa puissance, car c'est une grande fresque sociale qu'il aura à peindre [17].»

Échecs par-ci, succès par-là, déception au cinéma, succès au théâtre: la roue tourne. Le 27 mai 1944, au théâtre du Vieux-

Colombier – à mi-chemin entre Montparnasse et Saint-Germain-des-Prés – c'est la première de *Huis clos.* Avec Tania Balachova, Michel Vitold, une mise en scène de Raymond Rouleau et Gaby Sylvia : un événement. D'autant plus remarquable que tout avait commencé par une boutade : Wanda avait souhaité elle aussi, comme sa sœur, jouer dans une pièce de Sartre. Ainsi qu'Olga Barbezat, dont le mari organiserait une tournée en province. Deux rôles de femmes, donc, auxquels Sartre ajouta un rôle masculin, le proposant à Camus qui s'occuperait également de la mise en scène. Seule contrainte que Sartre s'imposa : trois rôles et trois textes d'égale longueur, pour ne favoriser aucun des trois acteurs. Les répétitions avaient commencé à Noël 1943, dans la chambre d'hôtel du Castor, ou chez Camus. Avec des hauts et des bas : léger flirt entre Camus et Vanda. « L'âme russe, que nous avons explorée jusqu'aux doubles tiroirs, lui est encore peu familière », écrira Sartre au Castor, se défendant de toute jalousie. « Il est légèrement pincé pour elle, parle de son " génie " et de sa " valeur humaine " [18]. » Et puis, autre épisode, sérieux celui-là : l'arrestation d'une des deux actrices, Olga Barbezat. Alors, les répétitions avaient définitivement cessé et Sartre avait craint que sa pièce ne voie pas le jour... Le directeur du Vieux-Colombier, Anet Badel, s'y intéressa, les répétitions reprirent, avec des acteurs professionnels cette fois, et un metteur en scène confirmé.

« Je me suis dit, raconte l'auteur, comment peut-on mettre ensemble trois personnes sans jamais faire sortir l'une d'elles et les garder sur la scène jusqu'au bout comme pour l'éternité ? C'est là que m'est venue l'idée de les mettre en enfer et de faire de chacun le bourreau des deux autres [19]. » Certes, l'anecdote est belle, mais, au-delà d'un simple « truc » d'auteur dramatique, ce huis clos nous renvoie aux atmosphères de la guerre, à la clôture du Stalag, à ce qu'on a parfois nommé la « psychologie du prisonnier de guerre ». Le philosophe Jean Cazeneuve, du camp de prisonniers où il était enfermé, venait d'envoyer aux Presses universitaires de France un manuscrit sur ce thème et Jacques Merleau-Ponty, dans le *Combat* clandestin, en rendit compte : « On peut rapprocher le chapitre " Horizon limité " de l'enfer imaginé par Sartre dans *Huis clos,* prison où il n'y a que des murs, des couloirs et encore des murs, mais pas de dehors [20]. »

Balachova, robe sombre, le visage très aiguisé sous un turban de soie est Inès. Cheveux courts, robe-bustier blanche et longs gants noirs, Gaby Sylvia est Estelle. Entre ces deux femmes, entre ces deux types de femmes, costume de ville et charme de la trentaine, Michel Vitold est Garcin. Dans un salon Second Empire et en enfer par la même occasion, trois individus se présentent. « Une pneumonie », « Le gaz », « Douze balles dans la peau». Ballet d'attirances et de haines face à une désespérante éternité, à l'irrémédiable présence des deux autres, à l'insupportable ghetto de leur trio : « L'enfer, c'est les autres », lance alors Garcin, et la formule, très vite, séduit le public. Tensions pénibles, parfois quand Inès, devant le couple Estelle-Garcin, exaspérée, hurle : « Faites ce que vous voudrez, vous êtes les plus forts. Mais rappelez-vous, je suis là et je vous regarde. Je ne vous quitterai pas des yeux, Garcin, il faudra que vous l'embrassiez sous mon regard. Comme je vous hais tous les deux! Aimez-vous, aimez-vous! Nous sommes en enfer et j'aurai mon tour... » Garcin à Estelle : « Donne-moi ta bouche! »

« Nous nous jugeons, avec les moyens que les autres nous ont donnés de nous juger, expliquera Sartre plus tard, pour répondre aux mésinterprétations de sa célèbre formule... Si mes rapports sont mauvais, je me mets dans la totale dépendance d'autrui. Et alors, en effet, je suis en enfer [21]. » Au-delà des atmosphères, des formules, des chocs dramatiques, la mise en scène de *Huis clos* inaugure un principe spécifiquement sartrien, un principe très caractéristique de ses talents. Car, représenté un an après la parution de *L'Être et le Néant, Huis clos* en est en quelque sorte la « traduction » pour le grand public. Ici, l'austérité lexicale et théorique, les références pour universitaires. Là, les souplesses des salles de théâtre. Ici, la pensée abstraite. Là, les illustrations chatoyantes. « Mon gros livre, explique-t-il, se racontait sous forme de petites histoires sans philosophie [22]. » Dès les premiers moments de sa vie d'écrivain, donc, ces premiers traits qui seront sa marque : dialogue simultané avec plusieurs publics, ancrage jumelé dans le théâtre et la philosophie. Cas exceptionnel, que nous verrons, au cours du temps, se compliquer davantage.

La presse collaborationniste insulte la pièce à cause de son « immoralisme [23] ». Et R. Francis inaugure la longue liste d'injures dont Sartre sera, après la guerre, copieusement gratifié : « On connaît M. Sartre, écrit Francis, c'est un curieux professeur de philosophie qui, depuis *Le Mur* et *La Nausée,* semble spécialisé dans l'étude des fonds de culotte de ses élèves... Il possède une sorte de petite " claque " fidèle et chaque fois qu'il lève la jambe quelque part, dans un livre ou sur la scène d'un théâtre, une troupe menue de jeunes gens et de vieillards impuissants se charge d'y venir renifler, avant de manifester son contentement en agitant la plume sur le papier [24]. » A l'opposé, dans *Germinal,* Claude Jamet s'enflamme : « Jean-Paul Sartre est certainement depuis Anouilh le plus grand événement du jeune théâtre français [25]. »

C'est fait : il possède maintenant les atouts pour devenir une « vedette ». Car dès le printemps 1944, il a ses partisans et ses détracteurs, ses complices enthousiastes et ses ennemis haineux. Il n'en faudra pas beaucoup plus pour que, dans le champ des critiques littéraires, Sartre devienne un homme célèbre. Dans le milieu des écrivains français, d'ailleurs, il suscite également les mêmes mouvements d'opinion : Gabriel Marcel, par exemple, saluant l'« extraordinaire succès » remporté par la pièce, y regrette son « principe luciférien » qui ne saurait « en rien contribuer à la restauration de notre pays [26] ». Controverses, le succès n'est-il pas également un peu fait des hardiesses de l'auteur, des incongruités de ce trio qui s'entre-déchire, alors que l'heure est aux idéalismes?

« As-tu lu du Sartre? s'inquiète Paulhan auprès de Jouhandeau. C'est du Giraudoux à l'envers [27]. » Tandis que Jean Guéhenno, au retour de la représentation de *Huis clos,* confie à son *Journal des années noires* que tout dans la pièce le dégoûte, les « horreurs », les « évocations infernales », les « divagations provocantes et faussement cyniques d'irresponsables ». « Qui nous sortira de ce marais? » soupire-t-il enfin [28]. Dans la lettre de Paulhan, dans le journal de Guéhenno, c'est déjà tout un programme : minimisé par le premier, totalement incompris du second, Sartre semble déjà participer un peu, pour eux, d'un autre monde. Et si ces deux hommes de lettres de l'avant-guerre regardent alors cet « objet Sartre » avec méfiance, s'ils le tournent et le retournent dans tous les sens, sans pourtant parvenir à le classer où que ce soit en terrain connu, s'ils se demandent, perplexes, de quel nouveau produit il s'agit vraiment là, n'est-ce pas qu'avec *Huis clos* Sartre devient inclassable? Inclassable, car en marge de tout ce qui existe déjà. Certes, on lui reconnaît un certain talent. Mais pour décrire ses thématiques, ses qualités, on va chercher chez d'autres les références, les échos. Dire, par exemple, comme le fait Paulhan, que Sartre, c'est « une sorte de Giraudoux à l'envers », n'est-ce pas, déjà, manifester implicitement qu'une des limites de la littérature française contemporaine vient d'être franchie? N'est-ce pas, déjà, esquisser une nouvelle topographie de la littérature française de l'après-guerre? Pour sa part, Guillaume Hanoteau reste surtout sensible à l'extraordinaire opération publicitaire que *Huis clos* et sa générale ont réussi à monter. « *Huis clos* fut, à coup sûr, affirme-t-il, l'événement culturel qui ouvrit l'âge d'or de Saint-Germain-des-Prés [29]. »

Exaspérant les uns, fascinant les autres, successivement perçu comme un talentueux dramaturge ou comme le démobilisateur national numéro un, avec *Huis clos,* c'est indéniable, Sartre franchit les frontières du cénacle littéraire parisien et devient un écrivain connu du grand public. Dont les échos alimentent correspondances, journaux intimes, critiques de presse et discussions de salon. Quoi d'étonnant, donc, si on le retrouve, le 10 juin 1944 – une semaine après le début de *Huis clos* –, dans le rôle d'un conférencier qui, à l'invitation de Jean Vilar, parle du « style dramatique » ? La réunion eut lieu dans une série de salons qui donnaient sur les quais de la Seine, devant une assistance riche et choisie. « Un mot est un acte », dit-il entre autres, saluant au passage les pièces de Camus et Salacrou, ses confrères présents dans la salle, jouissant à l'évidence de la chaleur de la discussion qui s'ensuit, et à laquelle prennent part entre autres Jean Vilar, Jean-Louis Barrault, Jean Cocteau, Albert Camus [30]... Mouvement inéluctable : aux derniers jours de juin, les élèves du lycée Condorcet s'étonneront de voir entrer en classe un professeur allègre, mains dans les poches. Plus de grosse serviette bourrée. Les pages qu'il noircissait ? Publiées. Les cahiers qu'il accumulait ? Terminés. Et, pareille à nulle autre, sa capacité de subversion, dans tous les rôles qu'il vient successivement d'occuper. Celui du prof qui ne corrige jamais une copie, celui du dramaturge qui choque les confrères, celui du scénariste qui se saborde, celui du philosophe qui produit une bombe pour universitaires, celui du militant qui ne supporte pas les organisations. Aux derniers jours du mois de juin 1944, Jean-Paul Sartre, écrivain, décide que sa carrière d'enseignant est terminée.

Cependant, les Alliés avaient débarqué en Normandie, et à Paris parvenaient les premiers signes d'une libération qui n'était plus illusoire. Au matin d'une fiesta chez Camille, Sartre et le Castor devaient, le 7 juin 1944, à cinq heures du matin, au sortir du premier métro, remarquer des détails incongrus : suppression de tous les départs de trains vers l'ouest, à la gare Montparnasse. Avant d'apprendre LA nouvelle par la radio. « Les jours qui suivirent, raconte Beauvoir, furent une longue fête. Les gens se riaient au visage, le soleil brillait, et comme les rues étaient gaies ! ... Avec Sartre, avec nos amis, je buvais du faux " turingin " à la terrasse du Flore, du faux punch à celle de la Rhumerie martiniquaise ; nous bâtissions l'avenir et nous nous réjouissions [31]. » Pourtant, les mois de juin et de juillet 1944 allaient recueillir leur liste de violences et de morts : massacre de toute la population d'un village à Oradour-sur-Glane, assassinat de l'ancien ministre de l'Éducation Jean Zay, arrestation de Georges Mandel... Derniers défilés allemands dans Paris : on retiendra les images, sur les Champs-Élysées, d'une des plus célèbres divisions de blindés S.S., devant les visages fiers du Generalfeldmarschall von Rundstedt et du « Kommandant von Gross Paris » von Boineburg-Lengsfeld. Les derniers combats allaient redoubler de violence, les règlements de comptes s'exacerber dans le sang. Le réseau « Combat » auquel Camus appartenait et où il avait parfois amené Sartre était en train de se voir peu à peu démanteler, il s'agissait de prendre des mesures de sécurité préventive : Camus conseilla à Sartre de changer d'adresse. Ils passèrent donc le dernier été de la guerre, en partie hébergés chez les Leiris, en partie à Neuilly-sous-Clermont. Simone de Beauvoir : « Le 11 août, les journaux et la radio annoncèrent que les Américains approchaient de Chartres. Nous avons fait en hâte nos bagages et enfourché nos bicyclettes. On nous dit que la grand-route était impraticable... Nous prîmes un chemin détourné, qui rejoignait Chantilly par Beaumont; malgré le soleil, nous pédalions fébrilement, talonnés par la crainte de nous trouver coupés de Paris : nous ne voulions pas manquer les journées de la Libération [32]. »

« Ça commence comme une fête et, aujourd'hui encore, le boulevard Saint-Germain, désert et balayé par intermittence du feu des mitraillettes, garde un air de solennité tragique. On pense malgré soi à ces anciens dimanches, ces dimanches de paix où la foule se pressait dans les foires, aux manifestations sportives, et où tout à coup un accident venait de se produire. Alors des remous agitaient les robes claires, les visages pâlis par l'angoisse, et pourtant vaguement gais encore, se penchaient sous le soleil sur un corps sanglant. Une fête : trois dimanches rouges à la suite... »

Ce reporter de l'immédiat, ce témoin du présent qui se trame dans les journées de la Libération de Paris? Jean-Paul Sartre. Recruté par Camus, il inaugure, en première page de *Combat,* une série d'articles : « Un promeneur dans Paris insurgé ». A-t-il lui-même choisi le titre du reportage, ou se l'est-il laissé imposer par la direction du journal? Le « promeneur », pourtant, fut aussi un acteur. Il a réglé ses comptes avec son passé, et, grâce à Camus, le voilà qui saute à pieds joints dans le monde. « Dans le quartier le plus tranquille, on entend toutes les deux ou trois minutes le bruit sec d'un caillou contre la pierre : c'est une balle de fusil... Et tout à coup, venant on ne sait d'où, une décharge de mitraillette. Ces bruits sont inexplicables : il n'y a plus d'Allemands aux environs, les F.F.I. sont loin. Personne ne cherche la clé du mystère. Les gens se regardent et disent gravement : " Ça tue." C'est tout. » Période euphorique, mais également rendez-vous de Sartre avec l'Histoire. Sa ville, aujourd'hui? Un décor de théâtre, comme au retour du Stalag. Mais un décor de vie. « Sur le boulevard Saint-Germain, à l'angle de la rue de Seine, des civils sont tués toutes les deux heures... Qui donc voudrait demeurer seul dans sa chambre, quand Paris se bat pour sa liberté?... Le danger est imprévisible, à trois heures de l'après-midi il est ici, à quatre heures il est là. Pourquoi tenter de l'éviter? Je trouve une certaine grandeur à cette destination. C'est elle qui donne à Paris cette physionomie extraordinaire... »

D'autres, encore, s'enflammeront, qui, comme Claude Roy, écriront leur joie lyrique. « Le drapeau français est amené sur la Sorbonne libérée des traîtres de l'intelligence et des intellectuels nazis. Un étudiant embrasse son amie. Le plus beau jour de notre vie. Un vieux professeur a mis son lorgnon pour mieux voir. Le plus beau jour de notre vie. La foule chante *La Marseillaise.* Le plus beau jour de notre vie. Une jeune fille jette les bras en l'air, rit, danse. Le plus beau jour de notre vie [33]. » Au bout du tunnel de la guerre, les retrouvailles avec la vie. Aux premières loges de la libération de la ville, notre écrivain. Trouvant, dans les cérémonies et autres sacrifices de ces journées-là, de quoi enflammer toutes ses aspirations au geste individuel libérateur. Recevant, lui le dramaturge passionné de théâtre grec, le rôle d'acteur de l'Histoire : celui du récitant, du chantre, du conteur.

« Il y a une géographie de l'insurrection : dans certains quartiers, la bataille fait rage depuis quatre jours sans désemparer; dans d'autres, le calme se maintient avec une fixité presque inquiétante (à Montparnasse). Mais la carte de Paris combattant est difficile à dresser... Une sorte d'inertie pèse encore sur cette foule : elle souhaite que Paris soit évacué sans effusion de sang, elle attend les Alliés comme un cadeau. Quelques personnes poussent vers le boulevard Saint-Germain et reviennent déçues : le drapeau à croix gammée flotte encore au Sénat : " ils " sont encore là... Seul, un homme âgé qui ne peut courir reste sur le boulevard, les Allemands le visent... Il se rue sur la porte d'un immeuble voisin. Il frappe de toutes ses forces, il suffit qu'on lui ouvre. La porte demeure fermée, les Allemands tirent, et l'homme tombe... Il a suffi de cet événement. Les gens sont transformés : leurs petits rêves douillets d'évacuation pacifique sont morts... déjà, ils ne sont plus tout à fait des civils, ils ont pris parti... La guerre est là, sous le soleil [34]. » « Le mercredi, on annonçait toutes les heures les Américains à Versailles. Et chaque fois un démenti dissipait notre joie : quelqu'un avait téléphoné à Versailles : ils n'étaient pas là. Tout à coup, le mercredi, la radio anglaise annonça que Paris était libéré. Nous l'écoutions à plat ventre, un ami et moi, parce qu'une fusillade nourrie venait d'éclater autour de l'immeuble et nous ne pouvions nous défendre de trouver cette annonce faite aux Parisiens assez surprenante et un peu inopportune. Paris était libéré MAIS il était impossible de sortir de l'immeuble; MAIS la rue de Seine où j'habite était entièrement barrée [35]. » « Le canon s'est tu. Paris s'est endormi. Mais, dès le début de la nouvelle journée, les rues sont noires de monde. On se dispute les journaux du matin... Rue de Rennes, accoudée à un balcon pavoisé, une femme applaudit : couché sur le sol, caché par un drapeau tricolore, un homme tire entre ses jambes; un autre tient un enfant dans ses bras et sourit; l'enfant est une poupée sous laquelle se dissimule un revolver. La haine qui ronge ces cœurs étend son ombre sur la ville entière [36]. »

Enfin, c'est la libération elle-même. « Il y a huit jours, heure pour heure, l'insurrection éclatait; je me trouvais alors dans cette même rue de Rivoli, elle était déserte... Aujourd'hui, ILS sont là, ILS vont défiler tout à l'heure. Je suis à un balcon de l'hôtel du Louvre. En face de moi, la grosse masse noire du ministère des Finances. Au-dessous de moi, la foule qui brille au soleil. Je n'ai jamais vu tant d'hommes à la fois... Je n'ai jamais vu défilé plus étrange et plus beau. Il n'avait pas l'ordonnance et la pompe des grandes revues militaires. Au premier abord, ces voitures bariolées, couvertes d'insignes bizarres, de peinture blanche, évoquaient un carnaval un peu misérable, un carnaval de guerre. Sur des camionnettes, des hommes et des femmes défilaient lentement, sous des banderoles, comme sur les grands chars de mardi gras... Les premiers coups de feu claquèrent, et puis d'autres. Dans cette atmosphère tendue, presque tragique, après la montée de toutes ces armes, après ces six journées de sang et de gloire, ils ne me semblaient aucunement déplacés. Oserais-je dire qu'ils m'apparurent d'abord comme une conséquence naturelle de la fête [37]? »

Samedi 26 août 1944 : tout Paris est dans la rue. De Gaulle, Leclerc, Chaban-Delmas défilent sur les Champs-Élysées, puis dans les chars de la 2e D.B., exultation de toute une ville, les jeunes filles françaises se donnent aux soldats américains... Depuis son balcon de l'hôtel du Louvre, Sartre voit passer, debout dans un char, le chef du Gouvernement provisoire, Charles de Gaulle. Le soir même, dînant chez les Leiris avec Genet dont il vient de faire la connaissance, il écoute longuement Patrick Waldberg en uniforme américain, raconter son entrée à Dreux, à Versailles...

Outre la rédaction de ces pages, il se déplace dans Paris comme un fou : rendez-vous avec Camus au journal, déjeuner avec Salacrou avenue Foch, réunion pour le Comité national du théâtre, à la Comédie-Française où il passe nuit et journée successives, sillonnant longuement la ville à pied! Journées qui nourriront encore longtemps ses articles à venir : « La République du silence [38] », « Paris sous l'occupation [39] », « Qu'est-ce qu'un collaborateur [40]? », « La Fin de la guerre [41] », « La Libération de Paris : une semaine d'apocalypse [42] ». Témoin privilégié survenant au bon moment, Sartre deviendra bientôt celui qui explique l'atmosphère de Paris occupé. « Me comprendra-t-on si je dis à la fois que l'horreur était intolérable et que nous nous en accommodions fort bien?... Tout ce que Londres a vécu dans l'orgueil, Paris l'a vécu dans le désespoir et la honte... Jamais nous n'avons été plus libres que sous l'occupation allemande... Nous vous demandons de comprendre que l'occupation fut souvent plus terrible que la guerre. Car, en guerre, chacun peut faire son métier d'homme au lieu que, dans cette situation ambiguë, nous ne pouvions vraiment ni agir, ni même penser... La guerre, en mourant, laisse l'homme nu, sans illusion, abandonné à ses propres forces, ayant enfin compris qu'il n'a plus à compter que sur lui... »

« La vie quotidienne à Paris est toujours anormale, écrit Janet Flanner à la fin de l'année 1944; mais avec soulagement, avec espoir... La population de Paris est toujours une masse d'individus désordonnés, chacun marchant sous une incessante pluie d'hiver avec ses propres souvenirs [43]. » Longues séances au C.N.É., règlements de comptes divers, violents débats concernant l'épuration. Les écrivains, de retour de leurs lieux d'exil, font le point. Avec des avis très divergents quand, par exemple, est soulevé le problème de Pucheu, ce normalien devenu ministre de l'Intérieur de Pétain et qui fut responsable, notamment, des lois rétroactives. Camus désapprouve formellement la condamnation à mort et souhaite voir son article paraître en éditorial des *Lettres françaises.* Éluard et Morgan s'y opposent. « Si nous avons le droit de pardonner à ceux qui nous ont fait du mal, pensent-ils, nous n'avons pas le droit de pardonner à ceux qui ont assassiné des innocents [44]. » Le même débat reprendra au sujet de Brasillach.

Quel spectacle! Les hommes de lettres français maintenant se déchirent. « Les premières séances d'épuration, raconte Hanoteau, furent inénarrables : chacun avait sa bête noire, à qui il en voulait personnellement. Mauriac voulait la peau d'Edmond Jaloux; quant à Aragon, il souhaitait qu'on dénonçât et qu'on fusillât Armand Petitjean [45]. » A son tour, Jean Lescure met l'accent sur ce déballage public, sur ces conflits à nu, attisés par les rancœurs personnelles : « Interminables furent les discussions concernant les articles de Breton pour *Comoedia,* d'autant plus longues qu'aucune doctrine n'était formulée de façon claire [46]. » Toutes générations confondues, toutes appartenances politiques mêlées, toutes tendances littéraires rassemblées, la littérature française est un grand ring où aucun coup n'est épargné : les cartes sont en pleine redistribution, et les enjeux bien lourds. C'est là que vont s'esquisser les futures lignes de force, les grands contours de l'après-guerre : le cyclone est passé, balayant, soufflant, réduisant à néant les modes et les modèles : Mauriac, Malraux, Gide, Rolland, Martin du Gard, c'est maintenant du passé. Dans les débats de l'épuration, une nouvelle génération émerge.

« Le grand maître de l'épuration fut Aragon, raconte Debû-Bridel. Il aurait volontiers épuré beaucoup, avec une exception pour les anciens collabos qui avaient rallié le P.C. [47]. » Et les écrivains français deviennent « épurateurs » ou « antiépurateurs », selon des lois parfois indéchiffrables : Paulhan et Mauriac restent toujours partisans d'une épuration douce; Camus varie selon les cas; Vercors se range aux côtés des durs des durs, et propose même d'épurer les éditeurs; Sartre choisit une moindre violence. Un comité d'épuration est créé, il publie des listes, la seconde comprendra plus de cent noms. Un jour, Vercors et Seghers s'enflamment : les éditeurs sont *plus* coupables que les écrivains, c'est donc par les institutions et non par les individus qu'il faut commencer le nettoyage. Mais Paulhan plaide la cause de Gallimard. Et Aragon va voir Gaston qui affirme : « Mais enfin, Louis, vous savez bien que je ne suis qu'un pauvre marchand de papier!... Et que je n'ai jamais cessé de financer Benda [48]. » Gallimard fait des promesses à Aragon, et Aragon s'écarte du débat. Vercors et Seghers démissionnent du comité d'épuration : les éditeurs ne seront pas épurés, ils sont mis en minorité. Sartre ne semble pas s'être beaucoup battu de leur côté : il est en pleine élaboration de sa théorie de l'engagement individuel, des responsabilités individuelles, et Gallimard vient d'accepter de lui financer une revue : *Les Temps modernes.*

« Nous devions fournir à l'après-guerre une idéologie... Nous avions des projets précis... Camus, Merleau-Ponty et moi, nous ferions un manifeste d'équipe. Sartre était décidé à fonder une revue que nous dirigerions tous ensemble... Nous étions arrivés au bout de la nuit, l'aube pointait, coude à coude, nous prenions un départ tout neuf [49]. » Au comité de rédaction de la revue, Aron, Paulhan, Ollivier, Merleau-Ponty, Sartre et Beauvoir, bien sûr. Dès la fin 1944, Vercors, qui lance pour les éditions de Minuit, une revue, *Les Chroniques de Minuit,* veut faire de Sartre son rédacteur en chef afin de combattre, sur des bases communes, les résidus du nazisme : « Dommage, lui répond Sartre, je viens de créer *Les Temps modernes* [50]. » Autre signe des temps, Sartre et Camus venaient de refuser d'entrer dans la revue *Esprit,* lancée par les éditions du Seuil, trop « chrétienne » à leur goût. Et, pour comprendre les tensions de ce premier comité, écoutons Paulhan, dans une lettre à Gide : « Sartre vient de rédiger, pour *Les Temps modernes,* un manifeste dont la part marxiste paraît assez solide, et la part métaphysique chimérique. Flaubert a eu tort de ne pas condamner la répression de la Commune, Proust de parler d'amour hétérosexuel. Soit, et vive la littérature, comme on dit, engagée! Mais Sartre n'arrive à la dégager du marxisme qu'en pivotant sur une liberté humaine cent fois plus légère qu'Albertine. J'ai accepté d'entrer dans le comité de cette revue, dont je ne vois pas trop comment elle éviterait d'être dans ses raisons ennuyeuse et fausse. Mais en littérature tout sert [51]. »

Bouillonnements, effervescences, règlements de comptes. Tout au long de l'automne et de l'hiver 1944, Sartre préférera les réunions « pour la revue » aux réunions du C.N.É. « Le C.N.É.? écrit Paulhan à Raymond Guérin. Qu'est-ce que c'est que cette rage de sociabilité, tout d'un coup? Camus en a démissionné! Sartre n'y vient jamais. Je me suis fait mettre en sommeil... Il s'est découvert, à l'épreuve, que c'était simplement une façon, pour la politique communiste, de se couvrir des noms de Mauriac, Duhamel, etc. » Puis, ailleurs, dans une lettre à Éluard : « Que veux-tu que je fiche dans un comité où je suis seul de mon avis? ...Il s'agit de savoir si l'honneur d'un écrivain lui permet, lui ordonne, de dénoncer d'autres écrivains. Moi, je ne crois pas, c'est tout... Ni juge, ni mouchard [52]. » Sartre, comme Paulhan, se lassera de ces réunions-règlements de comptes avec le passé, préférant aller de l'avant...

Sans pour autant rejoindre les groupes organisés. Assiste-t-il, par exemple, au débat d'*Action*, le 20 décembre 1944, à la Mutualité? Y rencontre-t-il, pêle-mêle, Pierre Hervé, Maurice Kriegel-Valrimont, Pascal Copeau, Jean-Daniel Jurgensen qui tentent de monter une organisation unique de la Résistance? Non, Sartre n'est pas exactement dans ces eaux-là. Les conflits avec les communistes semblent déjà reprendre pour lui. Et, à la suite de quelques articles attaquant l'« existentialisme », il écrit, dans *Combat*, une « Mise au point » : « Que nous reprochez-vous? y dit-il notamment. D'abord de nous inspirer de Heidegger, philosophe allemand et nazi. Ensuite de prêcher sous le nom d'existentialisme un quiétisme de l'angoisse... Je parlerai seulement de l'existentialisme : l'avez-vous seulement défini à vos lecteurs? Pourtant, c'est assez simple... L'homme doit se créer sa propre essence; c'est en se jetant dans le monde, en y souffrant, en y luttant, qu'il se définit peu à peu... L'angoisse, loin d'être un obstacle à l'action, en est la condition même... L'homme ne peut vouloir que s'il a compris qu'il ne peut compter sur rien d'autre que sur lui-même, qu'il est seul, délaissé sur la terre au milieu de ses responsabilités infinies, sans aide ni secours, sans autre but que celui qu'il se donnera à lui-même, sans autre destin que celui qu'il se forgera sur cette terre [53]. »

On ne peut être plus explicite en réponse à l'idéologie marxiste : les camps sont définis. Ce que Sartre défend? La vie individuelle comme création de tous les jours, le « nous sommes à nous-mêmes notre propre œuvre d'art », dans un projet radical qui rend compte de l'individu comme pure créativité, comme jaillissement, comme émergence. La théorie de *La Nausée* vient d'être inséminée par la guerre. La route isolée de l'avant-guerre a rencontré l'Histoire. L'homme écarté est passé au centre.

La trouée de Sartre, sur la vague porteuse des journées de la libération de Paris, crée un courant. Et c'est lui, l'intrus, l'outsider, le marginal qui, avec Camus, va le diriger. Où est-il? A l'endroit stratégique où tout se remet en place. Avec les ressources, qu'il a lentement capitalisées, dans le milieu éditorial, dans le milieu théâtral. Il a déjà une certaine renommée, et il vient de prendre symboliquement possession de Paris, où le cercle littéraire est déserté. Le moment historique? Rien à dire : sur la table rase de l'après-guerre, ses idées de pessimisme radical, de révolte, d'insoumission et de solitude absolue rencontrent, enfin, l'air du temps. Et peuvent maintenant s'épanouir sur un terreau fertile. Avec l'échec de « Socialisme et Liberté », il a mis les bouchées doubles. Son bilan de l'échec? Deux romans, un traité philosophique, deux pièces de théâtre, cinq scénarios, onze articles littéraires, huit reportages, trois articles politiques, et un sur le cinéma, sans compter la correspondance, les notes, les carnets... Quel domaine pourrait bien encore lui échapper? Sa mégalomanie, d'abord saignée à blanc dans la sentence politique, a pris la forme d'une extraordinaire boulimie d'écriture. Comme ces plantes qui repoussent follement et qui envahissent tout dès qu'on les taille.

En 1944, Sartre bénéficie encore du poids et de la valeur sociale de la philosophie. Issu du sommet de cette pyramide, le normalien, l'agrégé, le premier à l'agrégation, bref le concentré d'élitisme, l'homme va pénétrer dans le monde intellectuel français avec des bottes de sept lieues. Littéralement bombardé, avec la force surhumaine de sa volonté, de son travail, de ses talents, il va tout pulvériser. Et, nanti de la légitimité du philosophe, il va littéralement investir tous les champs annexes : cinéma, théâtre, roman, critique, journalisme, politique. Tenter de les annexer, depuis son propre point de départ, en les phagocytant. Brandir l'outil philosophique comme une épée définitive et irrésistible. Technique imparable pour les domaines plus traditionnels comme la critique littéraire, le roman; quel échec parfois, en revanche, dans le cinéma, le journalisme, la politique professionnelle!

Moment de réceptivité extrême dans un pays éreinté par la guerre : ceux de l'avant-guerre, les Paulhan, les Guéhenno et les autres, regardent Sartre d'un œil perplexe. Pour ceux de l'après-guerre, par contre, quel enthousiasme délirant! Sartre, c'est leur homme. Un hasard, si les discussions et règlements du C.N.É. l'ennuient? Non, il est dans l'avenir, ailleurs. Mouvement vers lui de toute une partie de la jeunesse; emballée par cette radicalité, cette transgression permanente des modèles conventionnels, cette vie de cafés, cette transparence, cette marginalité qui choque les bourgeois. « Une technique sociale du roman », la conférence qu'il donne à la Maison des Lettres de la rue Saint-Jacques, en cet automne 1944, attire tous ceux, étudiants, critiques, qui ont aimé *Huis clos.* C'est une apologie de la technique américaine du roman, « la première fois, dit Michel Butor, que j'ai entendu parler de Virginia Woolf, de Dos Passos, de Faulkner »... Et, ajoute-t-il, « il est absolument certain qu'une bonne partie de la problématique de mes propres romans s'est développée à partir des réflexions qui me sont venues lors de cette conférence [54] ». Ainsi toute une filiation naît-elle naturellement dans les formules du conférencier qui ne veut à aucun prix, insiste-t-il, « recommencer éternellement à raconter les amours de Babylas et d'Ernestine... ».

D'ailleurs le jeune Alexandre Astruc n'a-t-il pas déjà, de son côté, consacré à l'ensemble de l'œuvre de Sartre un article de douze pages, une sorte de credo passionné? « Il n'arrive pas dans les lettres françaises beaucoup d'événements de nature à nous enchanter... Il me semble qu'avec les premiers livres de Sartre nous assistons à un événement de ce genre », commence-t-il très fort, et il poursuit : « Ce qui fait la nouveauté de sa révolte, c'est qu'elle est radicale, et qu'elle vise le fait même d'exister... Ainsi, de Lucien Fleurier à Oreste, se dessine et se complète une image de l'homme parmi les plus exactes que les lettres nous aient données [55]. » Entraînant dans son sillage adeptes et admirateurs, dans le chaos général d'un pays laminé, Jean-Paul Sartre semble bien, lui, savoir où il va : d'ailleurs les héros de ses romans et de ses pièces sont déjà devenus des modèles. S'étonnera-t-on, alors, de retrouver sous la plume de Paulhan une prophétie qu'il confie, mi-figue mi-raisin, à son ami Jouhandeau : « Sartre est en train de devenir, annonce-t-il en cette fin de l'année 1944, un chef spirituel pour mille jeunes gens [56] »?

Le souffle de la guerre a définitivement bousculé le soldat

météorologue de deuxième classe qui écrivait sur ses genoux, attendant le départ, dans les premiers jours de la drôle de guerre. Et, lorsque au début de décembre 1944, Bost surgit dans la cour de l'hôtel Jules-Chaplain, derrière le Dôme, à Montparnasse, et lui crie, essoufflé : « Camus propose un voyage en Amérique, pour *Combat* ! », Sartre exulte et jubile. Il va partir pour New York. La découverte de l'Amérique...

DE BUFFALO BILL
AU PRÉSIDENT ROOSEVELT,
PREMIER VOYAGE EN AMÉRIQUE

Samedi 11 janvier 1945. Dans le D.C.-8 militaire, vol 137279, qui vient de décoller de l'aérodrome de Paris à destination de l'Amérique, huit journalistes font connaissance. Huit journalistes français, de vingt-cinq à soixante-cinq ans, invités officiellement par le Département d'État américain pour un voyage de deux mois. Huit journalistes français, témoins actifs de la Résistance, invités pour rendre compte, dans leurs journaux respectifs, de l'effort de guerre américain.

Le ministère français de l'Information avait battu le rappel, mais en vain, et quelques places étaient restées vacantes : bizarrement, on ne s'était pas bousculé, dans les rangs de la presse française, pour répondre à cette invitation. Sur la liste des voyageurs, un nom, immédiatement suspect aux fonctionnaires du State Department : celui d'Andrée Viollis, envoyée spéciale de *L'Humanité* et de *Ce Soir,* accueillie, outre-Atlantique, avec une certaine réticence. A soixante-cinq ans, elle a déjà arpenté le monde entier, publié ses reportages sur l'Inde, la Chine, et, bien sûr, l'U.R.S.S. ! Considérée comme une dangereuse communiste, elle sera suivie avec attention, pas à pas, tout au long du voyage, par des agents du F.B.I. qui consigneront, avec la plus extrême minutie, les moindres mouvements de chacun des membres du groupe, rapports qu'ils dépêcheront à leurs supérieurs hiérarchiques avec la mention « *Internal Security* », à classer au dossier « Mme Andrée Viollis, alias Mme d'Ardene de Tizac, *et al...* » *(sic).* Moins suspects, MM. Denoyer pour *France-Soir,* Pizella pour *Libération,* Jean-Paul Sartre pour *Combat* et *Le Figaro.* De Lyon s'était joint Robert Villers, de Grenoble, Jean Terquelin, de Marseille, Louis Lombard, de Toulouse enfin, Étiennette Bénichon.

« Jean-Paul Sartre, auteur du *Mur* et de nombreux écrits

philosophiques, un des esprits les plus puissants, les plus pénétrants, les plus originaux de sa génération... », étaient en train de lire les New-Yorkais dans leurs journaux du soir. Ce que personne n'avait songé à annoncer? Que dans ce D.C.-8 militaire le petit homme célébrait à la fois son baptême de l'air et son premier voyage hors d'Europe. Au cours de cette interminable traversée de l'Atlantique : deux jours de voyage, trois escales, plus de vingt-quatre heures en vol dans un appareil non pressurisé, avec cette équipe de journalistes dont les préoccupations, les projets, les expériences sont si différents des siens, Sartre somnole, Sartre rêve, Sartre pense; son histoire d'amour avec l'Amérique avait en fait commencé au début de la Première Guerre mondiale...

Cette course folle dans laquelle, à neuf ans, il entraînait sa mère : cherchant, sur les quais de la Seine, de bouquiniste en bouquiniste, les albums dont la guerre le privait; traquant, coûte que coûte, ses héros favoris, Buffalo Bill, Nick Carter, Sitting Bull, Texas Jack! Pour l'enfant passionné, que de frissons quand apparaît, sur une couverture, chevelure blonde et tunique frangée du plus grand massacreur de bisons, Buffalo Bill! La moisson est souvent riche et, rapportés par dizaines, les albums constituent bientôt un trésor de près de cinq cents pièces. Et partout, un pays prodigieux, l'Amérique. Celle des prairies immenses où, avec son lasso, Buffalo Bill poursuit à perdre haleine les Indiens, les Peaux-Rouges. Celle des gratte-ciel de Manhattan où Nick Carter s'empoigne avec son adversaire, et le fait basculer au-dessus de Madison Square, au coin de Broadway et de la 5e Avenue. Celle des terrains vagues et autres mauvais lieux, celle des baraquements préfabriqués en attente d'une quelconque rixe pour justifier leur existence. Décors inaccessibles et héros solitaires que la pénurie de la guerre de 14 rendait plus précieux, plus mythiques encore : l'assassin et le justicier, libres et souverains l'un et l'autre, qui s'expliquaient le soir à coups de couteau, dans des villes puritaines et sanglantes [1]...

Les journalistes ont repris leur conversation... Agacé par ce jargon qui est si peu le sien, Sartre s'est rendormi. Son Amérique à lui, comme elle est loin de tout ça! Et comme il se moque, au fond, de l'effort de guerre américain! Lui rêve de *Manhattan Transfer,* caracolant avec Mac, l'ouvrier, mi-écossais, mi-irlandais, entre Chicago, Illinois, et Goldfield, Nevada. Retrouvant, au hasard des scènes tronçonnées, mélangées, la fabuleuse saga de Dos Passos dans laquelle, depuis quinze ans, il s'est lui-même donné un rôle.

« Les tendances américaines chez Dos Passos... l'homme américain... émigrants refondus dans le creuset américain... Behaviorisme..., l'homme vu du dehors... Journalisme... importance des journaux... le roman-reportage... notations précises, poussées jusqu'à l'ennui, de ce qu'il y a de général dans un individu... Objectivité absolue... ne juge jamais... Impression de foule, et, par là même, du monde... Le chef-d'œuvre : la déclaration de guerre vue par Eleanor... Le monde est vu successivement du point de vue de chacun... Individu submergé dans le monde... faire sentir comme est petit un homme parmi les hommes [2]... » Hiver 1932, Le Havre, salle de la Lyre havraise, il avait, pour la première fois, exprimé son enthousiasme, sa passion, et ses élèves s'étaient précipités pour savoir quoi lire, quoi acheter... Difficile, à l'époque *The Big Money* n'avait même pas encore paru en France, et le Castor, lentement, patiemment, lui avait traduit des pages entières de sa fine écriture penchée vers la droite, chacun des tomes de la trilogie... Puis ils avaient vécu leur vie comme un roman américain, ils s'étaient raconté leurs journées comme Dos Passos l'aurait fait, se prenant alternativement pour Bud ou Mac, et pour le reporter du *Chicago Tribune.* « Comme il est simple, ce procédé, comme il est efficace; il suffit de raconter une vie avec la technique du journalisme américain et la vie se cristallise en social », devait-il écrire plus tard en 1938, dans ce fougueux article de la *N.R.F.* qui se terminait par un définitif : « Je tiens Dos Passos pour le plus grand écrivain de notre temps [3]. »

Peu à peu et inéluctablement, l'Amérique était donc ainsi devenue son Eldorado, son exotique alternative à l'asphyxie de la province française. Et, assis au fond du café Victor à Rouen ou du Guillaume Tell au Havre, Sartre, le Castor et les amis du moment jouaient à dynamiter ces capitales de province endormies, avec des grenades symboliques, des pistolets fictifs qu'ils empruntaient pour l'occasion aux romans, aux « polars », aux films américains. « Finalement, lançait-il, décrivant leur propre groupe, ils déclarèrent que s'ils avaient été dockers, ils se seraient sûrement inscrits au P.C., mais que, dans leur situation, tout ce qu'on pouvait leur demander, c'était de toujours prendre parti pour le prolétariat [4]. »

Bientôt il allait arriver à New York, bientôt il verrait Manhattan... Pour l'instant, la carlingue ballottait sec, et les journalistes riaient. Tandis que le petit homme expérimentait ses premiers trous d'air, pensant vaguement, puis de plus en plus fort aux héros de *Sartoris,* au vieux Bayard, au jeune Bayard, au vieux John, au jeune John, aux accidents d'avion pendant la guerre de 14, au grand-père lourd, lent, sourd et têtu... Une scène, surtout, revenait avec obsession : celle où le vieux Bayard, traînant une chaise près du coffre rouillé, va lentement sortir un à un les objets, puis trouver la « volumineuse Bible aux fermoirs de cuivre », puis l'ouvrir, toujours plus lentement... « Le vieux Bayard, écrivait alors Faulkner, demeura un long moment à contempler cette vigoureuse lignée, cette apothéose de son nom que les ans allaient effacer. Les Sartoris s'étaient moqués du Temps, mais le Temps n'avait pas de rancune [5]. » Valse des noms, valse des lieux, Memphis, Quentin, Benjy, Simon, haine-amour pour le vieux Sud, le silence, les gestes, l'ennui de ce pays avec ses gens « riches, sans travail et sans loisirs, décents et incultes, captifs sur leurs propres terres, maîtres et esclaves de leurs nègres, [qui] s'ennuient, [et] essaient de remplir le temps avec leurs gestes [6] ». Des trous d'air, et Sartre se souvint d'avoir écrit dans la *Nouvelle Revue française* juste avant la guerre : « Les monologues de Faulkner font penser à des voyages en avion, remplis de trous d'air, à chaque trou, la conscience du héros " tombe au passé " et se relève pour retomber [7]. » Mais il savait déjà que, dans ce pays, il irait chercher les Noirs, les prolétaires, les *underdogs* et toutes les contradictions puissantes qui le lui rendaient, avant même qu'il l'eût atteint, à la fois légèrement odieux et extraordinairement désirable... Qu'il irait chercher aussi tous les signes de l'avenir que ce pays détenait, entre ses griffes : « Quand nous avions vingt ans, vers 1925, écrira-t-il, nous avons entendu parler des gratte-ciel. Ils symbolisaient pour nous la fabuleuse prospérité américaine. Nous les avons découverts avec stupéfaction dans les films. Ils étaient l'architecture de l'avenir, tout comme le cinéma était l'art de l'avenir, et le jazz la musique de l'avenir [8]. »

Face au groupe des journalistes, Sartre est en porte à faux; il le restera durant tout le voyage même si, en apparence, il joue le jeu. Au fond, les agaceries de leurs conversations durant le vol Paris-New York se révéleront largement symboliques de son attitude à leur égard. En porte à faux, il le sera d'abord dans sa fascination, dans son émerveillement excessif au cours du trajet vers New York, dans les grandes limousines qu'on avait fini par leur envoyer. Le premier New York qu'il découvre? Une ville nocturne et enneigée, une ville féerique. « Ça brillait et c'était plein de magasins qui avaient de l'électricité... de magasins ouverts, illuminés, et où on travaillait... des magasins de coiffeur ouverts à onze heures du soir... On pouvait se faire coiffer, se faire raser, se faire laver les cheveux à onze heures du soir... »

Première étape dans les tribulations du petit homme aux prises avec le nouveau monde : « Central Park West at Fifty-Seventh Street, The Plaza Hotel », le célébrissime palace, épicentre absolu de tous les luxes de la planète. Il avait rêvé de Mac et du Bowery, de Dos Passos et de Faulkner, le voilà qui tombait nez à nez avec Scott et Zelda, débarquant à l'improviste dans une scène de *Gatsby le Magnifique,* en plein dans du Fitzgerald... Chiffonnés, fatigués, affamés, usés par cinq années de guerre, de couvre-feu, de restrictions alimentaires, déboussolés par deux jours de voyage, vingt-cinq heures d'avion et six de décalage horaire, les pieds dans de pseudo-chaussures à semelle de carton perméable à la neige, nos huit invités officiels se retrouvèrent devant la porte-tambour de l'hôtel Plaza. Croisant, frôlant, effleurant comme dans un rêve les smokings, les robes longues, les diamants, les fourrures, les parfums et les rires d'une entrée de bal... New York City, 12 janvier 1945, à minuit, deux groupes – deux mondes! – se croisent. « C'était absolument comme si je retrouvais la paix, dira Sartre. Ils ne se rendaient pas compte que c'était la guerre [9]. » Cette première nuit américaine, Sartre la passera dans la même chambre que Villers, le benjamin du groupe; ils seront ainsi, durant tout le voyage, « accouplés », comme leur annoncera glorieusement un soir un portier d'hôtel canadien! Ensemble, donc, Sartre et Villers découvriront, au premier matin, un somptueux petit déjeuner sur plateau d'argent : pâtisseries, omelettes, café servi dans une gigantesque cafetière d'argent, fraises à profusion, crème Chantilly... Alors Sartre descend, et commence seul, à pied, à découvrir New York.

« Je me trouvai, sans transition aucune, à l'angle de la 58e Rue et de la 5e Avenue. Je marchai longtemps sous le ciel glacé. C'était un dimanche de janvier 1945, un dimanche abandonné. Je cherchais New York et ne pouvais le trouver. Il semblait se retirer devant moi, comme une cité fantôme, à mesure que j'avançais dans une avenue qui me paraissait froidement quelconque et sans originalité. Ce que je cherchais, sans doute, c'était une cité européenne... Ainsi donc, mon regard européen et myope, s'aventurant lentement,... s'efforçait en vain de découvrir à New York quelque chose qui le retînt, quelque chose, n'importe quoi : une vieille rangée de maisons barrant soudain la route, un coin de rue, quelque vieille maison patinée par les ans. En vain : New York est une ville pour presbytes : on ne peut " accommoder " qu'à l'infini [10]. » Contrairement au coup de foudre escompté, c'est d'abord une gêne, un malaise, une sorte de « mal de New York », « comme il y a un mal de mer, un mal de l'air, un mal de montagne ». Et l'abondance de références culturelles, de retrouvailles cérébrales brouille le face-à-face charnel du piéton désarmé avec sa ville mythique. Troublé mais ravi et savourant un malaise exquis, le petit homme découvre, le nez en l'air, les grands taxis jaunes si faciles à héler, l'ineffable rationalité de la topographie, la présence constante du ciel et de l'espace. Dans ce premier corps à corps ambigu, Sartre n'a pourtant pas vraiment accès à la ville : elle se dérobe à lui, rétive et allumeuse, refusant encore, pour l'instant, de se laisser apprivoiser par lui.

Mi-clochards, mi-héros : pour les personnalités de l'Office of

War Information qui accueillent leurs prestigieux invités, c'est quand même une surprise de voir débarquer un si étrange groupe, en si piteux état. L'O.W.I., administration officiellement chargée de la réception, va se mettre en frais pour transformer en êtres humains normaux nos huit rescapés d'honneur. Une délégation sera dépêchée pour les vêtir à grands frais. Magiquement, ils seront tous transformés, habillés, nourris, chaussés, au fur et à mesure d'une grande balade sur la 5e Avenue. Sartre ressortira du magasin souriant aux anges, dans un pantalon rayé et une veste assortie, reléguant on ne sait où la canadienne usée qu'il avait sur le dos en arrivant. La canadienne célèbre immortalisée dans sa photo par Cartier-Bresson et où Sartre restera définitivement, accoudé sur le parapet du pont des Arts, fumant la pipe...

(Savaient-ils déjà, à ce moment-là, que leurs bienfaiteurs n'étaient autres que les services du général Donovan, créés juste après la défaite de Pearl Harbor, pour développer, à destination des pays européens, la propagande de guerre américaine? Pour informer les Français, par exemple, la Voix de l'Amérique diffusait plusieurs séries d'émissions sur les ondes de la N.B.C. « *The Voice of America is speaking to France...* » Depuis l'automne 1942, la belle voix un peu sifflante du poète André Breton lisait le « *Commentary Show* » rédigé par Pierre Lazareff. Dans ses bureaux new-yorkais de la 57e Rue Ouest, la Voix de l'Amérique rassemble une des plus belles associations d'hommes de lettres, journalistes et intellectuels français en exil. Parmi les quatre-vingts collaborateurs quotidiens qui fabriquent les vingt-trois émissions quotidiennes, se côtoient Julien Green, Robert de Saint Jean, Michel Gordey, Edouard Roditi, Jacques Scherer, Henriette Nizan, Lewis Galantière, Denis de Rougemont... « Il peut être amusant pour plus tard, écrit ce dernier, de noter la composition de notre équipe sous forme de gazette littéraire. L'ancien rédacteur en chef de *Paris-Soir* la dirige, assisté par l'ancien secrétaire de *La Revue hebdomadaire.* L'ancien secrétaire de la *Nouvelle Revue française* et l'ancien rédacteur en chef du *Matin* lui fournissent de la copie. Les anciens directeurs de *La Révolution surréaliste* et de *L'Esprit nouveau* parlent cette copie devant le micro. Cependant que s'affairent dans la grande salle d'anciens collaborateurs des *Nouvelles littéraires,* du *Collège de sociologie,* d'*Esprit,* du *Figaro,* etc. [11]. »)

Très vite, ce sera pour les huit invités le ballet des cérémonies, des invitations, des rencontres. A commencer par la communauté française de New York : autour de l'O.W.I., l'École libre des hautes études, présidée successivement par Focillon et Maritain, accueillait le *nec plus ultra* de l'intelligentsia européenne : Koyré, Gurvitch, Adorno, Marcuse, Brecht, Thomas Mann... Dans d'autres cercles encore, on rencontrait Etiemble, Chagall, Calder, Léger, Masson, Tanguy, Lévi-Strauss, Pierre Schaeffer – il venait d'arriver. L'exil, la distance et l'hospitalité américaine levaient toutes sortes de barrières d'usage et les liens qui se tissèrent là avaient une saveur de liberté exaltée. Chez les Français de New York, on se mit donc en frais pour accueillir nos huit voyageurs, on se pressa pour leur parler, on les traita comme des célébrités, comme de véritables héros. Introduit par Rougemont, Sartre fut invité à des dîners chez Consuelo – la veuve de Saint-Exupéry – qui habitait un sublime *penthouse* sur l'East River, naguère meublé pour Greta Garbo. Il y rencontra notamment le poète anglais Auden. Dans d'autres cercles, il se lia avec Calder et Léger, retrouva les Gérassi, se plut à fréquenter des artistes d'un autre art que le sien – comme Tanguy et Masson –, eut la primeur de certaines projections privées, comme celle de *Citizen Kane*, dans un tourbillon ininterrompu de découvertes.

« Tous ces gars qui venaient de débarquer à New York, raconte Henriette Nizan, nous ont transmis leur fièvre, prenant possession, comme des affamés, de l'Amérique, et de nous avec. Vraiment, New York, pour eux, ce fut d'abord la fête au village : ils ne cessaient d'aller de noce en festin, de fille en fille, de bouteille en bouteille [12]. » Pour ces oiseaux rares – les premiers journalistes issus de la Résistance à séjourner aux U.S.A. – l'accueil enthousiaste fait par les Américains, c'est un peu une revanche : huit journalistes français fêtés et portés aux nues par les New-Yorkais en délire, n'est-ce pas vraiment une réponse aux soldats américains entrant en triomphe sur leurs chars dans Paris libéré, sous les baisers, les saluts, les bravos des femmes françaises? Huit journalistes français, excités comme des chiens fous, vivant avec ivresse la Libération-deuxième épisode, grisés par cet accueil délirant et ce pays opulent. « Ils étaient partis tout seuls, sans leurs femmes, poursuit Mme Nizan, après toutes ces privations; et face aux graves Américains, ils avaient l'air plutôt farfelus. Ils venaient vivre là une sorte de parenthèse, des histoires à part, en pays étranger, ce qui leur donnait un petit côté martien, sans importance et sans conséquence... »

Le lundi 20 janvier, à cinq heures de l'après-midi, ils donnent leur première conférence de presse dans les locaux de l'O.W.I. En face d'eux, on a convié les plus beaux fleurons de la presse américaine : ils se pressent dans la salle, trop petite, pour écouter et questionner les « vedettes ». Les deux dames, portant d'extravagants chapeaux noirs, sont déjà installées derrière une table, quand pénètrent les six hommes dépareillés – trois grands, deux moyens, un petit –, cinq sur six les yeux cerclés d'un étrange uniforme : des montures de lunettes rondes en écaille marron. Viollis décrit ses activités clandestines : rédaction, distribution des articles et des tracts pour le C.N.É. à Paris, avant d'aller se protéger contre les recherches de la Gestapo, en émigrant dans la Drôme. Bénichon parle de l'unité des différents mouvements de résistance, de l'« insignifiance des divergences idéologiques » (*sic*). Mais c'est Denoyer qui fait la plus forte impression : précédé par ses références et ses relations, prix de Strasbourg pour le meilleur reportage en Amérique avant guerre, boursier de la fondation Rockefeller, il compte de nombreux amis dans l'assistance. Dans un anglais choisi, il raconte les bombardements, les problèmes de reconstruction de grandes villes de province comme Rouen ou Le Havre. Surtout, il salue l'amitié franco-américaine : « Nous savons, affirme-t-il, tout ce que nous devons à des pays comme la Grande-Bretagne ou l'U.R.S.S., mais l'Amérique fut le pays décisif : nous savons tous que, sans elle, nous ne serions pas ici aujourd'hui. Notre tâche, dans votre pays, sera de regarder et de comprendre, pour donner aux Français une image plus exacte et plus complète de leur plus sûr allié... » Puis les questions fusent : « Les résistants furent-ils exclusivement communistes? », demande un reporter new-yorkais, et Villers de répondre : « François Mauriac, par exemple, ne l'est pas; n'oublions pas non plus que l'une des publications les plus influentes de tous les journaux clandestins fut *Les Cahiers du Témoignage chrétien*, revue créée et dirigée par un prêtre... » A la grande surprise de tous les journalistes américains, et aucun ne manqua de le souligner, Sartre resta, durant les deux heures de la conférence de presse, totalement et intégralement silencieux, regardant en l'air, s'ennuyant... En porte à faux? Pourtant, un mois auparavant, on avait remarqué, dans *Atlantic Monthly*, le premier article sur la Résistance française traduit en anglais : « La République du silence », signé Jean-Paul Sartre. On apprenait, du même coup, dans la notice biographique accompagnant l'article qu'il était « l'auteur du *Mur* et de nombreux essais philosophiques, un des leaders du C.N.É., qu'il s'était consacré au travail clandestin avec un courage sublime, établissant des liens entre les hommes de lettres de tendances différentes, organisant des publications illégales, représentant, en bref, avec Aragon, Éluard et Paulhan, les tendances les plus brillantes de la littérature française de l'après-guerre »... C'en était assez pour que Sartre fût attendu avec curiosité et intérêt, pour que son silence parût insupportable, en cette époque où seul Saint-Exupéry, parmi les écrivains français contemporains, avait fait parler de lui à New York – *Pilote de guerre* ovationné par la presse U.S., *Vol de nuit* adapté au cinéma dès 1942 –, celui qui avait disparu en vol le 31 juillet 1944 était encore l'écrivain français le plus prestigieux aux yeux des Américains.

« *De Gaulle foes paid by U.S., Paris is told* » : en première page du *New York Times*, le 25 janvier, revient en boomerang une sorte de compte rendu alarmiste du premier texte américain de Sartre, paru la veille dans *Le Figaro* et intitulé : « Les Journalistes français aux États-Unis, la France vue d'Amérique, de notre envoyé spécial Jean-Paul Sartre ». Ce premier article provoque en effet un véritable incident : il fera couler beaucoup d'encre, suscitera de nombreuses lettres croisées d'explications jusqu'au mois de mars et contribuera peut-être à crever l'abcès des milieux politiques français de New York. Car l'invitation, par le State Department, de nos huit journalistes prend place dans un cadre complexe et embrouillé : celui des relations franco-américaines depuis l'armistice de 1940 jusqu'au débarquement de 1944. Cadre extrêmement subtil où ne manquèrent ni les actions souterraines ni les divergences individuelles, mais où le moins qu'on puisse dire c'est que de Gaulle y fut boudé et combattu avec la plus extrême violence. Et le voyage de janvier 1945 vient s'inscrire dans une longue suite de gestes, de contre-gestes, excessivement révélateurs [13]...

« N'oubliez pas que toute l'affaire se joue, avait écrit de Gaulle en 1943 dans ses *Mémoires de guerre*, non point entre nous et Giraud, qui n'est rien, mais entre nous et le gouvernement des États-Unis... » Car, depuis le débarquement allié en Afrique du Nord et l'assassinat de Darlan, la nomination de Giraud comme successeur de Darlan est un acte clairement téléguidé par le gouvernement américain. « Washington tente par tous les moyens de bâtir Giraud comme chef de la résistance française », note encore amèrement de Gaulle. Et la longue opposition entre les deux généraux français ne sera, en fait, que la face visible de l'iceberg : il apparaît à l'évidence – ce que confirment les recherches des historiens contemporains – que Giraud fut purement et simplement un pion américain pour contrer la menace communiste que les Américains voyaient en de Gaulle. Juin 1943, Eisenhower invite Giraud et de Gaulle à s'entretenir avec lui et exige le maintien de Giraud comme commandant en chef. Roosevelt commente : « Les gouvernements britannique et américain sont opposés à ce que de Gaulle ait autorité sur l'armée en ce moment, parce qu'ils n'ont pas vraiment confiance en ce qu'il pourrait faire... » La pression américaine dans les affaires intérieures françaises devient telle, en cette fin d'année 1943, que de Gaulle s'en insurge violemment devant Churchill : « Pourquoi semblez-vous croire que j'aie à poser devant Roosevelt ma candidature pour le pouvoir en France ? Le gouvernement français existe. Je n'ai rien à demander en ce domaine aux États-Unis non plus qu'à la Grande-Bretagne... » Les tensions vont se poursuivre jusqu'au débarquement du 6 juin 1944. Alors, le gouvernement américain n'a plus d'autre ressource que de constater la médiocrité de son pion Giraud, un « très mauvais cheval », sans aucun sens politique, sans aucune force derrière lui. Et, lentement, forcé par la situation, Roosevelt invitera de Gaulle à la Maison-Blanche en juillet 1944. « Quatre ans de méfiance et de querelles ne sauraient s'effacer en lui », note au retour le général dans ses *Mémoires*. Quant à Roosevelt, il affirmera pour sa part que « de Gaulle est très susceptible en ce qui concerne l'honneur de la France ».

« Comme Américain et comme soldat, je suis honteux de la façon dont mon pays a traité votre chef, le général de Gaulle », avait récemment déclaré le général MacArthur à un journaliste français. Et il ajoutait : « La honte dont s'est couvert mon gouvernement dans la triste affaire de l'Afrique du Nord sera longue à s'effacer. Je ne peux m'empêcher de vous exprimer tout mon dégoût de l'attitude de Roosevelt et même de Churchill envers le général de Gaulle... » Inviter une délégation de journalistes français résistants allait-il être un des premiers actes du gouvernement américain pour « effacer la honte » dont parle MacArthur? Sartre, pour sa part, allait intervenir dans la presse avec une sincérité totale mais, dans ce contexte, ses propos allaient faire l'effet d'une bombe. « L'accueil qu'on nous fait ici est fraternel et émouvant », explique-t-il, mais il ajoute une constatation déjà un peu grinçante : « Les Américains aiment la France. Mais ils ont deux images de la France et deux manières de l'aimer. » Et, décidant de mettre les pieds dans le plat, Sartre annonce que, pour comprendre le « véritable sens » de leur voyage, une chose s'impose : « un bref historique des relations franco-américaines telles que les gens d'ici les ont vécues depuis juin 1940 ». Il prend donc le taureau par les cornes et il raconte. Il ne sera d'ailleurs pas bien méchant, eu égard aux faibles informations dont disposaient les journalistes de l'époque; il trouvera même le moyen de ne pas faire perdre la face au gouvernement américain, et presque même de l'innocenter dans cette affaire. Pourtant, le simple rappel de cette période honteuse pour les Américains est, en soi, perçu par certains comme une véritable provocation [14].

En fait, toute l'argumentation de Sartre dans cette affaire consiste à couper l'Amérique en deux : deux camps qui s'opposent dans leur perception d'une « France peureuse » ou d'une « France révolutionnaire » selon ses propres termes. En un certain sens, il rendait bien compte de certaines campagnes de presse américaines qui, notamment au début de l'année 1943, furent très hostiles à Giraud et à son équipe – dont Peyrouton, Noguès et Chatel –, et mirent en lumière la persistance de camps de prisonniers au Maroc, ou bien le maintien des lois antijuives en Algérie, en dépit du débarquement américain! Walter Lippman, dans le *New York Herald Tribune* du 19 janvier 1943, était même allé jusqu'à réclamer le remplacement de Robert Murphy qu'il dénonça clairement comme responsable de ces tristes affaires. Dans son article, Sartre va donc nommément se référer à Lippmann et à des Américains de sa trempe qui, forts de la tradition U.S. sur la liberté d'expression, surent alerter l'opinion publique des méfaits de l'administration Giraud, de la mainmise et de l'interventionnisme américain dans les affaires intérieures françaises.

Première et dernière image de Sartre dans un rôle purement gaulliste : elle vaut la peine qu'on s'y arrête; car, dans la foulée de sa description de la colonie française exilée en Amérique, il en profite pour mentionner l'association gaulliste « France for ever » – au demeurant très minoritaire, puisque représentant à peine 2,2 % de l'ensemble de la population française aux U.S.A. Puis il commence à parler de la presse. « Je ne veux pas donner de noms, écrit-il, mais il faut dire que certains journalistes français achetés par la haute finance puis par le State Department publiaient un journal de langue française qui fit beaucoup de mal à notre cause... » Cette petite phrase allait déclencher en cascades lettres et mises au point, des deux côtés de l'Atlantique, de tous les côtés de l'échiquier politique.

L'article de Sartre fut qualifié par certains journalistes américains de « *lack of tact* ». Ce fut le cas du correspondant à Paris du *New York Times* : il envoya à son journal une réponse boomerang dans laquelle il se demandait si l'article en question était vraiment « judicieux au moment précis où la France avait tant besoin de l'Amérique, pour des armes et autres soutiens financiers notamment, et si l'antiaméricanisme des gaullistes, des deux côtés de l'Atlantique, n'avait pas intérêt à se calmer temporairement [15] ». Le directeur du *Figaro* intervient alors lui-même pour assurer le *Times* de ses chaleureux sentiments proaméricains. Quant à Geneviève Tabouis, piquée au vif, indignée et ulcérée, elle s'empare de sa plus belle plume pour envoyer une lettre ouverte au rédacteur en chef du *New York Times* et écrire un long article dans son journal *Pour la victoire.* Furieuse, elle s'insurge contre ce qu'elle considère comme une « insulte à l'égard non seulement de tous les écrivains français réfugiés aux U.S.A. depuis 1940, mais aussi à l'égard du gouvernement et du peuple américains ». N'apportant aucun démenti sur le fond, elle critique le manque de politesse de cette « clique antiaméricaine », invitée officielle du gouvernement américain qui lance de « violentes diatribes contre les Américains amis de la France » au lieu de faire son travail, c'est-à-dire de « rendre compte de l'effort de guerre des U.S.A. [16] ». Sartre, à son tour, répond, dans une lettre au rédacteur en chef du *New York Times* : « Je n'ai jamais perdu de vue, écrit-il entre autres, le fait que j'étais ici l'invité des États-Unis... Je sais que votre journal a défendu notre cause. Je veux ici vous assurer d'une chose : les critiques que j'ai faites et que je continuerai à faire sont profondément enracinées dans mes très sincères sentiments d'amitié pour les U.S.A. Je poursuivrai mes comptes rendus, et sous ma seule responsabilité je raconterai tout ce qui, dans votre pays, m'attire et m'intéresse. Je n'ai pas attendu d'être arrivé à New York pour ressentir une profonde affection pour tout ce que je connais de votre pays. Je ne dis pas cela seulement à cause de vos soldats qui se battent pour défendre nos frontières, et qu'aucun citoyen français n'oubliera jamais, mais aussi parce que les gens de notre génération ont été fortement influencés par votre littérature, et que, pendant l'occupation, nous nous sommes tournés vers votre pays, le plus grand de tous les pays libres. Je souhaite vivement que ces quelques mots suffisent à dissiper ce malheureux malentendu qui m'est personnellement douloureux [17]. » Prise de position délibérée contre les puissances d'argent américaines et le groupe des giraudistes de New York – mal en point, justement, Kerillis étant jugé pour faits de collaboration – certains allaient parler de « faux pas ». Parce que dans ses assertions somme toute assez banales, Sartre transgressait le code déontologique tacitement en vigueur chez les journalistes, en rompant la solidarité de milieu. Fermement résolu à « casser le morceau », à conserver l'indépendance d'esprit la plus totale, Sartre poursuivra la description minutieuse et précise de cette véritable « guerre civile » entre giraudistes et gaullistes à New York. Parlera de cette « nouvelle affaire Dreyfus » qui scinda les « meilleures familles en deux », évoquera le changement de cap du State Department qui « soutenait Giraud pour des raisons militaires », décrira l'accueil enthousiaste du peuple américain à de Gaulle, véritable « victoire » qui « signifie le triomphe d'une image de la France sur une autre image [18] ».

L'incident allait immédiatement être récupéré par les gaullistes de New York : sous les auspices d'Henry Torrès, ils se réunissent dans une association « France for ever » et publient un hebdomadaire *France-Amérique*. Ennemis de Tabouis et Kerillis, ils se frottent les mains, et en profitent pour enfoncer le clou. « Il semble qu'il y ait un incident Sartre », écrit Henry Torrès dans un article judicieusement intitulé « *In the Laundry* ». « Nous conservons à l'égard du grand écrivain, ajoute-t-il, le préjugé très favorable que nous avions avant son arrivée : dans la pire des situations d'oppression, il a donné des preuves de sa foi dans les démocraties anglo-saxonnes, mettant en danger sa liberté et sa vie. » Ajoutant à l'égard de sa collègue Tabouis : « Paix, paix, madame Cassandre! Ma chère Geneviève, laissez-moi vous dire une chose, au nom de notre vieille amitié qui m'a parfois rendu tolérant à votre égard : vous n'avez pas les attributs pour venir donner des leçons à un des héros de notre résistance... Pendant des mois, pendant des années vous avez insulté le général de Gaulle, vous avez refusé de reconnaître la Résistance, et sous prétexte d'aimer l'Amérique, vous avez essayé de la séparer de la France [19]. »

Et, sur la lancée de l'incident, nos huit journalistes, magnifiés pour les besoins de la cause, sont reçus avec émotion dans les locaux de « France for ever », eux qui avaient « pendant quatre ans, non seulement risqué la torture, mais également permis à l'information de circuler, grâce à leurs journaux clandestins ». L'assistance admire « la manière dont ils racontent la faim, le froid, la destruction et les douleurs, sans les souligner démesurément, comme s'il s'agissait de compagnons quotidiens [20] ». « Que dire de Jean-Paul Sartre, explique l'article, sinon que c'est un homme extrêmement modeste, charmant et simple, malgré ses brillants succès littéraires? Dans ses récents essais de journalisme, le grand écrivain montre déjà qu'il ne s'agit pas pour lui de ruser avec la vérité [21]. » Bel euphémisme, de la part de ceux qui, en premier lieu, bénéficiaient de l'incident! Un somptueux dîner allait suivre cette rencontre, dans les salons du restaurant Chez Félix. Dîner présidé par M. Guérin de Beaumont, le consul général de France, où les toasts mutuels à la France et à l'Amérique se succédèrent jusqu'à minuit passé...

Rigoureusement en porte à faux dans ce voyage, totalement imperméable aux tours et aux détours de l'effort de guerre américain, complètement indépendant – et entendant le rester – face aux conventions tacites du milieu journalistique, à la recherche de ses propres fascinations, Sartre poursuit sa découverte de l'Amérique. Camus, d'ailleurs, ne le lui enverra pas dire : il regrettera que Sartre ne réserve à *Combat* – qui lui avait obtenu le voyage – que les articles techniques et ennuyeux, tandis qu'il gratifiait *Le Figaro* d'une prose plus élégante et de textes plus pittoresques! Ennuyé et maladroit, quand il s'agit de politique franco-américaine. Passionné et brillant, par contre, quand il parle de littérature. « Alors, où en est la vie littéraire française? lui demande Denis de Rougemont, dès son arrivée. – Eh bien, répond Sartre, il y a maintenant deux grands écrivains, Albert Camus et Simone de Beauvoir... – Albert Camus? poursuit Rougemont.

– Camus, c'est un écrivain d'Algérie, un pied-noir, c'est tout le contraire de moi : il est beau, il est élégant, et c'est un rationaliste [22]. » Et, ravi, le petit homme file préparer sa première conférence. Dans une véritable ode à Camus, Sartre parlera de la vieille garde : Gide, Giraudoux, Anouilh, et de la nouvelle : Camus, Cassou, Leiris. « En publiant de nombreux articles clandestins, dit-il, souvent dans des conditions dangereuses... ils ont pris l'habitude de penser qu'écrire est un acte, et ils ont acquis le goût de l'action. Loin de prétendre que l'écrivain n'est pas responsable, ils demandent qu'il soit en tout temps prêt à payer pour ce qu'il écrit. Dans la presse clandestine, il n'y avait pas une ligne qui pût être écrite sans mettre en danger la vie de l'auteur, ou de l'imprimeur... Pour tous ces jeunes écrivains, parler est une affaire sérieuse; écrire, une affaire plus sérieuse encore. Et comme ils savent que leurs œuvres *engagent* nécessairement le lecteur, ils veulent s'engager eux-mêmes complètement dans leurs œuvres. C'est pourquoi il est tellement question de " littérature engagée " aujourd'hui en France... » Il a parlé de cette voix définitive sans le moindre lyrisme. De cette voix claire et précise qui impose son évidence. De cette voix insolente et sans bavure. Nette et délimitée comme le fil d'un rasoir. Il a parlé sans note, les mains dans les poches, sérieux et attentif. Prophétique et sans appel, il conclut sans lever le pied : « La génération qui a brillé dans les années de l'entre-deux-guerres va bientôt passer à l'arrière-plan... Mais il est probable que dans l'œuvre sombre et pure de Camus se puissent discerner les principaux traits des lettres françaises de l'avenir. Elle nous offre la promesse d'une littérature classique, sans illusions, mais pleine de confiance en la grandeur de l'humanité; dure, mais sans violence inutile; passionnée, mais sans retenue... Une littérature qui s'efforce de peindre la condition métaphysique de l'homme tout en participant pleinement aux mouvements de la société [23]. » Rougemont, alors, rejoint le conférencier : « Cette idée que l'homme est à la fois libre et responsable... dit-il. – ... Je sais très bien à qui je l'ai prise... répond Sartre. *Politique de la personne*, Rougemont, 1934 [24]. »

Comment appréhender un pays étranger quand on ne maîtrise pas sa langue? Comment demander un renseignement dans la rue? Comment parler de littérature, de cinéma, de politique? Lire les journaux? Comment accéder directement à l'information, sans le secours d'un intermédiaire, interprète ou autre? Jusqu'à présent, Sartre n'a fréquenté que des Français émigrés, ce sont eux qui ont assuré la transition. Car, de l'Amérique, que peut-il percevoir spontanément, sans secours extérieur? L'architecture, les paysages, la musique... Pour tout le reste, il doit être « assisté », c'est une situation qui lui déplaît : « Quand vous ne savez pas quoi répondre, explique-t-il un jour à Pizella qui partage les mêmes handicaps, dites "*fine*", ça s'applique à toutes sortes de choses – aux femmes, aux hommes, au whisky, à la santé, à la température, à la musique, au cinéma, à la cuisine, à l'armée de terre ou de l'air, à l'aviation civile ou commerciale, aux patins à roulettes ou au coup du père François, ça équivaut à notre : " au poil ". » Et Pizella, ravi du « tuyau » magnifique donné par Sartre, emploiera son *fine* à tire-larigot, avec l'intime conviction de n'être ainsi jamais pris au dépourvu [25]! Peu à peu, Sartre va enrichir son lexique anglais : on l'entendra bientôt dire « *Whisky on the rocks* », « *Whisky and soda* », ou encore, sortant de ce champ sémantique, « *Why not?* »... Cependant, il continuait d'arpenter New York, s'y accommodant progressivement, y trouvant de nouveaux langages, de nouvelles passerelles de communication : « Les murs vous parlent, découvre-t-il, à gauche, à droite, ce sont des affiches, des réclames lumineuses, d'immenses vitrines... Ici c'est une femme au visage bouleversé qui tend ses lèvres à un soldat américain ; là, c'est un avion qui lance des bombes et, sous l'image, ces mots : " Plus de bombes, des bibles [26] ". »

Peu à peu, sa danse d'amour avec la ville se transforme, les deux partenaires s'habituant lentement l'un à l'autre. « J'aime New York. J'ai appris à l'aimer, lira-t-on notamment dans ses déclarations d'amour publiques et spontanées. Je me suis habitué à ses ensembles massifs, à ses grandes perspectives... Mes regards... filent tout de suite à l'horizon chercher les buildings perdus dans la brume, qui ne sont plus rien que des volumes, plus rien que l'encadrement austère du ciel. Quand on sait regarder les deux rangées d'immeubles qui, comme des falaises, bordent une grande artère, on est récompensé... J'ai appris à aimer son ciel... J'ai appris à aimer les avenues de Manhattan... Il a fallu que je m'y habitue, mais, à présent que c'est chose faite, nulle part je ne me sens plus libre qu'au sein des foules new-yorkaises [27]. » Citoyen de New York à part entière, il va goûter les complicités, les rituels, les mille usages qui cimentent ces mille cultures : goûter l'annonce par radio des ouragans, orages et autres tempêtes de neige, goûter la peur du regard dans les yeux, le respect du territoire d'autrui, goûter les grands rythmes des foules, les flux où, noyé, on tombe au-delà de la simple marche, et où l'on devient membre à part entière de ce grand club à la fois trop sélect et très démocratique, de cette « texture criblée de trous », dit Lévi-Strauss. « Il suffisait, ajoute-t-il, de choisir [les trous] et de s'y glisser pour atteindre, comme Alice de l'autre côté du miroir, des mondes si enchanteurs qu'ils en paraissaient irréels... [Car] nulle part, sans doute, plus qu'à New York, n'existèrent à cette époque de telles facilités d'évasion... [cette] image incroyablement complexe... de modes de vie modernes et d'autres presque archaïques [28]. »

Entre-temps, d'ailleurs, le groupe avait déménagé, pour se retrouver brutalement « Three-O-One Park Avenue, between Forty-Ninth and Fiftieth Streets », à l'hôtel Waldorf-Astoria, monument de l'élégance distinguée style arts déco, signature des années 30, couvrant tout un pâté de maisons, alliance parfaite entre le goût européen de l'entre-deux-guerres et le gigantisme américain : mille huit cents chambres, la plus large suite de salons de réception de tout le pays, et une tour, bien sûr, de six cent vingt-cinq pieds de hauteur... Le plus grand hôtel du monde, disait la publicité. Mais pour nos huit journalistes, la découverte la plus cocasse fut, peut-être, au sein de cette gigantesque ville où tous se perdirent plusieurs fois, le salon de coiffure au sous-sol : pour quatre dollars et demi, tous les hommes s'amusèrent, la tête en bas, à se faire masser, nettoyer, raser le visage, enveloppé de serviettes chaudes puis froides, le comble de l'exotique et du luxe new-yorkais [29].

« J'ai été, comme tout Européen d'aujourd'hui, d'abord frappé par le bien-être qui règne à New York, et puis, à la longue, j'ai discerné des signes, sinon de privation, au moins d'une économie sévère. » Et Sartre d'énumérer les restrictions dont souffre la population, comme le fameux *brown out,* cette version édulcorée du black-out, où, sans être totalement éteintes, les lumières du soir brillaient à moitié de leur vigueur normale. « Certes le Français habitué aux nuits maussades de Paris, poursuit-il, demeure éberlué devant cette profusion de lampes, tubes de néon, réverbères. Mais pour l'Américain qui a connu le luxe de l'avant-guerre, une sorte de tristesse pèse sur les quartiers de plaisir... En somme, j'ai appris peu à peu à démêler, au nom de l'abondance qui stupéfie les Français, les premiers signes, non de gêne, mais d'économie attentive et parcimonieuse [30]. » Désertant de plus en plus réceptions officielles et cocktails mondains pour les dancings populaires de Times Square et les cinémas de Broadway, il commence à déchiffrer une certaine réalité américaine, à conjuguer tristesse, confort et angoisse, à dissocier les marins qui dansent le jittersburg, absents et rêveurs, des *boys* qui continuent à se battre. A admirer, surtout, le « triomphe de la technique », comme par exemple celui qui permet à un hôte de pouvoir, « sans quitter sa table, simplement en pianotant sur des boutons, faire apparaître, à portée de sa main, les mets et les ustensiles les plus divers [31] ». Et puis, adapté, il saura différencier les atmosphères des quartiers, des avenues, graduellement, saura percevoir la « morne élégance de Park Avenue », le « luxe froid et l'impassibilité de stuc de la 5e », la « frivolité gaie des 6e et 7e », la « foire aux victuailles de la 9e », le « no man's land de la 10e », la « misère de Bowery [32] ». Il ira dans les boîtes, donc, dans les cinémas, et bien sûr il ira cherchez le jazz!

Ses élèves du lycée Pasteur, et parmi eux surtout le pianiste Jacques Besse ou son meilleur ami, l'incollable Bernard Lamblin, deux vrais fanatiques, avaient regretté que Sartre ne fût pas, à leur image, un fervent des tendances les plus avant-gardistes de la musique de jazz, qu'il ne connût rien, par exemple, ni au hot jazz, ni au boogie-woogie, et le *Some of These Days* de *La Nausée* leur apparaissait comme une référence un peu superficielle... Sartre apprendra beaucoup à leur contact, et à New York il cherchera très vite à fréquenter les clubs les plus *up to date,* les endroits les plus chauds. Sept années plus tôt, Charlie Parker, âgé de dix-huit ans, avait quitté Kansas City, pour se précipiter au Savoy à Harlem, y entendre Chick Webb à la batterie ou Art Tatum au piano. Et très vite, jouer aux côtés de Kenny Clarke, Dizzy Gillespie, Lester Young et Thelonius Monk dans des boîtes sordides de la 118e Rue, qui avaient nom : Monroe et Milton's Playhouse. Quand Sartre arrivait à New York, Charlie Parker était devenu un des piliers de la fameuse 52e Rue, de LA rue, où sept clubs s'étaient ouverts comme des champignons pendant les années de guerre. Et le « Bird » s'y produisait au Jimmy Ryan's, à l'Onyx, au Famous Door, ou aux Three Deuces, dans cet espace de rêve, entre la 5e et la 6e Avenue, où flottaient de jour des banderoles aux noms prestigieux, « Sidney Bechet », « Howard MacGhee », « Coleman Hawkins », tandis que de nuit clignotaient les néons, chauffaient les meilleurs affrontements de trompettistes fervents, se livrant parfois à des jam-sessions, là où le be-bop était en train de naître...

« J'ai appris à New York que le jazz était une réjouissance nationale », écrit Sartre, secoué par ses soirées au Nick's Bar. Et tous ses schémas préfabriqués s'effondrent, de Paris à New York tout se renverse : il vient de mesurer la facticité du jazz français, « juste un prétexte pour verser des larmes en bonne compagnie ». Depuis un des lieux sacrés de la nuit new-yorkaise, il s'imprègne, il raconte : « On s'assied dans une salle enfumée, à côté des matelots, des malabars, des putains sans carte, des dames du monde. Personne ne parle... Personne ne bouge, le jazz joue... Il y a un gros homme qui s'époumone à suivre son trombone dans ses évolutions, il y a un pianiste sans merci, un contrebassiste qui gratte ses cordes sans écouter les autres. Ils s'adressent à la meilleure part de vous-même, à la plus sèche, à la plus libre, à celle qui ne veut ni mélancolie ni ritournelle; mais l'éclat étourdissant d'un instant. Ils vous réclament, ils ne vous bercent pas [33]. » Il restera là, parmi ses *underdogs,* oubliant le Plaza ou le Waldorf-Astoria; il restera là, à New York, exactement où il avait rêvé d'être. Qui entendit-il, au Nick's? Charlie Shavers, avec Teddy Bunn à la guitare, Russell Procope au saxo, et la fantastique voix de Leo Watson, qui faisait merveille dans des *scats* interminables? Chercha-t-il à voir Bill Coleman avec Benny Morton et Ed Hall? Passa-t-il des nuits au Village Vanguard? Au Hickory House? au fameux Apollo? Au Kelly's Stable? Assista-t-il, au Savoy, à ces fameuses soirées où, en compagnie de Lucky Millinder et Erskine Hawkins, Sister Rosetta Tharpe, avec sa guitare, chantait des *semi-spirituals*? Où Wilbur Bascomb, à la trompette solo, reprenait le thème de *Tuxedo Junction*?... « Le jazz, c'est comme les bananes, ça se consomme sur place », écrira-t-il plus tard : à coup sûr, il consomma cet antidote rêvé aux dîners officiels, aux conférences de presse, aux exposés obligés sur les bombes, les porte-avions, les dernières trouvailles de l'armement *made in U.S.A.*

On le verra beaucoup, surtout au bar One-Two-Three dans la 52e Rue – bien sûr –, accompagné d'une jeune femme qui n'était que sourires, au teint mat, de la même taille que lui. Pendant les années de l'entre-deux-guerres, au temps où elle était actrice dans un des théâtres de la rue de la Gaîté, à Montparnasse, Dolorès Vanetti avait, de loin, au Dôme ou à La Coupole, remarqué ce groupe, à une table, avait appris qu'il s'agissait de l'écrivain qui venait d'écrire *La Nausée,* livre qu'elle n'avait pas lu, lui préférant par exemple *La Jument verte* de Marcel Aymé. Depuis le début des émissions en langue française à l'O.W.I., elle avait été chargée du « show féminin », qu'elle préparait, écrivait, lisait tous les jours, et dont elle s'acquittait à merveille. Sa voix unique, grave et modulée mariait sans transition, et avec l'habileté la plus inattendue, une gouaille parigote parfaitement pure avec des expressions purement new-yorkaises. Convaincante, spontanée, directe, extrovertie, sans aucune arrière-pensée, généreuse, au tutoiement immédiat, elle était très populaire dans les bureaux de la Voix de l'Amérique, et André Breton surtout, qui avait publié dans sa revue *V.V.V.* des poèmes écrits par elle, adorait sa compagnie, son beau visage ovale, la pureté de son sourire, sa désinvolture tonique, sa bonne humeur permanente, sa culture naturelle, sa transparence extrême, son alternance de fantaisie et de sérieux. Elle était, par exemple, la compagne rêvée quand Breton, accompagné de Lévi-Strauss, de Duthuit et de Max Ernst, s'attardait chez cet antiquaire de la 3e Avenue où l'un d'eux achetait un masque en pierres de Teotihuacan, ou bien encore sur la 55e Rue, chez ce marchand de bimbeloterie sud-américaine. Au moment où John Dos Passos demandait à rencontrer Sartre, au moment où Koyré souhaitait discuter avec lui, Dolorès Vanetti, entendant son nom, le confondait encore avec celui d'un sculpteur nommé Raoul Del Sarte, qu'elle avait rencontré jadis... C'est un jour où le groupe des huit journalistes est invité à l'O.W.I. pour une série d'interviews que Jean-Paul Sartre va rencontrer Dolorès Vanetti.

« Il y avait, devant mon bureau, toute une file de journalistes français qui attendaient à la queue leu leu avant de passer dans le studio d'enregistrement, raconte Dolorès. Et, tout au bout de cette file, il y avait ce petit monsieur, le plus petit de la file, et le dernier. Il a buté contre quelque chose, il a laissé tomber sa pipe, l'a ramassée, et on s'est parlé comme ça. Je ne sais ce qu'on s'est dit, ajoute-t-elle, mais, à la suite de ces quelques mots, il a demandé à me voir [34]. » Sartre parlera, du Castor, d'Olga, de Wanda, de Bost, du Havre, racontera tout, longuement. « Il était, poursuit Dolorès, d'une gaieté toujours effervescente, racontant un tas d'histoires pour vous amuser, pour vous faire entrer dans sa vie, toujours à la recherche de ce qui pourrait vous faire le plus plaisir, se donnant un mal de chien, se démultipliant sans compter. » Et il posera à Dolorès mille questions sur sa vie à New York; elle l'aidera à lire les journaux, traduira ses conversations, lui montrera des lieux qu'elle aime. Ainsi, le Russian Tea Room – merveilleux salon patiné, serveurs déguisés en cosaques et tentures rouges – derrière Carnegie Hall où, devant un verre de vodka et un *vatrouchka,* ils apercevront des silhouettes connues: « Tiens, voilà Stravinski, dira-t-elle. Et puis là, cachée derrière ses cheveux, c'est Greta Garbo... » Et lui de nier, de refuser d'admettre, tellement peu intrigué par ces visages « célèbres » qu'il en perdait tout bon sens!

« Dolorès, elle m'a quand même donné l'Amérique », répondra le monsieur de soixante-dix ans aux questions de Simone de Beauvoir en 1974: dette à la fois monumentale et restrictive! Pour l'heure, c'est le State Department qui va se charger de montrer le pays à ses invités d'honneur. Et comme, en ce domaine, on ne prend pas les choses à la légère, un programme de voyage particulièrement élaboré sera mis sur pied spécialement pour eux. Et quel programme! En l'espace de huit semaines, ils seront transportés, tous les huit, à bord d'un avion militaire affrété à leur intention. Et du nord au sud, et d'est en ouest, du Québec à La Nouvelle-Orléans, de Philadelphie à San Francisco, de Detroit à New Mexico, ils sillonneront le ciel américain embrumé de cet hiver 1945.

On les verra, rieurs et détendus, s'initier à une technique expérimentale de dessalement d'eau de mer, on les verra, souriants et crispés, accepter un tour en mer dans les vedettes qui débarquèrent en Normandie, puis visiter les studios de la Fox à Hollywood, on les verra, fourbus et harassés, une paire de jumelles autour du cou, guetter les exercices des blindés et autres chars d'assaut de l'armée américaine sur un terrain d'entraînement en Virginie, visiter une usine de fabrication de parachutes, écouter un concert classique, passant d'une base navale opérationnelle à un dîner de diplomates, d'une rencontre avec un couple de fermiers du Middle West à un débat à l'université du Manitoba, de la chambre de commerce de Pittsburgh à l'usine de construction des avions Boeing, on les verra sur le barrage de la Tennessee Valley Authority, au cocktail très huppé du quotidien le *Chicago Sun,* poser au groupe de Français pour les photographes devant leur avion personnel – un bombardier militaire B-29 – sur la piste d'atterrissage de San Antonio au Texas, poser au garde-à-vous avec les officiers de l'école d'infanterie de Georgie, ou encore, sous le portrait de La Fayette, poser à la décontraction mondaine dans les salons boisés et calfeutrés auprès de l'ambassadeur de France Bonnet et de son épouse. Ils seront bourrés, gorgés, gavés, d'usines d'armements, d'avions militaires, de prototypes de chars d'assaut, d'explications raffinées sur la fabrication des carburants destinés à l'aviation par la méthode sophistiquée du « cracking analytique »; ils auront froid, ils auront chaud; ils auront peur surtout le 11 février lorsque le major Finch, leur pilote, s'aventurant dans le Grand Canyon du Colorado un jour de tornade, descendit les cinq cents kilomètres de méandres étroits en frôlant les parois de pierre, découvrant des sculptures naturelles de couleur rose ou violette, des formes de cathédrales gothiques ou de paysages lunaires, terrorisant ses passagers qui crurent mille fois périr engloutis dans les replis de la pierre, parvenant enfin au bout du tunnel dans le ciel bleu du Nouveau-Mexique, sur cet étrange plateau entre Santa Albuquerque et Taos Pueblo où les Indiens avaient construit d'extraordinaires villes de terre rose, où les maisons cubiques s'agglutinaient les unes aux autres dans une merveilleuse et mystérieuse harmonie.

Le 11 mars, dans les salons de la Chambre des représentants de Washington, ils recevront la presse au cours d'un grand dîner offert en leur honneur par Sol Bloom, le président de la commission des Affaires étrangères; le 31 janvier à Baltimore, ils écouteront Lawrence Drake, le secrétaire du comité de reconversion pour l'après-guerre, décrire ses champs d'activités; le 21 février, rencontreront la presse locale à Chicago; le 3 mars, à Washington, seront à nouveau questionnés infiniment sur les restrictions alimentaires pendant l'occupation allemande, redresseront les fausses informations répandues par une presse américaine peu exigeante, dénonceront les « magouilles » de Geneviève Tabouis, prédiront une très forte demande française à l'exportation américaine pour les années à venir, soutiendront *mordicus* – lors d'un cocktail donné par le journaliste Walter Lippmann à Washington – combien de Gaulle fut à l'époque *the right man at the right place,* recevront les honneurs des quotidiens avec photos et interviews en première page. On rappellera leur courage, leur héroïsme, leur volonté, on citera les informations inédites qu'ils apportent avec eux, parfaits ambassadeurs d'une guerre souterraine et méconnue : ainsi les journalistes américains apprendront que le S.T.O. réquisitionna systématiquement tous les jeunes de vingt à vingt-cinq ans, que la Gestapo tua quelque cent mille innocents parmi la population civile dont soixante-quinze mille pour la seule ville de Paris, que la presse se renouvela et se modifia sous l'effet de la Résistance et que la population française tout entière attend maintenant beaucoup des Américains pour les années futures [35].

Enfin, et surtout, clou du voyage : leur visite à la Maison-Blanche, le 9 mars, chez le président Roosevelt. Conférence de presse suivie d'apartés qui, à eux seuls, justifient le voyage. « Pendant qu'il nous serre la main, écrit Sartre, je regarde sa tête brune et un peu terreuse, si américaine... Il ne ressemble pas du tout à ses photos. Ce qui frappe d'abord, c'est le charme profondément humain de ce long visage à la fois délicat et dur... Il nous sourit, il nous parle de sa voix basse et lente. Il aime la France, dont il a parcouru, autrefois, toutes les routes à bicyclette... » Politesses réciproques, les journalistes français souhaitent que les « nuages élevés entre les deux pays » s'estompent à l'avenir. Belle occasion pour le président américain d'effacer publiquement, d'annuler en quelque sorte ses longues et puissantes méfiances envers de Gaulle : en effet, Roosevelt s'empresse d'expliquer que « les prétendues frictions entre les deux gouvernements sont des inventions de journalistes ». La preuve ? « Lorsque de Gaulle est venu aux États-Unis, leurs relations ont été particulièrement cordiales. » Propos reproduits intégralement pour le public français par nos huit journalistes en mission spéciale, Sartre intitulant son article du *Figaro* : « Le président Roosevelt dit aux journalistes français son amour de notre pays [36]. » Le tour est joué, le voyage est rentabilisé, les « héros » de la Résistance française viennent d'accepter les remords muets du président américain qui, tant bien que mal, essaie là d'effacer son ardoise, en insistant lourdement sur les chaleureux souhaits dont il charge nos huit messagers à l'intention du général. « Nous sommes de grands amis », conclut-il en se frottant les mains. Le message parvint-il au général? Qu'importe! Car, moins d'un mois plus tard, Roosevelt mourait.

Les indigestions militaires peuvent-elles faire bon ménage avec les rêves faulknériens de Sartre? Et quelle alchimie se met alors en place pour intégrer chez lui attentes et déceptions, fantasmes et retombées? Ses reportages ignorent rigoureusement armements, bombardiers, tanks et hydravions. Passent sous le plus parfait silence réceptions, mondanités, tableaux idylliques et politesses de circonstance. Comment, d'ailleurs, en irait-il autrement, vu son infirmité à l'égard de la langue? Ses articles d'Amérique, en tout cas, ne resteront pas au panthéon de ses plus brillantes œuvres : plats, inondés de chiffres, indigestes, ils décrivent longuement des entreprises industrielles dont ils ne maîtrisent jamais les données. Ainsi, pour *Combat,* un texte minutieux se propose de nous convaincre que le barrage de la Tennessee Valley Authority est une « tentative démocratique » puisque « en un mot, il s'agit de grouper les initiatives individuelles et les entreprises privées en une vaste coopérative centrée autour d'une organisation d'État strictement limitée [37] ». Ailleurs, ce sont de longues et didactiques digressions sur les syndicats : on y apprendra à distinguer l'A.F.L. du C.I.O., qui ne regroupent pourtant qu'un tiers de la masse des travailleurs, on sera informé sur « la forme que prend aux U.S.A. ce que nous appelons la " lutte des classes " », on y trouvera des explications sur les patrons américains « qui ne sont pas les représentants d'une certaine classe sociale », ou encore des descriptions à vif : « J'ai traversé, écrit-il notamment, des ateliers pendant le quart d'heure de récréation et j'ai été frappé de la morne stupeur qui se lisait sur les visages [38]. » Car, apprend-on au détour d'un article, « dans la rue, en Amérique, un ouvrier ne se distingue pas d'un bourgeois : les signes extérieurs de classe y sont inexistants ». Il va même jusqu'à proposer une analyse comparée des prolétariats américain et européen, citant chiffres et sociologues locaux.

Plus investis, plus authentiques, seront ses reportages sur le cinéma américain depuis Hollywood. « Los Angeles, 11 mars, pas de black-out. Le soir, la ville brille de tous ses feux sur quarante miles, on dirait une grande traînée de lait... Hollywood a changé... Les anciennes stars, celles dont le public français connaît les noms, ne tiennent plus guère à tourner... D'autres vedettes sont mobilisées : Robert Montgomery, James Stewart... Les nouvelles vedettes, Jennifer Jones, Ingrid Bergman, Betty Field, moins payées, toutes récentes, n'ont pas le lustre des anciennes... Il semble d'abord au visiteur étranger que le cinéma américain, ce cinéma dont il a rêvé pendant quatre ans, a un peu perdu de sa vitalité... Je n'ai rien trouvé qui vaille *Hallelujah, La Foule, La Chevauchée fantastique.* Quelque chose, semble-t-il, a disparu avec la paix. Pourtant quelque chose aussi a été gagné... » Sartre a de longues conversations avec Vladimir Pozner, scénariste à Hollywood pendant les années de guerre, et parvient à se procurer les informations nécessaires [39]. Articles techniques qui racontent l'habitude des *writers,* l'usage des *sheak previews,* ces collaborations entre différents scénaristes et avec le public lui-même qui colorent si spécifiquement le cinéma américain. « Nous avons eu le film muet, puis le film parlant. Nous sommes en train d'assister à la renaissance du film pensant », lui dira Pozner. Et Sartre de citer *Casablanca, To-Morrow the World,* ou encore *Searching Wind.* « Il a fallu, pour que je retrouve la toute-puissance du cinéma, ajoute-t-il, que je voie en séance privée un film d'un metteur en scène français, l'admirable *Hold Autumn in Your Hands,* que Renoir a tiré d'un roman paysan sur les petits fermiers du Texas, et qui n'a pas encore été projeté à New York... En devenant adulte, le cinéma américain a perdu sa grâce, son charme enfantin, son bonheur d'expression. Il y a gagné d'autres qualités : le goût d'une exactitude historique [40]. »

Plus vibrants et plus chaleureux, aussi, ses reportages sur les problèmes raciaux dans les États du sud des États-Unis. En effet, le voyage individuel complémentaire – par lequel chacun des huit journalistes choisira d'achever son grand tour – conduit Sartre dans le Texas et le Nouveau-Mexique. Villers et Pizella choisiront un voyage moins social et plus politique : ils iront dans les îles du Pacifique, rencontrer le général MacArthur, et reviendront en France, triomphants, avec un scoop : un message confidentiel pour de Gaulle! « Nulle part la misère paysanne n'est plus profonde qu'en certaines régions du Texas et du Nouveau-Mexique, affirme Sartre. L'Amérique est un pays colonial et c'est à nos colons français du Maroc que je comparerais le plus volontiers, malgré les différences, les travailleurs américains [41]. » Plus tard, à son retour en France, il affinera et précisera cette première prise de conscience du problème noir, cette perception des injustices raciales. Articles, essais, conférences, pièce de théâtre porteront la trace de cette colère sociale née d'un voyage à l'étranger, le plus lointain. Ce qui le mobilisera tout d'abord, après le choc de la guerre? Le problème dont il choisira d'être le porte-voix? L'oppression raciale, telle qu'elle est vécue en cet hiver 1945 dans le Texas et le Nouveau-Mexique. Les dockers du Havre et leurs revendications salariales avant le Front populaire n'avaient jamais arraché son adhésion militante? Les élections en France jamais mis en route son sens politique? C'est en effet loin de chez lui, loin de sa réalité quotidienne, loin de ses connivences socio-historiques, que naît son premier soutien à une cause purement sociale. Là se met en route la machine de guerre sartrienne : elle ne s'arrêtera plus.

« En ce pays, fier à juste titre de ses institutions démocratiques, un homme sur dix est privé de ses droits politiques : en cette terre d'égalité et de liberté vivent treize millions d'intouchables... Ils vous servent à table, ils cirent vos chaussures, ils manœuvrent votre ascenseur, ils portent vos valises dans votre compartiment; mais ils n'ont pas affaire à vous, ni vous à eux; ils ont affaire à l'ascenseur, aux valises, aux chaussures; ils s'acquittent de leur tâche comme des machines... Ils se nomment eux-mêmes des " citoyens de troisième classe ". Ce sont les Noirs. Ne les appelez pas des " Niggers " : vous les blesseriez... Dans le Sud, ils constituent un prolétariat essentiellement rural. Soixante-quatre pour cent de la population noire totale des États-Unis est employée à des travaux agricoles ou domestiques... Partout, dans le Sud, on pratique la " ségrégation " : il n'est aucun lieu public où l'on voie Blancs et Noirs se mélanger... Dans les chemins de fer et les tramways, ils ont des places à part; ils possèdent leurs églises et leurs écoles, plus pauvres et plus rares que les écoles blanches; il arrive même souvent, dans les usines, qu'ils travaillent dans des locaux séparés. Ces parias sont entièrement privés de droits politiques [42]. » Plat comme un constat, comme une déclaration de guerre, le rapport défile implacablement. Et le voyage organisé par le Département d'État trouve là l'une de ses plus inattendues conséquences. « Il y a des temples gréco-romains dans le sinistre quartier noir de Chicago, ajoute-t-il encore; du dehors ils ont encore bonne mine. Seulement, à l'intérieur, douze familles nègres, mangées aux poux et aux rats, s'entassent dans cinq ou six pièces [43]. »

Qu'est-ce que la littérature?, Réflexions sur la question juive, La Putain respectueuse, autant d'œuvres de Sartre qui reprendront dans les mois à venir les réalités qu'il découvre là. Et puis, surtout, sa récente sensibilisation au problème noir va se concrétiser dans son amitié avec l'écrivain américain Richard Wright. De trois ans le benjamin de Sartre, il était né à Natchez, dans le Missouri. Au début de l'année 1945, il allait affronter conjointement deux ostracismes : celui du Parti communiste américain, dont il s'éloignait publiquement – « Je ne considère plus aujourd'hui le Parti communiste comme l'instrument efficace d'un changement social » – et celui de la ségrégation raciale la plus quotidienne et la plus intolérable dans le quartier « artiste » de New York, à Greenwich Village – subterfuges infinis pour obtenir une location d'appartement. « Quand la guerre sera terminée, écrivait-il dans son journal les 20 et 21 janvier 1945, et si j'ai de la chance, je veux laisser derrière moi les haines raciales et les pressions américaines, pour aller vivre dans un pays étranger où je pourrai dédier tout mon temps à cet immense travail. » En mars 1945, la publication en Amérique de son autobiographie *Black Boy* obtint un succès immédiat [44].

Sartre n'eut pas vent des problèmes traversés par Wright à l'époque puisqu'il ne le rencontra, semble-t-il, que plus tard. Par contre, il assista à certaines scènes qui choquèrent l'ensemble du groupe. Comme par exemple le jour où, voyageant en train pullman de Baltimore à Philadelphie, ils commencent à consommer leur dîner. Deux officiers noirs se présentent pour demander une table mais se voient refoulés par le maître d'hôtel. L'interprète qui accompagne nos journalistes comprend vite combien la scène les choque, et intervient à mi-voix auprès du garçon. Discussions discrètes : les deux officiers noirs sont installés dans le fond du wagon, un rideau de couleur rose est délicatement tiré, ils disparaissent aux yeux des autres voyageurs [45].

« Le 7 février, X... a contacté notre bureau par téléphone pour informer que l'un des journalistes français a observé attentivement les photos des espions nazis récemment exposées à La Nouvelle-Orléans, et a demandé qu'on lui en donne un exemplaire; on le lui a donné, sans savoir l'usage qu'il veut en faire. » « Le 24 février, X... a téléphoné à notre bureau de Washington; il est en possession d'un rapport effectué à Kansas City sur la visite du groupe des journalistes français aux usines de fabrication des hydravions P.B.Y. Ce rapport insiste sur le fait que les journalistes se sont surtout intéressés aux problèmes sociaux des ouvriers, au pourcentage de femmes dans le chiffre global du personnel et à la technique des chaînes de montage. X... a ajouté qu'individuellement, chacun d'entre eux lui semblait posséder une intelligence nettement au-dessus de la moyenne, mais que par contre leurs compétences techniques lui avaient paru particulièrement médiocres. » « Un des membres du groupe est tombé malade, nous signale X..., il a quitté la réception, mais on s'attend à ce qu'il la rejoigne très vite. » Autant de traces ponctuelles, d'attentions délicates, qui manifestent toute la prudence dont les autorités américaines entourent ce voyage. Et les détectives du F.B.I. ne manquent pas la moindre étape, soulignant avec soulagement que la visite de telle usine de construction d'engins amphibies n'a révélé « aucun secret, aucune information confidentielle », précisant avec zèle que « le 10 février, l'ensemble du groupe des journalistes s'est rendu à l'aéroport de La Nouvelle-Orléans, s'est embarqué dans l'avion spécial à destination de Kelly Field, banlieue de San Antonio, Texas. Heure de départ : 9 h 22 du matin, la date de leur arrivée étant estimée à 1 h 30 de l'après-midi. Le bureau de San Antonio en a été informé». Quelle ironie pour notre fanatique lecteur de Nick Carter! La véritable fable de l'arroseur arrosé! Le moindre de ses gestes sera consigné, on apprendra qu'à l'hôtel Statler de Washington, il partage la chambre W 808 avec Villers, qu'à l'hôtel Saint Anthony de San Antonio, il est seul dans la chambre 372, ou encore que «le 1er mars Jean-Paul Sartre n'a pas suivi le programme organisé à Schenectady, et a quitté la ville dans l'après-midi, par un train dont la destination semblait être New York City».

En effet, Sartre se démarquera encore du groupe : il poursuivra le voyage officiel par un séjour individuel à New York. C'est peu de dire qu'il n'est pas pressé de rentrer en France, il flâne, il jouit; il goûte les plaisirs et la liberté que lui donne l'Amérique, apparemment peu empressé de retrouver la reconstruction politique française, peu angoissé de manquer ce qui se met en place à ce moment-là. Il va encore rencontrer Henriette Nizan, d'abord à Washington, puis à New York : c'est lui qui l'informera des campagnes communistes contre Nizan, qui affirmera son intention d'y mettre fin. Elle lui annoncera qu'au New Jersey College for Women de la Douglas University, elle a fait un cours sur *La Nausée* dès 1941 : premier cours sur Sartre dans une université américaine! Il essaiera de rapporter des livres pour Gaston Gallimard, qui lui a donné toute liberté de signer des contrats intéressants. Il dînera avec l'éditeur Jacques Schiffrin qui, contraint de quitter la France, les éditions Gallimard et sa collection de la Pléiade à cause des lois raciales, travaille maintenant avec Kurt et Helen Wolf aux éditions Pantheon. Il retrouvera un de ses camarades de Normale, Jean-Albert Bédé, qui enseigne maintenant à l'université Columbia. Il donnera d'autres conférences sur la littérature française contemporaine. Il aura une entrevue avec Archibald MacLeish, sous-secrétaire d'État. Il retrouvera Dolorès Vanetti. Il rentrera enfin à Paris au mois de mai.

« Ma vie devait être une série d'aventures, ou plutôt une aventure», explique en 1974 Sartre, évoquant ses fantasmes d'enfant. «C'est comme ça que je la voyais : l'aventure se passait un peu partout, mais rarement à Paris, parce qu'à Paris il est rare qu'on voie surgir un Peau-Rouge... Donc, la nécessité d'aventures m'obligeait à les repousser en Amérique, en Afrique et en Asie. Ça, c'était des continents faits pour l'aventure... Alors, j'ai commencé à rêver que j'irais en Amérique, que je m'y battrais contre les voyous, je m'en tirerais, j'en mettrais à mal un certain nombre [46]. » Il vit des Indiens, vit des « voyous », fut même reçu par le président dont il admira la collection de petits ânes, emblème du parti démocrate, en marbre, en caoutchouc, en matière plastique, ou encore en terre cuite. Mais ne mit à mal aucun voyou, ne devint jamais Buffalo Bill, et encore moins Nick Carter.

III

Les années Sartre

1945-1956

PARIS : L'EXISTENTIALISME EST ARRIVÉ

Au cours du printemps, puis de l'été, puis de l'automne de l'année 1945, les Français trouvèrent dans leurs journaux une multitude d'informations en chaîne, que la récente liberté de la presse et les progressives disponibilités en papier rendaient, plus encore que par le passé, particulièrement saisissantes : à la pénurie déjà succédait la pléthore. Ils apprirent, par exemple, et avec tous les détails dont ils avaient été auparavant privés, l'existence des chambres à gaz et des fours crématoires « qui sont installés, écrivait pour *Combat* Jacques-Laurent Bost, envoyé spécial à Dachau, dans un bâtiment en briques, en dehors des barbelés. Au-dessus de la porte de la chambre à gaz, on a écrit : " Douche " ». Ils apprirent, aussi, ces Français de l'après-guerre, comment l'Allemagne avait capitulé, le 7 mai, à deux heures quarante et une et sans condition. Ils apprirent la condamnation à mort par contumace d'Abel Bonnard, et l'accueil de Jean Luchaire, à la gare de Lyon, sous les crachats. Ils apprirent l'ouverture du procès Pétain et la mort de Paul Valéry : le même jour, ironiquement, alors que le maréchal âgé de quatre-vingt-neuf ans déclarait qu'il était innocent et qu'il ne répondrait à aucune question, le poète, décédé à l'âge de soixante-quatorze ans, recevait l'honneur d'obsèques nationales. Les écrivains, désormais, allaient jouer en ces furieux mois de règlements de comptes nationaux, de lavage de linge sale entre Français, le rôle redoutable et délicat de héros ou de boucs émissaires, gagnant par-ci, perdant par-là, constituant à ce moment une catégorie nationale, aussi responsable et aussi exposée que les soldats ou les politiciens : les hommes de plume rejoignaient donc les hommes d'épée.

Au cours de l'été, puis de l'automne, puis de l'hiver de l'année 1945, les Français suivirent donc phase après phase les esquisses d'un nouvel ordre social et la reconstruction d'un équilibre national. Mise en place progressive dans un chantier encore en ruine, sélections successives entre anciens acteurs déchus et nouvelles têtes porteuses d'espoir : pour le personnel humain, surtout, le travail de tri entre bon grain et ivraie se menait, en ces mois-là, plus rudement que jamais. « Si Pétain a fait don de sa personne, c'est comme une prostituée, écrit Albert Camus dans *Combat*, mais ce n'est pas à la France. » « Jamais aucun homme n'a à ce point trompé un peuple », déclare Paul Reynaud. « Pétain a accompli un complot d'État », accuse M. Herriot. Dépositions de Weygand, de Daladier, de Léon Blum... le procès de Pétain qui dura jusqu'au mois d'août prenait en fait pour le pays des allures de conflit cornélien : deux parties d'un même corps s'accusant réciproquement et à si brève échéance, se condamnant, s'excluant. Le 15 août 1945, Philippe Pétain est condamné à mort. Le 17, le général de Gaulle, président du Gouvernement provisoire, commue la peine de mort en détention à perpétuité. Procès symbolique, condamnation somme toute dérisoire, puisque quelques hommes portaient publiquement la responsabilité, mais que, derrière eux, persistaient leurs sympathisants et leurs mentalités. Puis suivit le procès Laval : le 15 octobre, Pierre Laval était fusillé. En novembre, enfin, s'ouvrait à Nuremberg le grand procès des criminels de guerre, et Otto Abetz était provisoirement incarcéré dans la citadelle de Strasbourg. Des hommes d'épée aux hommes de plume, l'unanimité règne, en ces mois où une hyperlucidité vengeresse était de rigueur, où la moralité se mesurait à l'aune des mois de résistance, où le monde entier enfin semblait hésiter entre monstres et héros.

Les hommes de plume furent donc, également, en première ligne; ou du moins tels apparurent-ils dans la presse de l'époque. L'académicien Abel Hermant fut condamné à la réclusion perpétuelle, au terme d'un procès houleux. L'éditeur Robert Denoël, qui avait publié Céline, Rebatet, Hitler, fut assassiné dans une rue parisienne proche de son domicile, le 3 décembre 1945. Quelques jours plus tard, Louis-Ferdinand Céline fut retrouvé et arrêté à Copenhague. Les « mauvais » étaient éliminés, les « bons » étaient promus. Ainsi naquit une nouvelle race d'écrivains-héros, sur la vague porteuse des longues séances des épurations et des procès. Le 22 novembre, André Malraux était nommé ministre de l'Information par le général de Gaulle; dans la conférence de presse qui suivit, il s'attacha à rappeler les devoirs de l'écrivain face à la politique. Quelques jours auparavant, Romain Gary avait reçu le prix des Critiques pour *Éducation européenne*, son premier roman : il en profitait également pour rappeler son passé récent, gaulliste et londonien, d'homme de plume en uniforme.

Le nouveau personnel des années à venir prenait donc

rapidement sa place dans un remue-ménage sans précédent. « Les Parisiens ont fait la queue pour aller voter », annonça le grand titre de *Combat* le 16 octobre 1945. « La Constituante est à faire », « La Constituante est élue », poursuivit-on le lendemain, avec des relents lyriques. Et, lorsqu'en novembre le général de Gaulle annonça la composition de son gouvernement, rares furent ceux qui s'étonnèrent en apprenant l'alliance qui y était proposée : Maurice Thorez et autres ministres communistes en étaient. Résistants gaullistes et résistants communistes allaient désormais gouverner le pays pour un temps, dans un équilibre hasardeux. Au cours du printemps, puis de l'été, puis de l'automne de l'année 1945, les Français apprirent, par leurs journaux, à lire la France selon une nouvelle grille de valeurs. Cela n'en excluait pas moins les problèmes de la vie quotidienne, comme les nouvelles rations de pain ou les persistantes coupures d'électricité dans la capitale : « Faute de courant, cafés et restaurants resteront fermés trois jours par semaine », annonçait-on timidement fin décembre. On apprenait également que les éditeurs toucheraient 40 000 tonnes de papier en 1946, et que les écoliers n'auraient, en conséquence, pas de nouveau livre avant la fin de l'année.

La rentrée littéraire d'automne 1945 fut à la mesure de ces grandes manœuvres : le champ artistique, à l'égal du champ politique, était passablement décimé, et les séances d'épuration du C.N.É. avaient, on l'a vu, travaillé dur l'année précédente pour décider si seuls les écrivains devaient être châtiés ou s'il convenait d'y associer également et surtout leurs suppôts, leurs complices, leurs patrons, les éditeurs : on avait opté là pour la douceur, mais Brasillach avait été fusillé le 6 février 1945. Le prix Goncourt revint cette année-là à un jeune romancier inconnu : Jean-Louis Bory, pour son roman *Mon village à l'heure allemande*. Le prix Interallié échut à l'écrivain communiste Roger Vailland pour *Drôle de jeu*. Sur la scène du théâtre Hébertot, on salua unanimement la nouvelle pièce de Camus, *Caligula* : un inconnu de vingt-trois ans, encore élève du Conservatoire, y faisait merveille dans le rôle principal, « un ange », selon Simone de Beauvoir, qui s'appelait Gérard Philipe. Sur la scène du théâtre du Carrefour, on remarqua Olga Dominique dans *Les Bouches inutiles*, la première pièce de Simone de Beauvoir. « Une nature », écrivait au sujet de la jeune actrice Robert Kemp dans la chronique théâtrale du journal *Le Monde*.

Après les livres et les spectacles, toutes les causeries et autres conférences furent annoncées chaque jour par les journaux. Roger Caillois parlait de la République argentine depuis la révolution du 8 juin 1943; Maurice Rostand de Sarah Bernhardt; Georges G. Toudouze, membre de l'Académie de marine et du comité technique de l'Union fédérale bretonne, choisit de traiter d'Anne de Bretagne, « reine d'élégance et princesse d'art »; le pasteur Élie Lauriol se demandait : « Sur quoi rebâtir? », tandis qu'un professeur de chimie proposait généreusement deux thèmes successifs : « La découverte du gaz d'éclairage et ses conséquences » puis « La situation respective du caoutchouc naturel et du caoutchouc artificiel ». Les Parisiens eurent encore le loisir de s'intéresser à une histoire de la Corse française, à l'Amérique de 1945, aux années 1935-1945 : la vérité sur dix ans d'Histoire. Rien, dans l'annonce au carnet du journal *Le Monde*, rubrique « Conférences », ne distingua ces titres divers de celui, laconique et plat, dont les lecteurs prirent connaissance le lundi 29 octobre 1945 : « Conférence Maintenant, était-il annoncé. Lundi 29 octobre à 20 heures 30, salle des Centraux, 8 rue Jean-Goujon (métro Marbeuf), M. Jean-Paul Sartre parlera de " L'existentialisme est un humanisme ". »

Les deux organisateurs du « club Maintenant », Jacques Calmy et Marc Beigbeder, avaient d'ailleurs payé cher pour que cette annonce fût publiée dans *Le Monde*, dans *Combat*, dans *Le Figaro* et dans le *Libération* d'Emmanuel d'Astier. Certains, de toute façon, de ne pas rentrer dans leurs frais pour la location de la salle, ils avaient poursuivi leur campagne de publicité « maison » en envoyant leurs épouses coller des affichettes dans les librairies les plus cotées du Quartier latin, de Montparnasse et de Saint-Germain-des-Prés : sérieux oblige. Beigbeder, lui, était assez optimiste, mais Calmy s'inquiétait de plus en plus : « Avec un titre pareil! L'existentialisme! » Beigbeder était allé trouver Sartre et ensemble ils étaient tombés d'accord sur « L'existentialisme est un humanisme » qui, après les tirades antihumanistes de *La Nausée*, avait au moins le mérite de l'excitation paradoxale[1]!

Succès culturel sans précédent. Bousculades, coups, chaises cassées, femmes en syncope. Le guichet de l'entrée pour la vente des tickets fut irrémédiablement soufflé, anéanti, en morceaux ; on ne vendit pas de tickets. Beigbeder et Calmy furent successivement satisfaits, inquiets, affolés, terrorisés, gênés, effondrés, impuissants devant ce déferlement catastrophique. Gaston Gallimard était venu, ainsi qu'Armand Salacrou et Adrienne Monnier. La foule compacte, nerveuse et exaspérée par une brûlante journée d'octobre piétinait sans douceur, interdisant à quiconque d'entrer. Une seule fois, pourtant, elle eut des égards, lorsque se présenta le couple des comédiens Jean-Louis Barrault et Madeleine Renaud : alors, seulement, la déférence mondaine fit place aux coups et blessures. Sartre était venu seul, en métro, depuis Saint-Germain-des-Prés. Quand il pointa son nez au bout de la rue et qu'il vit la foule si dense, si menaçante qui s'agglutinait devant la maison des Centraux où il devait parler, il se dit, curieux : « Bah, ce doivent être des communistes qui manifestent contre moi ! » et pensa rebrousser chemin. Il avança pourtant, plus par conscience professionnelle que par réel désir d'affronter la marée humaine qu'il croyait hostile et arriva, sans conviction, à l'entrée de la salle. Mais des deux cents, trois cents auditeurs qui serraient les coudes, combien connaissaient son visage? Et qui, moins que Sartre, était du genre à dire : « Sartre, c'est moi, poussez-vous, pourrais-je entrer » ? Sartre ne dit donc rien et se laissa aller, d'avant en arrière, de droite et de gauche au rythme des coups de coude, des coups de chaise, des coups de canne, et se laissa porter, par des flux bienfaisants, lentement, brutalement, vers l'avant de la salle : le voyage depuis la porte d'entrée jusqu'à l'estrade où il devait parler dura plus d'un quart d'heure. Avec plus d'une heure de retard, dans une salle surchauffée, bondée, surexcitée, le conférencier parla.

Certes, il parla sans notes et, autant que la promiscuité de ses auditeurs le lui permit, les mains dans les poches. Il commença par prendre la défense de l'existentialisme contre les reproches des communistes : « philosophie contemplative, philosophie de luxe, philosophie bourgeoise » ; contre les reproches des catholiques : « souligner l'ignominie humaine, montrer partout le louche, le visqueux ». Puis présenta brièvement son propos : expliciter le sens donné à « humanisme », tentative de définition d'« existentialisme » : « une doctrine qui rend la vie humaine possible ». Le conférencier ensuite, habilement, s'étonna de la mode du mot « existentialisme » qui « a pris aujourd'hui, expliqua-t-il, une telle largeur et une telle extension qu'il ne signifie plus rien du tout... En réalité c'est la doctrine la moins scandaleuse, la plus austère ; elle est strictement destinée aux techniciens et aux philosophes ». Ayant ainsi fermé son domaine, bouclé les limites de son territoire contre les intrus, les critiques et les voleurs de sens, ayant ainsi réintégré son lieu favori : la philosophie, il se lança dans un véritable cours de philosophie aussi technique et aussi austère qu'il l'avait promis, nonobstant l'hétérogénéité de l'assistance, nonobstant la mondanité de l'affluence, ignorant tout compte fait le raz de marée, les chaises cassées et les syncopes. Il tint la ligne qu'il s'était proposée au moment de l'acceptation de la conférence, confirma son pacte avec la rigueur de son propos et ne dévia pas d'un pouce. Les Schweitzer auraient-ils apprécié cette droiture de comportement, cette aisance dans le succès, cet esprit de simplicité qui ne le fit, ce soir-là, tomber dans aucun cabotinage ?

Les auditeurs serrés, secoués, asphyxiés subirent donc les

analyses étroites et précises des théories de Jaspers, de Gabriel Marcel, de Heidegger, de Kierkegaard, de Kant et d'Auguste Comte; subirent aussi en avalanche les références à Voltaire et Diderot, à Dostoïevski et Zola, à Stendhal, Cocteau et Picasso. Ce fut une prestation argumentée et intéressante, riche et sévère, qui resserra les boulons déjà préparés dans la « Mise au point » qu'il avait rédigée pour le journal *Action* et les critiques des communistes en décembre de l'année précédente; il resserra le boulon « individu », le boulon « responsabilité », le boulon « angoisse », le boulon « engagement », le boulon « solitude », reprit quelques formules chocs : « l'existentialisme définit l'homme par son action »; « il lui dit qu'il n'y a d'espoir que dans son action, et que la seule chose qui permet à l'homme de vivre, c'est l'acte »; « un homme s'engage dans sa vie, dessine sa figure, et en dehors de cette figure il n'y a rien »; « nous sommes seuls, sans excuses. C'est ce que j'exprimerai en disant que l'homme est condamné à être libre ». Il acheva au passage de déboulonner quelques écrous gênants ou mal placés, comme l'écrou « désespoir » ou l'écrou « Histoire ». Puis, tel un mécanicien, un garagiste qui aurait fini la réparation d'un moteur, il s'éloigna lentement de l'objet qu'il venait de démonter puis de remonter, avec le plus grand naturel de l'homme au travail que rien n'a pu déranger dans sa concentration quotidienne, et se félicita que l'existentialisme fût « un optimisme et une doctrine d'action ». Au passage, il avait réussi le tour de force d'inventer la définition de l'« humanisme existentialiste », et surtout d'introduire une catégorie d'individu avec lequel tout le monde put, alors, s'identifier : « l'Européen de 1945 ». Individu qu'il plaça au centre d'un monde, avec le pouvoir de comprendre « tout projet, même celui du Chinois, de l'Indien ou du nègre ». Petit bonhomme magique, cet Européen de 1945 allait bientôt faire fortune. Le conférencier-mécanicien s'éloigna donc de sa machine. La phase initialement prévue, et qui aurait dû, au départ, comporter une discussion avec les détracteurs présents dans la salle, fut annulée, faute de place et de temps. Le conférencier s'en fut.

Le lendemain matin, sur le coup de midi, Marc Beigbeder alla le retrouver au café de Flore. Pour lui demander, tout d'abord, de l'excuser de la piètre organisation de cette soirée désormais mémorable. Pour lui exposer, ensuite, les difficultés auxquelles il avait désormais à faire face : il lui avait promis, certes, des honoraires pour la conférence; mais le club Maintenant se trouvait devant une somme assez lourde à débourser, sans aucune rentrée financière : location de la salle, annonces dans la presse, détérioration du matériel, enfin, puisque le directeur de la maison des Centraux avait déjà dressé une ardoise pour les chaises cassées... Beigbeder n'eut pas le temps d'achever la liste de ses dettes à venir : « Bah, pour mes honoraires, bien sûr, vous laissez tomber! proposa Sartre. D'ailleurs, apparemment, c'est un succès! » dit-il en montrant les articles de la presse du matin, qu'il était en train de découvrir devant son café-croissants.

« Trop de monde pour écouter Jean-Paul Sartre. Chaleur, évanouissement et Police-Secours. Le colonel Lawrence était existentialiste », titrait l'article de Maurice Nadeau dans *Combat.* Nadeau, le premier, les autres critiques par la suite, se firent une joie de rendre la panique et l'excès de cette foule. Ils rappelèrent les « luttes au coude à coude », l'« angoisse qui n'est pas existentielle », la peur de « périr étouffé », les interventions diverses des « vieillards vénérables qui se font huer lorsqu'ils parlent d'appeler Police-Secours »; les remous, les huées, les cris : « Cette salle fermée, c'est *Huis clos* »; la chaleur qui décompose maquillages, vêtements et corps. Justin Saget, pour *Terre des hommes*, se laissa emporter dans un véritable rappel de sa culture cinématographique, comparant à la cabine de Groucho Marx dans *Une nuit à l'Opéra* la modeste salle de la maison des Centraux; comparant au pont du *Bounty* au moment de la révolte l'estrade du conférencier; traitant enfin Sartre – ô les mânes de Jean-Baptiste! – de « grand capitaine, seul maître à bord, parfait maître de ses hommes, qui apparut sur son estrade comme l'écume à la crête des flots ». Pareils débordements de lyrisme contrefirent-ils la portée de cette soirée unique? Ou contribuèrent-ils à faire de cette cohue un événement « médiatique » avant la lettre? Tout le monde, peu à peu, en rajouta, dans la presse, sur la « chaleur de cloporte », la « horde plutôt que le public », les « sartrions plutôt que les sartriens », les « quinze évanouissements », les « trente sièges défoncés », et la « victoire » du conférencier notamment qualifiée de « gloire », comme « nos gloires du barreau, de la politique, de l'armée de terre ou de mer »... Si les éléments physiques, belliqueux, cocasses et presque fantastiques de cette soirée firent le bonheur des critiques, la conférence en tant que telle parut également à tous comme « un cours d'université », « un comprimé par trop scolastique de sa doctrine », et le conférencier fut unanimement salué pour son « sang-froid », son « courage », sa « bravoure », le « véritable coup de force que sa seule présence opéra », son « magnétisme personnel ».

A partir de ce jour-là, et sans que personne à l'époque ne tentât vraiment d'élucider le mystère de ce raz de marée, Sartre devint définitivement un personnage grand public. Et la conférence du club Maintenant devint rétrospectivement le « must » suprême de l'année 1945. D'autant, bien sûr, que Boris Vian proposera en 1947, dans son roman *L'Écume des jours*, un récit ironico-burlesque où « Jean-Sol Partre, ouvrant la route à coups de hache », progressa vers l'estrade. Où les auditeurs arrivaient « en corbillard », où d'autres « se faisaient parachuter par avion spécial », où « d'autres, enfin, tentaient d'arriver par les égouts »... : texte capital donc, dans la construction de la légende sartrienne. Ce que, pourtant, la satire de Vian laissait délibérément de côté? Une analyse, une quelconque explication au phénomène tout à fait inattendu que représenta l'affluence. D'autant qu'à Saint-Germain-des-Prés, au théâtre du Vieux-Colombier – où avait été joué *Huis clos* un an plus tôt –, Julien Benda qui parlait également, ce soir-là, avait officié devant une belle et grande salle absolument vide : le phénomène Sartre était né.

Ce que ses contemporains ne purent remarquer – et pour cause – lorsque fondit sur eux cet automne 1945 tellement sartrien? Le véritable matraquage, le martèlement de son nom, de ses œuvres, de celles de ses proches dans la vie littéraire française. Du 1er septembre au 31 décembre de l'année 1945, il ne se passa pas une journée qui ne vît dans la presse l'évocation, le rappel ou la référence à Sartre et à l'existentialisme. « L'existentialisme? Je ne sais pas ce que c'est. Ma philosophie est une philosophie de l'existence... » avait-il déclaré deux mois auparavant au cours d'un colloque organisé à Bruxelles par les éditions du Cerf. En octobre 1945, débordé par la presse et le public qui s'étaient construit, puis approprié le terme, Sartre l'utilisa à son tour, comme submergé par le phénomène de mode qu'il mesurait fort bien. Phénomène assez rare dans l'histoire de la pensée française, une étape de la pensée philosophique technique et austère allait trouver, dans le plus large public, un écho inhabituel. Certes, Sartre était l'homme des formules et son œuvre permettait à chacun de trouver son niveau de lecture : une sorte d'auberge espagnole. Œuvre à multi-usages, multi-lectures aussi; *La Nausée*, *Le Mur*, *L'Être et le Néant*, *Les Mouches* et *Huis clos* – pour ne parler que des œuvres littéraires, par opposition aux articles – fournissaient les sartriens de 1945 en outils, en formules, en modèles, en héros utilisables tous azimuts, en héros flexibles et souples, bienveillants et toujours prêts : c'était déjà beaucoup.

La première étape avait déjà eu lieu, pourtant, un mois auparavant, avec la publication conjointe des deux premiers volumes de la suite romanesque *Les Chemins de la liberté*, successivement : *L'Âge de raison* et *Le Sursis*. Publication suivie de près par le premier numéro de la « revue de Sartre » : *Les Temps modernes*. Entre *La Nausée*, roman philosophique un peu hybride, et *Le Mur*, suite de nouvelles, comprimés romanesques, *L'Âge de raison* était attendu comme le premier vrai roman de Sartre; d'autant plus attendu que ses talents de critique, de théoricien, voire de régent littéraire, avaient déjà fait florès, et que les lecteurs s'amusaient à l'idée de juger le romancier à l'aune de ses théories littéraires; de pouvoir mettre face à face, en miroir, en dialogue intérieur, deux facettes d'un même créateur : le théoricien et le praticien, le juge et l'inventeur. La mécanique intellectuelle sartrienne, c'était, en quelque sorte, ce qu'on allait chercher aussi dans *Les Chemins de la liberté*, et l'attente, la curiosité faisaient monter l'intérêt : « Pour cet écrivain qui fait ce qu'il veut de sa plume, écrivait ainsi dans *Le Figaro* André Rousseaux, il restait à s'affirmer par un grand roman, un de ces romans copieux et foisonnants comme on en voyait naguère en Amérique... » L'annonce de la parution imminente des deux premiers volumes des *Chemins* prenait donc de plus en plus l'allure d'un défi, d'un pari, d'un jeu presque.

On se souvient de la lente élaboration de *L'Âge de raison*, alors baptisé *Lucifer*, au sortir de la dernière phrase de « L'Enfance d'un chef». On se souvient de la programmation, puis de l'élaboration du manuscrit dès le début de l'année 1939. On se souvient de la progression de la rédaction pendant les premiers mois de la drôle de guerre; puis des achèvements à étapes, entre le 31 décembre 1939 et la fin de l'été 1941, le mot fin n'en finissant pas d'être écrit, puis rayé. On se souvient encore de l'ardeur à le publier : « Le livre doit pouvoir paraître en octobre [1940] [2] »; puis du scrupule à le faire : « Sartre garda le manuscrit dans ses tiroirs, parce que aucun éditeur n'aurait accepté de publier un roman aussi scandaleux [3] », dit Simone de Beauvoir. On se souvient, enfin, de la véritable existence des personnages auprès du soldat-écrivain de la drôle de guerre : il les côtoya, les regarda, les vit, les aima, les fréquenta, les évoqua dans toutes ses correspondances, les y mit en scène, les observa bouger, réagir, trembler. Et Ivich, et Boris, et Mathieu, et Marcelle, et Daniel devinrent des homologues en fiction – comme on parle de cigarettes en chocolat, ou de dollars en massepain – des Olga, des Wanda, des Bost ou des Sartre... Puis il s'attaqua au second tome, *Le Sursis*, qu'il rédigea entre l'année 1942 et le mois de novembre 1944. Les deux volumes conçus, élaborés, et fabriqués au cours de deux périodes bien distinctes, furent pourtant livrés au public le même jour : effet choc. Les aléas de la guerre avaient travaillé là en sa faveur.

En septembre 1945, donc, au sortir de la guerre, les Français découvrirent les tribulations d'un personnage qui était le héros des *Chemins*, qui ressemblait à Sartre comme un frère – même âge, même profession, même style de vie – et qui s'appelait Mathieu Delarue. Dans *L'Âge de raison*, puis dans *Le Sursis*, en juin puis en septembre de l'année 1938, il baladait dans les quartiers intellectuels de Paris, dans les cafés, bistrots et boîtes de nuit, son apprentissage de la désillusion, son romantisme désespéré, son anarchisme souple, sa complicité marginale, son esthétique de l'échec actif, son face-à-face sans passion et sans drame avec sa propre vie, sa propre individualité, sa propre liberté. L'âge de raison prenait avec lui les allures d'un âge sans rupture, d'un âge parfois encore en accord avec une certaine adolescence. Il naviguait, avec souplesse, entre l'avortement de son ancienne maîtresse et les rebuffades de la jeune étudiante à qui il faisait la cour, prenant des coups et en donnant, dans un quotidien sans fioriture, sans héroïsme, sans faux-semblant.

« Mon propos est d'écrire un roman sur la liberté », expliquait le romancier dans le prière d'insérer. « J'ai voulu retracer le chemin qu'ont suivi quelques personnes et quelques groupes sociaux entre 1938 et 1944... J'ai choisi de raconter *L'Âge de raison* comme on fait d'ordinaire, en montrant seulement les relations de quelques individus. Mais avec les journées de septembre 1938, les cloisons s'effondrent... On retrouvera dans *Le Sursis* tous les personnages de *L'Âge de raison*, mais perdus, circonvenus par une foule d'autres gens. » Et, se référant explicitement à ses modèles : Zola dans *Germinal*, Dos Passos et Virginia Woolf, il conclut : « J'ai repris la question au point même où ils l'avaient laissée et j'ai essayé de retrouver du neuf dans cette voie. Le lecteur dira si j'ai réussi [4]. » Bel orgueil dans cette profession de foi publique, dans cette déclaration d'intention ouverte et sans manières. Pour l'observation de la mécanique sartrienne, il offrait, royalement et de lui-même, quelques clefs : « Et maintenant, amusez-vous ! » lançait-il, superbe. Relançant, de son propre chef, la dimension ludique, le pari acrobatique, qui semblaient, désormais, des données nécessaires autour de l'apparition de chacun de ses textes. « Peu de romans sont nés dans une telle attente, écrit le critique du *Populaire*, répondant à la chiquenaude sartrienne. La vie de Jean-Paul Sartre est aussi publique que celle de Socrate, et ses réussites dans des domaines variés intéressent la chronique parisienne autant que l'histoire de l'esprit. » L'écrivain avait joué à se faire entendre, fournissant outils et instruments pour le décodage de ses romans ; les critiques jouèrent à l'attendre : tout le monde, semble-t-il, y trouva son compte.

« Jean-Paul Sartre prend place définitivement parmi les plus grands écrivains français d'aujourd'hui... Son talent d'une rare puissance s'y confirme avec éclat » : Louis Parrot, *Les Lettres françaises*; « Si l'ambition de Sartre a été de forcer les portes de l'histoire de la littérature, il y a dès maintenant réussi... Il partage avec tous les grands créateurs romanesques ce privilège : avoir un univers » : Gaëtan Picon dans *Confluences*; « Le chef-d'œuvre du roman contemporain » : Maurice Nadeau dans *Combat*. De grandes louanges, donc, souvent; des saluts, également, de certains écrivains comme Joë Bousquet : « J'admire beaucoup cette aisance et cette espèce de gros humour qui l'entraîne à s'imiter lui-même, à " chiner " sa manière »; comme Maurice Blanchot : « cette rencontre en un même homme d'un philosophe et d'un littérateur pareillement excellents vient aussi de la possibilité que lui ont offerte philosophie et littérature de se rencontrer en lui. » Des réticences, aussi, de violentes attaques, même, exprimées le plus souvent dans un élan irrépressible : ainsi, Émile Henriot dans *Le Monde*, lorsqu'il vise le « professeur d'existentialisme et à ce titre maître admiré d'une partie de la jeunesse d'aujourd'hui », lorsqu'il prévient le lecteur contre « un livre écœurant, [d'où] s'exhale une immonde odeur de latrines ». « Si les livres avaient une odeur, poursuit à son tour Louis Beirnaert dans *Études*, il faudrait se boucher le nez à la lecture des derniers romans de Sartre... Ne poser le problème de la vie qu'en fonction de ses excréments, rabaisser l'existence au niveau du ruisseau et du dépotoir, c'est, très exactement, le dessein de Sartre. » Quant à André Billy, pour *Le Figaro*, il méprise largement la langue de ce roman qui « fait scandale par l'audace et la crudité de ses peintures, la veulerie des caractères qu'il nous présente, le pessimisme et le dégoût de vivre qui s'en exhalent ». Rejoint, dans le camp des moralistes, par Claude Benedick, dans *La Marseillaise*, qui, carrément, tire la sonnette d'alarme : « Il est curieux et inquiétant de voir, à une époque où le courage et la discipline sont plus nécessaires que jamais, se développer une théorie qui... justifie tous les excès. Théorie d'autant plus dangereuse qu'elle a trouvé chez nous, pour l'illustrer, un des plus puissants romanciers de sa génération. » Entre l'éloge et la haine, nombreux sont ceux qui se retrouvent pour saluer ces œuvres lucides, « dures et impitoyables », d'une « vérité intense », au « sens presque visionnaire de l'intimité des êtres ». Entre le Sartre, « danger pour la jeunesse », et le Sartre hissé à la suite des « géants Balzac, Zola et Proust » (Pierre Maulet dans *Renaissances*), se tisse une image de plus en plus dense de cet homme de lettres hors du commun, de ce romancier-philosophe si doué; s'affinent les contours de son style de vie, de sa vision du monde, comme si, par un renversement unique, il recevait, à son tour, les attributs les plus heureux de son héros, Mathieu Delarue : la vraisemblance du quotidien, la banalité de la vie de tous les jours.

Car Mathieu Delarue, ce personnage conçu en 1938 au moment des accords de Munich, fabriqué pendant la montée de la Seconde Guerre mondiale, remodelé puis affiné au cours de la drôle de guerre, parfait enfin dans les premiers mois de la résistance en France, devint, comme par miracle, pour les sartriens de 1945, le Tintin, le modèle, l'homme à tout faire de l'après-guerre. S'échappa des tiroirs où les nécessités de la censure l'avaient séquestré pendant plusieurs années, tel un Polichinelle de sa boîte. Ni programmation ciblée, ni pur hasard, Mathieu Delarue surgit donc en 1945 avec, en bloc, les défis historiques de l'avant-guerre : l'insouciance, la « bonace trompeuse » de juin 1938, puis la montée des tensions de septembre; et il offrit dans ses hésitations, dans ses choix, le regard d'un homme de trente-cinq ans, sur une avant-guerre autour de laquelle les réflexions, les analyses n'avaient, en 1945, pas encore eu vraiment le temps de s'élaborer.

Si la publication des deux volumes des *Chemins de la liberté*, en septembre 1945, produisit une telle avalanche d'articles, c'est qu'elle intervenait à un moment stratégique : celui d'une véritable renaissance de la presse française après les censures de la guerre. Les ordonnances du 26 août 1944 avaient ouvert l'ère de la liberté, provoquant, dans le milieu journalistique français, une véritable révolution : floraison de nouvelles parutions, concurrence extrême. Les trois ministres de l'Information de l'année 1945, successivement Pierre-Henri Teitgen, Jacques Soustelle et André Malraux, assistèrent donc à la naissance de trente-quatre quotidiens, en une seule année! « La révolution qui a transformé la presse française, devait écrire en 1946 Raymond Millet, étonne encore l'étranger; elle n'a pas de précédent. Jamais, dans aucun pays, ne s'était produite pareille création d'une presse nouvelle [5]! » Et Camus, dans *Combat,* alertait : « Un pays vaut souvent ce que vaut sa presse... nous avons conquis les moyens de faire cette révolution profonde que nous désirions. Encore faut-il que nous la fassions vraiment [6]. » La mode sartrienne, bien préparée, bien amorcée, qui explosa, telle une bombe, à l'automne 1945, devint le produit rêvé pour cette presse affamée, le véritable premier produit médiatique de l'après-guerre. Car, à partir de ses premiers essais à *Combat* et au *Figaro,* l'histoire de Sartre se confond avec l'histoire de la presse, et ce, presque sans interruption jusqu'à sa mort : mariage de raison. D'ailleurs, bien plus qu'un simple produit médiatique né dans l'euphorie d'une libération exaltée, il devint, au même moment, dans le monde journalistique, un acteur et un acteur de poids. En octobre 1945 sortit le premier numéro de la revue dont il était le directeur : *Les Temps modernes.*

« L'événement de la semaine est assurément la sortie de la première livraison des *Temps modernes* », note le 3 novembre le critique du *Figaro,* qui poursuit : « Elle était attendue comme la revue du tiers parti, à côté des deux grandes familles de disciplinés – la marxiste et la chrétienne – qui cherchent à agir, à s'imprimer sur le changement précipité des êtres et des choses, *Les Temps modernes* viennent proposer leur cheminement propre. Autant dire que la vie littéraire a, maintenant, comme la vie politique, ses " trois grands ". » Pareille comparaison ne put qu'enflammer l'intérêt, dans une année où de Gaulle et Thorez allaient gouverner de concert, où S.F.I.O.-M.R.P., d'un côté, P.C.F., de l'autre, régissaient l'éventail politique : *Les Temps modernes* prenaient, symboliquement, l'allure – ni avec les uns, ni avec les autres – de « parti Sartre » ! D'ailleurs, l'attente liée à la parution de la revue n'était-elle pas, en partie, due aux rationnements toujours difficiles du papier ? D'autre part, certains articles, déjà rédigés, avaient entre-temps paru en traduction dans la presse américaine ou britannique. Ainsi, sous le titre « The Case For a Responsible Literature », les lecteurs britanniques, puis américains avaient-ils pu prendre connaissance dans la revue *Horizon,* puis dans la *Partisan Review,* de l'éditorial de Sartre : « Présentation des *Temps modernes* » quelque six mois avant les lecteurs français eux-mêmes !

Attente, donc, autour du premier numéro des *Temps modernes,* comme il y avait eu attente autour des deux tomes des *Chemins* : quelle meilleure technique de lancement aurait-il pu inventer ? « La revue tant attendue de Jean-Paul Sartre vient enfin de sortir », se réjouit à son tour, dans *Combat,* Maurice Nadeau. La revue, qui se proposait une publication mensuelle, avait une maquette sobre, voire austère : lettres rouges et noires alternées sur fond blanc ; un format classique 14 × 23 ; un titre clin d'œil des goûts chapelinesques de Sartre ; un comité de rédaction très large : Raymond Aron, Albert Ollivier, Michel Leiris et Jean Paulhan en étaient, en plus de Beauvoir et Merleau-Ponty. Directeur : Jean-Paul Sartre. Des innovations, dans le contexte de la presse de l'époque ? Oui, peut-être, avec l'annonce au sommaire que « le directeur reçoit tous les mardis et vendredis de 17 h 30 à 19 h 30 », écrit en caractères gras. Les lignes directrices de l'ensemble du projet intéressaient indubitablement, surtout la rubrique « Vies », dont nous reparlerons, mais il est certain que les lecteurs français se jetèrent en premier lieu sur la « présentation » de Sartre et sur son article : « La Nationalisation de la littérature ». « Présentation » immédiatement qualifiée partout de véritable manifeste, c'est-à-dire assimilée, dans la palette des talents sartriens, à la veine du Sartre-assassin, du Sartre-régent, du Sartre-juge, bref du Sartre de l'article Mauriac. D'autant que la tonalité des propos y fut souvent ressentie comme « un véritable défi jeté aux valeurs esthétiques au nom d'un service social dont la charge incomberait à l'écrivain » : Justin Saget dans *Terre des hommes.*

« L'écrivain est *en situation* dans son époque, lançait notamment notre directeur de revue : chaque parole a des retentissements. Chaque silence aussi. Je tiens Flaubert et Goncourt pour responsables de la répression qui suivit la Commune, parce qu'ils n'ont pas écrit une ligne pour l'empêcher. Ce n'était pas leur affaire, dira-t-on. Mais le procès Calas, était-ce l'affaire de Voltaire? La condamnation de Dreyfus, était-ce l'affaire de Zola? L'administration du Congo, était-ce l'affaire de Gide? » Accusations, diatribe, appel aux grands ancêtres, condamnations sans détour, formules, tout y était pour qu'on lût cette « présentation » comme un manifeste, une profession de foi, mieux, une politique culturelle, une hache de guerre, un article Mauriac *bis,* où l'accusé Mauriac se trouvait multiplié par dix. « Un Jivaro », écrivit du Sartre de la « présentation » Justin Saget. Expliquant que, « pareil aux Indiens des Amazones qui accommodent l'étranger avec une désolante rigueur, le directeur des *Temps modernes* est le réducteur de têtes par excellence des arts de la littérature... Font les frais du jeu de massacre, ajoute le critique, Balzac, Flaubert, Goncourt et Proust... » On reste toujours, on le voit ici, dans le monde du jeu et de la performance : Sartre en baladin, en marchand forain, en amuseur public. Une manière, somme toute, de le lire, à l'opposé, bien sûr, de ce qu'il aurait souhaité.

« Nous affirmons hautement... Nous prétendons... Nous refusons... Nous n'acceptons pas a priori... Nous refusons de croire... Nous nions... Nous adhérons... » Sur ce rythme sans mollesse, par la voix de Sartre, défilent programme et définitions : changer à la fois la condition sociale de l'homme et la conception qu'il a de lui-même; rendre la littérature à ce qu'elle n'aurait jamais dû cesser d'être, une fonction sociale; faire des *Temps modernes* un organe de recherche; recourir à tous les genres littéraires : du poème au document brut, au reportage ou à l'enquête; considérer notre propre temps comme une « synthèse signifiante » et envisager les différentes manifestations d'actualité dans un « esprit synthétique »; accueillir toutes les bonnes volontés; servir la « littérature engagée ». Ainsi, Sartre apparaissait comme le directeur d'une équipe, comme le « leader » d'un courant, comme le porte-parole d'une véritable mouvance aux visées et aux moyens particulièrement ambitieux : approche « synthétique » de la société de notre temps; esprit « synthétique » dans les outils requis. Ainsi, l'ère de la « littérature engagée » prenait un retentissant départ.

Une telle avalanche d'affirmations sartriennes ne pouvait qu'irriter ou convaincre. Elle irrita certains, dont Gide qui, pourtant, était compté, par notre « coupeur de têtes », au nombre des miraculés qui échappèrent de « justesse au massacre » : « Le manifeste des *Temps modernes* est troublant », écrit Gide le rescapé, peu enclin au demeurant à supporter les attaques frontales et définitives envoyées droit dans les gencives de ses collègues. « J'espère bien, souhaite-t-il ironiquement, qu'à la suite de la littérature, nous le verrons " engager " peinture et musique... " Vive le roi " et " Vive la ligue " peuvent se chanter sur le même air [7]. » Et le célèbre auteur de la magistrale gifle des *Retouches à mon « Retour de l'U.R.S.S. »*, nanti de sa propre efficacité, provoque ironiquement son adversaire, rappelant avec condescendance ses propres expériences au « pays des soviets » : « Je me souviens, écrivait-il notamment, d'une exposition de peintures russes à Tiflis où pas une œuvre qui ne marquât un revirement de toute valeur personnelle en faveur d'une décision d'engagement flagrante; et déjà, dans l'édifiant choix des *sujets...* » Grincements de dents ici, adhésions ou attentes bienveillantes là. « La partie promet d'être chaude », s'amuse le critique du *Figaro,* dans la ligne « intérêt sportif », tout en proférant tout de même une remarque qui devait brûler les lèvres d'un grand nombre : « Tout cela fait beaucoup d'actualité sartrienne, écrit-il. C'est un débordement de présence : romans, théâtre, conférences. Et déjà le vocable " existentialiste " réveille tous les attardés de l'esprit Torloni [8]. » « Sartre ne réussit pas mal, en " contemporain capital " », écrit à sa suite le critique de *Terre des hommes*, remarquant en Sartre « un écrivain-né, doué de ressources peu communes [9] ».

A bien y regarder, l'ensemble des produits sartriens qui émergeaient en cet automne 1945 ne développaient, tout compte fait, qu'un certain nombre d'idées longtemps mûries : *L'Âge de raison*, on l'a vu, naquit avant guerre. Quant à l'idée des *Temps modernes,* elle avait pris forme entre Sartre, Beauvoir et Merleau-Ponty, plus tard aussi avec Camus et Leiris, à la suite des discussions du groupe de résistance « Socialisme et Liberté », à la suite, surtout, de son échec. Car, avec les arrestations d'Yvonne Picart et de François Cuzin, Sartre avait pris la mesure de la réalité de l'action politique militante, pris la mesure, aussi, de ses propres limites. Cette revue naquit donc dans les aléas de ce tohu-bohu, de cette reconstruction du monde, de ces connivences ponctuelles : Aron, Paulhan, Ollivier quitteraient vite le comité de rédaction. « Je ne vois pas trop comment cette revue éviterait d'être dans ses raisons ennuyeuse et fausse. Mais en littérature tout sert », écrivait Jean Paulhan à André Gide dès le 10 décembre de l'année 1944 : il accordait ainsi à Sartre une attention limitée, un intérêt attentiste, une participation plus que mesurée; il est vrai que la *Nouvelle Revue française* – trop compromise par les positions politiques de Drieu pendant l'occupation – avait cessé de paraître.

Avec la création des *Temps modernes*, Sartre s'installait, il devenait directeur de revue, avait pignon sur rue, recevait les « bonnes volontés », représentait, enfin, un véritable pouvoir. Il s'était approprié, tour à tour, tous les champs de la pensée, tous les publics possibles, fourbissant toutes les armes disponibles. Après les intellectuels, première frange de ses lecteurs, le grand public avait été atteint par ses articles et surtout ses pièces de théâtre, l'Université par *L'Être et le Néant*, après les premiers textes philosophiques de l'entre-deux-guerres. Et voilà qu'en 1945, il revenait au grand public avec deux romans, la revue, les conférences : comment pouvait-on, désormais, échapper à Sartre? Pas un public qui ne pût l'ignorer. La conquête fut globale, « synthétique » comme il disait aimablement lui-même, la prise de pouvoir totale. Il choqua et déplut aux bourgeois bien-pensants d'une France attardée par des années de pétainisme rampant. Il choqua et déplut aux communistes glorieux dans leur assise désormais évidente du « parti des fusillés », du premier parti de France. Il enthousiasma et séduisit, on se battit pour le connaître, le rencontrer, le voir penser, dans les franges de ce « tiers parti » dont parlait le critique du *Figaro*. Avec Sartre, en 1945, l'écrivain était devenu bien autre chose qu'un simple homme de plume.

Il était devenu, entre autres, un jongleur d'idées, une bête à penser. N'est-ce pas ce prodige qui attira, le 29 octobre, à vingt heures trente, dans la salle des Centraux de la rue Jean-Goujon, les trois cents, les quatre cents personnes qui se pressèrent pour l'écouter parler? Maurice Nadeau, pour sa part, note que ses « acrobaties intellectuelles » justifièrent cet intérêt [10]. Et pourquoi Sartre aurait-il été surpris comme il le fut, s'il avait, auparavant, mesuré l'audience qui était désormais la sienne, le public qu'il s'était désormais attaché, le magnétisme de sa voix que l'on reconnaissait désormais, la légitimité de parole qui était désormais la sienne?

Cette machinerie intellectuelle, il l'avait laissée tourner à vide, encaissant les années d'échec ou de rejet comme autant de coups que prend le boxeur qui sait qu'il va rebondir, comme autant de cycles maudits – cycle des années 30 : 1935-1938 ; cycle des années 40 : 1941-1942. Il rebondissait maintenant, en 1945, démultipliant ses fonctions, des plus simples aux plus complexes, jouant enfin sur tous les claviers du grand orgue qu'il s'était construit pour lui seul. On reviendra, à plusieurs reprises et largement, sur cette véritable naïveté de l'homme, naïveté sans faux-semblant, au demeurant. Combien de fois, dans le futur, ne s'étonnera-t-il pas d'avoir un écho, des adeptes, des demandes de conseil, des suiveurs ! Car il y a loin, en fait, entre la capacité de production d'un homme qui se surpasse en permanence et la capacité du même homme à mesurer, même de loin, la réalité de son aura. Dialogue avec lui-même, dans un premier temps. Dialogue avec le monde, dans un second. Les deux démarches ne sont pas forcément liées : dans le cas de Sartre, toute démagogie concertée est assurément à écarter, comme est à écarter toute fausse modestie. Il voulut à tout prix émerger, il émergea, il écrasa les autres, dans l'incroyable supériorité de ses talents et de sa mégalomanie, il s'étonna de cette écoute : tout cela, c'est Sartre. Tout cela, dans les contradictions et les incohérences. Le protestant en lui fut, jusqu'au bout, le garant de cette étonnante simplicité avec laquelle il reçut le succès, heureux certes mais ne s'y intéressant pas, continuant sa route, labourant son sillon, tout à l'écoute de son dialogue entre lui et lui, de cette véritable jouissance dans l'escalade de ses possibilités, de ces explorations successives, de ces appropriations du monde par un phénomène que lui-même avait qualifié de « magique » : la connaissance.

Et s'il est incontestable qu'en ces trois mois de l'automne 1945, Sartre et ses produits existentialistes donnèrent l'impression d'une invasion, d'une inondation, c'est qu'ils touchèrent tous les publics possibles : comme une série de coups de force successifs qu'il aurait volontairement fomentés. Son hégémonie intellectuelle conquise grâce à la création du groupe des *Temps modernes*, il allait alors s'installer dans les domaines les plus divers, trouver des interlocuteurs et des lecteurs dans toutes les gammes de la pensée. Également reconnu par des philosophes universitaires et par le grand public, et qui plus est, simultanément. Il réussit ainsi, par exemple, à porter l'idée d'engagement au sein d'un domaine dont elle avait toujours été absente : la philosophie ; il réussit à faire passer l'idée de liberté vers l'être ; tout en utilisant les mots de passe du milieu, la rhétorique philosophique la plus académique.

Quelque temps après la première conférence, les organisateurs du club Maintenant décidèrent d'organiser une soirée purement philosophique. Ils invitèrent le philosophe Jean Wahl à procéder à une « Petite histoire de l'existentialisme », invitèrent également un certain nombre de philosophes de premier ordre à porter la contradiction; MM. Berdiaeff, Gurvitch et Emmanuel Levinas consacrèrent ainsi une soirée à l'analyse des diverses influences, kierkegaardiennc, husserlienne, heideggerienne, sur l'« existentialisme » : « Je n'ai pas encore lu *L'Être et le Néant*, confessa pour sa part Levinas, mais je pense que le " frisson " philosophique nouveau apporté par la philosophie de Heidegger consiste à distinguer *être* et *étant,* et à transporter, dans l'être, la relation, le mouvement, l'efficace qui jusqu'alors résidaient dans l'existant... Lorsque, dans ses romans, Sartre met le verbe être en italiques, quand il souligne *suis* dans : " je *suis* cette souffrance " ou dans : " je *suis* ce néant ", c'est cette transitivité du verbe être qu'il fait ressortir [11]. »

Qu'il fût déjà lu ou non par ses pairs, les philosophes, Sartre fit donc l'objet de débats, d'analyses, d'interprétations, de commentaires : eux-mêmes n'auraient pu l'ignorer. Plus tard, encore, un volume entier fut consacré à des prises de position argumentées : *Pour ou contre l'existentialisme,* qui rassembla détracteurs et sympathisants en une forme de synthèse assez complète. Outre la petite « famille » avec Colette Audry, Francis Jeanson, Jean Pouillon, Jean-Bertrand Lefèvre-Pontalis, du côté des critiques, on notait les noms d'Emmanuel Mounier, de Roger Vailland et de Julien Benda : « L'existentialisme? expliquait ce dernier, c'est la forme moderne d'une position philosophique éternelle [12]. » Ainsi s'élaborèrent les diverses définitions de l'« existentialisme », selon les milieux où elles cheminaient, selon les interventions qu'elles suscitaient, selon les outils qu'elles engendraient.

Sartre avait importé, dans le roman français, des techniques empruntées aux romanciers américains qu'il avait jadis loués; il avait importé, dans la pensée philosophique française, un courant qu'il était allé chercher en Allemagne, ou encore, avec Kierkegaard, au Danemark. Il fut celui qui, héritier de la plus solide tradition intellectuelle française, subvertissait de l'intérieur les modèles les plus classiques de cette tradition avec des outils fabriqués ailleurs. Il fut celui qui reprenait l'héritage et le fécondait au moyen de nouveaux instruments trouvés au-delà de nos frontières. « En découvrant l'Amérique, les romanciers français n'enrichissent pas notre littérature » : levée de boucliers immédiate dans le camp des bien-pensants, par les lignes de l'hebdomadaire *Samedi soir* qui, pour les années à venir, fera de

Sartre la bête noire de toute une partie de la population. Il deviendra, sous les traits de ce journal, l'escroc, le faussaire, le traître, le dangereux brigand qui pollue, qui abâtardit, qui brade notre patrimoine culturel. « Il faut se rendre à l'évidence, s'insurge-t-on encore dans *Samedi soir*, la Touraine n'est pas peuplée de nègres occupés à chanter des *spirituals* et à boire du rhum de la Jamaïque pour chasser les fantômes. Dans la campagne, Dijon ne ressemble pas à Chicago, et les Parisiens ne circulent pas dans un brouillard de whisky [13]. » Xénophobie larvée, protectionnisme haute tension, hypernationalisme culturel, en « bouffant du Sartre », c'est toute une tendance vivace et active du pétainisme de 1940 qui poursuit ici sa route.

« Les hôtels borgnes, l'ivresse nauséeuse, l'avortement, les nuits mornes, les amours sans fraîcheur : dans les romans de Sartre et de Simone de Beauvoir, nous voyons se composer l'image de ce qu'il y a de plus louche dans l'existence. C'est une tentative pour arracher le roman français à l'univers bourgeois ou mondain dans lequel il s'était à peu près constamment tenu depuis *La Princesse de Clèves* jusqu'à Laclos, Stendhal, Proust et Giraudoux. La politesse, l'élégance, les sentiments raffinés, l'harmonie du langage, tout ce qui a longtemps caractérisé le roman français est mis à la porte sans rémission [14]. » L'escalade, on le voit, est rapide, sous la plume peu amène des journalistes de *Samedi soir*; et la publication conjointe, avec les œuvres de Sartre, d'un roman et d'une pièce de théâtre de Simone de Beauvoir apporte de l'eau au moulin de leurs détracteurs : car ce « fils de professeur qui émerge de ses lectures pour secouer du souffle bruyant de la révolution littéraire les studieuses banquettes du café de Flore » et cette jeune fille élevée dans la ligne de la meilleure tradition aristocratique française sont en train de corrompre une grande partie de la jeunesse de France. Corruption, saleté, dépravation, débauche, athéisme, traîtrise, licence morale, vices variés : toute la panoplie des tares est là, au complet, dans la bouche des bien-pensants, pour stigmatiser ces individus, cette bande, cette clique si pernicieuse dans ses intentions et dans ses effets. Cette clique, dont Sartre est présenté comme le chef : « Pour les adolescents chevelus de Saint-Germain-des-Prés, poursuit le même hebdomadaire, il est le " maître ". Pour les bien-pensants, c'est un " assassin ". Mais qu'a donc fait M. Sartre pour agiter si fortement les esprits? C'est bien simple : il a mis à la mode, dans les salons des deux rives, une abstraction philosophique assez nuageuse, une doctrine d'origine allemande, qui porte le terme barbare d'" existentialisme ". Personne ne sait ce que cela veut dire, mais tout le monde en parle à l'heure du thé. Depuis Barnum, on n'avait pas assisté à un tel triomphe de la publicité [15]. » Aucune analyse, et pour cause, de la « doctrine » en question ; on apprend seulement, à coups redoublés, qu'elle vient d'ailleurs et dénature, défigure la pureté de la culture française.

« La célébrité, pour moi, ce fut la haine », dira-t-il plus tard : il devait à l'hystérie de *Samedi soir* une partie de sa notoriété. L'Église de France, elle-même, s'en mêlera et nombre de sermons dits en chaire, vers la fin des années 40, mettront en garde les croyants, les fidèles contre le danger diabolique des « existentialistes ». « L'existentialisme est un danger plus grave que le rationalisme », entendait-on souvent [16] ! Car ces amalgames, car ces outrances, dans la présentation, dans la véritable déformation de l'œuvre de Sartre, contribuèrent sans aucun doute à la diffusion de son nom parmi le plus grand nombre. A ces démons, on donna un nom : les « existentialistes » ; à leur credo, on trouva un terme : l'« existentialisme » ; à leur tête, on mit un écrivain : Jean-Paul Sartre ; à leur vie quotidienne, on donna un lieu, le parc d'attraction où l'on pouvait les voir : Saint-Germain-des-Prés. Ainsi démarrèrent conjointement, avec l'inflation des informations d'après guerre et sur fond de pétainisme larvé, deux modes inextricablement liées et que lancèrent les nouveaux organes de presse déchaînés et ressuscités : la mode de l'« existentialisme » et la mode de « Saint-Germain-des-Prés ». Et peu importait que le mage de l'existentialisme, que le prophète de Saint-Germain-des-Prés n'eût que très peu de rapports avec ce qui se passait alors dans ce quartier. L'amalgame était facile, il fonctionna fort bien, toute une légende se construisit alors, à force de surenchères, autour de « Sartre et de la grande Sartreuse ». Ce fut alors à qui sortirait les détails les plus scabreux, les plus outrés, les plus sordides sur l'intimité de ces monstres, sur leurs habitudes et leurs comportements. Une certaine partie de la population française trouvait là un exutoire à ces années de guerre, au triomphalisme des anciens résistants. Les « existentialistes » étaient une proie de choix : Sartre et ceux qui l'entouraient devinrent les boucs émissaires de l'après-guerre.

Ainsi fonctionna la légende. Ainsi fonctionnent toutes les légendes : on prend un élément du réel et on l'hypertrophie ; on y ajoute quelques détails outrés, et le tour est joué. On expliqua donc que Sartre vivait à l'hôtel de la Louisiane, rue de Seine. « Au petit jour, parmi les cendriers renversés et les vêtements épars », sous-titra l'article qui affirmait que, dans le mot de Louisiane, « passaient les souvenirs de la guerre de Sécession, des *negro spirituals* et des beaux officiers sudistes ». On inventa donc que Sartre faisait monter des jeunes filles dans sa chambre d'hôtel pour leur faire... sentir un camembert ! « Il y a quelques années, expliquait-on aussi, un douanier innocent demanda à l'auteur de

La Nausée qui partait pour l'Amérique d'ouvrir sa valise. Le douanier plongea sa main dans un fatras de linge, en tira une loque, suffoqua, et dit rapidement : " Passez, passez vite! " [17] » On poursuivit l'attaque par des sous-entendus plus graves : « L'existentialisme, écrivait-on encore, c'est aussi une excellente affaire. Aujourd'hui les existentialistes tiennent les installations puritaines de la *N.R.F.*, envahissent les théâtres, s'assurent des fidèles dans la presse, asservissent l'édition, publient une revue dont le titre, *Les Temps modernes*, est emprunté à Charlie Chaplin, et persuadent les capitalistes américains qu'ils ont le trust de la pensée française... » Avec ce texte, on avait atteint la thèse du complot, du gang, de la multinationale. D'ailleurs, précise-t-on, « c'est le monde entier que Sartre veut marquer de sa doctrine et de sa férule ». Le danger sartrien guette-t-il la France, l'Europe, le monde, telle une peste contagieuse qui menace de s'étendre? « Prends garde à la férule de Sartre! », entendrait-on peut-être bientôt dans les écoles. Ou encore : « Si tu n'es pas sage, j'appelle un existentialiste : il viendra te manger, mon enfant... »

Dans le genre « Alerte, l'ennemi vous guette à votre porte! », *Samedi soir* se surpassa : « Actuelle décadence des arts du spectacle... le public parisien a les spectacles qu'il mérite... écrasante responsabilité du public [18]... » Ou encore, un peu plus tard : « Après la littérature, le cinéma est rongé par ce ver, la politique [19]. » « Montparnasse s'endort sur son passé... Où aller? Où ça? A Saint-Germain-des-Prés, buter contre les existentialistes [20]? » « Pour être édité, il faut être swing, fréquenter les cafés et danser le jittersburg [21]. » Autoculpabilité, protectionnisme, nationalisme, on le voit, les vieux fantômes revinrent à grands pas : nostalgies hitlériennes et xénophobie : « La seule photo d'Eva Braun avec Hitler », souligna le grand titre du 7 juillet. « Himmler est mort dans les bras d'un juif », annonça un article peu après. Pour le racisme, ce fut plus simple, on le rencontra toutes les semaines dans les lignes du journal : « Mouloudji, enfant du malheur, le grouillot de l'existentialisme, prendra sa revanche », expliqua-t-on le 1er février 1947. Plus tard, ce fut au tour de Jean Genet d'être ironiquement qualifié d'« ange des prisons », avec, toujours, une allusion à leur amitié avec Sartre-et-sa-férule. A Montparnasse, annonça-t-on le 24 novembre 1945, « seul Le Dôme a retrouvé quelques-uns des israélites que l'occupation allemande avait dispersés; ils sont venus ici chercher leurs coreligionnaires ». On prévint, aussi, associant Sartre et de Gaulle, que leurs livres étaient, parmi les livres français, ceux que les Américains demandaient le plus : « L'étranger a appris avec surprise que les Français oubliaient parfois leurs soucis matériels pour entretenir des controverses passionnées autour de l'existentialisme [22]. » Là, on enfonça le clou du nationalisme, en inventant le mépris, l'ironie de l'étranger. A l'automne 1945, la France se coupa à nouveau en deux, comme elle l'avait fait en juin 1940, au moment de l'armistice, se coupa – gageons-le – selon les mêmes lignes de partage, les mêmes frontières, se drapa dans les plis d'une hypocrisie moralisatrice, conformiste et étroite contre leurs nouveaux ennemis : les existentialistes; contre leurs nouveaux bourreaux : ces doctrines philosophiques venues d'ailleurs; contre leurs nouvelles hantises : la férule de Sartre et la horde de ses disciples.

« A l'automne 1945, écrit Simone de Beauvoir, l'existentialisme fut sur toutes les bouches » : elle n'exagérait pas. « Que pensez-vous de l'existentialisme? » demandait un journaliste à Romain Gary, au lendemain de son prix des Critiques. Celui-ci répondit, d'un « petit rire gêné », qu'il ne savait « pas ce que cela voulait dire, qu'il avait eu peu de contacts avec la littérature française depuis cinq ans ». Il est vrai qu'on en était encore aux tout premiers jours du mois de novembre! « On ne peut plus en douter, ajoute Pierre Fauchery dans *Action*, il y a un " petit monde " existentialiste, singulièrement fermé et étroit : une franc-maçonnerie [23]. » « L'existentialisme est passé à l'état de scie, surenchérit André Billy. Impossible d'aller dîner en ville sans qu'une jolie jeune femme ne vous prenne à part et ne vous pose, sur un ton de confidence timide, la question rituelle : " Expliquez-moi donc ce que c'est que l'existentialisme " [24]... » « Je ne suis pas existentialiste », précise Albert Camus [25]. « Camus n'est pas un existentialiste », confirme Sartre [26]. « Qu'est-ce que l'existentialisme? » interroge sérieusement Henry Magnan [27] qui, pour le journal *Le Monde*, demande au philosophe Jean Beaufret de faire un travail d'explication et de vulgarisation historique. « Qu'est-ce que l'existentialisme? » interroge également à son tour Dominique Aury [28] dans *Les Lettres françaises*, tâchant, en interviewant Sartre, de procéder au « bilan d'une offensive ». Interviews, enquêtes et contre-enquêtes se succédèrent sans fin, tentant de gloser, qui avec ses outils philosophiques, qui avec des informations de surface, cette nouvelle mode dont on parlait partout et sur laquelle il fallait bien essayer de faire le point.

« L'existentialisme, comme la foi, ne s'explique pas, il se vit... De nombreuses explications de l'existentialisme ont été données... mais chaque fois que l'on croit en avoir saisi une et l'avoir fixée, elle vous échappe à nouveau; au voisin de table qui vous dit : " Vous avez compris l'existentialisme? Qu'est-ce que c'est? ", vous ne trouvez encore une fois rien à répondre... » Dans cet incroyable *Petit Catéchisme de l'existentialisme pour les profanes*,

Christine Cronan propose une véritable formation accélérée et hypervulgarisatrice ès existentialismes, un « digest » express et superficiel au plus large usage : mots clefs du vocabulaire sartrien, formes de l'existentialisme, origines philosophiques, modes d'expression privilégiés... On croit rêver! Le produit, apparemment, fit fortune, se démultiplia à loisir, essaima, féconda, proliféra. Les exemples abondent : « – Demande : Qu'est-ce que l'existentialisme? – Réponse : L'existentialisme est la croyance que l'homme se crée au cours de sa vie par ses actions... – Demande : Qui a fait renaître l'existentialisme à notre époque sous forme de mode? – Réponse : Jean-Paul Sartre... – Demande : Qu'affirme l'existentialisme actuel? – Réponse : Que l'existence précède l'essence [29]. » Et ainsi de suite : des produits les plus élaborés, les plus sophistiqués, aux sous-produits les plus simplets, les plus minces, la mode de l'existentialisme alla son chemin, diffusant par cercles concentriques ce qu'elle pouvait diffuser, atteignant, cercle après cercle, toutes les strates du public, ce que Sartre nommera plus tard le « public total ». D'ailleurs Christine Cronan n'avait-elle pas, dans ses commandements de l'existentialisme, trouvé la bonne formule : « En t'engageant entraîneras / L'humanité totalement... Sans répit te créeras / Par tes actes seulement... »?

Ainsi le terme d'existentialisme se trouva bientôt représenter, pêle-mêle, un courant philosophique, un style de vie, une « religion », en une large catégorie qui accueillait tout ce qui, dans la société française, ne pouvait être reconnu que comme déviant, marginal, provocateur, anarchiste. « Beaucoup de gens sont persuadés, écrira plus tard dans *Le Crapouillot* Jean Galtier-Boissière, que c'est une façon de s'habiller, une danse, une coupe de cheveux, un arrondissement de Paris, le fait de ne pas se laver, ou encore une manière de vivre. N'ayez pas l'air de croire cela : on vous prendrait pour un Bas-Saxon, un Zoulou, ou, pis, un provincial [30]. » L'amalgame fut un art qui se pratiqua sans vergogne chez les plumitifs de l'après-guerre, et l'on fourra dans « existentialisme » toutes les idées qu'on put trouver, comme sous l'effet d'un mirage. On obtint ainsi une sorte de « melting-pot » absolument risible et dérisoire, pur produit des élucubrations médiatiques, bâtard méconnaissable d'une paternité collective, substance méconnue sans goût ni saveur, décolorée, décomposée, dénaturée, qui n'avait plus le moindre rapport ni avec la théorie de Sartre dans *L'Être et le Néant*, ni avec ses articles et conférences, mises au point et autres écrits. De la phénoménologie allemande, on en était arrivé – si vite, trop vite – à un mot en « isme » vide de sens, et que tout le monde pourtant avait l'air de comprendre, à un prétendu courant de pensée, et que tout le monde semblait connaître, à des comportements quotidiens fort vagues et fort brumeux, et que tout le monde, pourtant, semblait adopter.

Comment ne pas s'étonner, dès lors, que Sartre renâclât devant les dérapages incontrôlés que cette brutale, que cette trop brutale célébrité lui imposait? Plus tard, il le paiera cher; pour l'instant il est pris dans un rôle, happé et déformé; ce qu'on raconte sur lui, il ne le contrôle plus; les propos qu'on lui prête, il ne les maîtrise plus : la machine infernale. Bientôt même, Sartre aura la mauvaise impression que son propre projet lui échappe, ne comprendra plus bien. Comment, d'ailleurs, ne pas s'inquiéter devant cette escalade? Avec sa seule production littéraire et en trois mois, il avait réussi à faire vibrer les images traditionnelles des hommes de lettres les plus célèbres, de ceux qui eurent avec le peuple les dialogues les plus intenses. Car le Sartre accusé de corrompre la jeunesse ne faisait-il pas résonner des souvenirs de Socrate, son précurseur dans le rôle de « philosophe pour tous »? Car le Sartre des cafés, le bohémien messianique, ne rappelait-il pas Diderot? Car le Sartre de l'engagement politique ne parlait-il pas, malgré lui, de Hugo, de Zola? Car si l'entrée dans la légende commença, nous l'avons vu, sous les mauvais auspices du séducteur de pucelles friant de camembert, elle se poursuivit, non sans humour, par les réminiscences conjointes, tous siècles confondus, des grands ancêtres, philosophes et écrivains qui, hommes de plume et hommes d'épée, lui avaient, en quelque sorte, préparé la voie.

L'amalgame, qui avait contribué à faire d'« existentialisme » le mot à tout faire de l'automne, fonctionna encore à plein entre Sartre et la population qui allait, bientôt, se fixer dans le quartier où il vivait : Saint-Germain-des-Prés. Successivement, par une série de déplacements dans l'espace, Sartre et les siens avaient, depuis quinze ans, effectué un lent mouvement depuis une certaine périphérie – Le Havre, puis Laon, puis Montparnasse – vers un certain centre : Saint-Germain-des-Prés. Dès 1945, et pour une dizaine d'années, ce petit périmètre parisien allait devenir, allait redevenir le centre absolu de toute vie littéraire et culturelle française et internationale. « Si un cataclysme anéantissait la vieille Europe, écrivait pour sa part Léo Larguier, et si elle demeurait intacte avec un tronçon de la rue Bonaparte, celui qui va du quai à Saint-Germain-des-Prés, les habitants des autres continents qui viendraient visiter les ruines pourraient reconstituer, dans ses boutiques, toute la civilisation du monde occidental [31]. » « Un village », dit-on souvent, à cause de l'église, de l'esplanade, des rues étroites de part et d'autre du boulevard

Saint-Germain. En vérité, le quartier avait déjà, de longue date, une solide et certaine tradition littéraire.

Tant de visages différents hantaient le Saint-Germain-des-Prés de 1945 ! Celui de l'érudition et de l'aventure, celui du plaisir et de la fête, celui de la science et de la critique. Celui de Molière et celui de Diderot, celui des moines bénédictins et celui des surréalistes. Moines et bateleurs, bateleurs et savants, savants et comédiens, comédiens et fêtards, fêtards et peintres, peintres et députés, députés et poètes, poètes et écrivains et ainsi de suite. Chacune des configurations de ce lieu magique s'empila sur la précédente, s'emboîta, se moula presque, et lorsque Sartre décida, en février 1941, qu'il faisait plus chaud, pour écrire, près du poêle du père Boubal que dans sa chambre d'hôtel, il hérita, malgré lui, d'une richissime collection d'images germanopratines. Ces images enverraient, bien sûr, leurs reflets et miroitements divers sur tous les gestes, tous les mouvements de ce nouvel hôte à la mode : Sartre.

Jean-Paul Sartre, Simone de Beauvoir et leurs amis avaient donc pris racine au café de Flore dès les premiers mois de l'hiver 1941. En 1938, en 1939, c'est à Montparnasse, au Dôme et à La Coupole qu'ils avaient pris l'habitude de se retrouver, ou bien, plus à la périphérie, aux Mousquetaires dans l'avenue du Maine. Montparnasse, plus large, moins intime, plus passant, n'offrait pas, en ces temps de rigueur et de clandestinité, les absolues garanties de sécurité qu'ils y recherchaient. Tandis que chez le père Boubal, au Flore, derrière d'épais rideaux, on pouvait travailler, des journées entières, autour du poêle à charbon ; ce qui, en cet hiver glacial, permettait de procéder à de relatives économies. Les salles plus petites, la proximité des rues plus étroites, presque villageoises et surtout de leurs nouveaux hôtels, comme La Louisiane, rue de Seine, les avaient irrésistiblement et définitivement attirés à Saint-Germain-des-Prés. C'est dans le même temps, dans cette après-guerre à la fois inquiète et libre, intense et anticonformiste, qu'une nouvelle génération, attirée par le quartier, allait remplacer les habitués de l'avant-guerre, hommes mûrs, personnages arrivés et autres gloires assises. Avec la Libération, avec l'année 1945, ce furent les apprentis comédiens, les jouvenceaux intellectuels qui prirent l'habitude de venir boire un café au Flore ou aux Deux Magots, un punch à la Rhumerie martiniquaise ou un demi à la Reine Blanche. Très vite, le quartier devint le lieu par excellence où l'on put lire, dans les regards de cette « classe 42 », de cette « classe 45 » la nonchalance désabusée, la frénésie de liberté, la découverte progressive de l'excès. Et le lieu public du café, et l'intimité du « village » fournirent à merveille les espaces privilégiés où laisser aller paroles, rencontres, imaginations : une société se reconstruisit là, dans la flexibilité, les mélanges, les croisements les plus divers.

En choisissant, pour y travailler, les cafés de Saint-Germain-des-Prés, Sartre n'innovait en rien; il venait, tout naturellement, prendre sa place dans une bien ancienne tradition parisienne, peut-être plus encore qu'à toute autre, se rattachant par là aux Encyclopédistes du XVIIIe siècle, à ceux qu'on appela alors les « bohémiens messianiques ». Encore une tradition qu'il allait subvertir, en y introduisant sa « famille » à la suite de la bande Prévert : car la « famille Sartre », ce fut aussi, pour les bourgeois du VIe arrondissement, un synonyme de dissolution.

Entre Sartre et la nouvelle faune de Saint-Germain-des-Prés, un tacite consensus s'établit sans aucun doute; consensus fait d'éléments multiples, comme d'un nouvel exotisme en faveur des Noirs et du jazz, une esthétique de l'angoisse, une boulimie, une frénésie inquiète et avide, un certain culte du populisme, une véritable subversion, par la langue, des valeurs traditionnelles. Et, lorsque, vers la fin de l'année 1946 et le début de l'année 1947, les caves de Saint-Germain-des-Prés, redécouvertes, furent prises d'assaut par les danseurs de be-bop et les trompettistes de jazz, qu'elles attirèrent, pour de longues nuits sans sommeil, ceux qui trouvaient, dans l'exaltation des sens, une réponse, une provocation, une esthétique, la presse les nomma, sans le moindre scrupule : « caves existentialistes ». Et peu importe que Sartre n'y eût jamais ou presque mis les pieds. Encore une fois l'amalgame se fit entre un style de vie – le sien –, une théorie philosophique – la sienne – et les comportements de toute une classe d'âge, sans même vérifier si elle l'avait lu, si elle se reconnaissait en lui, ou si elle l'ignorait. Seuls suffisaient alors comme critères que Sartre et cette classe d'âge critiquassent également les valeurs traditionnelles, qu'ils aimassent la musique de jazz, les rythmes qui balançaient, les discussions de café, les relations d'amour libre, une certaine bohème dans la vie quotidienne, qu'ils fissent également, dans la provocation, l'élan et le rire désabusés, connaissance avec un monde qui pouvait basculer en une année dans la folie. Entre Sartre et la population germanopratine, quelques points de complicité certaine, sans doute. « Ces jeunes gens n'ont rien à voir avec moi. Je n'ai rien à voir avec eux... » Plus tard, exaspéré par tous ces amalgames excessifs, il mettra, cependant, les points sur les *i*.

« Il ne faut plus chercher les existentialistes au café de Flore. Ils se sont réfugiés dans les caves... C'est là que les existentialistes, sans doute dans l'attente de la bombe atomique qui leur est chère, boivent, dansent, aiment et dorment désormais. L'existentialisme a mûri si vite que la lutte des classes déjà le divise. Il y a lieu aujourd'hui, en effet, de distinguer entre existentialistes riches et existentialistes pauvres... » Dix-huit mois à peine après le fameux automne, *Samedi soir*, bien sûr, s'emballe dans un superbe numéro spécial, mi-manuel d'anthropologie exhaustif et maniaque, mi-ragots de journal à sensation. Le tout présenté par la photo d'un couple : ils sont jeunes, beaux, adossés à ce que l'on pressent être l'entrée d'une cave. Le mur lépreux descendant en contrebas, la bougie allumée que l'homme tient à la main sont sans doute chargés de le souligner, et lourdement, pour nous. Tous deux vêtus de gris, de costumes jumeaux, de tenues androgynes, ils semblent bien inoffensifs, bien contemplatifs et doux, ces enfants de vingt ans. D'ailleurs, on reconnaît sur la photo deux des stars françaises de l'après-guerre : Juliette Gréco, Roger Vadim. « Caves existentialistes », « rats de caves existentialistes », « suicides existentialistes », « existentialistes riches » et « existentialistes pauvres », « jeune existentialiste » et « vieil existentialiste », on déclina le substantif et l'adjectif à tire-larigot, comme on le fit en d'autres temps pour « snob » ou pour « enragé », ou pour « branché ». « Existentialiste » ne voulut donc bientôt plus rien, absolument plus rien dire, si ce n'est vaguement désigner une population circulant vaguement dans un périmètre vaguement défini et répondant à des caractéristiques encore plus vaguement déterminées. Dérive, atteinte en mai 1947 par cet article de *Samedi soir* : « Un existentialiste », expliquait encore fièrement le journal, « est un homme qui a du sartre sur les dents ».

Que Sartre ait, peu de temps auparavant, écrit une chanson pour Juliette Gréco n'allait pas améliorer les choses ! Qu'il ait fait la connaissance du trompettiste Boris Vian, lui ait offert, dans *Les Temps modernes*, une « chronique du menteur », allait encore les compliquer ! Que Sartre aimât fréquenter – mais cela était-il tout à fait récent – les jolies femmes et les actrices, et tous les amalgames, tous les dérapages, toutes les dérives étaient dès lors possibles. D'ailleurs, Sartre ne partageait-il pas avec les susnommés existentialistes une passion pour le jazz, une tendance à un certain populisme, une attirance pour l'exotisme *black*, une esthétique de l'inquiétude, une manie de la subversion anarchisante, un côté « fils de riche provocateur » répondant à cette « riche jeunesse parisienne des bas-fonds » dont parlait à nouveau *Samedi soir*. Vaguement, donc, un consensus commun. Mais vit-on souvent Sartre au Bar Vert, au Tabou, au Club Saint-Germain, à la Canne à Sucre, au Montana, ou au Méphisto ? Et lorsque Saint-Germain-des-Prés se développa – pendant cinq années tout au plus –, qu'on passa de l'ère des cafés à l'ère des caves, puis de l'ère des caves à celle des boîtes, on continua, dans la presse à grand tirage, à y " rencontrer " Sartre, comme si, devenu intellectuel organique de ce lieu magique, il ne pouvait pas ne pas en être. La mode cessa cependant un beau jour, peut-être parce que Saint-Germain-des-Prés n'était jamais parvenu à être, malgré ses vocations révolutionnaires, un quartier populaire comme Montmartre. « Il lui a toujours manqué une rue de la Gaîté », hasarda fort judicieusement l'un de ceux qui, à cette époque, avait déjà trahi le Flore pour s'installer sur la Butte : Jacques Prévert. « D'ailleurs, ça n'a jamais été un quartier, insista-t-il lourdement. Il n'y avait ni putains, ni marchands de cacahuètes [32]... »

Depuis qu'il était revenu de son premier voyage en Amérique, soit depuis le printemps de l'année 1945, Sartre avait pris connaissance d'une information que sa mère, attentive et discrète, avait souhaité lui cacher durant la durée de son absence; à son retour à Paris, il apprit que son beau-père, Joseph Mancy, était décédé, le 15 janvier de l'année 1945. Ce fut, immédiatement, pour un « Poulou » de quarante ans, le retour à sa « petite maman », sans la moindre hésitation. Ils s'installèrent ensemble dans un appartement un peu vieillot, au 42 de la rue Bonaparte, au coin de l'église Saint-Germain-des-Prés et de la rue de Rennes. Dans le salon aux meubles faux Louis XVI, un piano droit, sur lequel les deux héritiers Schweitzer se firent une joie, tous les matins, de déchiffrer à quatre mains lieder de Schubert et valses de Chopin. Le fils eut une chambre à lui, avec un petit lit à une place, une étagère et un petit bureau devant une fenêtre qui donnait sur l'église et la place. Mme Mancy se fit aider par une bonne qui lava et repassa les chemises de Poulou. Elle s'occupa, matériellement, de cet homme célèbre qu'était devenu son fils, entre l'admiration et l'étonnement pour ce « canard boiteux » qu'elle avait engendré et dont elle était si différente, profondément. Elle se comporta en mère parfaite, douce et aimante, serviable à l'excès, s'étonnant parfois auprès des proches des critiques haineuses dont elle entendait parler; mais n'osant jamais, face à son fils, proférer la moindre critique ou la moindre exaspération. Procurant, lorsqu'on l'en priait – comme lorsque le fit Beigbeder pour son livre, *L'Homme Sartre* –, informations, détails et documents divers, se rendant utile, autant qu'elle le pouvait.

Quel décalage, en effet, entre ce « chef de l'existentialisme en France » préfabriqué par les médias, et l'homme qui, assis au piano, en face de l'église Saint-Germain-des-Prés, déchiffrait Schubert avec sa petite maman ! Entre celui que la presse voulut voir et celui qui vivait au 42, rue Bonaparte ! Seul, peut-être, un journaliste de *Terre des hommes*, remarquant la dédicace de la « Présentation » des *Temps modernes* : « A Dolorès », eut la puce à l'oreille. « Écrite pour le lecteur, s'étonna donc le journaliste, cette présentation n'en est pas moins dédiée à une certaine Dolorès [33]. » La mystérieuse Dolorès, rencontrée à New York six mois plus tôt, avait entre-temps pris, malgré l'absence - ou peut-être grâce à elle -, un tel ascendant sur notre chef de file qu'il lui avait dédié ce texte et que, déjà, il planifiait un deuxième voyage en Amérique pour la retrouver. L'entreprise était simple, puisque, de tous côtés, on lui proposait de donner conférences, cours, interviews outre-Atlantique. Dès le 15 décembre de l'année 1945, il prépara son voyage, plantant là disciples enthousiastes et journalistes à l'affût, pour une histoire d'amour qui se passait à des milliers de kilomètres de là.

Celui que Paulhan avait déjà, après *Huis clos*, qualifié de « chef spirituel pour mille jeunes gens » était devenu, un an plus tard, l'inévitable scie de la société française. Partout, on sentait qu'il apportait dans la vie littéraire du pays une véritable rupture, et qu'après lui rien ne serait plus vraiment comme avant. « Qui remplacera le héros de roman ? se demandait par exemple Nadeau dans *Combat*. Sera-ce l'événement, comme le pense Sartre ? L'avenir répondra [34]. » Pour certains, Sartre fut l'entrée en force dans la pensée française de courants importés de l'étranger. Quoi qu'il fît, il sentait le soufre. Et tout le monde sut qu'on allait assister avec lui à l'enterrement d'une certaine tradition de la littérature française, à la mort d'un certain passé proche : celui de l'avant-guerre. Et, tandis que tous les critiques s'interrogeaient sur l'avenir de sa revue, de ses romans, de sa théorie littéraire ou de sa Morale, - annoncée dans *L'Être et le Néant* -, Sartre, lui, était déjà reparti pour l'Amérique.

NEW YORK : SARTRE IS BEAUTIFUL

« Le nouvel enfant chéri de la littérature française a bondi la semaine dernière dans l'arène de Manhattan : une série de conférences est prévue [1]. » Le très célèbre *Time Magazine* annonce l'événement. Nous sommes le 26 janvier 1946 et Sartre est désormais classé par l'hebdomadaire sous la rubrique : « Informations internationales »; section : « Europe »; sous-section : « Existentialisme »...

L'enfant chéri, que les médias américains vont bientôt, à l'image de leurs homologues français, s'arracher et consacrer, était donc arrivé en cargo dans la capitale américaine, au terme d'un bien aventureux voyage de dix-huit jours en mer, d'une équipée hivernale pénible et rocambolesque. Car, pour revoir Dolorès Vanetti, il s'était fait organiser une tournée de conférences mais ses moyens ne lui avaient pas permis de s'offrir mieux que le bateau. On a vu comment, à la surprise de certains, il avait déjà tenu à dédier à Dolorès la « Présentation » des *Temps modernes* : c'était là un geste de séducteur, un bouquet de fleurs lancé aux yeux de tous mais à la plus grande surprise de la destinataire, un trémolo d'amoureux déterminé, audacieux, impatient, romantique, utopiste peut-être... « Il y avait du courrier, écrivait-il au Castor en juillet 1945, une lettre de Dolorès, ce qui m'a fait fort grand plaisir. La lettre est de ton très digne, vu qu'elle n'a pas reçu celle que je lui ai fait tenir par [l'éditeur] Knopf et elle m'écrit en somme pour me dire : pouce, écris-moi, il faut compenser ça par de la roideur étudiée, mais on sent de la bonne chaleur comme il faut, par-derrière tout ça [2]. »

Il embarque donc à Bordeaux, en plein mois de décembre, sur un cargo militaire qui porte le beau nom de *liberty ship* : « Sachez, écrit-il au Castor, qu'un " liberty ship " c'est un cargo, pis même un cargo militaire. » Il subit donc trois semaines de traversée, au cours desquelles le vent et le tangage lui « vident la tête ». Il se soumet donc à ces journées interminables, ne pouvant pas lire, ne pouvant que fort peu écrire. Il peste contre cette infinie monotonie de la mer, contre les intempéries, « gros temps et tempête et une avarie en pleine tempête », et ce capitainc sur le point même de lancer un S.O.S. Il peste surtout contre ses compagnons de voyage qui, reconnaissant son nom sur les miteuses étiquettes collées à ses valises, l'assaillent de questions. « Les gens se sont arraché mes livres qu'ils ont d'ailleurs ignoblement conchiés. Ce sont *tous* des pétainistes et collaborationnistes, plusieurs rêvent d'une bonne petite dictature en France, ils ont des réflexions à faire dresser les cheveux sur la tête et j'ai quitté la table avec ostentation un jour qu'un sale petit con de centralien racontait des anecdotes tendant à ridiculiser et à bafouer les types du Vercors [3]. » Vaines tentatives pour échapper aux voisins, à l'ennui mêlé d'impatience, cet « ennui entre ciel et mer », par des gestes en l'air, aventures de passage et autres séances de cuite mémorables. On le retrouvera même, un matin, ronflant dans un canot de sauvetage, pour échapper à Dieu sait quel danger. « La femme du consul du Brésil m'a fait du gringue pendant huit jours », se plaint-il encore.

« 16 décembre 1945. Bien et subjectivité : Le Bien doit être fait. Cela signifie qu'il est la fin de l'acte, sans aucun doute... Mais peu importe que le Bien *soit.* Il faut qu'il *soit par nous...* Lundi 17 décembre... Cette rue triste, aux grands immeubles-casernes que je parcours, elle s'étend pour moi à perte de vue, c'est ma vie, c'est la vie. Et ma solitude à Bordeaux, c'était *la* solitude, *le* délaissement de l'homme. Difficulté : il y a deux ordres... Pourquoi le salut est-il nécessairement le fruit d'une nouvelle démarche neutralisant la première? Réfléchissons. Ce que nous appelons ici l'authenticité, c'est en fait un projet premier ou choix originel que l'homme fait de lui-même en choisissant son Bien [4]. » Un philosophe aux prises avec les méandres intimes de sa propre réflexion, un philosophe en combat quasi physique avec ses idées, et qui ne cesse de penser et qui ne cesse de noter ses pensées, dans un débat absolument incessant entre lui et lui, reprenant ses projets théoriques, y mêlant telle notation, telle anecdote survenue tantôt, un philosophe au travail. Même s'il se trouve qu'il est amoureux. Même s'il se trouve qu'il a le mal de mer, qu'il est piteusement installé, sur un cargo, par gros temps, pour une longue traversée avec des gens hostiles et que, pour couronner le tout, il ne sait pas, mais absolument pas, comment il va être accueilli là-bas, à New York.

Car Dolorès, pour laquelle il entreprend ce fastidieux voyage n'est pas encore conquise. « Je ne suis tombée amoureuse de lui qu'au second séjour », nous dira-t-elle plus tard. Le philosophe amoureux, dans cet absurde cargo militaire, dans ces décors de fêtes de fin d'année, cotillons et dancing obligés pour Français conformistes, est lui déjà fou d'égards pour Dolorès : lorsqu'il eut consommé l'une de ces aventures, il fut presque pris d'un remords. « J'ai arrêté net cette histoire stupide qui n'avait ni rime ni raison, écrit-il au Castor, m'agitait sans que j'aie la moindre estime pour la personne, et ne m'eût, si elle eût bien tourné, causé que des désagréments. » Elle était d'ailleurs, ajoute-t-il, « injurieuse pour Dolorès et risquait de se terminer à mon déshonneur, en tout cas assez pitoyablement [5] ». Amoureux de Dolorès Vanetti, ô combien, en ce Noël 1945, ce « Parisien très petit et très chaleureux » comme le présentera bientôt la revue *The New Yorker*, cet écrivain en pleine gloire dont *Time Magazine* va jusqu'à publier une photo, un portrait du visage, fort réussi et même un peu flatteur, qui restera pour Dolorès la « meilleure photo de Jean-Paul » : avec pour légende cette formule sèche et radicale *« Philosopher Sartre. Women swooned »*, qu'on pourrait traduire, sans pourtant parvenir à rendre compte de la concision de ces formules américaines, par quelque chose comme : « Devant le philosophe Jean-Paul Sartre, les femmes se pâment. »

A *Time Magazine*, on avait décidément bien fait les choses, puisqu'un dessin humoristique de Jean Effel illustrait également l'article : un faune, philosophe néophyte, plongé dans la lecture d'un énorme livre de Sartre, était questionné par son acolyte, le Centaure : « Tu comprends ? – A moitié. » On importa donc de Paris les dessins des caricaturistes, mais on laissa aux photographes américains le soin de procéder aux portraits inédits. Et, assurément, ce Sartre par William Leftwich, que le commentaire présentait comme la coqueluche parisienne, le tombeur de femmes, le séducteur irrésistible, avait l'air, sur la photo, d'un homme propret et tiré à quatre épingles, presque beau, d'un héros contemporain un peu distant, charmeur malgré lui. Petit col de chemise blanche parfait dans costume foncé à rayures tennis, cravate sombre, le cou est long, la bouche sensuelle, le nez régulier et dessiné, les yeux grands et clairs derrière de parfaitement sérieuses lunettes rondes d'écaille brune, le front large, la coiffure à raie sur le côté tout à fait convenable, l'oreille grande, bref un visage classiquement sensuel. A peine y distinguerait-on, d'ailleurs, la fameuse exophtalmie de l'œil gauche qui, de trois quarts comme l'angle du photographe l'avait choisi, devenait un doux agrandissement des pupilles... Les Schweitzer auraient même pu, dans ce portrait, distinguer une ressemblance avec Anne-Marie, la belle jeune femme qui était sa mère : par quel miracle l'œil d'un photographe américain avait-il fait ressortir du visage de Sartre certains traits de sa mère, avait-il réussi à trouver le bon angle, celui qui révélait les traits schweitzériens, comme le sérieux, la sensualité, les beaux yeux clairs, la grande bouche, bref, exactement tout ce que tant d'autres trouvaient laid? Métamorphose de l'homme Sartre, depuis les tortures physiques, les chutes narcissiques des années d'humeur noire? Au retour de Berlin, quand tout allait mal : écrits, amours, projets divers, qu'il était devenu gras - un petit gros genre pot à tabac - et qu'il voyait venir les premiers signes de la vieillesse, cette calvitie qu'il avait joliment baptisée du néologisme sartrien d'« enchauvissement », la déformation du corps n'avait-elle pas été, à elle seule, un signe d'échec complet? Et le revoilà, exactement dix ans plus tard, enfant chéri dans l'arène new-yorkaise, fin, élégant, beau, homme à succès, rajeuni bien sûr, et amoureux!

« Les magazines d'avant-garde de toute l'Amérique, écrivit à son arrivée Dorothy Norman dans le *New York Post*, regorgent d'articles sur le brillant écrivain français Jean-Paul Sartre, quand ce ne sont pas des textes de sa plume. Les communistes l'attaquent. Les intellectuels antistaliniens de la *Partisan Review* l'applaudissent. Le *New Yorker* sourit. Même les magazines de mode commencent à réagir à la percée sartrienne [6]. » Et Dorothy Norman, sensible déjà à la légende parisienne, répercuta à son tour outre-Atlantique les rumeurs de femmes évanouies, symbole pertinent pour le public américain de la qualité de ses écrits! *Harper's Bazaar* alla même jusqu'à commander à Simone de Beauvoir un portrait de Sartre qu'on avait souhaité le plus intime, le plus inédit possible, et qu'on publia sous le titre aguicheur : « Jean-Paul Sartre : strictement confidentiel » au moment même de son arrivée à New York. « Il déteste la campagne. Il abhorre - le mot n'est pas trop fort - la vie grouillante des insectes et la pullulation des plantes vertes... » Le Castor n'y allait pas de main morte, entrait dans le vif du sujet : très vite, les Américains découvrirent une série de secrets sur les goûts intimes et quotidiens de ce nouveau héros, - comme sa haine de la chlorophylle ou son dégoût devant les plats de nourriture crue. Les médias français avaient mis la fusée sur orbite; les médias américains allaient, selon certaines de leurs méthodes, le plonger tout vif dans le bain du « star-system ».

Escorté, dans le train Paris-Bordeaux, par la petite Wanda, courtisé dans le bateau Bordeaux-New York par la femme du consul brésilien, présenté au public américain par la plume du Castor elle-même, attendu enfin à New York par une Dolorès qu'il allait mettre tous ses talents à séduire, quelle situation de rêve! Toutes ses femmes étaient là, présentes, attentives, actives, au moment de sa gloire. Toutes les « petites fiancées » du jardin du Luxembourg que Charles Schweitzer inventait ou observait – peu importe! –, tous ces regards de femmes bienveillantes et aimantes, qu'il fallait continuer à séduire, de concert, toutes, sans en perdre aucune, ce fut indubitablement un moteur essentiel toute sa vie durant. Ce le fut, à coup sûr et plus que jamais, en cet hiver de l'année 1946 : il trônait, joyeux, au milieu de cette galaxie féminine, sans songer aux sacrifices à venir ni aux promesses à tenir. Pour l'heure, nulle galaxie qui tienne, c'est Dolorès et elle seule qui stimule les fantaisies, le génie, l'invention polymorphe de cet amoureux si doué : chansons, poèmes, lettres, odes, promenades, compliments, émerveillements, pitreries, conversations interminables, questions fusantes, émotions multiples, l'attirail était infini... « Il avait une façon de vous aimer, raconte Dolorès, qui était totalement unique : il y mettait tout ce qu'il avait, tout ce qu'il savait; il se déversait pour vous écouter, vous comprendre, vous aimer. Toute son intelligence, tous ses talents y passaient, et il parvenait à créer en vous une irrésistible attirance [7]. » Toutes défenses vaincues, il se livrait alors tout entier. « Tu savais tout de sa vie, poursuit Dolorès, *tout, tout.* Ce qu'il y avait d'extraordinaire, quand il était amoureux, et quand il voulait vous séduire, c'est qu'il racontait sans limites, c'est qu'il questionnait et entrait en vous, comme un tank, un véritable tank... »

Il va vivre pendant deux mois et demi avec Dolorès, partager ses déplacements, rencontrer ses amis, fréquenter ses lieux favoris. Et le week-end, plus de deux jours durant, il restera cloîtré chez elle : une femme mariée, même vivant seule, échappe mal aux qu'en-dira-t-on des portiers dans ces respectables immeubles new-yorkais où des hommes en livrée ouvrent la porte du taxi et vous véhiculent en ascenseur dans vos appartements. Dolorès, donc, l'appela le « prisonnier », ironisant sur les aléas de sa condition ponctuelle. « Ici, la vie est douce et sans histoire », écrira-t-il laconiquement à Simone de Beauvoir. Travail, vie amoureuse et rendez-vous. Promenades, boîtes de jazz et bars tranquilles. Week-ends à la campagne chez des amis à elle. Le Sartre de quarante ans s'intégra donc à New York, à l'Amérique grâce aux habitudes quotidiennes, grâce aux amis de Dolorès. Et ce « don de l'Amérique », cadeau de Dolorès – comme il le dira lui-même plus tard –, c'est maintenant qu'il se joue : Dolorès, pétulante, épanouie, généreuse, jonglant elle aussi avec tous ses talents deviendra, pour la circonstance, meilleur cordon-bleu qu'elle ne l'avait jamais été; réussissant, en un tour de main, et sans même qu'on s'en aperçoive, plats en gelée sophistiqués et délicieux, qu'elle sortait comme par magie sans la moindre trace de travail ou de temps. Gestes gastronomiques intégrés au tourbillon de la vie comme seuls les grands stylistes, les vrais artistes savent, et comme de manière innée, les effectuer. Le couple Dolorès-Sartre, radieux et tout fou, qui marchait sur la 6e Avenue et se taquinait dans un français argotique et coloré, deux gamins chahuteurs et heureux, parlant sans cesse et découvrant le monde à un train d'enfer, ce fut sans aucun doute l'image la plus vraie, la plus « strictement confidentielle » de ces deux mois-là.

Sartre avait retrouvé, entre autres, à New York, un de ses camarades de promotion de Normale : Jean-Albert Bédé, qui enseignait à la Columbia University, dans ce beau quartier limite de la 100e Rue Nord, en bordure de Harlem. Bédé proposera à Sartre de faire des conférences, le présentera à ses collègues, lui offrira même une chaire de professeur au département de français, pour deux années universitaires. Il va s'occuper de problèmes juridiques avec Alfred Knopf, son éditeur américain, s'occuper de l'adaptation de *Huis clos* par une troupe canadienne, répondre à des interviews, à des invitations, et bien sûr prononcer les fameuses conférences qui avaient, à elles seules, justifié le voyage. « Ici, c'est comme à Paris, écrit-il au Castor, tout le monde parle de moi et on me traîne partout dans la boue. C'est mon sort, j'imagine [8]. » En effet, l'Amérique bien-pensante, alertée par l'arrivée de cette « sinistre philosophie du pessimisme dérivée, par les soins d'un athée français, des textes d'un mystique danois [9] », ne fut pas moins prompte à se cabrer, de toute la force de ses vertus éthiques, contre la pénétration de ce virus gaulois. « A l'époque, confirme Henri Peyre, c'était toute une affaire : et l'existentialisme avait en Amérique une bien mauvaise réputation, celle d'une littérature de défaite. » Henri Peyre, arrivé en 1939 du Caire pour diriger le prestigieux département de français de la Yale University, dans le Connecticut, et qui va devenir l'homme clef de la vie littéraire et universitaire française aux U.S.A., avait donc invité Sartre à prononcer une conférence à Yale. « En apprenant que Sartre allait venir chez nous, poursuit-il, un homme d'affaires protesta auprès du président de l'université et auprès du directeur du département de français : nous allions démoraliser l'université avec un pareil conférencier. J'ai moi-même répondu en expliquant à cet homme d'affaires pourquoi et de quelle manière l'existentialisme était une philosophie parfaitement morale [10]. » Malgré ces remous, Sartre donna une conférence devant deux cent cinquante professeurs et élèves de Yale ; il reprit, entre autres, les thèmes de « L'existentialisme est un humanisme ». « Clair, lumineux, sans aucune recherche d'effets, très affable lorsqu'on le questionna, très cordial, très simple. » Henri Peyre ne tarit pas de louanges sur les qualités de « son » conférencier : il venait de remporter un succès personnel en se battant pour lui permettre de s'exprimer. De son côté, Sartre se montra particulièrement impressionné par la véritable armée d'« exégètes sartriens » qui se trouvait rassemblée au département de français : car, outre Henri Peyre, il y avait là Jean Boorsch et Kenneth Douglas. Ils avaient déjà tout lu, tout assimilé et savaient poser les bonnes questions. Il fut ainsi question du « héros intellectuel » dans les romans français – phénomène exotique pour les Américains, auquel d'ailleurs plus tard Victor Brombert consacrera un merveilleux livre [11]. Sartre revint à Yale et traita, cette fois, de l'influence en France, autour de lui, des romanciers américains : « Nous étions écrasés, expliqua-t-il, sans en être conscients, par le poids de nos traditions et de notre culture. Les romanciers américains, sans tradition et sans aide, ont forgé, avec une brutalité barbare, des instruments d'une valeur inestimable... Nous avons utilisé de manière consciente et intellectuelle ce qui était le fruit du talent et d'une spontanéité inconsciente... Bientôt vont paraître aux États-Unis les premiers romans français écrits sous l'occupation. Nous allons vous restituer ces techniques que vous nous avez prêtées. Nous vous les rendrons digérées, intellectualisées, moins efficaces et moins brutales – consciemment adaptées au goût français [12]. » Où l'on retrouve le goût de Sartre pour la rupture, pour le renouvellement, pour la création *causa sui.* Deux années plus tard l'excellente revue *Yale French Studies* consacrait un numéro entier à Sartre et à l'existentialisme [13].

Puis Sartre parla, à la Harvard University de Boston, où Jean Seznec, un ancien camarade, enseignait : il l'introduisit auprès de Harry Levine, le célèbre comparatiste. Avant la conférence, durant le dîner, Sartre émit le désir de modifier le thème dont il allait traiter : initialement prévue, une approche française des romanciers américains – « qu'il ne connaissait d'ailleurs pas très bien, selon moi », explique Harry Levine. Mais voilà, expliqua Sartre, juste avant mon départ de Paris, j'ai lu *La Peste* de Camus, je suis enthousiaste et j'aimerais bien en parler comme ça, au pied levé. « Il a improvisé, raconte Harry Levine, devant son public, une conférence inédite sur *La Peste*; ce fut extraordinaire d'éloquence et d'enthousiasme [14]. » Équilibriste hardi ou conférencier classique, il poursuivit sa tournée de Yale à Harvard, de Princeton à Columbia, de New York à Toronto, d'Ottawa à Montréal, de salles de cours en salles de concert, comme à Carnegie Hall par exemple.

D'autant plus courues furent ses conférences, d'autant plus

intrigués ses auditeurs américains mis en éveil par la presse, que rares encore étaient les traductions de ses œuvres en anglais. Les non-francophones furent donc dépendants des « relais », professeurs, critiques ou autres qui avaient pu, en français, lire dans le texte ses dernières parutions, pour avoir un aperçu de l'ensemble de son œuvre. En janvier 1946, seuls étaient traduits en anglais ses nouvelles : *La Chambre* (Hogarth Press, Londres, 1939), *Le Mur* (Chimera, été 1945); sa pièce : *Huis clos* (Horizon, Londres, 1945); certains de ses articles comme « La République du silence » (*Atlantic Monthly,* décembre 1944) ou encore « Présentation des *Temps modernes* » (Horizon, Londres, 1945 et *Partisan Review,* New York, été 1945). D'ailleurs le magazine *Vogue* lui avait commandé auparavant un article paru en mai 1945 sous le titre *« New Writings in France ».* En 1946, peu après son séjour, la *Partisan Review* allait publier un extrait de *La Nausée,* et l'article « Portrait de l'antisémite », paru dans *Les Temps modernes,* peu de temps auparavant. C'était, somme toute, assez peu de chose.

« Sartre doit parler à Carnegie Hall? Je n'irai sans doute pas; Sartre, c'est un de ces types que Normal Sup produit de temps en temps : il est capable de vous pondre en un week-end un topo de cinquante pages sur n'importe quel sujet... Et, en plus, cinquante *bonnes* pages! » Cynique et paradoxal, Marcel Duchamp avait ainsi présenté à Lionel Abel un Sartre qu'il taquinait à peine, puisqu'il s'était retrouvé, quelques jours plus tard, aux premiers rangs de Carnegie Hall pour écouter la conférence sur les nouvelles tendances du théâtre français d'aujourd'hui. Organisée par Charles Henry Ford, directeur de la revue *View,* cette soirée fut un festival : là, en plein cœur de Manhattan, l'enfant chéri de la littérature française eut beau parler du renouveau théâtral de l'après-guerre en Europe, c'est l'homme, bien plus que sa conférence, qu'on découvrit, qu'on apprécia. Surtout lorsque, porté par l'alcool et le cocktail qui suivit, il plaisanta sur ses incompétences linguistiques, retrouvant allégrement son rôle de boute-en-train, comme toujours lorsqu'il se sentait en terrain complice. « Il nous a expliqué, tout de go, écrit le journaliste du très sophistiqué magazine *The New Yorker,* qu'il adorait New York sans la moindre réserve : ici, pensait-il par exemple, ce qui était bien c'est qu'il n'y avait pas de restaurant à clientèle purement intellectuelle et qu'on échappait donc aux conflits de milieu, qu'on était plus libre en quelque sorte... Il nous a également raconté qu'à son précédent voyage il aurait pu faire un superbe tour dans le pays, s'il n'avait pas été constamment forcé de visiter des usines d'armements. Il n'aime pas les usines d'armements... " Cette fois-ci, je n'ai pas d'usines à visiter, mais des conférences à faire. J'ai préféré les conférences aux usines. " [15] »

On remarqua donc ce qu'aucun texte n'aurait pu transmettre : la chaleur humaine, l'humour, les qualités de contact. On remarqua également ce que les photos, même les plus flatteuses, ne montraient pas : qu'il était « petit, trapu, les attaches fortes, la poitrine large ». Lionel Abel, par exemple, fut frappé par l'« évidente virilité qui émanait de sa manière de parler, de sa force physique, de son attitude face à la douleur » et notait surtout ses extraordinaires capacités de communication. « On se demande, ajoutait-il, une fois qu'on l'a entendu s'exprimer en public, dans quelle situation il pourrait bien se trouver à court de mots [16]. » William Barrett, à qui l'on devra plus tard d'innombrables articles sur Sartre dans *Partisan Review* ou *Atlantic Monthly,* à qui l'on devra surtout l'ouvrage célèbre *What is existentialism?* [17] dès l'année suivante, était présent lui aussi dans la salle de Carnegie Hall ce soir-là. « Je lui ai à peine serré la main, nous dira-t-il près de quarante ans plus tard. Ce dont je me souviens, c'est que la salle était bondée, qu'on y retrouvait un certain nombre de surréalistes américains; Sartre fut très intéressant, dans un grand brio oratoire. Il était précédé, bien sûr, de sa réputation créée par la presse. Ce fut surtout cette polyvalence d'écriture qui nous subjugua. C'était totalement unique de rencontrer un philosophe de cette trempe, doublé d'un romancier – même décevant –, d'un dramaturge, d'un journaliste, d'un essayiste... Oui, c'est bien tout l'ensemble qui nous impressionna absolument [18]. » Irving Howe, qui, lui aussi, écrira beaucoup sur Sartre, notera pour sa part l'extraordinaire attrait de l'image sartrienne : « intellectuel indépendant, hors de toute institution, libre de tout déterminisme », même si, ajouta-t-il, « il était fort difficile pour nous de penser dans les mêmes termes, politiquement par exemple, étant donné la faiblesse insigne des communistes américains alors même que le P.C.F. était au pouvoir : cela changeait tout dans nos analyses [19] ».

Critiqué, Sartre le fut à coup sûr lors de ses rencontres avec le groupe de la *Partisan Review.* Invité par l'équipe dans un restaurant français de la 56e Rue Ouest, il rencontra notamment Hannah Arendt, William Phillips, Philip Rahv et Lionel Abel; échanges d'articles avec *Les Temps modernes,* commandes de textes à Sartre, mutuelles interrogations sur la politique : consensus antistalinien, certes, mais pour un homme comme William Phillips une déception certaine devant les propos sartriens, trop dogmatiques à son goût. « Nous trouvions Camus plus direct », nous expliquera-t-il plus tard [20]. D'ailleurs les rapprochements que Sartre effectuera plus tard en direction du P.C.F. achèveront de navrer ses amis américains. A ce même déjeuner, tout de même, Sartre se tailla un franc succès lorsqu'on l'interrogea sur ses collègues français. Camus? « Oui, c'est un ami, un écrivain de talent, un bon styliste, mais pas vraiment un génie », répondit-il. Ce qui eut pour effet de réjouir Philip Rahv et Hannah Arendt, dès lors plus à l'aise pour exposer leurs critiques à propos de *L'Étranger.* « Par contre, expliqua-t-il, prenant tout le monde de court et par surprise, nous avons en ce moment un véritable génie littéraire en France : il s'appelle Jean Genet, et son style, c'est celui de Descartes [21] ! » Peu après, la *Partisan Review* consacrait un article à Genet : belle découverte!

Il ne rencontra pas ces rescapés de l'école de Francfort comme le philosophe Horkheimer qui enseignait alors à la New School of Social Studies, à New York. Ce dernier avait en effet confié à Norbert Guterman que pour lui Sartre n'était qu'un « truand et un racketteur dans le monde de la philosophie ». D'ailleurs, rappelle Guterman, « n'avait-il pas manœuvré admirablement sa propre publicité? N'avait-il pas, également, refusé d'écrire un article pour la revue *Life* parce que c'était trop mal payé [22] ? » Sartre ne rencontra pas non plus, semble-t-il, nombre de sociologues ou d'anthropologues américains, formés autour de la célèbre école de Chicago, bien que, déjà, leurs recherches eussent en commun de larges domaines d'investigation. Ainsi, cette sociologie de la vie quotidienne effleurée à de nombreuses reprises dans *L'Être et le Néant* aurait eu de quoi séduire des hommes comme Talcot Parsons, Herbert Blumer, Schutz, Gregory Bateson, Wright Mills, Kenneth Burke, George Herbert Mead. Certes, l'ouvrage ne sera traduit en anglais que dix années plus tard, et seul Herbert Marcuse y fit référence dès 1948 dans un article où il percevait que « l'analyse existentielle de Sartre était une analyse strictement philosophique, puisque négligeant les facteurs historiques qui constituent le concret empirique [23] ». Quant au sociologue Erving Goffman, que d'aucuns compareront plus tard en parallèle à Sartre, il n'avait en 1946 qu'une vingtaine d'années et étudiait la philosophie à l'université de Chicago avec des professeurs comme Herbert Blumer et William Thomas. Cependant, la philosophie qui sous-tendait leurs recherches, leurs domaines d'investigation auraient de nombreuses similarités : l'intérêt pour les marginalités sociales fut pour Sartre à l'origine d'un combat éthico-politique; il fut pour Goffman l'occasion d'investigations poussées en micro-sociologie. « Sartre avait élaboré, nous dira en 1982 Erving Goffman, une sociologie à la George Herbert Mead : dans *L'Être et le Néant,* par exemple, il avait fait ici et là des morceaux d'ethnographie pure, mais il ne nous a pas vraiment influencés de manière profonde. Lorsque nous faisions nos études, il n'était pas traduit. Lorsque nous avons été en mesure de le lire, nous étions déjà formés [24]. » Faut-il donc regretter que les perspectives philosophico-sociologiques des deux hommes, si parallèles et si différentes, n'aient pas donné lieu à des débats ou à des rencontres directes? Ils resteront, parallèles, apparentés, familiers l'un à l'autre et à leurs lecteurs, Goffman plongeant dans l'observation participante de la société avec tous ses écarts, toutes ses déviances – l'asile et la prison –, toutes ses monstruosités; Sartre s'intéressant passionnément aux mêmes phénomènes, mais soit en philosophe, soit en militant éthique. Entre eux, surtout, le même type de regard, dépouillé de la moindre complaisance, cru et droit en direction du réel, de l'existentiel [25].

Second séjour en Amérique : ce fut l'occasion de créer une antenne sartrienne chez Dolorès, une annexe des *Temps modernes*. Elle va centraliser les demandes, les articles, recevoir les amis de passage à New York, véritable centre de toutes les relations sartriennes avec l'Amérique : bientôt, à New York, chacun eut son Sartre, les universitaires, philosophes ou littéraires, les journalistes, les dramaturges, les politiques, les romanciers... Arthur Miller, par exemple, qui pourtant ne le rencontra jamais, se souvient des traînées médiatiques laissées par ce séjour, se souvient de la personnalité « absolument fascinante » alors présentée dans la presse, du sentiment de « profonde identité » ressenti à l'égard de Sartre, homme de théâtre. « En Amérique, on écrit des pièces très réalistes, nous expliqua-t-il [26], mais lui tentait en plus d'y ajouter des analyses philosophiques et psychologiques, ce qui était rigoureusement inédit. »

Désir de témoigner sur cette Amérique bis? Dès son retour à Paris, Sartre entreprendra de rédiger un manuscrit directement influencé par les expériences qu'il venait de vivre avec, pour titre provisoire, *Tableautins d'Amérique* : qui sait ce que le projet devint? Dans le numéro spécial des *Temps modernes* consacré aux États-Unis – il verra le jour dès l'été 1946 –, son texte de présentation reste la seule trace : « Il y a les grands mythes, écrit-il notamment, celui du bonheur, celui de la liberté, celui de la maternité triomphante, il y a le réalisme, l'optimisme... Il y a le mythe du bonheur, il y a ces slogans envoûtants qui vous avertissent d'être heureux au plus vite... les films qui finissent bien... il y a cette langue, chargée d'expressions optimistes et abandonnées : " *have a good time* ", " *enjoy* ", " *life is fun* ", etc. » et, après l'évocation des tabous américains, de la ségrégation raciale américaine, il conclut, nostalgique, sur « l'étrange douceur lasse que prennent les visages, à New York, quand les premières lampes s'allument dans Broadway [27] ».

« J'ai envie de rentrer, je suis tué par la passion et par les conférences. » Aux derniers jours de février 1946, Sartre écrit à Simone de Beauvoir pour lui annoncer qu'il recule sa date de retour à Paris : ce sera par avion, et le 15 mars. Explication de ce contretemps? Les difficultés d'argent, les derniers achats à faire. Totalement crédible, Sartre, dans ses excuses maladroites? Ou bien un peu ambivalent, lorsque par exemple, décrivant Dolorès au Castor, il évoque des problèmes et joue à se faire plaindre? « Dolorès m'aime à faire peur... Sa passion m'effraie littéralement, surtout que je ne suis pas fort dans ce domaine [28]. » Ce procédé classique du double langage – celui des dons Juans à la petite semaine? –, Sartre saura, toute sa vie, et avec un art consommé, l'utiliser. Mensonges, double jeu, promesses, excuses, cadeaux, regain de séduction, voyage en amoureux, ses talents, son imagination seront, chaque fois, requis pour le sortir d'un mauvais pas et l'aider à gérer ce harem ouvert et sans limites et qu'il ne voulait, à aucun prix, briser. En effet, au moment même où il exposait au Castor ses douleurs d'être trop aimé de Dolorès, il quittait Dolorès en des termes absolument clairs. « Il m'a dit : " Viens, je t'épouse et puis c'est marre ", nous racontera-t-elle plus tard, sans tenir compte du fait que j'étais encore mariée à l'époque. Et puis il avait vraiment envie d'accepter la proposition de son copain de Columbia et de rester vivre ici avec moi pendant deux ans, en enseignant à l'université. Pour ma part, je me demandais s'il se plairait ainsi, à New York, avec ses problèmes de langue... »

Quand Sartre fut rentré à Paris, le 15 mars 1946, le grand sujet de discussion entre lui et le Castor fut assurément le « dossier Dolorès ». « Sartre me parla beaucoup de M. », écrit Simone de Beauvoir, usant diplomatiquement de l'initiale. « A présent, poursuit-elle, leur attachement était réciproque et ils envisageaient de passer chaque année trois ou quatre mois ensemble. Soit, les séparations ne m'effrayaient pas, mais il évoquait avec tant de gaieté les semaines passées avec elle à New York que je m'inquiétai... je me demandai soudain s'il ne tenait pas à M. plus qu'à moi... D'après ses récits, M. partageait exactement ses réactions, ses émotions, ses impatiences, ses désirs [29]. » On connaît sans doute la suite : dans sa jalousie pour cette histoire qui lui échappait doublement, puisque si loin d'elle, à New York, Simone de Beauvoir posa à Sartre l'éternelle question : « Elle ou moi? » et celui-ci trouva la fameuse réponse, chef-d'œuvre d'ambiguïté : « Je tiens énormément à Dolorès, mais c'est avec vous que je suis! » Inconscient, pervers, cynique, manœuvrier, cruel, sadique, ou tout simplement maladroit?

Parlant de l'une à l'autre avec la plus grande transparence quand il avait envie de transmettre sa joie. Avec la plus grande ambivalence par contre lorsque était arrivée l'heure de l'esquive. Les trouvailles de Sartre amoureux, de Sartre polygame feraient les délices de tous ceux qui, empêtrés dans des doubles, des triples vies, trouvent rarement issues, parades, argumentations efficaces. Il y parvint, à merveille, et sans faille jusqu'à sa mort. Mais à quel prix!

« Je vous parlerai aussi de Dolorès... Vous imagineriez mal le curieux mélange de peur et de décision, de pessimisme profond et d'optimisme de détail, de passion et de prudence, de timidité traquée et de culot qui la compose... Elle peut être d'une candeur et d'une innocence d'enfant lorsqu'elle est heureuse [30]. » Inconscient ou cruel, lorsqu'il écrivait ces phrases au Castor? Inconscient ou cruel, lorsque, à son retour d'Amérique, il entreprit d'expliquer à tout le monde autour de lui que Dolorès était la femme la plus merveilleuse du monde, qu'elle viendrait bientôt le rejoindre? Si bien que Mme Mancy, dans l'extraordinaire candeur de son amour pour son fils, dans la vision très conventionnelle qu'elle avait du mariage et de la « stabilité affective », interrogeait avec angoisse toutes les personnes qui avaient, à New York, rencontré Dolorès. Un jour, s'approchant d'Henriette Nizan, elle lui demanda à voix basse et comme en secret : « Dolorès, vous croyez que c'est une femme pour Poulou [31]? »

DANS LA SALLE DES MACHINES

Successivement, de 1946 à 1949 : *L'existentialisme est un humanisme* (mars 1946); « Matérialisme et Révolution » (juin); « New York, ville coloniale » (juillet); « Présentation des États-Unis » (août-septembre); *Réflexions sur la question juive* (novembre); *Morts sans sépulture* (novembre); *La Putain respectueuse* (novembre); « Les Mobiles de Calder » (automne); « La Liberté cartésienne » (décembre); « Écrire pour son époque » (décembre); *Baudelaire* (janvier 1947); *Qu'est-ce que la littérature?* (en série toute l'année 1947); « Les Faux Nez » (mars); « Nick's Bar, New York City » (juin); *Les jeux sont faits* (septembre); « La Tribune des *Temps modernes* » (octobre); *Situations I* (octobre); *Théâtre I* (octobre); « David Hare : sculptures à *n* dimensions » (décembre); « Présence noire » (décembre); « Visages » (janvier 1948); « Giacometti : la recherche de l'absolu » (janvier); *Les Mains sales* (mars); *Situations II* (printemps); « Orphée noir » (printemps); préface à *Portrait d'un inconnu* de Nathalie Sarraute (printemps); « Conscience de soi et connaissance de soi » (avril-juin); *L'Engrenage* (novembre); série d'articles sur le Rassemblement démocratique révolutionnaire (mars-décembre); interview de Lukács (février 1949); réponse à François Mauriac (mai); *Situations III* (juin); « Naissance d'Israël » (juin); « Noir et Blanc aux États-Unis » (juin); présentation du *Journal du voleur* de Jean Genet (juillet); *La Mort dans l'âme* (août); reportage sur Haïti (octobre); « La Dernière Chance » (décembre). Sans compter les dizaines d'interviews et d'articles en France, en Europe, en Amérique du Nord et du Sud. Sans compter les dizaines de conférences inédites en Suisse, en Italie, en Grande-Bretagne, en Allemagne. Sans compter les traductions étrangères, et presque toujours immédiates, de ces textes. La liste – incomplète – recense plus d'une quarantaine de produits sartriens en moins de quatre ans. Les genres? Conférences, essais, pièces de théâtre, articles, présentations diverses, émissions radiophoniques, biographies, réflexions philosophiques, scénarios, chansons, romans, reportages... Les thèmes? Esthétique, littérature, éthique, politique, philosophie, voyages, arts plastiques, musique... Qui dit mieux?

Stratégie de production ou boulimie d'écriture incontrôlée? Écriture coup de massue? Coup de poing? Mégalomanie? Années fastes? Débordements tous azimuts? Écrivain prolifique? Délires de plumitif enragé? Quels mots, quelles formules pour parler de ces années-là? Audiberti trouva « Sartre et ses cinq cerveaux », trouva encore ses « camions campant partout dans un remue-ménage colossal en librairie, en théâtre, en cinéma [1] ». Et puis? Une cohérence dans tout ça? Une hiérarchie? Une échelle de valeurs? Un ordre souterrain?

« Lorsque je l'entendais siffler, je savais avec certitude qu'il écrivait de la philo. Lorsqu'il était content, c'était un roman. Lorsque, par contre, il ne cachait pas une mauvaise humeur bougonne, c'est qu'il était dans le théâtre, le journalisme ou surtout la politique » : propos d'un témoin proche. Hiérarchie sartrienne d'après le baromètre de ses humeurs. Parmi les différents produits de ces années fastes, entre les textes qu'il écrivit par plaisir et ceux qu'il écrivit par devoir, entre les textes qu'il griffonna en quelques heures sur un coin de table et ceux auxquels il s'attelait de lui-même lorsqu'il avait du temps, une telle variété, une telle disparité, une telle cohérence, pourtant. Ne nous fions pas aux apparences : ses textes les plus scandaleux ne furent pas ses préférés, ses textes les plus lus ne furent pas ses plus investis, ses textes les plus vendus ne furent pas ses plus chers. Car tout s'organise, au fond, dans un réseau souterrain extrêmement simple et extrêmement complexe à la fois : il suffit de regarder tous les écrits publiés ou inédits, contemporains ou successifs, de confronter textes et actions, articles et théories, et la salle des machines dévoile ses batteries, dans une architectonique personnelle et unique.

Dès le second retour d'Amérique, au printemps 1946, le système sartrien se transforma : un certain nombre de gestes, de ceux que l'on fait sans s'en apercevoir, de manière mécanique, comme passer une vitesse ou mettre ses lunettes. Gestes naturels, entraînés par le rythme, gestes nécessaires, apparemment gratuits, déterminés pourtant par l'ensemble du système qui les sous-tend. Gestes simples et sans équivoque, déterminants pourtant, glissements presque invisibles de l'extérieur. Comme s'il passait, en quelque sorte, de l'artisanat au professionnalisme. Rouages, pistons, courroies de transmission, carburants divers, produits bruts et produits dérivés, tout y sera. La salle des machines? Pièce maîtresse de cette formidable mécanique, un lieu caché, secret, intime, sophistiqué, d'une élaboration extrême. En travail permanent, entre forges et hauts fourneaux, les pistons fonctionnant sans cesse dans une chaleur extrême, nourris à la chaîne, sans trêve. Grand chef de tout l'ensemble, le maître d'œuvre, chef mécano, sur le qui-vive entre turbines et chaufferie, moteurs, chaînes de montage, réparant, produisant, soutenant son équipe, un artisan, homme de terrain, obsessionnel et génial, soûlé par les vapeurs, les cadences infernales, poussant à bout toutes les machines et surtout la sienne, café sur café pour ne pas dormir, comprimés d'orthédrine pour accélérer, whisky sur whisky pour décompresser, poussant, tirant, courant, au four et au moulin, un homme de quarante ans, petit, fort, robuste, râblé, rieur et plein d'entrain, stimulant, tonique, fumeur, buveur, boute-en-train, increvable. A l'heure où l'hebdomadaire *Samedi soir* en rajoutait sur le « pape de l'existentialisme », à l'heure où les salauds causaient, entre poire et fromage, de ses vices divers, puanteur de sa chambre d'hôtel, cendriers débordants, lits défaits et odeurs louches, à l'heure où l'on se gaussait de ses « troupes encadrées par les garçons de café de Saint-Germain-des-Prés et les barmen de la rive gauche », l'édifice sartrien prenait forme selon des modèles, des rythmes, des lois qu'il garderait toujours. Loin des hôtels pouilleux et odorants, c'est ailleurs, désormais, que tout se trame. Tout près, pourtant, des cafés et des caves. Mais là-bas, en hauteur, comme il aimait. Au quatrième étage d'un appartement propret et vieillot, devant l'église, devant la place, devant la rue de Rennes. Ailleurs, tout près, en haut paradoxalement, c'est la salle des machines. C'est là que tout se trame, que tout se passe, que tout se crée. Et si nous allions faire un tour du côté des machines?

Tout commence, en fait, avec l'acquisition d'un secrétaire. Le jour où un jeune khâgneux très sartrien vint proposer ses services. Grand admirateur de Mathieu dans *Les Chemins*, séduit par l'image de ce prof qui s'encanaille au bordel avec ses troupes, il rencontre Sartre au café, l'aborde, lui parle, et l'affaire est dans le sac. Spontanéité, insolence, gouaille rageuse, force rugueuse, accent rocailleux du Sud-Ouest, physique brun et râpeux d'un terroir où l'on a les mains larges et costaudes, l'œil coquin et voyou, l'impatience de l'animal sur le qui-vive, prêt à bondir : le jeune Jean Cau plaît tout de suite à Sartre. Il a une vingtaine d'années et sort de la khâgne de Louis-le-Grand où il a partagé réflexions et lectures avec des garçons comme Jean Poperen, Claude Lanzmann, Gilles Deleuze. Accentuant volontiers le côté fils du peuple sorti d'affaire et à qui on ne la fera pas, la langue crue et colorée de l'Aude, entre Carcassonne et Narbonne. Secrétaire de Sartre? S'installer tous les matins dans un petit bureau de la rue Bonaparte, répondre au téléphone, ouvrir le courrier, gérer les finances : « un patron extra, dira-t-il plus tard, d'une totale générosité à votre égard » et qui vous faisait « une confiance absolue [2] ». Secrétaire de Sartre? Entre la rue Bonaparte et le bureau des *Temps modernes,* prendre les rendez-vous, centraliser les demandes, évacuer les importuns, gérer les projets, trier les offres... L'attelage Sartre-Cau va durer onze ans, de 1946 à 1957. D'ailleurs, autre atout de Cau : pendant la guerre, à Carcassonne, il a fait connaissance de Robert Gallimard, qu'il retrouve à Paris dans un cocktail de la rue Sébastien-Bottin, un jour qu'il y avait accompagné « le Maître ». « Qu'est-ce que tu fais là? – Secrétaire de Sartre », répond Cau. Les informations éditeur-auteur, de Robert à Cau, y gagneront en rapidité. Ainsi Robert Gallimard, le « gauchiste de la famille » et contemporain de Cau, étonnamment malin, rapide, direct, chaleureux, bourré d'affinités sartriennes, devient-il alors et définitivement l'éditeur de Sartre.

« Génial » pour certains, « un peu louche » pour d'autres, « amoureux de Sartre » pour les uns, « abominable et vulgaire » pour les autres, Jean Cau ne parlera de Sartre, après son départ, qu'avec très grande parcimonie et immense affection, et seulement lorsque, interrogé très directement, il ne pourra plus se taire. Au printemps 1985, Cau sortira pour la première fois de son silence à l'égard de Sartre, lui consacrant un portrait d'une vingtaine de pages dans son livre *Croquis de mémoire.* Livre pudique et ému, fait de moments fort habilement traduits, mais sans véritable analyse : un galet lisse et parfait; donc impossible à saisir. Et pas un critique ne se risqua vraiment à toucher à ce texte. En dehors de ces moments secrets, réserve, respect, discrétion exemplaire, malgré les dérives ultérieures. Au 42 de la rue Bonaparte, place forte d'un autre siècle, fin XIXe peut-être, le personnage principal, bien que purement fonctionnel, c'est bien sûr Mme Mancy. Dans ses meubles faux Louis XVI et derrière ses rideaux de dentelle, avec l'aide de sa bonne alsacienne, elle subvient aux besoins matériels : achat des costumes, choix des cravates, lavage et repassage des chemises aux cols blancs, alimentation, ménage. Tenue de maison discrète, présence effacée, coquette, Mme Mancy fut toujours subjuguée par ce « mouton à cinq pattes » à qui elle avait donné le jour, émerveillée et abasourdie devant ce fils si peu ordinaire.

A côté de cette belle sexagénaire tirée à quatre épingles, au chignon parfait, et qui va, pour les vingt ans à venir, récupérer un peu de l'affection de son fils, une autre femme, bien sûr, le Castor qui abordait la quarantaine dans le faste d'une beauté rayonnante, vêtements excentriques, folkloriques parfois, coiffures compliquées, chignon à la castillane, boucles d'oreilles savantes, couleurs étudiées avec bonheur. Le Castor, cheville ouvrière du système, l'huile, le carburant, les rouages à elle seule. Le Castor, véritable chef-d'œuvre d'organisation, douée d'un extraordinaire tonique sartrien. Le Castor, une admiratrice, une créatrice, une fonceuse, une interlocutrice active et infatigable. Dès le milieu des années 30, elle avait lu et relu, conseillé et secondé les premiers écrits d'un homme qui s'effondrait entre ses dépressions et ses systèmes philosophiques beaucoup trop lourds, beaucoup trop maladroits pour un roman. Elle avait écouté et relu, transformé et critiqué, encouragé sans trahir. Pendant la drôle de guerre, elle avait soutenu, écrit, gardé le contact, véritable détentrice de la flamme sartrienne, garde-fou de ses errances, stimulatrice, miroir, et déjà biographe. Car l'exploitation de la vie de Sartre dans les médias – on l'a vu avec *L'Invitée,* on l'a vu avec le strictement confidentiel article de *Harper's Bazaar* – doit beaucoup à Simone de Beauvoir. D'ailleurs ses propres œuvres, romans, pièces de théâtre et conférences, ne sont-elles pas les meilleures images, les premières fécondations de l'existentialisme triomphant? Disciple convaincue et tout de même autonome, féministe et adepte, elle va toucher juste là où il faut pour maintenir l'équilibre : son œuvre propre qui serait à la fois un doublon de l'œuvre de Sartre et une œuvre totalement et intégralement beauvoirienne. Le Castor, donc, maîtresse d'œuvre à laquelle rien n'échappe, entre la rue Bonaparte et le bureau des *Temps modernes,* indispensable, efficace, une présence d'airain.

Et puis, il y a la « famille » : la « garde sartrienne » pour les uns, les « barons du régime » pour les autres. Tous ou presque anciens élèves, des inconditionnels définitifs, des amis : les intimes. Ce sont en 1946 Jacques-Laurent Bost, Jean Pouillon, J.-B. Pontalis, rejoints six ans plus tard par Claude Lanzmann, par exemple. Ces barons-là – hormis peut-être Pontalis qui aura un conflit « psychanalytique » avec son ex-futur analysé en 1969, nous en reparlerons – tiendront la ligne sartrienne avec la plus parfaite rigueur jusqu'à la fin. Ces barons, cette jeune garde, tampon permanent entre Sartre et le monde, construisirent à eux seuls un système de protection efficace, deuxième barrage après Cau : virant les importuns, introduisant les nouvelles recrues potentielles. Ils développèrent et fécondèrent la pensée du Maître, deuxièmes couteaux actifs après le Castor : conférences, articles, romans, essais, dans le sens de la pensée sartrienne, dans celui, parfois, de la défense sartrienne. Ils furent aussi les modèles, les jeunes, Bost en particulier dont l'élégance un peu raide, l'aisance princière et le charme gêné, les impertinences de langage et la transgression permanente fascinèrent toujours Sartre, sans compter, surtout, qu'il avait, lui, épousé Olga. Bost, mi-petit frère, mi-fils spirituel, peut-être le plus sartrien des barons, le seul en tout cas à rester dans l'œuvre sartrienne comme un personnage de roman, le modèle de Boris dans *Les Chemins.* Bost, donc immortalisé par Sartre, qui apporta rue Bonaparte ses anecdotes, et sa propre vie, qui restera jusqu'au bout le fidèle, le dévoué, le satellite « stérile » au dire de certains, mis en orbite sartrienne de 1935 à 1980 et peut-être plus. Pourvoyeurs de monde, les barons qui racontent et informent, qui suggèrent et renseignent, en contact permanent avec le monde extérieur. Mais aussi diffuseurs secondaires et rouages complices, ils vont assurer la pérennité du bureau des *Temps modernes* et de l'œuvre sartrienne, qui adaptant une pièce de Sartre, qui vérifiant l'adaptation de ladite pièce en scénario, qui traduisant, qui contrôlant, qui explicitant. Ceux du deuxième cercle furent une armure, une gangue, une troupe de choc, gardiens de la flamme pour certains, parasites pour d'autres.

Après les barons, le cercle plus souple des amis, parfois intimes pour quelques mois, parfois absents pour des années, tantôt adeptes fervents tantôt ennemis jurés, formé d'anciens élèves, de la même origine donc que les barons, ce troisième cercle de la salle des machines entretient avec barons, Cau et Castor des relations intimes un temps : déjeuners, sorties, rendez-vous fréquents. Et puis, sortant de l'orbite sartrienne, s'autonomisent, parfois rompent définitivement avec l'ensemble de la comète – ainsi Cau, ainsi Raoul Lévy –, parfois poursuivent avec elle des relations conflictuelles particulièrement violentes et publiques – comme Jean Kanapa – ou en sourdine – comme Robert Misrahi ou Jean Genet. Beaucoup d'anciens élèves défileront ainsi, faisant bénéficier *Les Temps modernes* des nouveaux horizons de leur vie, puis quittant l'espace sartrien par inadvertance ou par usure, ou tout simplement par épuisement des batteries. Citons par exemple Albert Palle, Jean Balladur, Nathalie Sorokine devenue Nathalie Moffat... Recrutés par les barons et en relation avec eux, les anciens des lycées du Havre et de Rouen, des lycées Pasteur, Condorcet ou Molière, se retrouveront dans les pages des *Temps modernes,* ravis d'être sollicités, mais bientôt trop occupés par leurs activités personnelles et échappant de fait à l'attraction sartrienne.

Strictement féminin, à l'inverse du cercle des barons, mais aussi solide que lui, aussi durable, aussi fort, le cercle des femmes.

2

3

◀ 1. Portrait, par Gisèle Freund, 1939.

2. La ferme Sartre à Puifeybert (Dordogne).
3. Thiviers : la maison de la famille Sartre
se trouve à l'entrée de la rue du Thon,
sur la droite ; juste en face, au-dessous du balcon,
la pharmacie Chavoix.
4. Jean-Baptiste Sartre, père de Jean-Paul Sartre,
lycéen à Périgueux, vers 1885.
5 à 7. École Polytechnique,
trois élèves de la promotion 1895 :
5, Jean-Baptiste Sartre ; 6, Georges Schweitzer ;
7, Joseph Mancy.
8. Cuirassé garde-côtes « Le Bouvines »
sur lequel Jean-Baptiste Sartre fut enseigne de vaisseau.

4

6

7

8

9

10

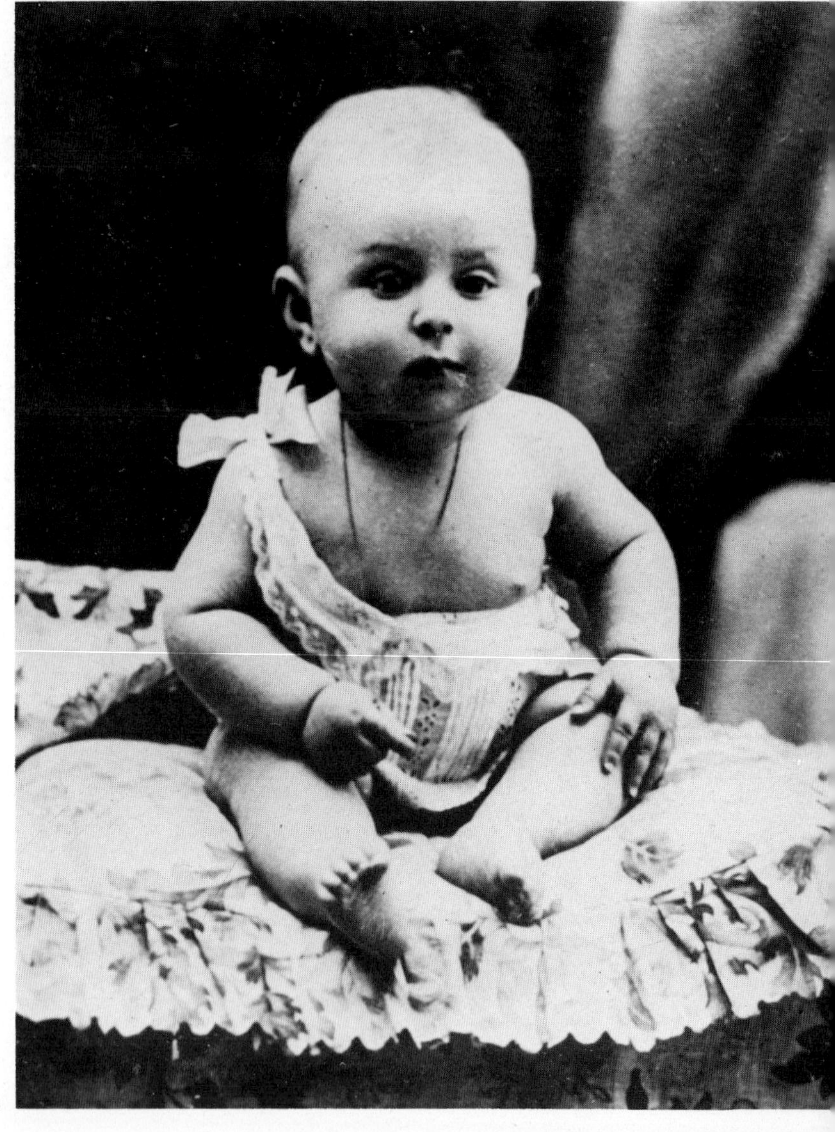

11

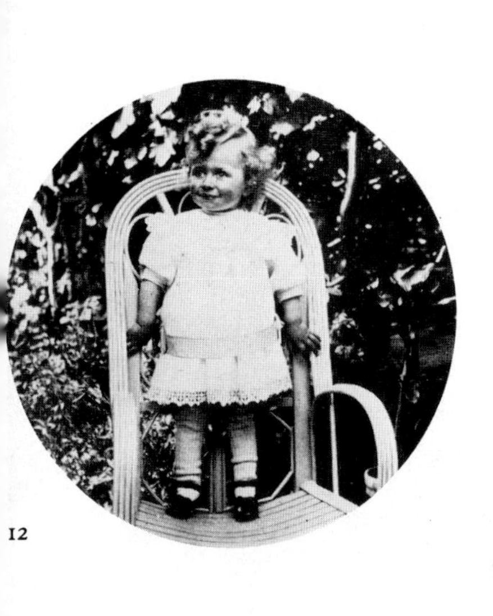

12

13

14

9. Anne-Marie Schweitzer, mère de Jean-Paul Sartre, au moment de son mariage.
10. Jean-Baptiste Sartre à la même époque.
11. Jean-Paul Sartre, dit « Poulou », bébé de quelques mois.
12. Poulou, âgé d'un an et demi.
13. Anne-Marie et Poulou, après la mort de Jean-Baptiste.
14. Le « quatuor Schweitzer » vers 1915, en visite à Pfaffenhoffen. De gauche à droite : Charles Schweitzer, grand-père de Sartre ; Anne-Marie ; Émile Schweitzer, son oncle maternel ; Poulou âgé de huit ans ; l'oncle et la tante Biedermann ; Louise Schweitzer, sa grand-mère.

16

17

15

15. Portrait de l'enfant exécuté par sa mère, vers 1913.
« J'ai la joue ronde et, dans le regard, une déférence affable pour l'ordre établi », écrira Sartre dans *Les Mots*, décrivant ce portrait. « La bouche est gonflée par une hypocrite arrogance : Je sais ce que je vaux... »
16. Classe de troisième, lycée de La Rochelle, année 1919-1920 : Sartre est le second à partir de la gauche, assis par terre, les bras croisés.
17. Élève de première au lycée Henri IV.
18. École Normale Supérieure 1924 : promenade sur les toits. Sartre est assis sur la cheminée, à droite. On reconnaît en bas les deuxième et troisième à partir de la gauche, Henriette Alphen et Paul Nizan ; puis debout, le deuxième à partir de la gauche, Daniel Lagache.
19. École Normale Supérieure, revue de l'année 1925 « La revue des deux mondes ou le désastre de Lang-son » : Sartre est déguisé en Lanson. Debout, Sylvain Broussaudier joue Dupuy.
20. Même revue, Sartre en Lanson est maintenant accompagné de Daniel Lagache en Dona Ferentes.

18

19

20

21

22

21. Été 1929, Sartre s'essaie au tir à la carabine.
À droite, Hélène de Beauvoir, à gauche, à demi cachée,
Simone de Beauvoir ; puis le peintre Fernand Gérassi.
22. Année 1930-1931, au lycée du Havre.
23. Été 38 : Sartre et Simone de Beauvoir
en vacances à Juan-les-Pins.
24. Pendant la drôle de guerre,
le soldat météorologue de 2e classe regarde à la lunette
le ballon que lui tend le caporal Pierre.

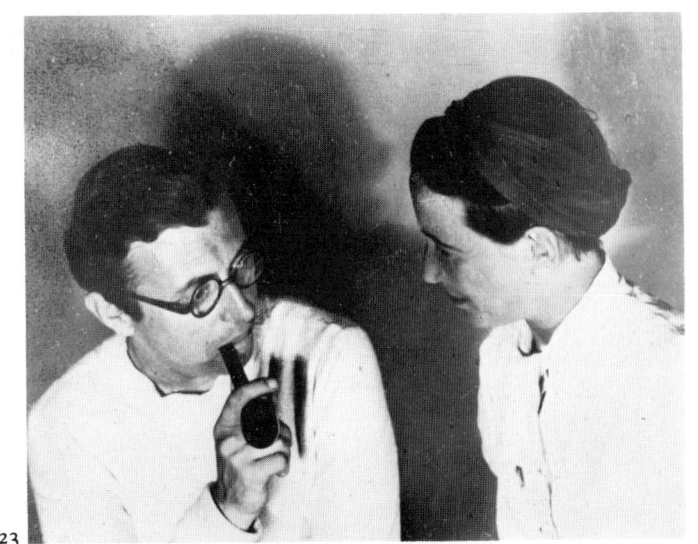

23

24

25

26

25. Le 16 juin 1944, lecture de la pièce de Picasso « Le désir attrapé par la queue ». La distribution réunit (en haut, de gauche à droite) Jacques Lacan, Cécile Eluard, Pierre Reverdy, Louise Leiris, Zanie de Campan, Pablo Picasso, Valentine Hugo, Simone de Beauvoir, Brassaï ; (en bas) Sartre, Camus, Michel Leiris, Jean Aubier.
26. Le 16 octobre 1944 : manifestation au Père-Lachaise, à la mémoire des victimes du nazisme. Sartre fait partie du comité du Front National du Spectacle.
27. Café de Flore, 1945.
28. Janvier-mars 1945 : premier voyage en Amérique. La délégation des huit journalistes français pose sur l'aérodrome de San Antonio (Texas). De gauche à droite : Étiennette Bénichon, François Prieur, Louis Lombard, Sartre, Pierre Denoyer, Andrée Viollis, Stéphane Pizella, Robert Villers.

27

28

30

31

29. Portrait, par William Leftwich, publié dans *Time Magazine* en 1946.
30. Avec Boris et Michelle Vian.
31. Une séance d'enregistrement de « La tribune des Temps Modernes ».

32

33

32. Le 2 avril 1948, à la première des *Mains sales,* il congratule Francis Carco.
33. Le même jour, avec François Périer, créateur du rôle de Hugo.
34. Au Pont-Royal avec Dolorès Vanetti, Jacques-Laurent Bost, Jean Cau et Jean Genet.
35. Chez Simone de Beauvoir, le comité de rédaction des *Temps Modernes* : Jacques-Laurent Bost, Simone de Beauvoir, Claude Lanzmann.

35

34

36

37

38

39

36. Juin 1954, à la Bibliothèque Nationale de Leningrad.
37. Automne 1955, voyage en République Populaire de Chine. Entretien avec le maréchal Chen-Yi.
38. Juillet 1957, sur la place Saint-Marc à Venise.
39. Cuba, février 1960, rencontre avec Fidel Castro.
40. À sa fenêtre, 42, rue Bonaparte, surplombant Les Deux-Magots. Au fond, la rue de Rennes.

40▸

42

43

41

44

41. Théâtre de la Renaissance, septembre 1959, répétitions des *Séquestrés d'Altona* avec Evelyne Rey et Serge Reggiani.
42. 1er novembre 1961, pendant la guerre d'Algérie : place Maubert, manifestation silencieuse contre le racisme.
43. Derniers moments de calme, dans un café de Montparnasse, avant l'annonce du Prix Nobel.
44. Début 1965, à La Coupole, avec Arlette Elkaïm.

45

46

47

48

45. 9 novembre 1966, conférence de presse contre l'Apartheid.
46. Printemps 1967, à l'issue de son voyage en Égypte, il se rend dans un camp de réfugiés palestiniens.
47. 21 mars 1967, arrivée à l'aéroport de Lod ; il est accueilli par des étudiants juifs et arabes.
48. Visite au Kibboutz Merhavia en Haute-Galilée.
49. 23 mars 1968, à la Mutualité, journée des intellectuels pour le Vietnam ; avec Joseph Kessel et Laurent Schwartz.
50. 11 février 1969, à la Mutualité ; sur son pupitre, il trouve un petit billet : « Sartre, sois bref. »
51. 26 juin 1970, vente sauvage de *La Cause du Peuple.*

49

50

51

52. Séance de travail au 222, boulevard Raspail avec Robert Gallimard.
53. En 1978, au 29, boulevard Edgar-Quinet, comité de rédaction des *Temps Modernes*. À gauche : Jean Pouillon, Benny Lévy, Claire Etcherelli, François George, André Gorz.
54. Juin 1979, à l'Élysée, avec Raymond Aron pour soutenir « Un bateau pour le Vietnam ».
55. 27 septembre 1979, au Père-Lachaise, obsèques de Pierre Goldmann.
56. Février 1980, boulevard Edgar-Quinet : à l'ombre de la tour.

54

55

56

57. 19 avril 1980, l'enterrement. ▶

OMEGA

Anciennes amies de Sartre, dames de la cour, encore amoureuses ou déjà éloignées de lui, elles accompagneront la course de l'œuvre sartrienne. Éléments les plus visibles de la salle des machines, ce sont ses actrices, ses interprètes, ses muses. Ainsi, Olga, la femme de Bost et interprète d'Electre dans *Les Mouches.* Ainsi Wanda, l'amie de Sartre et interprète d'Estelle dans *Huis clos.* Ainsi, plus tard, Évelyne Rey, sœur de Claude Lanzmann dans *Les Séquestrés d'Altona.* Ainsi, en 1946, Juliette Gréco reçoit de Sartre le célèbre cadeau de « La Rue des Blancs-Manteaux », chanson écrite par lui, paroles et musique pour *Huis clos.* Ainsi naquit Gréco, à l'âge de vingt ans, présence elfique et noire, jeune fille charmeuse, douée et fragile – exactement comme Sartre les aimait. Il donna à Gréco le coup de pouce initiateur, aida au démarrage, lui prêta ses propres livres pour qu'elle y trouve son répertoire... On connaît la brillante suite de la carrière de Gréco [3].

Des pièces les plus secrètes aux pièces les plus visibles, du plus intime au plus public, de Mme Mancy à Juliette Gréco, la salle des machines, en mouvement perpétuel, va chauffer et travailler, toutes ses pièces jouant dans une relation d'échange harmonieux avec le système central. Si elle perdura aussi efficacement, cette salle des machines, dans un organigramme et une gestion assez uniques, c'est peut-être que tout le monde y trouva son compte. Mise en place au moment où l'existentialisme était à son zénith, au moment où Sartre parvenait, dans la ferveur ou dans la haine, à une omniprésence rarement atteinte jusque-là, au moment où sa crédibilité ne pouvait plus échapper à personne, la salle des machines capitalisa le maximum d'énergie symbolique, le maximum de soutiens financiers, les retraita, les utilisa, les brûla et délivra ses produits, ses sous-produits, ses dérivés. La production 46-49 allait sans conteste se révéler parmi les plus fécondes : diversifiée, élaborée, elle arrivait sur la lancée de l'explosion de 1945 et prenait le relais en accélérant à bon escient. A cette époque, en effet, Sartre devint vraiment très riche. Pièces de théâtre, romans, essais, articles divers, toute sa production fut vendue à l'étranger. Traductions, adaptations, mises en scène... : une multinationale sartrienne. On joua *Les Mouches* à Stockholm et à Berlin, *Huis clos* à Montréal et à New York, on publia des extraits de *La Nausée* à Londres et à New York, la « Présentation » des *Temps modernes* conjointement à Rome, Londres et Berlin, on commanda des articles payés, on invita à faire des conférences payées. Bref Sartre s'exportait, et il s'exportait mieux que de Gaulle, à la grande stupéfaction de *Samedi soir.* A cette époque sa promotion fut également assurée par l'éditeur Louis Nagel qui avait été auparavant l'agent théâtral de ses pièces. François Erval, alors éditeur chez Nagel, souhaita dans un premier temps publier la fameuse conférence du 29 octobre 1945 : Nagel trouva une mise en pages astucieuse – texte sur la moitié droite de la page, sous-titres de paragraphe sur la moitié gauche, discussion inédite en fin de volume – qui permit de gonfler artificiellement les malheureux feuillets trop minces par eux-mêmes pour produire un livre. « Plusieurs centaines de milliers en quarante ans », répondit Louis Nagel quand on l'interrogea sur les ventes de cet opuscule traduit en dix-huit langues, s'il vous plaît, et qui fera longtemps figure, à la grande horreur de Sartre, de « bible de l'existentialisme », de « petit livre rouge » avant la lettre, d'abrégé vulgarisateur de *L'Être et le Néant.*

« C'est moi, assure Louis Nagel, qui ai fait Sartre. Car si je n'avais pas eu l'idée de publier *L'existentialisme est un humanisme,* il serait resté le maître à penser d'une petite clique. Ce petit livre était très bon marché, et tous les étudiants pouvaient se l'acheter, ce qui a donné à Sartre une audience formidable. C'est également moi qui ai convaincu Sartre de ne plus habiter à l'hôtel, moi qui ai financé l'appartement de la rue Bonaparte, moi qui lui ai signé un contrat d'écrivain mensualisé, pour des sommes énormes... Un jour, un de mes amis avocats, me traînant sur le boulevard Saint-Germain, me montra tous ces cafés, tous ces gens du doigt et me dit : " Louis, regarde ton empire " [4]. » Sartre publia quatre titres aux éditions Nagel; Simone de Beauvoir et Maurice Merleau-Ponty donnèrent aussi chacun plusieurs manuscrits, et il fut un moment question d'y publier *Les Temps modernes.* Les relations entre Sartre et Nagel se dégradèrent très vite : procès, insultes, et griefs réciproques. Qu'un auteur à la mode dans sa période la plus faste attire un éditeur avisé et vaniteux qui s'attribue la paternité de sa réputation, quoi de plus normal? Un signe, parmi d'autres, de sa valeur marchande...

De cet argent qu'il reçut alors en sommes plus élevées que jamais auparavant, Sartre allait se servir à sa manière. Trimbalant par paquets les liasses de billets dans ses poches, les jetant sur la table par poignées lorsqu'il s'agissait de régler une addition, offrant des pourboires royaux à tous les garçons de café, payant toujours et pour tous, sortant son carnet de chèques avant même l'esquisse d'une demande, c'est là que son côté paterfamilias s'exprima le plus souvent. En 1946, par exemple, il eut comme pensionnés mensualisés, et de son propre chef, Wanda, Robert Misrahi, et d'autres. Chaque mois, on commençait à entamer le budget par une série de chèques ou d'enveloppes, ajoutant à la liste des pensionnés réguliers, qui un chèque pour les frais de maladie de Wanda, ceux du sanatorium de Kanapa, ou les impôts de Bost. Au centre de la salle des machines, donc, la manne sartrienne, le trésor fait d'argent sonnant et trébuchant, généreusement distribué sous une forme ou sous une autre par le mécanicien-chef. Car s'il refusa toujours d'adopter dans sa vie personnelle des comportements traditionnels : mariage, appartement, procréation, etc., il recomposa autour de lui un réseau qu'on baptisera, faute de mieux, la « famille sartrienne » au centre duquel il siégera absolument : père pélican jusqu'à la fin de ses jours, donnant et prenant, jouissant de donner, jouissant également sans doute de tenir en donnant. « Je sais que ça fait nabab de sortir une grosse liasse, admettra-t-il plus tard de lui-même devant Michel Contat [5]. Et pourtant je ne suis pas un nabab. Non, je crois que si j'aime avoir beaucoup d'argent sur moi, ça correspond d'une certaine manière à la façon dont... j'ai sur moi mon vêtement de tous les jours, presque toujours le même, mes lunettes, mon briquet, mes cigarettes. C'est l'idée, poursuit-il, d'avoir sur moi le plus de choses possible, me définissant pour ma vie entière... d'être tout entier dans le moment présent ce que je suis et de ne dépendre de personne, de n'avoir rien à demander à qui que ce soit, d'avoir tous mes possibles à ma disposition immédiate. » Et il ajoute : « Ma grand-mère me disait toujours en me donnant de l'argent : " Si tu casses une vitre, tu auras toujours un sou sur toi. " Il m'en est resté quelque chose... »

Dans l'appartement de la rue Bonaparte, un silence à odeur de cire. Le matin, ils travaillaient, Cau de son côté, Sartre du sien, tous les matins, sans exception. L'après-midi, le Castor venait rejoindre l'antre studieux que Cau avait alors quitté ; elle écrivait ou lisait pendant que, parfois, Sartre s'asseyait à son piano retrouvé, déchiffrant une sonate de Beethoven, un prélude ou une fugue du *Clavecin bien tempéré.* « On peut être fécond sans travailler beaucoup, expliquera-t-il plus tard. Trois heures tous les matins, trois heures tous les soirs. Voilà ma seule règle... Même en vacances [6]. » Déjeuners ou dîners consacrés aux intimes, aux amis, aux maîtresses. Jamais de « dîner en ville », jamais de rencontre mondaine. Seuls le Flore, les Deux Magots, les restaurants où il déjeunait furent parfois l'occasion de rencontres informelles : on le reconnaissait, on le saluait, on venait lui dire un mot, formuler une demande. Tel ce jeune écrivain qui le questionna au restaurant Chez Dominique, prolongea ses demandes et s'aperçut en partant que Sartre avait dû manger froid [7].

« Pas un Français ne sera libre tant que les juifs ne jouiront pas de la plénitude de leurs droits. Pas un Français ne sera en sécurité tant qu'un juif, en France et dans *le monde entier*, pourra craindre pour sa vie... » Deux années après la fin de la guerre, alors que la France demeurait engourdie sous le poids des persécutions nazies, des dénonciations, des compromissions et des lâchetés encore largement répandues, alors que du martyre juif on ne pouvait, on ne voulait pas encore parler, un petit bonhomme pugnace s'avança simplement. Et, prenant l'ennemi par le col, le regarda d'un mauvais sourire, le retourna comme un objet et lui décocha le plus magistral coup de poing : *Réflexions sur la question juive*. Débusquant l'ennemi assoupi dans un moment d'asthénie collective, il se lança brutalement sur le ring central. Et, de là, braqua son projecteur aveuglant vers la salle obscurcie, réveilla un à un des individus endormis, leur parlant d'eux, tout simplement : « L'antisémite a choisi la haine parce que la haine est une foi... L'antisémite reconnaît volontiers que le juif est intelligent et travailleur... Beaucoup d'antisémites – la majorité peut-être – appartiennent à la petite bourgeoisie des villes ; ce sont des fonctionnaires, des employés, des petits commerçants qui ne possèdent rien... L'antisémite fuit la responsabilité comme il fuit sa propre conscience... Pour l'antisémite, ce qui fait le juif, c'est la présence en lui de la " juiverie "... Tel est l'antisémite. Aussi une des composantes de sa haine est-elle une attirance profonde et sexuelle pour les juifs... Destructeur par fonction, sadique au cœur pur, l'antisémite est, au plus profond de son cœur, un criminel... »

Suffisait-il de cogner ? Suffisait-il de retourner comme un gant le langage ordinaire ? Suffisait-il de jeter le pavé dans la mare ? Cet essai bref, serré, dans une des langues les plus simples, les plus quotidiennes peut-être, de la palette sartrienne, prit tout le monde de court. Ce qu'il rejouait là ? La leçon d'anatomie de Rembrandt, tout simplement, touchant là juste où ça fait mal, décortiquant le cadavre, exhibant les blessures, charcutant les plaies... Un nouveau produit de l'usine Sartre, ces *Réflexions sur la question juive*, publiées en novembre 1946 ? Un nouveau genre, une nouvelle provocation de notre écrivain prolixe ? Ainsi furent-elles parfois reçues, ainsi apparurent-elles de temps en temps. Ce texte, pourtant, développait une réflexion amorcée en 1939 – une interview à Arnold Mandel en témoigne [8] –, et illustrait le monument philosophique en chantier depuis l'année précédente – cette fameuse *Morale*, suite annoncée dans *L'Être et le Néant*. L'effet choc des *Réflexions* n'était donc nullement projeté par leur auteur. Il provint, simplement, du choc de deux logiques : une

France léthargisée recevait en pleine gueule une vérité interne, depuis longtemps mûrie, une évidence sartrienne.

« Je vois des opprimés (colonisés, prolétaires, juifs). Je veux les délivrer de l'oppression. Ce sont ces opprimés-*là* qui me touchent et c'est de leur oppression que je me sens complice ; c'est leur liberté enfin qui reconnaîtra la mienne... » Jean-Paul Sartre : *Cahiers pour une morale.* Ce texte, ce brouillon de près de six cents pages, resta inédit jusqu'en avril 1982. Rédigé entre 1945 et 1948, c'est lui pourtant qui donne la clef de tous les produits sartriens de l'époque. Qui centre le système sur les thèmes essentiels, dont les dérivés ne sont que variations diverses. « C'est le monde entier que je veux posséder », écrivait-il quelques années auparavant dans les *Carnets de la drôle de guerre,* « mais cette connaissance a pour moi un sens magique d'appropriation [9] ». Au centre du projet sartrien, deux thèmes, deux passions : le monde et moi. Non pas un moi narcissique ou égocentrique mais plutôt un moi-et-les-autres, qu'ils soient grand homme ou bâtard, célèbre ou déviant. Et deux outils, philosophie et littérature, chacun se disputant toujours et à tour de rôle la suprématie expressive. Car il s'agit de trouver l'œuvre englobante, le genre total qui intègre et dépasse l'autre ou les autres potentiels. Pas de grand changement, donc, depuis l'année 1928 où, allongé sur le pieu de sa turne normalienne, il s'interrogeait. Littérature ou philosophie? Littérature et philosophie! Les négociations ne cessèrent pas. Les négociations ne cesseront pas.

Souterraine, puissante, énorme, la grande *Morale* fut donc le seul de ses textes qui, en ces années-là, provoqua chez l'écrivain humeurs guillerettes et sifflements joyeux. Comme un roc souterrain, un socle, une racine, le fondement suprême. Le grand arbre invisible de la salle des machines. A partir de la *Morale,* il explora le monde, d'abord théoriquement : philosophie et éthique. Puis lança ses questions vers le concret : passage du réflexif à la praxis, cherchant régulièrement à négocier avec le concret. Va-et-vient parfaitement indissociable entre la théorie du philosophe et ses applications pratiques, d'aucuns diront sa pratique politique. Théorie de l'engagement, militantisme ponctuel, interventions publiques, tout est dans la *Morale.* Ces variations polymorphes autour de la *Morale,* on les retrouve dans les essais sur l'oppression des juifs, sur l'oppression des Noirs, articles et conférences. On les retrouve au théâtre : *Morts sans sépulture* et *La Putain respectueuse. Les Mains sales,* enfin, réflexion exemplaire du travail sartrien : éthique et politique liées, déliées, contradictoires, complémentaires. Et jusque dans les scénarios : *Les jeux sont faits* et *L'Engrenage,* illustrations parfaites de sa philosophie. Dans les articles-dialogues avec le marxisme : « Matérialisme et Révolution », « Qu'est-ce que la littérature? », les émissions de la tribune des *Temps modernes,* les articles et conférences du Rassemblement démocratique révolutionnaire, certains passages de la troisième partie des *Chemins de la liberté.*

Autre long, autre interminable dialogue de Sartre : celui de « moi et les autres », celui de « moi dans les autres ». Dialogue qui produisit en 1947 le *Baudelaire* dédié à Jean Genet, livre important, splendide et méconnu peut-être, puisque Charles Baudelaire fut dans une certaine mesure le double de Sartre, son associé, son frère. Dialogue qui produisit encore en 1947 les articles Calder, Giacometti, Genet. Qui donna lieu à la belle conférence sur « Kafka, écrivain juif » prononcée le 31 mai 1947 à la Ligue française pour la Palestine libre. Le thème du père absent, celui du beau-père haï, quelques aperçus parmi cent des intérêts de Sartre en ce domaine. Et puis, là encore, un inédit : un long manuscrit – près de cinq cents pages – sur Mallarmé, qu'il écrivit au cours des années 1948-1949 : « Mallarmé, notre plus grand poète. Un passionné, un furieux. Et maître de lui jusqu'à pouvoir se tuer par un simple mouvement de la glotte! », devait dire plus tard Sartre, après la publication d'un extrait de ce texte [10]. Tout en ajoutant : « Son engagement me paraît aussi total que possible : social autant que poétique... » Plus tard, dans la même veine, viendront le *Saint Genet, Les Mots,* l'énorme *Flaubert.* Et les multiples articles-portraits : Merleau-Ponty, Camus, Nizan, Fanon, Lumumba, le Tintoret... Interrogations en miroir, questionnements biographiques en abyme, regards en plongée : depuis les récits de vie anonymes des *Temps modernes* jusqu'à la fameuse théorie de l'universel singulier, du « qui vaut tous les hommes et qui vaut n'importe qui » jusqu'au gigantesque et inachevé *Flaubert,* une même quête sans trêve.

De cette ahurissante productivité, de ces années de grâce, on retiendra trois titres. Le plus personnel, le plus intime qui initiait la longue veine de la passion biographique : *Baudelaire.* Le plus pugnace, le plus violent, le premier de la longue tradition du combat éthique : *Réflexions sur la question juive.* Le plus vendu de tous les titres sartriens, enfin placé sous de bons augures, l'amitié avec le comédien François Périer, créateur du rôle de Hugo : *Les Mains sales.*

S'agira-t-il, dès lors, de rendre compte des apparences? De rappeler les images et les vignettes du kaléidoscope célèbre, connu jusqu'à l'usure? De dire les scandales provoqués par la violence des scènes de torture de *Morts sans sépulture* sur la scène du théâtre Antoine, si bien qu'il dut en supprimer des passages et faire précéder la pièce, dès la seconde représentation, d'un avertissement aux spectateurs? Les hauts cris poussés par certains, par le député Frédéric-Dupont, par exemple, lorsqu'ils virent apparaître le mot « putain » sur les affiches, si bien qu'il fut sommé de le transformer en « La P trois petits points », pour ne pas choquer? Les réactions outrées des proaméricains de Paris – et de New York par la même occasion – devant certaines scènes évoquant le racisme anti-Noir dans ladite *P... respectueuse*? Les crachats baveux de Céline – un prêté pour un rendu – dans son « Agité du bocal », après les *Réflexions sur la question juive*? Les insultes extrêmes, « damné pourri croupion » et autres « satanée petite saloperie gavée de merde, tu me sors par l'entrefesses pour me salir au-dehors »; ou encore « ces gros yeux... ce crochet... cette ventouse baveuse : c'est un cestode »? Les scènes très mondaines de la présentation de son film au festival de Cannes où, en compagnie de Micheline Presle, l'actrice principale, de Jean Delannoy, le réalisateur, l'auteur des *Jeux sont faits,* en costume de flanelle gris sombre à rayures tennis, chemise blanche et cravate rayée, répondit obligeamment aux questions en rafale d'une presse élégante? La rencontre inouïe avec François Périer qui, à la sortie du théâtre des Ambassadeurs, après une représentation, voit arriver ce petit monsieur tendant un manuscrit : « Voilà, j'ai écrit une pièce. Le rôle du garçon, je l'ai proposé à plusieurs comédiens qui n'en veulent pas. Alors, j'ai pensé à vous »? L'étonnement du même Périer qui reconnaît la tête, sans reconnaître Sartre, et qui, lisant d'une traite et sur-le-champ le manuscrit des *Mains sales,* appelle au petit matin la rue Bonaparte, s'y précipite, relit le rôle devant l'auteur, et termine ce filage par le plus extraordinaire et le plus compréhensible des contresens, vue la fatigue, vue l'heure, vue la situation : « Non. Récupérable », achevait-il la voix blanche au lieu de « Non récupérable »? De dire la tendresse vouée par Périer à l'auteur qui négligea de lui faire remarquer la somptueuse bourde et venait de le lancer sur une nouvelle voie, dans un rôle tragique encore jamais abordé dans sa carrière de comédien [11]? L'amitié avec les Vian, avec Boris, avec Michelle? Les premières brouilles avec Camus? Les énièmes accrocs avec Mauriac : « Il faut que notre philosophe se fasse une raison. Renonce à la politique, Zanetto, *e studia la matematica* [12] », lui avait envoyé le romancier catholique? Les répétitifs et ennuyeux amalgames autour des existentialistes, de Saint-Germain-des-Prés et de notre philosophe, otage consentant et agacé? De ses innombrables voyages-travail dans toute l'Europe, de ses programmes de conférences, conférences de presse, conférences-débats et communications diverses? De ses innombrables voyages-tourisme : Italie, Hollande, Italie, Scandinavie, Italie, Algérie, Italie, et ainsi de suite? De dire les partages, difficiles parfois, de ses jours de vacances entre sa mère, son Castor, sa Dolorès et les autres : « Je serai à dix heures aux Deux Magots. Je resterai avec vous jusqu'à midi. La catastrophe, c'est que T. entend autrement que nous " jusqu'au 24 ". Ça veut dire " y compris le 24 ". Ça fait que, pour finir en beauté, je crois qu'il vaut mieux le lui laisser. Nous y gagnerons un temps de bonne humeur [13] », comme en atteste cette lettre, au Castor, justement, et datant de 1946? Les projets d'écriture, enfin, toujours nouveaux, toujours imprévus, comme celui d'entreprendre la rédaction d'un roman policier, d'une grande étude sur la Révolution française?

« Lorsque je considère que les objections faites au IVe siècle av. J.-C. à Platon et celles que l'on fait aujourd'hui à l'existentialisme n'ont pas changé, je peux l'interpréter sans doute comme une nature universelle de l'homme [14]. » Dans quelle sphère se mouvait-il, le Sartre qui écrivait ces lignes de la *Morale,* pendant l'année 1947? Le Sartre que l'on croyait pincer dans l'une des caves de son domaine, l'une de ses caves existentialistes? Il se mouvait, bien sûr, ailleurs, bien ailleurs, entre Platon et Socrate, dans ses terres favorites, avec les grands hommes.

DEUXIÈME CHOC DU CONCRET

Dernière sphère, dernière étape de ces années si fastes : l'action militante. Depuis la fin de la guerre, chacun de ses textes, chacune de ses interventions appelle un peu plus à l'engagement. Par étapes successives, il va se situer face aux différents partis politiques, les juger, les attaquer, les critiquer avant d'entrer à son tour dans l'arène. Ce « veilleur de nuit sur tous les fronts de l'intelligence » – encore Audiberti – multiplie les articles politiques – qui sont d'ailleurs immédiatement traduits en anglais, allemand ou espagnol [1]. Ses positions se précisent, ses formules s'enracinent dans une critique délibérée du P.C.F. « Si l'on demande à présent si l'écrivain, pour atteindre les masses, écrit-il notamment en 1947, doit offrir ses services au Parti communiste, je réponds que non : la politique du communisme stalinien est incompatible avec l'exercice honnête du métier littéraire [2]. »

Les attaques de plus en plus violentes qu'il reçoit de la part des communistes ne sont pas étrangères à ses ripostes. « Un faux prophète : Jean-Paul Sartre », écrivait dès le mois de décembre 1945 Roger Garaudy, dénonçant l'existentialisme, cette « littérature de fossoyeurs », cette « pathologie métaphysique » : « La pensée, quand elle se décolle de l'action, est malade, écrit-il notamment... cette maladie s'appelle aujourd'hui l'existentialisme, et... la grande bourgeoisie se délecte avec les fornications intellectuelles de Jean-Paul Sartre [3]. » Puis Jean Kanapa, l'ancien élève de Sartre au lycée Pasteur, avait pris le relais et avait, dans *L'existentialisme n'est pas un humanisme,* porté des coups très durs à cet ancien maître qu'il avait – peut-être trop – admiré : « L'animal est dangereux, écrivait dès les premières lignes le jeune philosophe communiste, il s'est engagé à la légère dans le flirt marxiste... mais il n'a pas lu Marx, s'il sait, en gros, ce qu'est le marxisme... » Et, poursuivant ses attaques sur l'ensemble de ce qu'on appelait désormais le « groupe des *Temps modernes* », il les comparait à « une clique de bourgeois désemparés, l'œil amer, la plume abondante, les bras mous, désespérément, lamentablement mous [4] ». Avec la fougue des nouveaux convertis, Kanapa avait encore, l'année précédente, ridiculisé, dans son roman *Comme si la lutte entière*, un Sartre facile à reconnaître sous les traits d'un personnage ambigu et très antipathique, baptisé Labzac.

Ainsi, d'injures en insultes, dans cette après-guerre où les communistes étaient au pouvoir en France comme une des composantes à part entière de cette période de tripartisme, Sartre était-il devenu, pour le P.C.F., l'ennemi public numéro un. Ses textes agaçaient, ses professions de foi sentaient la manipulation, ses romans la dépravation morale. Pour sa part, il avait proposé dans « Matérialisme et Révolution », une description de la philosophie révolutionnaire qui lutte pour la construction du socialisme et l'avènement d'un nouvel humanisme : l'« humanisme révolutionnaire ». Celui-ci apparaîtra, affirmait-il, « comme la vérité elle-même, humiliée, masquée, opprimée par des hommes qui ont intérêt à la fuir ». Il en avait également profité pour régler quelques comptes avec le « scientisme naïf et buté de M. Garaudy », avec les peurs et les impasses des communistes, avec la « crise de l'esprit marxiste qui se résigne à prendre des Garaudy pour porte-parole [5] ». Cette prise de position argumentée – et peut-être limitée –, cette critique très forte – et peut-être rapide – du matérialisme dialectique, débouchait en conclusion vers une proposition de « troisième voie » philosophico-politique. La même année, Sartre s'était violemment engagé contre les communistes, dans une attaque en première ligne au sujet du « cas Nizan ». On sait que l'ancien camarade d'adolescence avait trouvé la mort près de Dunkerque, le 23 mai 1940, un an après avoir démissionné du Parti communiste. Peu de temps après sa démission, une campagne de calomnies s'était alors développée contre lui, dans la presse communiste clandestine, et Maurice Thorez lui-même avait injurié celui qui avait été plus de onze ans membre puis permanent du Parti, terminant sa carrière comme directeur adjoint du quotidien *Ce Soir*, et chef de la rubrique de politique étrangère. Pendant la guerre, déjà, on l'a vu dans les méfiances des communistes à son égard, Sartre avait peut-être eu à pâtir de son amitié avec Nizan. A partir de 1945, cependant, loin d'être atténuées ou démenties, les calomnies contre Nizan allaient se poursuivre de manière insidieuse, souterraine, et particulièrement lâche : on ne parla plus de lui dans les rangs du P.C.F. ; on accrut sa disparition en l'ignorant comme si le simple fait de prononcer son nom eût risqué une contamination avec le « traître », le « chien pourri émargeant au ministère de l'Intérieur », selon les accusations mêmes de Maurice Thorez. Sartre avait été tenu au courant, étape après étape, de toute cette affaire : il avait rencontré Henriette Nizan à New York; il était devenu tuteur de ses deux enfants; il avait suivi les demandes d'explications envoyées par Anne-Marie et Patrick Nizan à Maurice Thorez, la lettre d'Henriette à Aragon, il avait, comme eux, mesuré ce que l'absence de réponse dans les deux cas signifiait comme lâcheté, il avait, enfin, lu, sous la plume d'Henri Lefebvre, les tacites acceptations de la « traîtrise » comme phénomène permanent et décisif dans la vie et l'œuvre de Nizan. Alors, en 1947, il prit la tête d'un mouvement d'intellectuels qui publièrent dans la presse un communiqué à l'intention expresse du P.C.F. : « On nous rappelle de temps en temps que Jacques Decour, que Jean Prévost sont morts pour nous... Mais sur le nom de Nizan, un des écrivains les plus brillants de sa génération... on fait le silence... on chuchote qu'il était un traître... En ce cas prouvez-le. Si nous restons sans réponse ou si nous ne recevons pas les preuves demandées... nous publierons un deuxième communiqué confirmant l'innocence de Nizan [6]. » Guy Leclerc avait répondu dans *L'Humanité*, redoublant de violence contre le « traître à son parti », « traître à la France » qui avait « aidé les agents de la 5e colonne à mener leur politique criminelle [7] ». Dont acte, avaient rageusement pensé Sartre, Aron et les autres.

Entre-temps, la revue des *Temps modernes* était devenue le lieu de rencontre, le club raffiné où se retrouvaient tous les mois les signatures prestigieuses de tout ce que l'intelligentsia de gauche en Europe et en Amérique comptait comme ténors : des textes de Francis Ponge, de Samuel Beckett, de Philippe Soupault, de Maurice Blanchot, côtoyaient ceux d'Alberto Moravia, d'Elio Vittorini, d'Ignazio Silone ou de Carlo Levi pour l'Italie, alors que l'Amérique était représentée par Richard Wright ou encore James Agee. On y trouvait également des contributions du compositeur René Leibowitz et de l'économiste Pierre Uri; on y lisait des articles de Boris Vian – « La Chronique du menteur » –, de Raymond Queneau et de Michel Leiris, de Jean Genet, de Violette Leduc et de Nathalie Sarraute. A ce mélange supérieur étaient très sympathiquement associés les noms moins célèbres d'amis ou d'anciens élèves qui faisaient là leurs premières armes : ainsi, pour Raoul Lévy, Robert Misrahi, Jean Cau, Jean Balladur ou Nathalie Sorokine. Enfin, le projet annoncé dans la « Présentation » d'octobre 1945 – « nous serions des chasseurs de sens » avec l'introduction, à côté de la littérature, de documents, récits ou reportages – avait effectivement et concrètement pris forme, puisque des « récits de vie » anonymes et non signés remplissaient ce rôle. Vie d'une sinistrée; vie d'un juif; vie d'un bourgeois français, magistrat israélite; vie d'un Allemand; vie d'un légionnaire; vie d'une prostituée, avaient tenté de rendre compte, en même temps, d'un individu et d'une société, le « micro-social » jouant alors le rôle de révélateur symbolique du « macro-social ». « Si la vérité est une... la chercher nulle part ailleurs que partout », écrira encore Sartre bien des années plus tard [8], reprenant son idée de considérer notre temps, dans sa globalité, comme une synthèse signifiante. Porte-parole, donc, *Les Temps modernes* remplira son rôle sociopolitique, publiant côte à côte textes anonymes et signatures célèbres, rassemblant des matériaux inédits pour deux « numéros spéciaux », en août-septembre 1946 et en août-septembre 1947, consacrés le premier aux U.S.A., le second à l'Italie. La revue allait encore franchir un pas de plus dans ses explorations du monde lorsque, à l'automne 1947, on proposa à son équipe de réaliser toutes les semaines une émission de radio intitulée « La Tribune des *Temps modernes* ».

L'accession à la diffusion sur les ondes permettait ainsi au groupe de s'adresser à un public plus large, à celui des auditeurs qui ne lisaient pas forcément une revue. C'est Alphonse Bonnafé, un ancien collègue-ami du lycée du Havre, qui avait décroché la timbale auprès du gouvernement Ramadier. Une série d'émissions aura lieu, dans une atmosphère un peu délirante et chaotique, discutant, attaquant, proposant, toujours cette solution de la « troisième voie » qui fut celle de Sartre depuis la fin de la guerre. Troisième voie, disait Sartre dans « Matérialisme et Révolution », incapable de choisir entre l'idéalisme bourgeois et le matérialisme marxiste. Troisième voie, répétera-t-il dans *Qu'est-ce que la littérature?,* puisque, entre l'U.R.S.S. et le bloc anglo-saxon, il se prononcera pour l'Europe socialiste : « L'Europe socialiste, expliquera-t-il, elle n'est pas " à choisir ", puisqu'elle n'existe pas : elle est *à faire* [9]. » Troisième voie, encore et toujours, dans les propositions de « La Tribune des *Temps modernes* » : « Il est nécessaire de faire campagne contre la croyance en la fatalité de la guerre russo-américaine », expliquait notamment Sartre dans une interview à Louis Pauwels, à la veille de ses émissions. « La fatalité historique, précisait-il, chemine toujours à travers les esprits. Et nous entrons, pieds et poings liés, dans le monde de cette fatalité... » Enfin, reprenant une nouvelle fois ses définitions à épisodes du rôle de l'écrivain dans la société d'aujourd'hui, il déclarait : « Les écrivains engagés doivent aller de l'écriture à ces arts relais que sont le cinéma et la radio [10]. » Même mixité, donc, que dans *Les Temps modernes,* même promotion des formes d'expression dites « mineures » aux côtés des « nobles », même projet d'exploration « tous azimuts » de toutes les formes d'expression, sans exception : l'écrivain n'était-il pas, désormais, le centre même de toute une nébuleuse, qu'il se proposait de sonder dans toutes les directions? L'analyse de la vie politique contemporaine sur les ondes de la radio était, à cet égard, la dernière découverte, et l'abondance de l'actualité politique, tant française qu'internationale, tombait à pic pour fournir à notre équipe des dossiers à débattre.

Depuis que les Français avaient, au référendum du 21 octobre 1945, donné au pays un régime tripartite : M.R.P. - S.F.I.O. - P.C.F., les équilibres politiques avaient largement eu le temps de basculer. Et le consensus provisoire établi au soir de la Libération n'avait pas fait long feu : la IVe République s'enfonçait rapidement dans des conflits profonds, chaque parti reprenant plus vite que prévu les réflexes de politique politicienne qui avaient été les siens avant guerre. Le 20 janvier 1946, le général de Gaulle, chef du gouvernement, avait quitté son poste à la suite de conflits constitutionnels avec l'Assemblée; mais les discours qu'il prononça le 16 juin 1946 depuis Bayeux, les 30 mars et 7 avril 1947 depuis Bruneval et Strasbourg attestèrent, sans le moindre doute, qu'il entendait plus que jamais rester sur la scène politique et que, s'il n'en était plus un acteur de l'intérieur, il voulait, coûte que coûte, faire entendre sa voix sur l'évolution du pays. Le 5 mai 1947, enfin, dernière étape des modifications de ces années d'après guerre, les ministres communistes devaient quitter le gouvernement, à la suite de leur refus de voter la confiance au gouvernement. A cette date s'effondrait définitivement le régime de tripartisme qui avait prévalu depuis 1945, les socialistes acceptant de poursuivre l'expérience du pouvoir malgré le départ du P.C.F. Dans le même temps, sur le front international, montaient de plus en plus clairement les menaces de guerre froide entre le camp américain et le camp soviétique. Là encore s'effritait le consensus qui s'était fait jour pour une lutte commune contre l'ennemi nazi : c'est maintenant l'Europe qui allait faire les frais de cette rupture. En juin 1947, l'annonce du plan Marshall d'aide à l'Europe initiait donc la guerre froide : Molotov le refusait et, en Europe, les partis politiques se divisaient selon une attitude atlantiste ou un choix prosoviétique. En France, les socialistes, par exemple, choisiront tout de suite d'accepter le plan Marshall, creusant par là encore davantage leurs divisions avec le P.C.F. Rupture du tripartisme, début de la guerre froide, les tensions politiques françaises allaient culminer dans les troubles sociaux qui verraient le jour tout au long de l'année 1947 : grèves dans la presse parisienne en janvier et février, suivies en juillet, en septembre et en novembre par des grèves massives dans d'autres catégories professionnelles, les transports notamment, affrontements avec la police, menace d'appel des réservistes contre la C.G.T. Le pays était passablement bouleversé. C'est dans cette situation politique difficile, dans cette situation sociale agitée que le général de Gaulle décida, en avril 1947, de fonder le Rassemblement du peuple français. Le premier test de ce nouveau parti allait être, à l'automne 1947, les deux tours des élections municipales des 19 et 25 octobre. Le premier tour révéla une spectaculaire percée du nouveau mouvement gaulliste contre un effondrement du M.R.P. : 38 % des suffrages au R.P.F. de De Gaulle, seulement 10 % pour le M.R.P. qui perdait, depuis 1945, près des deux tiers de ses voix!

« Jean-Paul Sartre et ses collaborateurs vous présentent leur émission : " Les Temps modernes "... [musique]... Notre émission d'aujourd'hui a pour objet le gaullisme. Y prendront part Jean-Paul Sartre, Simone de Beauvoir, Merleau-Ponty, Pontalis et Bonnafé... » : le lundi 20 octobre 1947, coup d'envoi de l'expérience, dans un style « radio libre » bien avant la lettre. C'était très exactement le lendemain du premier tour de scrutin et du raz de marée gaulliste. Le général de Gaulle fit, bien sûr, les frais de la petite équipe gonflée à bloc qui, dans des joutes ironiques et désinvoltes, cartonna en rafales l' « homme providentiel qui sort des rangs pour sauver la France, pays miraculeux ». C'est Maurice Merleau-Ponty, comme toujours le plus raisonné, le plus raisonnable de l'équipe, qui s'engagea dans une analyse précise du dernier discours de De Gaulle à Vincennes, notamment dans ses propositions de politique étrangère : « Cette idée est nouvelle chez le général de Gaulle, expliqua Merleau. La politique de grandeur française ayant échoué, il en définit à présent une autre... : " offrons dès maintenant notre alliance militaire aux États-Unis ". Je me demande s'il y a le moindre sérieux à envisager une participation active de la France à la guerre [aux côtés de l'Amérique]. » Seule parenthèse un peu sérieuse et argumentée de l'émission, l'intervention de Merleau-Ponty ne dura guère : « Maréchal, général, c'est tout un. Tous deux sont de l'armée, de la Grande Muette, tous deux sont des orateurs éloquents, tous deux catholiques, tous deux ont pour principe que la souveraineté vient d'en haut, tous deux ont fait don de leur présence à la France... » Sartre lança son attaque contre de Gaulle, devenu le point de mire de toute l'équipe en délire. Certes la campagne menée par le R.P.F. depuis six mois avait fait largement usage du culte de la personnalité et la photo du général s'étalait largement sur toutes les affiches qui couvraient les murs du pays. Certes, nombreux avaient été ceux qui, dans le pays, avaient condamné ce retour glorieux, miraculeux même du grand chef de la Résistance, avaient critiqué ses déclarations violemment anticommunistes, ses manières définitives de proposer sa personne au pays, en brandissant l'alternative d'une catastrophe planétaire. Mais Sartre et ses amis allèrent beaucoup plus loin qu'une simple critique, qu'une simple condamnation du général. « Quand on regarde les affiches R.P.F. qui gueulent sur tous les murs de Paris, poursuivait Bonnafé, vous l'avez vu, ce grand portrait du général?... Ça donne un choc, je vous assure : cette petite moustache, et puis ces paupières lourdes... à part la mèche sur le front, tout y est, je vous dis, tout! Et tout le monde le dit en passant : " Mais... c'est... " – Heureusement que vous ne le dites pas! » interrompit alors Chauffard [11].

Cette émission, on s'en doute, fut fort mal accueillie dans les milieux gaullistes : c'est peu de dire qu'elle fit scandale. Elle provoqua une tempête de réactions choquées, une levée de boucliers en faveur du général, de formidables et immédiats hauts cris de scandale. Le général Pierre Guillain de Bénouville et l'avocat Henry Torrès, tous deux membres du R.P.F., s'indignèrent le jour même sur les ondes. Pour le lendemain, on annonça qu'un débat contradictoire aurait lieu à la radio, entre les deux gaullistes et Jean-Paul Sartre, débat pour lequel on avait également appelé Raymond Aron, dans le rôle délicat de médiateur. « Je ne sais plus moi-même qui m'avait convoqué à cette séance. Était-ce Sartre? Était-ce la radio? », répond bien des années plus tard le « petit camarade » de Sartre. « Quand je suis arrivé dans cette salle, et que j'ai vu d'un côté Sartre, de l'autre Bénouville et Torrès qui l'injuriaient, je me suis demandé pourquoi j'étais là, car la situation était complètement bloquée. Que pouvais-je faire? Je ne pouvais ni soutenir Sartre : comparer de Gaulle à Pétain passe encore, mais à Hitler!... Je ne pouvais pas le défendre; je ne pouvais pas non plus me lier aux deux autres en agonissant Sartre d'injures [12]. » Le débat contradictoire sur les ondes de la radio française n'eut donc pas lieu, comme prévu, le 22 octobre 1947, et chacun repartit de son côté. « Les gaullistes demandèrent une discussion ouverte, raconte pour sa part Simone de Beauvoir, Sartre accepta, mais les deux gaullistes et Aron refusèrent [13]. » « Mes paroles ne sont pas si violentes qu'on a bien voulu l'affirmer, s'insurgea Sartre, et un citoyen a toujours le droit de dire ce qu'il pense... Je n'éprouve aucune haine à l'égard de la personnalité de M. de Gaulle. Comment le pourrais-je? Je ne le connais pas [14]. » Les auditeurs qui attendaient la séance houleuse entendirent uniquement la voix de Me Henry Torrès : « L'émission de M. Sartre contre le général de Gaulle était un attentat à la probité et à la dignité de l'esprit... L'auteur avait fabriqué un faux de Gaulle qu'il comparait à Pétain et à Hitler; cela ne mérite que le mépris public. Dans ces conditions, il n'y avait pas de réponse à faire et le silence devait seul être placé devant une telle infamie [15]. » Selon la presse, il apparut plus tard que les injures de l'avocat contre Sartre avaient été si violentes que toute contrepartie de la part du philosophe eût été totalement impossible. « Me Torrès s'est montré d'une grossièreté et d'une violence inouïes qui ne valaient pas que je lui réponde : il a refusé la controverse que je souhaitais », expliqua-t-il le lendemain dans la presse. Quant au journaliste gaulliste Pierre Loewel, il s'insurgea qu' « un écrivain maître de sa langue et qu'un philosophe maître de sa pensée s'abaisse à la pitrerie injurieuse de guignol et confectionne avec facilité un gaulliste ridicule et niais pour mieux en triompher [16] ». L'ancien collaborateur des *Temps modernes,* Albert Ollivier, traita Sartre et ses collaborateurs de « fascistes virtuels [17] », l'écrivain Paul Claudel lança ce mot historique : « M. Sartre s'en prend au physique du général de Gaulle : est-il satisfait du sien [18] ? » Sartre se débattit, entre articles et interviews, autour de cet événement assurément inhabituel dans la vie politique française et qui fit jaser la presse du pays pendant une bonne semaine. « On prétend que j'ai comparé de Gaulle à Hitler, disait notamment Sartre. C'est faux : j'ai comparé les affiches du R.P.F. avec certaines affiches de propagande nazie [19]. » De ce pavé dans la mare politique française, de ce malentendu ridicule et outré, de ces excès anarchistes volontaires et provocateurs data la longue brouille de Sartre et d'Aron. Certes, la participation de Raymond Aron au comité de rédaction des *Temps modernes* avait duré moins d'une année et reposait sur un consensus fort mince, mais Aron avait tout de même eu le temps d'y proposer quelques articles dont, bien des années après, il se disait toujours fort satisfait, comme son texte sur le procès Pétain publié pendant l'année 1946. De cet incident peut-être un peu futile data une longue période de silence entre les deux hommes : Aron resta persuadé qu'il avait « sauvé la mise » à Sartre dans cette affaire; Sartre, pour sa part, se dit toujours rigoureusement convaincu qu'Aron n'était venu que pour prendre le parti des deux autres...

La série d'émissions « La Tribune des *Temps modernes* » ne dura pas plus d'un mois, après ce coup d'essai pour le moins tumultueux, et le renversement du gouvernement Ramadier – qui avait été à l'origine de la proposition – allait entraîner directement le retrait de cette programmation. Entre-temps, Sartre et ses collaborateurs proposeront des débats à bâtons rompus sur des thèmes comme « Libéralisme et socialisme », « La crise du socialisme », « Le mouvement syndical et les conflits sociaux », « Le vrai sens des revendications ouvrières », « Communisme et anticommunisme ». Entre plaisanteries légères, consensus parfois un peu lourds, développements souvent longs et très argumentés, ces émissions innovèrent en apportant, dans le débat politique français, un sang nouveau, un style et une atmosphère tout à fait inconnus jusqu'ici. L'équipe des *Temps modernes* put se targuer d'une très vaste audience qui hésitait entre intérêt passionné et violence haineuse. Le 3 novembre, ils consacrèrent leur émission à répondre à des lettres d'auditeurs, lettres de félicitations ou lettres d'injures, montrant par là même que le nombre de leurs auditeurs avait désormais rejoint sinon dépassé le nombre de leurs lecteurs. Au cours de ces neuf émissions, peu d'éléments nouveaux dans les positions du groupe : « Nous sommes du côté de la classe ouvrière... et nous avons une sympathie de principe avec les partis qui la représentent... le P.C. a fait preuve, depuis la Libération, de la plus grande hésitation... il semble s'être soucié essentiellement d'abattre le centrisme, c'est-à-dire le Parti socialiste qui était au gouvernement » : Sartre. « Nous ne voyons ni les uns ni les autres l'espoir ni du côté du gaullisme, ni du communisme... et on parle beaucoup à cette occasion d'une troisième force » : Pontalis. « Nous n'avons pas beaucoup d'armes, et en particulier nous n'avons aucune arme de puissance, nous n'avons qu'une arme de vérité, c'est cette arme qu'il faut employer » : Merleau-Ponty. De plus en plus politiques, donc, dans leurs interventions, de plus en plus en prise, surtout, sur l'actualité politique nationale. Prévue pour le 8 décembre – mais non diffusée puisque entre-temps le ministère Schuman avait remplacé le gouvernement Ramadier et supprimé « La Tribune des *Temps modernes* » – une émission était consacrée au thème : « Deux appels à l'opinion internationale ». A l'initiative d'hommes comme Claude Bourdet, directeur du journal *Combat,* d'Emmanuel Mounier de la revue *Esprit,* de Georges Altman de *Franc-Tireur* et de David Rousset, ces deux appels mettaient en garde l'opinion contre la montée de la guerre froide, proposant une alternative à la politique des grands blocs, dans l'idée, entre autres, d'une Europe socialiste. Sartre avait accepté avec enthousiasme de signer; parmi ses collaborateurs, par contre, Pontalis était légèrement réticent : « Croyez-vous que nous allons être bons pour fonder un nouveau parti, nous aussi? demandait-il, inquiet. – Non, il ne s'agit nullement de parti, répondait Sartre. D'abord, beaucoup de signataires, en tout cas moi, seraient absolument incapables de prendre une direction de parti et ce serait un vœu absurde et prétentieux, dont nous serions vraiment les premiers à rire... » Sur ce rejet, nous reviendrons dans très peu de temps. Pour l'heure, la série d'émissions s'achève; elle n'aura été qu'un brutal feu de paille; elle aura scandalisé de nombreux auditeurs, elle aura, surtout, affirmé le groupe des *Temps modernes* dans sa cohésion, dans sa détermination d'influencer l'opinion et de s'exprimer en tant que groupe, elle aura, enfin, développé le style « tribune libre », mettant à l'honneur la liberté de propos, les excès de langage, la discussion politique à bâtons rompus. « Il est rappelé aux auditeurs, expliquait d'ailleurs la fin de la dernière émission non diffusée, que les émissions de Jean-Paul Sartre et des *Temps modernes* ont été placées sous le signe de la liberté d'expression absolue et, de ce fait, échappent aux contrôles des services et ne sauraient engager la responsabilité des services des cadres et du personnel de la Radiodiffusion française [20]. » Mise en garde peut-être inutile : en cet automne 1947, le groupe des *Temps modernes* ne rappelait en rien le langage politique traditionnellement admis sur les ondes!

Sartre avait donc accepté de signer les deux appels à l'opinion internationale, rédigés sous l'égide d'un certain nombre d'hommes de gauche dont il se sentait proche, et destinés à exprimer un refus de tomber dans les enjeux de la guerre froide, tout en manifestant une identité à la fois européenne et socialiste : cela se passait en novembre 1947. Quelques mois plus tard, il fut contacté à nouveau par Georges Altman et David Rousset : poursuivant leurs analyses politiques qui avaient donné lieu à ces deux appels, ils projetaient maintenant de fonder un mouvement politique et demandaient à Sartre de s'associer à eux dans cette entreprise. Il accepta. Le 27 février 1948, paraissait dans toute la presse française le texte de l'appel du comité pour le Rassemblement démocratique révolutionnaire – qui prenait le sigle R.D.R. A son « comité d'initiative », on lisait les noms de David Rousset, Jean-Paul Sartre, Paul Fraisse de la revue *Esprit,* Georges Altman, Daniel Bénédite, Jean Ferniot, Bernard Lefort, Charles Ronsac, de *Franc-Tireur,* Roger Stéphane. A côté de ces écrivains et journalistes étaient associés les noms de quatre parlementaires et de six militants ouvriers et syndicalistes. L'expérience du R.D.R. était lancée; bientôt, pour simplifier, on parlera dans la presse du « parti de Sartre et de Rousset ». Première et dernière véritable expérience de militantisme de parti dans la vie de Sartre – après les quelques mois de « Socialisme et Liberté » – elle représente, pendant dix-huit mois, une véritable plongée du philosophe dans l'arène concrète de la pratique politique active. Avec des gens venus de tous les horizons de la gauche : trotskistes, chrétiens de gauche, jeunesses socialistes et socialistes dissidents, communistes et anciens communistes, marxistes et non-marxistes, avec des camarades ouvriers ou d'anciens permanents, venus de toutes les catégories de la société.

A l'origine véritable de ce rassemblement, deux groupes : celui, constitué autour de Georges Altman et de son journal *Franc-Tireur,* un quotidien qui arrivait deuxième au nombre de ses tirages après *Le Figaro,* un quotidien d'une portée considérable donc, qui était lu par des lecteurs d'origine ouvrière et de classes moyennes, généralement non communistes. Dans le deuxième groupe, quelques personnalités, pas toutes de la *Revue internationale,* qui avait été constituée après 1945 par des hommes comme Claude Bourdet, Gilles Martinet, David Rousset, Gérard Rosenthal, c'est-à-dire des individus originaires d'une gauche assez élargie allant du trotskisme à l'aile la plus gauchiste de la S.F.I.O. A la base de leurs analyses : carence des syndicats, désaffection à l'égard des partis politiques traditionnels, désagrégation des bases militantes. Là-dessus les récents événements liés à la guerre froide avaient joué le rôle d'un véritable soufflet et l'idée d'aller chercher la caution de Sartre avait pris l'allure d'un trait de génie. « Une des idées qui m'ont séduit, quand vous êtes venus me trouver, expliquera plus tard ce dernier à David Rousset, et que nous avons cherché à constituer ce mouvement, c'était l'idée de créer les conditions – depuis longtemps oubliées par les partis existants – d'un fonctionnement démocratique intégral à l'intérieur d'un groupement politique [21]. »

Dans une période de crise politique menaçante, le R.D.R. fut le rêve acharné de divers dissidents déçus des partis de gauche pour trouver une issue politique active et honorable. Rêve déjà maintes fois caressé par une frange d'oppositionnels socialistes ou communistes, rêve nostalgique du retour à une pureté théorique originelle et que tentèrent en vain de réaliser le Parti socialiste ouvrier et paysan de Marceau Pivert, le premier P.S.U., la nouvelle gauche, etc., dans des essais d'alliances successives des années 30 aux années 60 : le R.D.R. allait représenter l'étape « année 1948 » de cette série d'avatars et de recherches [22]. Car plus que jamais, en cette année 1948, les militants de cette gauche se sentaient les otages passifs et manipulés de politiciens en qui ils ne croyaient plus, le jouet de partis politiques manœuvriers et intéressés ; ils trouvèrent donc un consensus dans le rejet et la désaffection à l'égard du P.C.F. et de la S.F.I.O. Acculés, dans l'obligation qui leur était faite chaque jour davantage de choisir entre U.R.S.S. et U.S.A., ils se retrouvèrent, entre hommes de tous points de la gauche et de l'extrême gauche, anciens prisonniers, anciens déportés, anciens résistants, dissidents divers, militants chevronnés ou intellectuels sans pratique, anciens syndicalistes, étudiants bénévoles ou gauchistes d'instinct, se retrouvèrent sur des bases très larges et décidèrent de cheminer ensemble. Ils avaient entre eux ce rêve commun d'une véritable démocratie, d'un exercice politique collectif à renouvellement permanent, d'une expérimentation unique dont l'heure avait plus que jamais sonné.

« Nous sommes des millions en France, des millions en Europe et dans le monde entier. Des millions qui cherchons le même chemin. Survivants de l'enfer, rescapés de la Résistance, militants, sympathisants ou compagnons de route des grands mouvements qui se réclament de l'émancipation sociale, nous estimons que le monde a payé assez cher sa délivrance de l'hitlérisme pour n'attendre de salut que dans le respect et le maintien des droits de l'homme et de la liberté... » Sur ces phrases un peu lyriques commençait l'appel que journaux et tracts diffusèrent largement. Appel à la responsabilité des hommes contre les régimes politiques, appel aux démocrates et aux révolutionnaires, le texte poursuivait : « Il n'est pas vrai que la politique des blocs soit la seule issue à proposer aux hommes », avant de conclure : « Il appartient à la France de relancer au monde le cri d'espoir de Saint-Just : " Le bonheur est une idée neuve en Europe. " Et, en le complétant, l'appel de Marx d'il y a cent ans : " Prolétaires et hommes libres de tous les pays, unissez-vous ! " En 1948, comme en 1848, que vienne de chez nous l'appel pour la liberté rénovée et renforcée dans la justice sociale. » Qui n'aura remarqué dans ce texte l'explicite référence à la révolution de 1848 – opposée à celle de 1789 – dont le R.D.R. rappelle le centenaire et souligne l'acquis majeur : « l'idée socialiste descendue sur terre » ? Qui n'aura remarqué également les références conjointes à Saint-Just le radical, le pur, l'intransigeant et à Karl Marx, les deux hommes habilement alliés se complétant, s'associant et se tenant la main ? Une symbolique à suivre, dans ce projet de création d'une nouvelle gauche qui refuse de se laisser enfermer dans le dilemme : bloc atlantique ou bloc soviétique, qui refuse de laisser aux deux grandes puissances son territoire européen comme champ de bataille déserté, qui s'inquiète aussi, en ce début de l'année 1948, de la nouvelle alarmante en provenance de l'est : Gottwald a pris le pouvoir par la force en Tchécoslovaquie, ce « coup de Prague » mettant fin à l'union politique des communistes, des socialistes, des sociaux-démocrates et des démocrates-chrétiens, et par là même à ce fragile symbole d'une éventuelle réconciliation entre les deux blocs.

Le 10 mars 1948, dans la salle des Sociétés savantes, rue de Richelieu, à Paris, a lieu la première conférence de presse du

R.D.R. A La tribune, parmi les fondateurs, deux intellectuels : Rousset et Sartre, deux militants syndicaux : Jean Rous et Léon Boutbien. Successivement, dans leurs interventions, une ligne s'esquisse, se précise. Le R.D.R.? « Un rond-point pour les militants des partis de gauche et pour tous les sans-partis qui veulent penser et lutter à gauche » : Jean Rous. Prenant à son tour la parole, Sartre martèle son discours de cette voix désormais célèbre pour les quatre-vingts journalistes qui s'écrasent dans la salle : « La plupart des Européens semblent déjà avoir choisi leurs vainqueurs. Nous sommes dans un état de guerre par personnes interposées. Le R.D.R. refuse de se ranger d'un côté par peur de l'autre. Il veut désintoxiquer, établir des contacts avec tous les groupements démocratiques européens pour mettre l'Europe à la tête de la paix. » « Ce que nous voulons, appuie à son tour Rousset, c'est un vaste mouvement de masses, libéré du monolithisme, animé à la base par des discussions libres... Nous sommes avec les ouvriers et les classes moyennes qui luttent pour leur vie [23]. » L'originalité du R.D.R., poursuit-il : « un rassemblement, et non pas un parti ». Ses objectifs : « Il nous faut cinquante mille adhérents à Paris, dans un mois. »

Ironiquement accueilli par ses voisins politiques, le Rassemblement démocratique révolutionnaire, soutenu par des quotidiens comme *Combat* et *Franc-Tireur,* par des revues comme *Esprit* et *Les Temps modernes,* sembla se développer tout au long de l'année 1948, galvanisé en quelque sorte par les menaces de troisième guerre mondiale qui devinrent fort pressantes pendant l'été, et semblaient, de fait, justifier son existence. Les communistes, pourtant, par les voix d'Étienne Fajon, de Pierre Hervé ou encore de Pierre Courtade, dénonçaient à tour de plume les complicités du R.D.R. avec les Américains : « On ne se tire pas du problème de la paix et de la guerre, écrivait notamment ce dernier, par des jeux de mots et une fausse candeur [24]. » Les socialistes, pour leur part, analysèrent d'un œil bien dubitatif les composantes du nouveau mouvement et, dans *Bataille socialiste,* Gilles Martinet se livra, quelques jours à peine après la création du R.D.R., à une démolition argumentée de l'entreprise, à un bilan alarmiste sur les chances de survie du bâtard nouveau-né. Il rappela l'hétérogénéité de sa composition, la faiblesse des consensus établis – « la logique aurait voulu que l'accord se fît sur le plan de la doctrine, non sur celui de l'action commune » –, il souligna les limites des propositions concrètes – « un assemblage de formules doctrinales aussi sommaires qu'hétéroclites, une avalanche d'informations volontaristes » –, il accusa, enfin, le R.D.R. d'un manque total de sens politique, soulignant les vœux pieux, les souhaits abstraits, les projets chimériques, les « illusions d'intellectuels » : « Vous vous diviserez en chapelles, prophétisait-il presque. Vous dites : " Nous sommes des millions ", vous n'êtes que quelques centaines... Ce ne sont pas vos textes littéraires qui rendront à ces travailleurs désorientés confiance en eux-mêmes. » Ajoutant enfin l'estocade magistrale : « Le socialisme ne se " repense " pas *avec* mais *contre* Jean-Paul Sartre [25]. »

Le premier grand meeting du R.D.R. eut lieu le 19 mars 1948, à la salle Wagram; le comité directeur avait travaillé dur pour mettre au point ordre du jour, discours et interventions. On y trouvait Georges Altman, de *Franc-Tireur,* Paul Fraisse, d'*Esprit,* Jean Rous, David Rousset et Jean-Paul Sartre. Le philosophe parla en dernier : « Le premier but du Rassemblement démocratique révolutionnaire, c'est de lier les revendications révolutionnaires à l'idée de liberté... c'est d'être effectivement un rassemblement des hommes de ce pays, comme consommateurs et comme producteurs, au sein de comités de quartiers, de comités de villages, de comités d'usines, où ils dégageront des moyens concrets de faire aboutir leurs revendications [26]. » Avant de rappeler les grandes lignes de l'organisation du R.D.R., il avait analysé deux exemples, évoqué deux types de drames, celui de la faim et celui de la guerre : « La faim au ventre, la liberté au cœur, disait-il. La faim, la simple faim, c'est déjà la revendication d'un homme qui réclame qu'on le libère de tout ce qui l'empêche d'être un homme. » Dans les premiers mois de création du R.D.R., on assista effectivement à un recrutement important : c'est que l'idée des comités de base était souple et efficace à la fois; c'est que l'idée d'un rassemblement de gauche qui ne tombait dans aucun des travers des partis politiques était neuve; c'est que, enfin, les idées de paix et de liberté, l'idéal d'une Europe socialiste étaient attirants. Groupes et commissions prirent donc forme dans la région parisienne, puis dans toute la France; un journal bimensuel, dirigé par Jean Ferniot, naquit également au mois de mai : le rassemblement sembla alors devoir prendre son envol. Des lettres lui arrivaient : « Le communisme c'est la guerre contre les U.S.A., et je ne veux pas la guerre, à aucun prix! écrivait Laurence Nicolas, une étudiante d'Asnières. J'ai lu votre appel, je l'ai entendu, enfin, ce cri que j'attendais depuis si longtemps. Oui, vous avez raison, le moment est venu, où la France doit retrouver le sens de la mission que le monde lui a confiée... » Quant à Richard Muller, secrétaire général des syndicats de cheminots F.O. (région Est), il se réjouissait : « Enfin une espérance et une certitude... Je suis persuadé que la foi qui anime de tels hommes entraînera les travailleurs qui aspirent à des jours meilleurs, dans une France propre, dirigée par de véritables démocrates... » « Dès maintenant, vous pouvez me considérer comme un pilier de votre mouvement », assurait pour sa part Pierre Pradales de Paris XIXe, ancien déporté à Mathausen. Guy Jezouin, d'Avignon, dans le Vaucluse, écrivait : « Voici quelques jours, avec un groupe de camarades, nous avons lu votre appel pour le R.D.R., et croyez que cela fait plaisir de lire un tel appel où, à l'heure actuelle, tout semble désespéré. Nous sommes cinq camarades qui avons quitté la S.F.I.O. il y a quelques mois... » « Je crois qu'il y a dans ce mouvement quelque chose de très intéressant qu'il faut soutenir passionnément », écrivait encore le dénommé Vallet, ancien syndicaliste des P.T.T., domicilié à Villeneuve-Saint-Georges. « Si ce n'est pas promptement noyauté par des salauds, poursuivait-il, ou dissocié par des esprits obtus... je crois qu'il y a là une belle expérience à faire... »

Soutiens en nombre, donc, à la suite de l'appel dont les accents idéalistes furent réellement et profondément entendus. Soutiens en nombre aussi, à la suite du premier meeting de la salle Wagram qui assurait, par les discours des membres de son comité directeur, par la foule qui était venue, une écoute déjà certaine. Soutiens également, à la suite de la couverture de presse de l'appel, de la conférence de presse, puis du grand meeting. Soutiens, bien sûr, enfin, grâce – et pourquoi le nier? – à la présence de Sartre au premier rang des militants. Il reçut de nombreuses lettres, de nombreuses adhésions, de nombreuses réactions – comme ce poème en patois berrichon qu'un groupe de Gien lui envoya! –, c'est encore lui qui attira, sur sa personne, le plus grand nombre d'insultes. « L'idée maîtresse de M. Sartre et de ses acolytes, expliquait par exemple le journal gaulliste *Rassemblement,* organe officiel du R.P.F., est de substituer au mythe malfaisant de la guerre le mythe bienfaisant de la paix... » Le journal *Le Monde,* par la voix de Rémy Roure, esquissait un sourire attentiste, reconnaissant bien volontiers que « l'appel est d'une grande noblesse » et que les hommes qui composent le R.D.R. « ont une sincérité émouvante. Saluons-les avec sympathie : nous n'aurons jamais trop de rêve parmi nous [27] ». Quant à Raymond Aron, dans *Le Figaro,* il eut quelques mots assez justes pour analyser la naissance du R.D.R. : dans un article consacré aux « contradictions du communisme », il chercha les raisons du déclin du stalinisme intellectuel, ajoutant, pour finir : « La place que les staliniens laissent vide, le Rassemblement démocratique révolutionnaire, de *Franc-Tireur* jusqu'aux *Temps modernes,* cherche à l'occuper. Entre le despotisme bureaucratique et le capitalisme, ils tentent de frayer la voie du romantisme révolutionnaire, déçu par tant d'échecs, mais toujours disponible [28]. »

Autour du mois de juin de l'année 1948, le bimensuel *La Gauche-R.D.R.* doubla le nombre de ses pages : « Palestine,

Afrique du Sud, Tchécoslovaquie... Mais où sont donc la Liberté et la Démocratie? », s'inquiétait Charles Ronsac, tandis que David Rousset, face au déclin socialiste et à l'isolement communiste, affirmait qu'il y avait pour le R.D.R. « un grand vide à combler ». Avant les vacances d'été, on prépara alors un nouveau meeting pour le 11 juin, dans la salle des Sociétés savantes. La réunion fut marquée par de violents incidents : des groupes R.P.F. étaient venus manifester leur opposition aux gauchistes. Sartre, ce soir-là, prit la parole dans un discours enflammé : « Jeunes d'Europe, unissez-vous! s'écria-t-il. Faites vous-mêmes votre destin... », s'adressant directement à la classe d'âge de la population française que, de loin, il préférait : les hommes de vingt ans. Ajustant très précisément son discours, il expliquait : « Nous n'avons pas le droit, nous, hommes de quarante ans, de donner des conseils à cette jeunesse : nous n'avons pas tellement réussi notre affaire pour y être autorisés. Aussi n'est-ce pas des conseils que j'apporte, mais le résultat de ce que m'ont appris quelques voyages en Europe... » Galvanisant son public, il ajoutait : « En faisant l'Europe, la jeunesse fera la démocratie. C'est par la constitution d'une fédération, par l'ébranlement d'un mouvement qui dépassera toutes les frontières que la jeunesse européenne pourra avoir enfin SON avenir, SA paix et SA véritable liberté [29]. » Dans le même temps, Paul Fraisse reprenait le thème de l'école laïque, « école de la liberté » : « De toute sa jeune force, disait-il, le R.D.R. exigera que soit réalisée partout et sous toutes ses formes la promotion de l'école publique, école de la liberté. » Dans sa diatribe polémique, il attaquait surtout les socialistes qui venaient, « avec des formes, de capituler devant les exigences des défenseurs de l'école confessionnelle »... Romantisme révolutionnaire, prises de position ponctuelles contre ses voisins politiques directs, grands idéaux européens démocratiques et socialistes, les dirigeants du R.D.R. martelèrent les mêmes thèmes. L'attaque par le « commando » du R.P.F., dont ils venaient d'être les victimes, leur démontrait qu'ils étaient devenus en trois mois des ennemis à part entière pour les jeunes gaullistes, des ennemis dangereux qui valaient la peine et le déplacement. Comment, en effet, interpréter autrement que cinquante jeunes armés de matraques et de coups-de-poing américains tentent de forcer, aux cris de « Vive de Gaulle » et de « A bas les salauds! », les salles où Sartre, Rousset et Rosenthal sont en train de parler? « Ce meeting doit continuer », annonça ce dernier, alors que la bagarre s'entendait de partout. « Nous nous refusons à appeler la police. Nous assurerons nous-mêmes l'ordre démocratique [30]. »

Autre signe de réussite, après ces trois premiers mois d'expérience, le salut de l'étranger, à commencer par celui des Britanniques et des Américains. Sur trois colonnes, le quotidien *New York Herald Tribune* publia une interview de « Jean-Paul Sartre, démocrate révolutionnaire ». Celui-ci, déjà rôdé par les propres étapes de son émergence outre-Atlantique, s'attacha à présenter le R.D.R. à l'opinion publique américaine : « Cependant la révolution qu'envisage le R.D.R., tint-il à préciser, ne doit pas être confinée à la France : pour être victorieuse et valable, elle doit s'accompagner de mouvements analogues dans le reste de l'Europe. Ce qui, à son tour, implique une certaine " unification européenne "... une union qui, tant au point de vue idéologique que sur le plan géographique, se distinguerait aussi bien des U.S.A. que de l'U.R.S.S. [31]. » Dans les derniers jours du mois de juin 1948, les membres du comité directeur du Rassemblement démocratique révolutionnaire nagent, on le voit, en pleine euphorie : tout est possible, y compris construire une Europe révolutionnaire capable de damer le pion aux deux grandes puissances mondiales. Oui, on le voit là, plus que jamais auparavant, les hommes de plume, et Sartre au premier rang, s'enflamment pour de grands projets politiques, à mi-chemin entre Saint-Just et Karl Marx ! Déjà, un programme est mis sur pied, avec un plan élaboré concernant la politique internationale, réfléchissant sur le sort de l'Espagne, de la Grèce, de la Palestine, sur les modes d'utilisation des matières premières essentielles, des nœuds vitaux de communication dans le monde. Envolée utile, peut-être excessive, lorsque les hommes de plume, emportés par leur élan, inventent enfin l'idée d'une « libre Fédération socialiste européenne » pour fonder un « vaste Rassemblement international dont le premier acte pourrait être le lancement d'une Charte de la démocratie révolutionnaire mondiale [32] ».

Plus intéressants, peut-être, furent à la même période les entretiens entre Sartre, Rosenthal et Rousset, plus tard publiés sous le titre *Entretiens sur la politique* : une sorte d'analyse rétrospective de la situation des partis en France ; une sorte de justification de la manière dont, se glissant véritablement entre les mailles du filet, le Rassemblement avait tissé sa toile entre les partis de gauche, gagnant des adhérents libres – puisque toujours aptes à rester membres d'un autre parti –, unifiant des couches sociales généralement divisées en politique. Surtout, et de plus en plus, à cette époque faste et euphorique où le Rassemblement avait le vent en poupe, Sartre et ses amis retrouvèrent, dans leurs discussions, cette fougue inimitable et intemporelle des dirigeants révolutionnaires qui voient, ou qui croient voir, dans la montée quantitative du nombre de leurs adhérents, la sanction presque sacrée du réel, la preuve indubitable de leur succès : ce fut le cas pour Sartre, Rousset et Rosenthal au mois de juin 1948. Se prirent-ils pour Lénine, Luxemburg ou Liebknecht? Nageant dans les bienfaits de l'illusion révolutionnaire, ils reculaient progressivement toutes les limites de leurs analyses : les comités de base élaboreraient des cahiers de revendication, à la manière des révolutionnaires de 89; le comité directeur maintiendrait en permanence un contact, un dialogue ouvert avec la base. Les éléments séparés de la base garderaient de même des contacts permanents entre eux. Le « fonctionnement démocratique intégral » qui avait au départ séduit Sartre devenait maintenant un véritable objectif. Ainsi que d'autres projets, comme celui de l'élaboration d'un courant idéologique commun entre ces diverses gauches désormais rassemblées; ou comme ce « but commun » défini par Sartre lui-même : « l'intégration de l'individu libre dans une société conçue comme l'unité des activités libres de l'individu [33] ». Seule blessure à avoir porté, semble-t-il, parmi toutes les réserves et critiques suscitées par le R.D.R.? L'accusation de « romantisme révolutionnaire » sous la plume d'Aron provoqua chez les trois révolutionnaires de nombreux retours, de nombreuses dénégations.

Après une naissance euphorique, ce fut pour le R.D.R. une phase de décollage fulgurant, qui culmina dans le grand meeting de la salle Pleyel, le 13 décembre 1948, premier et dernier sursaut avant l'effondrement. Durant l'âge d'or du R.D.R., ses militants, ses fondateurs, de plus en plus dégoûtés par l'attitude des partis alentour, de plus en plus assaillis par les menaces d'une troisième guerre mondiale – elle obsédait les Français pendant l'été 1948 –, développaient leurs espoirs dans la création de comités, listes des cahiers de revendications, préparations de congrès, d'assemblées générales, d'actions militantes, prosélytes ou de soutien, ici aux grévistes des mines du Nord, là aux travailleurs immigrés en France, là encore à une école laïque de Vendée [34]. Mais le grand jour du R.D.R. fut celui où il donna publiquement les signes les plus patents de son succès, dans un meeting poudre aux yeux, dans une affiche somptueuse, après neuf mois d'existence.

Qu'on imagine, côte à côte, à une même tribune, dans une salle Pleyel comble et bruissante, les écrivains Jean-Paul Sartre, Albert Camus, André Breton, Richard Wright, Carlo Levi, Theodor Plievier, Jef Last, Guido Piovene, ainsi que des intellectuels venus d'Inde, de Madagascar, du Viêt-nam, d'Espagne, du Maroc, autour des dirigeants du R.D.R., Rousset, Altman, Bourdet et Rosenthal, pour se figurer de quels feux brilla le Rassemblement à son apogée. On semblait revenu aux grands temps des meetings où les intellectuels de l'A.E.A.R., dans les années 30, faisaient à eux seuls déplacer des foules... Pure réunion d'intellectuels du monde entier, cette rencontre intitulée de manière volontairement abstraite ou maladroitement banale « l'Internationalisme de l'esprit » vit affluer entre la place des Ternes et le Faubourg-Saint-Honoré près de quatre mille personnes : curiosité littéraire ou authentique soutien politique? A tour de rôle, chacun des écrivains dit son dégoût des fascismes et sa foi en sa liberté. « Les aspirations des hommes ne sont plus satisfaites par les partis politiques existants », affirma André Breton, alors qu'Albert Camus énonçait l'idée que « le monde est dans le malheur et que, déjà, dans le monde, les inquisiteurs se sont assis sur des fauteuils ministériels », avant de lancer la formule : « Il vaut mieux se tromper en n'assassinant personne que d'avoir raison devant des charniers. » L'Italien Carlo Levi se déclara pour sa part convaincu que leurs « mouvements, qui affirment la démocratie révolutionnaire, seront, un jour, un seul mouvement ». Sartre, parlant après lui, redonna dans l'issue Europe, dont on ne savait plus bien si elle était pour lui un véritable recours ou un ultime radeau de sauvetage : « Les hommes qui sont ici, lança-t-il comme s'il allait énoncer une vérité paradoxale, sont des hommes qui croient à l'Europe. Ils ont les mêmes craintes et les mêmes espoirs... Toute tentative pour unifier l'Europe, quand elle vient des gouvernements et des hommes en place, est suspecte. C'est par l'union des masses européennes que cette unité doit commencer... » L'Allemand Theodor Plievier parla de la jeunesse de son pays : non seulement « elle ne nourrit plus aujourd'hui le moindre rêve d'une hégémonie allemande, annonça-t-il comme une garantie définitive, mais elle a compris que ce rêve est à l'origine de tous ses malheurs. Après l'apathie bien compréhensible au lendemain de la destruction du régime nazi, elle commence à s'intéresser à la vie politique, au sens le plus large du mot ». L'écrivain noir américain Richard Wright, ancien communiste, prit à son tour la parole dans une diatribe où perçaient toutes les contradictions qui avaient été les siennes : « Ces deux nations, l'Amérique et la Russie, dit-il, proclament qu'elles représentent la liberté humaine, et entre ces deux proclamations l'esprit humain est sacrifié. Les hommes ont peur. Ils ne peuvent choisir. » Enfin, se remémorant très exactement ce pourquoi il était venu, il embraya : « Écoutez, vous, écrivains et artistes : les hommes qui gouvernent le monde aujourd'hui vous ont déclaré la guerre! On n'a pas besoin de vous dans la société qu'ils aspirent à construire [35]. »

Si le R.D.R. n'avait donné lieu qu'à ce genre de grand meeting public sur fond de banalités lyriques d'écrivains d'ici et d'ailleurs, au coude à coude, dans une solidarité bien-pensante et pieuse, faite de bric et de broc, c'eût été assurément un échec. D'ailleurs la tribune de la salle Pleyel, en ce soir du lundi 13 décembre 1948, ne fut-elle pas la dernière grande apparition publique de cette belle brochette d'écrivains internationaux apparemment unis? « La fin d'un consensus, assure pour sa part David Rousset. Tout le monde se séparait de tout le monde, Merleau-Ponty avait d'ailleurs été invité, mais Camus intervint: il ne participerait pas à la rencontre si Merleau n'était pas écarté. Camus représentait une audience trop forte: on écarta Merleau [36]. » Outre ces magouilles de derrière le rideau, ces manipulations de dessous de tables, il faut bien admettre que le plateau de vedettes offert ce soir-là en une même séance était absolument impressionnant, si on l'envisage dans une optique purement publicitaire. Quant à la teneur de leurs interventions, il ne fallait pas être grand clerc pour déceler qu'elle ne recouvrait qu'un bien fragile, qu'un bien mince, qu'un infiniment ténu consensus de pacotille. D'accord pour la paix contre la guerre? Soit. D'accord pour la vérité contre le mensonge? Pardi. D'accord pour l'Europe contre les deux blocs? O combien... Et voilà la bonne conscience à peu de frais qui se repaît de ses cendres. Assurément, si le R.D.R. n'avait été que ces grandes séances de « racolage » public, c'eût été bien maigre.

Les véritables acquis des militants du R.D.R. se situaient assurément ailleurs. Ils se situaient, par exemple, dans les initiatives de la base pour trouver un dialogue qui avec les mineurs en grève, qui avec d'autres catégories de travailleurs. Ils se situaient dans toutes ces tentatives – essais et erreurs – en direction d'une participation démocratique à la vie du pays, dans ces expériences microscopiques, ces petits cailloux blancs qui réapparaîtraient, vingt ans, vingt-cinq ans plus tard, avec des phénomènes comme la révolution étudiante de 1968, avec l'expérience autogestionnaire de l'usine Lip, à Besançon – pour ne prendre que deux exemples symboliques. Mais, de ces deux exemples, Sartre sera, a priori, partie prenante. Déjà, en 1948, dans les rangs du R.D.R., ne fut-il pas celui qui milita concrètement pour que fussent tentées deux expériences qui lui tenaient à cœur, deux projets à l'image de ce qu'il pensait y trouver et y apporter? Il fut l'initiateur, en effet, des universités populaires, l'initiateur aussi des cours de formation pour travailleurs nord-africains. Deux initiatives autrement plus fortes que les vœux pieux de ses discours quand il jouait le rôle de caution magique! Il eut encore quelques autres occasions de toucher juste, comme le jour où, invité par les étudiants marocains à prononcer un discours, il trouva pour la première fois le ton de certains accents tiers-mondistes qui vont devenir les siens quelques années plus tard: « Un Français dans une réunion marocaine vient ici plutôt en coupable, annonçait-il pour commencer. Le peuple marocain est opprimé... La France l'opprime, mais non pas les masses françaises. Bien sûr, on vous a souvent parlé de la France, pays de la liberté, toutes les fois qu'il s'agissait de se battre contre les étrangers. C'était pour vous mystifier. Beaucoup d'entre vous se sont fait tuer pour l'impérialisme en croyant mourir pour la liberté... Vous accusez la France à juste titre... Vous vous plaignez à juste titre... En luttant pour votre liberté, vous luttez pour la liberté de l'homme et donc pour la nôtre. Et nous, nous ne saurions être dignes de revendiquer notre liberté tant que nous ne pourrons pas dire : " Pas un homme sur terre n'est opprimé de notre fait [37]. " » Puis Sartre salua le parti de l'Istiqlal, et Jean Rous en fit de même, au nom des peuples opprimés. Et si le R.D.R. n'avait été que les prémices, les balbutiements maladroits, mais l'occasion, en fait, de mettre le doigt sur un certain nombre de problèmes politiques – comme celui de l'indépendance nationale et de l'identité européenne –, s'il n'avait été que l'occasion de révéler certains problèmes de société – comme celui des travailleurs immigrés, celui de l'école laïque, celui du tiers-mondisme montant –, pourrait-on, des décennies plus tard, lui en tenir rigueur? Car cette mobilisation peut-être idéaliste, attisée par la terreur d'une troisième guerre mondiale, acculée par les deux impasses aussi inacceptables à l'Est qu'à l'Ouest, humiliée par la déchéance et la passivité auxquelles on réduisait l'Europe, stimulée par le blocus de la ville de Berlin-Ouest, furent tout de même des sursauts plutôt sains. Un échec, le R.D.R. ? « Une tentative de beaucoup prématurée, répond des années plus tard David Rousset, pour créer un mouvement socialement révolutionnaire, qui ne soit ni la social-démocratie, ni le stalinisme [38]. » « Cela a été ma première vraie démarche politique, explique à son tour Sartre, et j'avoue qu'elle n'était pas heureuse : nos idées étaient fort vagues; en gros, il me semble, c'était une nouvelle version de cette " troisième force " que tant de gens voulaient créer en France », ajoute-t-il, dans un jugement totalement négatif [39].

La rupture effective entre Sartre et Rousset intervint précisément lorsque ce dernier, pour des raisons financières, se tourna vers les syndicats américains, l'A.F.L. et le C.I.O. ; c'est avec leur concours et avec celui d'intellectuels américains comme Sydney Hook, qu'il organisa la Journée internationale de résistance à la dictature et à la guerre, pour le 30 avril 1949. Déjà, les 29 et 30 janvier, Sartre n'avait pas jugé utile de se rendre aux réunions du comité directeur du R.D.R. où les vingt-cinq camarades présents avaient pourtant élaboré les étapes prochaines pour insérer le Rassemblement dans le mouvement socialiste pour les États-Unis d'Europe, où ils avaient également discuté de la tactique à suivre, des candidats éventuels à présenter pour les élections cantonales du 20 mars 1949. Sartre fut absent des réunions du comité directeur, comme il fut absent des manifestations de la journée du 30 avril : à quatorze heures trente, du grand amphithéâtre de la Sorbonne; à vingt heures, de la tribune du Vélodrome d'Hiver.

Cette journée du 30 avril avait été conçue, dans l'esprit de gens comme David Rousset par exemple, pour répondre entre autres aux initiatives du récent Mouvement de la paix, intégralement aux mains des communistes; de délicates négociations avaient été menées entre certains délégués du R.D.R., Fraisse, Rous, Bourdet, Rousset, et certains intellectuels communistes dont Laurent Casanova, pour tenter un éventuel accord, un éventuel meeting commun. Tractations difficiles qui aboutirent à un échec, les communistes refusant de laisser évoquer le problème de l'« inexistence des libertés démocratiques élémentaires en Union soviétique »; le R.D.R. évoquant – c'était nouveau – l'éventualité d'accepter, sous certaines conditions, le pacte Atlantique. Les communistes tirant vers Moscou, le R.D.R. vers New York, la corde cassa. Elle cassa également à l'intérieur du R.D.R., à la même époque, et pour les mêmes raisons, entre des hommes comme Sartre et Rousset. « Merleau-Ponty, Richard Wright et moi, comprenant qu'on nous avait eus, explique Sartre, avons refusé d'aller à cette réunion où les Américains avaient envoyé des anticommunistes bien connus comme Sydney Hook, où des gens firent l'éloge de la bombe atomique... Nous avons alors réclamé la convocation d'urgence d'un congrès qui s'est tenu un mois plus tard [40]. »

Les 28 et 29 juin 1949 eurent lieu les deux journées consacrées à la première conférence nationale du R.D.R., après dix-huit mois d'existence : soixante-dix délégués en tout qui échangèrent, écrit diplomatiquement l'ami *Franc-Tireur,* « leurs points de vue fraternellement, dans la totale indépendance de leurs nuances de pensée [41] ». « Ce congrès a été très violent, retient pour sa part Jean-Paul Sartre; des gars, d'anciens communistes, des trotskistes, reprochaient à Rousset ses engagements pris aux U.S.A. et la réunion pour la paix qui avait eu lieu... Le R.D.R. s'est décomposé. Il y avait une forte majorité qui voulait travailler avec les communistes, et une plus petite minorité proaméricaine [42]. » En fait, si le nom de Sartre resta vivant dans les archives du R.D.R., ce fut, en grande partie, à cause de la motion qu'il élabora, avec des camarades, avant ces journées bilan, et qui reste connue sous le nom de « motion Chauvin-Sartre ». En plus du nom de Sartre, membre du comité directeur, de celui de Jean-René Chauvin, membre du comité régional parisien, elle était signée de trois autres camarades : Henri Sack, un ancien militant du Parti communiste allemand; Henri Massein, ancien communiste de la fraction trotskiste dissidente; Georges Gousseau qui rejoindra plus tard les rangs du Parti socialiste. « Aujourd'hui le R.D.R. a plus d'un an d'existence, disaient en substance les cinq signataires. Où en est-il? Le bilan négatif est malheureusement très lourd. Après un départ encourageant, le recrutement s'est vite arrêté... nous perdons des adhérents; des sections entières démissionnent, d'autres sont réduites à l'état de squelettes. Cependant le comité directeur poursuivait une politique de meetings et de manifestations spectaculaires... qui n'auraient pas été dangereuses si en même temps le recrutement s'était activement poursuivi. Mais comme celui-ci restait stagnant, un divorce s'est opéré entre la base qui restait embryonnaire et le comité directeur qui s'adressait aux masses, à l'Europe, au monde, à tout sauf à ses propres militants... La démocratie directe qui devait être le caractère essentiel de notre organisation demeurait sur le papier. Non que le R.D.R. ait pris l'aspect d'un parti dictatorial, c'était simplement l'anarchie [43]. » La colère, on le voit, est grande, comme est également franche la tonalité de l'autocritique. D'ailleurs, outre les reproches de manque de démocratie interne ou de politique incantatoire, les dimensions idéologiques apparaissent sans nuance, et la corde tendue entre Moscou et New York craquait là encore, une nouvelle fois. « Non seulement le R.D.R. ne repousse aucune unité d'action avec le Parti communiste, affirmait la motion, mais il se propose de la provoquer entre ouvriers socialistes et ouvriers communistes chaque fois qu'il s'agit de défendre les intérêts immédiats des travailleurs... »

Avant le congrès, une commission fut désignée par le comité directeur pour élaborer un « projet d'orientation générale » du R.D.R. Dans cette commission, se retrouvèrent les camarades Altman, Dechezelles, Fraisse, Parisot, Rosenthal, Rous et Sartre : échec dans l' « organisation d'une véritable collectivité militante », échec dans la définition de la « structure de son organisation »; mise en évidence, toutefois, de « la mission du R.D.R. comme celle d'un *centre organisateur et animateur* de divers courants démocratiques et ouvriers qui vont de la gauche M.R.P. et de la C.F.T.C. à l'extrême gauche non stalinienne, chez lesquels il a trouvé tant d'échos favorables [44] ». A partir de ce moment-là, à partir de ces tensions, le R.D.R. sombra : diminution de ses effectifs, interminables débats idéologiques internes, sans compter les problèmes de trésorerie. Sartre quitta le mouvement en octobre 1949, reprochant à David Rousset, notamment, d'avoir trop « évolué vers la droite ». Les journaux se firent l'écho de ce départ; ainsi, *Le Monde* nota qu' « après des débuts assez brillants, le R.D.R. [était] tombé en sommeil. Des dissensions semblent encore l'affaiblir davantage ». Et le journaliste d'ajouter : « Le départ de M. Jean-Paul Sartre marque avec éclat l'impuissance actuelle du mouvement à sortir de ses querelles intérieures [45]. » Faire du départ de Sartre le baromètre du R.D.R. n'était-il pas pour le moins excessif? N'était-ce pas en fait un signe de plus du culte sartrien dans les médias français qui poursuivaient leur scrupuleux travail d'observation quotidienne des faits et gestes du philosophe? « Pris d'une nausée politique, Sartre quitte le R.D.R. », titrait d'ailleurs finement à cet égard le quotidien *Samedi soir,* pourtant peu suspect d'intérêt pour les informations politiques. Le jour officiel du congrès, on aurait d'ailleurs en vain cherché Sartre, et pour cause : il venait de partir pour le Mexique, le Guatemala, et d'autres pays encore, avec Dolorès [46].

Au moment où Sartre quittait le R.D.R., on avait compté deux mille adhésions au mouvement pour l'ensemble du pays, ce qui, en plus d'un an d'existence, était somme toute fort maigre. Il y avait eu des crises diverses comme celle qui s'était développée à la rédaction de *Franc-Tireur,* qu'un certain nombre de ses journalistes avaient quittée; un autre conflit également lorsque certains membres du comité directeur du R.D.R. voulurent utiliser *Franc-Tireur,* au lieu d'engager des sommes importantes pour la « feuille » que dirigeait Ferniot. Il s'avère, en fin de compte, que la présence de Sartre n'a pu qu'aider le R.D.R. à se développer : Sartre avait été, selon le témoignage de Paul Fraisse, un « financier très généreux » – il avait donné au mouvement une somme de 300 000 francs – mais « ni l'homme des comités, ni l'homme des meetings [47] ». D'autre part les soutiens étrangers, même depuis la base, n'étaient-ils pas dus, souvent, à son seul nom? Ainsi ce groupe de jeunes Italiens qui souhaitèrent, en février 1949, « avoir l'honneur de correspondre avec *La Gauche-R.D.R.* » dont ils déclaraient « accepter le programme ». Ce groupe de camarades romains se référait à un discours de Sartre : « Dans un de ses articles, Jean-Paul Sartre a invité les jeunes à être les seuls interprètes de leur vie. Depuis vingt ans, aucun gouvernement n'a su donner aux jeunes de véritables institutions démocratiques qui leur permettent de se libérer des formulations dogmatiques et de rejeter les supercheries [48]. » La classe d'âge préférée du philosophe, la catégorie des « vingt ans » pour lesquels il avait prononcé son discours, avait répondu présent à l'appel sartrien. Jamais il ne cessera de viser ce public. Jamais il ne manquera, d'une manière ou d'une autre, de les séduire.

Une fois l'expérience du R.D.R. épuisée, Sartre ne fit plus, au cours de l'année 1949, que de rares interventions politiques. Deux d'entre elles, pourtant, méritent d'être signalées. Le soutien, tout d'abord, qu'il accepta d'apporter à Garry Davis, et à son mouvement des Citoyens du monde : en septembre 1948, cet ancien pilote de guerre de l'U.S. Air Force avait, dans un geste très public et violemment symbolique, déchiré son passeport américain pour protester contre la guerre froide, avant d'aller, dans les bâtiments de l'O.N.U., demander qu'on lui accorde la « citoyenneté mondiale ». Conférence de presse, conseil de solidarité, meetings, pétitions, son action avait pris de l'ampleur et de nombreux écrivains français avaient accepté de se mobiliser pour cet appel : ainsi, André Breton, Albert Camus, Raymond Queneau, Vercors, Paulhan, Emmanuel Mounier, et d'autres. Sartre, sollicité, réservait son accord. En juin 1949, au moment où ses relations se détérioraient avec le R.D.R., il accepta, pourtant, d'« ouvrir un dialogue » avec Garry Davis et les Citoyens du monde, soumettant à leurs projets certains arguments assez organisés : ses critiques portèrent surtout sur l'idée d'un « gouvernement mondial » qu'il considérait comme « utopique, idéal, ou mieux mythique au sens sorélien du terme », tout en assurant qu'il restait parmi « les alliés et les amis [49] ».

Deuxième intervention politique intéressante, à plus d'un titre, au cours de cette année 1949 : la conférence que Sartre prononça le 24 avril au Centre d'études de politique étrangère. Conférence importante, qui intègre ses réflexions et ses expériences de 1946 à 1949 dans des propositions assez originales. Intitulée « Défense de la culture française par la culture européenne », elle entreprend en effet de montrer l'impact du pouvoir politico-économique sur le pouvoir culturel, avec maints exemples à l'appui : « Le rapport des cultures est, dans une certaine mesure, déterminé par un rapport de forces », dit-il notamment. Puis, tentant de déterminer l'identité de la culture française face à la culture américaine, il parle d'imperméabilité : toutes les anecdotes de sa dernière tournée de conférences, il les utilise pour montrer ce qui oppose les écrivains intellectuels européens aux écrivains U.S. « Ce qui caractérise la culture européenne, d'une manière générale, précise-t-il, je dirai que c'est une lutte contre le mal... Toujours les écrivains ont mené une lutte contre les pouvoirs, contre les idéologies établies, pour la justice sociale : ... alors que l'intellectuel et l'écrivain sont divisés en Amérique, un écrivain en France est aussi un intellectuel... En particulier, il y a un virus américain qui pourrait nous contaminer fort vite, et qui est le pessimisme de l'intellectuel... Avons-nous un moyen de sauver les éléments essentiels de cette culture ? », demande-t-il enfin, après avoir brandi le spectre d'une culture française menacée par l'hégémonie américaine. « Oui », répond-il, optimiste, à condition de constituer une « unité culturelle », d'inaugurer une « politique culturelle européenne ». Et de rappeler une « entente très singulière, entente qui s'est manifestée pour moi au cours de mes voyages en Europe où l'abord est immédiat ». Belle démonstration antiaméricaine, pour les besoins de laquelle il a utilisé tous les outils possibles, y compris la possibilité d'enterrer Voltaire, Kafka, Kierkegaard sous des tonnes de romans yankees totalement illisibles. « C'est en visant à une unité de culture européenne, conclut-il, que nous sauverons la culture française; mais cette unité de culture n'aura aucun sens et ne sera faite que de mots, si elle ne se place pas dans le cadre d'un effort beaucoup plus profond pour réaliser une unité économique et politique de l'Europe [50]. » Produit de ses réflexions, de ses observations, de ses analyses politiques, cette conférence n'est-elle pas, à elle seule, la synthèse du Sartre en gloire? Statut de l'écrivain, statut de l'Europe, projets culturels et politiques se trouvent ici mêlés, dans un programme personnel et original : ses dernières réflexions de cet ordre, avant qu'il ne quitte, pour un temps, les limites de l'arène politique.

Après l'échec du R.D.R., il cesse, pour un temps, « d'intervenir dans la pratique ». « Sartre s'est forcé, dans cette affaire, conclut aujourd'hui David Rousset, et peut-être avons-nous eu tort, Altman et moi, d'aller le chercher au moment du lancement du Rassemblement : sa présence a eu certains aspects très positifs, il était assez direct dans ses relations avec les militants, tout en restant très papal dans sa dogmatique; c'est ce qui, je crois, a toujours rendu ses rapports avec l'action politique assez difficiles car au fond, malgré sa lucidité, il vivait dans une sphère tout à fait isolée du réel... Il avait le plus vif intérêt pour le jeu et le mouvement des idées, mais il était assez peu curieux des événements et n'avait pas pour le monde un intérêt passionné... » David Rousset s'arrêta, réfléchit, et, reprenant ce qu'il venait de dire, il ajouta : « Oui, c'est ça, au fond, il vivait dans une bulle, Sartre [51]. »

Après l'échec de « Socialisme et Liberté » en 1941, après les arrestations des camarades, après les risques de l'action politique clandestine, Sartre avait marqué un temps d'arrêt. Une impasse, en somme. Après l'échec du R.D.R., après cette expérience d'une démocratie intello-libertaire, après cette deuxième prise de conscience du décalage entre la spéculation intellectuelle et le poids du travail de militantisme concret, Sartre marque à nouveau un temps d'arrêt. Une impasse bis, en somme. Désormais, ses interventions politiques ne seront plus jamais celles d'un militant intégré, *à l'intérieur* d'un mouvement ou d'un groupe. Mais celles d'un intellectuel sympathisant, qui accorde son soutien, *de l'extérieur,* en marge toujours, aux côtés de, si l'on préfère. Après sa démission du R.D.R., retrait du champ de l'action politique : il s'était engagé fort loin, il mesure à présent les limites de ce rêve abstrait, de ces quelques mois de « romantisme révolutionnaire », comme avait perfidement prophétisé Aron [52].

DANS L'IMPASSE BIS

« Plus tard, dans le dictionnaire, on trouvera une rubrique : SARTRE, Jean-Paul, célèbre préfacier du XXe siècle... » Ainsi s'amusait-il lui-même parfois, ironisant à loisir sur ce qui était devenu, à certains moments, comme une autre carrière. Après l'échec du R.D.R., baisse de cadence, baisse de régime, les moteurs tournent, mais c'est au ralenti. « Sartre avait pratiquement renoncé à toute activité politique, écrit le Castor, il s'occupa d'histoire et d'économie, il relut Marx [1]. » Des préfaces, toutefois. Couronnement de sa position de force dans la vie culturelle française, de son ascension? Signe de sa crédibilité, de son influence? Ou bien manifestation d'un creux, d'un passage à vide dans sa carrière? Plus bon à rien, sauf à des préfaces? Fin d'un règne hégémonique, dans le rôle d'un simple présentateur, d'un porte-voix, d'un aboyeur presque? Seront ainsi préfacés par Sartre, cautionnés par Sartre, intronisés par Sartre, « sartronisés » : Louis Dalmas pour un essai sur le communisme yougoslave, Juan Hermanos pour un essai sur le régime franquiste, le compositeur René Leibowitz pour une analyse de l'engagement de l'artiste dans un art « non signifiant », Roger Stéphane pour son *Portrait de l'aventurier,* les guides Nagel sur la Scandinavie où il avait voyagé, plus tard encore Henri Cartier-Bresson pour ses photos de Chine, la Chine où là, par contre, il n'était encore jamais allé...

Quel sens, pourtant, ces gestes de baptême, avaient pour un homme qui refusa toujours la véritable paternité? S'il ne procréa pas, au sens physiologique du terme, il se forgea pourtant la plus riche, la plus vaste, la plus nombreuse des descendances : lecteurs, fidèles, adeptes, furent successivement « roquentisés » puis littéralement sartrisés. Certains en demandèrent plus : la sartronisation fut un sacrement qui s'obtint sur demande et après étude du dossier par certains des rouages de la famille, de l'équipe au sens large. Le cas de Nathalie Sarraute, première de toute la liste, est sans doute le plus beau : en 1947, son second roman, *Portrait d'un inconnu,* est précédé de huit pages sartriennes : « Sartre fut merveilleux pour moi, expliquera-t-elle plus tard. Après la Libération, il a lu mon dernier manuscrit, et, de lui-même, il m'a proposé de le préfacer. " Le livre est très difficile, disait-il, et vous aurez du mal à trouver un éditeur. " Il avait raison. Même avec une préface de lui en 1947, à une époque donc où il était si célèbre que des cars entiers de touristes se faisaient conduire devant les Deux Magots dans le seul espoir de l'apercevoir une seconde, mon roman fut refusé par tout le monde. J'ai enfin trouvé un éditeur qui en a vendu 400 exemplaires avant de le mettre au pilon [2]. » Le nom de Sartre, dans ce cas, ne changea donc rien à la destinée du roman et c'est lui-même qui se proposa dans le rôle de présentateur et suggéra à la jeune romancière d'alors qu'il pourrait, peut-être, lui être utile en lui faisant la courte échelle.

Cette activité de préfacier resta pourtant infiniment plus cohérente qu'elle n'y parut : préfaces de combat, elles lui donnèrent l'occasion de faire avancer ses propres idées, de les nuancer, de les expliciter. Ainsi put-il expliquer sa conception de l'engagement dans le cas des arts dits abstraits (Leibowitz); compléter son article de 38 contre Mauriac, opposant les écrivains de bonne foi, au point de vue de Dieu (Nathalie Sarraute); reprendre le thème de l'engagement dans ses aspects éthico-politiques (Roger Stéphane); prendre publiquement, et dès l'année 1950, position pour le maréchal Tito et son expérience yougoslave (Dalmas). Une occasion de poursuivre ses réflexions en les affinant. Une occasion, aussi, de faire pénétrer dans la sphère sartrienne amis, alliés et complices.

Autre symptôme de la célébrité, de la crédibilité, du capital acquis : l'inflation des demandes de conseils, de rendez-vous, bref de tout ce qu'on comprendra sous le terme générique de « visites à Sartre ». Bernard Pingaud, par exemple, fit l'expérience de ces multiples séductions exercées par la personnalité et l'œuvre sartriennes. Lycée Pasteur, mais pas dans la classe de Sartre; passage dans les milieux d'étudiants pétainistes pendant l'occupation; premier roman *Le Phœnix,* que Dumartin, un ami de Pasteur, propose de montrer à Sartre. « Il a lu le manuscrit, puis il m'a convoqué au Flore, raconte Pingaud. " J'ai lu ça, vous avez beaucoup de dons, m'a-t-il dit. Mais pourquoi essayer de faire lyrique? Vous êtes un sec. Cultivez donc ce genre. Vous ne serez jamais lyrique, et revenez me voir, si vous en avez envie [3]. " » Pingaud publia son roman aux éditions de la Table ronde, en 1946, lut *Les Chemins* et commença à rédiger une sorte d'étude sur Sartre qui, remaniée et reprise avec l'écrivain de droite Pierre Boutang, devint un pamphlet, *Sartre est-il un possédé?*, signé conjointement Boutang-Pingaud. Les deux auteurs lui reprochaient, notamment, de ne pas être assez lyrique, de trop en faire dans le genre court... et sec! Plus tard, Bernard Pingaud, par Pouillon interposé, entrera au comité de rédaction des *Temps modernes.*

Parcours en zigzag, louvoiements successifs autour de l'œuvre, autour de la personnalité de Sartre : la trajectoire de Pingaud est exemplaire. Car Sartre réussit, en mélangeant les cartes, en redistribuant les données, à attirer vers lui une large frange des jeunes écrivains français de l'après-guerre, qu'ils fussent de droite ou qu'ils fussent de gauche. Il attira les anars, attira les libertaires, attira les gauchistes avant la lettre, attira aussi les « hussards ». Ainsi Roger Nimier eut-il à cœur de placer son premier roman *L'Étrangère* sous l'estampille sartrienne : « A Jean-Paul Sartre », lit-on en dédicace. Pour sa part, Louis Pauwels, lorsqu'il publia son roman *Saint Quelqu'un,* en 1946, présenta son héros, Jousselin, comme un être totalement « roquentisé », passablement aussi influencé par le Meursault, par *L'Étranger* de Camus. Postérité sartrienne indubitable donc, dès 1946. « Je n'ai aimé que des écrivains sérieux, écrira en 1953 Nimier à Chardonne, Bernanos, Chardonne, Sartre. Il faut revenir à Sartre. On est injuste envers lui [4]. » Une autre fois, il saluera son « rôle social », le comparant à Voltaire, avant de poursuivre : « Son image recomposée est celle d'un destructeur, premier prix d'intelligence, cependant, et second accessit d'obscénité [5]. »

Inspirant l'admiration souvent, la méchanceté parfois, l'indifférence jamais. Ainsi, que cherchait donc Jacques Laurent, au-delà du sarcasme, dans son fameux essai *Paul et Jean-Paul* qui parut au cours de l'année 1951? Que cherchait-il donc lorsqu'il élaborait un audacieux rapprochement entre Sartre et Paul Bourget? Lorsqu'il passait en revue les attitudes réciproques de Paul et de Jean-Paul face au roman à thèse, à l'art pour l'art, aux mauvais sentiments, aux idées confuses? Lorsque, enfin, il entreprenait d'« avertir Jean-Paul Sartre et de [de] l'inviter à considérer de plus près la véritable discipline du continuateur. Élève de Bourget, soit. Mais l'élève se doit de continuer le maître. Jusqu'ici l'effort de Sartre s'est plus appliqué à transposer qu'à renouveler [6] ». S'agissait-il là pour Laurent de blesser l'idole, d'égratigner la statue, ou simplement de la toucher? Certes, son parallèle avait de la ressource, du punch, de l'audace, certes quelques critiques touchaient juste, certes on poursuivit parfois la comparaison, mais ne faut-il pas voir dans ce texte un hommage insolent et narquois, plutôt qu'une démolition en règle?

Le plus célèbre, le plus complexe en tout cas des visiteurs de Sartre fut sans conteste Bernard Frank qui raconta dans plusieurs de ses ouvrages – dont *La Panoplie littéraire* et *Le Dernier des Mohicans* – certains épisodes de leurs relations de 1951 à 1953. Dépôt du premier manuscrit chez la concierge de la rue Bonaparte; attente angoissée d'une réponse favorable : « C'est à ce moment, écrit Frank, que Sartre me convoqua pour me signifier que j'étais un écrivain. Je compris que, pour lui, c'était une découverte, alors que, pour moi, et depuis des années, c'était une évidence... Sa surprise, sa joie, ses félicitations me déplurent... Je trouve maintenant mille justifications à Sartre... [il] avait été d'une insondable gentillesse. Autant qu'il est possible à un écrivain de le faire, il s'intéressait utilement à son visiteur [7]. » Pour un jeune écrivain de vingt et un ans, la rencontre était de taille, et, dès l'année suivante, Sartre proposa à Frank de tenir la chronique littéraire des *Temps modernes.* En moins d'un an, donc, intronisation au sein de l'équipe, de la famille même, pour un jeune littérateur inconnu, mais de talent, et d'avenir, comme on dit. « Sartre me fit savoir... que, pendant les six premiers mois, j'étais pris à l'essai... J'avais l'impression qu'il me métamorphosait en jeune et accorte soubrette un peu trop vive, à qui l'on confie, non sans une crainte certaine, le plumeau noir que l'on vient de retirer des mains d'un vieux domestique dont les manies, les grognements perpétuels, à la fin, ont mis hors d'elle la maisonnée tout entière [8]. » Après une phase euphorique – « j'aimais ce rôle de franc-tireur, de mercenaire des *Temps modernes* qui convenait à ma nature », écrit Frank – les relations se dégradèrent : rejets de ses articles, attaque de son dernier roman *Les Rats* dans les *T.M.,* et par la plume même de Cau. On n'avait pas apprécié, semble-t-il, dans les locaux des *Temps modernes,* que Frank critiquât, dans son dernier roman, sur « l'étrange solipsisme *collectif* » qui y régnait... Jalousies, tirages Cau-Frank? Ces tensions firent l'objet d'un livre et Frank garda toujours une affectueuse nostalgie pour les imparfaits du subjonctif sartriens.

Michel Crozier, enfin, donnera quelques articles aux *Temps modernes* en 1951-1952 : « J'avais été le jeune inconnu qui envoie un article comme on lance une bouteille à la mer, écrit-il. *Les Temps modernes* accueillirent ma prose et en redemandèrent [9]. » Exemple parmi d'autres de la structure souple, de la structure d'accueil, de cette sorte de loi que semblait instituer Sartre : « Tout est toujours possible à tous », de cette espèce de cellule mi-formation continue, mi-promotion sociale offerte par le bureau des *T.M.* et son équipe accessible? Non, répond Crozier qui dit rudement sa déception : « Je ne m'attendais tout de même pas à être célèbre, mais j'espérais qu'on ferait un peu attention à moi, que je trouverais des gens avec qui parler, que j'échapperais à la solitude et, pourquoi pas, ferais partie d'un milieu vivant où j'aurais ma place. Je ne rencontrai aux *Temps modernes* que rivalités, snobismes et prétentions. C'était aussi froid et impersonnel qu'un parti politique ou qu'une université... »

Pendant que le préfacier intronisait, recevait, conseillait la jeune génération d'écrivains français, il s'était engagé dans une énième préface, de son propre chef cette fois : celle des œuvres de Jean Genet. Rencontré en 1944 par l'intermédiaire de Cocteau, Genet était devenu un habitué de la « famille Sartre », un ami en quelque sorte, pour autant que les sorties communes scellent officiellement des liens de cette nature. Ce que Genet pensait de Sartre, en effet, nous reste assez mystérieux, tant furent démesurés les événements que nous allons suivre. On se souvient des propos louangeurs – « un génie littéraire » – tenus aux États-Unis dès l'année 1945 puis en 1946. On se souvient qu'il lui dédia aussi le *Baudelaire* en 1947, tandis que, de son côté, Genet faisait imprimer en tête de son *Journal du voleur*: « A Sartre. Au Castor. » Sous les hommages publics, les rencontres de façade, quels liens pourtant, quelles relations véritables? « Proust a montré la pédérastie comme un destin, Genet la revendique comme un choix... l'auteur a choisi le vol et la prison, il a choisi l'amour et la conscience dans le Mal. Il frôle, il s'exhibe, et pourtant ne s'abandonne jamais; son art tient les lecteurs à distance. Grâce à quoi, au fond de ce monde lointain, dans l'enfer des gâfes, des casseurs et du mitard, on trouve un homme [10]. » Cet encart publicitaire rédigé par Sartre en mars 1946 pour *Le Miracle de la Rose* révèle certains des thèmes favoris qu'il reprendra plus tard, toujours les tissant, les entremêlant.

La préface à Genet va devenir, au fil des pages, un objet bâtard, obèse, énorme, monstrueux. Elle va s'enfler progressivement, engrossée de toutes les passions de Sartre pour comporter, au bout du compte, rien moins que six cent quatre-vingt dix pages! Et Jean Genet sera enfermé, entre ces pages, dans le rôle du plus sartrien des personnages sartriens, du héros sartrien par excellence. Les malédictions sociales, Genet les a toutes connues : bâtardise, Assistance publique, délinquance, emprisonnement, homosexualité... Les malédictions sociales, Genet les a toutes vécues, assumées jusqu'au bout. Mais s'il les a assumées et transformées, c'est en produisant, au bout du compte, une œuvre d'art. Traversant la société depuis toutes ses marges, imperméable à ses normes, au-delà de tous les crachats, de toutes les sanctions, au-delà aussi bien sûr de toutes les gratifications, de toutes les reconnaissances. Être parfaitement indépendant, sur lequel les situations d'anomie sociale n'ont aucune prise; être parfaitement autonome, créateur de son propre système de valeurs, de son propre univers. Être *causa sui,* donc, comme Sartre lui-même tenta de l'être, dans ses complexes démêlés avec Jean-Baptiste, avec Charles Schweitzer, avec le père Mancy. *Saint Genet comédien et martyr* serait donc un double sartrien, mais un double réussi, dont la vie même est une œuvre d'art : esthétique de la provocation, de la sublimation, esthétique de l'asocialité la plus rigoureuse, dans le va-et-vient suprême entre humiliation et défi, entre stigmatisation et toute-puissance. Entre la société et ce type d'individu, bras de fer redoutable, donc Genet sortit, bien sûr, à la fois intégralement triomphant et tout à fait indifférent. « La canonisation d'Eva Peron par le pape », écrira entre autres Cocteau après lecture du livre de Sartre, « et celle de Genet par Sartre (autre pape) sont les deux événements mystiques de cet été [11] ». Cocteau était encore en deçà de la vérité : on ne canonise qu'un être posthume. Genet fut, lui, embaumé tout vivant par un Sartre, inconscient peut-être, dans ce texte fou, dithyrambique, passionnel et envoûté. Vampirisation de Genet? Monstruosité de l'hommage? A coup sûr, cet énorme manuscrit que Jean Cau fit lire à Genet avant toute publication, et sur proposition de Sartre, Genet aurait pu le perdre, le refuser, le contester, le brûler. Il l'accepta tacitement, en accepta aussi toutes les conséquences. La rencontre se fit donc, pour les lecteurs de ce livre insolite, entre deux individus nés aux deux pôles de la société française, deux individus inversement déterminés par leur naissance. Et le normalien, chargé du poids de ses lectures, de ses références culturelles, de ses outils théoriques sophistiqués, se pencha avec friandise sur le bâtard, sur le taulard, sur le voyou, sur l'homosexuel. Racontant Genet tout en parlant de lui-même, en intellectuel, en entomologiste.

« Je devins traître et je le suis resté », écrira plus tard Sartre dans son autobiographie. La capacité de traîtrise qu'il perçut chez Genet, plurivoque, inassouvible et permanente, sous-tend l'ensemble du *Saint Genet.* « La plus agile et la plus intelligente des leçons d'ontologie phénoménologique de l'époque, à la française », dira pour sa part, du texte, le philosophe Jacques Derrida [12]. Tant l'entreprise psychanalytico-biographique y fut ambitieuse, tant la pression sartrienne sur la personne et l'œuvre de Genet y fut vorace, tenace : presque un viol. Le thème de la bâtardise le renvoyait à celui de l'orphelin de père, mais en plus radical. Les thèmes du vol, de la taule, de l'homosexualité, à ceux de la subversion sociale, de la traîtrise, de la violence marginale, mais en infiniment plus aboutis, plus expérimentés. Ainsi prendra corps petit à petit le concept de « praxis », capital dans la réflexion philosophique sartrienne – qui, encore seulement à l'état de notion implicite dans le *Genet,* deviendra, appliqué à la politique, explicite dès l'année suivante, puis analysé, élaboré en 1960 dans la *Critique de la raison dialectique.* Le *Saint Genet* fut donc, dans la dynamique de la production sartrienne, une étape à la croisée des chemins (auto)biographiques – *Baudelaire, Les Mots, Flaubert* – et des chemins philosophiques – la *Morale,* la *Critique de la raison dialectique.*

Le journal de Cocteau – il fut l'intermédiaire dans la rencontre Sartre-Genet – résume à lui seul les sentiments confus et divers de la critique au moment de la publication du livre : « Comme tous les livres de critique véritable, c'est un portrait monumental de Sartre dont Genet n'est que la pierre ou le bronze... [et qui] ne représente pas plus Genet que la statue de la Liberté à New York ne représente la liberté américaine... Sartre acquitte Genet... Il retourne Genet à l'envers – donc il le met à l'endroit... Terminé le livre de Sartre. Les derniers chapitres s'enfoncent dans une boue nauséabonde. C'est dommage... Je quitte le livre sur un pénible malaise. Qui peut avaler cela ?... C'est Sartre qui tire son épingle du jeu, à cause d'une écriture qui colle à l'idée... Il y a chez Sartre une noblesse de clinicien, un amour du sujet qu'il traite, une franchise. On est dégoûté, effrayé. On n'est pas *gêné.* Il y a autre chose. Une sorte de possession sur la place des Lettres, une volonté d'affadir tout autour [13]. » D'autres, également, intervinrent dans le débat, chacun trouvant, dans ce livre-monument tellement incongru, métaphore, formule, dégoût : un véritable test projectif. Olivier Larronde fut, pour sa part, fort heureux. « Sartre n'a pas voulu blesser Genet, mais réussir son tour de force sur sa tête. C'est Guillaume Tell [14]. » Pour Mauriac, ce fut simple et expéditif : il traita, dans *Le Figaro,* l'œuvre de Genet d'« étron », c'est tout dire. Quant à Paul Claudel, il avait découvert dans *Les Nouvelles littéraires* un article de Robert Kemp, consacré conjointement au livre de Sartre et à un livre de Céline, intitulé « Répugnances ». Deux ouvrages publiés, comme l'était également toute l'œuvre de Claudel, chez Gallimard. Il écrivit donc au « cher Gaston » une lettre bourgeoise et offusquée, comme si le voisinage de ces deux textes sur le prestigieux catalogue lui était physiquement insupportable. « L'auteur qui propose cet individu à l'admiration de ses fidèles, écrivait Claudel, lui applique, avec un goût que vous appréciez sans doute, des textes de sainte Thérèse et de saint Jean de la Croix. Ces ouvrages sont, paraît-il, publiés chez vous. J'aime à croire qu'ils vous rapporteront de l'argent. Malheureusement vous n'aurez pas longtemps à en jouir, et, que cela vous soit agréable ou non, un moment n'est pas loin où vous aurez à en rendre compte. En attendant je ne sais si la pensée vous plaît que, quand vos livres tomberont sous les yeux de vos petits-enfants et de leurs descendants, ils trouveront sur la couverture en gros caractère le nom de leur grand-père. Ineffaçable. Je vous envoie mon salut attristé [15]. » L'histoire ne dit pas si les descendants de Gaston Gallimard furent choqués de la cohabitation; pour Robert, en tout cas, l'éditeur de Sartre, la question était incongrue. Est-il besoin de rappeler que Claudel *n'avait pas lu* le livre?

Georges Bataille, pour sa part, publia, dans la revue *Critique,* un article enthousiaste : « Je ne vois pas seulement dans cette interminable étude, écrivait-il entre autres, l'un des livres les plus riches de ce temps, mais aussi le chef-d'œuvre de Sartre... A la fin, le livre laisse un sentiment de catastrophe confuse et d'universelle duperie, mais il achève de mettre en lumière la situation de l'homme d'aujourd'hui, révolté, jeté hors de ses gonds... Jamais les défauts [de Sartre n'y] ont été plus marqués : jamais il n'ânonna sa pensée plus longuement, jamais il ne se voulut plus fermé à ces ravissements discrets que ménage la chance, qui traversent la vie et l'illuminent furtivement : le fait de peindre l'horreur avec complaisance accuse ce trait de caractère [16]. » Mais Genet? Comment supporta-t-il cette publicité sartrienne, élaborée devant tous, dans un exhibitionnisme extrême de sa propre personne? « Toi et Sartre vous m'avez statufié », lança-t-il à Cocteau lorsque, six mois après la publication du livre, il lui rendit visite. « Je suis un autre, il faut que cet autre trouve quelque chose à dire [17]. » Et Jean Cocteau ajouta : « Jean a changé depuis le livre de Sartre. Il semble à la fois qu'il s'y conforme et qu'il prenne la fuite [18]. » Perception privilégiée de l'ami privilégié, embarrassé sans doute.

Contemporaine, dans sa rédaction, du *Saint Genet,* la septième pièce de théâtre de Sartre, *Le Diable et le Bon Dieu,* fut représentée pour la première fois le 7 juin 1951, tint l'affiche sans interruption jusqu'en mars 1952, et devint immédiatement l'événement de la saison théâtrale parisienne. « Cette pièce peut passer pour un complément, une suite aux *Mains sales,* écrit l'auteur dans un texte de présentation, bien que l'action se situe quatre cents ans auparavant. J'essaie de montrer un personnage aussi étranger aux masses de son époque qu'Hugo, jeune bourgeois, héros des *Mains sales,* l'était, et aussi déchiré. » Commandée par Simone Berriau, la directrice du théâtre Antoine, la pièce, dans sa genèse, donna lieu à de véritables psychodrames. Il faut dire que les personnalités des différents interlocuteurs étaient plutôt du genre à produire des affrontements de héros, dans le style des plus palpitants westerns texans. Simone Berriau, tout d'abord, femme d'affaires dynamique et séduisante, portant de jour et de nuit de sublimes capelines ou autres chapeaux à large bord, sut commander la pièce à Sartre, le solliciter, le relancer, le faire travailler même, lorsqu'il aurait eu par exemple envie de laisser tomber. Louis Jouvet, figure légendaire du théâtre français, signa avec *Le Diable et le Bon Dieu* sa dernière mise en scène et mourut deux mois après le début des représentations. L'acteur Pierre Brasseur, autre bête théâtrale du panthéon français, eut le rôle principal, celui de Goetz. A côté de lui, Jean Vilar, le fondateur du Théâtre national populaire, dans celui de Heinrich; la grande Maria Casarès, brûlante et la voix chaude, dans celui de Hilda; Wanda, alias Marie Ollivier, dans celui de Catherine. Si l'on ajoute que les répétitions commencèrent avant même que Sartre eût fini la rédaction de l'ensemble, que Simone Berriau exigea des coupures, que le ton monta entre Sartre et Jouvet, que l'on travailla 19 400 heures pour réaliser décors et costumes, que Sartre était pressé par le temps, Jouvet pressé par la mort, Berriau pressée par les contraintes horaires, on perçoit un peu des tensions, des pulsions qui traversèrent, dans un travail insensé, tous les protagonistes d'un tel projet[19]. Ce fut obsessionnel, comme toujours lorsque Sartre produisait, mais ce fut obsessionnel à douze ou quinze, en l'occurrence. « Sartre prétendait même, raconte Simone de Beauvoir, que, lorsque Simone Berriau errait à travers le théâtre, ses doigts imitaient machinalement le mouvement d'une paire de ciseaux[20] ».

« Jouvet attend Sartre », titrait l'article d'un critique, quatre mois avant la première. Et les journalistes en rajoutèrent sur cet affrontement de géants, ces monstres sacrés réunis dans un corps à corps peu commun. Dans la salle, le soir de la première, un homme siffla violemment et fut emmené au poste de police où il déclara au commissaire : « Je déteste Sartre; c'est un empoisonneur de la jeunesse française, un criminel; il faut le fusiller comme une bête malfaisante[21]. » Climat belliqueux entretenu par les critiques, qui crurent voir dans la pièce « une machine de guerre contre Dieu »; dans les journaux de droite, on attaqua le « blasphème dérisoire », Mauriac ironisa sur « Sartre, l'athée providentiel », Thierry Maulnier titra : « Y a pas de Bon Dieu. » Les autres reprochèrent à la pièce d'hésiter entre l'intellectuel, le philosophique, le métaphysique, d'être ennuyeuse, bavarde et verbeuse. Elsa Triolet expliqua qu'elle lui faisait penser à Ghelderode; d'autres mentionnèrent Claudel. On remarqua surtout, chez les critiques contemporains, les performances d'acteurs, à l'idée de la mort de Dieu. Une interprétation plus « sartrienne » était encore à l'époque, paradoxalement, impossible. Il avait pourtant, et dès le texte de présentation, offert quelques clefs : suite des *Mains sales*, héros coupé des masses... Roquentin, puis Lucien Fleurier, puis Oreste, puis Hugo, puis Genet, puis maintenant Goetz : autant de questions identiques, autant d'arrêts sur image, autant de perspectives en abyme d'un Sartre à la recherche de lui-même, à la recherche du lien de l'individu avec l'action, avec le monde, avec la morale. En vérité, Sartre élabora dans *Le Diable* un chaînon capital de sa réflexion philosophique et que Simone de Beauvoir, plus tard, aidera à élucider, en publiant *La Force des choses*; car sa familiarité avec la réflexion sartrienne dans sa genèse et dans tous ses détours, sa connaissance privilégiée des inédits contemporains de l'écrivain, lui permirent de proposer une interprétation « interne » des thèmes et des catégories philosophiques. « En vérité, Sartre opposait de nouveau à la vanité de la morale, note-t-elle entre autres, l'efficacité de la *praxis.* Cette confrontration va beaucoup plus loin que dans ses œuvres antérieures... En 1944, il pensait que toute situation pouvait être transcendée par un mouvement subjectif; il savait en 1951 que les circonstances parfois nous volent notre transcendance; contre elles, il n'y a pas alors de salut individuel possible, mais seulement une lutte collective [22]. » Car Goetz, ce sera Genet allant jusqu'au bout du mal, dans sa quête d'absolu, ce sera l'incarnation du dialogue sympathisant de Sartre avec le marxisme après l'échec du R.D.R., après l'impuissance du concret. « J'ai fait faire à Goetz ce que je ne pouvais faire », dira-t-il d'ailleurs lui-même.

Le travail le plus méconnu de ces années d'impasse bis, le plus investi aussi, celui dont l'abandon reste à élucider, fut sans aucun doute le manuscrit connu sous le nom de *La Reine Albemarle ou le dernier touriste,* ce roman inachevé et inédit, dont Simone de Beauvoir affirme qu'il devait être « *La Nausée* de son âge mûr ». Sur un petit cahier d'écolier de moleskine noire, Sartre avait écrit les cent premières pages du texte; sur l'étiquette du cahier, le titre était par lui ainsi libellé : « *La regina Albemarle o l'ultimo turisto* ». Plaisir personnel de tracer quelques mots en italien, mais pas tout à fait gratuit pourtant puisque ce manuscrit fut rédigé en Italie, sur l'Italie, autour de l'Italie. Le pays où il résida le plus fréquemment, le plus volontiers. Naples, Venise, Milan, Turin, Rome surtout. Ses emplois du temps étaient, à Rome comme à Paris, parfaitement organisés. Petit déjeuner puis travail dans un café, le matin, promenade en fin de journée, à la découverte d'une piazetta, d'un restaurant en plein air comme la ville en recèle par centaines, par milliers. Longues marches le long du Trastevere pour trouver un plat de pâtes, vers la piazza Navona pour son whisky du soir et pour un *tartuffo con pana* – sa glace au chocolat préférée –, vers le campo dei Fiori et la piazza San Eustachio pour le meilleur café de Rome, l'*espresso* le plus tassé, le plus serré, le plus amer presque, sous l'œil insolite de l'énorme tête de cerf qu'on repère, en levant la tête à se tordre le cou, bizarrement placée tout en haut de l'église d'en face... Car Sartre fut pour la ville de Rome un amoureux fou, un amant gourmet, un romantique et un passionné. A partir de l'année 1946, on l'y verra tous les ans, plusieurs semaines par an, sans exception : à l'hôtel Minerva sur la petite place où un éléphant miniature entreprend de supporter un obélisque, à l'hôtel Senato, place du Panthéon, à l'hôtel Nazionale, enfin, le plus luxueux, face à la Chambre des députés où il aura une suite avec balcon et air conditionné avec le Castor à partir des années 60 : « Chambres 94 et 95 », nous dira mécaniquement le portier à l'évocation du seul nom de l'écrivain. Gourmandises romaines, pavés, marchés aux fleurs et façades ocre, fontaines, figuiers, odeurs d'égouts, de pizzas brûlantes et de café grillé, voitures qui se cognent aux piétons, qui s'entremêlent et qui cornent, regards surtout qui vous agressent, vous narguent, vous interrogent, vous frôlent, vous protègent presque, vous intègrent et vous sacrent, instantanément, citoyen romain, piéton romain. Touriste, lui, à Rome? Si peu, puisqu'il déambule dans la ville, piéton heureux, retrouvant ses repères, ses gourmandises, ses odeurs. Piéton anonyme, à Rome où, une fois que toute la presse avait annoncé son arrivée, il redevenait libre, rarement reconnu dans les cafés, rarement dérangé, libre donc de s'adonner à sa passion du regard, dans le rôle de voyeur de café, comme il le faisait encore avant guerre à Paris, comme il l'avait fait au Havre, à Berlin. S'asseyant à une terrasse avec un verre de *vino bianco,* observant les mouvements de foule, les entrées, les sorties, les jolies dames. « Un *espresso* », « un *whisky* », « un *gelato* », *« grazie, grazie »,* et il était paré. Ville magique, autonome et corruptrice, foule anonyme, langue inconnue : il se coulait et se fondait dans ses postures et ses lieux favoris, dans cette liberté de mouvements que sa notoriété française ne lui permettait plus beaucoup. Protégé par les barrières de langue, par ce brouillard facile qui infantilise, qui allège, qui possède toutes les indulgences.

« L'un des charmes de Rome, écrit Simone de Beauvoir, c'est que, depuis 1946, l'unité de la gauche ne s'était pas brisée. Ce que Sartre avait tenté de réaliser [23]. » Sur Rome, sur l'Italie, Sartre va projeter magistralement tous ses fantasmes politiques, culturels et autres. Fera du Parti communiste italien le parti miracle, l'anti-P.C.F., le Parti communiste de toutes les libertés et de tous les possibles. Fera de l'Italie le pays magique, le « pays où l'on rit dans la rue [24] ». Des intellectuels communistes italiens, les seuls communistes ouverts, avec lesquels il était possible de dialoguer, de s'entendre, dans un pays où le choix était encore ouvert, où les combats aux côtés du prolétariat ne conduisaient pas à des compromissions majeures. Un pays, enfin, où les œuvres d'art engagées pouvaient toujours rester œuvres d'art : nulle comparaison possible, donc, pour lui entre les nombreux livres produits par les écrivains communistes français des années 50 et les beaux romans d'Elio Vittorini, de Carlo Levi, d'Ignazio Silone, d'Alberto Moravia. Comme si la magie romaine, l'harmonie toscane, l'élégance piémontaise préservaient à elles seules, de tout dogmatisme, de tout arbitraire.

« Je devais travailler sur l'adaptation cinématographique de *Huis clos,* nous raconte Alberto Moravia [25], mais Sartre n'avait pas du tout apprécié l'interprétation que j'en donnais, ce en quoi d'ailleurs il avait raison. Nous nous sommes donné rendez-vous piazza Colonna dans un petit café et, là, je lui ai dit combien j'étais heureux de rencontrer l'auteur de *La Nausée* et de " L'Enfance d'un chef"... » Moravia, amoureux de Flaubert et des surréalistes, maniant un français précis et infiniment riche, transmis par sa gouvernante française, Mlle Durand, avait déjà en 1946 écrit ses onze premiers romans. De deux ans le cadet de Sartre, il avait, dès 1929, avec *Les Indifférents,* abordé le thème de l'indifférence, de l'étrangeté, de l'hyperlucidité de l'individu, préfigurant, avec dix ans d'avance, la veine de *La Nausée.* D'intimes liens, donc, même si Moravia, qui ne répugnera pas « en tant que citoyen » à donner son soutien extérieur et ponctuel au P.C.I., s'opposera toujours à l'idée de l'engagement sartrien. « La quête de l'absolu qui est celle de l'artiste m'a toujours paru s'opposer radicalement à la quête du relatif qui est celle du politicien », précise-t-il, tout en s'inclinant devant la statue du « penseur ».

A Rome, Sartre fréquentera Carlo Levi, le peintre Guttuso, dînera avec Togliatti, discutant avec eux, s'étonnant de leur popularité, trouvant des arguments et des passerelles comme il n'en trouvait pas avec ses homologues français. Rome ville magique : c'est là qu'il apprendra certains événements politiques décisifs, là qu'il y réagira, qu'il y évoluera. C'est dans les cafés de Rome et de Venise, donc, qu'il retrouvera la plume du voyeur pour *La Reine Albemarle,* comme il l'avait fait au Havre pour *La Nausée.* « Les femmes italiennes ont gardé le naturel de Stendhal, écrira-t-il notamment. J'admire comme elles savent entrer au restaurant, au dancing. Les nôtres cherchent une attitude. Elles pas [26]. » Sur ses expériences italiennes, sur son statut de touriste, il écrira *La Reine Albemarle,* comme on fait un reportage, comme on tient un journal : au jour le jour, en s'observant minutieusement. Il inventera le concept d'« antitouriste », racontera une anecdote qui lui arriva dans une gondole à Venise, l'analysera pour la rendre signifiante, retrouvant dans le statut d'antitouriste des aspects de Roquentin, observateur vieilli mais bourlinguant toujours. « La tristesse de Venise est comme un de ces froids doux et pénétrants qui transitent lentement jusqu'aux os... à Venise, on est l'homme du bricolage, de l'artisanat parce qu'on vit et qu'on voit à la petite semaine, minute par minute... mais Venise, c'est un peu la pensée maudite d'un type égaré par la mauvaise foi qui s'embrouille en soi et qui n'en sort pas... D'où une sorte d'accablement... Et puis il y a l'eau... et l'on se gonfle peu à peu [27]. » Il notera aussi certains détails qui lui furent, on le sait, particulièrement sensibles : « Ces Italiens sont des drogués, des dopés... avec leurs cent quarante kilos de pâtes par an... je lis qu'avec trente cafés par jour on peut mourir... » Attirance du drogué, du dopé pour ce pays de drogués, de dopés. Élaboration lente des contours d'un roman en devenir, d'un roman avorté.

Car au premier reportage rédigé dans le petit cahier de moleskine noire fait écho un autre texte manuscrit, autre approche de *La Reine Albemarle* : texte étonnant d'une trentaine de pages, description rigoureusement fantastique d'une rencontre romaine, atmosphère étrange et noyée, comme le récit d'un rêve, une sonorité pour le moins discordante face aux habituels accords de l'écriture sartrienne. Le narrateur qui dit « je » rencontre des êtres monstrueux et difformes et retrouve aussi, dans certains repères purement physiques, des souvenirs charnels, des mémoires incarnés, comme lorsqu'il note que les proportions de la seule et unique pièce d'une maison sont « à peu de chose près [celles] de notre baraque au Stalag XII D : nous y tenions à 158 ». Typique du climat fantastique du rêve éveillé, cette déformation des proportions, ce rappel quasi magique d'autres proportions enfouies, cette cohabitation du monstrueusement grand et du monstrueusement petit. Comme dans ce vestige du manuscrit : « Rome est déserte... une naine débouche des couloirs et vient à ma rencontre en traînant les savates : il était temps, j'allais me prendre pour un fantôme. Mais elle me jette un regard craintif, en me croisant, et je lis dans ses yeux qu'elle n'est pas bien sûre que je n'en sois pas un [28]. » Comment analyser un manuscrit aussi troué, une mosaïque aussi lacunaire? Cette *Nausée* de son âge mûr fut donc abandonnée; peut-être, plus tard, d'autres morceaux de textes surgiront-ils pour venir combler ces blancs. Car si, au dire des sartrologues les mieux informés, le manuscrit total comprenait, avant l'abandon, près de cinq cents pages, seules une centaine d'entre elles nous sont, pour l'heure, disponibles. A la demande de l'hebdomadaire *France-Observateur,* Sartre autorisa la publication de quelques pages, – elles furent reprises plus tard dans le quatrième volume des *Situations* : « Venise de ma fenêtre » et « Un parterre de capucines » « Il pleut. Sous la pluie, toutes les grandes villes se ressemblent, Paris n'est plus dans Paris, ni Londres dans Londres : mais Rome reste dans Rome... Trente siècles ont imprégné les murs d'une sorte de phosphore : je marche sous l'eau entre de douces clartés solaires. Les Romains courent au milieu de ces soleils noyés, en riant... Je fais le tour du Panthéon saccagé; l'obélisque emboulé est supporté par un éléphant qui n'a pas l'air content du tout; cet ensemble africain sert à la gloire du christianisme. Voilà Rome : elle sort de l'eau, déjà sèche, tout un ossuaire damné [29]. » Traces romaines, vestiges estompés dans les manuscrits enfouis de Sartre : ressusciteront-elles un jour? Traces sartriennes, pourtant, dans Rome, comme à l'hôtel Nazionale ou comme, totalement insolite, à l'entrée de tel restaurant non loin de la grande synagogue, cette mention, encore présente en août 1984 : *« Piccioncino alla Jean-Paul Sartre, recetta di Jean-Paul Sartre »...* Malgré l'éléphant de la piazza Minerva, malgré les petits pigeons du restaurant de la vieille ville, le dernier touriste abandonna *La Reine Albemarle* à ses magies et à ses mythes, abandonna aussi le projet d'un grand roman : l'abandon de ce projet ne sera, dans le parcours sartrien, ni une première ni une dernière. Mais, en l'occurrence, l'abandon de *La Reine Albemarle* signa une fin. Car, moins de deux années, de trois années plus tard, reprenant du service dans la pratique concrète, il entrera dans une phase rigoureusement différente, attribuant à son statut d'écrivain d'autres buts, d'autres ambitions. Dans quelques pages, nous y verrons plus clair [30].

Pour l'heure, dans l'isolement, dans l'acharnement, il lit, il écrit, il écoute de la musique, chez Simone de Beauvoir le plus souvent. Nulle conférence, nulle intervention publique, ces années-là. Mais un repli, comme des retrouvailles avec une certaine esthétique de la solitude, de l'ascèse. Et rien d'étonnant si on le retrouve beaucoup auprès du Castor : il a rompu avec Dolorès, en juin de l'année 1950, un an après leur grand voyage en Amérique centrale, ce voyage école buissonnière pour lequel il avait « séché » le premier et dernier congrès du R.D.R. à la Mutualité. Voyage qui les avait menés au Mexique, puis au Guatemala, en Haïti où il assista à des combats de coqs, à des manifestations du culte vaudou, à Cuba enfin. Là, il rencontra pour la deuxième fois Ernest Hemingway, dans sa maison de La Finca, au cours d'une soirée apparemment morose où les deux écrivains discutèrent plutôt droits d'auteur, pourcentages, ventes à l'étranger et traductions – problèmes de milieu, pour tout dire – que théorie littéraire ou bilan de l'existentialisme. Dolorès sembla bizarrement muette ce soir-là, ou trop éprise peut-être. Sartre, vraisemblablement, apprécia fort peu les efforts démesurés accomplis par la femme de Hemingway pour qu'il se passât quelque chose entre les deux hommes de lettres. Tout cela sentait, sans doute, pour lui, davantage le *name-dropping* mondain que la véritable rencontre avec un ami, un interlocuteur. Mme Hemingway nota, déçue, que ce dîner du 27 août 1949, au cours duquel Sartre et sa petite amie apprécièrent les vins et la nourriture, n'avait pas rempli ses attentes : « J'avais espéré, écrit-elle, un survol et une analyse du mouvement existentialiste... Ils parlèrent comme des hommes d'affaires [31]. » Dolorès non plus ne garda pas un souvenir impérissable de cette soirée; ni du voyage d'ailleurs. Sartre, apparemment, y fut morose et parfois bougon : ce ne fut pas leur période faste. Leur histoire se termina comme les autres, c'est-à-dire que Sartre proposa qu'elle ne se terminât pas, offrant un appartement à proximité et des rencontres régulières, pré-organisées : un contrat d'amitié à vie en quelque sorte. Dolorès refusa. Avec la distance, elle parle de « cruauté inouïe », tout en n'accusant rien ni personne; elle parle de « destruction, de destructions de nombreuses vies, d'actes sans conséquence », tout en se refusant nettement à voir un « coupable »; elle parle de « force, de volonté, d'âpreté implacable » dans les gens qui, autour de Sartre, étaient hostiles à leur liaison. « Dolorès, c'est la seule qui m'ait fait peur », dira pour sa part Simone de Beauvoir à Sartre dans leurs entretiens de 1974. Et elle ajoutera : « Parce qu'elle était hostile [32]. » Quelque temps après la rupture avec Dolorès, Sartre se liera avec Michelle Léglise-Vian, qui avait quitté Boris Vian peu auparavant. On les verra, épanouis et rieurs, dans les bars de la rive gauche, Michelle aux cheveux d'or, apportant avec douceur et précision ses compétences anglophones à telle traduction, à telle rencontre, toujours présente, toujours fragile. Elle ne rompra jamais avec lui.

Années tournantes, années réflexives : des liens se déchirent, d'autres se nouent. En février 1951, c'est la mort d'André Gide. On se souvient du fameux : « Qui est ce nouveau Jean-Paul ? », Gide ayant détecté l'écrivain Sartre au premier coup d'œil, dès la lecture du *Mur,* en nouvelle isolée dans la *N.R.F.* en 1938. On se souvient de leur première rencontre grâce à l'entremise de la photographe Gisèle Freund. De la visite de Sartre à Gide, lorsque, au cours de l'été 1941, il chercha à agrandir son groupuscule de résistance. Des saluts sartriens à l'écrivain de la décolonisation au milieu de la déclaration de guerre généralisée qu'était la « Présentation » des *Temps modernes*. De la moue perplexe de Gide, après lecture de l'appel à l'engagement, sabre au clair, que venait de faire Sartre. On les retrouvera, pourtant, tous deux, au cours de l'été 1950 dans le jardin de Gide à Cabris, en Provence. Confortablement enfoncés dans d'immenses fauteuils au dossier trop souple, ils posèrent, entre autres, pour une séquence du film sur Gide que Marc Allégret était en train de tourner. Quand Gide mourut, à peine quelques mois plus tard, Sartre lui consacra un court article dans *Les Temps modernes*; il y saluait les vertus de l'écrivain qui venait de mourir à plus de quatre-vingts ans : « Le même homme, écrivait-il notamment, osa publier la profession de foi du *Corydon*, le réquisitoire du *Voyage au Congo*... il eut le courage de se ranger aux côtés de l'U.R.S.S. quand il était dangereux de le faire et celui, plus grand encore, de se déjuger publiquement quand il estima, à tort ou à raison, qu'il s'était trompé. C'est ce mélange de cautèle et d'audace qui le rend exemplaire... » Audace du franc-tireur, logique de la contradiction et de la recherche permanente, courage de la subversion contre les valeurs des bien-pensants, parti pris de la vérité coûte que coûte, c'est tout cet ensemble que salua Sartre dans son « Gide vivant », soulignant que, contrairement à tant d'autres, Gide « est un exemple irremplaçable, parce qu'il a choisi... de devenir sa vérité ». Et il ajouta, comme parlant de lui-même : « toute vérité, dit Hegel, est devenue. On l'oublie trop souvent, on voit l'aboutissement, non l'itinéraire, on prend l'idée comme un produit fini sans s'apercevoir qu'elle n'est rien d'autre que sa lente maturation, qu'une succession d'erreurs nécessaires qui se corrigent, de vues partielles qui se complètent et s'élargissent [33]. » Cet adieu à Gide restera une pierre, petite, sur la longue route des questionnements bio- et autobiographiques.

Entre-temps, l'équipe des *Temps modernes* s'était élargie à de nouveaux collaborateurs, certains assez proches du P.C.F.; parmi eux, Claude Lanzmann – il va devenir, et définitivement, un « intime » –, Marcel Péju, Bernard Dort. Entre-temps, aussi, la revue avait, par un éditorial de Merleau-Ponty intitulé « Les jours de notre vie », dénoncé l'existence des camps de travail en U.R.S.S. : « Si les concentrationnaires sont dix millions, y lisait-on notamment, pendant que, à l'autre extrémité de la hiérarchie soviétique, salaires et niveaux de vie sont quinze à vingt fois plus élevés que ceux des travailleurs libres alors... c'est tout le système qui vire et change de sens et, malgré la nationalisation des moyens de production, bien que l'exploitation privée de l'homme par l'homme et le chômage soient impossibles en U.R.S.S., on se demande quelles raisons nous avons encore de parler de socialisme à propos d'elle [34]. » Merleau dénonça donc les camps de travail soviétiques, « plus criminels encore que les autres, puisqu'ils trahissent la révolution ». Dénonciation pleine de scrupules, toutefois, dans une position très éthique : Merleau-Ponty tint à souligner tout de même que la Russie demeurait « incomparable aux autres nations »; qu'il n'était « permis de la juger qu'en acceptant son entreprise et au nom de celle-ci [35] ». Une accusation publique, oui certes, mais pas une accusation comme une autre : une accusation un peu à part, comme une mise en garde privilégiée, comme une alerte à son corps défendant. Une gêne, une ambivalence, une impossibilité à condamner radicalement, mais une volonté de condamner tout de même, une difficulté à se résoudre, un reste de confiance, une volonté coûte que coûte de continuer d'espérer. La condamnation, pourtant, n'échappa absolument pas aux communistes. « Ils ne l'avaient pas digéré, écrira Sartre. Nous y eûmes droit, ce fut notre fête. Moi, ça ne me gênait pas : rat, hyène, vipère, putois : j'aimais ce bestiaire, ça me dépaysait [36]. » Nouveau conflit, nouvelles injures, nouvelles ambiguïtés. Au nom de quoi, d'ailleurs, tous ces scrupules des *Temps modernes,* si ce n'est au nom de la classe ouvrière, au nom de la patrie du socialisme, au nom de ce qu'ils nommaient les « valeurs communistes »? Car, ajoutait Merleau-Ponty : « Nous avons les mêmes valeurs qu'un communiste. » Tout en précisant : « On me dira que les communistes n'ont pas de valeurs... il les ont *malgré eux* [37]. »

Ces « valeurs communistes » réelles ou fictives, Sartre continua de les partager, en ces années d'impasse bis. Immédiatement, il accepta de se mobiliser lorsqu'il fut contacté par Claude Roy et Jean Chaintron pour soutenir Henri Martin, ce marin communiste qui avait été arrêté en mai 1950 et condamné à cinq ans de prison pour son action politique contre la guerre en Indochine. Immédiatement, Sartre signa une demande de grâce présentée au président de la République par différentes personnalités. Immédiatement, il demanda à être reçu par le président Vincent Auriol : « Le cas d'Henri Martin, déclara-t-il à sa sortie du palais de l'Élysée en janvier 1952, reflète les embarras de toute une jeunesse, dans une société qu'elle n'approuve plus, lorsqu'elle est aux prises avec des principes et des aspirations qui la portent dans des situations bien différentes de celles qu'on veut lui imposer [38]. » Sartre accepta également de collaborer à un ouvrage collectif qui tenterait de reconstituer tous les détails de l'affaire.

Pourquoi cette mobilisation immédiate, cette spontanéité? Affaire emblématique, peut-être, l'affaire Henri Martin semble, avec le recul, le type même des causes pour lesquelles Sartre ne refusa jamais de se porter au premier rang des volontaires. Car il s'agissait tout d'abord d'un individu incarcéré injustement. Il s'agissait aussi, surtout, d'une opposition à cette guerre française en Indochine. Émeutes sporadiques, guérillas, accords de pacotille, reprise des combats : en 1945; en 1946, les problèmes avaient été incessants et Hô Chi Minh, après un vague consensus avec d'Argenlieu, retourna à la clandestinité dès le mois de décembre 1946, annonçant qu'il était urgent de libérer la Cochinchine, d'en chasser les Français « par tous les moyens ». Après certains espoirs de règlement politique du conflit, la guérilla reprit de plus belle; cette guerre coloniale archaïque n'allait pas tarder à s'internationaliser et à se moderniser, dès l'automne de l'année 1950 avec la participation des Américains. En France, les nouvelles qui parvenaient du front montraient des troupes en état d'échec devant la ténacité et l'usure de Hô Chi Minh et de ses hommes; et la mort du général de Lattre en janvier 1952 consacrait l'humiliation de l'armée française dans une guerre bien lointaine, bien coûteuse, bien absurde. Certains soldats, tel le jeune Henri Martin, allaient en faire l'expérience sur le terrain. Ils allaient comprendre la mystification : ce n'étaient pas des Japonais qu'on les envoyait combattre, mais le peuple vietnamien luttant avec les moyens du bord, pour préserver son indépendance. L'affaire Henri Martin et le contexte de la guerre de Corée furent le type même des causes pour lesquelles Sartre ne tergiversa jamais. Déjà, rien de ce qui concernait la lutte contre le colonialisme ne le laissait indifférent. Ce sera, quelques années plus tard, son véritable cheval de bataille, et on le retrouvera toujours, chaque fois que le mot Viêt-nam, que les mots guerre du Viêt-nam seront prononcés.

« Ce fut son affaire Calas », entend-on répéter ici ou là au sujet de l'affaire Henri Martin. Le texte de Sartre, long d'une centaine de pages et inséré dans un ouvrage collectif paru chez Gallimard au cours de l'année 1953, est pourtant resté le texte le plus méconnu de l'auteur. Le livre est épuisé, introuvable, et n'a jamais fait l'objet d'aucune réédition. Encadrée par des analyses de Michel Leiris, d'Hervé Bazin, de Jean-Marie Domenach, de Jacques Prévert ou d'autres, la plaidoirie de Sartre est une statue en bronze patiné érigée en l'honneur d'un héros positif, d'un individu exemplaire : bon fils, bon élève, bon résistant, bon ouvrier, bon chômeur, bon marin, enfin, dont aucune étape de la vie modèle ne nous est épargnée. Vignettes simplifiées en autant d'images d'Épinal; couleurs contrastées et naïves; dessins épurés à l'extrême : une bluette, presque. Sans compter ces lettres du soldat à sa famille depuis la baie d'Along où se découvre, peu à peu, la prise de conscience d'un marin doué d'un sens de l'analyse fort aiguisé, bref aucun élément qui ne soit adapté au plus pur des marbres blancs dont on fit les statues staliniennes. Une statue, donc, pour ce marin emblématique, pour ce communiste attendrissant. En se livrant à ce jeu-là, Sartre innovait dans le genre.

« Chers parents, écrivait entre autres Henri Martin depuis Saigon, aujourd'hui, nous avons un joli bilan à notre actif. Un gosse tué et une femme blessée, sans compter les autres blessés restés dans les rizières... Maintenant que nous lui avons tué son enfant et blessé sa femme, cet Annamite, s'il n'était pas encore viêt-minh, le deviendra. Voilà comment nous pacifions. A part ça, la paix règne. Je termine pour ce soir. Bons baisers, Henri [39]. » Descriptions accumulées jour après jour, comme autant de pièces définitives à un dossier déjà lourd. Pas de lyrisme, mais de l'indignation; pas de littérature, mais beaucoup plus que de la littérature dans cette absence d'effet, dans ce long reportage maladroit, dans cette prise de conscience progressive, cette indignation contenue, ce regard si franc, scandalisé comme malgré lui. Sartre fit donc pour sa part un travail de procureur, confrontant tous les éléments du dossier. « De quoi ont-ils peur, attaquait-il, d'un enlèvement? Je vous dis qu'ils prennent le Parti communiste pour Fantomas. O bourreaux étourdis! Il y avait à Toulon un second-maître qui voulait inciter les marins à faire une démonstration collective... C'est vous qui avez révélé à des millions d'hommes ce vide dans une de leurs familles, ce silence au milieu de leur grande rumeur et, derrière les murs de la prison, cet inflexible mépris; c'est vous qui avez changé son échec en victoire; c'est vous, ô gribouilles, qui d'un marin mécontent avez fait Henri Martin. Pourquoi? Qu'est-ce qui se cache donc dans cette affaire? D'où vient que ces procès nous répugnent [40]? » Agressivité, formules, attaques frontales, Sartre n'y alla pas de main morte.

Voltaire avait-il procédé autrement lorsque, rassemblant pour sa part les pièces du dossier Calas, dans une semblable technique de « collage », associant lettres, déclarations, analyses, il s'emportait violemment : « Quoi? s'écriait-il, dans le XVIIIe siècle, dans le temps que la philosophie et la morale instruisent les hommes, on roue un innocent à la pluralité de huit voix contre cinq et on exige quinze cents livres pour transcrire le griffonnage d'un abominable tribunal? Et on veut que la veuve paie [41]? » Ce fut donc son affaire Calas, mais une affaire Calas qui fit résonner, dans l'archéologie sartrienne, quelques lointains souvenirs, imperceptibles au grand public qui lut le texte. Car les lettres qu'Henri Martin envoya à sa famille, depuis la baie d'Along, ces lettres datées « Sur le Mekong... 1947 » ne rappelaient-elles pas à l'orphelin silencieux les lettres de Jean-Baptiste datées de 1895, envoyées de la baie d'Along, et qui pour la famille de Thiviers, pour Hélène, pour Joseph, racontaient les jonques en feu, les pagodes, les récits de bataille? Henri Martin allait s'insurger sur les lieux mêmes où le père de Sartre avait combattu, dans ces terres d'Extrême-Orient où Jean-Baptiste tombait malade. Henri Martin allait raconter, dans sa correspondance, les horreurs d'une guerre qu'il refusait d'admettre et qu'il allait tenter, par tous les moyens, d'arrêter. Défaisant, en quelque sorte, ces opérations d'assainissement et de conquête que Jean-Baptiste et ses hommes, à bord du *Jean-Bart*, du *Descartes,* avaient sur ces lieux mêmes, et quelque cinquante ans plus tôt, menées pour le bien de ces populations primitives que le vice-amiral de Beaumont aurait tant aimé, quant à lui, parvenir à civiliser...

DES PIGEONS ET DES CHARS

« Allez trouver un évêque et dites-lui, pour voir : " Dieu est mort, je doute qu'il ressuscite mais, en attendant, je marche avec vous. " On vous remerciera de vos gracieuses propositions mais on ne croira pas pouvoir les retenir... »

« Merleau-Ponty vivant », *Situations IV.*

Rome, printemps 1952. Selon son habitude, Sartre passe plusieurs semaines à l'hôtel. Cette fois-ci, c'est avec Michelle Vian. Tout en poursuivant ses promenades romaines, il travaille sur des manuscrits en train : celui de *Mallarmé,* notamment, celui de *La Reine Albemarle* aussi. Une période d'exil peut-être, dans ces semaines loin de la France, à la suite de ces deux années d'impasse, loin de l'actualité. Seule l'affaire Henri Martin avait, et immédiatement, mobilisé ses énergies en sommeil, à la suite de la douche froide du R.D.R. : était-ce déjà peut-être un signe qu'il était prêt à resurgir, au moment où une véritable occasion se présenterait à nouveau? Avec le R.D.R., il s'était mobilisé plutôt sur un programme que sur une opération ponctuelle. Plutôt sur un projet idéologique que sur une action directe. L'affaire Henri Martin venait de démontrer que s'il était désormais en sommeil, pour les cas d'urgence, en tout cas, il ne refuserait pas son soutien, et mettrait sa plume, sa signature, son argent, sa personne en jeu. Ce fut le cas, alors qu'il se trouvait à Rome, au printemps de l'année 1952.

Depuis Rome, tous les jours, Sartre se renseignait : lecture de la presse italienne, lecture de la presse française. Il suivit donc dans les journaux les derniers développements des contrecoups que provoquaient, dans l'opinion, l'utilisation des armes chimiques et le développement de la guerre bactériologique en Corée. Il apprit que le P.C.F. organiserait une manifestation pour protester contre la venue à Paris du général américain Ridgway, le promoteur de cette nouvelle forme de guerre. L'affaire Henri Martin avait mobilisé les militants communistes dans une nouvelle phase où le sentiment de persécution nationale était comme attisé par les informations en provenance d'Amérique : la chasse aux sorcières du maccarthysme. « Une avant-garde, chauffée à blanc, explique Dominique Desanti, de plus en plus coupée de l'ensemble des salariés préoccupés [eux] part leur pouvoir d'achat [1]. » Sartre apprit donc depuis Rome que le préfet de police Baylot avait interdit la manifestation contre Ridgway; ce même préfet Baylot avait déclaré un an auparavant : « Un communiste est un soldat russe. Il l'est à bon escient ou par aberration, mais il l'est. Le comportement que nous adoptons découle de cette constatation [2]. » Sartre apprit encore que les communistes chauffés à blanc avaient décidé de transgresser l'interdiction. Dans cette escalade entre P.C.F. et pouvoir en place, les protagonistes se raidirent : pancartes aiguisées comme des haches pour les manifestants, projet de cogner dur pour la police. « Une véritable guerre des classes, poursuit Desanti, six heures de guerre civile. » La manifestation du 28 mai 1952 restera légendaire dans les archives du P.C.F. : vingt mille à trente mille personnes dans les rues de Paris, mobilisées illégalement contre un pouvoir qui accumulait les bévues, les maladresses. Ce fut le cas, précisément, au soir de cette manifestation, lorsque Jacques Duclos, secrétaire du P.C.F. – en l'absence de Maurice Thorez retenu à Moscou –, fut arrêté dans sa voiture : il rentrait chez lui avec sa femme et quelques pigeons, offerts par un militant de province, qu'il s'apprêtait à faire rôtir pour le repas du soir. Les instructions alors en vigueur dans le gouvernement Pinay furent appliquées à Jacques Duclos au-delà même de tous les zèles nécessaires : on vit, dans la présence des pigeons, le signe patent d'un complot communiste contre l'État, on décréta qu'il s'agissait de pigeons voyageurs pour communiquer avec les militants, on emprisonna Duclos pour plus d'un mois.

« Les journaux italiens m'apprirent l'arrestation de Duclos, le vol de ses carnets, la farce des pigeons voyageurs. Ces enfantillages sordides me soulevèrent le cœur : il en était de plus ignobles, mais pas de plus révélateurs. Les derniers liens furent brisés, ma vision fut transformée : un anticommuniste est un chien, je ne sors pas de là, je n'en sortirai plus jamais... Au nom des principes qu'elle m'avait inculqués, au nom de son humanisme et de ses " humanités ", au nom de la liberté, de l'égalité et de la fraternité, je vouai à la bourgeoisie une haine qui ne finira qu'avec moi. Quand je revins à Paris, précipitamment, il fallait que j'écrive ou que j'étouffe. J'écrivis, le jour et la nuit, la première partie des

“ communistes et la paix ” [3]. » Pages célèbres, atmosphère retracée à son tour par le Castor: « Sartre fut submergé par la colère [4]. » Pages célèbres : la violence verbale, la réaction pulsionnelle, les décisions définitives, les coups de tête, les règlements de comptes passionnels avec tout son passé, sa famille, son beau-père, et les salauds, tout est là, dans ce texte, au-delà du Parti communiste français. Pages célèbres à confronter immédiatement avec d'autres pages célèbres : ce seront les deux bornes de régulation du dialogue Sartre-P.C.F. dans ses quatre années les plus amicales. « Avec les hommes qui dirigent en ce moment le P.C.F., il n'est, il ne sera jamais possible de reprendre des relations. Chacune de leurs phrases, chacun de leurs gestes est l'aboutissement de trente ans de mensonges et de sclérose... Aujourd'hui, nous retournons à l'opposition... : avec nos ressources d'intellectuel, lu par des intellectuels, nous essaierons d'aider à la déstalinisation du Parti français [5]. »

Deux dates clefs : juillet 1952-novembre 1956. Entre ces deux bornes, entre ces deux déclarations, la seule période au cours de laquelle, de Sartre aux communistes, le dialogue remplaça l'injure. Quatre années d'entente relative, durant lesquelles Sartre découvrit l'U.R.S.S., multiplia congrès, débats, meetings, messages, réponses, discours, interventions, abandonnant pratiquement en surface toute production purement littéraire, mais subordonnant tous ses écrits – du moins le semblait-il – à la lutte aux côtés de la classe ouvrière. Jamais il ne siégea à autant de tribunes, jamais il ne pratiqua autant ses talents oratoires : car il devint aussi, en décembre 1954, vice-président de l'association France-U.R.S.S. Certains observateurs s'étonnèrent de ce « revirement sartrien ». De fait, l'écrivain réglait des comptes personnels, tout en s'adaptant en même temps à la nouvelle ligne putschiste du P.C.F. Comme si deux stratégies insurrectionnelles s'étaient alors rencontrées : Sartre, héritier du XIXe siècle, haïssant la bourgeoisie comme on la haïssait alors; le P.C.F. de 1952 se préparant, dans le contexte de la guerre froide, à une nouvelle guerre civile. Henri Martin emprisonné, Duclos emprisonné, le P.C.F. transformé en victime par un pouvoir aux abois? Sartre trouva là tous les éléments où accrocher sa haine : il sentit l'urgence, bondit comme un diable, s'arracha aux douceurs de son exil romain. En quelques minutes, tous les éléments à mettre au passif du P.C.F. furent effacés : effacées les injures de Kanapa au beau temps de l'existentialisme triomphant, effacées les ordures de Leclerc au moment des *Mains sales,* oubliés les sifflets des militants communistes quand la pièce fut, plus tard, présentée au cinéma, balayées les insultes du Congrès de Wroclaw proclamées par

Fadeïev à l'époque du R.D.R. : l'ex-chacal, l'ex-putois, l'ex-hyène, l'ex-vipère, l'ex-rat devenait en quelques minutes et pour quatre années un compagnon de route. Sartre, d'aillcurs, n'cut même pas ces pensées; la logique de la non-contradiction n'avait jamais été la sienne, il pensait par cycles, pratiquait la technique du mouvement perpétuel, de la relativité des urgences, aimait que les conflits fussent ouverts et non larvés. En juillet 1952, parut dans *Les Temps modernes* le premier produit de sa haine de classe, la première livraison des « Communistes et la paix ». Cet enchaînement de brutalités lui avait « soulevé le cœur », avait forcé son affectivité, annulé les délices romaines, balayé en quelques secondes sept années d'injures et d'insultes. Il prit la plume.

« Quand les C.R.S. chargeaient contre les mineurs, la presse de droite publiait des bulletins de victoire : c'est ce qui m'a fait croire que *Le Figaro* n'aimait pas les ouvriers. Mais je me trompais. Je fais mes excuses à tout le monde et singulièrement à M. Robinet. Car il les adore, les ouvriers, M. Robinet. Il ne voulait pas l'avouer – par pudeur, je suppose [6]. » Les premières phrases des « Communistes et la Paix » sont sans équivoque possible. Charge pour charge, les blindés sartriens déferlent sur la bourgeoisie avec armes à feu, tanks, artillerie et mitrailleuses lourdes au grand complet. Les mots cinglent, l'ironie tue, la violence et la haine meurtrière fusent de partout : grand déchaînement contre les salauds, furie exultante et mauvaise contre l'ennemi ici et maintenant décelé, au nom de l'outragé, la classe ouvrière, représentée en l'occurence par le P.C.F. Même esthétique verbale que dans les *Réflexions sur la question juive,* même ressort, même haine, même plongée dans l'arène, même spontanéité mauvaise, retrouvailles de la plume et de l'épée : Pardaillan. Complexité de la situation, ampleur du défi, et Sartre fonce : dynamisé par les conflits surtout lorsqu'ils s'avèrent inextricables, électrisé par la haine, surtout lorsque les ennemis sont diffus et sournois. Il tira donc à boulets rouges sur Robinet, directeur du *Figaro,* puis cartonna allégrement Georges Altman, directeur de *Franc-Tireur,* qui avait été son compagnon de luttes au R.D.R., quatre ans auparavant. « A force de chercher les poux du Parti communiste », envoie-t-il à Altman et à ses amis, les « rats visqueux », « vous êtes devenus myopes [7] ». Gymnastique intellectuelle équilibriste et osée : s'arrachant brutalement au camp de ses amis politiques, au discours antistalinien qui avait été le sien, il se poste dans son nouveau territoire, au secours du P.C. opprimé par la « flicaillerie d'un régime moribond [8] », et harangue ses amis d'hier. Logique de la relativité, logique de la contradiction, logique sartrienne bien sûr : l'ennemi d'hier s'est déplacé; il est aujourd'hui transformé en martyr par une bourgeoisie aveugle, bête et brutale; c'est lui donc qui, aujourd'hui, réclame en premier notre soutien.

En trois cents pages et trois articles publiés de juillet 1952 à avril 1954 dans *Les Temps modernes,* Sartre consacra, avec « Les communistes et la paix », numéros un, deux ou trois, son rapprochement des communistes. « En gros – tout à fait en gros – la voix du docker vaut la moitié de celle du pharmacien ou la moitié de celle du sacristain ou la moitié de celle de son beau-frère, le secrétaire de mairie [9]. » Il démontra, chiffres des voix et chiffres des sièges à l'appui, que « son » docker avait été transformé en « sous-homme », en « un politiquement faible ». « Je rappelle en passant ce que vous avez fait de lui : un citoyen de deuxième classe [10]. » Il rappela, rappela jusqu'à plus soif les données de la manifestation du 28 mai : nul doute, quelque chose de très particulier attira Sartre dans cette provocation du P.C. Il se reconnut sans doute dans cette volonté de transgresser coûte que coûte une interdiction policière émanant du plus autoritaire des gouvernements bourgeois. Il aima sans doute cette manière qu'avait eue là le P.C. de relever la tête, de narguer l'humiliation, de défier la droite dans cette manifestation contre la présence de Ridgway à Paris. Un véritable déclic : que le P.C.F. devînt à la fois traqué et provocateur, et Sartre se joignit à lui. Il écrivit ces textes mécaniquement, à l'arraché, avec toute la brutalité de sa haine contre la bourgeoisie. Écrivit rageusement, passionnément, haineusement, sous la pression de ses années bourgeoises. « J'ai toujours pensé contre moi », avait-il coutume de dire. Contre lequel de ses « moi » pensait-il alors, en ces années-là, sinon contre le bourgeois, fils de bourgeois, petit-fils de bourgeois, beau-fils de bourgeois... ? Il soutint donc le P.C.F. de l'année 1952, soutint donc le docker maltraité, attaqua les « rats visqueux » dont il avait été et tua par là même le bourgeois qui sommeillait en lui. Tout en élaborant sa première analyse de la *praxis* révolutionnaire : seul le P.C., expliqua-t-il, permet aux masses inorganisées d'acquérir cette *praxis* et les transforme alors en une classe ouvrière puissante et active.

Exactement contemporaine de cet article flèche : la rupture avec Camus. Très profondément ancrée dans le contexte politique de ces années violentes, la brouille entre les deux hommes fut parfois perçue comme un conflit d'écrivains rivaux. On verra qu'il n'en fut rien, et que la polémique prit un tour d'autant plus belliqueux et pugnace que Sartre ferraillait plus dur qu'il ne l'avait jamais fait, contre salauds, bourgeois, lâches et indécis. Camus en supporta les conséquences. Ce fut une rupture définitive et cruelle, violences verbales publiquement échangées, atteinte rapide d'un point de non-retour absolu dans l'injure, trace évidente d'un certain nombre de séquelles douloureuses. Y eut-il, de tout temps, rivalité entre les deux écrivains? Ils étaient presque déterminés dans ces rôles de frères ennemis où la presse de l'après-guerre se fit un plaisir de les placer. Et l'hostilité se déclara de manière lente et vénéneuse au fil des différentes étapes de leurs carrières parallèles, de leurs échecs et de leurs succès réciproques. Certes, il y eut l'échange des premiers saluts, la reconnaissance réciproque et presque chevaleresque dans les premiers articles de découverte : Camus salua *La Nausée* et *Le Mur* dans *Alger républicain*; Sartre salua *L'Étranger* dans *Les Cahiers du Sud.* Certes, ils se rencontrèrent à la générale des *Mouches.* Certes, c'est pour un Camus acteur et metteur en scène que Sartre entreprit d'écrire *Huis clos.* Certes, c'est bien Camus qui fit entrer Sartre au journal *Combat,* l'envoya en Amérique pour la première fois de sa vie. Certes, il se divertirent ensemble, échangèrent leurs amis. Certes, Sartre proposa à Camus d'entrer au comité de rédaction des *Temps modernes.* Certes, ils se retrouvèrent ensemble, à la même tribune, le jour du grand meeting pour intellectuels organisé par le R.D.R. à la salle Pleyel en décembre 1948, pour ce dernier consensus public : Breton, Sartre, Camus, Wright, Levi et d'autres, dont les discours aseptisés ne parvenaient pas réellement à cacher les dissensions sous-jacentes. Certes, il se côtoyèrent encore, dans des fêtes chez les Vian ou chez d'autres. Mais en fait, entre ces deux hommes, le conflit était, dès le départ, prévisible : car ces deux ténors des lettres françaises contemporaines étaient, dans leur trajectoire sociale et professionnelle, dans leurs ambitions littéraires et politiques, de véritables frères jumeaux. Mais des frères jumeaux qui seraient nés l'un au château, l'autre à la ferme. Avec les mêmes projets insensés de carrière littéraire. Mais des stratégies, des rythmes et des styles rigoureusement différents, hérités de leur classe d'origine : Camus restera un fidèle, tiraillé toute sa vie par son acquis culturel; Sartre sera un traître, comme seuls les véritables héritiers, et déchirera avec conviction et sans le moindre tremblement le contrat bourgeois sous le régime duquel il était né.

Entre Sartre et Camus, quels liens véritables? On chercherait en vain les points d'accord, les échanges antérieurs : en 1952, ils semblent avoir été, et depuis toujours, séparés par des oppositions nécessaires et archaïques. On se dit que leur période rose des années 1943-1946 n'aurait peut-être été qu'une phase rhubarbe et séné, comme en connaissent tous les « milieux ». On tend à revenir sur leur première brouille qui dura trois mois – de décembre 1946 à mars 1947 – à la suite d'une soirée chez les Vian où tout le monde était déjà passablement éméché et où Camus prit à partie Merleau-Ponty, au sujet de son article « Le Yogi et le Prolétaire » : « Merleau-Ponty se défendit, raconte Simone de Beauvoir, Sartre le soutint : Camus, l'air bouleversé, claqua la porte ; Sartre et Bost se précipitèrent, ils coururent après lui dans la rue, mais il refusa de revenir [11]. » Ce fut, semble-t-il, Dolorès qui réconcilia provisoirement Sartre et Camus, mais comment poursuivre un cheminement amical quand les désaccords idéologiques profonds s'accumulent dans chaque article, dans chaque prise de position respective ? Les consensus de surface s'effondrèrent définitivement, lorsqu'à l'automne 1951 Camus publia son essai *L'Homme révolté*. Dans un premier temps, Sartre décida qu'il n'aimait pas le livre, et que *Les Temps modernes* n'en parleraient pas. Au comité de rédaction de la revue on le convainquit, semble-t-il, de « couvrir » tout de même l'événement. « Que celui d'entre vous qui se sent le moins hostile au livre de Camus s'en charge donc ! », aurait alors déclaré Sartre. C'est Francis Jeanson qui écrivit l'article, et l'article était méchant. Sartre, bien sûr, couvrit. Mais Camus prit immédiatement la mouche et envoya à Sartre une lettre qui débutait par un circonstancié « Monsieur le Directeur ». Il avait été visiblement blessé que son livre fût critiqué non par Sartre, mais par Jeanson, qu'il répugna même à nommer ; il le désigna donc, tout au long de sa lettre, par un distant « votre collaborateur ». Il le fustigea dans une phrase à la limite du pathétique : « Je commence à être un peu fatigué, écrivait-il, de me voir, et de voir surtout de vieux militants qui n'ont jamais rien refusé des luttes de leur temps, recevoir sans trêve leurs leçons d'efficacité de la part de censeurs qui n'ont jamais placé que leur fauteuil dans le sens de l'histoire [12]. » Camus avait été profondément meurtri et sa blessure se percevait, à toutes les lignes de sa lettre à Sartre ; peut-être fut-ce là sa plus grande faiblesse, que de montrer à nu ses plaies vives, cet orgueil noyé, ce panache déçu, bref d'exhiber son narcissisme en pleurs. Sartre perçut bien ce qu'une telle maladresse pouvait avoir de ridicule peut-être ; il répondit sur-le-champ, à Camus, dans une lettre publique, certainement parmi les textes les plus violents et les plus cruels qu'il eût jamais écrits. « Mon cher Camus, notre amitié n'était pas facile et je la regretterai. Si vous la rompez aujourd'hui, c'est sans doute qu'elle devait se rompre [13]. » Ces premières phrases, célèbres, sont certainement restées dans les mémoires. Sartre en remit dans l'emphase, l'imparfait du subjonctif, les exclamatives et les interrogatives.

« Un mélange de suffisance sombre et de vulnérabilité a toujours découragé de vous dire des vérités entières... J'eusse préféré que notre différend actuel portât sur le fond et que ne s'y mêlât pas je ne sais quel relent de vanité blessée. Qui l'eût dit, qui l'eût cru que tout s'achèverait entre nous par une querelle d'auteur où vous joueriez les Trissotin et moi les Vadius? » Ce fut une volée de bois vert, une correction insolente, un laminage radical. De ces scènes de ménage qui font mal, tout simplement parce que l'on sait, très précisément, où ça va faire mal à l'autre. De ces blessures qui saignent, tout simplement parce que l'on sait exactement où frapper pour les atteindre. Sartre avait senti la vanité blessée de Camus : c'est exactement là qu'il frappa. « Mais dites-moi, Camus, par quel mystère ne peut-on discuter vos œuvres sans ôter ses raisons de vivre à l'humanité?... Mon Dieu, Camus, que vous êtes *sérieux* et, pour employer un de vos mots, que vous êtes frivole! Et si vous vous étiez trompé? Et si votre livre témoignait simplement de votre incompétence philosophique? S'il était fait de connaissances ramassées à la hâte et de seconde main? ... Avez-vous si peur de la contestation? ... Je n'ose vous conseiller de vous reporter à la lecture *L'Être et le Néant,* la lecture vous en paraîtrait inutilement ardue : vous détestez les difficultés de pensée... » Et d'un seul coup d'épée, d'une seule respiration, d'une unique passe d'armes, Sartre dit à Camus, tout de go, dans quel mépris il le tenait, sans faire de détour ni de rond de jambe, sans observer le moins du monde les formes qu'on utilise généralement, selon les usages les plus courants, pour déguiser sa pensée. Tout de go, donc, Sartre envoya à Camus un certain nombre de vérités fort désagréables et qu'il semblait avoir de tout temps partagées sur son challenger : qu'il le trouvait fat, poseur, prétentieux, vaniteux, léger intellectuellement, nul en philosophie, bref qu'il ne donnait pas lourd de sa valeur humaine ou intellectuelle.

Foin des attaques d'homme à homme! Les touches basses, les cibles trop faciles, les divergences idéologiques auraient largement suffi à nourrir leurs dissensions. On essaiera de comprendre, un peu plus tard aussi, comment et pourquoi les deux hommes avaient pu en arriver à ce point de rivalité individuelle pour que le duel se transmuât si aisément en un règlement de comptes personnel. Tout le débat tournait, en fait, autour du problème des libertés en U.R.S.S. : l'équipe des *Temps modernes,* on l'a vu, avait opté pour la dénonciation des camps de travail, tout en refusant toutefois de sombrer dans l'anticommunisme à sens unique; si l'on acceptait d'attaquer l'oppression en Russie, il fallait aussi parler des autres pays, de l'Amérique notamment : « qu'on la dénonce partout ou nulle part ». Dans l'éventail des courants de pensée qui coexistaient aux *Temps modernes,* Sartre rejoignait donc Merleau-Ponty dans un besoin quasi instinctif de préserver, encore un temps, l'image d'un pays du socialisme différent de tous les autres pays. Pour Camus, la dénonciation des avatars du stalinisme devait, sans réticence, aller jusqu'au bout des crimes, de la manière la plus racidale. Sartre était partisan de la vérité, mais avec certaines circonstances atténuantes. Camus, de l'équation : stalinisme = fascisme. Sartre cherchait, de manière complexe et sophistiquée, à trouver des articulations entre morale et politique. Camus tentait de conceptualiser les mêmes données, mais de manière beaucoup plus antagoniste. Sartre, cherchant du côté du pragmatisme éthique. Camus, dans celui, plus radical, du rejet de toute violence, d'où qu'elle vienne et au nom de quoi que ce soit. Deux manières, donc, d'illustrer l'éthique en politique, selon des niveaux de saisie différents : Sartre cherchera la saisie morale de la politique, mais tentera également d'y intégrer la dimension des choix stratégiques (court terme/ long terme; stratégie internationale/ nationale; opportunité politique/ inopportunité, etc.), Camus, au contraire, se cantonnera toujours au plan des principes et de l'exigence morale, refusant de mettre ses principes au service d'une polémique politique. Une tentative d'articulation contre une conceptualisation rigoureusement antagoniste. Un essai de dialogue avec le concret, face à une détermination dans les principes éthiques : un dialogue de sourds, donc, entre Sartre et Camus; après ces morsures publiques, leur " relation " s'enlisera en silence jusqu'à la mort de Camus en 1960.

Derrière ces arguments *ad hominem,* derrière ces désaccords idéologiques réels, quel véritable antagonisme sous-tendait donc la relation Sartre-Camus pour qu'elle dégénérât si piteusement, si vite? Ils furent, semble-t-il, opposés, dès le départ, dans leurs trajectoires sociales respectives, que vinrent plus tard aggraver des rivalités rigoureuses dans le champ intellectuel. Dans cette première poignée de main, dans le hall du théâtre de la Ville, pour la générale de *Huis clos,* en juin 1943, il y avait pourtant déjà face à face Sartre l'héritier et Camus le parvenu. Le descendant Schweitzer aux aïeux couverts de diplômes, de culture, de technique d'orgue, de livres reliés à tranche dorée, d'éthique protestante et de programmes pédagogiques, face au fils de Catherine Sintès, née à Chéraga, analphabète, femme de ménage à Belcourt, le quartier ouvrier d'Alger. L'enfant-roi chouchouté et affadi face au fils de pauvres maladif et chétif. L'élève prétentieux et satisfait face au rescapé de la culture, magiquement sauvé des eaux par ses talents propres et le choix de ses maîtres. L'apprenti boxeur du gymnase de la rue d'Ulm face au joueur de foot des jeudis sur le champ de manœuvres sale et désert. Les bronchites de l'enfant unique face à la tuberculose de l'enfant mal nourri, élevé dans de piètres conditions d'hygiène et soigné presque par hasard. L'adolescent normalien, enfin, avec ses canulars pour gens bien, ses revues pour filles de profs et ses oppositions anarchisantes, face à l'acteur débutant, au militant communiste, au découvreur de la Culture. Camus était un autodidacte et un assoiffé; Sartre était un nanti. Camus aura la tension, la dynamique, la gourmandise culturelle que Sartre avait naguère pu observer chez Nizan lorsque, à l'âge de douze ans, ils se rencontrèrent au lycée Henri-IV. Sartre aura la passivité, l'indolence de ceux qui n'ont pas appris la bagarre dans les rues. Comment de telles expériences auraient-elles pu disparaître, lorsqu'ils se serrèrent la main pour la première fois? Le mépris et l'arrogance paternaliste du Sartre d'août 1952 n'avaient-ils pas de tout temps existé? L'admiration et la rancœur de Camus n'avaient-elles pas toujours assisté leurs rencontres? Ajoutons certaines formes de rivalités inévitables entre deux stratégies de présentation de soi tellement différentes l'une de l'autre qu'elles confinaient parfois à la caricature. Camus se raconta aisément, décrivit les interprétations qu'il convenait d'appliquer à ses comportements, à ce qu'il appelait sa « mesure méditerranéenne »; Sartre restant plus discret, jovial mais moins narcissique certainement.

Rivalités enfin et surtout dans leurs projets respectifs : tous deux, totalitaires, rêvèrent d'annexer sans condition le champ intellectuel français. Ils foulèrent – et le phénomène est suffisamment rare pour être souligné – intégralement et rigoureusement les mêmes plates-bandes. Et qui plus est, exactement au même moment. Le roman, le théâtre, la philosophie, le journalisme, la politique, la critique littéraire, le cinéma : ils s'approprièrent, en même temps, les mêmes outils d'expression. Ils furent publiés chez le même éditeur. Et, pour comble, circulaient dans leurs premiers romans des thèmes apparentés, des tonalités semblables : une parenté certaine dans l'indifférence et l'absurde, dans le recul et la distance, dans l'individualisme égaré. Mêmes territoires, même assaut polyvalent, mêmes outils, mêmes thématiques, même moment. Sartre tenta – on l'a vu à l'œuvre dans sa réponse de 1952 – d'exclure Camus du territoire philosophique, de démontrer que son rival ne faisait pas mieux que répéter plus littérairement les idées de son ancien professeur de philo d'Alger, Jean Grenier. Camus, à son tour, plus à l'aise sur le territoire théâtral, enverra des critiques contre *Les Mains sales* pour démontrer sa suprématie dans ce domaine.

Conflits latents, mais indiscutablement attisés par la presse de l'époque, par la publicité autour de leur personnalité, de leur vie privée, de leurs amours même. Prisonniers de cette nouvelle forme de la presse, ils le seront jusqu'au bout, dans cette affaire. Était-il nécessaire, par exemple, à l'heure de la rupture, de donner à leurs conflits une telle visibilité, un tel exhibitionnisme? De plonger dans ce duel ridicule et saignant auquel, au départ, ils avaient été contraints malgré eux ? De devenir les tristes protagonistes du plus raté des films à grand spectacle de l'année 1952? De sombrer dans le piège de cette vedettarisation où d'autres les avaient entraînés? Si l'on connut, dans l'histoire de la littérature française, des affrontements spectaculaires où certains se réjouirent de voir jaillir le sang – que ce soit l'affrontement Voltaire-Rousseau, ou celui qui opposa Breton à Aragon au moment de l'affaire Paillasse –, il n'y en eut pas, semble-t-il, de plus odieux. Sartre se mura dans un silence brutal au sujet de Camus, avant de reprendre la plume au lendemain de sa mort. Camus traîna sa blessure auprès des uns et des autres, les suppliant parfois de lui faire connaître leur position dans ce duel. Ce fut bien piètre. Et puis, beaucoup plus tard, lorsque Sartre, bien âgé, fut questionné sur son amitié avec Camus, il prétendit qu'elle avait reposé sur fort peu de chose, il minimisa cyniquement, il répondit presque à côté : « On ne pouvait pas pousser très loin sur le plan intellectuel, répondit-il, parce qu'il s'effrayait très vite; en fait, il avait un côté petit voyou d'Alger, très truand, très marrant... on s'amusait bien ensemble, il avait un langage très vert, et moi aussi d'ailleurs, on racontait un tas de cochonneries et sa femme et Simone de Beauvoir feignaient d'être scandalisée [14]. » « Une histoire d'amour manquée », conclut pour sa part Robert Gallimard, qui sut, de tout temps, rester l'ami de l'un et de l'autre.

« L'ordre dans les finances se traduit par l'ordre sur le marché des changes, l'ordre monétaire par l'ordre économique, l'ordre dans l'État par l'ordre dans les mœurs [15]. » Ainsi parlait Antoine Pinay, président du Conseil de la IVe République en cette rentrée de l'année 1952. « M. Pinay prépare le chemin d'une dictature », répondit Sartre dans le journal *Libération,* trouvant toutes les occasions, et en l'occurrence celle de l'arrestation du leader de la C.G.T. Alain Le Léap, pour faire entendre sa voix. Le Léap s'étant opposé à la guerre d'Indochine, il fut inculpé pour « démoralisation de la nation ». Sartre contre-attaque : « Le fait que la guerre d'Indochine est immorale n'est pas une opinion strictement communiste... Le gouvernement semble utiliser maintenant l'anticommunisme à l'américaine [16]. » Après deux années de retraite, le retour de la voix sartrienne dans la presse française sonna haut et fort : les numéros des *Temps modernes* publiés au cours de l'été 1952, avec « Les communistes et la paix », puis la réponse à Albert Camus, furent, selon Dominique Desanti, « épuisés en quelques jours, et le second tirage de même. Pour les étudiants, jeunes ou vieux, c'était le rapprochement du Maître avec ce P.C.F. persécuté, fermé, mystérieux, mais qui seul à l'époque défendait les causes du prolétariat, du Viêt-nam, de la paix [17] ». « J'ai toujours pensé, répondait en écho le nouveau sympathisant, qu'on ne pouvait pas reconstituer cette gauche, dont l'absence se fait durement sentir en France aujourd'hui, contre le Parti communiste. Je pense aujourd'hui qu'on ne peut pas la reconstituer sans lui [18]. » Il alla donc vers le Parti communiste, et le soutint, parce que « le gouvernement voulait l'empêcher de s'exprimer ». Il y alla, deux ans et demi après avoir dénoncé publiquement, dans sa revue, l'existence des camps de travail en U.R.S.S. Il y alla aussi quelques mois après l'assassinat des accusés du procès Slansky, à Prague; juste après l'affaire Marty-Tillon. Compagnon de route extérieur, compagnon de route critique, ce rôle lui permettait de ne pas tout cautionner. S'il alla vers le P.C. à ce moment-là, et malgré tout le reste, c'est avant tout parce qu'il lui semblait inacceptable que ce parti fût réduit au silence et à la détention par le pouvoir en place : un cas d'extrême urgence.

L'idylle sartro-communiste se mit vraiment en place publiquement au cours du Congrès de Vienne qui eut lieu du 12 au 19 décembre 1952, à l'appel du Mouvement mondial de la paix. Depuis 1948, les intellectuels communistes, qui l'avaient mis en route, avaient réussi à mobiliser, en ces années de guerre froide, une large cohorte de sympathisants internationaux. A Vienne, en décembre 1952, ce fut l'apogée de leurs efforts. « Le congrès était placé sous le signe de " L'Hymne à la joie ", raconte Dominique Desanti, " L'Hymne à la joie " de la *IXe Symphonie* de Beethoven, donc, qui sera exécutée le dernier jour devant des centaines de Vietnamiens, Pakistanais, Hindous, Japonais, Chinois, des femmes et des hommes de tous les pays de l'Amérique latine, des Africains du Nord et du Sud, qui voisinaient avec les délégués de toute l'Europe occidentale. La France avait envoyé des dockers du Havre, des marins et des métallos de Marseille, des ouvrières de sucreries et du textile, des vignerons, des mineurs, des mères de familles trop nombreuses et des filles sorties de l'école pour devenir ou grévistes ou chômeuses... La beauté de ces congrès réside dans le mélange des métiers, des âges, des classes, des races, des pays... Les solitaires se sentaient pris dans sa solidarité, et les travailleurs des grandes entreprises se sentaient fraternels par-delà les frontières. C'était vraiment un échantillonnage du monde [19]. » Certains furent moins sensibles à l'euphorie, qui comme Jean-Pierre Delilez parlent d'une assemblée baroque, entre supershow international et banale réunion politique, dans la grande salle aux dorures et aux fastes habsbourgeois du Konzerthaus, où l'on remarqua surtout, vêtus de pourpre, silencieux et magiques comme des automates, quatre hauts dignitaires de l'épiscopat polonais qui tentaient, par leur silence, d'exprimer publiquement leur désapprobation vis-à-vis du pouvoir politique de leur pays [20].

Sartre se rendit-il à Vienne de son plein gré? Fut-il prié? Manipulé? Certains affirment qu'il aurait été, à l'occasion, manipulé, et magistralement, par Aragon qui avait annoncé « de chic » la venue de Sartre; et que ce dernier, piégé, n'avait plus été en mesure de reculer [21]. Toujours est-il qu'il se rendit à Vienne, et qu'on en entendit parler : déclarations dans la presse avant le départ, déclarations dans la presse à l'arrivée, discours officiels, déclarations après les discours officiels, déclarations avant le retour, déclarations après le retour : du reportage sartrien en direct, une joie partout retentissante, comme s'il venait de vivre une des expériences les plus extraordinaires de sa vie. Ce furent d'ailleurs à peu près ses termes. Il rappela, au cours de l'une de ses multiples déclarations, les trois événements qui avaient le plus compté dans sa vie depuis qu'il avait l'âge d'homme, trois événements qui lui avaient « redonné l'espoir : le Front populaire de 36, la Libération et le Congrès de Vienne [22] ».

Parmi les écrivains présents au Congrès de Vienne, les Sud-Américains Jorge Amado et Pablo Neruda. Parmi les écrivains soviétiques, Ehrenbourg, Korneïtchouk et... Alexandre Fadeïev, l'auteur de la trouvaille métaphorique antisartrienne « l'hyène à stylographe », à ce même Congrès mondial de la paix, quatre ans plus tôt! Les présentations allaient prendre un tour intéressant, d'autant que, très vite, Sartre y apparut un peu en vedette : discours à la séance inaugurale, nuée d'admirateurs demandant des autographes... Jo Starobin, le journaliste communiste américain que cite Dominique Desanti, perçut les choses ainsi : « Le congrès dépasse toute attente... C'est sans doute la présence de Jean-Paul Sartre, le philosophe existentialiste, jadis héros du *New York Time Magazine,* qui personnifiait le plus grand changement venu à maturité en Europe occidentale... Il appelait les " honnêtes gens " à abandonner le " no-man's land de l'anticommunisme " [23]. » Dans cette assemblée aux opinions mêlées – « seulement vingt pour cent de communistes », affirme Simone de Beauvoir, selon les déclarations de Sartre [24] –, dans cette assemblée où s'était rendu le député de la gauche indépendante Pierre Cot, mais qu'avaient si vivement critiquée d'autres militants socialistes français, comme Gilles Martinet justement dans son journal *France-Observateur,* ou encore Roger Stéphane, dans cette grande kermesse autrichienne où on ne savait plus vraiment si l'on était venu chercher chaleur humaine, union populaire de tous les pays, ou rencontre d'idées, Sartre sembla se sentir à l'aise, et même, dit-il, « heureux ». « Au retour, nous racontera Gilles Martinet, Sartre ne cessa de raconter que ce congrès, le premier de sa vie, avait vraiment été un moment merveilleux ; il trouvait surtout que l'élément le plus positif d'un congrès, c'était cette liberté de se consacrer totalement aux débats, sans préoccupation quotidienne ; les ouvriers, par exemple, y étaient déchargés de la préparation de leurs grèves[25]. » Les déclarations de Sartre, toutefois, furent plus mitigées que cette euphorie béate qui apparaît parfois ; encore une fois, il se montra ambivalent : fasciné, comme un enfant, devant les découvertes de ces rencontres informelles, et *à la fois* incrédule, éprouvant le besoin de dénoncer en même temps le ridicule de cette fascination. « Je comprends facilement que certains aient passé sous silence ou ridiculisé l'enthousiasme du dernier jour, déclara-t-il notamment : c'est de bonne guerre[26]. » Ou encore : « On peut sourire de cette conviction basée sur un mouvement de sensibilité », tout en proclamant clairement : « Je témoigne que le Congrès de Vienne est et restera, malgré les calomnies, un événement historique. »

Dans son discours de la séance inaugurale, il avait évoqué sa méfiance à l'égard de la politique et de la pensée de l'époque : « Elles mènent le monde au massacre, s'inquiétait-il, parce qu'elles sont abstraites. On a coupé le monde en deux et chaque moitié a peur de l'autre... Les hommes eux-mêmes deviennent abstraits dans cette perspective. Chacun est l'Autre, l'ennemi possible, on s'en méfie... Ce qu'il y a de neuf et d'admirable dans ce congrès, c'est qu'il réunit des hommes[27]. » Rien de très fracassant, on le voit, pas de véritable « conversion », pas de tempête, mais des remarques de bon sens, bien intentionnées, dans le sens d'un refus de la politique des blocs, sans plus. Non, ce n'est pas dans une intervention *au* Congrès de Vienne que Sartre fit publiquement allégeance au P.C.F. C'est plutôt à cause, à l'occasion si l'on préfère, du Congrès de Vienne qu'il accomplit un geste symbolique, une autocensure, en quelque sorte : indication patente que sa présence en Autriche n'était pas de pure forme, mais qu'elle témoignait d'un cheminement, plus profond peut-être qu'on ne l'avait estimé, de sa pensée. Il fit interdire, sur-le-champ, la série de représentations de sa pièce *Les Mains sales* qui étaient en cours dans un théâtre de Vienne. Au détriment d'une confortable somme qu'il dut payer en dédommagements ; au détriment aussi de tous ses agents et éditeurs, embarqués malgré eux dans l'affaire, et qui s'arrachaient les cheveux.

Les démêlés de l'auteur avec les différentes représentations des *Mains sales* n'en étaient pas, de toute manière, à leur premier avatar : l'adaptation et la traduction furent de si mauvaise qualité à New York en janvier 1949 qu'un procès s'ensuivit; démarche officielle du gouvernement soviétique en décembre 1948 pour empêcher la représentation de la pièce à Helsinki : « propagande hostile à l'U.R.S.S. »; nombreux articles violemment critiques dans la presse communiste, notamment une attaque d'Ilia Ehrenbourg dans les *Lettres françaises* en février 1949. Techniques, mais surtout politiques, ces contresens, ces trahisons, ces hostilités semblèrent, un temps, faire des *Mains sales* une pièce maudite. Jusqu'à ce Congrès de Vienne où Sartre prit la décision de n'autoriser la représentation de la pièce que dans le cas où le Parti communiste du pays concerné en serait d'accord. Deux ans plus tard, il justifiera ainsi ce parti pris : « Je ne désavoue pas *Les Mains sales,* mais je regrette l'usage qui en a été fait. Ma pièce est devenue un champ de bataille politique, un instrument de propagande politique. Dans l'atmophère actuelle de tension je ne crois pas que sa représentation, en des points névralgiques, comme Berlin ou Vienne, puisse servir la paix [28]. »

Lui-même avait le droit de cavalcader, au gré de la relativité des urgences politiques, au gré du pragmatisme de son éthique; mais certains de ses textes antérieurs le piégeaient toutefois, bridaient malencontreusement sa liberté d'expression. Non, ce n'était pas tel ou tel article des *Temps modernes* refusant le bâillonnement de l'écrivain par l'orthodoxie d'un parti qu'il aurait jamais pu renier, non, ce n'était pas tel roman, tel essai : c'était une pièce de théâtre. Trahison suprême de Sartre par le genre même du théâtre politique : chaque nouvelle représentation ne pouvait pas éviter de faire résonner tous les échos politiques rigoureusement contemporains, girouette sensible à tous les vents contraires. Les tirades d'Hugo, dans le contexte de 1948, critiques d'un P.C.F. alors fort et gonflé, devenaient en 1952 une arme proaméricaine dans le contexte de la guerre froide; elles devenaient, ainsi, traîtres à leur auteur. Une espèce de piège, pour la liberté sartrienne? Une entrave à sa sacro-sainte disponibilité? A sa toute-puissance d'homme sans chaîne? S'il décida de payer si cher, à Vienne, en 1952, pour que fussent stoppées les représentations des *Mains sales,* s'il décida d'engager un conflit contre ses agents et éditeurs – et donc en partie contre ses propres intérêts – c'est que quelque chose de capital se jouait là pour lui, qui justifiait la mise en marche de cette machine. Peut-être paya-t-il là, symboliquement, pour que fût créé un précédent et que fût préservée à l'avenir toute réactualisation de la pensée sartrienne, Sartre restant le seul autorisé à le faire, Sartre seul maître à bord : l'écriture renvoie à la paternité, la politique renvoie à la liberté, l'autonomie renvoie à l'argent. Jusqu'en 1966, procès et conflits se poursuivront dans le monde entier autour des *Mains sales,* et certains auront infiniment de mal à accepter, à suivre les galops et ruades d'une liberté sartrienne en action. Courage? Inconscience? Lâcheté? Toquade? La trahison de Sartre n'appartient qu'à Sartre.

Peu importe dès lors si, à Vienne, en décembre 1952, il but de la vodka avec Ehrenbourg, Fadeïev et Korneïtchouk. Peu importe s'il accepta, dans les dorures, la neige et les *Appfelstrudel,* de se rendre à Moscou si on l'y invitait. Peu importe s'il se soumit, avec la journaliste Dominique Desanti comme interprète, à un cours d'existentialisme pour débutants à l'usage de Korneïtchouk : toutes les rencontres, tous les dialogues, tous les liens d'amitié ne semblent-ils pas, désormais, caducs face au geste des *Mains sales*? Peu importe encore si, « assiégé par les chasseurs d'autographes », il trouva le temps de déclarer à une journaliste française que l'intervention d'une déléguée italienne du mouvement chrétien pour la paix venait de « faire la preuve éclatante de la liberté totale d'expression » qui régnait à Vienne [29]. « Il s'est donc trouvé des libéraux en Italie, explique-t-il, des radicaux en France, qui, *sans condamner le principe de la colonisation,* ont voté la même motion que les Vietnamiens... d'accord avec les communistes pour sauver la paix [30]. » Avec acharnement, Sartre rappela donc les possibilités de dialogue avec le P.C., tenta de faire sortir les communistes français de l'espèce d'exil qu'ils traversaient alors, se consacra à convaincre, à démontrer le bien-fondé de leur combat d'alors. Il apparut ainsi, aux côtés de Jacques Duclos, pour le meeting qui, au Vélodrome d'Hiver à Paris, fit le bilan du Congrès de Vienne et en rappela les résolutions essentielles. Tout le monde remarqua, et Simone de Beauvoir la première, que ce 23 décembre 1952 resterait, peut-être, une date historique : deux silhouettes familières désormais côte à côte, échangeant des plaisanteries à la même tribune; un petit gros, au visage rond et jovial, sous la réputation d'une poigne de fer, Jacques Duclos, l'ouvrier pâtissier du Sud-Ouest; un petit maigre, tout aussi jovial, mais bien enthousiaste à l'époque, tout aux découvertes de la vie de tribunes, de congrès, de discours, un Sartre débutant allègrement ses années de compagnon de route critique.

Hormis le Congrès de Vienne et l'affaire des *Mains sales,* tous ses combats, pourtant, en ces premiers mois aux côtés du P.C., sont des combats éthiques. L'affaire Henri Martin, la guerre de Corée, et maintenant c'est l'affaire Rosenberg qui le mobilise, qui l'enflamme. Nouvelle entrée dans l'arène d'un homme hargneux, vengeur, ulcéré, au bout de sa rage. « *I Rosenberg sono stati assassinati*» : c'est de nouveau depuis l'Italie qu'il apprend la nouvelle. De nouveau de ce pays qu'il arrête la vie tout court et prend la plume; son article, il le dictera par téléphone, le lendemain, au journal *Libération* dirigé par d'Astier. « Les Rosenberg sont morts et la vie continue. C'est ce que vous vouliez, n'est-ce pas? ... Vous nous avez déjà fait le coup avec Sacco et Vanzetti et il a réussi. Cette fois, il ne réussira pas... Vous n'arriverez pas à nous faire prendre l'exécution des Rosenberg pour un " regrettable incident " ni même pour une erreur judiciaire. C'est un lynchage légal qui couvre de sang tout un peuple et qui dénonce une fois pour toutes et avec éclat la faillite du pacte Atlantique et votre incapacité d'assumer le leadership du monde occidental... Vous avez cru que l'assassinat des Rosenberg était un règlement de comptes privé. Cent mille voix vous répétaient : " Ils sont innocents. " Et vous répondiez stupidement : " Nous punissons deux de nos citoyens selon notre loi. Ce n'est pas votre affaire. " Eh bien, justement, l'affaire Rosenberg est notre affaire : des innocents qu'on fait mourir, c'est l'affaire du monde entier [31]. » Il avait lancé ses flèches contre les pouvoirs judiciaires français, il les lançait maintenant contre les pouvoirs américains, une accusation qu'il envoyait outre-Atlantique, lui, Sartre, dans un réquisitoire glacé, brutal, insolent; lui, Sartre, fantassin aux pieds nus, franc-tireur indigné, dans un règlement de comptes que volontairement il étendait au monde entier par son intermédiaire. « Décidément, il y a quelque chose de pourri en Amérique », poursuivait-il, shakespearien, et il concluait très vite : « Un jour, peut-être, toutes ces bonnes volontés vous guériront de votre peur : nous le souhaitons car nous vous avons aimés. En attendant, ne vous étonnez pas si nous crions, d'un bout à l'autre de l'Europe : Attention, l'Amérique a la rage. Tranchons tous les liens qui nous rattachent à elle, sinon nous serons à notre tour mordus et enragés [32]. » S'étonnera-t-on, dès lors, d'apprendre qu'à l'autre bout de la chaîne, là-bas, à Washington, les fonctionnaires du F.B.I., les fils de Nick Carter, éveillés par l'article de Sartre – qui, de plus, s'intitulait « Les Animaux malades de la rage » –, répercutèrent immédiatement les faits : « Une lettre du 24 janvier 1953, notait en substance le fonctionnaire du F.B.I., sous la signature du Comite pro Libertades Civiles (C.L.C.), a informé ses correspondants... que le mouvement de sympathie internationale mis en place pour sauver les vies des Rosenberg n'était pas dépendant d'un quelconque mouvement politique. La lettre a également expliqué que l'écrivain Jean-Paul Sartre s'était déclaré favorable à ce comité [33]. »

Contemporain de l'acte d'accusation antiaméricain après la mort des Rosenberg, il y eut « La Machine infernale », ce discours que Sartre prononça à la Mutualité le 5 mai 1953, au cours d'un débat sur la guerre en Indochine. On vivait alors les derniers jours de pourrissement du conflit en Extrême-Orient, avant l'avènement du cabinet Laniel qui allait, en juin 1953, commencer à changer les choses; on savait alors en France que tout espoir de vaincre était désormais perdu; et l'on cherchait désespérément la « sortie honorable » qui allait pouvoir tirer l'armée française de ce guêpier. Sartre parla de « massacre inutile », et déclara entre autres : « On peut se demander s'il est tellement plus intéressant de faire la guerre pour ne pas livrer l'Indochine à Hô Chi Minh et à Mao Tsé-toung quand il est bien entendu qu'une paix victorieuse consisterait à la livrer à Bao Dai et aux Américains. Il semble de toute façon que nous soyons hors du coup. Ainsi nous faisons tuer nos hommes et nous tuons les Vietminhiens pour rien, pour du vent [34]. » Discours directement axé sur la guerre d'Indochine, en cette année où par ailleurs tant de changements venaient de se produire au sein du monde communiste.

L'année 1953, effectivement, avait été riche en coups, contrecoups, complots et procès divers. Janvier : l'affaire du « complot des blouses blanches » est rendue publique à Moscou : arrestation de neuf médecins, dont sept juifs, qui auraient avoué le meurtre de Jdanov en 1948 et comploté contre certains hauts fonctionnaires; quatre mois plus tard, on allait apprendre leur innocence, les tortures, et toute la machination inventée par le régime stalinien. A Paris, André Marty, et Charles Tillon sont exclus du P.C.F., pour désaccord politique. Février : regain d'antisémitisme en U.R.S.S. Mars : annonce de la mort de Staline, remplacé, six mois plus tard, à la tête du parti, par Nikita Khrouchtchev. Un certain nombre de couleuvres à avaler, donc, pour notre compagnon de route, dans la foulée de ses découvertes. On ne se priva pas, d'ailleurs, de lui en demander des comptes – Mauriac, par exemple, l'interrogea publiquement sur le complot des blouses blanches et le développement de l'antisémistime en U.R.R.S. « M. Mauriac s'inquiète de mon silence, répondit laconiquement le directeur des *Temps modernes,* il peut se rassurer; les revues ne paraissent silencieuses que parce que les quotidiens sont trop bavards [35]. » Le changement de cap que venait d'accomplir Sartre devait inévitablement entraîner un certain nombre de modifications dans son réseau de relations, inévitablement engager des conflits sur de nombreux problèmes qu'il analysait désormais différemment. Conflits, aussi, avec certains collaborateurs des *Temps modernes,* modérément enthousiastes à la nouvelle orientation stalinienne : des conflits ouverts éclateront avec Merleau-Ponty, avec Claude Lefort, avec Etiemble. Ce dernier, responsable de la rubrique littéraire de la revue, reçut en février 1953 une violente lettre du directeur, qui se lisait ainsi : « Mon cher Etiemble, dans votre note sur les " Deux Étendards " (*N.N.R.F.,* 1er mars) je relève la phrase suivante à la page 528 : " Pour tout avouer, aux stalino-nazis, je préfère les francs salauds, les salauds francs, les nazo-nazis. " Autrement dit : à tout prendre, vous préférez les hitlériens aux communistes. Vous m'avez demandé l'autre jour s'il y avait une limite à la liberté de nos collaborateurs. Je pensais qu'il n'y en avait pas. Je me trompais : voici une limite; en la franchissant, vous me l'avez découverte. C'est aussi celle de mon estime. Je tiens donc votre article pour un avis de changement d'adresse. Nous vous ferons suivre votre courrier rue Sébastien-Bottin. Bien à vous. Jean-Paul Sartre [36]. » Nouveau genre, ce ton de censeur outragé? Ou bien tout simplement parti pris – qui fut toujours le sien – de dénoncer toute hystérie anticommuniste? Quelle place donner, dans ces affaires, à ses nouvelles idées? Zèle de compagnon de route, ou permanence excessive d'un zèle ultra-sartrien? « Consternante de mauvaise foi, la lettre de J.-P.S., écrira Paulhan à Etiemble. Ah oui, précisa-t-il, il me semble que vous devez répondre, et dans la *N.R.F.* Au plus tôt, je vous en prie [37]. »

Plus grave, plus complexe, plus violente encore fut la polémique avec Claude Lefort, un des collaborateurs piliers de la revue, et proche de Merleau-Ponty. Dans le no 89 des *Temps modernes,* daté d'avril 1953, les deux hommes se répondent : Claude Lefort, d'abord, dans « Le Marxisme et Sartre »; Sartre, ensuite, dans « Réponse à Claude Lefort ». Ce débat montre la place spécifique de Sartre, isolé, au milieu de tous les courants crypto- ou para-communistes des années d'après guerre : c'est là toute la tradition de la « seconde gauche » française, de celle qui ne cesse de se répéter : « Le P.C.F., hélas! ». Sartre ne fut donc ni communiste ni marxiste, au moment où la plupart des intellectuels de 1945 l'étaient : premier rendez-vous manqué. Il s'en rapprocha en 1952, précisément donc au moment même où toute cette génération-là amorçait ses manœuvres de départ. Ce que Sartre découvrait dans l'allégresse des années 1952-1953, eux le délaissaient alors : deuxième rendez-vous manqué. Tous les dialogues de Sartre avec des groupes qui croisaient dans les mêmes eaux que les siennes, en voisins, se ressentirent de ces disjonctions-là. Les polémiques de Sartre avec des groupes comme « Arguments », comme « Socialisme ou Barbarie »; avec des individus comme Edgar Morin, Kostas Axelos, Cornelius Castoriadis ou Claude Lefort s'inscrivent dans cette double rupture.

Ainsi, lorsque Claude Lefort entreprend Sartre sur le débat – fort vieilli aujourd'hui – de la théorie de l'organisation et le spontanéisme – l'existence d'un parti prolétarien est-elle vraiment utile à la classe ouvrière? –, Sartre répond oui dans le sens de la plus grande orthodoxie marxiste. C'est ce qui poussera Edgar Morin, analysant à son tour les spécificités de l'ancrage politique de Sartre, à trouver l'admirable qualificatif d'« hypostalinien » : si l'hyperstalinien nie farouchement l'existence des camps de travail en U.R.S.S. et soutient en aveugle l'Union soviétique, affirme Morin, l'hypostalinien, lui, accepte toutes les critiques à l'encontre du premier des pays dits socialistes, mais n'en continue pas moins, impavide, de travailler à l'avènement de la Révolution partout dans le monde. Peut-être serait-il intéressant d'apporter aujourd'hui, à cette querelle des braves, des éléments plus pointus d'analyse : et si Sartre, reprenant encore et toujours une tradition héritée des XVIIIe et XIXe siècles – en l'occurrence, celle de l'intellectuel qui se bat aux côtés du peuple –, tentait également, en se rapprochant du P.C., de traduire pour les années 50 ce vieux modèle de référence? Une sainte alliance qui fonctionnerait quatre années, puis dépérirait aussi vite, laissant Sartre un peu orphelin; libre à lui alors d'inventer de nouveaux modèles d'intervention directe.

Sartre entra donc en conflit avec Camus, entra en conflit avec Etiemble, en conflit avec Lefort, en conflit enfin avec le plus proche de tous : Merleau-Ponty. Décidément, il payait bien cher ses quatre années de marche aux côtés du prolétariat français en traitant tout le monde allègrement de « bourgeois »! Merleau-Ponty avait fait partie, depuis le début, de la première équipe des *Temps modernes*; et, bien souvent, il en rédigeait les éditoriaux; Sartre et lui furent même, un temps, pratiquement interchangeables. Ces deux normaliens agrégés de philo qui étaient venus à la phénoménologie, mais chacun par sa voie propre, s'étaient rencontrés à l'École normale de manière plutôt cocasse. « L'École normale se déchaînait contre un de mes camarades et moi, raconte Merleau, parce que nous avions chanté les chansons traditionnelles, trop grossières à leur gré. Sartre se glissa entre nos persécuteurs et nous et, dans la situation héroïque et ridicule où nous nous étions mis, nous ménagea une sortie sans concessions et sans dommages [38]. » C'est beaucoup plus tard, pourtant, qu'ils se retrouvèrent pour travailler ensemble, en hiver 1941, au groupuscule « Socialisme et Liberté ». Ensemble, ils firent l'expérience de l'impréparation et de l'échec; puis se fréquentèrent régulièrement, dans les fiestas délirantes de la fin de la guerre;

ensemble, ils élaborèrent les grandes idées de ce qui allait devenir *Les Temps modernes.* L'attelage Sartre-Merleau dura de 1945 à 1952, sans conflit majeur. Entre eux, les dissensions apparurent, comme de juste, au moment où Sartre vola au secours du P.C.F. Avant d'abandonner complètement la revue, Merleau donna aux *T.M.* un article d'adieu : « Le langage indirect et les voix du silence » qui parut en juin et en juillet de l'année 1952 – toujours la même date fatidique! Ironiquement, d'ailleurs, à la même époque, leurs trajectoires divergèrent encore : alors que Sartre se rapprochait des communistes, Merleau acceptait une chaire de philosophie au Collège de France. Plus tard, au cours de l'année 1955, Merleau-Ponty publia un ouvrage fait de chapitres indépendants, *Les Aventures de la dialectique,* parmi lesquels il développait une analyse fine et approfondie des relations de Sartre avec le phénomène communiste : « Sartre et l'ultrabolchevisme ». Les divergences philosophiques qui sous-tendaient les réflexions des deux penseurs avaient déjà pris forme avec leur découverte propre de la phénoménologie. « Nous vînmes à *Ideen* la même année, écrira plus tard Sartre : ce fut, comme on eût dit, par rencontre et par nécessité... Il découvrit un jour ce qu'il cherchait vainement : *l'intention...* La même année, à Berlin, je découvris l'intention dans *Ideen*; je lui demandai, à peu de chose près, le contraire de ce que Merleau en attendait : qu'elle vidât la conscience de ses scories, de ses " états "... nous étions tous deux fidèles à nous-mêmes. » Merleau demanda donc au concept d'intention de l'orienter vers la spontanéité; Sartre, lui, y trouva l'accès vers la liberté. « Spontanéité, liberté, poursuit Sartre dans ce texte inédit [39], cette différence n'est rien, elle est tout : ces mots reliant à nos deux naissances, à nos deux enfances, à nos deux choix, l'aboutissement de nos pensées. Quand nous nous sommes querellés, plus tard... il fallait toujours remonter aux termes initiaux et redescendre par paliers aux termes de la dispute. » On ne saurait mieux dire cette irréductible divergence qui atteignit, en 1952, son point de non-retour. Et dans *Signes,* dans l' « ultrabolchevisme » Merleau-Ponty sut décrire, avec l'art des grands orfèvres, contradictions, subtilités et spécificités de la position sartrienne. Prémonitoires, enfin, ces dernières phrases sur l' « ultrabolchevisme » de Sartre : « On ne peut à la fois être libre écrivain et communiste, écrit Merleau, ou communiste et opposant, on ne remplacera pas la dialectique marxiste qui unissait ces contraires par un épuisant va-et-vient entre eux, on ne les réconciliera pas de force. Il faut alors revenir, attaquer de biais ce qui n'a pu être changé de front, chercher une autre action que l'action communiste. » Ces lignes datent du printemps 1955. Dix-huit mois plus tard, en effet, après l'intervention soviétique en Hongrie, Sartre cherchait une autre action que l'action communiste...

Dans une interview, cependant, publiée au moment de la sortie en librairie de l'ouvrage collectif *L'Affaire Henri Martin,* Sartre eut l'occasion de préciser un certain nombre de points sur sa conception de l'intellectuel. « L'affaire Henri Martin, comme l'affaire Rosenberg, lui demanda Serge Montigny, le journaliste, pose le problème de l'injustice d'État. Estimez-vous que l'on doit combattre cette injustice uniquement dans le camp occidental? – Absolument pas, répondit sèchement Sartre, on peut la combattre partout où on peut le faire avec efficacité. Ce qui ne signifie pas qu'on doive la combattre partout avec les mêmes moyens. Que nous le voulions ou non, et quelle que soit notre attitude vis-à-vis des U.S.A., nous faisons partie d'un " bloc ", c'est-à-dire d'un organisme complexe. » Opposant l'affaire Rosenberg – « où malheureusement l'indignation européenne a peu de poids lorsqu'il s'agit des affaires intérieures aux U.S.A. » – au procès Slansky, un « déni de justice » assurément, mais contre lequel il n'a pas réagi publiquement : « Ç'eût été un acte de pure cérémonie », précisa-t-il, avant de s'engager dans une explication aussi complexe que définitive. Il justifia certaines abstentions par le contexte de la guerre froide qui transformait, soutenait-il, certaines protestations en véritables « actes de guerre ». Enfin, recouvrant son assurance tonique et désormais légendaire, il trouva une sorte de formule qui fit d'ailleurs le titre de l'article : « Le devoir d'un intellectuel, lança-t-il, n'en est pas moins de dénoncer l'injustice partout [40]. » En première page du journal *Combat* où parut la première partie de l'interview, avec la formule qu'on vient de citer, contiguë aux réponses de Sartre, donc, cette information, rencontre familiale intéressante et contrastée : « Albert Schweitzer et le général Marshall, prix Nobel de la paix. Oslo, 30 octobre. – Les cinq membres du comité Nobel du Sterling ont décerné ce soir les prix de la paix. C'est le docteur alsacien, directeur de l'hôpital de Lambaréné au Gabon, Albert Schweitzer, qui reçoit le prix 1952... » Ainsi deux Schweitzer, côte à côte dans la presse, se situaient malgré eux l'un par rapport à l'autre dans leur combat éthique, l' « oncle Albert » et le « fils de You », voisins par les hasards de l'actualité et de la mise en page. « Nous avons bien souvent les mêmes buts sans avoir les mêmes principes », écrira dix ans plus tard le fils de You à son « cher oncle Albert [41] ». C'était déjà tout dire...

Les années suivantes marquèrent un tournant encore plus net dans ce compagnonnage de route critique : ce furent celles du premier voyage en U.R.S.S., celles de nombreux congrès et rassemblements du Mouvement de la paix, comme celui de Knokke-le-Zoute, où il rencontra Brecht, comme celui de Berlin où il prononça tout un discours pour protester contre la bombe H; comme celui d'Helsinki où il reprit les mêmes thèmes qu'à Berlin; comme celui de Venise, enfin, où il retrouva ses amis si chers, les communistes italiens; ce furent également celles du grand voyage en Chine, celles encore où il fut nommé vice-président de l'association France-U.R.S.S. Il rencontra donc Brecht, mais aussi Chaplin et Picasso, Heidegger et Lukács, Togliatti et Moravia, Silone, Ungaretti, Piovene et Carlo Levi. Rencontra le poète Nezval à Prague, Simonov et Lili Brik à Moscou, fréquenta Elsa Triolet à Knokke-le-Zoute, déjeuna à Paris avec Aragon le jour même de la mort de Staline. Modifia ainsi son réseau, acquit d'autres interlocuteurs, d'autres habitudes, d'autres modes d'expression : ce fut le Sartre de la guerre froide, celui de quatre années à part, avec ses découvertes de la vie de congrès, de voyages officiels, de tribunes, de discours et de pétitions.

Il mit donc un pied dans le réseau des écrivains communistes et procommunistes, s'inséra dans le Mouvement de la paix, et puis ce fut l'engrenage : happé, avalé, sollicité, incapable de refuser invitations, propositions et autres. L'engrenage communiste fonctionna par exemple ainsi : Elsa Triolet l'invita à Knokke-le-Zoute où il rencontra Simonov, qui l'invita à Moscou, où... etc. Les sollicitations, chaperonnées par le parti de la classe ouvrière, prenaient pour lui l'allure d'un devoir, d'une nécessité. S'il avait su, aux belles heures de Saint-Germain-des-Prés, mettre en place un système de protection relativement efficace, et presque malgré lui, s'il avait pu grâce à la famille trouver empiriquement un mode de relations relativement protégé, le compagnonnage de route avec le P.C. allait faire craquer tous ces remparts et lui-même, de crainte peut-être de ne pas être en permanence auprès de la classe ouvrière, devint dès lors assez accessible, trop accessible même. On se souvient de l'affaire des pigeons voyageurs, de l'acharnement à écrire, comme drogué, dans une affaire entre lui et lui, de cette violence obsessive à tuer le bourgeois en lui, à penser contre lui-même jusqu'à l'épuisement physique, jusqu'à la corde. Ce manège se poursuivit encore tout le temps qu'il fut aux côtés des communistes. On se souvient également de la période café et orthédrine, lorsque, furieusement engagé dans une production de graphomane, il poussa la machine jusqu'à l'extrême de ses forces physiques. C'était en 1947. Maintenant, il découvrait d'autres drogues, d'autres stimulants, forçait sur whisky, café, cachets de tous ordres, comme soûlé par cette ivresse, par son corps-machine, par cette brutalité contre lui-même, contre ses propres réserves, en combat singulier avec ses ressources physiologiques, psychologiques et intellectuelles, grisé par cette usure intime, jouant à s'épuiser dans cette joute furieuse qui ne concernait, somme toute, que lui-même. En 1954, il eut une crise d'hypertension artérielle et son médecin traitant, inquiet, ordonna immédiatement un long repos, que Sartre, bien sûr, n'observa pas. Les échéances qu'il ne pouvait tenir, il s'imposa de les respecter, jouant avec le feu, chauffant à blanc tous les fourneaux. Ce fut sa période la plus altruiste et la plus suicidaire. Il accepta trop de préfaces, trop de discours, trop de voyages, força sur tous les pistons et poursuivit sa course. L'engrenage du Parti communiste, sa machinerie totalitaire engloutissaient le partenaire consentant dans un programme insensé. C'est dans ces conditions qu'il entreprit son premier voyage en Union soviétique. Il s'y retrouva, bien sûr, hospitalisé, après une crise d'hypertension aiguë, pour ne pas avoir su refuser les visites, les banquets, les vodkas, terrassé, vaincu, dix jours cloué dans un lit d'hôpital, à Moscou. Mais n'anticipons pas.

Avant de se retrouver là, il avait assisté à un défilé, commémoré l'anniversaire de la réunion de l'Ukraine, « mesuré de [ses] yeux un million d'hommes [42] », il avait visité des universités, des usines, des musées, des églises, des mosquées, rencontré des étudiants et des ouvriers, des techniciens et des écrivains, des infirmières et des médecins, discuté avec des intellectuels de la peinture soviétique contemporaine, avoué tout crûment son aversion pour ladite peinture, admiré par contre la véritable égalité dans le système social et l'orgueil des travailleurs, répondu aux questions sur la France posées par les ouvriers, enregistré les progrès culturels des femmes analphabètes d'Ouzbékistan, assisté à la représentation d'un drame populaire dans un kolkhoze, apprécié *Le Dégel,* dernier roman d'Ehrenbourg, acquiescé au contrat pour des représentations en russe de *La Putain respectueuse,* écouté les reproches d'un groupe d'ouvriers contre l'écrivain Simonov en personne dont le dernier roman ne les avait pas satisfaits, découvert que, dans ce pays, « les privilèges n'existaient pas », discuté avec un étudiant, docteur en philosophie, de la nouvelle philosophie soviétique, de la conciliation possible avec une pluralité idéologique; il avait battu des mains aux efforts vers la paix, avait levé son chapeau à la culture scientifique et marxiste largement partagées, avait sillonné le pays de Moscou à Tachkent, de Leningrad à Samarkand, convoyé par des collègues comme Ehrenbourg ou Simonov, pris en charge par une interprète permanente, il avait été invité dans la datcha de Simonov, poussé par jeu à transcender ses limites en capacité d'absorption d'alcool... Un doublon du premier voyage en Amérique? Cérémonies forcées, parcours obligés, rencontres obligées, au nom de la découverte de l'U.R.S.S. « La liberté de critique est totale en U.R.S.S. », déclarera-t-il dès son retour dans une série d'interviews pour le journal *Libération.*

Le rituel des retours d'U.R.S.S. avait été, au cours des années 30, une cérémonie littéraire, presque un genre en soi : déclarations, articles, essais, conférences, chacun y était allé de ses impressions, de ses critiques, de ses enthousiasmes, témoignant auprès des autres que l'U.R.S.S. n'était vraiment pas un pays comme les autres, décrivant l'exotique du socialisme en construction comme en d'autres temps on décrira les détails d'un voyage sur la Lune. Ainsi, tour à tour, Barbusse, Aragon, Malraux, Nizan, Jean-Richard Bloch, André Gide et tant d'autres y allèrent-ils de leurs retours d'U.R.S.S., chacun à sa manière. Qu'ils fussent simples compagnons de route comme Barbusse ou Malraux, qu'ils fussent permanents comme Aragon ou Nizan, ils observèrent puis racontèrent, mais revinrent en tout cas profondément bouleversés par l'expérience. Parfois même, ils modifièrent à l'occasion tout leur système de perception de ce pays mythique, paradisiaque, où certains, comme Nizan par exemple, pensaient également découvrir que le problème de la mort était enfin résolu! Il y eut des retours d'U.R.S.S. fanatiques. Il y en eut surtout de mortels, de rédhibitoires. Qui ne se souvient de la magistrale gifle envoyée par Gide, lorsqu'en 1938, après ce second voyage où il avait été royalement reçu, il écrivit son implacable *Retouches à mon « Retour de l'U.R.S.S. »*, dénonciation définitive de la mythologie prosoviétique? D'ailleurs les grands procès et autres purges avaient largement commencé et en Occident certains commençaient à parler, à oser la critique. Comment oublier, aussi, l'expérience d'un Nizan qui passa toute l'année 1934 à Moscou, permanent très actif, et paya son retour des traditionnelles conférences? C'est au cours de cette année-là, pourtant, que l'édifice de croyance communiste du militant parfait qu'avait été Nizan se fissura. C'est en Ouzbékistan, c'est en Géorgie qu'il observa les failles, qu'il nota toutes les distances : le problème des nationalités n'était pas résolu, ni celui de la liberté d'expression, ni celui de l'égalité des chances... Quatre ans plus tard, il démissionna du P.C.F., de trop de couleuvres avalées [43]. Vingt ans, très exactement, après Nizan son petit camarade Sartre allait procéder, pour sa part, à son propre rituel, allait célébrer son propre retour d'U.R.S.S. C'est peu de dire que Sartre étonna. Ses déclarations enthousiastes, on va le voir, laissèrent littéralement pantois tous ceux qui, avec lui, avaient gardé, sur les pratiques communistes, sur la morale communiste, sur les excès communistes, les réserves qui avaient été les siennes. Car Sartre s'emporta dans le plus incroyable panégyrique soviétique, dans les déclarations les plus emphatiques, les plus énormes, les plus naïves, les plus inattendues.

Certes, Simone de Beauvoir affirme qu'il était épuisé après tous ses excès, après cette crise d'hypertension, après ces dix jours d'hôpital. Certes, elle affirme qu'il ne relut pas le texte des entretiens qu'il accorda au journal *Libération*. Mais peut-on, en toute bonne foi, décider d'occulter cette série de cinq longs entretiens enthousiastes et passablement étranges – parce qu'ils nous gênent profondément – alors que par ailleurs, dans le journal *France-U.R.S.S,* ou à l'occasion de ses discours ultérieurs, il confirma absolument, au cours des années 1954 et 1955, les propos qu'il tint alors? En première et troisième pages de *Libération,* photos à l'appui, les lecteurs français découvrirent, entre le 15 et le 20 juillet 1954, la version sartrienne d'un retour d'U.R.S.S. totalement euphorique. Sous le titre générique « Les impressions de J.-P. Sartre sur son voyage en Union soviétique », se succédèrent cinq articles, cinq thèmes : « La liberté de critique est totale en U.R.S.S. »; « De Dostoïevski à la littérature contemporaine »; « Ce n'est pas une sinécure d'appartenir à l'élite »; « Les philosophes soviétiques sont des bâtisseurs »; « La paix par la paix ». Les propos avaient été recueillis par le journaliste Jean Bedel, rue Bonaparte, puis transcrits en sténographie, au cours d'une rencontre qui avait duré plus de deux heures.

« Avez-vous le sentiment, demanda le journaliste, que les Soviétiques sentent un changement? Je fais allusion à ce que certains Occidentaux appellent l' " ère Malenkov "? – Oui, répondit Sartre, ils sentent un changement et ils en parlent très volontiers. Je lis les articles des Lazareff qu'il est impossible de prendre au sérieux. » Tout de suite, on le voit, Sartre se démarqua de cette grande expérience de presse que menait, au journal *France-Soir,* le journaliste Pierre Lazareff, symbole d'une réussite journalistique française « à l'américaine », aussi bien dans la gestion que dans les certitudes idéologiques. En s'en prenant à Lazareff, Sartre engageait un conflit qui allait se poursuivre à l'occasion de nombreux épisodes qui ne tarderont pas à émerger. « Le citoyen soviétique possède, poursuivit Sartre, une entière liberté de critique, mais il s'agit, précisa-t-il, d'une critique qui ne porte pas sur des hommes, mais sur des mesures. L'erreur serait de croire que le citoyen soviétique ne parle pas et garde en lui ses critiques. Cela n'est pas vrai. Il critique davantage et d'une manière beaucoup plus efficace que la nôtre. L'ouvrier français dira : " Mon patron est un salaud! " L'ouvrier soviétique ne dira pas : “ Le directeur de mon usine est un salaud ! ”, mais : “ Telle mesure est absurde ”. La différence, c'est que le Français le dira dans un café ; le Soviétique, lui, s'engagera *publiquement,* engagera sa responsabilité dans la critique au cours d'une réunion officielle... Il critiquera âprement, souvent, mais toujours dans une direction positive. Et ce qui est vrai des ouvriers est vrai de tout le monde [44]. » Vaste fresque enthousiaste, images d'Épinal totalement manichéistes, idéalisations simplificatrices, adhésion sans recul, cécité intellectuelle, naïveté puérile, Sartre, qu'as-tu fait de tes propres lois, qu'as-tu fait de cette précision décapante qui fut la tienne et que tu nous enseignas, qu'as-tu fait de tes flèches au vitriol, de ton hyperlucidité, de tes perceptions de franc-tireur, de tes dénonciations implacables, de tes rafales courageuses et précoces ?

« Avez-vous l'impression, demanda encore le journaliste, qu'il existe en U.R.S.S. un type d'homme particulier ? – Ils se considèrent comme tels », répondit Sartre, qui illustra son assertion d'exemples et anecdotes : « Le premier fait, je crois, c'est que l'homme est immédiatement intégré dans le social, dès l'enfance. Vous voyez les enfants de sept ans jouer dans un camp de pionniers qui dansent et qui s'amusent sur un petit terre-plein, devant un immense portrait de Staline en toile. D'un côté, des dessins représentant les principaux héros de la résistance pendant l'occupation... de l'autre les héros du roman de Fadeïev, *La Jeune Garde.* Vous avez l'impression que, dès sept ans, le social enveloppe les gosses de toutes parts, sollicite leur réflexion, nourrit leur imagination [45]. » Puis, brutalement, après cette extraordinaire louange des fonctions stimulantes des camps de pionniers et des portraits de Staline, l'écrivain exprima publiquement ses interrogations sur le dernier livre de son collègue Ilia Ehrenbourg : « Avez-vous lu *Le Dégel?,* demanda Sartre au journaliste. C'est très curieux. Il fait de grosses critiques sur le côté un peu cornélien du héros soviétique d'aujourd'hui... Il raconte l'histoire d'une jeune fille qui, spontanément, adorerait la poésie symbolique d'Alexandre Blok et qui s'oblige à aimer la poésie engagée et sociale d'aujourd'hui. Le roman a été très critiqué... » Quelle mouche avait bien pu piquer notre féroce observateur pour qu'il se fondît ainsi dans cette perplexité bizarre, à mille lieues de son esprit critique et de sa légendaire rapidité de perception ? Pour qu'il apparût, pour la première fois de sa vie, confit dans cette mollesse, dans cette béatitude, dans cette léthargie intellectuelle qu'il avait, de tous temps, et avec quelle violence, dénoncée ? Le rituel du retour d'U.R.S.S. se poursuivait encore – hélas –, se traînait dans de nouvelles envolées toujours aussi emphatiques. Lorsque, par exemple, le journaliste lui demanda si la question de privilèges sociaux se posait en U.R.S.S. comme chez nous : « Non, répondit Sartre, fort sûr de son fait. Il y a, si vous voulez, un petit noyau de l'élite actuelle qui risque la stratification à cause de l'héritage... La stratification peut jouer sur une toute petite fraction de la société soviétique actuelle... – Vous le leur avez dit? demanda à son tour Jean Bedel. – Oui, répondit l'écrivain, et ils l'ont très volontiers reconnu. J'y insiste : s'ils acceptent n'importe quelle critique lorsqu'elle leur paraît juste, c'est parce qu'ils sont eux-mêmes en perpétuelle critique d'eux-mêmes, dans une perspective de progrès. C'est évidemment ce que n'ont pas compris les Lazareff[46]. » On croit rêver! Quel besoin eut-il donc de tomber dans ce lourd appareil emphatique déplacé? Dans ce pathos mièvre? Dans cette béatitude plate et sans nuance? Que s'était-il donc passé?

La liste des beautés soviétiques, des merveilles à découvrir, se poursuivait, implacable, dans la plus belle veine des bluettes pour midinettes. Sartre dans son numéro de retour d'U.R.S.S., ou comment tomber amoureux du paradis soviétique, envers et contre tous, dix-huit mois avant le XXe Congrès, dix-huit mois avant la grande débâcle, dix-huit mois avant l'immense tribunal international qui allait, publiquement, dévoiler les crimes staliniens. « Les Soviétiques ont-ils le désir de connaître les pays étrangers et de s'y rendre? demanda encore Jean Bedel. – De venir, non, assura notre homme. A part quelques-uns, ils n'ont pas tellement envie de sortir de chez eux. J'ai demandé à beaucoup d'entre eux : “ Pourquoi ne viendriez-vous pas? Vous vous trompez souvent sur notre compte. ” Mais non, ça ne les tente pas particulièrement. Ils n'ont pas tellement envie de voyager en ce moment. Ils ont autre chose à faire sur place[47]. » Après cette affirmation qui n'engagea que son auteur, Sartre, interrogé sur l'avenir des relations de la France avec l'U.R.S.S., lâcha, peut-être là, sa plus belle perle : « Le minimum qu'on puisse déclarer, dit-il enfin, c'est qu'il s'agit là d'un grand peuple qui, en trente ans, au prix d'énormes sacrifices, s'est industrialisé, a élaboré une culture, et qui continue sa marche vers l'avenir. Vers 1960, avant 1966, si la France continue à stagner, le niveau de vie moyen en U.R.S.S. sera de 30 à 40 % supérieur au nôtre[48]. » Sur ces paroles prophétiques, l'entretien s'acheva. La seule réserve énoncée par Sartre sur l'Union soviétique concernait les méthodes d'enseignement de la philosophie dans les universités : on le faisait, affirmait-il, « comme on étudie en France dans une institution religieuse philosophique Kant, Hegel ou Marx; on les explique, on montre leurs erreurs ou ce qu'on croit être leurs erreurs; on leur fait des objections et on s'en débarrasse[49] ». Le citoyen, le critique littéraire, l'écrivain, le journaliste avaient été inconditionnellement séduits par la découverte de l'U.R.S.S. Seule résistance : celle du pédagogue, réfractaire pour sa part aux méthodes relativement périmées, à cet enseignement de la philosophie, répétitif et traditionnel, à l'opposé du dialogue critique qu'il avait de tout temps pratiqué avec ses propres élèves.

« Nous ne mettons pas le mot " Fin " sous cette enquête qui connaît un retentissement considérable, précisait le journal après le dernier entretien. Nous avons reçu, notamment, une lettre de Mme Hélène Lazareff et de M. Pierre Lazareff qui reprochent à M. Jean-Paul Sartre, avec une certaine amertume, de les avoir " nommément " mis en cause [50]. » Sartre, en attaquant les Lazareff, venait d'engager le conflit non seulement avec la grande presse, mais avec l'ensemble du monde de la presse. Un conflit qui n'allait pas tarder à prendre des dimensions de plus en plus larges. Un conflit qui opposait – cela est capital – un intellectuel à la classe professionnelle journalistique française. La place de l'intellectuel français va désormais se modifier; l'intellectuel, gênant, va être déplacé par un milieu qui se raidit, qui le repousse et le rive à ses propres compétences. Sartre y sera sans aucun doute pour quelque chose.

En effet, ce fut un tollé général à la lecture de ces déclarations. Jacques-Francis Rolland raconte, avec humour, les réactions ahuries que provoquèrent parmi les « camarades du parti » les étonnants tête-à-queue sartriens. Ses déclarations au retour d'U.R.S.S. « enthousiasmaient nos camarades, écrit-il, et l'on entendait à la section des remarques du genre : " Il fait tellement de progrès qu'on va le voir bientôt arriver ici pour prendre sa carte. " Laffont admettait la plaisanterie; toutefois il ne pouvait s'empêcher de rétablir les distances convenables : " Doucement, les copains. Il a fait des progrès, d'accord, mais il continue à déconner [51] " ». Et l'on eut l'impression que Sartre s'amusait, seul contre tous, dans un jeu de massacre où, isolé, il encensait l'U.R.S.S. et se retrouvait seul. Dans cette affaire, il se mit tout le monde à dos : ses anciens camarades du R.D.R., bien sûr, qui ne comprirent rien à ce qu'ils perçurent comme un revirement inadmissible, un assentiment brutal à ce qu'ils avaient toujours ensemble dénoncé. Ses amis des *Temps modernes,* comme Merleau-Ponty ou Claude Lefort; ses voisins politiques d'une gauche radicale mais institutionnalisée comme Gilles Martinet et toute l'équipe de *France-Observateur,* comme Roger Stéphane, comme Etiemble. Deux ans plus tôt, Sartre avait liquidé Camus dans ce duel si public et si violent. Il était maintenant pris de passion et de furie et s'engageait, seul, dans une voie délibérée, à l'étonnement de tous. A contre-courant dans sa décision de soutenir le P.C.F.; à contre-courant dans le mode choisi pour louer l'U.R.S.S. Décalage dans le temps, dans le jugement : décidément, ce compagnon de route critique était bien singulier! Lorsque, au lendemain de la Libération, le P.C.F., « parti des fusillés », ratissa large et beaucoup, lui, Sartre, isolé dans les injures, vivait sa phase de plus grande hostilité avec les communistes. A l'époque du R.D.R., avec les divers gauches qui militaient dans le même sens, il avait poursuivi cette lancée de flèches empoisonnées contre la morale communiste, une « morale conformiste », une « morale de petit bourgeois [52] ». Et il avait écrit *Les Mains sales*, insistant bien sur la liberté de jugement, sur l'individualisme critique, sur le salut du franc-tireur. Et tandis que la grande masse des militants communistes, que la grande marée des intellectuels communistes des années 50 commençait à se réveiller, à douter, de complot des blouses blanches en affaire Slansky, d'antisémitisme ouvert en information sur les camps de détention, lui, Sartre, isolé dans SA logique, se rapprochait du P.C.F. Au moment même où tous les autres s'en écartaient. Cette logique si étonnante, SA logique, à contre-courant, en décalage, c'est exactement cela qu'il va falloir, et très vite, tenter de serrer au plus près, pour éclairer ces comportements, ces déclarations, ces méprises. « Après ma première visite en U.R.S.S. en 1954, j'ai menti, déclarera-t-il vingt ans plus tard [53]. Enfin " menti " est peut-être un bien grand mot : j'ai fait un article - que Cau a d'ailleurs fini parce que j'étais malade - où j'ai dit des choses aimables sur l'U.R.S.S. que je ne pensais pas. Je l'ai fait d'une part parce que j'estimais que, quand on vient d'être invité par des gens, on ne peut pas verser de la merde sur eux à peine rentré chez soi, et d'autre part parce que je ne savais pas très bien où j'en étais par rapport à l'U.R.S.S. et par rapport à mes propres idées. » On essaiera de comprendre quel statut accorder à ces « mensonges » de l'été 1954.

Gratification pour ses déclarations, remerciements pour ce retour d'U.R.S.S. tellement emphatique? Ultime avatar dans l'engrenage communiste? Six mois après la fin de ce voyage, Sartre est nommé vice-président de l'association France-U.R.S.S. : c'était en décembre de l'année 1954. Il allait donc, et pour presque deux ans, devenir la caution de cette organisation qui, à la Libération, avait pris la succession de l'Association des amis de l'U.R.S.S. créée dès 1929. Il allait, par son nom et par son prestige, concourir à accréditer cette organisation profondément liée à l'Internationale communiste, ses entreprises prosélytes, ses organisations diversifiées comme voyages, presse, conférences et autres. Il se prêtera à ce rôle avec la même fougue que celle qu'il avait montrée durant les deux années précédentes. En écho intérieur, en contrepoint personnel à cette vie officielle et publique, pourtant, le travail de l'écrivain se poursuivait, parfois publié, parfois souterrain, prenant des chemins de traverse inattendus, intimement lié en tout cas au programme de surface, dans une interdépendance, une nécessité jamais atteinte jusque-là. La logique de production littéraire sartrienne ne répondrait-elle pas à une question, ne réclamerait-elle pas un détour, ne détiendrait-elle pas des clefs pour le déchiffrage global de ces années-là?

Car s'il écrivit alors deux pièces de théâtre, *Kean* et *Nekrassov*, qui furent représentées respectivement en 1953 puis en 1955; s'il rédigea en 1956 le scénario du film *Les Sorcières de Salem*, à partir du texte *The Crucible* d'Arthur Miller; s'il publia, enfin, et dès 1953, une dizaine de pages sur Mallarmé – vestiges d'un manuscrit de cinq cents pages écrit vers 1947-1949 – et intégrées à un gros ouvrage collectif, ces quatre textes restèrent orphelins : aucune autre publication littéraire de Sartre ne les accompagna alors. Certes, ses discours contre, ses pétitions en faveur de, ses réponses à, ses articles pour, ses impressions de voyage en, ses lettres-préfaces à, remplacèrent en quantité les textes littéraires des années précédentes. Mais il faut néanmoins se rendre à l'évidence : le passage à proximité du P.C.F. stérilisa notre homme de lettres. Tout du moins, en apparence. Il devint un garant, une caution, un prosélyte, un voyageur, un colporteur, un voyageur de commerce doté d'un porte-voix utile, un signataire, un orateur, un bienfaiteur, un soutien. L'écrivain mourut. Pourtant, dans les coulisses, dans la salle des machines où avaient, depuis, circulé des pigeons voyageurs, les turbines tournaient toujours, avec acharnement, on l'a vu, avec d'ailleurs peut-être plus d'acharnement que jamais, et l'écrivain travaillait à des textes inédits, remettait de l'ordre dans ses anciens manuscrits, faisait des tris, des choix, décidait d'arrêter net certains projets en train, de fermer définitivement certain petit cahier de moleskine noire, de rouvrir par contre tel gros dossier de feuillets bleus : les grandes manœuvres. C'est de ce côté-ci qu'il importera tout à l'heure de jeter un œil si l'on tient à coincer notre homme dans sa logique propre, si l'on espère l'arrêter quelque part, entre 1952 et 1956, entre Moscou et Helsinki, Vienne et Stockholm, entre le dernier étage de la rue Bonaparte et le bureau des *Temps modernes*...

Nekrassov fut certainement sa pièce la plus furieusement sympathisante à l'égard du P.C.F., la plus polémique, la plus partiale presque. Son texte le plus manichéen; à certains égards le plus daté : une suite et fin du retour d'U.R.S.S. Représentée au théâtre Antoine, chez Simone Berriau, la pièce fut immédiatement prise sous les rafales conjointes de la presse bourgeoise et d'autres groupes d'obédiences diverses. « Une mystification de salonnard, déclaraient notamment les membres du Cercle libre d'études russes, qui n'a jamais combattu nulle part et dont les mains sont sales depuis qu'il a serré celles des bourreaux du peuple russe [54]. » A plus d'un titre, la pièce *Nekrassov,* et surtout l'affaire Nekrassov qui s'ensuivit, fut la contribution emblématique par excellence de Sartre à ces quatre années procommunistes. C'est tout le problème des rapports de la grande presse avec la politique en général et le P.C.F. en particulier qui y est posé. Le choix même de ce thème souleva déjà chez les journalistes indignation et fureur; comme s'il s'était attaqué à un tabou. Écoutons tout d'abord les propos de l'auteur, à l'occasion de divers entretiens : « C'est une pièce à demi manquée [55]... » « Ce que j'ai voulu faire, c'est une pièce satirique... une certaine presse crie déjà avant de connaître le sujet de ma pièce et avant d'avoir été écorchée [56] »... « Ma pièce est ouvertement une satire sur les procédés de la propagande anticommuniste [57] »... « Certains journaux refusent d'accueillir les communiqués de publicité – évidemment payants – de ma pièce [58]. » Le personnage de Jules Palotin, dit Jojo les Bretelles, directeur du journal à grand tirage *Soir à Paris,* excita surtout l'ensemble de la presse : on y reconnut une caricature assez simplifiée de Pierre Lazareff et de son *France-Soir,* déjà attaqués un an auparavant. Des modifications d'acteurs avaient, d'ailleurs, évité que l'amalgame ne fût plus évident : le rôle avait été donné au départ au comédien Louis de Funès dont la petite taille soulignait encore davantage la ressemblance; c'est finalement Armontel qui, avec ses cent soixante-quinze centimètres, créa le rôle. Malgré les efforts pour qu'aucune ressemblance physique trop criante ne vînt souligner les intentions de Sartre, tout le monde s'enflamma. A commencer par Françoise Giroud qui éreinta personnellement la pièce dans son journal *L'Express.* Les détracteurs furent légion qui, à part la presse communiste, bien sûr, s'enflammèrent tour à tour dans ce qui prit bientôt l'allure d'une véritable cabale au cours du mois de juin 1955. *Paris-Match, L'Aurore, Le Figaro,* un à un, tous les titres de la presse parisienne, solidaires de ces attaques, se drapèrent dans leur dignité offensée et volèrent au secours de *France-Soir.* Personne ne fut en reste. Les accusations tombèrent, une à une : pièce simpliste, enfantine, ridicule, niaise, erronée. Pierre Marcabru trouva, pour sa part, une série de formules sans ambiguïté possible, lorsqu'il décrivit l'intrigue : « Une farce qui s'avance à pas d'éléphants, des répliques lourdes comme des menhirs, une finesse de rhinocéros : la pièce de Jean-Paul Sartre piétine les spectateurs durant quatre heures d'horloge. C'est une épreuve surhumaine... La mise en scène semble avoir perdu la tête. Elle a des excuses, Sartre n'en a pas [59]. »

Face à cette armée de détracteurs, toutes haches de guerre levées, quelques défenseurs célèbres, amateurs de *Nekrassov*: Gilles Sandier, Jean Cocteau et Roland Barthes. « *Nekrassov*, lors de sa création, a été proprement assassiné, explique Sandier. Proprement, c'est façon de dire, car ce fut abject. *Le Figaro* appela à manifester contre la pièce sans même la connaître, sur la base de ragots. L'ensemble de la presse... se déchaîna, camouflant sa rage en condescendance. Sur ce point précis, d'ailleurs, la pièce faisait mouche [60]. » Roland Barthes, pour sa part, frappa encore plus fort, découvrant au cœur du débat le « fameux mythe de la séparation des genres », débat archaïque, dépassé et hypocrite qui tentait vainement de savoir s'il fallait faire de la pièce une farce, une comédie de mœurs, une satire, une revue, ou bien encore un guignol. Plus positivement, cependant, Barthes s'engageait à fond dans une défense véhémente de l'écriture même de Sartre dans la pièce : elle en est parfois, affirme-t-il, « aussi fulgurante que du Beaumarchais ». Car, ajoute Barthes, « en séparant sans sophisme de classe le Bien et le Mal social, Sartre a touché le point sensible de toute âme bourgeoise... malheureusement, pour notre critique avide de magnanimité, Sartre a peint un univers politique et non moral... *Nekrassov* libère en lui la conscience globale d'une servitude de la grande presse, et fait de cette lumière brutale un état triomphant, jubilatoire : cette joie de reconnaître à vif ce que l'on sait obscurément, c'est cela, somme toute, le théâtre comique, c'est cela, la catharsis de la satire... Je me console en pensant, termina lyriquement Barthes, que *Nekrassov* va libérer chaque soir, pendant un temps que je souhaite le plus long possible, des Français comme moi, qui souffrent d'étouffer sous le mal bourgeois. “ J'ai mal à la France ”, disait Michelet : c'est pour cela que *Nekrassov* m'a fait du bien [61]. » Le dossier *Nekrassov*, néanmoins, resta ouvert puisque les deux reprises de la pièce, en 1968 par Hubert Gignoux au Théâtre national de Strasbourg puis en 1978 par Georges Werler au Théâtre de l'Est parisien, relancèrent la cabale, aussi vivement qu'au moment de la création de la pièce. On touche ici à un domaine sensible, et peut-être rarement exploré dans toutes les interventions sartriennes : celui des relations de Sartre avec le monde de la presse. Jamais intégré comme un pair, suspecté souvent, il payait peut-être là les frais de cette plate-forme que ses collègues journalistes trouvèrent fréquemment trop vaste, trop polyvalente, trop colonisatrice encore. Son choix de railler certains travers d'un milieu qu'il connaissait mal fut reçu comme une gifle, comme une balourdise. D'autant que son « prosoviétisme primaire » dont parla François Chalais [62] allait devenir, à peine un an plus tard, un choix caduc, voire une aberration politique.

En attaquant la presse française, en écrivant *Nekrassov,* Sartre ouvrait tout un dossier : celui des relations de la presse avec un certain type d'écrivains. Il y avait eu la période faste, celle au cours de laquelle les Gide, les Aragon, les Malraux, les Nizan, les Camus avaient élégamment navigué entre roman et grand reportage, entre littérature et journalisme, jusqu'à parfois même tenir, comme dans le cas de Camus, une place de patron de presse à *Combat.* Sartre, recruté par Camus, fourbit ses premières armes dans ce domaine, au moment de la libération de Paris, puis du premier voyage en Amérique, avant de lancer *Les Temps modernes.* Ses contributions de grand reporter n'avaient cependant pas frappé les gens du milieu, et l'on considérait globalement que ce n'était pas là sa meilleure arme... Son retour d'U.R.S.S. allait brutalement envenimer les choses : la teneur de ses propos, l'attaque directe contre les Lazareff, la critique implicite de leur compétence d'observateurs, et Sartre se plaçait d'office dans la position d'attaquant. Plus précisément dans le rôle de l'agresseur, du colonisateur; dans celui du périphérique qui pénètre sans vergogne dans un milieu de professionnels pour leur expliquer que, somme toute, ils ne connaissent pas leur métier. Et que c'est lui le professeur, lui le philosophe, lui le romancier, lui le critique littéraire, lui le dramaturge, lui l'orateur de tribunes qui va leur montrer comment utiliser les bénéfices d'un voyage, comment analyser les perceptions acquises au cours d'un grand reportage, bref comment s'intituler grand reporter. A l'automne 1945, on l'a vu, Sartre avait été un véritable produit médiatique, lancé de droite et de gauche par cette industrie en plein essor, et qui retrouvait pléthore de plumes et de concours après les grands bâillonnements de l'occupation allemande. Il fut donc, une dizaine d'années durant, produit et acteur de cette nouvelle machinerie médiatique. Au milieu des années 50, pourtant, les deux logiques – qui avaient jusque-là concouru à un essor réciproque – vont se télescoper. Et celle de l'intellectuel tout-puissant, prenant de front celle des nouveaux patrons de presse en pleine ascension, allait se heurter à un mur. Doit-on dater de 1955 les premiers symptômes de cette chute charismatique des intellectuels français, dont nous reparlerons au cours des années qui vont suivre? Doit-on accorder à ce bras de fer Jean-Paul Sartre-Pierre Lazareff le rôle d'étincelle, dans ce lent processus-là? Car le retour d'U.R.S.S., car *Nekrassov,* s'ils témoignèrent d'une guerre ouverte, allaient engendrer des dissensions bientôt définitivement inconciliables. Dans cette guerre ouverte, face à face : Sartre et Lazareff. L'intellectuel français numéro un et la tête de la nouvelle presse française. Un combat de chefs lourdement symbolique. « Je veux apporter avec *Nekrassov* une contribution d'écrivain à la lutte pour la paix, avait-il pourtant déclaré à Guy Leclerc, dans *L'Humanité.* Nous avons pris des engagements au Congrès de Vienne, il faut les tenir. Au moment où la détente s'accentue, où la conférence à quatre s'annonce, un des freins les plus puissants à nos espoirs, à nos entreprises réside dans l'action de cette presse qui envenime les choses. J'ai voulu mettre noir sur blanc ses procédés, dessiller les yeux des hommes de bonne volonté, parmi ses propres lecteurs [63]. » Est-il sûr qu'avec *Nekrassov* il contribua à la lutte pour la paix entre les deux blocs [64] ?

La seconde œuvre de circonstance écrite sous l'influence de ce nouvel engrenage, *Les Sorcières de Salem,* d'après la pièce d'Arthur Miller, lui permit d'exprimer à nouveau ses idées contre le maccarthysme ; celles qu'il avait déjà développées dans ses articles pour soutenir les Rosenberg. Un scénario de trois cents pages que mit en scène Raymond Rouleau, avec Simone Signoret et Yves Montand dans les rôles principaux ; le film fut projeté, avec un certain succès, en 1957, sur les écrans français. On ne retiendra ni *Nekrassov,* ni *Les Sorcières de Salem* au rang des œuvres les plus impérissables de notre dramaturge-scénariste. On y verra plutôt une contribution idéologique obligée, de la même veine que ses discours, pétitions, déclarations, articles procommunistes. Et sa production littéraire, si elle se poursuivit massivement au cours de ces années-là, n'émergea publiquement que beaucoup plus tard. C'est néanmoins parallèlement à tous ces gages communistes qu'elle fut mise en chantier, en genèse. Un contrepoint ?

Kean, par exemple, sa pièce la moins marquée politiquement des années de guerre froide, nous fournit encore quelques clefs pour explorer les grands travaux littéraires souterrains dont nous parlions plus haut. Car, en adaptant la pièce d'Alexandre Dumas père, en redonnant vie, à sa manière, à l'étonnante personnalité qu'avait été en son temps l'acteur britannique Kean, Sartre poursuivait sa longue interrogation biographique, cherchait à sonder et décrire un nouveau type d'individu, un acteur pour la première fois, cherchait à le retenir dans sa galerie de portraits, après Genet et Mallarmé, Baudelaire et Kafka. Dans une langue généreuse, ample, aux inflexions très XIXe siècle, dans cette prose d'où sourd en permanence un véritable bonheur d'écriture, Sartre s'en donna, à l'évidence, à cœur joie. Et la mégalomanie, et le donjuanisme, et la solitude, et le formidable orgueil de Kean, Sartre les servit à plaisir, dans de superbes tirades que la voix de Pierre Brasseur, le créateur du rôle, fit sonner magistralement sur la scène du théâtre Sarah-Bernhardt, au cours de l'automne de l'année 1953. Personnage singulier que celui de Kean, dans l'œuvre sartrienne, isolé à mi-vie, à mi-parcours, seule voix littéraire, seule concession personnelle au centre des années tournantes. Dans ce dialogue entre Sartre et Kean, circulèrent des thèmes, des idées, des obsessions tellement intimes que certains comme Francis Jeanson en élaborèrent même des interprétations infiniment poussées. Il va sans dire que les thèmes de la bâtardise, de la traîtrise prenaient, là, une profondeur rarement atteinte. « Un trompe-l'œil, une fantasmagorie, voilà ce qu'ils ont fait de Kean. Je fais trembler des royaumes pour rire, aux applaudissements des marchands de fromage, je suis faux prince, faux ministre, faux général. A part cela, rien. Ah! si : une gloire nationale. Mais à la condition que je ne m'avise pas d'exister pour de vrai... Comprenez-vous que je veuille peser de mon vrai poids sur le monde? Que j'en aie assez d'être une image de lanterne magique? Voilà vingt ans que je fais des gestes pour vous plaire; comprenez-vous que je puisse vouloir faire des actes [65]? » Sursaut de psychologie existentielle, avant de pénétrer dans la compagnie collective des communistes? Recherche d'un point d'équilibre entre la création subjective et le militantisme de groupe? Entre une tirade existentialiste et l'acquisition massive d'un marxisme galopant? Entre l'écrivain producteur de sens et l'acteur interprète de textes? Oui, *Kean* fut bien un carrefour, dont les véritables dimensions n'apparaîtront que plus tard peut-être avec leur lot de connotations, de symboles, de modifications aussi.

Si Sartre perdit les cinq cents premières pages du *Mallarmé,* il arrêta net *La Reine Albemarle,* s'il entreprit une histoire du monde ouvrier et un scénario sur la Révolution française qu'il ne poursuivit pas, que dire de ces enfants mort-nés? Comment interpréter ces projets avortés, ces tentatives figées? D'autant qu'il faudrait y ajouter les multiples idées de livres qu'il évoqua souvent, qu'il n'écrivit jamais, comme ce roman policier dont il parla à Jean Cau et à d'autres aussi! Pendant les quatre années de compagnonnage de route critique, les grands bouleversements littéraires souterrains acquirent une acuité, une violence réelles. Après celle de la guerre de 1939, ce fut la deuxième grande métamorphose de l'écrivain, ce fut la dernière. Il avait volé au secours de Duclos et du P.C.F. en pensant contre soi-même, avec l'acharnement du protestant qui tuait le bourgeois. Il allait cahoter dans l'engrenage impossible, avec la bonne volonté de celui qui se dévoue, qui se jette dans la bataille pour défendre avec urgence la cause qu'il embrasse alors totalement. Aveuglément, même, puisque dans cette hâte à monter à l'assaut contre des hommes comme Antoine Pinay, comme le préfet de police Baylot, puisque dans cette célérité à accumuler les déclarations positives et idéalisatrices sur l'U.R.S.S. ou le Congrès de Vienne, puisque dans cet empressement à démolir la presse anticommuniste, il y eut ce zèle passionné, cette naïveté outrée, cette panique peut-être à l'idée de rester en deçà de son rôle. Dès l'année 1953, en tout cas, il entreprit trois nouveaux manuscrits qu'il mènera – en partie – à terme. Une autobiographie, intitulée au départ *Jean sans terre* et publiée en 1963 sous le titre *Les Mots.* Un texte philosophique – relayant la *Morale* laissée provisoirement en jachère – et qui allait devenir en 1960 la *Critique de la raison dialectique.* Une illustration de ce texte philosophique, enfin, une monstrueuse parenthèse, un exemple souffrant d'obésité et qui deviendrait plus tard, en 1971 et 1972, son *Flaubert, L'Idiot de la famille,* un monument en trois tomes et 2 802 pages, inachevé...

Il faut avoir touché le manuscrit des *Mots.* Il faut avoir vu ces feuillets bleus, ces feuillets blancs, ces feuillets beiges. Il faut avoir manipulé ces grands papiers fragiles, écornés, déchirés. Il faut avoir lu page à page ces trois cents, ces quatre cents feuillets manuscrits. Il faut s'être arraché les yeux à déchiffrer cette écriture de chat, rebelle, coriace, rageuse. Il faut s'être longuement plongé dans les griffures de l'encre bleue et penchée. Il faut avoir été entraîné en face à face par cette ascèse d'écriture : trois lignes en haut d'une page, abandonnées, reprises, puis biffées, puis reprises encore à la page suivante. Il faut avoir goûté à la tension, à l'acharnement, avoir été contaminé par ces phrases que patiemment il réécrivit dix fois, douze fois, quinze fois, mot à mot, ligne à ligne. Il faut s'être étonné de ces feuilles presque vides, portant seulement la marque de trois mots, ou d'une phrase, puis lâchées en plein vol, vainement entreprises. Pour percevoir l'extraordinaire travail qui se faisait là. Pour se retrouver hanté, avec Sartre lui-même, par l'effort considérable qui se tramait alors. Manuscrit ciselé, travaillé, repris, remâché sans cesse pendant près de dix ans, *Les Mots* sont à part, isolés dans leur état d'œuvre douloureuse, passionnément, physiquement fabriquée. « Voici le départ. J'ai tout investi dans la littérature... j'écris depuis un demi-siècle exactement et j'ai vécu quarante ans dans une prison de verre... je constate que la littérature est un succédané de la religion... j'eus un mysticisme des mots... l'athéisme a tout rongé peu à peu. J'ai désinvesti, laïcisé l'écriture. On peut dire que ma métamorphose vient d'une telle transformation de mes rapports avec le langage. Je suis passé du terrorisme à la rhétorique : mystique, les mots étaient sacrifiés à la chose; incroyant, je reviens sur eux : il faut savoir ce que parler veut dire. Mais c'est dur : je m'applique, mais je sens devant moi comme un rêve mort, comme une brutalité joyeuse, comme une tentation perpétuelle de la Terreur. Depuis quarante ans, je pense contre moi-même... [rayé]... depuis cinquante et un ans, j'écris par habitude... j'ai systématiquement sapé les bases, arraché la religion de la littérature : fini le salut, rien ne sauve, et surtout la question n'est plus là... l'immortalité finie : j'écris pour mon époque... la vieillesse a stoppé le progrès... Voilà mon commencement : pour me guérir d'un malaise j'ai tout investi dans l'écriture... la conséquence est que j'écris depuis un demi-siècle... Dès ma huitième année je suis entré dans les ordres, la chose s'est faite toute seule [66]... »

Ce manuscrit fut rédigé entre « Les communistes et la paix », la réponse à Albert Camus, le retour d'U.R.S.S. et *Nekrassov*... Pendant que passion et furie se déchaînaient, en surface, pour le Parti communiste et la classe ouvrière persécutés, passion et furie se déchaînaient, en sourdine, contre l'édifice sartrien. Contre l'édifice architecturé par l'enfant-fou âgé de huit ans, dans un sursaut pour échapper au grand-père. Contre le salut par la littérature. Contre l'immortalité du génie. Il avait, à l'âge de huit ans, trouvé en lui-même les outils pour juguler les pressions diverses que tous ces adultes, autour de lui, lui lançaient sans vergogne; il s'était « retiré derrière un paravent » pour « recommencer [sa] naissance [67] ». Maintenant, à l'âge de quarante-huit ans, recommençant l'opération, il détruisait l'édifice qui avait fonctionné quarante ans et recentrait, à nouveau, la barre de son navire. « L'essentiel des *Mots* a été écrit en 1953, dira-t-il plus tard [68]. A ce moment-là, des tas de modifications se sont faites chez moi, et en particulier j'ai constaté que j'avais vécu dans une véritable névrose... La névrose était au fond que – comme le faisait d'ailleurs Flaubert par exemple à son époque – je considérais que rien n'était plus beau ni supérieur au fait d'écrire, qu'écrire c'était créer des œuvres qui devaient rester et que la vie d'un écrivain devait se comprendre à partir de son écriture. A partir de ce moment-là, en 1953, j'ai compris que c'était une vue absolument bourgeoise, qu'il y avait bien d'autres choses que l'écriture; donc, elle s'est trouvée se placer à un tout autre niveau que je ne croyais. De ce point de vue, j'ai été guéri de ma névrose, tout de suite, là, vers 1953-1954. Alors j'ai eu envie de la comprendre... Alors j'ai écrit *Les Mots*... » Ici et là, à l'occasion de nombreux entretiens, il reprendra la même idée, brodant à loisir sur l'écriture, travers bourgeois hérité du XIXe siècle, sur sa découverte des années 1952-1953 : « Écrire était [donc] une fonction comme une autre [69] », rien de plus. Il expliquera encore qu'il « avait rêvé [sa] vie » pendant près de cinquante ans, qu'il avait été « mobilisé par un absolu » mais qu'à partir des années 50, « l'absolu était parti [70] ». Comment mettre en rapport ce manuscrit des *Mots* avec la découverte de la vie militante? Comment admettre que le début de cette autobiographie coïncide avec l'épuisement de sa veine littéraire? Comment articuler, enfin, cette folle exigence à son propre égard avec sa complaisance, sa faiblesse, son idéalisme envers l'U.R.S.S., son dévouement total et passionné pour la classe ouvrière opprimée?

En reprenant tous les fils de ces quatre années, en rappelant la furie et la passion, la rage contre les anciens amis et contre lui-même en premier lieu, le véritable jeu de massacre contre ses plus proches voisins de pensée, à droite du P.C.F., à gauche du P.C.F., à l'intérieur du P.C.F., en rappelant la surprise de tous devant ce qui parut être une conversion radicale, tardive et inexplicable, en intégrant enfin comportements de surface et grandes manœuvres souterraines, il semble qu'on parvienne peu à peu à saisir quelques éléments de la logique sartrienne qui se mit à l'œuvre alors. La guerre froide, la politique des blocs, le refus d'une guerre mondiale, le dégoût de la guerre de Corée, l'écœurement devant la persécution du P.C.F. avaient précipité Sartre dans un compagnonnage de route critique. C'était le 28 mai 1952. Il avait précipitamment quitté Rome et ses magies, sans prendre conscience de l'engrenage qui se mettrait dès lors en place. Le 23 octobre 1956, il est encore à Rome lorsque lui parviennent les premières informations sur l'insurrection de Budapest, lorsqu'il apprend sans délai la présence des chars russes, la violence de la répression soviétique. Avec la même urgence et la même nécessité qu'il avait mises, au printemps 1952, à bondir depuis Rome au secours du P.C.F. persécuté, il se précipita, depuis Rome, en octobre 1956, au secours des Hongrois réprimés. Des pigeons de Duclos aux chars de Budapest, il intervint avec le même instinct, la même passion : en toute logique sartrienne, donc. Celle de la relativité des urgences. « Je condamne entièrement et sans aucune réserve l'agression soviétique. Sans en faire porter la responsabilité au peuple russe, je répète que son gouvernement actuel a commis un crime... Et le crime, pour moi, ce n'est pas *seulement* l'attaque de Budapest par les blindés, c'est qu'elle ait été rendue possible... par douze ans de terreur et d'imbécillité... Je dis qu'avec les hommes qui dirigent en ce moment le Parti communiste français, il n'est pas, il ne sera jamais possible de reprendre des relations. Chacune de leurs phrases, chacun de leurs gestes est l'aboutissement de trente ans de mensonge et de sclérose.

Leurs réactions sont absolument celles d'irresponsables [71]. »

C'est la fin de ces quatre années tournantes : le P.C.F., dans l'immense galaxie sartrienne, devient désormais une pièce caduque. Il fut une étape nécessaire. A partir de cette phrase, rien ne sera plus comme avant. L'écrivain va mourir au profit de l'intellectuel-au-service-de-tous-les-opprimés-de-la-terre. « Le philosophe et ses pauvres », dira plus tard Jacques Rancière. Sartre va désormais devenir autre chose, en rupture absolue avec l'enfant-roi, l'enfant-fou – il le dira dans *Les Mots*; en rupture encore plus radicale avec l'héritage schweitzérien du XIXe siècle – il le dira dans le *Flaubert*. D'ailleurs désormais il ne dira rien d'autre jusqu'à la fin. Il réglera des comptes, avec lui-même, liquidera l'héritage familial, et mettra sa vie au service des persécutés. Toute la fin de la production sartrienne est en effet déjà jouée entre 1952 et 1956 : il a pris une décision, il s'y conformera. Rejoignant les Platon, les Socrate, les Rousseau, les Voltaire, les Marx, dans une grande tradition de la philosophie au secours de la société. Et si le P.C.F. n'avait été qu'un élément que, comme tant d'autres, il avait tenté d'engloutir, de dévorer, en « lui faisant le coup de l'empathie, puis du dépassement radical », dans son gigantesque projet d'exploration du monde, dans cette faim mégalomaniaque et galopante de tout s'approprier puis de tout dépasser? En 1956, il a cinquante et un ans, et c'est « un homme qui s'éveille, guéri d'une longue, amère et douce folie [72] ».

IV

Un homme qui s'éveille

1956-1980

« Depuis à peu près dix ans, je suis un homme qui s'éveille, guéri d'une longue, amère et douce folie, et qui n'en revient pas et qui ne peut se rappeler sans rire ses anciens errements et qui ne sait plus que faire de sa vie... »

Les Mots.

VOUS ÊTES FORMIDABLES...

Était-elle vraiment formidable, la France des années 50? Étaient-ils à ce point formidables, les Français qui s'éveillaient à la modernité? Le mot « formidable » était certes à la mode. Charles Aznavour et Gilbert Bécaud l'avaient adopté dans leurs dernières chansons; les enfants des écoles se l'appropriaient à la hâte, comme un objet magique aux pouvoirs merveilleux : on le raccourcit, on le maltraita, et « c'est formid » devint, avec « c'est sensas » ou « c'est sympa », le mot clef de tous les enthousiasmes et de toutes les conquêtes...

« Vous êtes formidables... », répétait chaque semaine sur les ondes de la radio, puis de la télévision nationale, la très célèbre voix de Jean Nohain. Ce journaliste, déjà quinquagénaire, imposa son style, sa calvitie, son optimisme bon enfant, sa très célèbre voix et ses superlatifs un peu flagorneurs à la France des années 50 qui s'ouvrait à tant de nouvelles formes de communication. Animateur populaire entre tous, Jean Nohain gagna vite le cœur des Français en inventant des émissions de jeux pour grand public, avec un bonheur presque toujours égal : il inventa les émissions « Reine d'un jour », « Vous êtes formidables », selon des principes, somme toute, assez semblables. Une famille française dans le besoin venait par exemple exposer ses malheurs au micro de Jean Nohain. Le journaliste répercutait l'appel, sollicitait les auditeurs de sa claironnante, contagieuse et paternaliste voix, en convainquant les foules françaises qu'elles étaient vraiment formidables : dans l'heure, affluaient vers l'animateur magicien boîtes de conserve, meubles, vêtements, médicaments et objets en tous genres. Et la famille française démunie se retrouvait brutalement enrichie par un moment de générosité privilégié et illusoire, par ce grand mouvement de mobilisation nationale, chaleureux et factice à la fois.

Pendant que Jean Nohain faisait rêver les foules françaises au rythme hebdomadaire des élans charitables de quelques-uns, le pays s'installait sans trop de crainte dans l'ère de la consommation. Initiations diverses, apprentissages collectifs, entrées en groupe dans ces nouvelles pratiques de la modernité. On goûta par exemple aux joies de la vitesse en découvrant les derniers modèles de voitures : la 4-CV, fleuron de l'écurie Renault, la Frégate, la Trianon, la Versailles, ou encore la Dyna Panhard, toutes cinq enrobées de la fameuse carrosserie-cloporte, parfaitement ronde et douce, sans la moindre aspérité. On explora encore les premières délices du réfrigérateur, des robots de cuisine, du formica et du plastique. Nouvel invité, surtout, à la soupe familiale du soir, Pierre Sabbagh qui présenta, dès le début des années 50, le journal télévisé de vingt heures, pour les trois cents premiers téléspectateurs français. Et Jean Nohain poursuivait sa route, emphatique et louangeur, glorifiant les trésors cachés des petits-bourgeois français, édulcorant les conflits sociaux, réconciliant et rassurant, en magicien des temps modernes... Est-elle vraiment formidable, cette France des années 50? Sont-ils à ce point formidables, ces Français, à mi-chemin du XXe siècle?

« Vous êtes formidables », reprend à son tour Jean-Paul Sartre, pastichant Jean Nohain, dans un article rédigé au mois d'avril 1957 et publié aux *Temps modernes*. « Les journaux nous font la cour, poursuit-il, ils veulent nous faire croire que nous sommes bons. Quand la radio ou la télévision nous demandent une pièce de cent sous, elles intitulent leurs émissions " Vous êtes formidables " : voilà de quoi nous faire courir à minuit de la porte de Saint-Ouen à la porte d'Italie. Mais nous ne sommes pas formidables. Pas plus que nous ne sommes candides : la communauté illusoire des honnêtes gens, c'est tout simplement celle des lecteurs de *France-Soir*. Si nous refusons de faire nous-mêmes l'enquête sur la vérité française, quand nous sommes capables d'empiler nos vieux matelas sur la 4-CV et d'aller les jeter aux pieds de quelque Jean Nohain, c'est que nous avons peur. Peur de voir nu notre visage. Le mensonge est là [1]. » Camouflet au plus populaire des animateurs français, dénonciation de la supercherie, assaut brutal contre le phénomène Jean Nohain. Au temps de l'antisémitisme larvé, Sartre avait lancé dans la mare française le pavé des *Réflexions sur la question juive*. Dix années plus tard, il s'attaque sans douceur au personnage mythique par excellence de la France petite-bourgeoise. Brutalement, Sartre réapparaît : le philosophe paradoxal et lucide retrousse ses manches et reprend du galon; l'empêcheur de rêver en rond se remet au travail : en sautant à la gorge du docteur Tant Mieux des Français. Après ses cantiques prosoviétiques, il était bien temps que Sartre retrouvât sa voix et sa colère!

« Premier mensonge... deuxième mensonge... Coupables. Deux fois coupables... » Dans *Les Temps modernes* de mai 1957, dans ce « Vous êtes formidables », version noire, Sartre tire à son tour, après d'autres, une sonnette d'alarme, la sonnette d'alarme pour l'Algérie. Ou plutôt il joue les porte-voix pour une brochure publiée peu de temps auparavant : *Des rappelés témoignent.* Il veut soutenir et accentuer l'impact de ce document qui dénonce pillages et tortures en Algérie, qui met le doigt sur la corruption, sur la gangrène de l'armée française dans ses excès coloniaux. « Nous sommes malades, très malades, insiste Sartre; fiévreuse et prostrée, obsédée par ses vieux rêves de gloire et par le pressentiment de sa honte, la France se débat au milieu d'un cauchemar indistinct qu'elle ne peut ni fuir ni déchiffrer. Ou bien nous verrons clair ou bien nous allons crever [2]. » Ce procès, Sartre l'adresse au pays tout entier [3]. Car il s'agit pour notre procureur de rappeler ce qu'il nomme, reprenant les traces de 1945, la « responsabilité collective »; de secouer les lâchetés endormies, de réveiller les bonnes consciences de surface, de remuer les plaies vives. En quelques lignes, il a brossé l'esquisse de la France de 1957; rappelé les contrastes; situé les couples d'oppositions; renvoyé en boomerang, et à plusieurs reprises, le fameux « Vous êtes formidables », formule de l'année, formule à la mode, comme un objet malfaisant, grossier, puant, obscène presque. « Ah! c'est que nous étions encore formidables... [en novembre dernier [4]] », lance-t-il par exemple, dans un leitmotiv lancinant. Puis, brodant à loisir sur le même thème : « Nous ne sommes pas candides, nous sommes sales [5]. » Car Jean Nohain, magicien de la France et guérisseur pervers qui injecte au pays entier un sérum léthargisant, n'est-il pas peu ou prou l'homologue du gouvernement Mollet qui connaît la vérité des tortures en Algérie et qui, lui aussi, tergiverse, brade, cache et fait rêver? « Ne reculant devant aucun sacrifice, [le gouvernement Mollet] a, pendant trois jours, mis la reine d'Angleterre sur le trône de France. Quelles délices! Quels ravissements! Les gens se parlaient sans se connaître, ils se prenaient la main et dansaient la farandole. En Algérie, pourtant, des hommes tenaces continuaient leur *job* : pas de jours fériés pour les bourreaux [6]. »

Vertu du contraste : « La reine est partie, elle se repose à Windsor. Nous nous taisons, insiste Sartre, mais nous connaissons ces documents. Combien faudra-t-il déposer de matelas sur la place de la Concorde pour faire oublier au monde qu'on torture des enfants en notre nom et que nous nous taisons [7]? » Mise en relation toute sartrienne : de la reine Elisabeth II, dont on a pu suivre, quatre années plus tôt, le sacre en direct à la télévision, dans l'archaïque désuétude de ses fastes et de ses carrosses, à Jean Nohain réclamant des matelas pour la famille Lambda criblée de dettes, c'est tout un. Sartre les incrimine également, les enveloppe dans la même condamnation, celle de « la fausse ignorance où l'on nous fait vivre... pour assurer notre repos [8] ». Étouffée, donc, en conséquence, cette douloureuse « vérité d'Afrique »; étouffé le cauchemar; étouffée la honte collective. « Nous allons être coincés dans un piège abominable, prédit alors l'écrivain, et, pour notre malheur, dans une attitude que nous avons nous-mêmes condamnée [9]. » Indignation, exaltation, urgence : « Il est encore temps... Il est encore possible... » avant l'injonction finale : « Regardons la vérité, elle mettra chacun de nous en demeure ou de condamner publiquement les crimes accomplis ou de les endosser en pleine connaissance de cause... Voilà l'évidence, voilà l'horreur, la *nôtre* : nous ne pourrons pas la voir sans l'arracher de nous et l'écraser [10]. » Ce texte fort, urgent, indigné, Sartre l'utilisa à plusieurs reprises, variant toujours sur le même thème, tournant comme un obsessionnel autour de cette culpabilité collective, autour de ce silence malsain, jouant encore et toujours le rôle, son rôle...

« Formid », « impec », « sensas » : comme tous les petits écoliers français, les enfants en tabliers clairs des écoles d'Algérie s'amusaient à utiliser ce nouveau trésor lexical des années 50, ces nouvelles clefs emphatiques qui leur permettaient d'en rajouter sur les chansons à la mode ou l'apparition du premier Spoutnik. Alors que Jean Nohain cravachait tambour battant ses foules, la France ressentait les premières douleurs de cet accouchement à l'envers qui allait la mettre à feu et à sang huit années durant. Car cette guerre d'Algérie dont Sartre expliquait en 1957 – deux ou trois années après les premiers indices apparents – qu'elle allait « coincer » le pays dans un « piège abominable » était effectivement en train de gangrener tout le pays. De Dunkerque à Tamanrasset, s'effondrait inéluctablement cet édifice colonial qui avait pourtant semblé, de très loin, prospère, solide et inaltérable. Car peu importait à Paris, semblait-il, qu'on enseignât dans les écoles d'El-Biar, de Ouargla ou de Tlemcen, à tous ces petits enfants d'origines confondues, que leur pays possédait, au centre, un grand massif graniteux qui s'appelait Massif central, qu'il était arrosé de cours d'eau qui avaient nom la Loire, la Vienne ou la Garonne... Du Djurdjura, de l'Arach, de la plaine de la Mitidja, on n'avait jamais trouvé, semblait-il, l'occasion de leur faire mention : cela n'existait pas. Peu importait, d'ailleurs, qu'on les incitât à aimer, à déclamer, à scander les poèmes de Du Bellay ou les grandes tirades du théâtre classique : Corneille et Racine avaient la partie belle dans les écoles du square Bresson, ou des bas quartiers de Constantine. D'Ibn Kaldoun, de la reine Kahana, du poète El-Manfalouti, on n'avait jamais cité les noms : ceux-là, apparemment, n'avaient pas non plus existé ! Depuis 1830, depuis que le général Bugeaud avait, contre Abd-el-Kader, conquis pour le compte de la France ce territoire convoité qu'était l'Algérie, une politique d'assimilation culturelle à outrance avait été mise en œuvre, et le français, langue officielle dans les écoles, avait supplanté partout la langue arabe, transmettant, comme dans tous les cas semblables, une culture d'importation, inévitablement réductrice. Musulmans, berbères, juifs et colons français vivaient ainsi mêlés depuis cent vingt-cinq ans, lorsque ceux qu'on appelait en Algérie les « Français de métropole » perçurent les premiers signes des troubles profonds qui agitaient cette population de 7 millions d'habitants.

Retour sans pitié du balancier, dans cette France « formidable » des années 50. Car tout le lexique algérien occulté pendant les cent vingt-cinq ans de colonisation française ; car toute la culture algérienne soumise, toute la géographie et toute l'histoire étouffées durant un siècle et quart viennent s'imposer à la face des Français ahuris. Et, comme de juste, ce sont les mots qui commencent par affirmer leur existence : les « Aurès », les « djebbels », les « douars », les « oueds », les « fellaghas », arrivent en force pour meubler, avec les « rebelles », les « hors-la-loi », le « maintien de l'ordre » et les « paras », casiers d'imprimeurs et lignes de journaux. Rarement invasion lexicale aura signifié, avec une telle clarté, qu'une réalité politique et humaine occultée reprend ses droits, s'impose dans un pays qui, désormais, ne peut plus traiter sans elle. « Un certain nombre d'attentats ont eu lieu en plusieurs points d'Algérie », expliquait le 7 novembre 1954 François Mitterrand, ministre de l'Intérieur du gouvernement Mendès France. « Ces attentats, poursuivait-il, sont le fait d'individus ou de petits groupes isolés. Des mesures immédiates ont été prises par le gouverneur général de l'Algérie, M. Roger Léonard, et le ministre de l'Intérieur a mis à sa disposition des forces de police supplémentaires. Le calme le plus complet règne dans l'ensemble des populations. » La date du 1er novembre 1954 restera, symboliquement, celle de l'explosion : « des individus ou des groupes isolés », des « terroristes », disait-on, en reprenant un langage oublié depuis l'occupation. Après la chute de Diên Biên Phu, Mendès France avait conclu la paix en Indochine ; sur sa lancée, il avait même accordé l'autonomie interne à la Tunisie. Mais il n'avait pu régler la question algérienne. Surnommé le

« bradeur de l'Empire », il s'était heurté de front aux puissants intérêts du *lobby* pied-noir.

Le gouvernement Edgar Faure succéda au gouvernement Mendès France. Le gouvernement Guy Mollet succéda au gouvernement Edgar Faure. Au poste de gouverneur général de l'Algérie, Roger Léonard succéda à Edmond Naegelen. Jacques Soustelle succéda à son tour à Roger Léonard. Robert Lacoste, enfin, en février 1956, fut nommé ministre résident en Algérie. En moins de six ans, donc, les Français de métropole et les Français d'Algérie virent défiler plus de six hommes politiques pour gérer, voire négocier cette embarrassante « affaire ». D'autant plus embarrassante, d'ailleurs, que chaque semaine qui passait apportait, implacable, son lot d'informations, pas toutes réconfortantes. Que certains journalistes faisaient leur travail et sapaient, par grands pans, la façade artificiellement blanchie à la chaux de cet édifice très particulier qu'était l'Algérie française, et délivraient, un par un, reportages, articles, témoignages. Ce qu'ils démolissaient, surtout, à la longue? L'assurance résolue des politiques, les formules répétées à l'envi que « l'Algérie, c'est la France », que « l'Algérie compose avec la métropole une unité que rien ne saurait compromettre », que « des Flandres au Congo, partout une loi s'impose et c'est la loi française »...

Une expérience journalistique exemplaire, en ces premiers moments du drame algérien, fut sans doute celle de Robert Barrat : les massacres dans le Nord-Constantinois au mois d'août 1955 venaient de faire des milliers de victimes tant chez les Européens que parmi les populations musulmanes. Barrat décida d'enquêter, rencontra Jacques Soustelle, le gouverneur général à Alger, ainsi que certains responsables algériens, ces fameux « fellaghas », du mouvement du F.L.N. Puis, il essaya en vain d'établir de délicates négociations entre les « rebelles » et les représentants de la loi française. A la suite de son reportage paru dans *France-Observateur*, « Un journaliste français chez les hors-la-loi algériens », il fut inculpé sur ordre de Soustelle, puis relâché sur ordre d'Edgar Faure : c'est dire si le pouvoir en place laissait voir ses incohérences, ses vacillements... Aux témoignages de Robert Barrat succédèrent ceux de Colette et Francis Jeanson qui, dans *L'Algérie hors-la-loi*, démontrèrent, dossiers à l'appui, la faillite complète du pseudo-processus d'intégration au cours de ces années de colonisation. Démontrèrent également le bien-fondé politique, historique, économique et culturel de ces prétendus hors-la-loi traqués par les parachutistes français dans les djebbels de Kabylie... Dossier Barrat, dossier Jeanson, *L'Express*, *L'Observateur*, *Le Monde* ouvrirent peu à peu leurs colonnes à ces voix qui témoignaient de cette « vérité d'Afrique » intolérable.

Dès les premiers reportages brûlants de Barrat et Jeanson, à l'automne 1955, fut créé le Comité d'action des intellectuels contre la poursuite de la guerre en Algérie; il réunissait des hommes d'obédiences aussi diverses que l'intellectuel chrétien André Mandouze, ou d'anciens militants communistes comme Edgard Morin, Robert Antelme, Dionys Mascolo. « Nous voulons nous élever contre le principe même de la guerre coloniale et pour le principe même du droit des peuples », commenta plus tard le sociologue Edgar Morin[11]. A ces membres fondateurs du comité, s'associèrent tout de suite des écrivains, toujours selon le principe d'un éventail particulièrement large : Roger Martin du Gard, François Mauriac, Sartre,

Pour leur part, Sartre et Simone de Beauvoir avaient rencontré la réalité algérienne sur le terrain, au cours de leurs voyages. Mais qu'avaient-ils donc perçu, au juste, lorsque au printemps de l'année 1950, dans leur trajet vers le Mali et le Sénégal, ils avaient traversé l'Algérie? Peu de chose, en vérité : à Ghardaïa, ils avaient admiré les beautés du Mzab, d'un point de vue plutôt touristique. « Nous étions opposés au système colonialiste, écrit pour sa part Simone de Beauvoir, mais nous n'avions pas a priori de prévention contre les hommes qui administraient les affaires indigènes ou qui dirigaient la construction des routes [12]. » Pas de prise de conscience, donc, au cours de ce voyage, mais depuis toujours une claire et définitive haine du colonialisme, de tout colonialisme. Ainsi, au temps du R.D.R., Sartre avait déjà, on l'a vu, dénoncé sans restriction l'oppression subie par le peuple marocain. « Vous accusez la France à juste titre », avait-il notamment déclaré devant une assemblée d'étudiants marocains à Paris, dans son premier soutien anticolonialiste [13]. Plus tard, lors d'un congrès du Mouvement de la paix à Helsinki, il avait également repris le thème de la colonisation. « L'ère colonialiste touche à sa fin », avait-il notamment affirmé, tout en émettant le souhait que la France accédât sans retard aux revendications des Algériens, des Tunisiens, des Marocains, et par la seule solution pacifique [14]. Un vœu pieux qui, en juin 1955, lorsqu'il fut prononcé, avait encore sa raison d'être. Quatre mois plus tard, l'engrenage était tel que le mot même de « paix » était devenu irrémédiablement caduc dans le contexte franco-algérien. Un autre témoignage avait également contribué à informer Sartre des réalités nord-africaines : celui de Francis Jeanson. Sartrien de toujours, et notamment depuis 1945, il avait consacré à Sartre deux puis trois ouvrages – parmi les exégèses les plus approfondies qui aient jamais été écrites sur ses textes – puis était resté dans la mouvance des *Temps modernes.*

Ses intérêts pour la réalité algérienne, Jeanson les avait développés depuis la Seconde Guerre mondiale, au cours de ses nombreux voyages, de ses contacts incessants avec acteurs et militants nationalistes. Par Jeanson, donc, Sartre et l'équipe des *Temps modernes* avaient été informés, presque au jour le jour, du fil des événements, des différentes étapes de cet éveil de la conscience politique algérienne. A l'automne 1955, Jeanson publiait, parmi les premiers, *L'Algérie hors-la-loi*, un livre redoutablement documenté qui faisait basculer une partie de l'opinion. Les liens Sartre-Jeanson se distendirent ensuite, au moment de l'intervention soviétique en Hongrie : Jeanson avait jugé trop vive la condamnation que Sartre avait infligée aux communistes, dans son article « Le fantôme de Staline », lors de son interview à l'hebdomadaire *L'Express*. Une brouille de trois ans, ce n'est pas, tant s'en faut, un drame. Mais cette brouille-là se développa dans les premiers temps de l'insurrection algérienne, elle coupa Sartre de Jeanson; et le directeur des *T.M.* perdit donc, avec cet informateur privilégié, un lien direct avec la réalité algérienne. Mais n'anticipons pas. Sartre signa donc l'appel du Comité des intellectuels, écrivit des articles, prononça des discours.

« J'étais ce matin même à Alger... Je vous apporte le salut de la révolution algérienne... » Lyrique et voûté, à la tribune de la salle Wagram, ce vendredi 27 janvier 1956, André Mandouze contribua à donner au meeting du Comité des intellectuels une atmosphère « très quatre-vingt-treize [15] ». Prirent également la parole Jean Amrouche, Robert Barrat, Aimé Césaire, Alioune Diop, Dionys Mascolo, Jean-Paul Sartre. « Pour l'abolition du régime colonial », disait la publicité. « Pour le respect du droit des peuples à disposer d'eux-mêmes. » « Pour la solution pacifique du problème algérien. » Ce « problème » algérien qui, au début de l'année 1956, n'était pas encore la « guerre », Sartre le traita ce soir-là en prononçant une de ses conférences les plus argumentées et les plus solides. « La colonisation, expliqua-t-il notamment, n'est ni un ensemble de hasards, ni le résultat statistique de milliers d'entreprises individuelles. C'est un système qui fut mis en place vers le milieu du XIXe siècle, commença de porter ses fruits vers 1880, entra dans son déclin après la Première Guerre mondiale et se retourne aujourd'hui contre la nation colonisatrice [16]. » La colonisation est un système, démontra donc Jean-Paul Sartre, s'attaquant également à la « mystification néo-colonialiste », celle des partisans d'une solution intermédiaire, d'une Algérie française adoucie. « Il n'est pas vrai qu'il y ait de bons colons et d'autres qui soient méchants, insista-t-il, il y a des colons, c'est tout [17]. » Rappels d'éléments d'ordre économique, d'éléments d'ordre démographique : Sartre, ce jour-là, cita des chiffres; il n'était pas coutumier du fait et il frappa son auditoire par l'exigence méticuleuse et le recours précis aux outils de l'économie. « En 1850, le domaine des colons était de 115 000 hectares; en 1900, de 1 600 000; en 1950, de 2 703 000... Aujourd'hui, l'État français possède 11 millions d'hectares sous le nom de " terres domaniales "; on a laissé 7 millions d'hectares aux Algériens. Bref, il a suffi d'un siècle pour les déposséder des deux tiers de leur sol... » Derrière sa haie de chiffres, Sartre expliqua et démonta les causes du mal, s'improvisant à l'occasion spécialiste d'économie rurale, rappelant quelques vérités occultées, exhibant de la poussière quelques dossiers parmi les plus étouffés et les plus fondamentaux.

« En Algérie, à l'arrivée des troupes françaises, *toutes les bonnes terres* étaient cultivées », souligna-t-il par exemple. Insistant lourdement sur le fait que la « prétendue " mise en valeur " » des terres algériennes par les colons s'est « appuyée sur une spoliation des habitants... pendant un siècle ». Enfin, conclut-il, « l'histoire de l'Algérie, c'est la concentration progressive de la propriété foncière européenne aux dépens de la propriété algérienne [18] ». Il rappela encore le renforcement du système par la création de grandes compagnies coloniales; les positions théoriques de Jules Ferry, apôtre du « nouveau colonialisme » de la fin du XIXe siècle; décrivit la fonction des commissaires enquêteurs, la constitution de « lots » sous leur autorité, la manipulation, leur action la plupart du temps fictive et pernicieuse; stigmatisa enfin le caractère totalement impérialiste de l'importation sur le sol algérien d'une économie capitaliste européenne. « Si l'opération s'est continuée au XXe siècle avec l'aveugle nécessité d'une loi économique, précisa-t-il par exemple, c'est que l'État français avait brutalement et artificiellement créé les conditions du libéralisme capitaliste dans un pays agricole et féodal [19]. » L'Algérie, pays agricole et féodal, pris en main au premier quart du XIXe siècle par une économie moderne et de type industriel : voilà le portrait que dessina lentement le Sartre économiste, le Sartre agronome, le Sartre historien de ce meeting-là. Dénonçant l'opération de francisation aveugle qui consistait, par exemple, à développer la viticulture – « entre 1927 et 1932, elle a gagné 173 000 hectares dont plus de la moitié a été prise aux musulmans » –, bel exemple d'un détournement de capital, car « les musulmans ne boivent pas de vin. Sur ces terres qu'on leur vole, ils cultivaient des céréales pour le marché algérien. Cette fois, ce n'est pas seulement la terre qu'on leur ôte; en y plantant des vignes, on prive la population algérienne de son aliment principal. Un demi-million d'hectares, découpés dans les meilleures terres et consacrés entièrement à la viticulture, sont réduits à l'improductivité et comme anéantis pour les masses musulmanes [20] ».

Agriculture algérienne, économie algérienne, démographie algérienne, histoire algérienne, Sartre éplucha successivement tous les dossiers. Avant d'ouvrir celui qu'il maîtrisait peut-être naturellement le mieux, celui de la culture. « Quant à notre fameuse culture, qui sait si les Algériens étaient fort désireux de l'acquérir ? Mais ce qui est sûr, c'est que nous ne la leur avons pas refusée... Nous avons voulu faire de nos " frères musulmans " une population d'analphabètes. On compte encore aujourd'hui 80 % d'illettrés en Algérie... Depuis 1830, la langue arabe est considérée en Algérie comme une langue étrangère [21]. » Tirant, enfin, pour lui-même les enseignements de cette situation, Sartre poursuivit l'invective : « Nous Français de la métropole, nous n'avons qu'une leçon à tirer de ces faits : le colonialisme est en train de se détruire lui-même. Mais il empuantit l'atmosphère : il est notre honte, il se moque de nos lois ou les caricature ; il nous infecte de son racisme... Notre rôle, c'est de l'aider à mourir... La seule chose que nous puissions et devrions tenter – mais c'est aujourd'hui l'essentiel – c'est de lutter aux côtés [du peuple algérien] pour délivrer *à la fois* les Algériens et les Français de la tyrannie coloniale [22]. »

Ce problème algérien, cette « vérité d'Afrique » furent les premiers dossiers politiques auxquels Sartre se consacra après sa rupture avec le P.C. Mais sa mobilisation en faveur des colonisés, son engagement déterminé dans le conflit algérien le ramènent, presque malgré lui, dans l'horizon communiste. La lutte contre le colonialisme reste dans le droit fil du marxisme. Sa grande cible, en fait, à la fin des années 50, fut sans conteste moins le P.C.F. que le général de Gaulle. Hormis ses articles gaullistes de 1945, ceux du premier voyage en Amérique, Sartre se posera toujours en fervent ennemi du général. De Gaulle arriva au pouvoir en 1958, après les derniers soubresauts d'une IVe République trop parlementaire, définitivement dénuée de tout soutien populaire et usée par les premières crises d'outre-Méditerranée. Les gouvernements s'étaient succédé : Mollet, puis Bourgès-Maunoury, puis Gaillard, puis Pfimlin. Les agitations de la droite politique avaient échauffé les esprits : le député Pierre Poujade faisait applaudir à des salles combles ses discours nationalistes, passéistes, vengeurs, dans une haine indirecte contre les « cocos », contre les « métèques », contre les « pédérastes ». Fustigeant également « bradeurs d'empire » et politiciens « vendus », hostiles aux pieds-noirs et à l'Algérie française. L'armée, pour sa part, et surtout celle d'Algérie, conservait toujours dans ses rangs quelques vieux rancuniers aigris qui n'allaient pas tarder à exprimer ouvertement leurs idées. « Le pouvoir n'est plus à prendre, il est à ramasser », dira plus tard de Gaulle, commentant cette période [23]. Les politiques, à Paris, sous l'impulsion de Michel Debré, l'armée, à Alger, sous l'impulsion du général Massu, organisèrent le retour au pouvoir du général.

« Un grand homme honoraire, c'est dangereux pour une nation; même s'il s'est séquestré dans un village solitaire. S'il se tait, on entend son passé. Le général de Gaulle gardait depuis longtemps le silence mais son passé restait parmi nous... » Au lendemain du coup de force du 13 mai 1958, sous l'éloquent titre « Le Prétendant » et dans les pages de *L'Express*, Sartre, bien sûr, attaque. D'entrée de jeu, il s'insurge contre la résurrection politique du général, contre son image, contre son imposture voilée, contre sa propre déclaration depuis Colombey-les-Deux-Églises, au soir du 13 mai. « La dégradation de l'État », avait déclaré de Gaulle de cette voix solennelle que les Français ne vont cesser d'entendre pendant plus de dix ans, figée dans cette prestance inimitable de l'homme d'épée qui se sent littéraire, « la dégradation de l'État, disait donc le général, lentement et avec vigueur, entraîne infailliblement l'éloignement des peuples associés, le trouble de l'armée au combat, la dislocation nationale, la perte de l'indépendance... Naguère, le pays, dans ses profondeurs, m'a fait confiance pour le conduire tout entier jusqu'à son salut. Aujourd'hui, devant les épreuves qui montent de nouveau vers lui, qu'il sache que je me tiens prêt à assumer les pouvoirs de la République [24]. » Bien sûr, Sartre avait bondi presque instinctivement devant cette image d'une France conventionnelle, nationaliste, catholique et militariste qui revenait en force par la personnalité du général. « De Gaulle attendait, écrit encore Sartre dans son article. Cette montagne de silence tirait sa force de nos faiblesses, c'était le lieu géométrique de toutes nos impuissances, de toutes nos contradictions... » La crainte de la dictature militaire, le dernier recours à un homme de la hiérarchie militaire pour redresser la balance du pays, aucun des dangers de la situation n'échappait aux « hommes de gauche » du pays. Sartre, pour sa part, ne manqua pas de déceler immédiatement les premiers signes menaçants : « Puisque le souverain est un général, écrivit-il notamment, l'armée n'obéit qu'à elle-même et le pays obéit à l'armée. Et c'est bien vrai qu'il est faible, notre État [25]. » Puis ajouta : « Et s'il les avait, Charles de Gaulle, ces pouvoirs exceptionnels, qu'en ferait-il ? Quels sont ses projets ? Dans quel sens tournera-t-il sa sentence d'arbitre ?... La solitude de cet homme enfermé dans sa grandeur lui interdit, en tout état de cause, de devenir le chef d'un État républicain. Ou, ce qui revient au même, interdit à l'État dont il sera le chef de demeurer une république [26]. »

« Des rats et des hommes », « Les grenouilles qui demandent

un roi » : pour évoquer les premiers mois du pouvoir gaulliste, Sartre eut recours, comme jamais, à tout un lexique animalier, à sa panoplie des fables de La Fontaine, ravi de trouver dans ces nouvelles ressources lexicales – naguère utilisées contre lui par les communistes, on se souvient des « chacal », « putois » et autres « hyène puante » – un miroir déformant et cruel, particulièrement efficace pour viser le général. Au moment, par exemple, du référendum de septembre 1958, les positions sartriennes ne se font pas attendre : « Si j'esquisse en courant les grandes lignes d'un programme, ce n'est pas pour les proposer aujourd'hui. C'est pour demander aux républicains qui vont porter dimanche leur suffrage à de Gaulle : est-ce à cause de *cela* que vous allez voter pour lui?... Pourquoi prétendriez-vous voter pour un programme quand votre bulletin s'adresse directement à l'homme? ... Votre candidat est plus fameux par le noble entêtement de ses refus que par l'ampleur de ses réalisations économiques et sociales [27]. » Car l'« homme de Gaulle », sa conception du pouvoir personnel, sa relation tout à fait particulière avec le pays, Sartre les exècre absolument. « Celui qui déclare *aujourd'hui* : “ De Gaulle est le seul qui... ” ne dit rien de raisonnable, poursuit encore Sartre. S'il existe un homme, dans l'espèce humaine, qui a des lumières que lui seul peut avoir, si ces lumières lui donnent le droit d'agir, fût-ce en bon père, sur nos destins, si ses actes sont toujours valables et bons du seul fait qu'ils expriment son essence, alors l'espèce humaine se désintègre en chaîne : plus un homme; un surhomme et des animaux [28]. » Démonstration présentée avec la simplicité de l'évidence : toute relation du général avec la population française tombe inéluctablement du règne humain vers le règne animal. « Était-il si nécessaire, ô républicains gaullistes, s'insurge le Sartre fabuliste, de vous ravaler au niveau de la bête?... Cette servilité molle me consterne [29]. » Et, achevant son accablante tirade contre le « monarque constitutionnel » revenu au pouvoir, il exhorte : « Comprenons enfin qu'on ne tire pas un pays de son impuissance en confiant la toute-puissance à un seul homme... “ Oui ”, c'est le rêve; “ non ”, c'est le réveil. Il est temps de savoir si nous voulons nous lever ou nous coucher [30]. »

Jamais, semble-t-il, Sartre ne s'était engagé aussi loin dans les combats politiques contemporains. Jamais auparavant il ne s'était à ce point plu à endosser ce rôle d'éditorialiste politique, répondant au coup par coup au jeu du pouvoir en place. Jeu de massacre, contre de Gaulle? Certes, mais aussi conflit entre deux modèles. Entre de Gaulle et Sartre, et aussi longtemps que durera leur combat, n'est-ce pas un peu l'affrontement de deux traditions françaises issues du XIXe siècle? La tradition catholique, nationaliste, militariste et conformiste, face à la tradition protestante, des clercs, des pédagogues et des adeptes du libre arbitre?

« Vous êtes formidables », disait encore et toujours des années plus tard Jean Nohain aux auditeurs français ravis. « Le peuple de France a surmonté les vicissitudes du dedans et du dehors... La France est en route vers un grand destin, vers une grande postérité, vers une grande activité... La France vivra grande et prospère [31] », affirmait pour sa part le général de Gaulle lorsque, moulinant l'air de ses gigantesques bras, il s'adressait au pays dans un discours public. « Nous sommes tous des assassins », écrivait enfin Jean-Paul Sartre. Jetant, dans ce concert de cérémonies autosatisfaites, le venin de sa critique radicale, de sa méfiance extrême. Ces années 50, à vrai dire, Sartre les vécut dans une intensité créatrice absolument effrénée proche, par moments, de la période d'hyperproductivité et de sur-régime qu'il connut après guerre. Il avait alors, pour soutenir la cadence et sustenter les pistons de la salle des machines, poussé à bout ses forces, dormant peu, fumant beaucoup, buvant tant et plus. En 1945, il avait quarante ans. Les comprimés d'orthédrine qu'il avalait alors jouaient dans tout ce contexte le rôle d'un stimulant chimique bienvenu et utile. Les années avaient passé, le corps s'était usé, le travail et les excès avaient érodé la machine et ses pièces. Au cours de l'été 1954, sollicité par ses hôtes soviétiques, harassé de fatigues, de contraintes, épuisé enfin par les excès d'alcool, il avait tout simplement craqué : dix jours d'hôpital à Moscou, on s'en souvient, avaient arrêté net ce premier voyage soviétique. Mais Sartre, on s'en doute, n'était pas homme à écouter ses médecins qui prêchaient modération, repos, sommeil et sobriété. Il y eut, après l'alerte moscovite, une seconde crise alors qu'au théâtre Antoine, il assistait, en compagnie de Simone Berriau, du Castor et de Bost, à la répétition de sa dernière pièce. Chacun, assis, prenait un verre, Sartre parlait, buvant son whisky; mais au moment de reposer son verre, il eut un malaise inquiétant : on le vit hésiter autour de la table, on vit le verre de whisky tournoyer comme un papillon malade, puis atterrir bizarrement sur un coin de tapis. « Simone Berriau fut ce jour-là la plus lucide », commente aujourd'hui un proche [32].

Dans l'entourage sartrien, en effet, on eut du mal à accepter ces signes de faiblesse, et la petite famille ne voulut guère accepter ces images pénibles d'un Sartre handicapé. Comment, d'ailleurs, l'aurait-elle pu? Bondissant de vitalité, épuisant d'énergie, tel il apparaissait les trois quarts du temps. N'étaient ces dérapages ponctuels qui se reproduisaient de plus en plus, tout semblait tourner rond. Et d'ailleurs, qui aurait pu, sans tomber dans un rôle répressif, influencer l'écrasante personnalité de Sartre, tyran suprême sur sa propre personne, de manière chaque jour plus insidieuse, plus prégnante? Le problème, d'ailleurs, se posait simplement : tout en poursuivant ses activités conviviales, ses voyages, ses bons repas, ses excès divers en alcool, en graisses, en tabac, en drogues, Sartre accumulait ses pages d'écriture dans un emploi du temps totalement rigide, d'une austérité monastique intégrale, exempte du moindre écart. Première séquence de travail le matin, rue Bonaparte. A midi et demi, et pour une heure d'horloge, rendez-vous avec tel ou tel, organisé par son secrétaire. A une heure et demie, il était rejoint rue Bonaparte par le Castor, Michelle, ou une autre amie. Il ne pouvait supporter le moindre retard, ni la moindre avance, d'ailleurs. Puis c'était le déjeuner : deux heures de temps, montre en main. En taxi, à La Coupole ou au Balzar; à pied chez Lipp ou à L'Akvavit, rue Saint-Benoît. Un repas lourd, riche en charcuteries, choucroutes, gâteaux au chocolat, sur un litre de vin. Et puis, à trois heures et demie, brutalement, au milieu d'une phrase, il se levait et courait rejoindre son bureau, devant la fenêtre, son étage élevé, au 42, rue Bonaparte. L'année 1958 fut une année terrible, « une accablante année », écrit pour sa part le Castor. Crises de plus en plus fréquentes : absences inquiétantes au milieu d'un repas, petits mots griffonnés à la hâte d'une écriture malade et tordue, petits délires ponctuels, bourdonnements d'oreilles, crises d'hypertension, de congestion. Quand il se sentait trop mal, que le médecin ordonnait du repos, il concédait parfois des demi-mesures tactiques : un peu moins de tabac, un peu moins de drogues pendant une petite semaine. Il retrouvait la forme et repartait, gaillard, ravi de son défi, ravi de son triomphe. Autant de travail, donc, sans réduire les plaisirs, les sorties, les rencontres, mais avec une santé qui devenait fragile, et des journées trop courtes. Sortir de la quadrature du cercle? Sartre le fit sans gêne : il tenta de comprimer le temps. Prenant des somnifères à doses massives pour être assuré de dormir, croquant dès le réveil son premier cachet de corydrane, forçant sur les cafés, forçant sur les whiskies, il se lança dans un cercle infernal, travaillant comme nage un homme à la mer, ramant comme rame un forçat, dans l'urgence absolue d'un temps qui vous dévore, dans la nécessité de pousser les machines jusqu'aux dernières limites de leur puissance, de leur régime, comme si dès lors plus rien ne comptait que de sauver la mise.

La corydrane fut, dans les années 50, la drogue favorite des étudiants, des intellectuels, de tout un milieu. On crut acquérir, par elle, tous les talents, tous les génies, toutes les lucidités. Sa composition – aspirine et amphétamines – avait, de plus, tous les dons : supprimer la fièvre, calmer les douleurs, tout en stimulant tous les centres nerveux. Elle calmait et sollicitait; apaisait et excitait. Les capacités intellectuelles sous son effet prenaient, semblait-il, des ailes; on apprit à ne plus s'en passer. En 1971, la corydrane fut déclarée produit toxique; sa vente interdite dans les pharmacies. Le médicament retiré de la consommation. Ce n'était, pourtant, qu'un petit tube de vingt comprimés, produit par les laboratoires Delagrange et enfermé dans une boîte en carton aux couleurs marron et vert : c'était joli, discret. N'étaient les indications rédigées sur la boîte : « Grippe, coryza, algies, asthénie, disait le texte, Corydrane, tonique, analgésique, antipyrétique. » A y regarder de plus près encore, on pouvait lire les secrets de cette potion magique : de l'aspirine, à raison de cinquante milligrammes par tube, et « cent quarante-quatre milligrammes de tartrate d'amphétamine racémique ». Indication complémentaire : « un à deux comprimés le matin et à midi ». Enfin, en rouge, encadré, on pouvait lire, évidemment, le fameux : « Ne pas dépasser la dose prescrite ».

Dès le réveil, après un dîner lourd, après quelques heures d'un mauvais sommeil, d'un sommeil artificiel arraché par quatre ou cinq somnifères, il commençait par le café, puis c'était la corydrane : un cachet, puis deux, puis trois, croqués en travaillant... A la fin de la journée, un tube - parfois davantage - avait ainsi disparu. Un tube avait disparu, mais étaient apparus trente, parfois quarante nouveaux feuillets d'écriture sartrienne. Parfois calme, apaisée, linéaire - les mots agglutinés les uns aux autres -, l'écriture bleue de chat se déroulait, tonique, allant de l'avant et penchée vers la droite, s'allongeant verticalement, plongeant, mais toujours maîtrisée. Et puis, de temps en temps, c'était l'orage, la secousse, la décharge, le délire incontrôlé : mots torturés, déformés, monstrueux, tordus vers la gauche, tordus vers le bas, étirés, élargis, anarchiques, bondissant hors des lignes, rapetissés ou exagérément agrandis, ivres. Ainsi s'écrivit la *Critique de la raison dialectique.* Dans un flot urgent de mots affolés, d'idées juxtaposées, compactes, parfois mal intégrées. Dans les crises d'hyperexcitation, dans les cycles de drogues fonctionnant dans tous les sens, marche avant, marche arrière, stop, marche avant et ainsi de suite... dans une lutte folle contre lui-même, contre un corps fatigué, contre le temps et contre le sommeil. Et des doses de géant. Songeons un peu au programme qu'il s'imposait pour une seule journée de vingt-quatre heures : deux paquets de cigarettes - des Boyard papier maïs - et de nombreuses pipes bourrées de tabac brun; plus d'un litre d'alcool - vin, bière, alcool blanc, whisky, etc.; deux cents milligrammes d'amphétamines; quinze grammes d'aspirine; plusieurs grammes de barbituriques, sans compter les cafés, thés et autres graisses de son alimentation quotidienne. Des doses de géant, donc, pour un homme coriace, résistant et dur à la douleur.

Un homme hyperlucide qui sombrait, pourtant, parfois, dans de bizarres crises d'absence, mais reprenait la maîtrise de ses moyens avec promptitude, vitalité et orgueil. Est-ce consciemment, d'ailleurs, qu'il exigea tant d'efforts de lui-même? Qu'il dépassa sans mesure ses limites? Mesura-t-il, enfin, que cette conduite effrénée avait tout d'un suicide?

« Remarquez que la confiance en la corydrane, répondra-t-il en 1974 au Castor qui l'interrogeait, c'était un peu la poursuite de l'imaginaire; l'état dans lequel j'étais, ayant pris dix corydranes le matin, pendant que je travaillais, c'était l'abandon complet de mon corps; je me saisissais à travers les mouvements de ma plume, mes imaginations et mes idées qui se formaient; j'étais cet être actif qu'était Pardaillan [33]. » Il ajoutait: « Je pensais que j'avais dans la tête – mais non séparées, non analysées, dans une forme qui devait devenir rationnelle – que j'avais dans la tête toutes les idées que je mettais sur le papier. Simplement, il s'agissait de les séparer et de les mettre sur le papier... Alors, écrire, en philosophie, consistait en somme à analyser mes idées, et un tube de corydrane c'était: telles idées seront analysées dans les deux jours qui viennent [34]. » Le jeu de l'écriture fut jeu avec lui-même et profonde jouissance. Une course folle, désespérée et contrôlée, grisante et privée. « Ménager ma santé? disait-il à ses proches. Mais pourquoi faire? Si vivre, ça consiste à se surveiller sans arrêt! » Il n'avait, d'ailleurs, de cesse de rappeler le phénomène de longévité des Schweitzer, mourant tous, robustes vieillards déjà nonagénaires. Ce capital de longévité génétiquement assuré, ce fonds de santé dont il se vantait, il s'acharnera à les user, à les éroder, à les brûler comme un héritage impossible et absurde qu'on veut consommer en le jouant, contre soi-même, encore une fois.

La *Critique de la raison dialectique,* tome I, *Théorie des ensembles pratiques,* qui parut au printemps de l'année 1960, était dédiée: « Au Castor ». Comme l'avaient précédemment été *La Nausée,* puis *L'Être et le Néant.* En sept cent cinquante-cinq pages, Sartre faisait le point sur les difficiles négociations entre l'existentialisme sartrien et le marxisme. De la *Critique,* dériveront tous les autres écrits contemporains, comme « Le Tintoret », par exemple, ou comme sa neuvième pièce de théâtre: *Les Séquestrés d'Altona.* On connaît la primauté du philosophique dans la hiérarchie des valeurs sartriennes. Il y eut, par exemple, la rédaction passionnée de *L'Être et le Néant,* pendant l'occupation; puis celle de ces *Cahiers pour une morale* – restés inédits jusqu'en 1982 – dans la ferveur des grandes années Sartre: 1947-1949.

Simple coïncidence? La *Critique de la raison dialectique,* les conditions de sa genèse, les circonstances de sa mise en œuvre, semblent indubitablement répondre à une sorte de loi des séries, que l'on pourrait dès à présent décrire comme suit. Période de vide relatif, d'impasse, à la suite d'un échec, d'un choc dans le concret : « Socialisme et Liberté » en 1941 ; le R.D.R. en 1949; le P.C.F., enfin, après 1956. Puis tentative de négociation pratique, après l'échec, après l'impasse, sollicitation enfin, à la réflexion accrue, à la production d'un ouvrage théorique. *L'Être et le Néant* avait répondu à la mort précoce du groupuscule de résistance. La *Morale* s'était mise en place au moment des difficultés au sein du R.D.R. La *Critique de la raison dialectique* s'élabore dans les mois qui suivent la rupture avec le Parti communiste français. Toute une vie de philosophe, donc, rythmée par trois étapes, trois œuvres théoriques, elles-mêmes issues de trois échecs de pratique politique. Comme si l'action pratique et la philosophie, fonctionnant en écho, se renvoyaient l'une l'autre les mêmes interrogations, les mêmes questions, les mêmes problèmes : une seule recherche fondamentale qui passerait par deux circuits complémentaires, où la philosophie toute-puissante trouverait sa légitimité, intégrant et dépassant les effets du réel.

« Depuis quinze ans, je cherche quelque chose, explique-t-il à Madeleine Chapsal qui l'interroge pendant sa rédaction de la *Critique.* Il s'agit, si vous voulez, de donner un fondement politique à l'anthropologie. Ça proliférait. Comme un cancer généralisé ; des idées me venaient : je ne savais pas encore ce qu'il fallait en faire, alors je les mettais n'importe où : dans le livre que j'étais en train d'écrire. A présent, c'est fait, elles se sont organisées, j'écris un ouvrage qui me débarrassera d'elles, la *Critique de la raison dialectique*[35] ». Métaphores de l'organisme, métaphores de la maladie : pour décrire ses chemins de la création, Sartre a recours, comme aux temps de *La Nausée,* à un outillage connu : prolifération, cancer, organisation. On se souvient des métaphores grouillantes, des objets visqueux, des parties du corps animalisées... D'ailleurs, au cours du même entretien, les métaphores se précisent : « Quand on fait des ouvrages non philosophiques, tout en ruminant de la philosophie, explique-t-il encore à Madeleine Chapsal, comme j'ai fait surtout depuis ces dix dernières années, la moindre page, la moindre prose souffrent de hernies. Ces derniers temps, quand je sentais les hernies sous ma plume, je préférais m'interrompre. Voilà pourquoi j'ai tous ces livres en souffrance. » Et, reprenant les liens, les passerelles, les échanges entre tous les thèmes qui le hantent et tous les livres qu'il produit conjointement, il souligne plus précisément les échos nécessaires entre son travail sur la dialectique et son travail sur

Flaubert. A l'origine de la *Critique de la raison dialectique,* en effet, la commande d'une revue polonaise, *Twórczość* : traiter de la situation de l'existentialisme en 1957. L'article devint « *Marksizm i Egzistencjalizm* » en Pologne, et s'intitula « Questions de méthode » dans *Les Temps modernes.* Ce fut le premier tour de manivelle de la *Critique.* « Dans l'article polonais, poursuit Sartre face à Madeleine Chapsal, je n'ai pas pu m'empêcher de parler de Flaubert et, inversement, j'ai transporté dans la *Critique de la raison dialectique* de longs passages que j'avais mis dans mon livre sur lui. A l'heure qu'il est, il est gros, inachevé. Mais il n'aura pas besoin de bandage herniaire [36]. » On plonge là dans un monde intime et secret, dans les fonds sous-marins, on devient le voyeur et l'observateur privilégié de trois dimensions sacrées : l'archéologie, l'architechtonique et l'alchimie du créateur. Projets intellectuels anciens, repris, renégociés, en fonction des commandes ou des intérêts contemporains. Jeux de miroirs entre ses différentes œuvres, entre ses deux grandes passions : « moi et le monde », « moi et les autres », dans un inlassable travail de tissage, de hiérarchie, pour savoir quel texte englobera l'autre, les autres, quelle hernie conserver, quelle hernie opérer. Accoutumance programmée, enfin, aux amphétamines et autres carburants : café, alcool, tabac... Objectifs, outils, stratégies internes : tout le dispositif secret de la création sartrienne se réduit à ces éléments-là, comme une planche de dessins pour enfants, à découper puis animer ensuite, à mettre en perspective et en mouvement. Ainsi le *Flaubert* – les premiers tomes ne seront publiés qu'en 1971 – sera-t-il tour à tour pour la *Critique* une parenthèse, une dépendance, une illustration, et un approfondissement, un dépassement, une synthèse. Tout s'enchaîne et s'enchevêtre en une mosaïque sophistiquée, complexe et mouvante.

Au cœur de la salle des machines sartriennes, à la fin des années 50, peu de modifications essentielles, somme toute, l'infrastructure reste la même, mais des arrivées, mais des départs, mais des changements humains. Au cours de l'été 1957, par exemple, après onze ans de travail dans les locaux de la rue Bonaparte et du bureau des *Temps modernes,* Jean Cau cessa ses activités comme secrétaire de Jean-Paul Sartre. A la fin de l'été, Claude Faux le remplaça. Il avait été permanent du P.C.F. jusqu'à l'insurrection hongroise, avait travaillé dans la mouvance des journalistes et écrivains communistes comme Aragon ou d'autres. Après avoir terminé le manuscrit de son nouveau roman *Les Jeunes Chiens,* il eut l'idée de l'envoyer à Sartre qui, par télégramme, lui fit savoir qu'il était prêt à lui en parler. « J'aime bien votre bouquin, lui dit-il d'un ton sec. Vous aimez les gens, c'est important... D'ailleurs, que faites-vous en ce moment? – Justement, je cherche du travail », répondit Faux. En le raccompagnant à la porte, Sartre rajouta, toujours comme par hasard : « A propos, en ce moment, je cherche un secrétaire... si vous n'avez rien de mieux à foutre [37]... » C'était dit sans les formes; ou plutôt, si l'on préfère, avec des formes toutes sartriennes. Claude Faux s'installa donc dans le bureau de la rue Bonaparte, tous les matins, depuis l'automne 1957 et pour six années consécutives. « J'eus d'abord à faire face, raconte-t-il, à des problèmes financiers énormes, vu qu'on avait oublié de faire un certain nombre de déclarations de revenus... Il fallait chercher de l'argent, pleurer chez les éditeurs, négocier auprès de la direction des impôts pour obtenir la permission d'étaler les retards, éviter les saisies, et continuer tous les mois de signer un chèque à l'une, d' " apporter son sou " à l'autre, dans une petite enveloppe... L'expert financier que j'ai consulté sur des points précis nous a conseillé de constituer une société, ce qui rendrait plus aisée la gestion de certaines affaires. Sartre n'a absolument pas voulu en entendre parler. Il refusait de s'occuper de toute question d'argent : cela lui faisait perdre du temps. A cela près qu'il avait toujours besoin d'argent pour le distribuer, pour le donner autour de lui. » Détails persistants d'une générosité quotidienne illimitée, d'un désintérêt financier à peu près total, frôlant l'anarchie ou le masochisme.

Changements humains, donc, dans la petite famille sartrienne. Claude Faux remplace Jean Cau rue Bonaparte. Et puis il y a de nouvelles rencontres, de nouvelles amitiés féminines. Celle, par exemple, d'une étudiante de dix-huit ans qui avait téléphoné pour demander un rendez-vous; Jean Cau lui avait parlé, avait transmis à Sartre la demande : des questions précises sur *L'Être et le Néant* pour une dissertation de philosophie dans une classe de khâgne. Sartre avait reçu la jeune fille, lui avait demandé de rester en contact; elle avait donc rappelé. « C'est la petite Elkaïm... Vous prenez? », lançait alors Cau à Sartre, de chambre à chambre, étouffant de sa main le récepteur téléphonique. Arlette Elkaïm, et sa « douceur de biche effarée » et ses grands yeux noirs, et son intelligence complice et ses souffrances encore vives de juive algérienne vulnérable et fragile, vont devenir familiers à la rue Bonaparte. Sartre, en 1965, décidera d'entamer une procédure d'adoption en sa faveur. Mais d'Arlette, mais de celle qu'il appelait « Petite », nous aurons largement l'occasion de parler à nouveau. C'est également au cours de la même année que Sartre fit la connaissance d'Evelyne Rey, la sœur de Claude Lanzmann :

une jeune beauté blonde, intelligente et fine, remarquable de sensibilité et de présence. Militante politique, comédienne, journaliste, elle trouvera dans la famille sartrienne l'occasion de développer tous ses talents. Surtout lorsque Sartre écrira pour elle un très beau rôle de femme dans *Les Séquestrés d'Altona.*

D'ailleurs, depuis quelque temps, la famille sartrienne et le système féminin se perpétuent et se consolident tout en évoluant lentement, insensiblement. Depuis peut-être que le Castor, écrivain reconnu, écrivain féminin et féministe, a pris en France la première place dans le milieu des femmes de lettres. Car le succès personnel de Simone de Beauvoir l'éloigne de Sartre et la rapproche encore de lui. Autonome, elle le devint lorsque, publiant *Le Deuxième Sexe* en 1949, elle trouve dans l'analyse de la condition féminine une voie personnelle; lorsque, inventant des formules comme : « On ne naît pas femme, on le devient », elle entraîne toute une génération. Autonome, elle l'est encore, et à part entière, lorsqu'en 1954, avec son gros roman *Les Mandarins,* elle obtient, à l'âge de quarante-six ans, le prix Goncourt. Argent, célébrité, autonomie, elle s'autorise alors son premier geste de possession : l'achat d'un studio en duplex, dans le haut Montparnasse, face au cimetière, dans une rue calme. Autonome, enfin, lorsqu'elle choisit de vivre de son côté ses aventures affectives avec Nelson Algren, avec Claude Lanzmann, en grande transparence, en tentative d'intégration toute sartrienne. Mise en place de systèmes de vacances à quatre : Sartre-Michelle, le Castor-Lanzmann, ou vacances Sartre-le Castor, tête à tête, Italie, Grèce, toutes inventions en ce domaine seront essayées. Simone de Beauvoir, l'écrivain, va raconter la famille Sartre. Avec *L'Invitée* – paru, on l'a vu, dès 1943 –, avec les *Mémoires d'une jeune fille rangée* – paru en 1958 – ou avec *La Force de l'âge* – paru en 1960 –, elle devient véritablement la mémorialiste essentielle du groupe et de l'époque. C'est bien elle, Simone de Beauvoir, qui contribue à informer le public sur des mœurs, des coutumes, des comportements, du couple qu'elle forme avec Sartre, du groupe qu'ils forment avec leurs amis. Elle poursuit donc, en ces années 50, le travail d'écriture qu'elle avait amorcé dès la Seconde Guerre mondiale lorsque, sous forme de roman, elle avait raconté l'essai de « trio » vécu dans les années 30. Tout en continuant de fournir à Sartre un soutien quotidien : durant toute la vie de Sartre, en effet, pas un manuscrit ne parut qui ne passât entre les mains du Castor, pas un texte qui ne fût auparavant soumis à son approbation ou à sa critique. Pour le créateur rapide et parfois hâtif que fut Sartre, elle resta, imperturbable, la critique la plus méticuleuse et la plus exigeante.

Précise, fiable, douée d'une mémoire à toute épreuve, elle l'écoutait, le reprenait, filtrait tous ses propos, relevait les pures inventions de l'imagination sartrienne, épinglait les excès, soulignait les mauvais écarts. Et, toujours, lorsque Sartre s'adressait à elle, pour une discussion, pour un conseil, pour un manuscrit en train, elle trouvait le mot juste. Jamais, d'ailleurs, elle ne flancha comme d'autres l'auraient fait face à la célébrité de Sartre. L'une des grandes forces du Castor fut en fait, à coup sûr, de ne jamais montrer ni flagornerie ni complaisance dans ces face-à-face quotidiens avec celui qui était devenu Sartre pour tout le monde. Aussi restera-t-elle durant toutes ces grandes années la véritable reine mère de la ruche, au centre de tous les réseaux, de toutes les œuvres, de tous les projets, dans une présence critique, rigoureuse et quotidienne à la création sartrienne.

Importait-il, dès lors, au Castor, que Sartre poursuivît ses cloisonnements, ses cachotteries? Qu'il demandât, par exemple, comme une faveur, à Gallimard de lui imprimer deux exemplaires uniques de la *Critique de la raison dialectique* dédiés « à [suivi d'un nom de femme] » quand tous les autres volumes portaient la mention « Au Castor »? Dans les repas à trois – Sartre, Castor, X – elle frappait toujours le tiers par sa présence, le vouvoiement qu'elle avait institué entre Sartre et elle-même, cette étrange intimité guindée qui se dégageait de leur couple. Et si le couple Sartre-Castor déjeunait parfois avec des proches, en revanche, dans le cercle plus intime, le face-à-face fut de rigueur : le mardi midi, Castor déjeune avec Pouillon; le mercredi soir, elle dîne avec Lanzmann; tandis que Sartre partage, au même moment, ses repas avec Michelle, ou Arlette, ou Bost. Aucun trio, dans ce cas, mais la loi du duo. Avec, bien sûr, les traditionnels bavardages qui naissent dans une telle organisation, dans un milieu aussi fermé. Avec le Castor, donc, avec Wanda et Michelle, avec Evelyne, avec Arlette, Sartre poursuivait sa vie affective compartimentée et ritualisée : voyages en Italie avec l'une ou l'autre alternativement, Rome, Capri, Venise, lieux de passage obligés. Il riait, il vivait, il refusait, là encore, de se résoudre à supprimer, à rompre.

C'est dans ces conditions affectives idéales – stables, permanentes et toujours renouvelées – que le philosophe « corydrané » développa certaines hernies, en banda certaines autres, écrivant « furieusement » la *Critique de la raison dialectique* et tous les textes satellites qui s'y référaient. Le plus étonnant peut-être de ces textes furent ses pages sur le Tintoret, à rattacher à la grande lignée des biographies sartriennes, au *Baudelaire,* au *Genet,* au

Flaubert. A rattacher, également, à la grande série des esquisses italiennes, la plupart du temps fragmentaires et inédites, comme « Venise de ma fenêtre » ou encore « Un parterre de capucines », pièces éparses d'une mosaïque qui ne s'acheva jamais, du roman que le Castor avait annoncé comme « *La Nausée* de son âge mûr » : *La Reine Albemarle ou le dernier touriste.*

Rescapé de ce livre avorté, donc, cette merveilleuse petite pièce sur le peintre vénitien du XVIe siècle, Jacopo Tintoreto, intitulée « Le Séquestré de Venise ». Successivement, « Les Fourberies de Jacopo », « Les Puritains du Rialto », « L'Homme traqué », « Une taupe au soleil » : texte inattendu, impie et superbe, évoquant, à bien des égards, une véritable bande dessinée. Humour bondissant, prosaïsme délibéré, anachronismes, réduction de ses personnages à des caricatures légères, Sartre s'élance dans les sentiers de la renaissance picturale vénitienne avec aplomb, aisance, bonne humeur, naturel. N'a-t-il pas été, de tout temps, de plain-pied avec les grands hommes? Et, prenant à pleines mains son petit Jacopo, il livre un plaidoyer pour la réhabilitation de son héros, ne ménageant aucune piste, aucune donnée, aucune information : « Jacopo livre un combat douteux à son adversaire innombrable, s'épuise, meurt vaincu; pour l'essentiel, voilà sa vie. Nous la verrons toute, dans sa nudité sombre, si nous écartons un instant la broussaille de ragots qui encombre l'entrée. » Sartre retrace la véritable vie du Tintoret : « Sa vie, écrit-il encore, c'est l'histoire d'un arriviste rongé par la peur. » Et de rappeler les rapports de force qui opposèrent le Tintoret, ce fils de teinturier, ce gamin de douze ans, à l'extraordinaire figure de son maître le Titien, véritable monarque sous le ciel vénitien, depuis un demi-siècle : l'apprenti fut chassé par le maître, l'enfant « mis sur une liste noire ». Mais, poursuit Sartre, « Jacopo est mandaté par toute une population travailleuse pour reconquérir par son art les privilèges du Vénitien pur sang ». On l'aura compris, Sartre a choisi, dans cette affaire et encore une fois, le parti de l'homme seul contre les institutions, contre les puissants, contre les salauds. « L'ambition de Jacopo s'est levée d'un coup, casquée, avec sa virulence et ses formes, elle ne fait qu'un avec ce mince crevé de lumière, le possible. Ou plutôt, rien n'est *possible*... Mais le Tintoret n'en a rien à foutre; à chacun sa force ascensionnelle et son lieu naturel. Il sait qu'il a du don, on lui a dit que c'était un capital ...Le voilà mobilisé pour toute une longue vie, indisponible : il y a ce filon à exploiter, jusqu'à l'épuisement de la mine et du mineur. Vers le même temps, cet autre bourreau de travail, Michel-Ange, fait le dégoûté. »

De plus en plus sensible à son nouveau héros, le metteur en

scène accélère la cadence, attise les ressemblances, les clins d'œil contemporains: « La rébellion du Tintoret se radicalise... »; « L'humanisme des lettrés, il s'en moque... »; « Lui, c'est une taupe, il n'est à l'aise que dans les galeries de sa taupinière... »; « Raphaël et Michel-Ange sont des commis: ils vivent dans la dépendance et dans la superbe... le Tintoret, c'est l'autre espèce... »; « Michel-Ange, faux noble, et le Titien, fils de paysans, subissent directement l'attraction de la monarchie. Le Tintoret, lui, naît dans un milieu d'ouvriers-patrons... travailleur manuel, il est fier de ses mains... »; « Venise impose à ses artistes la maxime des puritains: *no personal remarks* »... Quelques perles cueillies ici et là au cours de ce drôle de texte. Quelques vignettes colorées et brillantes, et tellement de réminiscences sartriennes, au fond, que c'en est magique. L'artiste et sa ville, l'artiste et la répression sociale, l'artiste et ses choix obsessionnels de séquestration volontaire, de folie sublimée, l'artiste face aux possédants, aux bourgeois, à sa solitude, à sa colère, à son orgueil, quelques thèmes si finement épinglés, si précisément dessinés, comme en passant, qu'on en oublierait presque le XVIe siècle vénitien, et ces hommes hors du commun, dont Sartre se demande encore: « Sont-ils des demi-dieux, les peintres de la Renaissance, ou des travailleurs manuels? Eh bien, c'est selon, voilà tout [38]. »

« Le Séquestré de Venise » paraît dans *Les Temps modernes* en novembre 1957. *Les Séquestrés d'Altona*, sa neuvième pièce de théâtre, est rédigée entre 1957 et 1959. Au cours de la même période créatrice, revient à deux reprises le thème de la séquestration volontaire. La remarquable investigatrice que fut Madeleine Chapsal, dans ses entretiens avec Sartre, ne manqua pas, d'ailleurs, de l'interroger à ce sujet. « On a le sentiment, lui confia-t-elle, que vous êtes encore plus mal à l'aise que les autres dans cette sombre société, que vous n'y avez pas du tout vos aises, que vous y étouffez et que vous sécrétez vos œuvres comme un abri. C'est pourquoi je vous demandais si vous ne vous sentiez pas " séquestré "? – Non, répondit-il, l'esprit sombre des *Séquestrés* m'est essentiellement inspiré par l'état actuel de la société française. C'est une affreuse gabegie dont je me sens d'ailleurs parfaitement solidaire, comme chacun. Si je suis prisonnier, comme tous ceux qui ont dit non et qui le répètent, c'est du régime présent [39]. » De fait, malgré le cadre géographique et historique des *Séquestrés d'Altona* – une famille aristocratique allemande, la famille von Gerlach, après la Seconde Guerre mondiale –, les références à la situation politique de la France contemporaine ne manquent pas: à tel point qu'on pourrait, sans grand risque, donner de la pièce une lecture presque entièrement allégorique. Entre Franz von Gerlach, le séquestré, merveilleusement interprété par Serge Reggiani, dans un rôle de frontalier qui louvoie entre folie, génie et lucidité, sa sœur Léni – Marie Ollivier –, sa belle-sœur Johanna – Evelyne Rey –, et son père – Fernand Ledoux –, des relations passionnelles, brutales, intenses, insoutenables. Rarement l'écrivain Sartre avait à ce point atteint cette maîtrise, cette imagination, cette puissance. Rarement Sartre avait à ce point plongé sa plume dans ses propres divagations, ses propres expériences, ses propres fantasmes : la plus poignante de ses pièces de théâtre. La plus incontestable.

Le visage dur et fermé, l'œil droit portant monocle, raide et figé dans un uniforme S.S., séquestré volontaire avec coupe de champagne et magnétophone pour vivre plus radicalement ce simulacre de la folie, Franz von Gerlach, ce « Hamlet, ce Lorenzaccio nazi » – selon l'expression de Gilles Sandier [40] – qui apparut le 23 septembre 1959 sur la scène du théâtre de la Renaissance, par la grâce du comédien Serge Reggiani, demeure un personnage absolument inoubliable, une figure théâtrale légendaire. Dans une Allemagne post-nazie, qui a oublié sa mauvaise conscience et redressé son équilibre économique, dans une famille de puissants industriels allemands, aristocratique, protestante, les Gerlach, qui n'a même pas été vraiment nazie, le fils aîné, Franz, refusant l'oubli, s'est séquestré. Circulations complexes dans ce nouveau huis clos à cinq personnages : le père, les deux fils, la fille, la belle-fille. Poids insolent de la culpabilité vécue par Franz, contaminations à divers niveaux – « le père et le fils communiquent à distance sans se voir, expliquera Sartre, dans un mouvement en spirale [41] ». Acteur complémentaire de ce quintette oppressant : le passé. « Les personnages sont tout le temps commandés, poursuit l'auteur, tenus par le passé comme ils le sont les uns par les autres. C'est à cause du passé, du leur, de celui de tous, qu'ils agissent d'une certaine façon. Comme dans la vie réelle... » Tragédie contemporaine, *Les Séquestrés d'Altona*, qui nous parle avec obsession de nos responsabilités face aux massacres, face aux tortures, qui nous parle de nos lâchetés, de nos interrogations collectives? Et Franz, dans ses moments de folie simulée, lorsqu'il parle des crabes, lorsqu'il s'adresse aux crabes, ne devient-il pas le véritable avocat de la responsabilité collective dans le royaume des morts vivants? « *Quels* crabes? Êtes-vous folle? Quels crabes?, hurle-t-il à sa belle-sœur Johanna. Les crabes sont des hommes... Moi, le Crabe... J'ai retourné la situation; j'ai crié : " Voici l'homme; après moi, le déluge; après le déluge, les crabes, *vous*! " Démasqués, tous! Les balcons grouillaient d'arthropodes. Vous n'êtes pas sans savoir que l'espèce humaine est partie du mauvais pied! J'ai mis le comble à sa poisse fabuleuse en livrant sa dépouille mortelle au Tribunal des Crustacés [42]. »

On se souvient des épisodes de mescaline pendant les deux années de retour havrais; on se souvient des obsessions et des cauchemars que Sartre nourrissait alors : poursuivi par des crustacés, des crabes. Toute une zoologie marine dont il avait horreur à table! Obsessions purement sartriennes, échos politiques contemporains, pulsion de la tragédie classique, *Les Séquestrés* restera la pièce la plus littéraire, la plus débridée, la plus excessive de toute sa production dramatique. Les pressions, d'ailleurs, qui avaient présidé à sa genèse contribuèrent sans aucun doute à stimuler ces aspects-là : il y avait eu la corydrane, bien sûr, et cette année 1958 si douloureuse, si stérile, avec le sentiment du temps à rattraper. Il y avait eu l'attente du manuscrit définitif par Simone Berriau qui s'arrachait les cheveux et suppliait qu'il fût achevé. Il y avait eu – comme au temps de *Huis clos* – la promesse faite à deux amies : Wanda, l'ancienne, et Evelyne, la nouvelle, de leur écrire une pièce pour elles deux. Pressions professionnelles, pressions affectives, pressions physiologiques, Sartre, triplement coincé, écrivit comme un fou. Imagine-t-on d'ailleurs ce que put être l'atmosphère de ces répétitions entre deux femmes également désireuses d'un rôle prépondérant, entre deux femmes doublement rivales, qu'il fallait ménager en même temps? L'été 1958, Sartre avait été incapable d'achever *Les Séquestrés*. L'été 1959, par contre, ce fut à Venise, et dans des circonstances étranges, qu'il y mit fin. Après un mois à Rome avec le Castor, il passait quelques semaines à Venise avec Arlette. Logés dans un grand hôtel, d'abord, ils avaient échoué, les finances s'amenuisant, dans une petite auberge minable et bruyante, près de la gare. Réminiscences havraises? « Il faisait une chaleur torride, raconte Arlette, et Sartre, torse nu, suant, épuisé, se mit à me lire le dernier monologue de Franz qu'il venait d'achever... Non, d'ailleurs, il ne se mit pas tant à le lire qu'à le déclamer, de manière totalement lyrique, totalement " mélo ", avec ce romantisme au second degré qui le faisait, au piano, jouer Chopin démesurément larmoyant. Ç'en était si bizarre que j'eus presque peur : de ce style, tout d'abord, de la pièce, ensuite, par crainte que cette fin ne dépare le reste de la pièce... Je sais maintenant que j'avais tort [43]. » « Siècles, voici mon siècle, solitaire et difforme, l'accusé... Le siècle eût été bon si l'homme n'eût été guetté par son ennemi cruel, immémorial, par l'espèce carnassière qui avait juré sa perte, par la bête sans poil et maligne, par l'homme... O tribunal de la nuit, toi qui fus, qui seras, qui es, j'ai été! J'ai été! Moi, Franz von Gerlach, ici, dans cette chambre, j'ai pris le siècle sur mes épaules et j'ai dit : j'en répondrai. En ce jour et pour toujours [44]. » En pleine lumière d'été vénitien, en pleine chaleur de midi, dans une chambre d'hôtel minable et bruyant, le dramaturge torse nu déguisé en acteur acheva sa lecture débridée devant une spectatrice privilégiée et un peu effrayée, puis s'en fut porter ces dernières pages à la poste, destination : Simone Berriau, théâtre de la Renaissance.

La critique fut presque unanime, cette fois, .reconnaissant – comme le fit Bernard Dort – « la générosité, l'espèce d'héroïsme de la pensée sartrienne... la passion d'une histoire vécue par l'homme, de notre Histoire, qui habite Sartre, qui le travaille sans relâche [45] ! ». Après le tollé de *Nekrassov*, quatre ans plus tôt, c'était comme un nouveau départ. « Jean-Paul Sartre fait sa rentrée après quatre ans de retraite », titra même par exemple *Paris-Journal*. Certains parlèrent encore d'un « come-back sartrien », d'autres, par contre, comme Gilles Sandier, saluèrent le « Socrate dramaturge », et son personnage, « ce bourreau qui se châtie lui-même, ce Lorenzaccio qui a torturé comme le reste de son siècle, [qui] a le noir éclat d'un héros romantique [et] porte le poids de son siècle dont il assume la faute [46] ». *Les Séquestrés* vint clore le cycle de la production dramatique sartrienne. Il y aura des adaptations, comme celle des *Troyennes*, en 1965. Il y aura des reprises, comme celle du *Diable et le Bon Dieu*, au T.N.P., en 1968; ou comme celle de *Nekrassov* au T.E.P. en 1974. Mais *Les Séquestrés* demeura la pièce inégalée.

Au cours de l'année 1958, alors qu'il préparait *Les Séquestrés* et qu'il achevait la *Critique*, Sartre fut contacté par le réalisateur américain John Huston, qui avait, en 1946, mis en scène *Huis clos*, ou plutôt *No Exit*, sur une scène new-yorkaise. Huston commanda à Sartre un scénario sur Sigmund Freud, dont l'idée de base serait celle d'un « Freud aventurier » et l'allure générale celle d'une « intrigue policière »; autre exigence de Huston : que le scénario reste dans la tradition hollywoodienne et qu'il s'applique à cerner le personnage au moment où la découverte de l'hypnose va le faire basculer vers les premières intuitions de la psychanalyse. Peut-on imaginer, dès le départ, rencontre de géants plus théâtrale que celle-là? Deux géants, en effet, que Sartre et Huston, deux hommes d'exactement le même âge, deux caricatures presque de leurs milieux : l'intellectuel européen face au cinéaste hollywoodien. Des liens idéologiques certes, entre ces deux hommes de gauche, une admiration réciproque et lointaine, une reconnaissance vague et pourtant solide. Deux créateurs dans l'excès et la démesure, deux personnalités hors du commun. Le combat des géants ne sera pas tendre : divergences culturelles, linguistiques, et malentendus divers viendront faire échouer cette œuvre commune qui était, peut-être dès le départ, impossible et vaine. Huston, pourtant, avait offert une coquette somme et Sartre ne fit certes pas la moue. Il demanda à Michelle Vian de lui traduire ligne à ligne la grosse biographie de Freud par Ernest Jones, qui n'était pas encore parue en français. Il relut les *Études sur l'hystérie* et *L'Interprétation des rêves*. Et, comme de juste, sans le moindre complexe, il se lança. Comment, lui, le réfractaire à l'inconscient, aurait-il pu se dérober à un pari aussi fou?

Le docteur Freud et le docteur Meynert, dans leur bureau de l'hôpital de Vienne, à la fin du XIXe siècle, Freud et sa fiancée Martha, dans un fiacre, Freud et son père, Freud et sa mère, Freud et ses étudiants autrichiens, Freud à Paris étudiant chez Charcot... autant de scènes mises bout à bout avec la même aisance historique, géographique et culturelle que celle, utilisée un an plus tôt, pour traiter du Tintoret. Du XVIe pictural vénitien au XIXe siècle médical viennois, rien d'impossible lorsqu'on s'appelle Sartre et que l'on a été nourri entre les grands volumes de cuir vieilli de son grand-père : la fréquentation des hommes illustres, en place et lieu d'ours en peluche, ça vous donne une aisance socio-historique à toute épreuve. Rien de tel pour, plus tard, circuler entre siècles, continents et cultures avec bon droit, aplomb, et même parfois compétence. « Dès le premier synopsis qu'il remit à Huston, raconte Michelle Vian, il avait déjà fait un travail énorme, indiquant les moindres détails de lumière, signalant les moindres mouvements de caméra, détaillant les costumes [47]. » Huston prit-il ombrage de ce que Sartre outrepassait ses compétences et marchait sur ses propres plates-bandes? Car cette découverte de la psychanalyse, car ce cheminement avec sa patiente hystérique, car l'interprétation de ses rêves et la mise en place, une à une, de toutes ses hypothèses, Sartre les mena, avec *Freud,* dans une passion et un plaisir qu'on n'aurait peut-être pas soupçonnés. Le 15 décembre 1958, il envoya à Huston un synopsis de quatre-vingt-quinze pages. Un an plus tard, il acheva le scénario définitif, énorme et débordant, du moins aux yeux de Huston. C'est là que les choses s'enveniment : le metteur en scène demande remaniements et coupures, Sartre s'exécute puis se fâche. Son texte, déformé, rétréci, sera retravaillé par les soins de Charles Kaufmann et Wolfgang Reinhardt, les deux assistants de Huston. Et Sartre, lors du tournage définitif du film, exigera que son nom soit retiré du générique. On dit même qu'il ne vit jamais ce *Freud, passion secrète,* avec Monty Clift dans le rôle principal, qu'il désavoua tout à fait ce bâtard que lui avait fait Huston et qu'il se désintéressa tout à fait de ce qu'il ne considéra jamais comme un de ses produits. « Je veux donner du mal à mes biographes futurs; ils pleureront du sang [48] », avait-il orgueilleusement écrit, de la part de Freud et – qui sait? – peut-être à son intention.

La rencontre Sartre-Huston laissa, malgré cet échec, quelques traces mémorables, historiques même, et aucun biographe ne résisterait au plaisir, même gratuit, d'esquisser certaines des scènes qui opposèrent ces deux géants, si profondément étrangers l'un à l'autre. Étrangers, ils le furent tout autant dans leurs conceptions du film qu'ils l'étaient de fait dans leur propre histoire, leur propre trajectoire, leurs propres valeurs. A commencer par ce cachet de 25 000 dollars que reçut Sartre pour son travail : pour un écrivain français, c'était fastueux, il accepta donc et commit une quantité de pages énorme, qu'on ne lui demandait d'ailleurs pas. « J'appelai Elliot Hyman, avec lequel j'avais monté *Moby Dick* et *Le Moulin Rouge*, écrit pour sa part Huston, sans hésiter, il accepta la somme de 25 000 dollars. » Ailleurs, il note : « La somme que j'avais dépensée pour les services de Sartre était minime [49]. » Deux échelles de valeur, sans aucune commune mesure, dans la sanction économique : des droits d'auteur d'un écrivain européen au cachet d'un scénariste hollywoodien, quel décalage! Sur le scénario, pourtant, les tensions étaient autrement plus fortes, les malentendus autrement plus nets : « Sartre, homme de gauche, était antifreudien, écrit encore Huston, mais je pensais qu'il était l'auteur idéal pour écrire le scénario de *Freud*. C'était un philosophe qui connaissait à fond l'œuvre de celui-ci et qui saurait la traiter avec objectivité et lucidité [50]. » Grossière erreur! Sartre était loin de connaître bien, encore moins « à fond », l'œuvre de Freud et Huston, là, façonna à son idée celui qu'il parait de tous les attributs de la quintessence culturelle européenne. « Sartre m'envoya, poursuit Huston, un premier brouillon de trois cents pages, en français. Sur la base d'une page par minute, cela représentait un film de cinq heures... C'était trop long et trop touffu pour un film... Plus tard, il me remit une seconde version " raccourcie ". Je ne fus pas surpris de découvrir qu'elle était encore plus longue que la première... Sartre, apparemment, ne voyait pas vraiment pourquoi un film ne durerait pas huit heures [51]. »

Les rencontres les plus mémorables eurent lieu lors du séjour irlandais que fit Sartre, en compagnie d'Arlette, dans la propriété de Huston, à Saint Clerans, quelques jours après les premières représentations des *Séquestrés,* à l'automne de l'année 1959. Il s'agissait, en fait, de mettre au point, ensemble, un nouvel état du scénario : on en resta loin! « Je ne suis jamais sorti de cette énorme bâtisse, raconte Sartre au Castor, d'où je vois par mes fenêtres une prairie verte qui, d'après tous les dires, s'étend pendant je ne sais combien de kilomètres. Sur cette prairie, je vois des vaches, des chevaux que le maître du logis [Huston] coiffé d'une casquette chevauche l'après-midi – tantôt l'un, tantôt l'autre – courant au trot, au galop, autour de sa maison et suivi d'un petit âne têtu qui caracole derrière eux et qui ridiculise cette chevauchée [52]. » Huston, de son côté, lorsqu'il décrivit Sartre n'eut guère plus d'égards à son sujet et utilisa, à son tour, tout son venin pour en parler. « Il était petit, écrivit-il, trapu et aussi laid qu'un humain peut l'être. Un visage à la fois raviné et bouffi, les dents jaunes et, de surcroît, bigleux. Il portait invariablement un costume gris, des chaussures noires, et toujours une cravate, des premières heures du matin jusqu'à ce qu'il aille se coucher [53]. » En écho, à son tour, Sartre décrit son hôte : « Au milieu d'une quantité de pièces analogues, erre un grand romantique, triste et esseulé, notre ami Huston, parfaitement vacant, vieilli, *incapable* à la lettre de parler aux gens qu'il invite [54]. » Deux créateurs se tancent. Deux monstres sacrés se découvrent, se jaugent, s'évaluent. Deux cultures s'affrontent. Deux hommes qui, une semaine durant et sous le même toit, vont découvrir avec la même ardeur, la taille du fossé qui les sépare. Un grand manoir irlandais où passent des ouvriers qui repeignent les chambres, où cohabitent des gens qui se rencontrent mais ne se parlent pas – d'ailleurs parlent-ils la même langue ? – « Un stade avant la lune... Et justement, tel est le paysage intérieur de mon boss, le grand Huston », rajoute encore Sartre qui ne se lasse pas d'observer ce monde un peu fou dont il ne comprend pas la langue. « Huston n'est même pas triste, poursuit Sartre, il est *vide* sauf dans les moments de vanité enfantine où il met un smoking rouge, où il monte à cheval (pas très bien), où il recense ses tableaux et dirige ses ouvriers. Impossible de retenir son attention cinq minutes : il ne sait plus travailler, il évite de raisonner... C'est le vide pur plus, peut-être, que la mort... Il fuit la pensée, parce qu'elle attriste [55]. » Sartre face à un analphabète brutal, tombé d'une autre planète. Huston devant une pure machine à penser. Écoutons-le encore : « Je n'ai jamais travaillé avec quelqu'un d'aussi entêté et d'aussi catégorique que Sartre. En parlant, il prenait des notes de ce qu'il disait. Impossible d'avoir avec lui une quelconque conversation. Impossible de l'interrompre. Sans reprendre souffle, il me noyait sous un torrent de paroles. Il ne parlait pas anglais et, à cause de la rapidité de son débit, j'avais peine à suivre le fil de sa pensée. Je suis sûr que ce qu'il disait était brillant... Il m'arrivait, épuisé par l'effort, de quitter la pièce. Le bourdonnement de sa voix me suivait un moment et, lorsque je revenais, il n'avait même pas remarqué que j'étais sorti [56]. » *Misunderstandings,* malentendus, croisements monstrueux : bien sûr que Sartre avait remarqué ces sorties ! « Nous sommes tous réunis dans un fumoir, écrit le philosophe, nous parlons tous, et puis, tout d'un coup, en pleine discussion, il disparaît. Bien heureux, si on le revoit avant le déjeuner ou le dîner [57]. »

Le plus absurde fut enfin atteint, entre ces deux drôles, lorsque Sartre, souffrant d'une rage de dents, demanda à Huston le secours d'un dentiste. « Il se contenta du premier dentiste venu, commente Huston, et se fit arracher la dent malade. Une dent de plus ou de moins ne comptait pas pour Sartre. L'univers physique n'existant pas pour lui. Seul l'esprit avait de l'importance. Je dois dire d'ailleurs qu'il prenait un tas de pilules diverses [58]. » Incompréhension totale, enfin, lorsque arriva une enveloppe postée de Paris et destinée à Sartre : elle comprenait toutes les coupures de presse sur l'accueil des *Séquestrés.* « Il ne s'interrompit pas pour en prendre connaissance, s'étonne Huston. Avant le déjeuner, il s'isola un moment pour les parcourir, mais en revenant, il n'en dit pas un mot. Je dus lui demander de me les montrer pour voir qu'elles étaient bonnes. Je contemplais ce monstre imperturbable, tandis qu'il buvait son sherry à petites gorgées, et je me souvenais de ma nuit d'angoisse, en attendant de savoir ce que la presse et le public avaient pensé de mon père dans *Othello* [59]. » Tant de scènes resteraient vaines, si elles n'apportaient des témoignages sur la rigidité de ces deux collaborateurs de fortune, si elles ne venaient confirmer ce qu'on pourrait décrire comme leur « autisme culturel et humain », si elles ne venaient, enfin, nous improviser la plus belle pièce kafkaïenne des vies conjointes de Sartre et de Huston, d'une teneur en absurde bien plus élevée que *Huis clos* et *The Misfits* réunis... D'ailleurs, ajouta Sartre dans une de ses lettres au Castor, « je vous jure que ça vaut la peine d'être vécu une fois, cette solitude en commun... je ne m'ennuie pas et, pour tout dire, je ne sais pas pourquoi [60] ».

Entre 1957 et 1960, il écrivit « Le Tintoret », le *Freud, Les Séquestrés.* Autant de « hernies », donc, autant d'œuvres – qu'elles fussent commandées ou naturellement issues de l'imagination du créateur – qui se développèrent autour du manuscrit essentiel de ces années-là : la *Critique de la raison dialectique.* « Je suis en train de faire un gros truc philosophique », avait dit Sartre, presque en passant, un jour qu'il déjeunait avec Robert Gallimard. « Un soir, on m'appelle depuis le standard, raconte ce dernier. " Sartre est en bas ", me dit-on. Je descends, je le trouve là, assis dans l'entrée sur un vieux canapé défoncé, avec sous le bras un gros, un énorme dossier : " Voilà, je suis venu vous apporter ça ", me dit-il en me remettant ce lourd paquet de feuilles [61]. » Tel était Sartre, investissant follement son énergie dans un manuscrit essentiel puis l'apportant, presque s'en débarrassant, avec de la hâte, de la gêne. C'est pourtant là, dans la

Critique, qu'il est au cœur de sa pensée philosophique, de sa vie, au carrefour de ses interrogations, au croisement de ses œuvres. On se souvient, par exemple, que, dans les années 1947-1952, il avait commencé un travail sur la Révolution française, une grande analyse de l'Assemblée constituante, qu'il avait réuni des masses de documents pour retracer les biographies individuelles de chacun des députés, partant de l'hypothèse que le tout n'est pas simplement une addition des parties. Ce travail avorté, il le réutilisa dans la *Critique,* œuvre compacte et théorique, mais constamment illustrée d'exemples, de détails, d'anecdotes. Baudelaire, Flaubert, Freud, Robespierre seront ainsi convoqués, à tour de rôle, dans cette grande mosaïque philosophique. On retiendra, surtout, les pénétrantes interprétations de la *praxis* et du « practico-inerte »; on retiendra ses développements sur le groupe en fusion, la série; on retiendra ses efforts incessants pour fonder cette vérité qu'est le marxisme, pour le revivifier, pour le sonder dans ses relations avec l'économie et avec l'Histoire. On en retiendra peut-être, enfin, la permanence d'une grande question, la plus obsédante sans doute : celle du sens de l'Histoire; celle du long dialogue de l'homme avec l'Histoire - est-ce que l'homme contient l'Histoire? est-ce que l'Histoire contient l'homme? Question récurrente, évidemment, dans toutes les « hernies » de cette époque, dans toutes ces biographies, dans toutes ces trajectoires d'individus emblématiques et uniques : Jacopo Tintoreto, Sigmund Freud, Franz von Gerlach. « Nous avons, jusqu'à présent, achève-t-il, tenté de remonter jusqu'aux structures élémentaires et formelles et... nous avons fixé les bases dialectiques d'une anthropologie structurelle... Si la vérité doit être *une* dans sa croissante diversification d'intériorité, en répondant à l'ultime question posée par l'expérience régressive, nous découvrirons la signification profonde de l'Histoire et de la rationalité dialectique [62]. »

Les Séquestrés serait sa dernière pièce de théâtre. La *Critique,* son dernier essai philosophique publié. Malgré le caractère presque intégralement théorique de l'ouvrage, pourtant, malgré son petit nombre de lecteurs réels, la publication de la *Critique* fit « remonter la cote » de la valeur Sartre sur le marché littéraire. Phénomène de mode? De succès spontané? De snobisme parisien? Qu'on en juge : déjà, alors que Sartre terminait son manuscrit, il avait accepté, à la demande de Jean Wahl, de donner une conférence au Collège de philosophie, sur la dialectique et les problèmes dont il était en train de traiter. La conférence eut lieu au 44 de la rue de Rennes, soit exactement en face de son domicile. Il arriva le soir, vers six heures, dans une salle bondée; il tenait sous le bras un énorme dossier. « Je vais vous parler de ce que je fais en ce moment », dit la voix mécanique et urgente. Et, sans lever le nez de son texte, absorbé comme s'il était encore en train d'écrire, il parla, sans arrêt. « Il parla trois quarts d'heure, raconte Jean Pouillon, une heure, une heure et quart, une heure et demie, une heure trois quarts, sans lever le nez. Les gens qui se tenaient debout - la moitié de l'audience - n'en pouvaient plus. Certains même commençaient à s'effondrer... On avait l'impression que Sartre oubliait le temps [63]. » Enfin, n'y tenant plus, Jean Wahl lui fit un signe, le philosophe plia bagage et remonta dans son bureau aussi brutalement qu'il était venu.

Cet intérêt pour la *Critique* ne se démentit pas, d'ailleurs, après sa publication. Au printemps de l'année 1960, Claude Lévi-Strauss propose à Jean Pouillon de traiter de la *Critique* dans son séminaire de l'École pratique des hautes études. « C'était trois mois après la publication du livre, raconte Pouillon. Je commençai par refuser l'offre de Lévi-Strauss, pensant que personne n'aurait encore lu le texte. Puis je me ravisai et proposai ma " lecture " de la *Critique,* au cours de trois séminaires de deux heures chacun. En général, ce genre de séance d'anthropologie me valait un public de vingt-cinq à trente personnes. Pour cette lecture de Sartre, c'est une foule compacte qui envahit la salle... Je reconnus parmi eux des gens comme Lucien Goldmann [64]. » La *Critique* restera, aux yeux de Sartre, un de ses livres préférés, parmi les plus importants de son œuvre, avec *La Nausée.*

Il va sortir de ces années de travail acharné et obsessionnel, pour une nouvelle étape, plus directement active. D'ailleurs, pour lui, la littérature a désormais une tout autre fonction : il a abandonné cette idée de « survie littéraire » et il confie - à Madeleine Chapsal, à nouveau - sa nouvelle définition de la littérature engagée : « Si la littérature n'est pas *tout,* affirme-t-il, elle ne vaut pas une heure de peine. C'est cela que je veux dire par " engagement ". Elle sèche sur pied si vous la réduisez à l'innocence, à des chansons. Si chaque phrase écrite ne résonne pas à tous les niveaux de l'homme et de la société, elle ne signifie rien. La littérature d'une époque, c'est l'époque digérée par sa littérature [65]. » Cette époque, il va la retrouver très vite, au printemps de l'année 1959. Depuis plus de deux ans, en effet, alors que Sartre menait de front ses écritures et ses articles, Francis Jeanson, lui, était entré dans la clandestinité. Il dirigeait un réseau français de soutien au F.L.N., aidant les militants algériens à acquérir moyens de transport, lieux de réunion, logements, passeports ; à centraliser les cotisations versées à l'organisation par les travailleurs algériens résidant en France; à publier, enfin, un bulletin clandestin d'informations : *Vérités pour*. Or, on l'a vu, Jeanson et Sartre s'étaient brouillés à l'automne 1956, à la suite de leurs divergences sur l'analyse de l'insurrection hongroise et la répression soviétique. Jeanson, pourtant, sentait combien la présence de Sartre à ses côtés eût été souhaitable et utile. Mais il y avait eu la brouille, et Jeanson avait des scrupules. « Un matin, écrit-il, l'impatience où j'étais de retrouver cet homme, de me confronter à lui de nouveau, me souffla ce bel argument : *je n'avais pas le " droit "* d'interposer, entre la cause que nous servions et l'un de ceux qui étaient le plus en mesure de la soutenir, je ne sais quels scrupules qui ne regardaient que moi. Nous avions besoin de Sartre : je devais m'adresser à lui, tant pis pour moi s'il m'envoyait au diable [66]. »

A partir de cette décision, quelle stratégie employer pour ne pas risquer l'échec ? C'est Marceline Loridan, l'une des femmes du réseau, qui se chargera de la tâche. Marceline, c'est une solide, une sûre, elle ne badine pas avec la clandestinité, elle en a vu d'autres, et sa prudence est légendaire. D'ailleurs, elle est depuis longtemps l'amie d'Evelyne Rey, une intime de Sartre. Dans un premier temps, donc, Marceline chargera Evelyne de tester la disponibilité éventuelle de Sartre à l'égard des réseaux de soutien, son état d'esprit présent à l'égard de Jeanson. Un rendez-vous est organisé, Marceline se retrouve rue Bonaparte. « J'ai un message important à vous transmettre de la part de Jeanson », commence-t-elle, un peu craintive, tant l'enjeu est fort ce jour-là. « Il a immédiatement accepté de me suivre pour rencontrer Jeanson qui se cachait alors chez moi, raconte-t-elle aujourd'hui. Il m'a demandé des nouvelles de sa santé, s'est inquiété pour savoir si ses crises d'asthme avaient disparu... Nous avons pris un taxi jusqu'à la rue de Chéroy où se trouvait Jeanson, et Sartre a tout de suite dit oui à une collaboration avec nous. Je crois, ajoute-t-elle, qu'il était mûr dans sa tête, que c'était vraiment le moment pour lui de basculer de notre côté [67]. » Francis Jeanson, pourtant, ce jour-là s'attendait au pire : « Resté seul dans l'appartement proche du théâtre Hébertot, raconte-t-il, j'inventai tour à tour, à cette folle démarche, vingt issues différentes. Quand la sonnette de la porte d'entrée retentit enfin selon le rythme convenu, je savais qu'il ne me restait plus qu'à attendre les explications navrées de mon émissaire ; mais c'était Sartre lui-même qui entra dans la pièce et dit : " Alors, comment ça va ? " Puis, sans même me laisser le temps de répondre, il enchaîna : " Vous savez, je suis cent pour cent d'accord avec l'action que vous poursuivez. Utilisez-moi comme vous le pourrez : j'ai des amis, aussi, qui ne demandent pas mieux que de se mettre à votre disposition ; dites-moi de quoi vous avez besoin ! " Quand il repartit, deux heures plus tard, j'avais déjà une interview de lui pour notre journal clandestin, ainsi que quelques adresses qui allaient nous devenir fort précieuses [68]. »

« Il est parfaitement incroyable, disait entre autres Sartre dans cet article qui parut à l'été 1959, que les hommes de gauche puissent se déclarer effrayés par le nationalisme des Algériens... ce qui doit compter pour nous, c'est que le F.L.N. conçoive l'Algérie indépendante sous la forme d'une démocratie sociale et qu'il reconnaisse, en pleine lutte, la nécessité d'une réforme agraire [69]. » Article central, on le verra, et pour plusieurs raisons. D'abord, parce que, dans la hiérarchie sartrienne des opprimés, le colonisé supplante désormais le prolétaire. Ainsi est-il amené à affirmer : « Sur les colonies, le prolétariat n'a eu, longtemps, que des " idées généreuses ". Mais les idées généreuses sont des mots, elles restent parfaitement inefficaces tant qu'elles ne s'appuient pas sur une solidarité réelle d'intérêts... *Aujourd'hui,* les ouvriers français sont solidaires des combattants algériens parce qu'ils ont, les uns comme les autres, l'intérêt le plus urgent à briser les liens de la colonisation [70]. » Article central, surtout, parce qu'il sera repris, un an plus tard, dans des circonstances historiques. Mais n'anticipons pas...

Pour l'heure, cet homme de cinquante-quatre ans, qui s'éveille, travaille et fait entendre le son de sa voix discordante dans une France qui se veut « formidable », devient, par l'appel de Jeanson, une caution, un capital, une valeur dans les combats politiques qui sont en train de se mener. Avoir Sartre dans son camp, c'est avoir avec soi des milliers, des centaines de milliers de suiveurs. Sartre vient donc de basculer dans le soutien actif à un réseau clandestin pour l'indépendance de l'Algérie. Et, à coup sûr, la France ne va pas tarder à sentir le poids de ce soutien.

UN SULFUREUX AMBASSADEUR

Pendant ce temps-là, Sartre arpentait le monde. Dès le début des années 30, il avait souhaité aller à l'étranger, pour y vivre et y enseigner. Hors des frontières françaises, aurait-il plus aisément trouvé sa voie à cette époque? Mais il était resté au Havre, puis à Laon; avait découvert, avec le Castor, le plaisir des voyages touristiques : Italie, Allemagne, Grèce, Maroc même; sans jamais vraiment renoncer à cette boulimie de conquêtes. Connaissance, exploration, conquête, pour lui c'était tout un. Et l'aventure philosophique passait aussi par le voyage. L'Amérique, en 1945, avait été sa première grande expérience de ce type; dans la rencontre de l'autre, de l'inégalité sociale et raciale, il avait alors appris à découvrir le monde. Articles, témoignages, prises de position, engagements prirent donc naturellement le relais des voyages. *Les Temps modernes* devint une revue carrefour, point de passage obligé de ces cultures de l'après-guerre en renaissance un peu partout. Numéros spéciaux sur les U.S.A., l'Italie, l'Allemagne, l'U.R.S.S., les pays de l'Est, la Chine...

Le cycle des grands voyages sartriens commença donc, de fait, beaucoup plus tard que le petit homme ne l'avait escompté; et dans d'autres conditions. Mais c'est bien là, dans ses déplacements de Pékin à Moscou, de Rio à Jérusalem, de Prague à Tokio, de Cuba à Rome, de Stockholm à Belgrade, du Caire à Leningrad que Sartre parvint à « posséder le monde ». Son album de voyages est impressionnant. En moins de vingt années, il devint l'une des personnalités françaises les plus célèbres à l'étranger, un symbole. Peu d'écrivains se taillèrent, dans le monde, ce type de destin-là. Peu d'entre eux voyagèrent en ce sens. Et seul le grand Voltaire, dans ses interminables relations avec Frédéric II de Prusse, Gustave III de Suède, Christian VII de Danemark ou Catherine de Russie, l'avait sans doute précédé dans ce genre de rôle. On suivra, peu à peu, les invitations, les rencontres, les poignées de main de Sartre à Fidel Castro, à Che Guevara, à Mao Tsé-toung, à Nikita Khrouchtchev ou encore au maréchal Tito, pour percer le mystère de ce formidable engouement des pays étrangers, des chefs d'État étrangers à l'égard de l'écrivain français.

En 1930, Sartre avait vivement espéré un poste à Tokyo; c'est avec vingt-cinq ans de retard qu'il s'envola pour l'Extrême-Orient et sa visite en République populaire de Chine, du 6 septembre au 6 octobre 1955, lui ouvrit la porte des grands voyages. Sartre et Beauvoir, invités officiels, firent là leurs vrais débuts de couple voyageur : lui et elle désormais accouplés aux yeux du monde dans ce rôle d'inséparables globe-trotters politiques, lui et elle comme figés dans ces images, laissèrent dans tous les pays visités trace de leurs légendaires silhouettes. Regardons-les côte à côte sourire aux photographes chinois. Elle porte une robe de coton clair à fleurs, col ouvert, boutonnée, en chignon. Lui, en costume foncé, chemise, cravate, plaçant maladroitement ses mains, ou bien courbant la tête, ou bien penchant le buste, jamais vraiment à l'aise. Regardons-les côte à côte dans la tribune assister le 1er octobre 1955 au grand défilé de Pékin qui commémore chaque année l'anniversaire de la proclamation de la République populaire de Chine. Murailles pourpres, toits dorés, drapeaux de soie multicolore, déferlement joyeux des jeunes pionniers, des constructeurs de barrages, des ouvriers et des ouvrières, des paysans, des artistes et des écrivains, représentant toutes les provinces de la Chine. Immenses dragons de papier circulant, ondoyant dans l'air, ballons rouges, verts, bleus, jaunes lâchés par les enfants, acrobates juchés sur des tonneaux : quatre heures durant, Sartre et le Castor assisteraient au spectacle, écouteraient l'hymne national dû à un compositeur chinois contemporain qui avait été l'élève de Paul Dukas, entendraient enfin, sans le comprendre, le discours traditionnel du maire de Pékin : « Nous rendons hommage, disait-il entre autres, à la glorieuse armée populaire qui a libéré notre peuple. » Regardons-les encore saluer Mao Tsé-toung, d'un air cérémonieux, mais sans qu'aucune parole ne soit dite. Regardons-les partager avec le vice-ministre Chen Yi la traditionnelle tasse de thé vert, autour d'une table en bois laqué. Regardons-les enfin sourire au photographe sur le lac de Houang-tcheou, ancienne capitale des Song.

Ce voyage en Chine les avait attirés comme les attiraient toutes les mutations du monde, toutes les expériences naissantes. Ce que le continent chinois était en train d'accomplir, tous les bouleversements qu'il provoquait dans le système de pensée occidental, Sartre et le Castor allaient très vite désirer en voir les manifestations sur le terrain. Et l'on aurait tort, au vu de ces images d'Épinal où ils ne sont rien d'autre que des touristes heureux, de croire que leur voyage se limita à un parcours exotique et pittoresque. En se rendant en Chine, ils allaient, en fait, à la rencontre de l'Histoire; participant, par leur présence, à tout ce qui était en train de se construire là-bas. Déjà, avant de connaître le pays, Sartre avait accepté de rédiger pour le photographe Henri Cartier-Bresson une préface à son livre *D'une Chine à l'autre.* Déjà, avant de découvrir les foules chinoises, les villes chinoises, les campagnes chinoises, Sartre avait lu cet album de photos avec l'avidité d'un explorateur. Et l'avait commenté comme on parle d'un pays connu et aimé, avec science et passion. « Cartier-Bresson, écrivait-il, nous fait partout deviner ce pullulement fantôme, morcelé en constellations minuscules, cette menace de mort discrète et omniprésente. Pour moi, qui aime la foule comme la mer, ces multitudes chinoises ne me semblent ni terribles ni même étrangères : elles tuent mais enfouissent les morts en leur sein et boivent le sang comme un buvard boit l'encre : ni vu ni connu. Les nôtres sont plus irritées, plus cruelles [1]. » Et puis il développait des considérations plus philosophiques, plus politiques. « Entre le temps circulaire de la vieille Chine, notait-il par exemple, et le temps irréversible de la Chine nouvelle, il y a un intermédiaire, une durée gélatineuse également éloignée de l'Histoire et de la répétition : c'est *l'attente...* Aux photos acérées du vieux Pékin, des images lourdes et denses se succèdent. Attente. Quand elles ne prennent pas l'Histoire en charge, les masses vivent les grandes circonstances comme des attentes interminables [2]. » Enfin, contaminé par le virus chinois comme il l'avait été, naguère, par l'Antiquité ou par les hommes illustres, il décidait, impassible : « Cet album est un faire-part : il annonce la fin du tourisme. Il nous apprend avec ménagement, sans pathétique inutile, que la misère a perdu son pittoresque et ne le retrouvera plus jamais [3]. » Retrouvèrent-ils, avec leur interprète et guide Mme Cheng, ces artisans du vieux Pékin, ces vieilles servantes des grandes villes? Et lorsqu'ils furent présentés à des intellectuels locaux surent-ils à ce moment-là vraiment communiquer avec eux? « Ni le nom de Sartre ni le mien, expliqua pour sa part Simone de Beauvoir à son retour, ne signifiaient rien pour eux – à part deux ou trois spécialistes de littérature française –; les journaux signalèrent que Sartre venait d'écrire une " vie de Nekrassov ", et nos interlocuteurs témoignaient souvent pour cette œuvre un intérêt poli; puis on parlait de gastronomie. Plus encore que les contraintes politiques, cette réciproque ignorance gêna nos conversations [4]. » En effet, en 1955, la Chine « méconnaîtra » ces voyageurs de marque. Mais ni par insolence, ni par perversité : simple question d'ouverture.

« Ce qui caractérise la Chine aujourd'hui, expliqua Sartre sur les ondes de la radio française à son retour de Pékin, c'est que le mur de la solitude a été brisé. Nulle part je n'ai vu cette sollicitude de chacun pour tous, une pareille solidarité... Les professeurs manquent? Qu'à cela ne tienne. Chaque Chinois qui vient d'apprendre à lire enseignera la lecture à un autre Chinois. Ainsi, car on pourrait citer mille autres exemples, ces masses, où l'on n'a su voir parfois qu'une fourmilière, sont brassées par de puissants mouvements concentriques, elles s'éduquent elles-mêmes, elles approfondissent leurs liens, elles élèvent en même temps le niveau de la production et le niveau de l'amitié, elles s'émancipent. C'est cette impression que je garde avant tout de la Chine, c'est que l'amitié est *l'envers* d'une nécessité économique, elle y est le moteur de la production [5]. » Comme il le fit lors de son voyage en U.R.S.S. durant l'été 1954, comme il le fera au cours de ses voyages à venir, Sartre montra à l'évidence une certaine complaisance à l'égard du pays visité, des réalisations qu'on lui avait montrées dans ce circuit touristico-politique. Il reviendra de Chine, enthousiaste certes, complaisant sans aucun doute, mais gardera, peut-être plus qu'à d'autres occasions, une distance critique par rapport à cette expérience. Même si le peuple chinois, même si les masses chinoises sont pour lui, en 1955, le héros positif par excellence qui porte tous les espoirs des révolutionnaires du monde entier. Écoutons Sartre à nouveau : « Entre les deux guerres mondiales, la Chine, exploitée par le capitalisme étranger, écrasée par une féodalité imbécile, ravagée par l'invasion japonaise, avait perdu confiance en elle-même. Il faut avoir été là-bas pour deviner l'amertume qui se cache sous l'objectivité de cette phrase célèbre : " Nous sommes économiquement et intellectuellement arriérés " [Mao Tsé-toung] [6]. » D'ailleurs, dans ses retours de Chine, Sartre n'eut de cesse d'opposer la révolution soviétique à la révolution chinoise : « L'U.R.S.S. n'a jamais été un pays colonial, expliqua-t-il par exemple, elle s'est industrialisée pour défendre la révolution. Mais la Chine a subi la colonisation; demain, elle peut la subir encore : elle s'industrialise en tout état de cause, parce que c'est son unique défense contre le colonialisme [7]. »

Tandis que Sartre rendait compte de sa visite par des déclarations, des discussions ou des articles, le Castor, pour sa part, avait entrepris de raconter ces quatre semaines chinoises dans un ouvrage entier intitulé *La Longue Marche*. Ce qu'ils avaient saisi là, dans ce premier voyage? Que la révolution chinoise était l'un des plus formidables événements politiques du XXe siècle, l'un des grands mouvements de bascule de l'Histoire du monde, l'acte de naissance d'une petite moitié de la planète. Et que l'Histoire de l'Occident était en train de s'éveiller lentement à l'Histoire d'un autre monde, plus complet celui-là. A la différence de la révolution soviétique, la révolution chinoise, elle, parlait d'autres continents, d'autres peuples. Et entraînait dans son sillage tous ses frères d'Afrique et d'Asie exploités, éteints ou méconnus. Ce voyage-là fut le premier éveil du futur Sartre tiers-mondiste, sensibilisa les deux voyageurs à tous leurs combats à venir.

Aujourd'hui, en 1985, de toute l'œuvre sartrienne, seuls un chapitre de la *Critique de la raison dialectique*, une ancienne version de *La Putain respectueuse* et quelques extraits de romans – publiés dans des revues littéraires – sont traduits en chinois. Tous ces textes restant, d'ailleurs, introuvables en librairie, et bien souvent même en bibliothèque. En avril 1983, le journal *Clarté* – le journal des intellectuels chinois – et *Le Quotidien des ouvriers* consacrèrent une série d'articles à l'existentialisme. « De l'arsenic sous du miel », expliquèrent-ils en guise de définition, de condamnation presque. Néanmoins, et avec quarante ans de décalage, apparut donc dans le vocabulaire, dans les conversations des Chinois, « ce mot nouveau en Chine, et que certains admirent, l'existentialisme [8] ». Au début de l'année 1981, on a monté pour la première fois une pièce de Sartre en Chine : *Les Mains sales*. « Dès que la représentation fut à l'affiche, explique Yao Guoqiang, un intellectuel de Fudan, en moins de deux heures, les billets pour trois soirées furent vendus [9]. » Le public fut attiré, semble-t-il, par un mouvement de curiosité spontanée pour Sartre ; de vives discussions s'engagèrent autour de la personnalité du philosophe, de ses comportements, de ses prises de position : l'intellectuel surtout semblait intéresser le public chinois et prenait le pas sur l'écrivain. « Un ami du peuple chinois est mort », annonça l'agence Chine nouvelle le 15 avril 1980. C'était un peu laconique, et peut-être le faire-part de décès le plus court du monde entier. Mais Sartre n'était-il pas parvenu, par ses activités politiques, à compenser l'absence de ses œuvres en Chine pour provoquer autour de son nom, trente ans après son premier voyage, un formidable engouement autour de sa personne?

Cinq ans après la Chine, c'est une tout autre échelle. Un autre pays en mutation sollicite à son tour la présence des deux voyageurs : Cuba. Du 22 février au 21 mars 1960, Sartre et Beauvoir, invités par l'hebdomadaire *Revolución*, reçoivent les honneurs de la jeune révolution cubaine. C'est comme si, leur présentant officiellement l'enfant sur les fonts baptismaux, on proposait au couple de devenir parrain et marraine de l'aventure naissante : garants, caution aux yeux du monde entier dans leur approbation de l'expérience cubaine. « Ce que nous faisons vous concerne : vous devez venir voir notre révolution en construction », leur avait dit à Paris le journaliste Franqui. Ils débarquèrent dans l'île vers la fin de cet hiver-là : Sartre reconnut-il des lieux, malgré le bouleversement politique? Déjà, en effet, avec Dolorès, il avait visité l'île pendant l'été de l'année 1947, dernier voyage dans les Caraïbes avant la rupture. A l'époque, l'île de Cuba encore dominée par la dictature de Batista n'avait pas à s'enorgueillir de la situation socio-politique de ses planteurs de canne à sucre ou de tabac; l'une des plus catastrophiques de la région. Huit ans plus tard, Sartre rencontra Fidel Castro, Raoul Castro et Che Guevara, ministre de l'Économie. Et il congratula, aux yeux du monde entier, ce jeune avocat de trente-trois ans qui, avec une poignée d'étudiants et d'intellectuels, venait de prendre le pouvoir dans l'île au terme d'une guérilla de six ans. Comment, d'ailleurs, l'image du nouveau Sartre voyageur aurait-elle pu rester occultée? Les poignées de main et les accolades du géant barbu, frisé, battle-dress et cigare énorme, au petit philosophe en costume bourgeois, tout sourire et émerveillé, ont, bien sûr, circulé partout, transportant le poids de cette caution sartrienne au régime cubain.

Tout, en effet, dans l'expérience cubaine, était de nature à séduire le philosophe : tentative de démocratie directe dans une île essentiellement paysanne, qui se réveillait de nombreuses années de colonialisme espagnol, puis de dictature. Défi prodigieux, défi suprême à l'impérialisme américain, et qui plus est dans un territoire situé à quelques kilomètres à peine de ses propres frontières. Entre le jeune étudiant en droit, sa poignée de camarades et les banquiers américains d'en face, Sartre mesurait sans mal la disproportion et, sans doute, appréciait l'allégorie du maître et de l'esclave. Et les jeunes gens politisés dans le romantisme d'extrême gauche du début des années 60, dans les universités européennes ou américaines, virent apparaître avec la révolution cubaine l'exemple par excellence de la révolution la plus démocratique, la plus culturelle, la plus emblématique, acquise, de plus, sous le signe de la joie, de la fête. Le charisme de Fidel Castro, sa fougue, ses longs discours qui duraient trois, parfois quatre heures et parvenaient à entraîner derrière lui ces *campesinos* avec leur machette qu'il formait et convainquait sans trêve. « Dès aujourd'hui, je veux assurer le peuple et les mères cubaines, déclarait-il par exemple, que je ferai tout ce qui est en mon pouvoir pour résoudre tous les problèmes sans verser une goutte de sang. Je peux garantir aux mères cubaines que jamais ici un seul coup de fusil ne sera tiré par notre faute [10]. » Discours épiques, discours historiques au cours desquels le leader cubain galvanisait son peuple, parlant de lui, parlant d'eux, parlant des perspectives communes, séduisant à la fois les paysans cubains et les gauchistes occidentaux. « Je ne suis pas un militaire de carrière, expliquait-il encore dans une manière de confession officielle. Quand j'aurai terminé ma tâche ici, je me retirerai pour m'adonner à d'autres occupations. Et, sincèrement, je ne crois pas que ma présence soit indispensable ici. De toute façon, je ne crois pas être indispensable à la solution des problèmes militaires. Et puis, j'ai de tout autres ambitions [11]. » De telles allégations, de telles promesses, de tels emportements romantiques pouvaient-ils laisser Sartre insensible?

Il ne le fut bien sûr pas. D'ailleurs, à ces discours du « premier Castro » s'ajoutèrent durant le mois de février 1960 les visites sur le terrain : plantations de canne à sucre, plantations de tabac, rencontres avec des paysans, avec des politiques, avec des étudiants, avec des journalistes. Déclarations, conférences, questions, échanges : ce fut la fête sartro-cubaine... « Peut-on faire une révolution sans idéologie? », lui demanda un étudiant, au cours d'un débat à l'université de La Havane. Sartre répondit, incisif, comme à son habitude, puis se rendit compte des lacunes que comportait sa réponse et décida d'y réfléchir plus à fond. Le journal *Lunes de revolución* lui ouvrit donc ses pages, et Sartre écrivit, d'une traite, un article qui parut le jour de son départ et qui était intitulé : *« Ideología y revolución »*. Véritables travaux pratiques appliqués à la révolution cubaine, cet article tenta d'établir des liens entre l'exposé théorique des thèmes de la *Critique de la raison dialectique* et la pratique castriste. Exercice de virtuosité sartrienne : Sartre y confrontait les questions abstraites de son gros traité philosophique aux réalisations concrètes de la révolution cubaine qu'il était en train d'observer. Autocritique de ses comportements trop intellectuels : il en profita pour revenir sur ses propres a priori parisiens. « Il y a quelques mois, expliqua-t-il, des amis cubains sont venus me voir, à Paris; ils m'ont longuement parlé, avec chaleur, de la révolution, mais c'est en vain que j'ai essayé de leur faire dire si le nouveau régime serait ou non socialiste. Je dois reconnaître aujourd'hui que j'avais tort de considérer le problème ainsi; mais, lorsqu'on est loin, on est un peu abstrait et on a tendance à employer des grands mots qui sont maintenant des symboles plus que des programmes [12]. » Le normalien, l'agrégé de philosophie, l'Européen saturé de concepts, d'abstractions, de mots, était-il en train de prendre, là, à l'âge de cinquante-cinq ans, et dans ce microcosme idéal qu'était Cuba, sa première leçon de pratique politique?

« J'ai vu Fidel à la tribune et le peuple debout devant lui.

Castro a parlé, le crépuscule est tombé sur ces visages sombres, puis la nuit est venue... » Le philosophe mêle ses expériences, les anecdotes du récit de voyage à son analyse, enchevêtre questions, descriptions, prises de conscience, essayant d'analyser le phénomène cubain qui, commencé sous la forme d'un putsch, « a vu disparaître ses objectifs l'un après l'autre, en découvrant chaque fois des objectifs plus nouveaux, plus populaires et plus profonds, en un mot, plus révolutionnaires ». Le philosophe cherche à comprendre, à confronter, à jauger. Le philosophe interroge son nouveau capital ; l'expérience directe, la rencontre de révolutionnaires en état de marche, et il s'informe, il reprend ses théories parisiennes, les modifie, les transforme, les ajuste, pourrait-on dire : « J'ai cru découvrir dans l'histoire de vos luttes la rigueur inflexible d'une idée », confesse-t-il au détour d'une phrase. Ou encore, ailleurs : « C'est alors que j'ai compris que l'ennemi, avec ses manœuvres, ne faisait qu'accélérer un processus interne qui se développait selon ses propres lois [13]. » Excès de naïveté procubaine ? Émotion spontanée et hâtive devant une expérience politique à laquelle il attribue lui-même le qualificatif d'« héroïsme romantique » ? Ou bien encore, faudrait-il ne voir là que la énième étape du paradoxe sartrien qui aima toujours renverser la relation maître-élève, et qui fut tellement galvanisé lorsqu'il put apprendre de ses élèves havrais, de ses élèves parisiens, de ses amies, de ses camarades cadets ? On se trouve, de fait, face à une constante de la personnalité sartrienne : fascination à épisodes pour le mythe du recommencement, le mythe du nouveau, le mythe de la jeunesse. Avec l'âge, d'ailleurs, ces fascinations vont s'accentuer, et l'homme Sartre de soixante, de soixante-dix ans sera séduit par des interlocuteurs, des compagnons de vingt, de vingt-cinq ans. Comme par nécessité, et de plus en plus.

« Le régime issu de la révolution cubaine est une démocratie directe... La révolution cubaine est une véritable révolution [14]. » Lors du retour à Paris ses propos furent clairs. Il voulait sans doute parler des fêtes du dimanche soir, soirées de carnaval ; de cet enthousiasme de la population qui le reconnaissait dans la rue ; de cette presse si favorable à son égard ; de ces représentations de sa pièce *La Putain respectueuse* qui était alors à l'affiche ; de ses rendez-vous nocturnes avec les hommes politiques : oui, et sans le moindre doute, Sartre le spontanéiste fut touché par l'euphorie cubaine, galvanisé par la jeunesse de ses leaders, emballé par ce qui était de l'ordre de la construction quotidienne dans le délire du rhum blanc, de la musique antillaise et de la liesse générale. « C'est la lune de miel de la révolution », confiait-il alors au Castor [15]. Il eut même quelques textes franchement lyriques pour décrire cette expérience cubaine. Écoutons par exemple ces quelques lignes : « Les Cubains s'étaient l'un après l'autre endormis, mais Castro les unissait dans une même nuit blanche : la nuit nationale, *sa* nuit... Je les regardais, sombres, la tête haute, appliqués à tout comprendre... [Cette nuit-là, Castro et moi] nous parlâmes longtemps et, je dois le dire à ma honte, c'est moi qui demandai grâce vers une heure du matin. Le sommeil m'abrutissait, je ne comprenais plus rien. On donna, par courtoisie, le bureau climatisé à Simone de Beauvoir. Tous les autres habitants du palais gouvernemental allèrent coucher dans la chambrée. Tous, non. Castro, Raoul et Célia manquaient à l'appel. Célia revint la première, à deux heures du matin. Raoul, à deux heures et demie. Je ne dormais pas. Je m'étais étendu tout habillé sur le lit et je m'accommodais mal de la couverture, un peu courte à mon gré. Et puis il y avait le long des fenêtres grillagées et sans vitre un étrange et continuel friselis : les insectes; agitée par des myriades d'ailes transparentes, la nuit frissonne jusqu'à l'aube; de temps en temps, le meuglement d'un crapaud-buffle montait des marais. Vers trois heures un quart, Castro entra [16]. » Texte étrange, tout bruissant d'émotions emphatiques, de couleur locale, de fusion épique, d'intimité révolutionnaire, étonnant pourtant sous la plume de Sartre, tellement sentimental, tellement esthétique, sans grande distance critique avec son sujet... Sartre fut-il à ce point ivre de Cuba, qu'il en perdit son style et ses grincements personnels? Les reportages qu'il consacra, de fait, à son retour et pour *France-Soir,* sous le titre « Ouragan sur le sucre » étonnent par leur caractère anecdotique, leur simplicité, leur mièvrerie même. Dans le genre « Castro raconté aux enfants » Sartre excelle; et pourtant, où est-il? Panégyriques constants, discours officiels, pauvreté dans l'analyse, on retrouve la médiocrité du Sartre grand reporter. Déjà l'Amérique-1945, l'U.R.S.S.-1954, racontées par le philosophe, avaient donné lieu à des articles du même type : la fameuse complaisance?

Quelques thèmes, pourtant, émergent de cet ensemble, et qui méritent peut-être qu'on les rappelle : le thème de la jeunesse, par exemple, et tous les éléments qui s'y rattachent, comme cette mythologie de l'énergie, de la passion, de la force vitale. Écoutons un peu Sartre dans ces passages où ses propres fascinations pour la jeunesse l'emportent peut-être sur toute autre considération idéologique. « Pas de vieux au pouvoir! écrit-il notamment dans un article daté du 9 juillet. De fait, je n'en ai pas vu un seul parmi les dirigeants; tournant dans l'île, à tous les postes de commande et d'un bout à l'autre de l'échelle, j'ai rencontré, si j'ose dire, mes fils. » Parmi ces fils de Sartre, entre autres, Che Guevara, ancien commandant de l'armée rebelle, devenu, après la prise du pouvoir castriste, président de la Banque nationale cubaine. « C'était l'homme le plus cultivé, raconte Sartre, et, d'après Castro, une des intelligences les plus lucides de la révolution. Je l'ai vu : la douceur et l'humour dont il fait preuve envers ses invités, il faudrait être fou pour croire qu'il les emprunte les jours de réception... Ces jeunes gens rendent un culte, d'ailleurs fort discret, à l'énergie, tant aimée de Stendhal... Veiller est une passion... ils veillent sans motif... De tous ces veilleurs de nuit, c'est Castro le plus éveillé [17]. » Et Sartre de rappeler son étonnement lorsque Ernesto Guevara lui donna rendez-vous à minuit dans son bureau, ou Castro à deux heures du matin ailleurs. Pour cet obsessionnel que pouvait être Sartre, la dimension de la lutte contre soi-même, contre le sommeil, contre le repos ne pouvait pas, non plus, ne pas réveiller des échos, mais des échos tout personnels. Aussi chemina-t-il au cœur de la révolution cubaine, séduit par ces nouveaux fils qu'il venait de se trouver, distribuant ses analyses, ses enthousiasmes, ses conseils, reprenant ses attaques contre le régime gaulliste, contre la colonisation algérienne, contre l'impérialisme américain.

Côté jardin, donc, ce fut fête, ivresse et lune de miel. Sur place, il ne ménagea pas ses louanges. Rentré à Paris, il effectua son travail de propagandiste complaisant, un peu maladroitement peut-être, mais sans la moindre ambiguïté, et dans une perspective très pro-cubaine. Côté cour, pourtant, on entendit des grincements de dents : certains Cubains, et non des moindres, n'auraient pas vraiment apprécié le côté « donneur de conseils » qu'il sembla afficher souvent, on murmura même que dans l'entourage du chef du gouvernement certains s'étaient montrés lassés de son attitude éternellement supérieure et pédante; que Fidel en personne s'était déclaré, parfois, exaspéré... On répéta, dans certains cercles, que le « Che » aurait même déclaré, avec une certaine amertume : « Si Jean-Paul Sartre fait la philosophie de la révolution, ce sont les Cubains qui la vivent, qui la réalisent et qui n'ont pas le temps d'en faire la théorie [18]. » Plus naturelles, certainement, furent les exaspérations des milieux officiels français sur l'île, qui trouvèrent d'un goût douteux cette visite antifrançaise qu'ils n'avaient nullement cautionnée. D'ailleurs, tout le monde trouva étrange le refus affiché par Sartre de répondre à toute question qui tournait autour de l'existentialisme, cette insistance à répéter qu'il n'était pas venu là pour parler de littérature... Malgré tous ses efforts pour combattre son image d'écrivain, malgré ses décisions de passer à un autre cycle, les directions de sa vie ne sont pas encore acceptées par le public.

Grincements, encore et surtout, dans les milieux américains. Le document du F.B.I., avec mention « secret », signala la visite, signala encore le dangereux soutien accordé par le philosophe au régime cubain : « En février de l'année 1960, Sartre et sa femme se sont rendus à Cuba, sur l'invitation du gouvernement cubain. Sartre écrivit un livre intitulé *Sartre sur Cuba,* et un article qui avait pour titre : " Idéologie et révolution ". Il signa des appels, fut l'un des coorganisateurs de campagnes procubaines à destination de la presse, se proposa d'envoyer la " Vérité sur la révolution cubaine " à tous ceux qui désiraient s'informer, contribua à organiser, enfin, des voyages à Cuba pour des groupes d'étudiants favorables au régime. Sartre décrivit la révolution cubaine comme la plus originale qu'il ait jamais connue, et traita les États-Unis de nation acéphale [19]. » Sartre et celle que les agents secrets s'obstinaient à nommer « sa femme » rentrèrent donc à Paris à l'orée du printemps de cette année 1960. Ils n'eurent pas beaucoup de temps pour prendre connaissance des informations de plus en plus alarmantes qui provenaient d'Algérie.

Le soutien à l'expérience chinoise, à l'expérience cubaine rejoignait en effet le combat que menait Sartre avec ses amis français pour l'avènement d'une Algérie indépendante. Tous ces foyers d'émancipation anticoloniale, plus ou moins proches de lui, Sartre allait les soutenir indistinctement et spontanément, avec l'évidence que c'était là, alors, pendant l'année 1960, que se trouvait la vérité. Un problème de conscience se posa à lui au début de l'été : sa présence aurait été utile en France pour le procès des réseaux de soutien au F.L.N. algérien; or il avait promis au romancier Jorge Amado de se rendre au Brésil pour un voyage politique de trois mois. Il pesa le pour et le contre, en parla autour de lui, puis prit sa décision : sa présence auprès des masses brésiliennes était justifiée par ses récentes prises de position procubaines, et c'était un combat qu'il souhaitait poursuivre, une découverte qu'il voulait approfondir. D'autre part, à Paris, ses amis des *Temps modernes* le relayaient parfaitement, en un réseau solide, fiable et sans risque. Aussi Sartre décida-t-il en l'occurrence que sa présence était plus urgente en Amérique du Sud qu'à Paris. Il s'envola pour le Brésil, toujours bien sûr avec le Castor pour la troisième grande étape de leur découverte du monde : elle dura du 15 août au 1er novembre 1960.

« Venez vous rendre compte au Brésil des problèmes concrets que rencontrent les pays sous-développés », avait dit à Sartre et à Beauvoir l'écrivain brésilien Jorge Amado, lors d'un séjour à Paris. Le voyage au Brésil fut le plus long et le plus politique de tous leurs voyages : Jorge Amado et sa femme organisèrent un programme de visite absolument systématique du pays, dans une perspective touristico-politique extrêmement élaborée. Sartre et

Beauvoir furent donc initiés à l'économie, à l'architecture, à la littérature, à la démographie, à la gastronomie, à la politique, à l'agronomie brésiliennes. On leur montra des plantations de tabac, de café, de cacao, des centres de forage de pétrole, des marchés populaires, des villes ultra-modernes. Ils virent des favellas, des fazendas, des vaqueiros, furent initiés au candomblé et burent des batidas. Ils visitèrent Recife, Bahia, Olinda, Copacabana, Rio, Brasilia, São Paulo, Araraquara, Fortaleza et l'Amazonie. Ils eurent même droit à des coiffures de plumes, à des arcs et des flèches gracieusement offerts par des Indiens. Ils rencontrèrent toutes les personnalités brésiliennes dans tous les domaines professionnels, l'architecte Oscar Niemeyer et le président de la République Kubitschek, l'éditeur Rubem Braga, le peintre Di Cavalcanti, les écrivains Paulo Freire et Josué de Castro et d'innombrables étudiants, universitaires, journalistes, ouvriers de toutes spécialités, dockers ou professeurs d'écoles de samba, ils pénétrèrent dans tous ces milieux ruraux auxquels les avait déjà initiés la lecture des romans de Jorge Amado, des essais de Paulo Freire [20].

« Je veux être au Brésil l'anti-Malraux, pour effacer ce que celui-ci y a fait en mettant la culture française au service de la guerre d'Algérie. » En arrivant à Bahia, Sartre ne cache rien des intentions profondes de son voyage brésilien qui, pourtant, commence à peine. Car André Malraux, l'ancien grand voyageur vers les terres d'Orient, l'ancien pilote révolutionnaire de la guerre d'Espagne, l'écrivain André Malraux était devenu entre-temps, depuis le 27 juillet 1958, ministre délégué à la présidence du Conseil, chargé « de l'expansion et du rayonnement de la culture française ». A ce titre, André Malraux avait donc effectué durant l'été de l'année 1959 de grands voyages de propagande en Amérique latine : en Argentine, en Uruguay, au Pérou, au Mexique, au Brésil, il avait donné des conférences, prononcé des déclarations, écrit des articles, prêchant partout la politique gaulliste, justifiant partout le maintien salutaire de la puissance française en Algérie. « Huit cent mille Français et un million d'Arabes ont choisi la France, face à trente mille fellaghas qui pensent que l'Algérie c'est le F.L.N. », avait-il déclaré par exemple à Buenos Aires, en confirmant ses positions par des formules sans équivoque, comme : « Abandonner l'Algérie signifierait qu'on laisse assassiner ceux qui nous sont fidèles. La France ne les laissera pas assassiner [21]. » Les tournées de propagande gaulliste du ministre de la Culture avaient été organisées à grands frais par le Quai d'Orsay; et tous les ambassadeurs, consuls, conseillers et attachés culturels français d'Amérique latine avaient mis la main à la pâte pour que ce voyage fût réglé de la manière la plus efficace possible. Les tournées de propagande antigaulliste du contre-ministre de la Culture Sartre allaient être organisées au contraire par tous les centres culturels, institutions, universités, associations politiques et syndicales, facultés et instituts, éditeurs et journalistes, libraires et groupements, bref par tout ce que le Brésil comptait à la gauche et à l'extrême gauche de l'échiquier politique. Ces sympathisants aux mouvements de décolonisation tentaient de construire leur route de par le monde : Sartre, bien sûr, dans ce contexte, fut leur homme. Et son voyage, point par point et rigoureusement, l'antithèse de celui de Malraux. Car Sartre se comporta, au Brésil – comme il l'avait fait six mois plus tôt à Cuba –, comme le plus honnête et le plus violent des contre-ambassadeurs de la République française. Il s'inventa un nouveau rôle, une nouvelle fonction, s'attribua à lui-même le plus officiel et le plus sérieux des portefeuilles ministériels : celui qui consistait à sabrer haut et fort, à attaquer et à pourfendre tout ce qui pût, même de très loin, porter l'étiquette de « gaulliste ». « De Gaulle est un mystificateur, déclara-t-il publiquement à Rio. Malraux est ministre du roi, et non ministre. D'ailleurs, la culture n'a pas besoin de ministre. » C'était, pour le moins, dire les choses sans ambage !

Parmi les thèmes qu'il traita au cours de ses innombrables conférences et tables rondes, celui de la guerre en Algérie revint, bien sûr, avec la plus grande régularité. D'ailleurs, le représentant du G.P.R.A. pour le Brésil, qui résidait à Copacabana, demanda à le rencontrer. « Nous nous sommes entretenus sur la propagande en faveur des Algériens, explique Sartre, nous étions parfaitement d'accord [22]. » En effet, lors de sa conférence de presse, à São Paulo, lors de son discours sur « les jeunes et le monde actuel » à l'école pauliste de médecine, lors de ses déclarations publiques à l'Institut supérieur d'études brésiliennes de Rio de Janeiro, partout, il enfonça le même clou algérien. « Il n'y a qu'une solution définitive pour l'Algérie, déclara-t-il par exemple à São Paulo : c'est l'indépendance. L'autodétermination peut être encore le moyen par excellence de résoudre le problème, à condition que des garanties réelles soient données au F.L.N. » Ou encore, à Rio : « La guerre d'Algérie est entretenue par des groupes étroitement liés aux colons, cette population comparable aux ex-planteurs de Cuba. » Et, poursuivant le parallèle entre la situation algérienne et la situation cubaine, il ajouta : « C'est la raison pour laquelle, moi Français, je vous parle d'une tare nationale que nous n'avons pas le droit de taire. Nous autres, vieux Européens, si nous voulons demeurer les amis des jeunes nationalismes, nous devons retrouver notre tradition d'internationalisme, alors que les pays sous-développés ne peuvent grandir qu'en affirmant leur propre nationalisme [23]. » Cette conférence à l'université de São Paulo rassembla plus de mille cinq cents personnes : ce fut un véritable raz de marée, comme aux beaux temps de l'existentialisme, comme dans la salle de la rue Jean-Goujon. Les gens, des étudiants principalement, se précipitaient à l'intérieur de la salle, prenant d'assaut les chaises, enfonçant les portes, envahissant l'estrade. Après que Sartre eut présenté son propre point de vue, puis celui du F.L.N., certaines questions fusèrent. L'une d'elles, posée en français, défendait l'Algérie française. L'homme fut sifflé, conspué, et la séance se termina, dans le plus grand vacarme, en une grande manifestation pour les Algériens et l'indépendance définitive. Ailleurs, critiquant les syndicalistes brésiliens, Sartre les poussa dans leurs retranchements, les exhortant à l'action militante, allant même jusqu'à mettre en cause ce qu'il semblait considérer comme une forme de passivité, de lâcheté, face au problème algérien : « Qu'avez-vous fait en faveur de la liberté du peuple algérien?, leur dit-il. Rien, jusqu'ici. Que voulez-vous faire? Que pouvez-vous faire pour l'aider dans sa lutte? Et trouvez-vous normal que vos représentants à l'O.N.U. appuient le gouvernement français sur ce problème capital? » Les feux posés par Malraux pendant l'été 1959 avaient-ils été si violent pour que les contre-feux sartriens de l'été 1960 fussent à leur tour de cette veine incendiaire?

Dans les harangues et les discours de tribun, le parallèle Cuba-Alger se poursuivit ; mais certains journalistes crurent sentir dans les positions sartriennes une légère inflexion depuis ses discours cubains, de quelques mois antérieurs. « Il fit l'éloge de la révolution cubaine dans son principe, lut-on dans certains articles, et non plus celui de Fidel Castro. Il fit profession de foi marxiste, critiqua les actuels tenants du marxisme et émit le souhait que les jeunes d'aujourd'hui parviennent à introduire une certaine anarchie dans le marxisme. » Et, reprenant inlassablement l'exemple cubain, il ajouta : « Le problème de Cuba, c'est la terre et le paysan... Ce qui est différent au Brésil, où vous ne l'avez pas encore résolu... Pour que la révolution cubaine prenne tout son sens, il est nécessaire que toute l'Amérique latine la considère comme le " chemin cubain " vers l'indépendance. En conséquence, sa pleine réalisation dépend de la solidarité complète de tous les pays latino-américains... Cuba est le point de départ et pour la première fois ce problème de solidarité totale des pays d'Amérique latine contre l'impérialisme américain se pose [24]. » Mesurait-il pourtant les conséquences de ses discours? Les dangers de ses propositions de révolution anarcho-marxiste et totale en Amérique centrale? En fait, emporté par son élan, il se fit l'interprète –

prestigieux – des propres discours de ses hôtes, le messager – prestigieux – de leurs propres messages.

Toujours sur sa lancée, et cavalcadant de plus belle, il se mêla bien sûr de problèmes intérieurs brésiliens, analysant, proposant, conseillant, théorisant même parfois. « A mes yeux, déclara-t-il notamment à São Paulo devant un public de douze cents personnes, le Brésil est la démocratie la plus complètement occidentale et en même temps une dictature de dix millions de personnes qui vivent dans des villes... en profitant de l'extraordinaire croissance industrielle, sur soixante millions de personnes qui vivent en province dans la misère la plus absolue... L'impression laissée à un Français est que tout le monde, au Brésil, est de gauche. » Distribuant ses bons points, statuant librement sur les uns et les autres, offrant à tout un chacun ses récentes observations de terrain, ses chiffres tout frais ou ses références philosophiques longuement mûries dans un patient travail de catalyse interne et de retour sur soi, le petit homme allait, semant les graines de son savoir, provoquant les uns, galvanisant les autres, arpentant le continent américain de ses mots enflammés qui couraient telles des bottes de sept lieues de Washington à Cuba, et de Miami à Rio, sans limites, sans trêve, en toute liberté et en toute assurance, comme s'il s'était toujours agi pour un intellectuel européen de venir, en allié, renforcer par sa présence et sur leur terrain syndicalistes, politiques et étudiants des pays en voie de développement. Signe, même, de l'immense succès qu'il remporta : le journal *Ultima Hora* venait de traduire en brésilien, puis de publier son reportage sur Cuba, « Ouragan sur le sucre », que *France-Soir* venait de sortir en France. Un éditeur brésilien réussit le tour de force d'en faire un livre en quelques semaines : et ce petit livre cubain de Sartre fit l'objet, à la librairie française de São Paulo, de la plus affolante des séances de signatures : plus de mille cinq cents personnes se ruèrent dans la boutique, Sartre s'exécuta au cours de longues heures de paraphes, et Simone de Beauvoir fut également priée d'accoler son nom à celui de son compagnon...

A l'arrivée à l'aéroport de Recife, Sartre et Beauvoir avaient été accueillis comme des stars, par des nuées de photographes, d'admirateurs, de journalistes. A l'atterrissage sur l'aéroport de São Paulo, où il y avait également foule, ce fut presque une manifestation politique. « Cuba si, Yankee no », disaient les pancartes. « Viva Sartre, Viva Castro », clamaient les étudiants. Plus de mille cinq cents personnes vinrent écouter sa conférence sur l'esthétique à la faculté de philosophie scientifique et littéraire de São Paulo. Plus de mille personnes assistèrent, à la faculté de philosophie de l'université d'Araraquara, à sa conférence sur « les jeunes et les problèmes du monde actuel ». Plus d'un millier de journalistes, également, lors de la table ronde consacrée, à l'Institut supérieur d'études brésiliennes de Rio, à des questions purement politiques. Plus de cinq cents personnes, enfin, dans le salon du recteur de l'université de Bahia, où Sartre les entretint de considérations philosophiques. Un enthousiasme, un déchaînement qu'aucun autre visiteur ne semblait avoir été en mesure de provoquer auparavant. Plus de deux cent cinquante articles dans la seule presse de São Paulo et pour la seule semaine que Sartre y passa. « Une place sans commune mesure, note un haut responsable français, une audience que les Brésiliens réservent généralement aux plus importantes personnalités de passage. Les innombrables articles attestent d'ailleurs l'importance passionnée que la presse et le public ont donnée à cette visite. L'excès même des déclarations de l'écrivain sur les grands problèmes de l'heure a servi cette exceptionnelle publicité... Le snobisme a également joué son rôle ainsi que les outrances auprès des jeunes d'extrême gauche. » Quant à la presse brésilienne, si elle fut bavarde, ses réactions restèrent fanatiques ou excessivement critiques, selon la couleur politique qu'elle défendait. « Ce matérialiste athée, malgré tout son talent, expliquèrent entre autres *A Gazeta, O Correio Paulistano, O Dia, O Diario de Comercio e Industria,* n'est pas dans la lignée des hommes du XVIIIe siècle... Le Brésil n'a pas besoin de donneurs d'idées étrangers... ni de dangereux propagandistes révolutionnaires. » Le *Diario Carioca,* de Bahia, parla pour sa part d' « hystérie sartrienne », tout en expliquant que le « phénomène n'était nullement explicable, puisque Sartre n'était plus qu'une ombre en Europe ». Le *Jornal do Brasil* renchérit, en « déplorant le cirque » et en regrettant que « l'un des écrivains les plus en vogue ait pu venir faire impunément en terre étrangère la critique de son pays et de son gouvernement ». Mais il y eut, aussi, des journaux enthousiastes, comme *Ultima Hora* qui fit un éloge dithyrambique des interventions du philosophe et notamment lors des tables rondes avec les dirigeants syndicalistes. « Si Sartre restait deux ans au Brésil, écrivirent-ils notamment, cela changerait les destinées de notre pays, le syndicalisme prendrait conscience de son destin. »

Dans l'excès de passion, dans l'excès de haine, la presse brésilienne fit donc son travail, comme Sartre avait fait le sien, suivant comme elle pouvait les poignées de grenades incendiaires que le petit homme avait jetées sur son chemin. Est-il encore utile d'ajouter que les officiels français virent d'un mauvais œil ce voyage, écrivirent des notes détaillées à leur ministre des Affaires étrangères, et constituèrent des dossiers absolument énormes sur les moindres détails du voyage? Comme si, par ces gestes, ils avaient pu contenir les excès sulfureux, le charisme incontestable, les harangues enflammées. D'ailleurs, chacun annonçait que Sartre était déjà réinvité au Brésil pour le printemps 1961, pour une deuxième session... Personne, pourtant, semble-t-il, ni les officiels français, ni les journalistes, ni les syndicalistes brésiliens, ne remarqua que Sartre était fatigué, malade même, bien souvent excédé aussi. En partant pour Recife, il souffrait déjà d'un zona et, durant le voyage, sa santé ne s'améliora pas. Enfin, dans certaines lettres à des proches de la famille, il se plaignit de l'excès de visites, de l'excès d'obligations. Il se plaignit également d'être devenu une potiche, un écrivain-objet, une espèce de monument manipulé entre les mains de ses hôtes... Écrivain-objet pris au piège de sa propre célébrité, jouant le jeu en toute duplicité, obligeant et civil en public, harassé et désabusé en privé. N'adhérant pas à cette façade impeccable qu'il donne à voir, mais recherchant de plus en plus le repli sur des territoires intérieurs, derrière ce nouveau paravent qu'il tentait, somme toute, de faire tenir d'aplomb. Ce rôle d'écrivain-objet va en effet désormais devenir pour lui de plus en plus difficile à jouer.

Lorsqu'en automne 1961, le leader du F.L.N. Ben Youssef Ben Khedda se rendit à son tour au Brésil, il fut frappé de l'étendue des services que Sartre y avait rendus en parlant localement de la cause algérienne. « Il raconta à Lanzmann et à Fanon, témoigna Simone de Beauvoir, que, lorsqu'il atterrit, les autorités voulurent le refouler : des étudiants, venus en masse l'accueillir, le firent sortir en triomphe de l'aérodrome. Et, tout de suite, ils parlèrent de Sartre [25]. » Ce grand voyage politique au Brésil, intimement lié au combat sartrien pour la décolonisation et pour le tiers-mondisme, intimement lié aux événements cubains et aux événements algériens, allait poursuivre son impact. Déjà Lanzmann avait téléphoné à Rio pour adjurer Sartre et le Castor de ne pas atterrir à Paris, mais de prendre un vol qui reliait Rio à Barcelone : la situation en France était, disait-il, depuis quelques semaines, devenue gravissime. Et Sartre y était intimement lié.

En soutenant la Chine et Cuba et les démocraties d'Amérique latine, Sartre avait défié l'Amérique. Il avait même refusé d'y retourner, malgré les nombreuses invitations que lui envoyaient de là-bas étudiants et universités progressistes. C'est qu'il entretenait alors des relations compliquées et ambivalentes avec l'U.R.S.S. et tous ses pays épigones. En l'espace de moins de quatre années – de juin 1962 à septembre 1966 –, il se rendit près de neuf fois en Union soviétique pour des séjours longs parfois de plusieurs semaines. Moscou, Leningrad, Kiev, Yalta, Odessa, Tbilissi, l'Estonie, la Géorgie, la Lituanie, l'Ukraine : le plus souvent accompagné du Castor, il sillonna les républiques socialistes d'Union soviétique. Mais qu'allait-il y faire à une telle période, et tout guéri qu'il était de ses années de campagnonnage de route ? C'est qu'il était invité par la Communauté européenne des écrivains, la COMES, dont il avait été élu vice-président le 14 mars 1962. C'est qu'il avait, dans le pays, des droits d'auteur importants à toucher sur place : ceux de toutes ses œuvres traduites en russe. C'est qu'il venait de nouer avec des individus soviétiques des liens d'amitié étroits et personnels qu'il ne pouvait entretenir qu'en leur rendant visite chez eux. Mais un écrivain français, de la renommée de Sartre, ne pouvait être invité et utilisé par ses homologues soviétiques qu'au gré des tours et des détours de leur ligne politique culturelle, parfois très faste et ouverte – comme lorsque Sartre, s'appuyant sur l'exemple de Kafka, suggéra aux Soviétiques tout l'intérêt qu'ils auraient eu à intégrer la culture occidentale à la culture soviétique –, l'année d'après très rigide à nouveau, avec un retour en arrière vers les bons temps du réalisme socialiste. Autour de cette idée de « coexistence culturelle » entre Soviétiques et Occidentaux, Sartre accepta de discuter avec des collègues étrangers comme les Italiens Ungaretti, Piovene et Vigorelli, avec des compatriotes comme Nathalie Sarraute, Alain Robbe-Grillet ou Roger Caillois, avec les Britanniques Angus Wilson ou John Lehman, l'Allemand Hans-Magnus Enzensberger. Tout le temps que dura la première période de libéralisation de la culture initiée par Khrouchtchev, les vannes furent largement ouvertes. Lorsque, par contre, à partir de 1964, les directives allèrent dans le sens d'un retour au réalisme socialiste, Sartre se fit un devoir d'assurer de son soutien ses amis soviétiques dissidents ou progressistes, comme Ilia Ehrenbourg, comme plus tard le cinéaste Tarkovski. C'est pendant l'été 1964 qu'eut lieu une anecdote assez étonnante, mais assez représentative de ces « relations à dérapage contrôlé » auxquelles les Soviétiques entendaient bien river l'écrivain français : ce fut le coup de semonce de Khrouchtchev en personne, qui se fâcha tout rouge et gronda publiquement tout le groupe d'écrivains de la COMES, Sartre itou. Khrouchtchev reçut une délégation d'écrivains dans sa datcha de Géorgie : « Puisqu'il nous avait invités, raconte le Castor, nous imaginions qu'il allait se montrer cordial. Pas du tout. Il nous a invectivés comme si nous avions été des suppôts du capitalisme. Il a exalté les beautés du socialisme ; il a revendiqué la responsabilité de l'intervention soviétique à Budapest. Après cet éclat il s'est arraché quelques mots de politesse. " Enfin, vous aussi vous êtes contre la guerre.

Alors nous pouvons tout de même boire et manger ensemble. " Sourkov lui a dit en aparté un peu plus tard : " Vous y avez été fort. - Il faut qu'ils comprennent ", a-t-il répondu sèchement [26]. »

Faut-il, comme le laisse entendre Simone de Beauvoir, attribuer cet accueil glacial aux mises en garde de Maurice Thorez qui, passant dans les parages quelques jours plus tôt, avait expliqué à son camarade Khrouchtchev que les gens qu'il se préparait à recevoir étaient de « dangereux anticommunistes » dont il fallait se méfier « d'autant plus qu'ils se situaient à gauche »? Certes, mais pas seulement en tout cas. Et la présence régulière sur leur sol du philosophe français à qui parlaient de nombreux Soviétiques victimes de l'antisémitisme, victimes d'interdictions professionnelles, était à coup sûr pour le pouvoir en place une arme à double tranchant. D'ailleurs Sartre avait noué une relation avec son interprète de l'été 1962, Lena Zonina, que d'aucuns décrivent avec flamme comme une « femme d'une intelligence et d'une culture remarquables, et d'une très grande beauté, avec de superbes yeux noirs dans un visage ovale, de grands cheveux très foncés, une voix assez grave, d'une affectivité étonnante, faite de densité et de mystère mêlés, un genre femme fatale slave [27] ». Elle avait été sanctionnée dans ses études universitaires à cause de son père, qu'elle ne voyait d'ailleurs plus; à cause, aussi, de ses ascendances juives. On ne connaissait pas bien ses liens avec l'Union des écrivains, mais ce que l'on savait à coup sûr, c'est qu'elle se situait parmi les oppositionnels. C'est elle qui guida Sartre lors de tous ses voyages soviétiques, elle qui l'informa sur toutes les malformations du régime soviétique. Ce fut, dit-on, une grande histoire d'amour entre le philosophe et la belle dame moscovite, selon une espèce de loi qui voulait qu'il trouvât un amour-passion dans chaque pays qu'il visitait. La trace peut-être la plus éclatante de leur histoire fut ce geste de l'écrivain, un an seulement après leur rencontre, lorsqu'il publia *Les Mots* : pudiquement, avant le début du texte, une page était destinée à la dédicace : « A Madame Z. », avait-il écrit. Trop peu pour les Français, trop pour les Soviétiques. Ces trois mots, laconiques, avaient entre autres fonctions celle de signaler aux Soviétiques : « Attention, moi Sartre, je suis là, bouclier protecteur : ne touchez pas à cette femme. » Ce fut d'ailleurs Mme Z. qui traduisit *Les Mots* en russe, immédiatement après la publication française [28].

A l'évidence, Sartre prit donc un malin plaisir à retourner en U.R.S.S. Était-ce le besoin de porter secours aux oppositionnels qui le motivait alors? Ou bien la nécessité de retrouver, dans les colloques et les voyages, ce réseau international d'écrivains engagés, délibérément opposés à l'impérialisme américain? Il avait montré à l'égard du Parti communiste français un intérêt plus instrumental que vraiment idéologique, dans lequel il restait Sartre, extérieur, impérieux, souverain, et se penchait sur le P.C.F. pour mieux l'intégrer dans son propre système, puis le dépasser et le vampiriser. De la même façon et sans plus de complexe, il employa, à l'égard des régimes politiques étrangers qui l'intéressaient, une stratégie bien à lui : intérêt, conquête puis débordement. Tel était Sartre, aussi à l'aise face à Khrouchtchev qu'il l'avait été face à Freud, Kafka, le Tintoret ou Baudelaire : tranquille, assuré, conquérant. Et que l'on n'aille pas imaginer qu'il fut crédule, naïf ou inconsidéré : ce serait mal comprendre le sens profond de sa démarche. Dans ses voyages, ses rencontres et ses dialogues, il tentait – avec maladresse peut-être parfois – une délicate articulation entre plusieurs systèmes de valeurs. Et parvenait, à l'issue de ses innombrables aller-retour, à féconder sa culture d'origine – qu'il ne se privait d'ailleurs pas de critiquer largement – par les nouveaux modèles qu'il découvrait alors. Sa rencontre avec le communisme yougoslave en fut, peut-être, le plus bel exemple. Dix ans avant son premier voyage au pays du titisme, il avait accepté de préfacer le livre de Louis Dalmas : *Faux savants ou faux lièvres?* « Si le titisme a pour nous une importance exceptionnelle, écrivait-il alors, c'est qu'il aboutit à la subjectivité; mais celle-ci ne réapparaît pas comme un idéal formel : elle est produite comme une réalité efficace à partir de l'objectivisme par le mouvement même de l'histoire... La demi-victoire de Tito réintègre la subjectivité chez les dirigeants yougoslaves et, du même coup, en affecte les dirigeants soviétiques [29]. » Puis, ravi d'avoir retrouvé sa philosophie du sujet mise en œuvre dans le concret, il accepta de se rendre à Belgrade : tout essai de libéralisation, toute tentative de repenser le marxisme lui semblaient, a priori, en fraternité avec ses analyses. D'ailleurs, la Yougoslavie fut le premier des pays dits « de l'Est » à traduire intégralement l'œuvre sartrienne, sans rejet ni ostracisme; toutes ses pièces de théâtre y furent représentées; de nombreux intellectuels yougoslaves – des dissidents plus tard comme Vladimir Dedijer – s'inspirèrent largement de sa pensée. A l'invitation de l'Union des écrivains yougoslaves, donc, Sartre et le Castor sont reçus officiellement par le maréchal Tito le 13 mai 1960 : voyage de soutien à l'expérience titiste d'une part, mais aussi conférences à l'université de Belgrade. Une fois encore, c'est un voyage qui consacre officiellement le soutien politique de Sartre à une expérience d'État. Une fois encore, la poignée de main Sartre-Tito – après celle à Castro, deux mois auparavant – signe bien désormais cette nouvelle image. Et le petit philosophe français poursuit sa route de par le monde, cautionnant de son plein gré les régimes politiques qui l'agréent, congratulant les chefs d'État, donnant des conseils, laissant sa marque, distribuant sa caution... Les Yougoslaves, d'ailleurs, lui feront une fête : deux de ses pièces, *Huis clos* et *Les Séquestrés*, seront représentées au cours de son séjour et il aura la joie d'y assister. Double fonction, donc, dans un voyage solidaire du régime mais qui faisait également office de ce que l'on pourrait appeler « service après-vente des œuvres sartriennes » ou plutôt, comme dans le cas présent, « service après-vente de la notion d'engagement sartrien ». Plus tard, lorsqu'il sera rigoureusement sorti de cette orbite-là, Sartre appuiera, dans les tout premiers, les manifestations des dissidents soviétiques; soutiendra leurs combats. Dans *Les Temps modernes*, notamment, il publiera *Babi Iar* d'Evtouchenko, et tentera d'informer l'Occident sur la situation des droits de l'homme en U.R.S.S.

Une intéressante relation, moins compliquée cette fois, le lia au Japon. Il fut invité à reprendre la route de l'Extrême-Orient, onze ans après le voyage en Chine : une différence de taille l'attendait pour commencer. Toutes ses œuvres avaient été, et de longue date, traduites en japonais; avaient été analysées et étudiées dans les universités, avaient engendré des émules : l'inverse de la Chine. Lorsqu'il atterrit à Tokyo, le 18 septembre 1966, à l'invitation conjointe de l'université Keio et de son éditeur, M. Watanabe, du Jinbun Shoin, ce fut presque en pays conquis. « Sartre et Simone de Beauvoir arrivèrent à Tokyo, raconte le conseiller culturel français d'alors, Bertrand Dufourcq, au début de l'automne, alors que nous étions en train de célébrer une quinzaine française au Japon : nous avions inauguré le lycée franco-japonais et le grand magasin Tagasimaia avait entrepris une extraordinaire exposition consacrée à Napoléon, pour laquelle on avait même fait venir de la Malmaison le manteau que portait Joséphine le jour de son sacre... Dans ce contexte, l'accueil de Sartre et de Simone de Beauvoir fut triomphal, presque du délire [30]. » Dans la presse locale, avant leur arrivée, ne signalait-on pas que Sartre comptait parmi les personnalités françaises les plus connues au Japon, au même titre que Napoléon et le général de Gaulle? Pendant la conférence de presse qui les accueillit à l'aéroport de Tokyo, Sartre avoua en souriant que, de toute sa vie, il n'avait été mitraillé par une telle nuée d'appareils et de caméras.

Chaque génération d'intellectuels japonais avait en fait apprécié par vagues successives l'ensemble de l'œuvre sartrienne.

Tout d'abord certains, comme l'écrivain Oda Sakunosuke, avaient aimé *Le Mur,* pour les nouvelles perspectives qu'il introduisait dans la littérature occidentale. Puis *Les Chemins de la liberté* et les idées forces de l'existentialisme sartrien pénètrèrent en force dans l'intelligentsia japonaise, opposant les marxistes orthodoxes aux « modernistes » prosartriens. Plus tard, les débats de Sartre avec le P.C.F. provoquèrent de réelles répercussions dans les débats des intellectuels locaux. Au nombre des écrivains japonais directement influencés par la pensée sartrienne, on peut citer les noms de Noma Hiroshi, de Ohe Kenzaburo, de Hanada Kiyoteru ou encore de Nakano Shigeharu [31]. L'œuvre de Sartre, en effet – et il eut tout loisir de le percevoir lui-même – avait tout pour plaire aux Japonais. Il avait été célébré par des relais fort efficaces : les départements de littérature française des universités où plusieurs professeurs parlaient un français de très grande classe, le plus souvent acquis dans des postes de lecteur à l'École normale supérieure de la rue d'Ulm ; les grands journaux avec leurs suppléments littéraires très élaborés et diffusés parfois jusqu'à dix millions d'exemplaires! Sartre allait donc découvrir chez les Japonais un appétit culturel considérable pour tout ce qui était français ; un certain snobisme curieux pour les excès de l'existentialisme ; un intérêt naturel pour la tradition du « maître à penser », et pour tout ce que Sartre enseignait sur le rôle social de l'intellectuel. Ce fut d'ailleurs le thème des conférences dont il choisit de traiter : « Qu'est-ce que l'intellectuel ? », « Le Rôle des intellectuels », « L'Engagement politique des écrivains ». Public considérable, questions attentives et précises : la presse couvrit l'événement avec bienveillance. Le voyage plus touristique dura encore un mois, et les deux hôtes en profitèrent pour faire, à plusieurs reprises, des déclarations incitant les intellectuels japonais à se dresser contre l'impérialisme américain. Si l'on s'accorda généralement à reconnaître chez l'écrivain français intelligence et talent oratoire, certains pourtant s'estimèrent « sceptiques, voire déçus » que sa pensée et sa conception du monde ne fussent plus vraiment « adaptées à la réalité du monde contemporain ». Plus tard, au moment où Sartre aborda sa dernière période politique, sa période « gauchiste », les mouvements étudiants Zengakuren se référèrent souvent, dans leurs actions à la limite de la légalité, aux activités politiques de Sartre, reprenant son exemple. En douze ans, il avait conquis l'Asie, l'Amérique latine, l'Afrique et de nombreux pays d'Europe. Il lui fallait encore parcourir certains territoires pour que sa conquête du monde fût presque totale. Un an après le Japon, il s'attaquait à l'un de ces derniers bastions : le Proche-Orient, où l'attendaient conjointement le monde arabe et Israël.

Le voyage au Caire, du 25 février au 13 mars 1967, prit dès les préparatifs l'aspect d'un voyage politique officiel. Claude Lanzmann, qui s'occupait pour *Les Temps modernes* d'un important dossier spécial sur le conflit israélo-arabe, avait été le véritable instigateur de tous les contacts locaux : il accompagna Sartre et le Castor pendant les dix-huit jours que dura leur séjour égyptien. Officiellement organisé par le quotidien cairote *Al-Ahram*, le programme prévoyait de nombreuses rencontres avec intellectuels et artistes d'avant-garde, militants politiques, syndicalistes et autres représentants de l'intelligentsia égyptienne. Un comité spécial d'accueil avait été constitué pour orchestrer leurs différentes activités, au sein duquel on retrouvait des journalistes, tels que Hassaneim Haykal Lufti el-Kholi, le rédacteur en chef de la revue *El-Taliaa*, ou des écrivains comme Louis Awad et Tewfik el-Akim. Dès le début, l'engouement égyptien pour les deux visiteurs fut indéniable. « L'intérêt que porte la population cairote à la personnalité de M. Sartre, commenta un quotidien dès les premiers jours du voyage, ressemble, toutes proportions gardées, à celui que manifeste la population parisienne pour l'exposition " Toutankhamon ". » Sartre eut-il vent de la prestigieuse et anachronique comparaison dont il était l'objet? Il ne put, en tout cas, rester insensible à l'affluence qu'il suscita partout, et en particulier à l'université du Caire, le jour où, devant plus de deux mille personnes, il parla – à nouveau – du rôle de l'intellectuel dans la société occidentale. Le vice-Premier ministre en exercice, M. Saroit Okacha, avait tenu à honorer le prestigieux orateur de sa présence : « Jean-Paul Sartre est la conscience de son temps, expliqua-t-il en substance au cours de son allocution de présentation. Je vois en lui, ajoutait-il encore, le symbole du rêve de tous les hommes de bonne volonté : celui de la fraternité humaine. » Pourtant la prestation de Sartre ce jour-là sembla semer le trouble parmi un certain nombre d'auditeurs, visiblement surpris par la vitesse du débit de l'écrivain français. Sartre assista à un certain nombre de débats, de visites, de meetings; il eut même la surprise d'entendre une représentation des *Mouches*, pour la première fois, dans le plus pur des arabes classiques, depuis la salle du Théâtre national. Peu à peu, le voyage prit un caractère de plus en plus solennel, de plus en plus officiel. L'ambassadeur Sartre rencontra encore le secrétaire général de l'Union socialiste arabe avant d'être très longuement reçu par le président de la République, le colonel Nasser. L'entretien entre les deux hommes dura plus de trois heures et la souriante poignée de main qu'ils accordèrent aux photographes internationaux à l'issue de ce dialogue attesta la chaleur de leurs échanges. « J'ai été très agréablement surpris par la personnalité du président Nasser, déclarera Sartre à son retour à Paris, et je déplore sincèrement le portrait que la presse occidentale présente généralement du premier personnage égyptien. » Lors de la conférence de presse qui précéda son départ, Sartre pourtant provoqua certains grincements de dents : journalistes et observateurs savaient parfaitement bien qu'au voyage égyptien allait directement succéder un séjour identique en Israël; tout le monde connaissait aussi les sympathies de l'auteur des *Réflexions sur la question juive* à l'égard de l'État hébreu. On tenta donc de l'interroger sur le problème palestinien : questions pressantes, parfois gênantes, dont Sartre se tira comme il put, louvoyant entre un pragmatisme de circonstance et ce qu'il appelait sa « neutralité » nécessaire. Il venait de visiter la fameuse « bande de Gaza », la ligne d'armistice, et de dialoguer avec certains délégués des réfugiés palestiniens. Il évita habilement l'incident que d'aucuns avaient redouté avant son arrivée, écoutant beaucoup, s'informant plutôt qu'énonçant des positions péremptoires. « Je suis venu pour apprendre, non pour enseigner », déclara-t-il d'ailleurs à plusieurs reprises. Il annonça la publication imminente du numéro spécial des *Temps modernes* sur le Moyen-Orient, tout en précisant prudemment qu'Israéliens de leur côté, Arabes de l'autre y prendraient successivement la parole, « mais sans que s'instaure un véritable dialogue ». Personne ne manqua de remarquer cette position de neutralité gênée et un peu décevante, le refus de se prononcer clairement pour un soutien pur et simple à la politique égyptienne. Une surprise, par contre, et une satisfaction de taille, lorsque Sartre annonça tout de go : « Je m'étais refusé jusqu'alors à parler de " socialisme " pour qualifier le régime égyptien. Ce que j'ai pu observer ici m'a convaincu que je m'étais trompé. » Et il reprit à son compte les spécificités du socialisme égyptien actuel, comme l'étape intermédiaire et nécessaire vers un régime politique plus abouti. Il quitta donc l'Égypte, après avoir sauvé les meubles et joué les arbitres; mais il avait refusé d'abattre clairement ses cartes.

A ce dialogue manqué, il allait très vite tenter de remédier; à peine avait-il quitté Le Caire, qu'il repartait immédiatement, direction Tel-Aviv. La presse égyptienne avait été rétive, voire choquée par la succession des deux visites, Le Caire, puis Tel-Aviv, effectuées dans la foulée, faisant fi de tous les usages. La presse israélienne, à son tour, tint à signaler son agacement devant ce qu'elle considérait elle aussi comme « un manque de courtoisie ». Malgré ces handicaps, le voyage fut, encore une fois, plutôt positif. Mais n'était-ce pas une gageure énorme? Ce double voyage, Sartre l'effectuait dans des conditions politiques particulièrement tendues – puisque, moins de deux mois plus tard, la guerre nommée « guerre des Six Jours » allait à nouveau opposer armée israélienne et armée égyptienne – et dans un état d'esprit un peu idéaliste, voire utopiste, rendant visite successivement à deux chefs d'États ennemis; traversant coûte que coûte, et sans souci des grincements, ce qu'on appelait localement le « rideau de sable » qui séparait les deux pays. En Israël, ce fut un voyage de quinze jours organisé par le parti de gauche Mapam et la revue *Outlook*; avec un programme en tous points similaire à celui qui avait précédé : rencontres avec leurs homologues israéliens, journalistes, universitaires, écrivains de gauche; visites des hauts lieux culturels et sociologiquement importants du pays; conférences et débats; discussions et rencontres politiques, enfin. Les journalistes israéliens n'avaient pas manqué de rappeler, dans leurs articles de présentation, que Sartre était l'auteur des *Réflexions sur la question juive* qu'on avait pu lire en anglais dès l'année 1948, sous le titre *Anti-Semite and Jew*, en hébreu quelques années plus tard. Avec son étiquette d'écrivain français philosémite, Sartre apparaissait vite dès l'arrivée comme un ami du peuple juif en particulier et de l'État d'Israël en général. Toutes les personnalités de la vie culturelle israélienne se mobilisèrent pour rencontrer les deux écrivains français : parmi eux, et entre tant d'autres, le poète Avraham Shlonsky, l'intellectuel d'origine berlinoise Gershom Sholem, l'écrivain Nathan Shaham, le sculpteur Dani Karavan... Et puis des jounalistes, des députés, des représentants syndicaux, de nombreux ministres et membres du gouvernement. Sartre, apparemment, frappa tous ses hôtes par son infatigable curiosité, le feu incessant de ses questions, et surtout ce qu'ils appelèrent son « intelligence d'ordinateur ».

L'élément peut-être le plus original de ce voyage officiel fut certainement, pour ces deux voyageurs un peu harassés de tant d'hommages convenus, la visite détaillée d'un kibboutz. C'est le kibboutz Merhavia, en Galilée, qui fut choisi; et, durant trois jours, Yehoshua Rash, le secrétaire alors en titre, d'origine francophone, les guida dans les aménagements les plus modernes de la coopérative agricole, leur montra salle à manger commune, bibliothèque commune et toutes ces installations culturelles à l'européenne qui frappent tant les voyageurs non initiés dans ce contexte rural. Simone de Beauvoir s'intéressa de très près à l'éducation des enfants : pourquoi des « maisons d'enfants »?, demandait-elle, ou « comment évoluait un enfant qui dormait séparé de ses parents »? « Ce fut une véritable visite de travail, d'enquête, nous dira plus tard Rash. Ils se sentaient très concernés; ils voyaient là une réalisation concrète du socialisme tel qu'ils l'avaient rêvé [32]. » Sartre fut particulièrement intrigué par le problème de la *motivation* d'un kibboutznik, et demanda entre autres : « Suivant quel critère l'effort de travail est-il consenti? L'estime publique? La gratification de la collectivité? » On les mena encore dans la maison de l'ancêtre de Merhavia, Meir Yaari, et dans la grande salle de réunion, où ils répondirent gentiment aux questions que leur posèrent une cinquantaine de membres et les interrogèrent à leur tour. Simone de Beauvoir, en particulier, laissa un souvenir ému : elle avait enfin découvert, disait-elle, un type d'institution sociale dans laquelle on se rapprochait le plus de l'égalité entre l'homme et la femme. Puis ils quittèrent la haute Galilée, ses collines de terre rouge, ses cyprès, en passant par Nazareth, où ils discutèrent avec des Arabes chrétiens, avec des communistes, avant de rejoindre Jérusalem.

Ce furent alors les inévitables conférences, devant d'inévitables salles bourrées, traitant des inévitables sujets; pour lui : le rôle de l'intellectuel dans la société contemporaine; pour elle, le rôle de la femme. La seule innovation à ce scénario déjà tant de fois répété? Lorsque le Castor décida, à la dernière minute, de modifier le sujet de sa conférence : ce que je viens de voir en Israël, disait-elle en substance, m'a convaincue que la situation de la femme y est tellement évoluée qu'il me paraît désormais inopportun et même déplacé d'en parler ici. Quant à Sartre, il prononça la conférence prévue, mais sans doute à cette foule d'auditeurs silencieux préféra-t-il le lendemain une rencontre beaucoup plus intimiste : le Castor était en train de donner sa conférence, il se trouvait libre et exprima son souhait de rencontrer des étudiants de philosophie. « Nous nous sommes retrouvés, à six ou sept, raconte Menahem Brinker, chez Claude Fegelman, nous étions alors tous en train de préparer notre thèse de philosophie, il y avait là entre autres Jeremihiaou Yovel, Ran Sigat et moi-même. Ce fut, pendant près de deux heures, une véritable rencontre de philosophie pure. Sartre aurait voulu qu'on lui parle de la *Critique* dont nous n'avions, à l'époque, lu qu'une centaine de pages. Nous avons surtout évoqué la relation entre *L'Être et le Néant* et la *Critique,* le problème des relations concrètes avec autrui... " Cette quête est terminée, nous a-t-il répondu, cela ne m'intéresse plus. " » Et Menahem Brinker, alors âgé d'une trentaine d'années, entreprit une critique plus serrée : « Vous présentez la *Critique* comme une réfutation totale de votre philosophie antérieure, commença-t-il. A mon avis, la *Critique* a beaucoup plus de liens avec *L'Être et le Néant* que vous ne voulez bien le dire. Et, bien que vous la présentiez comme une forme améliorée du marxisme, je prétends qu'elle est bien plus une alternative au marxisme. – Non, répondit vigoureusement Sartre, j'ai peut-être exagéré en disant que l'existentialisme était mort.

Mais la *Critique* est totalement un nouveau départ. *L'Être et le Néant* se préoccupait de la question de l'être; la *Critique* traite de la question de la liberté. Et il est maintenant clair pour moi qu'aucune approche qui ne soit historique ne peut expliquer l'homme [33]. » Face à face, le philosophe français et la jeune garde de la philosophie locale : Sartre y prit, selon tous les témoignages, un évident plaisir; le dialogue pratique allait d'ailleurs se poursuivre quelques années plus tard, lorsque Menahem Brinker, préparant une anthologie des textes philosophiques de Sartre en hébreu, négocierait le choix de tel ou tel texte, poursuivrait son argumentation de tel ou tel concept.

Après les visites, les conférences, les rencontres universitaires, ce furent, comme au Caire, les véritables échanges politiques. Sartre et le Castor purent ainsi s'entretenir avec le ministre du Travail, Igal Alon, avec le président de la République, Zalman Chazar, avec le Premier ministre, Lévi Eshkol. Rencontres officielles peut-être un peu guindées, et qui ne semblèrent pas convaincre totalement les deux observateurs français. Par contre, leur entretien avec Moshé Sueh, secrétaire du Parti communiste Maki, les intéressa davantage. « Ce qui nous impressionna le plus, raconte Gabriel Cohen, présent ce jour-là, ce fut la conception totalement politique et concrète que Sartre se faisait du conflit israélo-arabe. Il manifestait une connaissance incroyable de la question, puisqu'il arrivait d'Égypte. Je crois que de nombreux Israéliens perdirent un temps fou à lui expliquer des choses qu'il connaissait par cœur [34]. » Enfin, comme partout, c'est par une conférence de presse que se termina le voyage. Elle eut lieu le 29 mars 1967, à Tel-Aviv, en présence d'une centaine de journalistes. Questions décontractées, réponses humoristiques, échanges souriants et chaleureux : sur le moment, tout sembla se dérouler sous les meilleurs auspices. Certes, il y avait certains obstacles linguistiques; comme partout ailleurs, on prononçait « Sartère »; comme partout ailleurs, Sartre disait chaque mot anglais à la française : pour « meeting » cela donnait « métingue ». Comme dans tous les autres pays encore, Sartre commença par un exposé sur ses combats politiques du moment, parla de la guerre du Viêt-nam, expliqua la création du tribunal Russell. Comme partout, il argumenta de sa voix posée, articulée et lente, avec une technique bien à lui qui consistait à précéder les objections éventuelles, en les évoquant une à une, en les démontant, en les détruisant. Comme partout, encore, Simone de Beauvoir prit la parole après lui, en militante : elle ne toucha pas aux arguments de Sartre, n'intervint pas dans le débat d'idées proprement dit, mais enfonça le clou que Sartre venait de planter. « Si vous voulez aider et soutenir le tribunal Russell, expliqua-t-elle de sa voix rapide, sachez que nous avons besoin d'argent, et que vous pouvez dès maintenant vous organiser en comité. » Comme d'habitude, Sartre et le Castor se renvoyèrent la balle en un scénario parfaitement réglé. La répartition des rôles était, cette fois encore, rigoureusement définie et complémentaire : le sulfureux ambassadeur exposait, argumentait, convainquait; sa compagne proposait, à la suite, les modalités concrètes d'application. Ambassadeur, Sartre le fut à plein dans ses interventions sur le conflit du Moyen-Orient. « Le droit à l'existence de l'État d'Israël, lui demanda-t-on, doit-il être mis en question par le droit que vous avez affirmé au Caire au sujet des réfugiés arabes ? » Et on le pressa encore et encore de parler de l'Égypte, de la perception qu'on s'y faisait de la guerre, de l'attitude des « forces progressistes arabes » au sujet d'Israël, et ainsi de suite. Sartre, comme au Caire, sauva les meubles en louvoyant. Et, s'il déçut plutôt qu'il ne scandalisa, c'est qu'il se cantonna dans une position prudente – et peut-être timorée – d'observateur qui se veut impartial. « L'attitude égyptienne, expliqua-t-il dans un discours embrouillé, en pesant lentement, sérieusement, chacune de ses affirmations, est de réclamer une chose, qui est le retour des réfugiés, et qui est, ici, refusée. Sa position, donc, est une position revendicative et qui suppose l'idée même de guerre. Encore que, elle ait été fort peu évoquée devant moi, sinon par quelques Palestiniens. Ici, il n'y a pas d'autre revendication que la reconnaissance d'Israël par l'Égypte; cela suppose donc qu'on veut la paix par le statu quo. Autrement dit, la volonté de *paix* israélienne suppose un préalable; et la volonté des Égyptiens de *ne* négocier *que* sur la base d'un préalable – enfin, négocier, je ne sais pas –, mais qu'en tout cas ce préalable soit reconnu, implique une attitude plus agressive. Je ne sais pas si je me fais comprendre. » Il évoqua ensuite le cadre véritable du conflit, celui des grandes puissances. « Vous n'ignorez pas, affirma-t-il enfin, que les Égyptiens vous traitent d'impérialistes, autant que vous vous dites que les Égyptiens suivent la politique des Russes et sont armés par l'Est... Il faudrait décidément des deux côtés que l'on se dégage de ce point de vue. » L'ambassadeur déçut-il ici de la même manière qu'il déçut au Caire ? Toujours est-il que tout fut fait, à Tel-Aviv, pour le tester et le mettre à l'épreuve, pour l'entendre se prononcer enfin clairement en faveur des Israéliens. Une question, en particulier, rend bien compte de l'angoisse des observateurs locaux. « Après vos entretiens avec Nasser et Lévi Eshkol, lui demanda Guy Kessari du journal *Maariv,* quelle est votre impression, à titre de comparaison, de ces chefs d'État, tant du point de vue personnel qu'idéologique et politique ? » Rires dans l'assistance. Sartre reprit alors le micro : « Je vais vous répondre la seule chose que je puisse répondre sans quitter le terrain de la neutralité : je suis resté une heure et quart avec M. Eshkol; je suis resté trois heures et quart avec le président Nasser. » C'était envoyé avec humour laconique et ambiguïté courtoise. Ce fut reçu, sur le coup, par des rires et des mouvements divers, mais, pourtant, durement commenté plus tard, dans la presse israélienne, un peu frustrée de tant d'attentisme. L'année précédente, il avait dit son « déchirement entre des amitiés et des loyautés en conflit », entre son « admiration pour la lutte d'Israël contre les Anglais et [sa] solidarité avec le monde arabe dans sa quête de souveraineté et d'humanité ». Avait-il avancé sans sa quête de la vérité, en se rendant sur le terrain? Rien, de ce côté-là du désert, ne portait vraiment à le croire. D'ailleurs le quotidien jordanien de la ville de Jérusalem, *Al-Quds,* publia, au lendemain de cette conférence de presse, une lettre ouverte à Sartre - qui lui était adressée par Khalil Sawahreh, un jeune réfugié palestinien. « Pourquoi tant de concessions, lui disait-il entre autres, à toutes ces thèses sionistes? Avez-vous donc déjà oublié le souvenir douloureux de votre visite aux déshérités des camps de réfugiés de Gaza [35]? »

Le voyage au Moyen-Orient prit donc fin le 30 mars 1967. Et si la balance entre les deux parties avait été difficile à maintenir dans un contexte alors fort tendu, Sartre réussit tout de même une sorte de tour de force en conservant cet espèce d'équilibre déçu, tant au Caire qu'à Jérusalem. Il s'en retourna donc à Paris où il apprit, moins de cinq semaines plus tard, qu'une nouvelle guerre était déclarée entre Israël et l'Égypte. Plus tard, pourtant, sa position de neutralité décevante le poussera peut-être davantage à soutenir l'État d'Israël, dans un arbitrage aussi délicat qu'impossible.

Aujourd'hui, longtemps après tous ces voyages, les traces de ce Sartre-là restent toujours vivaces; aussi bien en France qu'à l'étranger. En Amérique latine, en Afrique, dans la plupart des pays en voie de développement, on parle encore de Sartre comme d'un prophète des Temps modernes, comme de l'Intellectuel légendaire. Et certains viennent de très loin pour sentir l'air de France, l'air du pays de Sartre, qui a tant fait pour eux. « Sartre, un mal nèg », titrera au lendemain de sa mort tel hebdomadaire antillais; consacrant, par cette formule créole, celui qu'ils revendiquaient comme un frère, un « grand bonhomme », un « individu exemplaire », un héros. Et un mensuel colombien, *El Heraldo*, de Baranquilla, publiera des extraits de chaque nouvel inédit de Sartre, des *Carnets de la drôle de guerre* ou des *Cahiers pour une morale*, avec photo du philosophe en couverture, revendiquant hautement sa filiation sartrienne. Tandis qu'étrangement, en France, trois ans, quatre ans, cinq ans après sa mort, on préférait parfois à son sujet les bilans négatifs, les procès rétrospectifs. En 1985, et quoi qu'en dirent alors ses concitoyens, Sartre était resté pour la plupart des intellectuels étrangers l'une des grandes figures de la France contemporaine.

La place mythologique que Sartre avait acquise hors des frontières de France durant les années 60 allait, bien sûr, influencer les Français. Ou plutôt les indisposer, les étonner. Et s'ils sentirent que Sartre était désormais devenu pour de nombreux pays du monde une sorte d'intellectuel français prototype, ils n'entérinèrent pas de plein gré ce nouveau personnage : un peu inquiets, un peu déboussolés, ils se méfièrent. Comme si, tressant dans d'autres continents un réseau de relations sûres et fiables, Sartre décuplait ailleurs ses pouvoirs. Comme si, développant le groupe des *Temps modernes* à l'échelle internationale, il arrimait encore d'autres forces étrangères. Comme si, développant sa « P.M.E. » bien implantée en France métropolitaine en une véritable multinationale sartrienne, avec relais et filiales dans tous les continents, il inventait une affaire d'import-export pour la culture « gauchiste » à l'échelle planétaire. Et les photos du philosophe congratulé par tant de chefs d'État accrurent ces réticences.

Le jeu de l'Histoire contre les empires coloniaux établis au XIXe siècle se poursuivait partout. Dans le douloureux arrachement de l'Algérie à la France, particulièrement au cours des deux dernières années – 1960-1962 –, Sartre fut amené à jouer un rôle de poids, que consolidaient encore ses nouvelles aventures. C'est bien ce que sentit le général de Gaulle, qui mesurait le charisme acquis par le philosophe voyageur au cours de ses ultimes escapades, et qui le ménagea en conséquence. Ce que le chef de l'État comprit encore, cette année-là? Que Sartre était pour la France en général un bien culturel essentiel, éminemment exportable quoique difficile à contrôler. Il le mania donc comme on manie une grenade, avec beaucoup de précautions et beaucoup de doigté. Il savait bien que Sartre était un ambassadeur de la France, même s'il était celui de la contre-culture, même s'il se trouvait ressembler fort peu au profil « Quai d'Orsay » et s'il cavalcadait de par le monde, libre, avide et curieux, croisant ses fils et tissant ses réseaux, prestigieux, dangereux, sulfureux.

L'INTOUCHABLE

L'année 1960 fut, à tous égards, une année clef dans la vie de Sartre. Une année perchée, à mi-vie adulte, entre l'émergence de la guerre et la mort. Une année au cours de laquelle l'image de l'écrivain s'estompa lentement au profit de celle, plus neuve, du militant voyageur : Cuba avec Castro, Moscou avec Khrouchtchev, Belgrade avec Tito, Brasilia avec le président Kubitschek. Riche en iconographie, pauvre en littérature. Pression des articles internationaux ? Accumulation des photos-souvenir ? Étouffé par les médias, l'écrivain céda le pas. Ce fut l'avènement d'une nouvelle image publique, celle de l'intellectuel symbolique. D'ailleurs était-ce encore Sartre que l'on saluait alors ou bien, à travers lui, l'intellectuel français mythique, accueilli, reconnu et célébré de par le monde, dans une sorte de consensus à la fois évident et confus ? En France, cette année-là, le mouvement se poursuivit : haï ou apprécié, Sartre focalisa sur sa personne une partie des tensions de la société française, déchirée par la guerre d'Algérie. Il servit de bouc émissaire aux uns, de caution symbolique aux autres. « Fusillez Sartre ! », hurlèrent certains manifestants sur les Champs-Élysées. « On n'emprisonne pas Voltaire », répondit quelques mois plus tard le général de Gaulle, se refusant à voir en Sartre un citoyen français ordinaire. Lui aussi le traita à part : Sartre devint l'Intouchable.

En France, on ne parlait plus du « conflit algérien » mais bien, de plus en plus, de la « guerre d'Algérie ». Presque tout le monde, semblait-il, en voulait au général de Gaulle : les colons français et les groupes nationalistes se sentaient trahis ; les « petits gars » de l'armée française, envoyés sur le terrain, dans les djebbels kabyles, se sentaient manipulés ou lâchés ; des hommes de gauche, enfin, et certains libéraux, écœurés par les méthodes de l'armée contre les combattants algériens, par les outrances, les excès et les mensonges patents que couvrait le pouvoir. La société française, en cet été 1960, se redessina elle-même, selon des frontières strictes, comme à chaque défi de ce type, lorsqu'un véritable enjeu national et éthique se profile à l'horizon. On parla même de nouvelle période de résistance, on reconstruisit les clans comme, vingt ans auparavant, entre collabos et résistants. Depuis deux ans, trois ans déjà, de hauts fonctionnaires français – des hommes plutôt libéraux – s'étaient publiquement émus des exactions de l'armée française en Algérie, sommant le pouvoir de prendre ses responsabilités : René Capitant, professeur de droit public à l'université d'Alger, avait signifié sa démission au ministre de l'Éducation nationale, pour protester contre la « disparition » suspecte de l'un de ses anciens élèves, Ali Boumendjel. Paul Teitgen, secrétaire de la préfecture de police d'Alger, avait fait de même auprès du président du Conseil : « J'ai acquis la certitude, lui écrivait-il notamment, que nous sommes engagés dans l'anonymat et l'irresponsabilité qui peuvent conduire jusqu'aux crimes de guerre [1]. » Quelques jours plus tard, c'était au tour du général Paris de Bollardière de démissionner de ses fonctions : il refusait de poursuivre, dans ces conditions éthiques, sa tâche de commandant du secteur de l'Atlas blidéen. L'écrivain Vercors, enfin – le résistant et l'auteur de l'inoubliable *Silence de la mer* –, renvoya au président de la République sa Légion d'honneur, dans un geste de désapprobation officiel et public.

L'été de l'année 1960 fut, à lui seul, l'un des moments les plus chauds de cette guerre civile larvée; les intellectuels français, reprenant du service, durent fourbir les armes, affuter les épées, concentrer les forces, dans l'isolement et la semi-clandestinité. Grands mouvements de troupes aux frontières de différents groupes de pensée : écrivains surréalistes, groupe des *Temps modernes,* anciens communistes, groupe des *Lettres nouvelles.* Conciliabules pressés, correspondances croisées, concertations multiples. Mobilisations dans un climat de malaise général, d'extrême méfiance. Les hommes clefs de ces grandes manœuvres s'appelaient Maurice Blanchot, Jean Schuster, Dionys Mascolo, Maurice Nadeau, Jean Pouillon. Au printemps de l'année 1960, alors que de plus en plus de jeunes appelés en Algérie choisissaient l'insoumission, on apprit par la presse que s'ouvrirait le 6 septembre le procès des réseaux de soutien au F.L.N. : « Mascolo eut alors l'idée, dit Schuster, d'une déclaration collective qui, sous prétexte du procès, soutiendrait et justifierait tous ceux qui refusaient de prendre les armes contre le peuple algérien, voire ceux qui aidaient activement ce peuple à se débarrasser de la colonisation [2]. » Un premier texte fut élaboré par les deux initiateurs du projet, soumis à leurs amis du groupe des surréalistes présents à Paris : une quinzaine de signatures d'approbation. Maurice Blanchot réécrivit alors pratiquement toute la première partie du texte, dans un sens plus explicite, et l'intitula : « Appel à l'opinion internationale ». « Nous respectons et jugeons justifié le refus de prendre les armes contre le peuple algérien. Nous respectons et jugeons justifiée la conduite des Français qui estiment de leur devoir d'apporter aide et protection aux Algériens opprimés au nom du peuple français. La cause du peuple algérien, qui contribue de façon décisive à ruiner le système colonial, est la cause de tous les hommes libres. »

Ainsi naquit, entre les bureaux de la revue des *Temps modernes* et ceux de la revue des *Lettres nouvelles* – mitoyens chez l'éditeur Julliard –, ce texte provocateur que l'Histoire retiendra sous le nom de « Manifeste des 121 ». Dans cette affaire, Sartre donna, immédiatement, sa signature, sa caution et offrit en même temps les services, les aides, les soutiens en tous ordres de ses amis du groupe des *Temps modernes.* « Nous nous sommes rencontrés au mois de juillet, raconte Mascolo, au bistrot de L'Espérance où il déjeunait avec Simone de Beauvoir. Il y avait là aussi Blanchot, nous lui avons montré le texte et demandé son accord : le oui a été immédiat [3]. » C'était en juillet 1960. Au début du mois d'août, Sartre s'envolait pour le Brésil avec le Castor, confiant comme de bien entendu ses consignes aux barons du régime : « Vous m'utilisez comme vous voulez », dit-il de sa voix définitive à Lanzmann, à Pouillon, à Péju, à Bost, avant de prendre l'avion à destination de Recife.

« Le procès des réseaux commence, en principe, le 29 août, écrivait Jean Schuster à Dionys Mascolo dès le 14 juillet 1960. Il faut sortir juste pile, à l'ouverture. Nadeau a vu l'avocat qui s'en servira. Je crois qu'avec un peu d'adresse cela fera un bruit énorme. Suis très optimiste. On essaie de toucher Sagan par Simone de Beauvoir. Actuellement les signatures sont au nombre de trente. Il faut donner à imprimer le 25 août. D'ici là je pense que nous aurons une centaine de signatures, dont les deux tiers d'assez notoires [4]. » Pendant les six semaines du traditionnel vide parisien, des lettres un peu spéciales se croisèrent dans les sacs des postiers français : Schuster à Mascolo, Blanchot à Mascolo, Mascolo à Pouillon, Pouillon à Nadeau, Lindon à Nadeau... « La liste continue à grossir, écrit Pouillon le 29 juillet, malgré pas mal de refus. Pour ma part, quand je m'interroge, je m'aperçois que je signe pour la conclusion, non pas pour l'analyse que j'avais menée différemment... As-tu des réponses de gens comme Morin ou

Duvignaud? Je le souhaite, car ils sont fonctionnaires et les fonctionnaires que j'ai contactés n'aimeraient pas être isolés. » « Le rythme est le même, constate pour sa part Schuster le 5 août, qui développe une folle mise en cause du pouvoir et qui pétrifie la gauche officielle et la gauche stratégique. » « Actuellement, j'ai trente-cinq noms, clame triomphalement Pouillon le 9 août, j'en attends encore une dizaine et je compte bien que Blanchot, Nadeau, Péju et toi [Mascolo] en auront d'autres avant la fin du mois. Je vois le Castor demain, elle écrira aussitôt un mot à Merleau-Ponty. »

Les noms s'ajoutent aux noms : Robbe-Grillet, Resnais, Pieyre de Mandiargues, Florence Malraux, Nathalie Sarraute, Signoret, Leiris, Vercors, Revel, Glissant, Boulez successivement acceptent de cautionner l'entreprise. Et puis des refus, de nombreux refus, dont certains les surprirent : Lévi-Strauss, Merleau-Ponty, Audry, Morin, et d'autres. Pendant que les uns et les autres vont à la pêche aux signatures dans une atmosphère, somme toute, de grande perplexité, Blanchot, très méticuleux, propose un nouveau titre, plus adapté : « A défaut d'un autre, meilleur, écrit-il le 26 juillet à Mascolo, je suggérerai : " Déclaration sur le droit à l'insoumission dans la guerre d'Algérie. " " Insoumission ", ce mot, peut-être, vous paraîtra restrictif. On pourrait compléter et dire, plus brutalement : " Déclaration sur le droit à l'insoumission et à la désertion dans la guerre d'Algérie. " Mais l'insoumission me semble à la rigueur suffire : l'insoumission est le refus d'assumer le devoir militaire. » L'heure est à la clandestinité, mais l'heure est également à la prudence, et tous les mots sont pesés. D'ailleurs, dans ces nouvelles concertations, on n'évita ni heurts, ni tensions, ni rapports de force : entre les surréalistes et *Les Temps modernes,* on s'appréciait, mais de loin. « *Les Temps modernes* doivent paraître le 10, écrit Nadeau à Mascolo, s'il n'y a pas d'autre possibilité, il faut reprendre la première idée : ronéoter et envoyer aux journaux. Comme ça le texte sera connu avant la publication dans *Les T.M.* De toute façon, je le reprendrai à nouveau dans mon numéro d'octobre des *Lettres nouvelles,* pour montrer qu'ils n'ont pas l'exclusivité. Sordides, les querelles. Mais va-t-on exciper du droit d'auteur?... Je ne pense pas seulement à nous, mais à Breton et à d'autres, qui n'ont pas de sympathie particulière pour *Les T.M.* et qu'à notre tour nous aurions escroqués... » « Je t'avertis que *Les T.M.* pensent avoir la primeur, dans leur numéro qui sort vers le 10 septembre, écrit-il encore. Gare aux pétards mouillés! » Conflits internes, donc, entre des milieux somme toute bien distants qui se retrouvent ponctuellement sur des bases politiques communes, mais n'aiment pas être remorqués par d'autres! « Tout cela est vrai, écrit

Schuster à Mascolo le 13 août, comme est vrai que les surréalistes ont été les seuls à avoir, face aux intellectuels staliniens, d'Aragon à Kanapa, une position *concrètement* révolutionnaire... Comme personne ne pardonne aux surréalistes, que ce soit en 1925 ou en 1960, comme ils sont ces juifs de la pensée dont il est parfois de haut goût d'en avoir un bon. »

Un tel travail d'orfèvre aurait-il pu se poursuivre auprès de personnalités si diverses, tout en préservant une clandestinité complète? En effet, il y eut des fuites, et, par son éditorial qui parut dès le 17 août dans *France-Observateur,* Gilles Martinet cassa l'anonymat : « J'ai sous les yeux, écrivit-il, le texte d'un manifeste signé par un certain nombre d'écrivains – André Breton, Jean-Paul Sartre, Alain Robbe-Grillet, etc. – et qui est extrêmement révélateur... » Immédiatement, les pêcheurs de noms se mobilisent, se concertent, s'offusquent : « Qu'est-ce que c'est que cette allusion de Gilles Martinet, demande Lindon à Mascolo, à un texte signé par Sartre, Breton et Robbe-Grillet? Si c'est du vôtre qu'il s'agit, quelle gaffe! » Affaire « très grave » commentent les uns, véritable « gaffe » assurent les autres, d'où vient donc la fuite? Celle que Schuster qualifiait plus haut de « gauche officielle » désapprouve cette entreprise et ces fantasmes de « nouvelle résistance »? De l'étranger, pourtant, parviennent réflexions, prises de position plus positives, parfois même franchement enthousiastes. « Elio Vittorini, avec qui je suis en ce moment, écrit Mascolo à Maurice Blanchot le 31 juillet, me disait justement, à propos de notre lettre, que [le texte] lui donnait envie d'être Français; que c'était *un acte,* un acte important et vraiment un acte de résistance, parce que la résistance, avant d'être une action, de donner lieu à un mouvement, de chercher à le faire, était, devait être un *non,* un refus, un acte de parole, de jugement. »

Le 4 septembre 1960 le journal *Le Monde* annonçait : « Cent vingt et un écrivains et artistes ont signé une déclaration sur le " droit à l'insoumission dans la guerre d'Algérie ". » Par sacs entiers, Mascolo avait posté, depuis le bureau de poste de la rue des Saints-Pères, plus de deux mille enveloppes qui contenaient une feuille à quatre pages, avec le texte de la déclaration, et la liste des cent vingt et une signatures. Et comme décidément, dans cette affaire, rien n'était pris à la légère, on envoya des enveloppes au palais de l'Élysée, ainsi que dans les principaux ministères. Mais ce texte, aucun journal ne put officiellement le publier : on aurait risqué la saisie. Et le numéro des *Temps modernes* – dont certains avaient craint qu'il ne s'approprie la paternité de l'affaire – parut au mois d'octobre avec le défi symbolique de deux pages blanches, provocatrices et insolentes...

Le 5 septembre 1960, s'ouvrait, devant le tribunal permanent des forces armées de Paris, rue du Cherche-Midi – celui-là même où s'était déroulé, près de soixante-dix ans auparavant, le premier procès Dreyfus –, s'ouvrait donc le procès des membres du « réseau Jeanson » qui avaient été arrêtés quelques mois plus tôt. Pour les défendre, plusieurs avocats : Me Roland Dumas et Me Jacques Vergès. Sartre, ce jour-là, a beau se trouver physiquement à Bahia, son ombre et son poids symbolique sont pourtant, sans le moindre doute, aux côtés des accusés, et dans les dossiers de leurs avocats. D'ailleurs sa plus grande force n'est-elle pas désormais le don d'ubiquité qu'il a acquis malgré tout? Car Pouillon, car Lanzmann, car Bost et les autres sont bien là, eux, en chair et en os. Et c'est un peu comme si le grand voyageur se payait encore le luxe de pouvoir être représenté, les yeux fermés, par la fine fleur de sa baronnie.

« Au moment où le procès a commencé, commente aujourd'hui Roland Dumas, les cent vingt et un venaient de faire un effet choc dans l'opinion publique. D'autant qu'il y avait avec eux la grande ombre de Sartre, comme un paravent, comme un bouclier, formidable. Son seul nom a fait basculer tous les équilibres, a entraîné derrière lui l'intelligentsia de gauche, a déclenché le processus de renversement de l'opinion [5]. » Déjà, de concert avec certains membres du Manifeste des 121, comme Maurice Nadeau par exemple, Roland Dumas avait conçu une stratégie de défense : il utiliserait certains noms célèbres, celui de Sartre en premier lieu : « comment décrocher Sartre? », se demandait-il notamment, persuadé de tenir là l'un des principaux atouts de sa plaidoirie, persuadé de parvenir, avec le nom de Sartre, à la mobilisation des troupes intellectuelles du pays.

Le procès du réseau Jeanson fut une mascarade, un opéra bouffe, un véritable cirque, un happening politique, une suite de provocations d'une insolence et d'une violence rarement atteintes dans l'enceinte d'un tribunal, une foire burlesque, une série de défis imposés par les avocats à la justice, à l'armée et à l'ordre du gouvernement gaulliste, la meilleure des tribunes, enfin, jamais offerte aux partisans de l'indépendance de l'Algérie pour affirmer la nécessité implacable de leur voix. Le président du tribunal recevra publiquement, et jour après jour, les mots de torture, de guerre d'Algérie, comme autant d'injures de la part des avocats qui revendiquent la levée du voile sur les exactions de l'armée française en Algérie. Et Me Vergès, très en forme, ne cesse les provocations, parlant un jour du ministre de la Culture du gouvernement comme de l' « ancien terroriste Malraux »; hurlant « Vichy! » un autre jour, au moment où le président du tribunal tente de filer à l'anglaise; faisant monter le scandale, multipliant les incidents pour bloquer la machine judiciaire et ridiculiser le pouvoir; poussant, enfin, ses clients à convoquer l'armée à la barre : « Je dis que Paupert, soldat de deuxième classe, *exige* que le colonel Argoud vienne témoigner en personne au procès du réseau Jeanson. » La presse française dans son ensemble, bien sûr, fit un très large compte rendu de ces séances historiques. « Les gens faisaient la queue, le soir, raconte Roland Dumas, pour assister aux séances de ce procès, de ce grand coup de poker. C'était comme s'ils étaient allés au spectacle [6]. »

Après une bataille de procédure qui traîna jusqu'au 15 septembre, débuta véritablement la phase la plus importante du procès : ce fut l'ouverture politique. Vinrent successivement témoigner à la barre de nombreuses personnalités – peu suspectes a priori d'anarchisme à l'égard de l'État – qui avaient envoyé lettre de démission ou retour de Légion d'honneur, pour se désolidariser publiquement des faits et gestes de l'armée française : Paul Teitgen, Vercors, Marcel Aymé, Jean Cassou. Des mots très durs furent prononcés : « Est-ce que le témoin peut nous dire, attaque violemment Mᵉ Vergès interrogeant Paul Teitgen, à partir des rapports qui lui ont été présentés par ses subordonnés dans l'exercice de ses fonctions : " Hélas, oui, l'on a torturé à Alger, l'on a torturé tous les jours, l'on a torturé de manière systématique ! ", ou bien : " Non, cela n'est pas vrai " ? » Le président du tribunal s'adressant à Paul Teitgen : « Avez-vous eu connaissance d'excès ou de tortures ? » Paul Teitgen : « Ces excès, ces tortures ont été la raison pour laquelle j'ai quitté mes fonctions, monsieur le président... J'ai juré de dire la vérité, monsieur le président. J'ai le regret d'avouer que des disparitions ont été portées à ma connaissance, dont je suis certain; et je souhaiterais, pour en finir avec des souvenirs qui sont pour moi pénibles, que la même rigueur, si elle doit frapper ceux qui ont le trouble dans leur conscience, frappe également ceux qui entachent l'honneur de mon pays et l'honneur de son armée [7]. » Le témoignage de Paul Teitgen expliquait, par exemple, que certains soldats de l'armée française, dégoûtés par les besognes de police qu'on leur faisait effectuer de force contre les militants algériens, aient préféré choisir de déserter et de soutenir le F.L.N. Alors, progressivement, par un travail de sape des avocats, des témoins, et de toute la couverture de presse, irrévocablement, la situation se retourna comme un gant : les accusateurs se retrouvèrent accusés, et inversement. Et ce procès, qui eût dû être celui de la désertion et de l'insoumission, devint celui de l'armée française; celui de l'illégalité de ses pratiques, de la manipulation de ses hommes en Algérie. « Vingt-cinq jours heurtés, baroques, décrit Marcel Péju, où tout était déconcertant, où le délire juridique succédait à la violence, où un tribunal désemparé sortait, rentrait, se contredisait, se rétractait, siégeait jour et nuit ou décrétait des suspensions de quatre heures pour des séances de sept minutes, accordait brusquement sans débat ce qu'il venait de refuser passionnément, coupait la parole à tout le monde pour, le lendemain, entendre sans réagir les discours les plus extraordinaires [8]. »

Dans ce cadre-là, les avocats s'en donnèrent à cœur joie, invoquant le plus souvent possible le nom de Sartre : cela suffisait à mettre en fureur le président du tribunal, littéralement allergique au seul nom du philosophe. « Il faut faire refaire tout le procès, faire revenir M. Sartre, insiste un avocat. Le président du tribunal, réveillé d'un coup à ce nom abhorré : " Attention, pas question de Sartre ici, hein [9]! " » Le nom de Sartre, le président l'entendra pourtant à son corps défendant, à de nombreuses reprises, puisque le mardi 20 septembre est consacré – nouveau putsch des avocats de la défense – à l'audition des signataires du Manifeste des 121. Successivement, parlent à la barre une vingtaine de témoins, parmi lesquels Claude Roy, Vercors, André Mandouze, Claude Lanzmann, Jérôme Lindon, Jean Pouillon, Nathalie Sarraute, etc. C'est immédiatement après la déposition de Claude Lanzmann que Me Roland Dumas interrompt le cours des dépositions : « Je viens de recevoir, déclare-t-il, une lettre et un télégramme de Jean-Paul Sartre, qui est retenu au Brésil par une tournée de conférences. Le télégramme demande qu'on excuse son absence et affirme son " entière solidarité " avec les accusés. Me permettez-vous maintenant, monsieur le président, de donner lecture de la lettre? » Le président ayant acquiescé, Me Roland Dumas se mit à lire la lettre : « Mon cher maître, commença-t-il, me trouvant dans l'impossibilité de venir à l'audience du tribunal militaire – ce que je regrette profondément – ... »

Cette lettre, datée du 16 septembre 1960, qui allait provoquer l'un des plus spectaculaires rebondissements de ce procès happening, en focalisant tous les regards sur ce grand témoin si paradoxalement présent, cette lettre avait, en fait, toute une histoire... « Vous m'utilisez comme vous voulez », avait dit Sartre à ses lieutenants avant de s'envoler pour Recife : les consignes, donc, étaient claires. Lanzmann et Péju avaient réussi à joindre Sartre à Rio, par téléphone, pour lui exposer l'état de la situation aux premiers temps du procès; pour lui annoncer, aussi, l'utilité d'un témoignage – ne fût-ce qu'écrit – émanant de lui. Les arguments furent longuement échangés par téléphone; on retrouva le texte du premier entretien que Sartre avait accordé à Francis Jeanson, lors de leurs retrouvailles; et la lettre sartrienne fut rédigée par les lieutenants sartriens à la manière sartrienne, tapée à la machine par Paule Thévenin; la signature de Sartre, enfin, fut imitée par le dessinateur Siné [10]. La machine avait parfaitement fonctionné, signe de cohésion de l'équipe. « Si Jeanson m'avait demandé de porter des valises ou d'héberger des militants algériens et que j'aie pu le faire sans risques pour eux, lut donc Roland Dumas en pesant chaque mot je l'aurais fait sans hésitation... Un sort contraire a provisoirement séparé de nous [les accusés], mais j'ose dire qu'ils sont, dans ce box, comme nos délégués. Ce qu'ils représentent, c'est l'avenir de la France. Et le pouvoir qui s'apprête à les juger ne représente déjà plus rien... »

Le tollé, bien sûr, fut général, et la presse en parla pendant plusieurs jours. C'était comme si, dans cette provocation suprême, Sartre avait touché à la fois le pouvoir français et tous les citoyens du pays. « Une bombe », titre *L'Aurore,* tout en précisant : « Du fond du Brésil, Jean-Paul Sartre a envoyé une lettre scandaleuse et une insulte au gouvernement français. » « Sartre a remplacé Maurras et prétend imposer une dialectique anarchique, déclare Alain Terrenoire, ministre de l'Information. Cette dialectique de suicide prétend s'imposer à une intelligentsia égarée ou décadente. Aussi longtemps qu'il s'agissait d'un jeu d'intellectuels, on pouvait n'y attacher qu'une importance limitée. Mais voici que ce sont les bases mêmes de la communauté nationale qui sont désormais mises en cause [11]. » Le ministre de l'Information, en personne, témoignait donc de ses craintes devant ce dernier séisme sartrien. Et Thierry Maulnier, pour sa part, considéra, dans *Le Figaro,* que « M. Jean-Paul Sartre n'a plus rien d'autre à faire qu'à défendre ses positions le fusil ou la bombe à la main dans les rangs du F.L.N. : là du moins il assumera des risques [12] ». *L'Express,* à son tour, et par la voix de Mauriac, l'attaqua : « Sartre convie la gauche française à lier parti, à se compromettre, put-on lire dans les lignes de l'hebdomadaire, avec des terroristes couverts à la fois de sang français et de sang algérien... Quelle folie! Car, quand il s'agit de Sartre, on ne saurait dire quelle sottise, mais quel désespoir [13]. » « La lettre de Jean-Paul Sartre, ajoute encore *La Croix,* ramène le procès dans la plus basse arène politique [14]. » Le député de Seine-et-Marne, M. Battesti, réclama, dans une question écrite à la Chambre des députés, que le gouvernement entreprenne des poursuites contre le philosophe : « Le gouvernement trouve-t-il normal, demanda-t-il, au moment où des milliers de jeunes Français assurent, au péril de leur vie, la pacification de l'Algérie, que M. Jean-Paul Sartre puisse impunément se déclarer pour le F.L.N. [15]? » Le commentaire le plus incisif, peut-être, on le dut au journaliste du *Monde,* Jean-Marc Théolleyre qui couvrait, depuis le début du procès, l'ensemble des débats. « Incendiaires propos », commenta-t-il. Et il se demanda judicieusement si par cette lettre qui prenait des « allures de défi » Sartre ne cherchait pas, au fond, « à solliciter une inculpation [16] ». Il s'agissait très exactement de cela.

De fait, les inculpations commencèrent à s'abattre sur les signataires du Manifeste des 121. Fonctionnaires suspendus sans traitement dans l'exercice de leurs fonctions, journalistes de la radio et de la télévision licenciés, inculpations, perquisitions, interrogatoire, tout le dispositif policier se mit en place, pour traquer les responsables. Dès le 22 septembre, en effet, le Premier ministre Michel Debré avait fait adopter par le Conseil des ministres une ordonnance qui aggravait les peines destinées à sanctionner la provocation à l'insoumission et le recel d'insoumis. « Il convient de punir très sévèrement, soulignait l'ordonnance, non seulement les insoumis, mais encore ceux qui les incitent ou les aident à se dérober à leurs devoirs... Ces appels... jettent le trouble dans l'esprit de certains appelés sensibles à une propagande insidieuse et démoralisatrice... La provocation à la désertion sera punie... En ce qui concerne les fonctionnaires, [la sanction infligée] rompt tout lien avec la fonction publique : son expiration n'entraînera donc pas la réintégration dans l'emploi précédemment occupé... » La semaine suivante, le 29 septembre, donc, le gouvernement frappe encore plus fort : sa nouvelle ordonnance autorise la suspension provisoire de tout fonctionnaire qui ferait l'apologie de l'insoumission ou de la désertion, ou qui provoquerait les militaires à la désobéissance. « Personne n'oblige les fonctionnaires à entrer au service de l'État », commente le ministre de l'Information. Les protestations, les messages de sympathie, les communiqués scandalisés, les listes de soutien se croisent dans les journaux, se répondent en écho dans les médias. L'Union des combattants d'Afrique du Nord proteste contre le « caractère scandaleux des prétendus témoins qui... insultent notre pays ». Précisant également que « le nom de M. Jean-Paul Sartre, précédemment lié aux milieux de Saint-Germain-des-Prés et à l'idée de nausée, serait pour la jeunesse française actuelle associé à l'idée de trahison [17] ». Le M.P. 13, pour sa part, attaque les signataires du Manifeste, les décrivant comme « une poignée d'intellectuels dégénérés et de filles en mal d'exotisme, blousons dorés d'une société décadante ». Concluant que « c'est le général Raoul Salan, grand seigneur du 13 mai, auquel les princes de la Ve République doivent tout [18] ». Dans une lettre ouverte au Premier ministre, M. Duchet, secrétaire général du Centre national des indépendants, écrit : « Je tiens à vous dire, après la libre publication de la lettre de Jean-Paul Sartre et l'interdiction de séjour qui frappe le général Salan en Algérie, l'émotion de tous ceux qui aiment leur pays, respectent ses bons serviteurs et respectent ses lois. M. Jean-Paul Sartre, qui ne nous a jamais apporté que des théories subversives et des sophismes, a pu impunément insulter notre armée et la France. Il a osé faire publiquement la démonstration qu'en violant les lois de son pays et en aidant l'ennemi il sauvait l'honneur. D'une part Jean-Paul Sartre peut violer et dénoncer les lois les plus fondamentales sur la sauvegarde et le service de la patrie. D'autre part, l'un de nos plus grands chefs militaires et l'un des plus disciplinés est frappé pour avoir rappelé et maintenu ces mêmes lois fondamentales. Je vous demande de revenir sur des attitudes aussi fâcheuses dont vous savez comme moi le trouble qu'elles provoquent dans l'armée et dans le pays tout entier [19]. »

Dans l'autre sens, le Comité de vigilance universitaire affirme que le Manifeste des 121 « traduit essentiellement la volonté de refuser publiquement à l'État les moyens de continuer la guerre injuste qu'il mène en Algérie... Nous assurons [tous les signataires] de notre sympathie et de notre estime [20] ». Le Comité d'action républicaine des artistes et écrivains d'art est unanime à penser au sujet des signataires que « leur droiture, leur désintéressement et leur patriotisme méritent le respect. Ils se joignent à ceux qui, pour l'honneur de la France, demandent leur acquittement et leur libération [21] ». De tous côtés, donc, en cet automne 1960, volent les prises de position, prosartriennes, antisartriennes, ligues d'anciens combattants contre associations d'enseignants, nostalgiques de l'empire français contre syndicats d'acteurs, saisie des *Temps modernes* enfin malgré les deux pages blanches où aurait dû se trouver le texte du Manifeste. La France s'affole, le pouvoir se durcit. Les scandales du procès, parvenus à l'étranger, reviennent en écho à Paris : manifestations de soutien. Intellectuels italiens, allemands, américains, britanniques, tour à tour se mobilisent pour les fameux cent vingt et un. Des contre-manifestes circulent parmi les intellectuels français partisans de l'ordre. « Ils veulent détruire l'âme de la France », écrit pour sa part le professeur Charles Richet, de l'Académie de médecine. « Dans son délire passionnel Sartre est allé trop loin », écrit André Brissaud dans les colonnes du *Figaro.* Mais c'est tout de même Thierry Maulnier qui trouvera les formules les plus symboliques dans sa « Réponse à Jean-Paul Sartre » intitulée « Les Individualités pensantes », qui paraît dans *Le Figaro* du 30 septembre : « La France réelle, écrit-il, doit être vaincue pour que triomphe la France sartrienne, l'idée révolutionnaire de la France que M. Jean-Paul Sartre a substituée à la France, et qu'il préfère à la France. De cette France sartrienne, de cette France des " individualités pensantes ", c'est le F.L.N. qui est l'armée véritable, tandis que l'armée française devient l'ennemie odieuse, inexpiable : quelque chose comme l'héritière et la continuatrice de l'armée hitlérienne des années 40. » Et, dans *La Croix,* l'écrivain Jacques de Bourbon-Busset observe que quelque chose de neuf vient d'apparaître à l'occasion du procès. « C'est le divorce, écrit-il, entre la plus grande partie de l'opinion publique et ceux qu'on appelle les intellectuels. Il y a là un symptôme grave car les intellectuels, dans une société, représentent l'aile marchante, celle qui prépare l'avenir [22]. »

Désormais, tout le débat fera vibrer sourdement cette mémoire collective française qui se réveille dès que le mot d'« intellectuel » est prononcé. « La presse anglaise a quelque peu fustigé la démocratie française à l'occasion de ce procès, écrit Claude Fuzier, elle a eu tort d'employer des grands mots : l'affaire était ridicule... Alors qu'il faudrait le ton d'un Voltaire ou d'un Paul-Louis Courier, nous sommes affublés d'une ribambelle de Victor Hugo de quartiers, tous désireux de récrire *Les Châtiments,* en oubliant que, si le nom de Napoléon avait fait le tour de l'Europe, celui de M. Debré n'a pas dépassé l'hémicycle sénatorial [23]. » Pendant ce temps-là, à Metz où il fait un discours, Michel Debré tient des propos pathétiques : « Ah, nous savons bien que c'est une des fâcheuses traditions de notre pays que de sécréter en tous temps des ennemis de soi-même. Ainsi, nous en avons vu récemment, les uns par une désolante déviation de la pensée, les autres par un goût malsain de publicité et même de scandale, prôner l'insoumission. Nous avons pris et nous continuerons de prendre les sanctions qu'exigent l'intérêt de l'État et le bon sens national. Les tribunaux jugeront ceux d'entre eux qui se signalent par une agitation particulière [24]. » Propos de maître d'école, propos d'un autoritarisme un peu condescendant et très paternaliste que d'aucuns, au sein même du gouvernement, ne pourront approuver. L'affaire des 121 rappelait fortement deux « affaires » : l'affaire Calas, l'affaire Dreyfus. Puis ce fut l'engrenage de la surenchère, sur le mot même d'intellectuel : nouvelle liste de signatures approuvant le Manifeste des 121, nouvelle mobilisation pour un contre-manifeste. « C'est la bataille des intellectuels, annonce triomphalement *Le Figaro.* Le manifeste des intellectuels français : 260 contre 121 [25]. » Et l'on compta les points, comme dans un match de football. Et l'on annonça, comme sur les affiches de corridas, à grand renfort de couleurs et de dorures ce qui se jouait là : « Les intellectuels français à ceux de Sartre, titra *L'Aurore* : Les apologistes de la désertion sont des imposteurs et des traîtres [26]. » D'autres journaux parlèrent de la « nouvelle trahison des clercs ». Certains, au contraire, admirèrent le courage de Sartre et de ses proches. Ainsi, le journal *Réforme,* dans un article intitulé : « Le temps des militants », lança : « La réflexion de Sartre mérite d'être entendue... Il ne veut pas que les événements actuels le rejettent une fois de plus du côté de la gauche respectueuse : il pense que le temps de prendre des risques est venu. Il recommande aux jeunes l'insoumission, il se range aux côtés des nationalistes algériens qui luttent pour l'indépendance de leur pays. Il ne nous appartient pas de juger Jean-Paul Sartre, mais de le comprendre [27]. » Enfin, de grandes voix se levèrent ; Mauriac, on l'a vu ; André Malraux qui pensait, pour sa part : « Mieux vaut laisser Sartre crier " Vive le F.L.N. " sur la place de la Concorde que de l'arrêter et commettre un impair [28]. » Le général de Gaulle, enfin, à l'issue du conseil des ministres au cours duquel avaient été annoncées les mesures de sanctions adoptées à l'encontre des signataires du Manifeste des 121, précisa l'esprit dans lequel il souhaitait qu'elles fussent appliquées. Il poursuivait ainsi une politique de répartition des tâches au sein du gouvernement : aux uns la matraque, aux autres la colombe de la paix. Le chef de l'État distingua donc, dans cette affaire, le cas des « serviteurs de l'État » – dont il ne pouvait être toléré qu'ils s'élèvent contre les lois de l'État –, de celui des « intellectuels » dont il parla avec un détachement mêlé de bienveillance, rappelant les exemples de Villon, de Voltaire, de Romain Rolland. « Ces gens-là, dit-il, ont causé bien des tracas aux pouvoirs publics en leur temps mais il n'en est pas moins indispensable que la liberté de pensée et d'expression des intellectuels demeure respectée dans toute la mesure compatible avec l'obéissance aux lois de l'État et avec le souci de l'unité de la nation [29]. » Le quotidien *Paris-Jour* titra alors ce jour-là : « De Gaulle : " Je pardonne à Voltaire, mais pas aux serviteurs de l'État ". » Cette générosité souveraine, ce geste d'apaisement gaullien, constituait une première étape dans la canonisation de Sartre.

« Fu-si-llez-Jean-Paul-Sartre » « Al-gé-rie-fran-çaise » « Libé-rez-La-gai-llarde » « Sa-lan-au-pou-voir ». Lundi 3 octobre, sur les Champs-Élysées, à Paris, six à sept mille manifestants se retrouvent au coin de la rue Washington. Il est un peu plus de dix-neuf heures. Ils vont remonter les Champs-Élysées en direction de l'Arc de Triomphe de l'Étoile. Pour « honorer en silence les morts civils et militaires tombés sous les coups du F.L.N. » et pour « protester contre l'appel à la trahison », six organisations d'anciens combattants avaient appelé à ce rassemblement : Rhin-et-Danube, les Anciens de la 2e DB, Flandres-Dunkerque, les Anciens des Forces françaises libres, les Anciens du Corps expéditionnaire français d'Italie, l'Union nationale des combattants et les Fils des tués. Drapeaux à hampe dorée, décorations, calots à insignes, chacun arbore les derniers vestiges de son passage à l'armée. Une centaine de porte-drapeaux en tête, juste derrière des hommes portant des gerbes de fleurs. Et puis des membres du conseil municipal, leur écharpe bleu-blanc-rouge en travers de la poitrine, dont Jean-Marie Le Pen avec son insigne de député et son béret vert de parachutiste. Derrière, le gros de la troupe : jeunes militants d'extrême droite distribuant des tracts. Rituels dépôts de gerbe et minute de silence en présence des maréchales de Lattre et Leclerc. La manifestation dégénère vite : sur les Champs-Élysées, reflux brutal, bris de vitres, saccages de vitrines - contre l'hebdomadaire *L'Express* notamment. C'est donc ce jour-là, et dans ces circonstances, que le nom de Sartre fut utilisé pour la première fois dans une manifestation de rue, comme le symbole de tous ces « faux Français » qui poussaient le gouvernement à « lâcher » l'Algérie. C'est à ce moment-là que toute une frange de la population française fit de lui, officiellement, son ennemi public numéro un. « Sartre, c'est un monstre », commenta quelques jours plus tard l'hebdomadaire *Force nouvelle.*

De nombreux Français - qui n'avaient jusqu'alors pas jugé bon de prendre parti - s'engagent dans la bataille, s'insurgent contre la brutalité des sanctions prises par le gouvernement. La poignée d'intellectuels et le fameux Manifeste des 121 venaient de faire basculer dans leur camp toutes les forces de gauche. Le Comité de liaison du spectacle, la C.G.T., la C.F.T.C., l'Assemblée des cardinaux et archevêques de France, des journalistes de la R.T.F., des chercheurs du C.N.R.S., des élèves de l'École normale supérieure, des instituteurs de Corrèze, le Comité national des écrivains, le syndicat des critiques, la Ligue des droits de l'homme tour à tour s'élèvent contre les sanctions prises à l'égard des fonctionnaires. Tout en se référant, parfois, à certains moments clefs de l'Histoire de France : « La chasse aux sorcières, écrit le communiqué du C.N.É., introduite en France en même temps que les bataillons de la Wehrmacht à Sissonne et à Mourmelon, prélude de toute évidence à la ruine du visage français, du prestige français dans le monde. Le seul moyen de mettre fin à l'arbitraire est de faire cesser immédiatement la guerre d'Algérie [30]. »

Sartre venait d'être classé par le général de Gaulle dans une catégorie de citoyens que la loi ne pouvait toucher : les intellectuels. Ses amis allaient également à leur tour bénéficier d'un régime de faveur. Jean Pouillon, rédacteur à l'Assemblée nationale, avait été suspendu de ses fonctions pour six mois et sans traitement. Pourtant, il ne fut jamais inculpé : et malgré ses lettres répétées où il affirmait être non seulement « solidaire » mais aussi « complice » des têtes de l'affaire, malgré les perquisitions, malgré les interrogatoires dont il fut l'objet, il ne fut pas inquiété davantage. « J'ai la conviction, explique-t-il aujourd'hui, quand je vois la quantité de renseignements que pouvait amasser la police, que Sartre et son entourage étaient tenus sous un régime de haute protection. Toucher à Arlette, toucher à Pouillon, c'était toucher au nom de Sartre. Or nous n'apparaissons nulle part, totalement protégés par lui [31]. » Le 9 septembre, au lendemain du premier communiqué sur le Manifeste des 121, le quotidien *Paris-Presse-l'Intransigeant* avait titré : « Jean-Paul Sartre, Simone Signoret et cent autres risquent cinq ans de prison. » A peine un mois plus tard, les choses étaient renversées : Sartre était devenu Intouchable, le groupe des *Temps modernes* et les membres de la petite famille sartrienne avaient été englobés dans les privilèges de la caste. Sur le bureau de Sartre, rue Bonaparte, s'accumulaient désormais des lettres que son secrétaire, Claude Faux, ouvrait, chaque jour et par dizaines. « Nous vous suivons totalement sur ces déclarations, nous soutenons votre action. Et maintenant, que devons-nous faire? », disaient en substance la plupart de ses correspondants [32].

« La situation en France est gravissime, avait expliqué Lanzmann lors de son dernier télégramme, lors de son dernier appel téléphonique à Sartre avant son retour du Brésil. Il ne faut en aucun cas que vous atterrissiez en France. Prenez donc le vol Rio-Barcelone. » « Il fallait absolument, poursuit Jean Pouillon, mettre Sartre au courant de tous les détails de la situation politique, pour éviter qu'il ne fasse trop hâtivement des déclarations à la presse. » Le 4 novembre, Sartre et le Castor atterrirent donc à Barcelone. Bost et Pouillon étaient descendus en voiture pour les y accueillir. Ils se retrouvèrent tous les quatre à l'hôtel Colon, celui-là même où, vingt-cinq années auparavant, Paul Nizan et André Malraux avaient conjointement assisté aux grands combats de la guerre d'Espagne. Ils visitèrent tranquillement le musée de Barcelone où, raconte encore Pouillon, « Sartre fit un cours improvisé sur les fresques catalanes, un cours tellement brillant que les autres visiteurs du musée crurent que nous avions engagé un guide ». Le lundi après-midi, ils partirent alors en direction de la France, se présentèrent au poste de douane. Bost prit les devants, se disant que, somme toute, un incident était toujours à craindre; il sortit de la voiture et se présenta au chef de poste avec les quatre passeports en main. Celui-ci compulsa les noms, les photographies, et, bien sûr, exigea de rencontrer les individus pour vérification d'identité. « Veuillez entrer, maître, dit-il à Sartre, en s'inclinant jusqu'au sol. Maître, prenez donc place dans mon salon privé... Maître, souhaitez-vous des cigarettes, du whisky, des journaux? » Et des C.R.S. en uniforme partirent en courant chercher qui des cigarettes, qui du whisky, qui des journaux. Au bout de trois quarts d'heure, le chef de poste revint : « Maître, répéta-t-il en s'inclinant encore, je suis heureux de vous annoncer que vous pouvez passer la frontière... Mais auparavant, maître, j'aurais une requête à vous faire : accepteriez-vous de signer mon livre d'or? » Sartre s'exécuta, apposa sa signature sur une page déjà à moitié entamée. Lorsqu'il eut signé, il regarda, par curiosité, la signature qui figurait dans le haut de la page, juste au-dessus de la sienne : « Général Raoul Salan », put-il lire simplement. A une demi-heure près, chacun traversant la frontière dans un sens différent, Jean-Paul Sartre d'Espagne vers la France, Salan de la France vers l'Espagne, auraient dû se rencontrer [33].

« Nous sommes rentrés à Paris par le chemin des écoliers, raconte Jean Pouillon. Après une escale à Béziers et une autre à Tournus. A Pont-Saint-Esprit, nous avons retrouvé Lanzmann, descendu après nous. Le mercredi ou le jeudi suivant, nous arrivions à Paris. » A la halte de Tournus, cependant, Bost, Pouillon et Lanzmann purent se rendre compte de la haine que la simple vue de Sartre réveillait dans une certaine partie de la population française. Lorsqu'ils entrèrent, tous les cinq, dans le grand restaurant de Tournus, Sartre, en tête, puis le Castor juste derrière, des têtes se levèrent, des gens le reconnurent, et les trois lieutenants virent des regards, surprirent des murmures : « Ce sale type... ce monstre... » « De la haine, commente encore aujourd'hui Pouillon. Mais la patronne, précise-t-il, présenta là encore son livre d'or, visiblement ravie d'y obtenir une signature de Sartre. » En l'espace d'un été, la place de Sartre dans la société française avait acquis une force symbolique qu'elle n'avait jamais encore atteinte auparavant. Les discussions bien sûr, dans le voyage de retour, allèrent bon train entre Sartre, le Castor et leurs amis. « Bien entendu, affirmait Sartre, je suis tout prêt à me faire inculper, comme tous les autres signataires du Manifeste... » « Comme par hasard, ajoute à son tour Pouillon, les inculpations s'arrêtèrent net le jour où Sartre fut de retour à Paris [34]. » « D'ailleurs, commente Roland Dumas, le juge Pérez qui s'occupait du dossier envoya à quatre ou cinq reprises à l'adresse de Sartre une dépêche d'inculpation, immédiatement suivie d'une annulation de ladite inculpation! Ce petit jeu dura un mois. L'erreur de la justice française dans cette affaire, ajoute-t-il encore, fut de vouloir traiter tous ces intellectuels comme ils auraient traité de petits truands : et la tentative de les intimider, sous prétexte de " les calmer ", fut, bien sûr, particulièrement maladroite. C'était négliger la puissance populaire qu'ils représentaient désormais, c'était omettre le poids du bagage idéologique qui sous-tendait les intentions des 121 [35]. » Sartre fut donc entendu une seule fois lors d'une commission rogatoire à la police judiciaire, puis attendit en vain sa convocation chez le juge d'instruction. « A Paris, des commissaires ont commencé à recueillir nos témoignages, racontera plus tard Sartre, et il a été entendu que huit jours plus tard nous irions chez le juge d'instruction; la veille le pauvre juge est tombé malade, huit jours après il était encore malade, et là s'est terminée la plaisanterie; nous n'avons plus jamais entendu parler de notre inculpation en tant que signataires du Manifeste des 121 [36]. »

Le 1er décembre enfin, après avoir attendu plus d'un mois sa lettre d'inculpation, Sartre se résolut à convoquer une conférence de presse : journalistes français et étrangers se rassemblèrent au domicile du Castor. « Cette fois-ci, déclara-t-il notamment, il faut faire un constat. On ne veut pas que nous allions témoigner ou en tout cas signer notre inculpation. Pourquoi? Je n'en sais rien. Je sais en tout cas qu'il y a d'autres inculpés qui ont signé leur inculpation et vont être jugés. Si le gouvernement avait rendu un non-lieu général, je ne me serais pas permis de vous déranger. J'aurais trouvé que la raison revenait. Mais s'ils ont inculpé trente des cosignataires, et non les autres, nous, les autres, nous nous trouvons dans une situation malsaine et qu'il faut dénoncer... On essaie de créer deux poids, deux mesures, poursuivit-il, entre des cosignataires également responsables. C'est une situation parfaitement inadmissible. Si les hommes sont inculpables, nous le sommes tous, ou sinon, que l'on proclame un non-lieu général... Je déclare à la presse ce que j'aurais déclaré au juge d'instruction : je suis un de ceux qui ont rédigé ce texte, qui l'ont diffusé pour recueillir des signatures. Je réclame donc mon inculpation... On se sert de mon nom, on truque, on compense : j'ai servi d'alibi pour mettre en liberté des gens qui sont en opposition non seulement avec le gouvernement, mais encore avec la démocratie [37]. » Sartre dénonçait les contradictions internes de la machine gouvernementale : ordres et contre ordres se succédaient, les ministres les plus durs – Debré, Terrenoire – répondant pied à pied aux plus modérés – Malraux. Sartre s'amusa beaucoup devant les égards du pouvoir à son endroit, ne manqua pas une occasion d'en dénoncer les incohérences. Cet énorme tohu-bohu avait bouleversé le pays, mais en décembre 1960, aucun imprimeur n'ayant osé faire le geste, le texte du Manifeste des 121 n'avait pas été encore publié dans la presse. Un jour, Mascolo, sortant de chez Lipp, rencontra le député F.G.D.S. de la Nièvre, François Mitterrand, et lui suggéra une astuce : « Et si vous parveniez à lire le texte du Manifeste lors d'une des séances de questions orales à l'Assemblée nationale, le texte serait forcément reproduit au

Journal officiel, ce qui créerait un précédent, et permettrait ainsi sa publication définitive... » « Mitterrand ne répondit, ni oui ni non, commente aujourd'hui Mascolo, et apparemment il ne fit rien [38]. »

Au terme de cet été, puis de cet automne 1960, une remarque s'impose : Sartre fut actif pendant la guerre d'Algérie parce que, retrouvé par Jeanson, il accepta de donner sa solidarité totale et celle de son équipe aux réseaux de soutien au F.L.N., qu'il n'avait pas créés. Pour le Manifeste des 121 il offrit son nom et tous les secours de son équipe; là encore il fut un appui précieux, non un initiateur. Sa lettre, enfin, que Me Roland Dumas lut au procès le 20 septembre, était un faux, écrit en lieu et place d'un absent. Alors, fut-il vraiment actif, ou bien tout simplement consentant, géré et bien géré par les membres de son équipe, par les autres intellectuels français? Apparemment, désormais, il n'a même plus besoin de vouloir, ni de faire, il est devenu bouclier, paravent, « bien national », nous dira Pouillon : et peut-être est-ce d'ailleurs très précisément cela même qui le gêne.

La place politique que Sartre avait acquise dans le contexte de la guerre d'Algérie avait fait venir à lui des sympathisants du monde entier. En ce début des années 60, dans les foyers de prise de conscience politique qui se développaient en Afrique, en Asie du Sud-Est, en Amérique du Sud, en Europe aussi, bien sûr, parmi ces jeunes gens d'extrême gauche qui se mobilisaient pour l'expérience chinoise, l'expérience algérienne, l'expérience cubaine, Sartre était perçu comme un modèle théorique. Il devenait pour un temps le prophète de ce monde nouveau qui semblait se réveiller brutalement, pour se libérer des chaînes de l'Occident impérialiste et colonisateur.

Tunis, été 1960. Une grande pièce nue, avec pour seul meuble un matelas posé à même le sol. Claude Lanzmann et Marcel Péju, émissaires des *Temps modernes,* viennent rencontrer Frantz Fanon. « Il était malade, raconte Lanzmann, mais tout en souffrant atrocement, il niait complètement sa souffrance. Il avait déjà lu la *Critique de la raison dialectique,* il nous en parla des heures et des heures. Il nous parla aussi de cette lumière qu'étaient les types " de l'intérieur ", de leur abnégation, de leur esprit de sacrifice, de leur dévouement. Son besoin de communiquer était immense, il voulait avant tout nous convaincre que cet " intérieur de l'Algérie " était devenu une pure liberté, libérée de tout préjugé, il nous disait que Sartre était un dieu, il parlait avec une triple voix d'urgence. Celle de la maladie – sa leucémie qui le condamnait à court terme. Celle de la révolution algérienne.

Celle, enfin, de la révolution africaine. Il était, dit encore Lanzmann, bien au-delà déjà de la révolution algérienne. Il parlait de son rêve absolument visionnaire et unitaire pour toute la négritude. Il dramatisait le jeu de l'Histoire et faisait preuve d'une extraordinaire exigence morale. Il allait sur le terrain, dans ces wilayas retranchées à la frontière algéro-tunisienne, rencontrer les révolutionnaires, leur faire des conférences, leur parler de ses lectures, de celles de Sartre notamment : il leur expliqua même un jour – l'année même de sa publication – ce qu'il avait aimé dans la *Critique de la raison dialectique*! Il allait former théoriquement ces groupes, ces militants parmi lesquels on retrouvait des hommes tels que le colonel Houari Boumediene, Ben Khedda – le pharmacien de Blida – qui allait remplacer Ferhat Abbas à la tête du G.P.R.A., Abdelaziz Bouteflika, ou encore Ahmed Medgui, futur ministre de l'Intérieur du gouvernement algérien... Tous ces gens, explique enfin Claude Lanzmann, avaient la plus grande estime, la plus vive admiration pour Fanon qu'ils désignaient d'ailleurs avec déférence, en parlant du " docteur Fanon " [39]. »

Avec l'arrivée à Tunis des deux émissaires des *Temps modernes,* venait de se mettre en place l'axe Fanon-Sartre. Dès l'année 1948, Fanon avait pris connaissance des premiers textes de Sartre en faveur des minorités africaines; il avait surtout lu et apprécié « Orphée noir », préface rédigée par Sartre pour présenter une anthologie de la nouvelle poésie nègre et malgache de langue française. « Qu'est-ce donc que vous espériez, lançait alors Sartre à ses contemporains, quand vous ôtiez le bâillon qui fermait ces bouches noires? Qu'elles allaient entonner vos louanges? Ces têtes, que nos pères avaient courbées jusqu'à terre par la force, pensiez-vous, quand elles se relèveraient, lire l'adoration dans leurs yeux [40]? » Sartre y donnait encore une lecture coléreuse et magique des poèmes d'Aimé Césaire, de Léopold Sedar Senghor, de David Diop, d'Etienne Lero, de Rabearivelo, de Damas le Guyanais, ou de Brierre le Haïtien, circulait entre les différentes expériences, rappelait la phrase de Paul Niger – « La trompette d'Armstrong sera, au jour du jugement, l'interprète des douleurs de l'homme » –, se penchait sur le concept de « négritude » – « triomphe du narcissisme et suicide de Narcisse » –, analysait l'évangélisme de la poésie nègre – qui tente de se délivrer de la « culture-prison » –, la qualifiait enfin d' « orphique », « parce que cette inlassable descente du nègre en soi-même me fait songer à Orphée, écrivait-il, allant réclamer Eurydice à Pluton ». Enfin, et dans la ligne des *Réflexions sur la question juive* – écrites à la même époque – Sartre provoquait ses contemporains blancs, les secouant, les insultant presque : « Le Blanc a joui trois mille ans du privilège de voir sans qu'on le voie... Aujourd'hui ces hommes noirs nous regardent et notre regard rentre dans nos yeux; des torches noires, à leur tour, éclairent le monde et nos têtes blanches ne sont plus que de petits lampions balancés par le vent[41]. » Plus tard, dans ses derniers textes, Fanon reprendrait à son tour ces subtilités sartriennes sur le concept de « négritude ». Pour l'heure, cette première rencontre avec Lanzmann et Péju le comble absolument et concrétise dans cet état d'urgence ses liens de fait avec le groupe des *Temps modernes*: la revue avait publié un extrait de son « An V de la révolution algérienne », encore inédit; et apporté un soutien constant à l'action du F.L.N. On se souvient, par exemple, du fameux « L'Algérie n'est pas la France » proféré dès 1955 dans *Les Temps modernes,* en réponse aux éternels certificats d'Algérie française; puis il y eut le dossier « L'Algérie : mythe et réalités »; le dossier tortures; le dossier disparitions; les soutiens aux différents militants français ou algériens, maltraités ou emprisonnés, comme Maurice Audin, Djemila Bouhired ou encore Henri Alleg et Francis Jeanson... Il y eut, surtout, entre Frantz Fanon et l'équipe des *Temps modernes,* un commun dégoût à l'égard de cette gauche institutionnelle, frileuse et lâche, lente à se mobiliser. « A l'aube de la quatrième année de la guerre de libération nationale, écrira entre autres Fanon dans *El-Moudjahid,* face à la nation française et face aux bombes de la rue Michelet, la gauche française se fait de plus en plus absente... une grande partie des intellectuels, la presque totalité de cette gauche démocratique, s'effondre et pose au peuple algérien ses conditions[42]. » On connaît, enfin, le fameux dossier spécial sur la gauche française publié par *Les Temps modernes* en mai 1955. Point n'est besoin d'insister : entre « Les intellectuels et les démocrates français devant la question algérienne » de Fanon et « La gauche en question » de Sartre, c'est la même analyse, la même colère. Les deux hommes vont se rencontrer un an plus tard dans la chaleur de l'été romain. Entre-temps, les événements d'Algérie auront hâté leurs liens.

A Rome, pendant l'été 1961, eut enfin lieu la première rencontre de Sartre avec Fanon : des journées, puis des nuits entières de conversations interminables et passionnées; leurs centres d'intérêt semblaient inépuisables. Fanon, fébrile et agité, questionnait Sartre sans trêve. « D'une intelligence aiguë, raconte le Castor, intensément vivant, doté d'un sombre humour, il expliquait, bouffonnait, interpellait, imitait, racontait : il rendait présent tout ce qu'il évoquait[43]. » Fanon avait alors achevé la rédaction de son dernier livre, *Les Damnés de la Terre,* qui allait être publié en France chez François Maspero. Quelque temps avant cette première rencontre avec Sartre, Fanon avait envoyé à son éditeur une lettre intense et impatiente, dans laquelle le nom de Sartre jouait encore une fois ce fameux rôle symbolique. « Mon état de santé s'étant légèrement amélioré, écrivait Fanon à Maspero depuis Tunis le 7 avril 1961, je me suis décidé à écrire tout de même quelque chose. Il faut dire que j'y étais fermement invité par les nôtres... Je vous demande, et je sais que vous me donnerez satisfaction, de *précipiter* l'impression de ce livre : nous en avons besoin en Algérie et en Afrique... Demandez à Sartre de me préfacer. Dites-lui que chaque fois que je me mets à ma table, je pense à lui. Lui qui écrit des choses si importantes pour notre avenir mais qui ne trouve pas chez lui des lecteurs qui savent encore lire et chez nous tout simplement des lecteurs [44]. »

La préface de Sartre aux *Damnés de la Terre* de Fanon restera l'un de ses textes les plus furieusement tiers-mondistes. Quelques phrases, quelques formules persistent, dans cette langue littéraire, dans ce style très écrit qui signent désormais les nouvelles productions sartriennes : « Qu'est-ce que ça peut lui faire, à Fanon, que vous lisiez ou non son ouvrage? C'est à ses frères qu'il dénonce nos vieilles malices, sûr que nous n'en avons pas de rechange. C'est à eux qu'il dit : " L'Europe a mis les pattes sur nos continents, il faut les taillader jusqu'à ce qu'elle les retire; le moment nous favorise [45]. " » Plus loin, Sartre admoneste ses contemporains, les harangue, les secoue : « Européens, ouvrez ce livre, entrez-y. Après quelques pas dans la nuit vous verrez des étrangers réunis autour d'un feu, approchez, écoutez : ils discutent du sort qu'ils réservent à vos comptoirs, aux mercenaires qui les défendent. Ils vous verront peut-être, mais ils continueront de parler entre eux, sans même baisser la voix... Cette indifférence frappe au cœur [46]. » Ce texte, après les événements de l'été 1960, marque le point d'orgue d'une époque, la fin d'une certaine Europe, la mise à mort joyeuse d'un système colonial directement hérité du XIXe siècle. Ce que Sartre fête là? L'émergence de la parole autonome des colonisés, l'acte de naissance d'un nouveau partenaire politique, la mutation enfin de celui qui fut l'opprimé, en un pair qui parle d'égal à égal. Dans cette longue méditation sur le sujet et l'objet, cette analyse de la dialectique Européen-colonisé, c'est le maître qui apprend de l'élève, le père qui apprend du fils, l'Européen, enfin, qui apprend de l'ancien colonisé. D'ailleurs, ajoute Sartre, si l'Europe veut être guérie, elle doit accepter cette parole. Le livre de Fanon, explique-t-il, « n'avait pas besoin de préface. D'autant moins qu'il ne s'adresse pas à nous. J'en ai fait une, cependant, pour mener jusqu'au bout la dialectique : nous aussi, gens de l'Europe, on nous décolonise : cela veut dire qu'on extirpe par une opération sanglante le colon qui est en chacun de nous. Regardons-nous, si nous en avons le courage, et voyons ce qu'il advient de nous [47]. » « Européens, clame Sartre, ayez le courage de lire ce livre... Vous voyez : moi aussi, je peux me déprendre de l'illusion subjective. Moi aussi, je vous dis : " Tout est perdu, à moins que... " Européen, je vole le livre d'un ennemi et j'en fais un moyen de guérir l'Europe. Profitez-en [48]. » Après avoir longuement parlé des Européens aux Européens, Sartre revient à Fanon : il retrouve ses accents les plus lyriques, ses rythmes les plus secs, ses raccourcis forcenés, intensifie sa prose : « Nous avons été, écrit-il, les semeurs de vent; la tempête, c'est lui. Fils de la violence, il puise en elle à chaque instant son humanité : nous étions hommes à ses dépens, il se fait homme aux nôtres. Un autre homme : de meilleure qualité [49]. »

Les Damnés de la Terre fut traduit en dix-sept langues et tiré à plus d'un million d'exemplaires. Le livre intervenait dans le débat idéologique à une période politiquement sensible – fin de la guerre d'Algérie – et se présentait sous la forme d'une imprécation pathétique : c'était un peu le testament politique d'un homme qui allait mourir. Sartre s'identifia-t-il avec Fanon, au point de reprendre les vibrations mêmes de la prophétie? Toujours est-il que l'attelage Sartre-Fanon devint une sorte de credo théorique. Parmi les éléments forts de ce livre, on retiendra surtout la reprise et l'exploitation du terme de « tiers monde » : « Le tiers monde est aujourd'hui en face de l'Europe comme une masse colossale... Il s'agit pour le tiers monde de recommencer l'histoire de l'homme... » « Tiers monde » avait été utilisé pour la première fois par Alfred Sauvy en 1952, dans un aventureux parallèle : « tiers état »/« tiers monde ». C'est à partir de la publication des *Damnés de la Terre* que « tiers monde », « tiers-mondisme », « tiers-mondiste » s'imposeraient partout [50]. Et si, quelque vingt-cinq années plus tard, on devait revenir violemment sur ce concept, on oublierait souvent de retrouver le contexte dans lequel il fut alors conçu. De rappeler par exemple ce début des années 50 où des intellectuels de gauche européens, plus ou moins influencés par le marxisme, dénoncèrent la « misère » et le « sous-développement » du « tiers monde », comme autant d'armes utilisées par l'impérialisme américain dans sa campagne anticommuniste (elles avaient été développées par le président Truman dans le point IV de son discours de 1947). Le discours tiers-mondiste, dans les années 60, ne fut qu'un cri de haine contre la droite affublée alors – peut-être un peu hâtivement – de l'épithète d' « impérialiste ». Discours trop univoque, trop schématique sans doute. Trop idéaliste, trop manichéen, en tout cas.

Le 6 décembre 1961, Fanon mourait à Washington, de la leucémie qui le minait depuis des années. La préface de Sartre à son dernier livre de Fanon illustrait un nouveau genre, celui des oraisons funèbres où il joua, peut-être, au Bossuet du siècle. Le 4 janvier 1960, Albert Camus avait perdu la vie dans un accident de voiture, il avait quarante-sept ans. Le 4 mai 1961, Maurice Merleau-Ponty mourait brutalement, à l'âge de cinquante-quatre ans. Pour ses deux anciens amis, Sartre allait publier, dans *Les Temps modernes,* deux magnifiques tombeaux : « Albert Camus vivant », « Merleau-Ponty vivant », qui paraîtraient plus tard dans un volume de *Situations,* le numéro IV, macabrement intitulé « Portraits ». De plus, entre l'article Camus et l'article Merleau, Sartre, répondant à une commande de l'éditeur François Maspero, accepta de rédiger une préface à la réédition du pamphlet que son ami Nizan avait publié en 1930, *Aden Arabie.* Cette préface, petit événement de sociologie éditoriale, constitue encore un autre « tombeau ». Nizan, disparu à trente-six ans. Fanon, mort à trente-six ans; Camus, à quarante-sept; Merleau-Ponty, à cinquante-quatre : dans ce panthéon sartrien quatre hommes, trop tôt disparus, furent ressuscités par sa voix. On pense, bien sûr, à ces « récits de vie » dans les premiers *Temps modernes.* On pense à la passion du jeune Poulou pour les vies d'hommes illustres qu'il lisait chez son grand-père. On pense à l'autobiographie qu'il est en train d'achever : « Tout un homme fait de tous les hommes et qui les vaut tous et que vaut n'importe qui », écrira-t-il enfin, dans l'ultime phrase des *Mots.*

Très vite, après l'annonce de la mort de Camus, Sartre se mobilisa. Occasion de tempérer ses attaques de jadis? Il écrivit un fort beau texte et trouva, pour parler de Camus, des mots plus justes que les autres : Camus « représentait en ce siècle, et contre l'Histoire, écrivit Sartre, l'héritier actuel de cette longue lignée de moralistes dont les œuvres constituent peut-être ce qu'il y a de plus original dans les lettres françaises. Son humanisme têtu, étroit et pur, austère et sensuel, livrait un combat douteux contre les événements massifs et difformes de ce temps. Mais, inversement, par l'opiniâtreté de ses refus, il réaffirmait, au cœur de notre époque, contre les machiavéliens, contre le veau d'or du réalisme, l'existence du fait moral [51] ».

Écrite au cours du séjour à Cuba, en février 1960, terminée pendant le voyage de retour, la préface à *Aden Arabie* parut dès le mois suivant. C'était un drôle de petit livre de couleur saumon, qui portait sur la couverture : « Paul Nizan *Aden Arabie* Préface de Jean-Paul Sartre ». Depuis la mort de Paul Nizan en 1940, ses trois romans, ses deux pamphlets, ses essais n'étaient pratiquement plus accessibles en librairie. L'homme avait disparu. Sa production aussi. Il faut rappeler qu'après douze années au service du P.C.F. comme permanent, Nizan avait démissionné à la suite du pacte germano-soviétique en septembre 1939 : il avait été militant de base, candidat à la députation dans la France profonde, libraire, journaliste, avait fait des discours, des articles, passé une année entière en U.R.S.S., courtisé les uns, assassiné les autres, bref il avait à son actif toute une gamme de prestations au service de son parti avant d'exprimer publiquement son désaccord sur la ligne adoptée en 1939, et de démissionner. Entre sa démission et sa mort, neuf mois s'écoulèrent, au cours desquels le P.C.F., en la personne de Maurice Thorez, avait déjà pris le temps d'amorcer une campagne de calomnies. « Traître, chien pourri, espion émargeant au ministère de l'Intérieur... », aucune insulte ne fut épargnée à ce malheureux Nizan. Les calomnies reprirent après la guerre et on se souvient qu'en 1947 Sartre intervint avec un certain nombre d'autres intellectuels pour sommer les instances du Parti d'infirmer ou de prouver leurs accusations. L'affaire en était restée là. L'idée de Maspero allait ressusciter Nizan, vingt ans après sa mort physique, vingt ans après sa mort symbolique. Et c'est l'ami d'enfance, Sartre, qui était chargé de la mission. Un véritable chassé-croisé entre deux contemporains qui ne vécurent jamais *ensemble* leurs vies politiques et littéraires pourtant mûries conjointement, dans la même serre. Aussi Sartre effectua-t-il un lourd travail de reconstruction : très projectif, son texte porte les marques de leurs rendez-vous manqués. Sartre se lança dans l'aventure, librement et sans scrupule, écrivit peut-être là l'un de ses plus beaux textes, caracolant comme il le faisait si volontiers de ses souvenirs d'École normale à l'attitude des partis de gauche pendant la guerre. Nizan lui fut l'objet et l'occasion d'un grand retour sur soi et Sartre en rajouta, mythifiant à loisir, dans un joli travail d'identification rétrospective et d'appropriation symbolique.

« Enfin Marshall vint : cette génération de danseurs et féaux reçut la guerre froide en plein cœur... Les rats de cave devinrent de vieux jeunes gens stupéfaits. Les uns grisonnent, d'autres ont un genou, d'autres la brioche... Je les revois, à vingt ans, si vifs, si gais, appliqués à prendre la relève. Je regarde aujourd'hui leurs yeux rongés par ce cancer, l'étonnement, et je pense qu'ils ne méritaient pas cela... La même stupeur unit nomades et sédentaires : où donc s'est perdue leur vie? Nizan peut répondre. Aux désespérés comme aux féaux. Seulement je doute qu'ils veuillent ou qu'ils puissent le lire : pour cette génération perdue, mystifiée, ce mort vigoureux sonne le glas [52]. » Au grand galop dans le siècle, Sartre tranche et taille. Plus que jamais, ici, obsédé par le vieillissement des os, des idées, il ressort du formol son copain conservé intact dans sa capacité de colère et de haine, et le brandit aux yeux de tous, cadavre modèle, héros intact. Faut-il rappeler avec ironie que, lors de leurs vingt ans, Sartre avait, contrairement à Nizan, vécu dans une insouciance et un « bonheur » qu'il se plut à rappeler lui-même? Faut-il rappeler qu'à la publication d'*Aden Arabie,* en 1931, Sartre n'avait lu que le délire un peu lyrique et exagéré de son trop littéraire ami? Qu'importe, dira-t-on, puisque Sartre le redécouvrit avec trente ans de retard et en fit le fer de lance des jeunes radicaux de l'époque : « A ces *angry young men,* qui parlera? écrit encore Sartre. Qui peut éclairer leur violence? Nizan : c'est leur homme. D'année en année, son hibernation l'a rajeuni. Il était notre contemporain hier; aujourd'hui c'est le leur. Quand il vivait, nous partagions ses colères, mais, finalement, aucun d'entre nous n'a fait l' " acte surréaliste le plus simple ", et puis nous voilà vieux... Nos souvenirs anciens ont perdu leurs griffes et leurs dents; vingt-cinq ans, oui, j'ai dû les avoir, mais j'en ai cinquante-cinq [53]. » Nouvelle passe d'armes pères-fils-petits-fils, un coup sur le P.C., un autre sur la gauche institutionnelle, un dernier sur les misérables et les traîtres, Sartre, parfois, se déchaîne : « Croit-on qu'elle puisse attirer les fils, la gauche, ce grand cadavre à la renverse, où les vers se sont mis? Elle pue, cette charogne; les pouvoirs des militaires, la dictature ou le fascisme, naissent ou naîtront de sa décomposition; pour ne pas se détourner d'elle, il faut avoir le cœur bien accroché. Nous, les grands-pères, elle nous a faits [54]. »

Ce que cet anarchisant grand-père nommé Sartre offrit à ses petits-fils de fortune en cette année 1960? Le modèle absolu de son ami Nizan : un militant incorruptible et critique, talonnant les communistes sur leur gauche, incapable d'inféoder la pratique à la langue de bois de la bureaucratie, mais intense, mais radical, mais exalté, mais pur. On ne s'étendra pas sur le bien-fondé de cette construction, on ne tentera pas de savoir si la réalité avait été vraiment conforme au modèle. Mais l'on retiendra que l'image fit fortune, au-delà même de toutes les attentes. Au sein de cette guerre d'Algérie où le P.C.F., à la remorque des réseaux de soutien et autres collaborations bénévoles, ne cessait de critiquer Sartre, Jeanson, le Manifeste des 121, et tout ce qu'il englobait sous le terme méprisant de « provocations », cette résurrection de Nizan fut la vraie contre-attaque. Nizan devint le héros idéal des générations passionnées qui lurent dans le portrait de Sartre celui d'un militant de type nouveau, alternative idéale au militant communiste déchu. A l'École normale supérieure la cellule des étudiants communistes prit le nom de « cellule Paul-Nizan ». Et chaque fois qu'un débat opposait désormais Sartre à un communiste, Roger Garaudy par exemple, on croyait voir, raconte Marc Kravetz, « d'un côté l'éclatant préfacier de Nizan; de l'autre, l'homme du Nizan = flic [55] ». On en vint à confondre Nizan avec le portrait de Nizan façonné par Sartre et la berlue dura longtemps. « Il n'est pas mauvais de commencer par cette révolte nue : à l'origine de tout, il y a d'abord le refus. A présent, que les vieux s'éloignent, qu'ils laissent cet adolescent parler à ses frères : " J'avais vingt ans. Je ne laisserai personne dire que c'est le plus bel âge de la vie [56]. " »

Tout porte à croire que si Sartre écrivit le *Fanon* dans une sorte d'empathie euphorique, le *Nizan* avec nostalgie et passion chaleureuse, que s'il porta au *Camus* un intérêt plein de regrets émus, le *Merleau-Ponty,* en revanche, fut pour lui une véritable épreuve. « Sartre eut un grand mal à écrire cet article, confirme aujourd'hui Arlette Elkaïm. C'était pour lui comme un passage. Pendant tout l'été 1961, il a traîné sur ce texte, il a pris beaucoup de corydrane; il a beaucoup souffert. Je crois que sa relation avec Merleau-Ponty était une relation très complexe, sur laquelle Sartre n'avait pas vraiment fait le point. Je m'inquiétais parfois, je lui demandais pourquoi il n'abandonnait pas ce projet : ce fut un exemple unique de tombeau qu'il ne parvenait pas à faire. » L'article parut cinq mois après la mort de Merleau-Ponty, dans un numéro spécial des *Temps modernes.* Pour dire adieu à Camus, Sartre avait su trouver aisément les mots de l'amitié. S'il peina tant après la mort de Merleau, c'est certainement qu'il n'avait clos aucun débat – ni philosophique, ni politique – avec ce véritable philosophe husserlien, qui s'était si brillamment opposé à lui quelques années plus tôt, qui avait si finement démonté la mécanique sartrienne dans son essai *Sartre ou l'ultrabolchevisme.* Et puis, n'y avait-il pas entre les deux hommes des interférences trop personnelles – normaliens, philosophes, phénoménologues, amitiés communes dans cette génération de l'après-guerre, sympathies marxistes, etc. – pour que fût démêlé clairement l'idéologique de l'historique? Avec Camus, le débat d'idées avait été violent et carré. Mais à Merleau, Sartre n'avait jamais vraiment répondu. Et lui qui avait jadis tant admiré chez Descartes cette pensée « qui tranche et taille », qui était lui-même un familier de la pensée à coups de hache, à coups de serpe, apprécia-t-il que Merleau le critiquât avec un tel raffinement? Au moment de la mort de Merleau, Sartre resta donc désemparé, perplexe, avec les arguments qu'il n'avait su développer plus tôt, face à Merleau; face, surtout, à lui-même.

« Que d'amis j'ai perdus qui vivent encore. Ce ne fut la faute de personne : c'était eux, c'était moi ; l'événement nous avait faits et rapprochés, il nous a séparés. Et Merleau-Ponty, je le sais, ne disait pas autre chose quand il lui arrivait de penser aux gens qui hantèrent et quittèrent sa vie. Il ne m'a jamais perdu pourtant, il a fallu qu'il meure pour que je le perde. Nous étions des égaux, des amis, non des semblables : nous l'avions compris tout de suite et nos différends, d'abord, nous amusèrent ; et puis, aux environs de 1950, le baromètre tomba : bonne brise sur l'Europe, et sur le monde ; nous deux, la houle nous cognait crâne contre crâne, et, l'instant d'après, jetait chacun de nous aux antipodes de l'autre [57]. » Nizan ? Sartre l'avait perdu de vue, et perdu intellectuellement pendant les années 30 : c'est précisément l'époque où, dans sa découverte de la phénoménologie, il rencontra Merleau. Puis Sartre avait physiquement perdu Nizan en 1940 : c'est au retour de captivité, dans « Socialisme et Liberté », qu'il approcha Merleau. Et, de 1945 à 1950, les deux philosophes mèneraient ensemble expériences politiques et découvertes concrètes, aux *Temps modernes* ou au R.D.R. On sait que la signature « T.M. » au bas des éditoriaux de la revue avait longtemps été la marque d'un véritable consensus entre eux. 1952, 1953 : divergences, craquements, autour de l'analyse du phénomène stalinien. Merleau démissionna des *Temps modernes.* Mais, sous ces désaccords politiques, de vrais malentendus théoriques – qu'ils n'avaient jamais démêlés – les opposaient profondément. Souffrir pour rédiger son « Merleau-Ponty vivant », c'était, pour Sartre, tenter d'élucider seul le débat de fond avorté. Cet article est peut-être le meilleur effort que Sartre s'imposa pour cerner globalement sa propre trajectoire politique. Et, scène après scène, il s'acharna à passer en revue les moments les plus forts de cette relation : la rédaction des « Communistes et la paix », la brouille Camus-Merleau, le meeting du Vel d'Hiv ; il s'imposa de revivre chaque épisode, chaque accroc. « Sous nos divergences intellectuelles de 1941, admettait-il vers la fin, si sereinement acceptées quand Husserl était seul en cause, nous découvrions, stupéfaits, tantôt des conflits qui puisaient leurs sources dans nos enfances... et tantôt, entre chair et cuir, des sournoiseries, des complaisances, une folie d'activisme chez l'un, cachant ses déroutes, des sentiments rétractiles chez l'autre, un quiétisme acharné. Bien entendu, rien de cela n'était vrai ni faux tout à fait : nous nous embrouillâmes parce que nous mettions la même ardeur à nous convaincre, à nous comprendre et à nous accuser [58]. » Bien entendu, Sartre ne put cacher tout à fait son malaise : il éclatait à toutes les pages de ce texte, il était encore plus obsédant dans la première version, si entachée de culpabilité. Malaise qui se délivra enfin, dans les dernières lignes de cet hommage : « Il est vrai... que c'est nous, nous deux, qui nous sommes mal aimés. Il n'y a rien à conclure, sinon que cette longue amitié ni faite ni défaite, abolie quand elle allait renaître ou se briser, reste en moi comme une blessure indéfiniment irritée [59]. »

Camus, Nizan, Fanon, Merleau : en 1960, en 1961 Sartre régla ses comptes tant bien que mal avec ses quatre amis là. En 1964, il fera de même pour le secrétaire du P.C.I., Togliatti, qu'il fréquenta beaucoup dans ses étés romains. Cette nouvelle esthétique n'échappa à personne, et surtout pas à François Mauriac : « Pour la troisième fois, écrit-il le 29 octobre 1961 dans son *Bloc-Notes,* un texte de [Sartre] oriente ma méditation – ma méditation de chrétien –... Le voilà près de nous, ce Sartre dont nous prenons la vraie mesure depuis que les feux des projecteurs se sont un peu détournés de lui. Il n'est peut-être plus le " philosophe de l'époque " mais il est devenu un écrivain au sens où je l'entends, un homme qui se sert de l'écriture pour y voir clair dans ses rapports avec les êtres qu'il a aimés. Qui aurait dit, il y a quinze ans, que ce jeune Sartre, entré dans la vie, semblait-il, pour tout casser, pour tout salir, mettrait un jour sa dialectique au service de son cœur et du nôtre ? » En décembre 1964, encore, Mauriac devait réagir dans son *Bloc-Notes* à une autre oraison funèbre, incantatoire et historique : celle de Malraux, ministre de la Culture, célébrant au Panthéon le transfert des cendres de Jean Moulin. Sartre reconnu par Mauriac, puis comparé à Malraux : une nouvelle phase ?

Pendant qu'il peinait sur ses oraisons funèbres, Sartre poursuivait ses interventions politiques : elles concernaient presque toutes la guerre d'Algérie. L'Organisation de l'armée secrète, l'O.A.S., née en février 1961, attirait à elle tous ces déçus de l'empire français, farouches partisans de l'Algérie française, excités chaque fois que le président de la République évoquait la « République algérienne » ou l' « État algérien souverain », racistes, violents, acharnés à préserver une réalité qu'ils voyaient s'effriter chaque jour un peu plus. Le 22 avril 1961, issus de cette mouvance, les généraux Salan, Challe, Jouhaud et Zeller tentèrent de prendre le pouvoir à Alger, dans une vaine tentative de putsch ; l'état d'urgence fut alors déclaré sur tout le territoire français. Et Sartre se retrouva parmi les premiers visés dans les attentats de l'O.A.S. : à deux reprises, le 19 juillet 1961 et le 7 janvier 1962, l'appartement de la rue Bonaparte fut plastiqué ; le local des *Temps modernes* n'avait pas non plus été épargné le 13 mai 1961. Sartre ne fut pas physiquement atteint par les explosions, mais, la porte de la rue Bonaparte ayant été soufflée, de nombreux manuscrits, de nombreuses lettres disparurent. Il s'installa alors dans un appartement que lui avait loué son secrétaire, quai Louis-Blériot, face à la tour Eiffel. Tout en continuant de soutenir le F.L.N. : il participa le 1er novembre 1961 à une manifestation silencieuse place Maubert pour protester contre les répressions meurtrières que la police française venait d'effectuer; manifesta le 18 novembre 1961 avant de donner une conférence de presse à l'hôtel Lutétia; participa le 13 décembre à un meeting pour l'indépendance de l'Algérie, qui eut lieu à Rome, en présence du leader algérien Boularouf; participa encore le 19 décembre 1961, à Paris, à une manifestation particulièrement violente place de la Bastille; défila le 13 février 1962, pour protester contre le massacre policier qui avait eu lieu, quelques jours auparavant, près du métro Charonne; participa à des meetings à Rome, à Bruxelles, à la Mutualité; témoigna enfin à des procès pour lesquels étaient également requis sa voix et son prestige : procès Georges Arnaud en juin 1960; procès de l'abbé Davezies en janvier 1962. « La guerre d'Algérie, ce fut *sa* guerre, nous dira, vingt-cinq ans plus tard, Roland Dumas. Au fond, commentera-t-il alors, Sartre est passé à côté de la guerre d'Espagne, à côté du Front populaire. La Résistance? oui, mais si peu... Il aura donc manqué tous les grands événements politiques de son temps, sauf celui-là, la guerre d'Algérie. Qui fut, en quelque sorte, la rencontre d'une grande cause avec une grande personnalité [60]. »

Sartre n'assista pas aux cérémonies qui fêtèrent, le 1er juillet 1962, l'accession de l'Algérie à l'indépendance : il était fort occupé à travailler sur le texte de son autobiographie. D'abord livré au public en deux fournées des *Temps modernes* – octobre et novembre 1963 –, *Les Mots* parut chez Gallimard en avril 1964. Ce livre, pourtant, que beaucoup s'accordèrent à considérer comme son véritable chef-d'œuvre, avait presque failli échapper à son éditeur officiel. « Un jour, dans un déjeuner, raconte Robert Gallimard, Sartre me dit négligemment, au détour de la conversation : " Je suis en train d'écrire mon autobiographie; un éditeur anglais me l'a demandée [61]. " » Robert Gallimard eut un haut-le-corps; mais il savait bien, somme toute, que c'était, de la part de Sartre, bien plus une bizarre gestion de ses productions littéraires qu'une trahison délibérée : le contrat pour *Les Mots* fut signé dans l'heure. Et le livre publié au printemps 1964. Aussitôt, vent d'hommages unanimes dans la critique pour en saluer les qualités littéraires. « Ce Sartre qui déteste Jean-Paul », « Qui est Sartre? », « Sartre et la biographie impossible », « La passion de l'explicable », « Fils de personne », « Le petit Jean-Paul », « Jean-

Paul Sartre destructeur de son enfance », « Une entreprise d'exorcisme », « L'anti-héros et les salauds », « Sartre nous a floués », « Moi, dis-je, et c'est assez », « Un cas limite de l'autobiographie », « Qu'en pense Sartre? », « J'ai vécu », « Jean-Paul Sartre a-t-il imité Paul Bourget? », « Auto-Sartro-Graphie »... Et les titres tombaient, incisifs, comme s'il se fût agi de couvrir un fait divers.

Chacun se sentait directement visé par le texte, et comme personnellement interpellé : Alain Bosquet s'adressa à l'auteur dans une « Lettre ouverte à Jean-Paul Sartre » : « Vous venez de nous donner un chef-d'œuvre. *Les Mots* nous rappelle que vous êtes un écrivain, vous qui avez voulu trop longtemps l'oublier... On a envie de vous crier merci, au nom de la belle et de la plus durable des gratuités : l'exercice harmonieux de cette belle langue française... On peut appeler cela le beau, le joli, l'aimable... peu importe! Vous voilà converti à ce prestige-là, quitte – nous le craignons déjà – à retourner à vos démons, la pensée, le bien, le mal, l'ambition d'être utile à vos contemporains [62]. » A part Jean Dutourd, qui estima que le style était « vulgaire », on reconnut presque partout que « Sartre avait retrouvé [ses] dons » de *La Nausée* et du *Mur*. Et puis on s'interrogea encore et encore sur la bizarre distance ironique que l'écrivain appliquait au récit de sa propre enfance. Coquetterie? Orgueil suprême? C'est qu'avec les outils les plus somptueusement littéraires qu'il eût jamais utilisés, Sartre consacrait deux cent treize pages à célébrer la mort de cette conception de la littérature qu'il avait respectée, enfant : « Allez donc vous y reconnaître », lança Bernard Frank. Tout le monde eut l'impression d'y perdre son latin. La manière était tellement inattendue : autocritique, auto-ironie, autodistanciation. Il scellait donc là ses adieux à la littérature, livrant *sa* version d'une enfance qu'il maltraitait avec une rage nostalgique, qu'il s'appropriait avec l'orgueil suprême de l'enfant unique. A l'époque, en 1964, personne en fait – à part sa famille, Mme Mancy qui ne se priva pas de lui rappeler qu'il n'avait « rien compris à son enfance », tante Adèle qui n'hésita pas à écrire une lettre scandalisée sur le piètre portrait des Schweitzer – personne ne pouvait faire pièce au tableau de famille, à l'interprétation proposée par l'écrivain des conditions socioculturelles de sa genèse d'enfant génial. Personne ne savait ce qu'il occultait, ni pourquoi. Personne ne pouvait ni procéder à une contre-enquête, ni démonter la savante architecture du livre avec ses incohérences chronologiques, ses erreurs de date – s'installèrent-ils rue Le Goff en 1917, en 1919? l'épisode de la jalousie à Arcachon eut-il lieu avant ou après la guerre de 14? –, sa jouissance suprême à caracoler librement, comme il le fit pour son *Nizan*, dans des territoires qu'il estimait être avant tout les siens. « Propriété privée », peut-être la seule qu'il revendiquât jamais, semblait-il suggérer dans ces pages.

D'ailleurs les très nombreux entretiens qu'il accorda à tous ceux qui le souhaitèrent ne facilitèrent pas les choses aux exégètes. A peine avait-on eu le temps d'assimiler les deux cent treize pages des *Mots,* que déjà Sartre revenait à la charge avec des compléments d'interprétation, des formules nouvelles, des suppléments gratuits. Cette période de sa vie – deux à douze ans – avait été jusqu'alors la plus méconnue, la plus mystérieuse? Elle devint la plus éclairée, la plus bavarde. On croyait que Sartre dévoilait, se livrait? C'était une stratégie de défense très élaborée : le temps d'admirer la technique, la virtuosité, l'architectonique générale, de lire les compléments d'information, de repérer les leitmotive, les paradoxes, les bonheurs de formule, et Sartre avait filé. Il avait filé là où personne, pas même parmi ses proches, n'accéda jamais. Dans ce lieu secret dont, pudique, il ne parlait jamais. Car il avait trouvé le meilleur moyen de semer ses suiveurs : hyperlogorrhée verbale sur le point qu'on choisit d'éclairer largement, pour laisser, à côté, les plus épaisses zones d'ombre. Personne, par exemple, parmi ses proches n'eut vent du voyage qu'il fit, seul, à Périgueux en 1960, pour rechercher sa tante, Mme Lannes, dans cet appartement où elle avait terminé ses jours, en « vieille belle », disaient ses voisins.

« C'est l'histoire – la mienne – d'un homme de cinquante ans, fils de petits-bourgeois et qui avait neuf ans à la veille de 1914 et se trouvait déjà marqué par ce premier avant-guerre. Entre les deux guerres, il a poussé ses études assez loin, mais n'a vécu pourtant qu'en se trompant totalement sur le sens de sa vie. Il fut le jouet d'une mystification jusqu'au matin de découvrir que l'on pouvait devenir le jouet des circonstances [63]. » Dès le début de son travail sur *Les Mots,* dès l'année 1955, il avait exposé certains thèmes du livre aux journalistes. « Je ne suis pas désespéré et ne renie pas mon œuvre antérieure, expliqua-t-il à Jacqueline Piatier pour *Le Monde,* au moment de la publication des *Mots.* Il n'y a pas une œuvre de moi que je renie... Ce que j'ai regretté dans *La Nausée* c'est de ne m'être pas mis complètement dans le coup. Je restais extérieur au mal de mon héros, préservé par ma névrose qui, par l'écriture, me donnait le bonheur... Même si j'avais été plus honnête vis-à-vis de moi-même à ce moment-là, j'aurais encore écrit *La Nausée.* Ce qui me manquait c'était le sens de la réalité. J'ai changé depuis. J'ai fait un lent apprentissage du réel. J'ai vu des enfants mourir de faim. En face d'un enfant qui meurt, *La Nausée* ne fait pas le poids [64]. »

Ce qui échappait à tous, dans cette publication apparemment

si élégante et si aisée? Que le manuscrit des *Mots,* retaillé, remâché, retravaillé, avait fait l'objet de pages et de pages de brouillons, de pages et de pages de ratures, de reprises, d'ourlets, de pièces, de soudures et de corydrane, dans un patient travail d'artisan qu'il n'avait jamais auparavant, qu'il n'aura jamais plus tard, consacré à aucune autre de ses œuvres. Que Sartre, mesurant alors les limites de sa propre entreprise d'auto-analyse, avait, un jour, après une réunion du comité de rédaction des *Temps modernes,* lancé à Pontalis : « Vous savez, J.B., que j'écris en ce moment mon autobiographie, *Jean sans terre* : je note mes rêves, j'essaie de les analyser, mais je me rends compte maintenant que je ne peux pas aller assez loin tout seul. Je me suis demandé si je n'aurais pas besoin d'entreprendre... une psychanalyse... avec vous, peut-être... » C'était dit en passant, avec l'air de ne pas y toucher, et sans vraiment beaucoup d'insistance : vingt secondes, tout au plus, et entre deux portes. « Je ne crois pas que ce soit possible avec moi, répondit fort civilement Pontalis. Je vous connais trop, Sartre... » L'affaire en resta là. C'est vingt-cinq ans plus tard que J.-B. Pontalis acceptera, pour l'enquête de cette biographie, de se pencher sur les rêves que Sartre dictait alors, dès son réveil, à Arlette Elkaïm. La plupart de ces rêves, étrangement, tournaient en fait autour du problème de l'immortalité, de l'inachèvement, de la reconnaissance : « Je devais faire une conférence en quatre parties dans un pays étranger. J'avais traité les trois premières, j'étais parti après la troisième, et je me demandais si on avait compris que je n'avais pas terminé... » : rêve du 7 décembre 1960. « Cela se passait dans un banquet organisé par l'université étrangère où j'avais parlé la veille. A côté de moi, le recteur ou le doyen qui me dit : " On a voté des crédits pour ériger une statue dans le jardin. – Je sais, lui répondis-je, mais dans quelques années, je serai ou bien oublié, ou bien trop connu. " » : rêve du 21 décembre 1960. « Un musicien noir que j'écoutais, et qui était très célèbre, répétait toujours la même mesure : 152 fois. J'étais contre la répétition de tant de fois la même mesure et je me disais : " Il faut qu'il tienne son public pour faire ça ! " » : rêve du 12 janvier 1961. « Rêves d'en haut », commentera Pontalis. Contrepoint étonnant aux affirmations si souvent répétées par Sartre, qu'il ne se souciait ni de son audience, ni de sa notoriété, ni de sa postérité, ces rêves restèrent donc secrets, à l'abri de toute analyse sauvage, dans les petits carnets d'Arlette. Sartre n'entreprit jamais d'analyse avec personne, et surtout pas avec Pontalis. Celui-ci, pourtant, nous livrera avec humour certaines interprétations, avec un quart de siècle de retard : « " Jean sans terre ", j'ai toujours entendu pour ma part ce titre comme " Jean sans père "... Et d'ailleurs, vous savez certainement que Sartre m'appelait " J.B. ", comme tout le monde... A propos, comment nommait-on son père, Jean-Baptiste Sartre? J.B.... Intéressant [65]. »

Avec *Les Mots,* le cascadeur qu'était Sartre effectua, encore une fois, l'un de ces rétablissements en catastrophe dont il avait le secret, une de ces pirouettes d'acrobate que lui seul pouvait réussir, un de ces virages à trois cent soixante degrés dont il sortait, malgré tout, relativement indemne. Car cette logique sartrienne en genèse depuis plus dix ans, cette lettre d'adieu à la littérature patiemment mûrie dans les ratures, dans l'écriture bleue de chat, le public ne les percevra qu'en 1964, avec dix ans de décalage, et personne ne cachera son étonnement devant ce qui apparaît à première vue comme une toquade brutale. Sartre, d'ailleurs, est coutumier du fait : au moment du Manifeste des 121, quatre ans plus tôt, lorsque, à la suite de la bascule de l'opinion publique, des centaines et des centaines de lettres parvinrent sur son bureau demandant à l'écrivain : « Et maintenant? Comment vous suivre? », lorsque son secrétaire, Claude Faux, lassé d'ouvrir les lettres et de les mettre de côté, se décida un jour à pousser la pile d'enveloppes sous le nez de Sartre pour demander à son tour : « Et maintenant, qu'est-ce qu'on leur dit? », Sartre leva le bras, en signe de lassitude, presque gêné au fond, d'un tel pouvoir, d'un tel charisme, terrorisé peut-être à l'idée d'avoir à gérer un tel capital confiance. Capital qu'il avait, pourtant, volontairement accumulé. Dans l'excès littéraire des *Mots,* dans ce dossier qui dit en même temps : « Littérature : affaire classée », il y a de ces paradoxes-là. Paradoxes sartriens par excellence, que les contemporains, pourtant, ne peuvent pas ne pas prendre comme des brutalités à leur endroit, comme des incohérences, comme des lâchages... D'ailleurs, par ce travail impénétrable de transfiguration qu'il venait d'achever avec *Les Mots,* Sartre ne manifestait-il pas, publiquement, la plus grande de ses puissances : celle de se rendre, par la grâce de sa propre volonté et par elle seule, totalement et intégralement intouchable?

Le plus raffiné, pourtant, de ces paradoxes sartriens à l'échelle internationale, restera certainement et pour longtemps ce prix Nobel de littérature qui lui fut attribué, quelques mois après la publication des *Mots,* en octobre de l'année 1964, et qu'il refusa aussitôt. Paradoxe, en fait, pour tout regard extérieur à qui échapperait – et comment n'échapperait-elle pas? – la logique sartrienne. Cohérence rigoureuse, pourtant, dans la ligne que l'écrivain s'était à lui-même fixée. « Coup double pour Jean-Paul Sartre, titra *L'Aurore.* 1) Il a le Nobel 2) Il le refuse. » Ce fut d'ailleurs un intéressant mélange, un brouillage complet des opinions telles qu'elles s'exprimaient d'ordinaire sur Sartre. Les grands journaux de droite réagirent avec chauvinisme, se sentirent, au plan national, particulièrement fiers qu'un tel honneur fût attribué à un Français et se félicitèrent à titre personnel de la décision du jury Nobel. On vit, à l'occasion, Thierry Maulnier, de l'Académie française, expliquer dans les colonnes du *Figaro* que Sartre était « médaille d'or quand même » : « Que l'on se sente ou non en sympathie avec la pensée de Jean-Paul Sartre, poursuivait-il, il est certain qu'aucun écrivain français de sa génération, et peut-être aucun écrivain de sa génération dans le monde, n'a joui et ne jouit encore d'une réputation et d'une audience égales à la sienne dans l'intelligentsia contemporaine... La célébrité de Sartre vient d'une œuvre qui est en même temps celle du philosophe, du romancier, du dramaturge, du critique, de l'écrivain politique et même polémique [66]. » On vit encore, en première page du *Monde,* dans son célèbre billet quotidien, l'écrivain Robert Escarpit s'offusquer étonnamment du refus : « Sartre au bûcher », titra-t-il brutalement, tout en expliquant : « Sartre a tort. C'est maintenant qu'il est prisonnier [67]. » Il y eut, bien sûr, les méchantes langues, comme André Maurois dans *Paris-Jour* : « La queue-de-pie ne lui va pas et il faut se mettre en habit pour la remise du prix. » Ou, mieux encore : « C'est pour ménager Simone qui serait jalouse. » Dans *Rivarol,* pourtant, le fameux Lucien Rebatet y alla à son tour de son article : « Chaque décision de Sartre, écrivit-il, est un combiné de truismes, de sophismes, de pilpoul, de cuistrerie, de faux-fuyants, d'orgueil et de trouille, malaxés avec un infatigable génie du biscornu. Ce que l'on accorde à Sartre, parvint-il enfin à lâcher, c'est qu'il n'a jamais été tenu par l'argent. Et cela le place tout de même très au-dessus du vieux richard de Malagar [François Mauriac] décidément répugnant sous quelque face qu'on le considère [68]. » On entendit encore des râleurs expliquer que Sartre refusait le prix pour se faire davantage de publicité, qu'il le refusait parce que Camus l'aurait obtenu avant lui. La frime, le dépit, la jalousie ; autant de contresens absolus sur le geste sartrien !

D'ailleurs, attribuer le prix à Camus en premier lieu restait dans la logique du testament d'Alfred Nobel ; il avait souhaité que l'on couronnât, selon ses propres goûts esthétiques, une œuvre littéraire « à tendance idéaliste » et humaniste. Aussi Roger Martin du Gard, plus « conventionnel », l'avait-il reçu avant Gide. Et Camus avant Sartre. Si l'on s'était décidé à couronner, mais avec un certain retard, Gide et Sartre, plus provocateurs, plus marginaux, c'était pour bien montrer à la fois leur importance mais aussi leur... danger. Les prix Nobel français de littérature : Mauriac en 1952, Camus en 1957, Saint-John Perse en 1960, voyaient avec Sartre un quatrième larron se joindre à eux en douze années : c'était beaucoup. Pourtant, étrangement, après le refus de Sartre, plus aucun écrivain français ne fut couronné par l'Académie suédoise. Reçut-elle comme une insulte ce geste qui, à l'origine, n'entendait pas vraiment provoquer de scandale? Et Malraux, à qui le Nobel échappa en 1969, fut-il en quelque sorte victime de la renonciation de Sartre?

Le Nobel de 1952, François Mauriac, rendit à nouveau, dans son *Bloc-Notes*, hommage au geste de Sartre : « Il a donné ses raisons à la ville et au monde sans enfler la voix en gardant le ton le plus juste, en bourgeois bien élevé qui sait ce qui est dû, fussent-ils académiciens, à d'honnêtes gens qui vous décernent une telle couronne. Mais surtout Sartre a su se garder de l'ostentation : c'était le danger de son geste... Ce grand écrivain est un homme vrai et c'est là sa gloire... Un homme vrai, cela ne court pas les rues, ni les salles de rédaction, ni les antichambres des éditeurs. C'est parce qu'il est cet homme vrai que Sartre atteint ceux qui sont le plus étrangers à sa pensée, et le plus hostiles au parti qu'il a pris... » Clarté d'analyse qui, une fois encore, touche le point sensible : le Nobel, même refusé, fit revenir vers Sartre certains de ses anciens amis, si éloignés depuis. Le meilleur des prosélytismes sartriens, malgré les conflits, malgré les divergences. « Ici je m'interromps, ajoutait encore Mauriac, et je me loue moi-même et je m'admire d'admirer de si bon cœur ce philosophe qui, à ses débuts dans la vie des lettres, et comme d'entrée de jeu, chercha à me tordre le cou [69]. » Comme si le Nobel refusé était plus qu'un Nobel, et justifiait rétrospectivement toutes les erreurs, tous les excès. René Maheu, l'ami d'École normale, devenu depuis directeur de l'Unesco, écrivit à son tour un article dans *Le Figaro* : « Aurais-je été surpris voici quarante ans, quand s'est formée notre amitié, si on lui avait prédit devant moi cet insigne destin? Pas le moins du monde. Et voici que je comprends et accepte complètement les raisons de son refus... » On le loue, on l'approuve, on le congratule.

Pourtant il y avait quelque chose d'autre à comprendre et qu'on eut du mal, à l'époque, à intégrer. En fait, Sartre avait appris, par un article du *Figaro littéraire*, que le jury Nobel s'apprêtait à le couronner. Immédiatement, il prit sa plus belle plume pour annoncer aux Suédois son intention irréversible de refuser le prix et les prier de renoncer à cette décision, de ne pas la rendre publique. Il écrivit en haut à droite : « J.-P. Sartre 222 Bd Raspail Paris 14 octobre 1964 ». Il refusa ce prix Nobel potentiel tout en faisant preuve de son habituelle et exquise politesse dans une lettre merveilleuse, rédigée à la main, pour éviter coûte que coûte toute distinction inopportune. « Monsieur le Secrétaire, écrivit-il, d'après certaines informations dont j'ai eu connaissance aujourd'hui, j'aurais, cette année, quelques chances d'obtenir le prix Nobel. Bien qu'il soit *présomptueux de décider d'un vote* avant qu'il ait eu lieu, je prends à l'instant la liberté de vous écrire pour dissiper ou éviter un malentendu. Je vous assure d'abord, Monsieur le Secrétaire, de ma profonde estime pour l'Académie suédoise et pour le prix dont elle a honoré tant d'écrivains. Toutefois, pour des raisons qui me sont personnelles et pour d'autres, plus objectives, qu'il n'y a pas lieu de développer ici, je désire *ne pas* figurer sur la liste des lauréats possibles et je ne peux ni ne veux – ni en 1964 ni plus tard – accepter cette distinction honorifique. Je vous prie, Monsieur le Secrétaire, d'accepter mes excuses et de croire à ma très haute considération [70]. » Par un malheureux concours de circonstances, pourtant, cette lettre ne parvint pas en temps opportun à son destinataire. Parce que Sartre l'avait adressée à la « Fondation Nobel », où elle avait été reçue par un fonctionnaire, qui l'avait transmise, sans l'ouvrir, au secrétaire de l'Académie suédoise, qui... était parti aux sports d'hiver! La décision de désigner Sartre prix Nobel de littérature pour l'année 1964 avait été prise *avant* le voyage aux sports d'hiver, elle fut donc annoncée officiellement le 22 octobre. Monsieur le docteur A. Osterling, membre de l'Académie suédoise, prit la parole en ces termes : « Le prix Nobel de cette année a été attribué à l'écrivain français Jean-Paul Sartre pour son œuvre qui, par l'esprit de liberté et la recherche de la vérité dont elle témoigne, a exercé une vaste influence sur notre époque. » Plus tard, un communiqué de Stockholm préciserait laconiquement : « Le lauréat ainsi désigné a fait savoir qu'il ne désirait pas ce prix. Le fait qu'il décline cette distinction ne modifie naturellement en rien la validité de l'attribution. Il ne reste cependant à l'Académie qu'à constater que la remise du prix ne peut pas avoir lieu. » Les Suédois surent se montrer sobres et dignes face à ce refus qui était, tout bien pesé, une grande première.

L'annonce officielle du 22 octobre déclencha immédiatement une folle poursuite de Sartre dans tout Paris. Il tenta comme il put d'échapper aux journalistes, aux photographes, aux flashes et aux micros, et se retrancha derrière son éditeur pour le choix d'une stratégie de défense. C'est à Carl-Gustav Bjurström, écrivain, éditeur et traducteur suédois résidant à Paris, qu'on décida de confier une interview unique. Déjà, sept ans plus tôt, Claude Gallimard et Bjurström s'étaient rencontrés lors de l'attribution du Nobel à Camus : ils avaient fait ensemble le voyage de Stockholm et, pour les Gallimard, Bjurström était une personnalité absolument fiable. Café L'Oriental, place Denfert-Rochereau :

J.P. Sartre
222 Bd. Raspail
Paris
14 Octobre 64

Monsieur le Secrétaire

D'après certaines informations dont j'ai eu connaissance aujourd'hui, j'aurais, cette année, quelques chances d'obtenir le Prix Nobel. Bien qu'il soit présomptueux de décider d'un vote avant qu'il ait eu lieu, je prends à l'instant la liberté de vous écrire pour dissiper ou éviter un malentendu. Je vous assure d'abord, Monsieur le Secrétaire, de ma profonde estime pour l'Académie Suédoise et pour le prix dont elle a honoré tant d'écrivains. Toutefois, pour des raisons qui me sont personnelles et pour d'autres, plus objectives, qu'il n'y a pas lieu de développer ici, je désire ne pas figurer sur la liste des lauréats possibles et je ne peux ni ne veux — ni en 1964 ni plus tard — accepter cette distinction honorifique.

Je vous prie, Monsieur le Secrétaire, d'accepter mes excuses et de croire à ma très haute considération.

J.P. Sartre

Sartre arrive de son côté; Bjurström, du sien; enfin Claude et Robert Gallimard. Après la chasse aux photographes, la chasse aux journalistes, Robert Gallimard embarque les trois autres dans sa voiture et fonce vers le Mercure de France, où le bureau de Simone Gallimard fournit un asile bienvenu. « Je me disposais à poser à Sartre les questions que j'avais préparées, raconte Bjurström, mais, avant même d'ôter son manteau, il se mit à parler comme une mitrailleuse et fit un véritable discours. Pour ma part, j'écrivis comme un forcené, en tâchant de ne rien omettre [71]. » Rentré chez lui, il rédigea la déclaration de Sartre, en deux versions, la française et la suédoise, et se rendit en fin de journée chez le Castor pour faire avaliser le texte. « Sartre et Simone de Beauvoir ont relu ensemble ce document, ensemble ils ont corrigé deux ou trois détails, explique encore Bjurström, puis Sartre a eu un geste qui, rétrospectivement, m'apparaît d'une civilité extrême : il a rajouté, au bas du texte français et de sa main, la mention " traduit du suédois ". Il était extrêmement important à ses yeux de ne pas choquer le peuple suédois, et sa déclaration s'adressait d'abord à la Suède, avant de s'adresser au monde. » Ce texte était en fait destiné à l'Académie suédoise. Il fut la seule mise au point officielle de Sartre dans cette affaire.

« Je regrette vivement, disait-il, que l'affaire ait pris une apparence de scandale : un prix est décerné et je le refuse. Cela tient simplement au fait que je n'ai pas été informé assez tôt de ce qui se préparait... J'ignorais alors que le prix Nobel est décerné sans qu'on demande l'avis de l'intéressé, et je pensais qu'il était temps de l'empêcher... Les raisons pour lesquelles je renonce au prix ne concernent ni l'Académie suédoise, ni le prix Nobel en lui-même, comme je l'ai indiqué dans ma lettre à l'Académie. J'y ai invoqué deux sortes de raisons : des raisons personnelles et des raisons objectives. » Puis il expliqua, en deux moments distincts, ce qu'il entendait par « raisons personnelles », ce qu'il entendait par « raisons objectives » : « Mon refus n'est pas un acte improvisé, affirmait-il, j'ai toujours décliné les distinctions officielles », et de citer son refus de la Légion d'honneur après la guerre, son refus d'une chaire au Collège de France, dans les années 50... « L'écrivain doit donc refuser de se laisser transformer en institution, déclarait-il enfin, même si cela a eu lieu sous les formes les plus honorables, comme c'est le cas. » Et puis venaient les « raisons objectives », comme de juste, largement justifiées par des éléments politiques. « Dans la situation actuelle le prix Nobel se présente objectivement comme une distinction réservée aux écrivains de l'Ouest ou aux rebelles de l'Est... je ne veux pas dire que le prix Nobel soit un prix " bourgeois "... je sais bien que le prix Nobel en lui-même n'est pas un prix du bloc de l'Ouest, mais il est ce qu'on en fait... Le seul combat actuellement possible sur le front de la culture est celui pour la coexistence pacifique des deux cultures, celle de l'Est et celle de l'Ouest... Je ressens personnellement la contradiction entre les deux cultures... J'espère, cependant, bien entendu, que “ le meilleur gagne ”. C'est-à-dire le socialisme... »

Ce fut toute l'explication que Sartre fournit à son public, au jury Nobel, aux journalistes du monde entier, et bien sûr aux éditeurs de toutes ses œuvres et dans toutes les langues qui savaient pourtant que ce premier refus du Nobel était, somme toute, une excellente publicité! Bien sûr, Sartre avait également pris en considération le problème des 250 000 couronnes qui récompensaient le lauréat et l'élément financier fut celui qui, expliqua-t-il, le « tourmenta » le plus. « Avec la somme reçue, on peut appuyer des organisations ou des mouvements qu'on estime importants : pour ma part, j'ai pensé au comité Apartheid à Londres. » Robert Gallimard l'entendit même, à ce moment, évoquer les Tupamaros. Mais il renonça au prix, à l'argent du prix et se boucha les oreilles à tous les scandales qui désormais en naissaient. Cependant, avec vingt ans de recul, il est possible de trouver dans ce geste bien autre chose que les explications-paravents officielles que notre homme fournissait, comme on fournit un mode d'emploi, ou une notice, en livrant un réfrigérateur. Car c'était, somme toute, de son éthique qu'il s'agissait là et l'on ne traite pas en détail de ces choses-là en une page de journal. Par son texte, il se protégeait : « raisons personnelles », « raisons objectives », cela pouvait séduire et semblait complet. Qui le comprit alors? Dans un très bel article, perspicace et tendre, Max-Pol Fouchet aborda seul les vrais problèmes : « La tristesse sartrienne, écrivit-il, n'est pas où ses adversaires prétendaient la voir. Je la découvre, pour ma part, dans le dernier éditorial des *Temps modernes*. Admirable élégie à la mémoire de Togliatti... Tout l'isolement de Sartre est dans ce texte des *Temps modernes*. Pourquoi donc l'Académie suédoise ne l'aurait-elle pas désigné avec insistance comme son lauréat? Nul comme lui n'a montré, dans ses textes et ses actes, la solitude de l'écrivain révolutionnaire... On sait des hommes de gauche qui accepteraient ce prix sans éprouver le sentiment d'une “ collaboration ” douteuse... M. Sartre *ne devait pas*. Lui qui dénonça le mensonge de l'importance extérieure et mondaine, allait-il prendre le chemin sur lequel il abandonna naguère le personnage de “ L'Enfance d'un chef ” [72]? »

Max-Pol Fouchet, se référant à l'oraison funèbre à Togliatti, rappelait là et fort pertinemment l'un des grincements sartriens les plus mal perçus à l'époque : Sartre refusait dans une pirouette de liberté et d'orgueil d'être embaumé vivant, statufié tout vif et consacré trop tôt. Soit, il tressait à tous ses amis des couronnes mortuaires lyriques, élaborées, excessives parfois, les consacrait définitivement dans des statues d'hommes illustres. Il les embaumait, eux, puis, lorsque c'était son tour, se défilait sans demander son reste. Avec *Les Mots,* avec le Nobel, il parachevait la panoplie d'Intouchable que le général lui avait offerte et qui seyait si bien à ses propres contradictions. Ce que ses contemporains n'avaient pourtant pas encore eu le loisir de percevoir? Une gestion totalement hétérodoxe du temps et de l'espace. Une fréquentation des hommes illustres et de l'éternité lorsqu'on l'attend dans le présent et avec ses contemporains. Une exploration de l'espace et du temps à sa mesure, à celle de sa névrose, de sa mégalomanie, de sa folie.

En 1963, en 1964, l'homme est célèbre, et dans le monde entier. Partout, c'est désormais l'homme scandaleux, l'homme sage, l'homme libre, l'homme vrai. Celui qui a refusé Nobel dans un geste d'héroïsme peu banal. Que plus rien, donc, ne peut atteindre. Jamais, pourtant, de toute sa carrière littéraire, il n'a eu aussi peu de contacts avec les autres intellectuels, ses contemporains. A Paris, au Quartier latin, on le perçoit un peu comme un *has-been.* 1963, 1964 : l'image de Sartre se modifie sensiblement dans le champ intellectuel français. Certains, parfois, peuvent même dater le moment où ce changement leur fut sensible : était-ce le débat qui eut lieu à la Mutualité le 9 décembre 1964? Organisée par le journal *Clarté,* cette rencontre avait pour thème « Que peut la littérature? », elle réunissait, outre Sartre et le Castor, des écrivains du groupe Tel Quel comme Jean Ricardou ou Jean Pierre Faye, d'autres enfin comme Yves Berger ou Jorge Semprun. « On avait l'impression que Sartre était alors à son zénith, raconte Louis Audibert, un khâgneux du lycée Louis-le-Grand cette année-là, il fut accueilli à son arrivée sur l'estrade par une véritable ovation; mais, en même temps, on sentait qu'il était en train d'être remplacé par d'autres, comme Foucault, par exemple [73]. »

C'est à ce moment-là, en effet, que l'on commence à percevoir la déchirure qui sépare Sartre, et de plus en plus, du mouvement des idées de son temps. Entretiens décevants, interventions un peu mécaniques, fréquents refus du dialogue en face à face, c'est comme si Sartre dérivait. D'autant, d'ailleurs, qu'il semble se désintéresser des mouvements qui émergent au cours des années 60. Lacanisme, formalismes littéraires, structuralisme appliqué à tous les domaines de la pensée : autant de trains qu'il ne prend pas. On fut déçu, alors, d'entendre dans la bouche de Sartre, ou de ses proches, des formules qui minimisaient l'importance de Michel Foucault – « un positiviste désespéré » –, ou qui, au nom de l'Histoire, passaient à côté de l'ethnographie, de la linguistique, de la psychanalyse. Alors qu'en France on se passionnait pour Lévi-Strauss, Barthes, Lacan, Althusser, Foucault, Sartre refusait de regarder en face – ou avec l'ouverture d'esprit qui eût été utile – ces méthodes d'investigation si fécondes. Il donna à *L'Arc* une interview dont beaucoup se souviennent encore, vingt ans après. « La philosophie représente l'effort de l'homme totalisé pour ressaisir le sens de la totalisation, disait-il. Aucune science ne peut la remplacer, car toute science s'applique à un domaine de l'homme déjà découpé... En tant qu'interrogation sur la praxis, la philosophie est en même temps une interrogation sur l'homme... l'essentiel n'est pas ce qu'on a fait de l'homme, mais *ce qu'il fait de ce qu'on a fait de lui.* Ce qu'on a fait de l'homme, ce sont les structures, les ensembles signifiants qu'étudient les sciences humaines. Ce qu'il fait, c'est l'histoire elle-même... La philosophie se situe à la charnière [74]. » Une fois de plus, Sartre reprenait et réaffirmait avec la dialectique le même credo philosophique, dans une déclaration de principe à la fois molle et globalisatrice; tout en esquivant les débats avec les épistémologies de la coupure, ou sur la place de l'empirisme logique. Parlera-t-on de limites? De défenses? De résistances de sa part? « Il n'a jamais supporté un face-à-face », disait déjà Raymond Aron, racontant la fin des années 20. Et si l'on faisait l'inventaire des mouvements esthétiques ou intellectuels, si voisins pourtant du sien, et qu'il ne sut jamais vraiment regarder? En les niant, ou en se les appropriant – « le coup du dépassement radical » dont parle Pierre Bourdieu –, il passa à côté, imperméable ou frileux. Entre autres, à côté de « Socialisme ou Barbarie », à côté du formalisme des années 60. Sans véritable affrontement, sans véritable antagonisme, mais dans une espèce de malaise; celui-là même qui apparut après la mort de Merleau-Ponty.

A l'appui de cette dérive un peu autiste, les bizarres relations que Sartre entretint par exemple avec la psychanalyse. Interrogé en 1966 sur la formule de Lacan « L'inconscient est le discours de l'autre », Sartre récupéra la psychanalyse, par le biais de l'intentionnalité : « Il n'est pas de processus mental qui ne soit intentionnel, affirme-t-il alors, il n'en est pas non plus qui ne soit englué, dévié, trahi par le langage; mais, réciproquement, nous sommes complices de ces trahisons qui *constituent* notre profondeur [75]. » Trois années seulement après cette déclaration, un conflit radical et définitif devait clore le faux débat de Sartre avec la psychanalyse. Un seul interlocuteur réussit, semble-t-il, à coincer Sartre – mais une seule fois, une seule – dans un véritable face-à-face intellectuel, c'est Louis Althusser. En 1960 ou 1961, Alain Badiou avait demandé à Sartre de venir faire une conférence à l'École normale; le directeur d'alors, Jean Hyppolite, avait suggéré d'inviter Canguilhem et Merleau-Ponty à venir l'écouter; le caïman de philosophie, Louis Althusser, se trouvait là aussi bien sûr, avec tous ses élèves. « Sartre a parlé des " possibles dans l'Histoire ", nous dira Régis Debray, puis Althusser lui a répondu. C'est lui, pour une fois, qui avait la position la plus dialectique, englobant la pensée de Sartre. Le cogito sartrien était, disait-il, difficile à tenir à l'intérieur d'une problématique marxiste de l'Histoire [76]. » Pour Régis Debray, alors agrégatif de philosophie, la joute se termina en faveur d'Althusser; Canguilhem, lui, remarqua surtout la « perfidie des questions posées par les normaliens althussériens [77] ». Ce débat Sartre-Althusser reste un moment unique, que n'ont oublié aucun de ceux qui y assistèrent. Il ne fut jamais publié, c'est peut-être dommage.

C'est quelques années plus tard que Sartre adapta, pour le T.N.P., *Les Troyennes* d'Euripide. Après *Les Séquestrés d'Altona*, était-ce vraiment une nouvelle création théâtrale? Comme il l'avait fait pour *Les Mouches*, il reprenait la trame d'une tragédie antique et y transposait une réalité politique contemporaine. Troie, c'était le tiers monde; l'ennemi, c'était l'Europe. Le chœur des Troyennes, comme un long lamento, une plainte obsessionnelle, disait la douleur des mères. Allégories, incantations lyriques, ce grand oratorio sur la guerre et l'oppression fut une des pièces militantes qui développèrent alors la grande vogue du théâtre populaire politique. « Le thème dominant de ma pièce, fit remarquer Sartre, est la condamnation de la guerre en général, et des expéditions coloniales en particulier. » Cacoyannis avait conçu une mise en scène très plastique. Et l'on y retrouvait, entre autres, dans la distribution, Éléonore Hirt, Judith Magre ou Françoise Brion, Nathalie Nerval. « Hommes de l'Europe, vous massacrez l'Afrique et l'Asie, disaient-elles en un chœur de femmes antiques digne et solennel. Barbares, enchaînaient-elles, ils savent à présent qu'ils sont morts pour rien. » Dans cette pièce pure et poétique, Sartre avait peut-être atteint une forme d'expression très personnelle : la fréquentation des mythes grecs n'avait-elle pas commencé pour lui dans la bibliothèque de son grand-père, dès qu'il apprit à lire [78]?

Avec les deux plasticages de la rue Bonaparte en 1962, une ère s'était achevée : l'appartement avait été vendu, ce fut la fin d'une époque. Sartre s'installa dans un petit studio, au 222 du boulevard Raspail, en haut, à main droite, lorsqu'on a quitté le boulevard du Montparnasse et La Coupole. Un studio moderne, dans un immeuble moderne, à un étage élevé, bien sûr. Avec un grand mur plein de livres, à gauche, un grand fauteuil de cuir et une longue table de travail épaisse et vieille, genre table de repas pour couvent, encombrée de manuscrits qui regardait loin, vers la tour Eiffel, dans une jolie perspective sur Paris. C'était l'adieu à Saint-Germain-des-Prés, à l'après-guerre, à l'explosion de l'existentialisme, et le retour à Montparnasse où se regroupaient désormais tous les proches; le Castor, Bost, Lanzmann, Arlette, Michelle et même Mme Mancy qui logera, à partir de cette date, dans une petite chambre d'hôtel, à quelques mètres de là. Quelque temps plus tard, ce fut André Puig qui remplaça Claude Faux comme secrétaire particulier de l'écrivain. Et certaines modifications au comité de rédaction des *Temps modernes*, départ de Marcel Péju, arrivée de Gorz... Sartre décida, en janvier 1965, d'introduire une requête pour faire d'Arlette Elkaïm sa fille adoptive. Il perdit, enfin, deux amies très chères: Evelyne Rey, qui se suicida au cours de l'année 1966, et Simone Jollivet qui termina sa vie dans la misère et mourut le 12 décembre 1967. Voilà, c'en était fait de l'après-guerre et des années de la quarantaine. A présent, Sartre, sexagénaire, mesurait les pertes, les deuils, les changements, et peut-être fut-ce là une des motivations qui le poussèrent à adopter Arlette. « Comme ça, quand je serai vieux, tu pousseras ma petite voiture », lui avait-il dit, un jour, lors d'un voyage à Capri. Avec Arlette, qui avait moins d'une trentaine d'années, Sartre faisait, en quelque sorte, un pari sur l'avenir. Il savait, désormais, que, quoi qu'il advînt, elle s'occuperait de la publication de ses textes posthumes.

L'Intouchable a bouclé son circuit, achevé ses voyages et semé ses suiveurs. L'Intouchable a embaumé ses pairs, tressé des couronnes aux morts, s'est fait grand homme sur le cadavre d'autrui, puis a refusé que quiconque figeât son œuvre dans une récompense, dans un prix, dans un label. L'Intouchable a classé la littérature au magasin des accessoires. Il a maintenant plus de soixante ans et il va sombrer dans une forme de jubilation anarchiste, se recroqueviller dans ses vieux blousons de simili-cuir, dans son studio minuscule. Et ce malaise que l'on sentait dans ses voyages, et cet écart au rôle, et les mauvais papiers de complaisance qu'il acceptait d'écrire parce qu'il ne savait pas dire non, que sont-ils désormais sinon les signes avant-coureurs de la vieillesse qu'il se prépare à vivre, plus que jamais attiré par l'effervescence sociale, les jeunes générations et recherchant, piéton de Montparnasse, les vrais amis, les vraies discussions, les vraies provocations? Croit-on que sa renommée va encore croître, que tous ses volumes de *Situations* vont s'arracher comme *Les Mots* ou *Le Mur*? On s'égarerait... Car ces années où Sartre fut l'Intouchable resteront, en fait, celles de son apogée, et le public ne comprendra pas bien ce petit clochard ravi déambulant de la Closerie à La Coupole, « rien dans les mains, rien dans les poches ».

ENTRE FLAUBERT ET LES MAOS

Rien, en apparence, dans la fin des années 60, n'aurait pu suggérer aux habitants de Montparnasse, à ceux qui voyaient passer Sartre tous les matins et reconnaissaient son périple : petit déjeuner au café du boulevard Edgar-Quinet, déjeuner à La Coupole vers trois heures de l'après-midi, puis achat du journal *Le Monde* au kiosque du carrefour Raspail-Montparnasse, rien donc n'aurait pu leur suggérer que ce petit piéton si populaire aux habitudes régulières était en train d'achever la dernière de ses grandes croisades, une croisade littéraire; menée dans une intimité batailleuse, entre sa longue table en désordre et les milliers de feuillets accumulés depuis près de trente ans. Ce que les habitants de Montparnasse, en revanche, avaient pu remarquer, c'est qu'il venait de modifier ses habitudes vestimentaires, abandonnant définitivement le costume-chemise-cravate pour un étrange blouson fait de peau et de tricot, porté sur un polo de couleur. Le Nobel lui avait conféré une sorte de célébrité anonyme dans laquelle il était Sartre. Un Sartre respecté, redouté, mystérieux ou haï. Et l'écrivain sexagénaire revenu à Montparnasse devait poursuivre son chemin, menant une vie bizarre – une double vie en quelque sorte – entre la face éclairée, ses activités politiques, et la face cachée, ses activités littéraires.

Car cet énorme manuscrit, qu'il fabrique depuis tant d'années, va surpasser en quantité et en qualité tout ce qu'il avait jusque-là produit. *L'Être et le Néant,* le *Saint Genet* et la *Critique de la raison dialectique,* ses trois plus énormes pavés vont devenir, face à ce *Flaubert* encore en genèse, des œuvres propédeutiques, presque des esquisses. Ils vont, rétrospectivement, pour les lecteurs de Sartre et pour Sartre en premier lieu, porter les marques d'une œuvre en devenir dont le *Flaubert* sera, finalement, la clef de voûte suprême. A l'été 1971, paraîtront les deux premiers tomes de *L'Idiot de la famille*. Au début de l'année 1972, le troisième tome : en tout 2 802 pages; ainsi que deux volumes de *Situations*, les numéros VIII et IX. Ce seront les toutes dernières publications de l'écrivain, porteuses pour lui de tant de sens. Ces textes – et le *Flaubert* tout autant que les derniers volumes de *Situations* – n'éveilleront qu'un faible intérêt critique, seront peu achetés, presque pas lus : Sartre tombera à ce moment-là dans le creux de la vague. Ce *Flaubert* donc, son œuvre maîtresse, sa somme, ce *Flaubert* que l'on découvrira seulement en 1971, c'est lui qui occupe toutes les journées, toutes les activités de l'écrivain. Et si, en 1968, au cours des événements de mai, on croit voir accordés le piéton de Montparnasse et les jeunes étudiants révoltés, c'est pure illusion. Sartre, à ce moment-là, est plongé dans un tout autre univers : il se trouve, en 1831, sous Louis-Philippe, quelque part avec Flaubert dans un collège de jeunes garçons, entre Rouen et Croisset, où l'on tente, déjà, de résister à l'autorité établie.

Flaubert, la musique, la famille sartrienne, et les rendez-vous que lui organise tous les jours son secrétaire André Puig : Sartre s'enfonce dans la dernière ligne droite, celle d'un travail d'écriture acharné, et plus urgent, peut-être, que jamais. Or, que voit-on? Rien d'autre, et ce n'est pas nouveau, que le spectacle d'un engagement politique ponctuel et intermittent. Contre la guerre du Viêt-nam, par exemple, le 2 février 1967, à Paris, il donne une conférence de presse au nom du tribunal Russell, qu'il préside; il se trouve, le 2 mai suivant, à Stockholm; le 19 mai à Paris, de nouveau, sur l'estrade de la Mutualité; puis le 27 octobre à Bruxelles, et la dernière semaine de novembre à Roskilde, au Danemark. On le retrouve encore le 23 mars 1968, participant, aux côtés de Joseph Kessel et de Laurent Schwartz, à une journée des intellectuels pour le Viêt-nam. En août 1968, il appelle, avec Bertrand Russell, au boycott des jeux Olympiques de Mexico et le 19 décembre 1969 il donne encore une conférence de presse pour dénoncer les massacres américains dans cette guerre interminable. Contre les Américains, donc, il s'exprime, en ces années-là, avec force et sans relâche. Contre les Soviétiques aussi, d'ailleurs : désormais, à partir de la guerre d'Algérie, à partir surtout de ses activités auprès des groupes gauchistes, sa critique antistalinienne et antisoviétique prend des formes actives. « Je considère qu'il s'agit d'une véritable agression, de ce qu'on appelle en droit international un crime de guerre », déclare-t-il, depuis Rome, ce jour du mois d'août 1968, en apprenant l'intervention des chars soviétiques pour briser l'expérience du printemps de Prague. « Aujourd'hui, explique-t-il encore, le modèle soviétique n'est plus valable, étouffé qu'il est par la bureaucratie. Le modèle qui était en train d'être développé dans le nouveau cours tchécoslovaque peut, par ailleurs, attirer beaucoup d'hommes. En ce sens, Prague, outre qu'il s'agit du plus haut témoignage en faveur de la civilisation socialiste, est un espoir [1]. » Quelques mois plus tard, il accepte une invitation de l'Union des écrivains tchécoslovaques, officiellement pour assister à la première de sa pièce *Les Mouches.* Mais surtout, bien sûr, comme témoignage de solidarité. « J'ai vu ici un grand courage, déclare-t-il alors, un espoir fondé et raisonnable qui se manifeste par des attitudes mesurées et conscientes. Ceux qui croient que les Tchécoslovaques sont abattus, risquent de se tromper. Malgré l'interruption du mois d'août, la voie ouverte en janvier, et préparée depuis plusieurs années, est strictement marxiste et diffère d'autres mouvements libéraux ou d'individualisme bourgeois. Elle présente un des modèles pour une formule plus évoluée du socialisme, révélant son essence démocratique [2]. » Ces déclarations en faveur des tentatives libérales des intellectuels tchèques rassurèrent les interlocuteurs de Sartre à Prague. Cinq années plus tôt, en effet, invité à un grand colloque Kafka à l'université Charles V, le philosophe français avait déçu : « On l'attendait alors comme le pape, comme le messie, raconte Ilios Iannakakis, des milliers de jeunes s'étaient précipités dans l'amphithéâtre pour l'écouter, tous les barrages de police avaient été forcés, on avait lu *Les Chemins de la liberté* interdits en librairie et recopiés à la main, on avait même pardonné ses clins d'œil au marxisme... Il a pris la parole, et a commencé à parler du réalisme socialiste! Personne ne voulait en croire ses oreilles, et la nouvelle génération tchèque a fait, ce jour-là, son deuil de Jean-Paul Sartre [3]. » Après les déclarations de l'été 1968, après le voyage de l'hiver, Sartre renoua pourtant avec les dissidents et l'entretien qu'il accorda alors à Karel Bartosek en porte témoignage.

Peu à peu, il s'engage plus avant dans cette critique antistalinienne, dans la défense des droits de l'homme. Le 7 janvier 1971, par exemple, lors d'une allocution à la Mutualité, il soutient personnellement les juifs d'U.R.S.S. persécutés sur place et interdits d'émigration. En octobre de la même année, confirme ses positions, signe un appel pour le droit à l'émigration des citoyens soviétiques. C'est encore en 1971 qu'il rompt officiellement avec Fidel Castro et le régime cubain. Mais, avant que n'éclate en France la tempête de 1968, Sartre se préoccupe surtout de la guerre du Viêt-nam : en tant que président du tribunal Russell, où sont représentés Français, Américains, Allemands, Britanniques, Pakistanais, Japonais, Autrichiens, Turcs, Italiens, intellectuels, juristes, syndicalistes; ils siègent ensemble en Suède et au Danemark, recueillent des témoignages pour le procès des « crimes de guerre américains». Sartre, en ce qui le concerne, donne une communication au tribunal de Stockholm sur le génocide. « Le gouvernement américain, déclare-t-il, n'est pas coupable d'avoir inventé le génocide moderne, pas même de l'avoir sélectionné, de l'avoir choisi au milieu d'autres ripostes possibles et efficaces à la guérilla... Le gouvernement américain est coupable d'avoir préféré, de préférer encore une politique d'agression et de guerre, visant au génocide total, à une politique de paix... Il est coupable de poursuivre et d'intensifier la guerre... Il est coupable, rusant, biaisant, mentant et se mentant, de s'engager à chaque minute un peu plus... Il est coupable selon son propre aveu de conduire sciemment cette guerre *exemplaire* pour faire du génocide un défi et une menace pour tous les peuples [4]. » Pour soutenir la lutte du peuple vietnamien, pour accuser le gouvernement américain, Sartre ne ménage ni sa voix ni sa plume, témoignant en philosophe, en économiste, en juriste, en historien. En écrivain, également : « Que les Vietnamiens défendent notre dignité, écrit-il notamment, préfaçant un album de photos de guerre, les documents qui nous sont ici présentés l'illustrent abondamment. Ces hommes, ces femmes, ces enfants que la plus puissante nation du monde tente, par les moyens les plus criminels, de mettre à genoux, je ne vois dans leurs yeux ni peur ni découragement, mais le plus souvent de la colère [5]. » Après la guerre d'Algérie, le combat pour le soutien au F.N.L. vietnamien emporta Sartre – comme il emporta les nombreux groupes d'étudiants mobilisés dans les comités Viêt-nam de base – dans des soutiens bien éloignés de la réalité quotidienne française. Mai 68 les y ramènera vite. Pour l'heure, il se trouve quelque part entre Washington et Saigon, entre Flaubert et le F.N.L. qui se bat sur le 17e parallèle, entre Croisset et Stockholm, cherchant toujours à alerter, s'adressant enfin, en dernier recours, à de Gaulle.

« Monsieur le Président de la République, écrivait-il le jeudi 13 avril 1967, je me permets d'attirer votre attention sur les faits suivants. Le tribunal constitué en novembre dernier sur l'initiative de lord Russell compte tenir sa deuxième session à Paris du 26 avril au début de mai. Jusqu'ici rien ne fait croire que le gouvernement français s'y oppose... » Sur du papier quadrillé d'écolier, écrite à l'encre bleue, c'est la plus décontractée et la moins conventionnelle des lettres officielles : la première lettre de Sartre au général de Gaulle. Sa demande d'ailleurs est simple, elle concerne le refus par la France d'un visa à Vladimir Dedijer, l'un des membres du tribunal, de nationalité yougoslave. « Je veux croire, Monsieur le Président de la République, poursuit le philosophe, que mes appréhensions ne sont pas fondées et j'espère qu'on accordera un visa de séjour à M. Dedijer ainsi qu'aux membres du jury qui en auraient besoin et qu'aux personnes étrangères qui désireraient témoigner devant nous. Je vous prie, Monsieur le Président de la République, de bien vouloir accepter l'assurance de ma très haute considération. » « Mon cher Maître », répondit à Sartre le président de la République par retour de courrier, pour justifier son interdiction de la tenue du tribunal Russell en territoire français. Mais l'affaire n'en resta pas là : quelques jours plus tard, dans une interview au *Nouvel Observateur,* Sartre explosa : « Je ne suis " maître " que pour les garçons de café qui savent que j'écris... [Si le président de la République a jugé utile de m'appeler ainsi] c'est pour bien marquer, je crois, que c'est à l'écrivain qu'il entend s'adresser, non au président d'un tribunal qu'il ne veut pas reconnaître... » Et puis, s'insurgeant sur le fond, il ajouta : « Paradoxalement, ces difficultés qu'on nous fait fondent la légitimité de notre tribunal et, de plus, elles prouvent une chose : c'est qu'on a peur de nous. Certes, pas de Bertrand Russell qui a quatre-vingt-quatorze ans, ni de moi-même qui en ai soixante-deux, ni de nos amis. Si nous étions simplement une douzaine de benêts intellectuels qui prétendent ridiculement s'ériger en juges, on nous laisserait faire tranquillement. Pourquoi a-t-on peur de nous? Parce que nous posons un problème qu'aucun gouvernement occidental ne veut voir poser : celui du crime de guerre, qu'encore une fois tous peuvent se réserver de pouvoir commettre [6]. » Ce fut de fait le dernier de ses combats tiers-mondistes : après la guerre du Viêt-nam, il retourne à la France.

En France, l'ère gaullienne est sur sa fin, le régime mis en place par le général dans les sursauts de l'affaire algérienne, en 1958, va devoir affronter la grande vague des « contestataires ». A Nanterre, dans la banlieue ouest de Paris, sur un grand terrain vague appartenant à l'armée, jouxtant des bidonvilles où vivaient des travailleurs maghrébins immigrés, on avait à la hâte engagé les premiers travaux pour fonder une université et accueillir à la fortune du pot tous ces étudiants issus du « baby-boom » de l'après-guerre. Dès 1965, les premiers cours furent donnés dans cet « endroit du bout du monde ». Quoi d'étonnant, alors, si c'est à Nanterre que naissent les premiers éveils, les premiers accès de violence? Ces étudiants, parqués et exilés, qui sentent fort bien qu'ils gênent ou qu'ils dérangent, vont ressentir et exprimer au centuple les malaises et les contradictions de la société française. Grèves ponctuelles, occupations de locaux, répression policière, manifestations de rue, politisation du mouvement, extension de la contestation. En mai 1968, la société française subit ses chocs les plus violents depuis le début du XXe siècle : neuf millions de citoyens sont en grève générale du 18 mai au 7 juin et, le 13 mai 1968, dixième anniversaire du retour au pouvoir du général de Gaulle, un million deux cent mille personnes manifestent dans les rues françaises – un raz de marée populaire que plus rien, semble-t-il, ne peut arrêter. Les étudiants français, politisés par les guerres d'indépendance de l'Algérie et du Viêt-nam, violemment opposés aux pratiques des partis communistes occidentaux, développent des projets autour de nouveaux modèles révolutionnaires, comme celui de la Chine de Mao Tsé-toung, comme celui du Cuba de Fidel Castro, comme celui – plus théorique mais tout aussi porteur – des coopératives ouvrières et de la révolution permanente où l'on retrouve les textes des camarades Lénine et Trotski. Marxistes-léninistes prochinois, anarchistes et anarcho-syndicalistes, trotskistes de la F.E.R. ou de la J.C.R., les mouvements d'extrême gauche vont sécréter leur théorie, leur pratique politique, leurs leaders et leurs troupes à la vitesse d'un incendie attisé par le vent. Et leur mouvement de contestation contre les « chiens de garde » de la bourgeoisie, la gauche établie, les traîtres communistes, les capitalistes pourris entraînera en quelques semaines l'ensemble de la société française, y compris les communistes, les syndicalistes, les milieux ouvriers [7].

« Les Français s'ennuient », écrivait le 15 mars 1968, dans un de ses articles désormais célèbre, le journaliste du *Monde* Pierre Viansson-Ponté. « Les Français s'ennuient, écrivait-il donc, ils ne participent ni de près ni de loin aux grandes convulsions qui secouent le monde... La jeunesse s'ennuie. Les étudiants manifestent, bougent, se battent en Espagne, en Italie, en Belgique, en Algérie, au Japon, en Allemagne, en Pologne même. Ils ont l'impression qu'ils ont des conquêtes à entreprendre, une contestation à faire entendre, au moins un sentiment de l'absurde à opposer à l'absurdité... En France, les empoignades, les homélies et les apostrophes des hommes politiques de tout bord paraissent à tous les jeunes au mieux plutôt comiques... Le général de Gaulle s'ennuie... Seuls quelques centaines de milliers de Français ne s'ennuient pas : chômeurs, jeunes sans emploi, petits paysans écrasés par le progrès, victimes de la nécessaire concentration et de la concurrence de plus en plus rude, vieillards plus ou moins abandonnés de tous... N'y a-t-il vraiment d'autre voie qu'entre l'apathie et l'incohérence, l'immobilité et la tempête ? Le vrai but de la politique n'est pas d'administrer le moins mal possible le bien commun... Il est de conduire un peuple, de lui ouvrir des horizons, de susciter des élans, même s'il doit y avoir un peu de bousculade... L'ardeur et l'imagination sont aussi nécessaires que le bien-être et l'expansion... »

Sartre ne s'ennuyait pas. Plongé dans son *Flaubert,* il poursuivait sa vie réglée, rendait visite à sa « petite maman » dans son hôtel du boulevard Raspail; se rendait chez sa fille adoptive Arlette qui vivait à quelques mètres de La Coupole; retrouvait Michelle Vian boulevard du Montparnasse; Wanda rue du Dragon; et bien sûr le Castor dont le duplex était à cinq minutes à pied de son nouveau studio. Tous les dimanches, à midi, il déjeunait avec sa mère, et ce rituel lui plaisait sans doute : rôti de porc avec purée et un étrange gâteau-biscuit qu'il appelait « étouffe-coquin ». Avec Arlette, ces années-là, ce fut une grande renaissance musicale : elle s'était mise à la flûte, au piano et au chant. Lorsque Sartre arrivait chez elle, après le déjeuner à La Coupole, il s'installait au piano parfois une heure, parfois deux, parfois indéfiniment. Les partitions se succédaient et il déchiffrait, et il jouait et il chantait et il accompagnait Arlette dans des heures un peu magiques qui ressemblaient, peut-être, aux séances du petit garçon musicien avec sa mère. Un jour, sans préparation, il déchiffra au pied levé, avec rythme et sans erreur, la partition d'orchestre du *Stabat Mater* de Pergolèse. Souvent encore, le *Faust* de Gounod dont la chanson du roi de Thulé était restée un de ses airs favoris qu'il chantait à pleine voix, avec une joie folle, en s'accompagnant lui-même. Et puis, bien sûr, beaucoup de Bach, de Mozart, de Wagner, de Chopin...

Il est sur tous les terrains, en apparence, le Sartre de 1968. Que représente-t-il, avec ses préoccupations flaubertiennes, aux yeux des leaders de la révolution de mai? Un écrivain parmi d'autres, certainement; nullement, en tout cas, un initiateur, encore moins un « maître à penser ». « On a voulu nous balancer Marcuse comme maître à penser, expliquera plus tard Dany Cohn-Bendit : plaisanterie. Personne chez nous n'a lu Marcuse. Certains lisent Marx, bien sûr, peut-être Bakounine, et, parmi les auteurs contemporains, Althusser, Mao, Guevara, Henri Lefebvre. Les militants politiques du mouvement du 22 mars ont à peu près tous lu Sartre. Mais on ne peut considérer aucun auteur comme inspirateur du mouvement [8]. » Alain Geismar nous dira, pour sa part : « Les rapports que j'ai avec Sartre ont toujours été de l'ordre du passionnel. » Il approuve, dès l'année 1958, les textes antigaullistes de Sartre. C'est d'ailleurs lui, Geismar, qui fut convoqué chez le Castor pour « initier », un soir, Sartre et elle-même aux événements de mai. « Nous sommes arrivés, Herta – une amie du 22 mars – et moi, chez Simone de Beauvoir vers deux heures du matin, raconte-t-il, on était très contents, ravis, fascinés, de leur intérêt pour notre action. Ils nous ont fait parler longuement, deux heures peut-être, cherchant à savoir ce qui se passait exactement et se comportant à notre égard comme des amis qui nous encourageaient chaleureusement et qui n'en croyaient pas leurs yeux... Mais, en quelque sorte, il n'y a pas eu véritablement d'échange ce jour-là. Et j'ai eu le sentiment qu'ils nous écoutaient, mais qu'ils n'entendaient rien [9]. »

Sartre donnait-il cette nuit-là à Geismar l'impression d'être ailleurs? Enflaubertisé jusqu'au cou, il suivit bien sûr les événements, les comprit de l'extérieur, les soutint de temps en temps, y reconnut des idées qui furent, qui sont les siennes. Comment, d'ailleurs, n'aurait-il pas réagi chaleureusement à des slogans qui mettaient, dans l'euphorie, la parole, le désir et la liberté au pouvoir? « Cours, camarade, le vieux monde est derrière toi », « Nous ne voulons pas d'un monde où la certitude de ne pas mourir de faim s'échange contre le risque de mourir d'ennui », disaient les murs des facultés, « Organisons la chasse aux banquiers, flics, curés, sociologues! », répondaient les murs de la ville. Débauche de mots, de discours, de tracts, d'affiches, toutes les bouches se délièrent, tout le monde parla avec tout le monde. Et cette prise de conscience, initiée dans les milieux étudiants, se répandit jusque dans toutes les professions, dans tous les milieux sociaux : et les journalistes de l'O.R.T.F., et les acteurs du théâtre de l'Odéon, et les lycéens et les banquiers et les ouvriers sidérurgistes et les paysans et les marins-pêcheurs et les mouvements de femmes et les employés des Folies-Bergère remirent en question leur statut, leur salaire et la hiérarchie qui les gérait, emportés par ces mots et ces formules qui, quelques mois durant, soufflèrent sur cette France qui soudain ne s'ennuyait plus. « Le pouvoir est dans la rue », « Nous irons jusqu'au bout », « Le grand chambardement », « Prenez vos désirs pour la réalité », « L'imaginaire tend à devenir le réel », « Soyez réalistes, demandez l'impossible », « Vivre sans temps mort, jouir sans entraves »...

« La solidarité que nous affirmons ici avec le mouvement des étudiants dans le monde – ce mouvement qui vient brusquement, en des heures éclatantes, d'ébranler la société dite de bien-être parfaitement incarnée dans le monde français – est d'abord une réponse aux mensonges par lesquels toutes les institutions et les formations politiques (à peu d'exceptions près), tous les organes de presse et de communication (presque sans exception) cherchent depuis des mois à altérer ce mouvement, à en pervertir le sens ou même à tenter de le rendre dérisoire. Il est scandaleux de ne pas reconnaître dans ce mouvement ce qui s'y cherche et ce qui y est en jeu... » Ce texte, qui prenait l'allure d'un manifeste, parut dans les pages du journal *Le Monde* daté du 10 mai 1968. Il était signé par Sartre, Blanchot, Gorz, Klossowski, Lacan, Lefebvre, Nadeau et intervenait dans le conflit étudiantspouvoir politique, à un moment crucial : soit la veille de cette célèbre nuit des barricades qui restera l'un des sommets de la période. Pour sa part, et individuellement, Sartre marqua sans la moindre équivoque son soutien total aux étudiants que d'aucuns, déjà, qualifiaient avec mépris d' « enragés ». « Ces jeunes gens ne veulent pas d'un avenir qui sera celui de leurs pères, c'est-à-dire le nôtre, déclara-t-il alors au micro de Radio-Luxembourg, dans une thématique que nous connaissons bien, un avenir qui a prouvé que nous étions des hommes lâches, épuisés, fatigués, avachis par une obéissance totale et complètement victimes d'un système clos... La violence est la seule chose qui reste, quel que soit le régime, aux étudiants qui ne sont pas encore entrés dans le système que leur ont fait leurs pères et qui ne veulent pas y entrer... Dans nos pays occidentaux avachis, la seule force de contestation de gauche est constituée par les étudiants et bientôt, je l'espère, par la jeunesse entière... Actuellement, c'est aux étudiants qu'il appartient de déterminer, comme d'ailleurs ils en ont parfaitement conscience, quelle sera la forme de leur lutte. Ce n'est pas à nous de leur donner des conseils car, même si on a protesté toute sa vie, on est toujours un peu compromis dans cette société-là [10]. » Quelques jours après ces déclarations, Sartre rencontrait le leader du mouvement du 22 mars, Dany Cohn-Bendit, et leur entretien paraissait dans les pages du *Nouvel Observateur*. En fait, Sartre joua essentiellement le rôle du journaliste intelligent et enthousiaste qui cherche, par des questions bienveillantes, à stimuler son interlocuteur, à l'aider à y voir clair : crainte du ralentissement à cause des vacances proches, relations avec le monde ouvrier, danger de la récupération réformiste, définition de l'étudiant au sens strict, Sartre évoqua tout cela et conclut : « Ce qu'il y a d'intéressant dans votre action, c'est qu'elle met l'imagination au pouvoir. Vous avez une imagination limitée comme tout le monde, mais vous avez beaucoup plus d'idées que vos aînés... La classe ouvrière a souvent imaginé de nouveaux moyens de lutte, mais toujours en fonction de la situation précise dans laquelle elle se trouvait... Vous, vous avez une imagination beaucoup plus riche, et les formules qu'on lit sur les murs de la Sorbonne le prouvent. Quelque chose est sorti de vous, qui étonne, qui bouscule, qui renie tout ce qui a fait de notre société ce qu'elle est aujourd'hui. C'est ce que j'appellerai l'extension du champ des possibles. N'y renoncez pas [11]. »

Les idées les plus intéressantes que Sartre exprima au sujet du mouvement de mai 68 parurent dans deux articles du *Nouvel Observateur,* à la fin du mois de juin, sous les titres « Les Bastilles de Raymond Aron » et « L'idée neuve de mai 68 ». Longuement, prenant appui sur sa propre biographie, il revint sur ses expériences de l'enseignement et de l'Université; rappela l'École normale supérieure et la distribution des prix au lycée du Havre, compara ses élèves du lycée de Laon et du lycée Pasteur, s'attaqua enfin directement à l'attitude de Raymond Aron. Par ce retour de Sartre sur soi-même, ces textes prenaient ainsi une authentique valeur de témoignage personnel, de message de sympathie en faveur du mouvement. Il intervint ainsi sur les différents acteurs de l'événement, décrivant les uns et les autres, à sa manière, expéditive et caricaturale. Les étudiants? « Contrairement à ce qu'on veut nous faire croire, déclara-t-il, bien qu'ils contestent radicalement la société, ce ne sont pas du tout des trublions qui rêvent de tout réduire en miettes... » Le pouvoir politique en place? « C'est la politique de la lâcheté. Mais, en même temps, on lance à la base un appel au meurtre. Car l'appel de De Gaulle à la création de comités d'action civique, c'est exactement cela... Cet appel au meurtre lancé par le président de la République n'a d'ailleurs pas été une réponse à la violence des étudiants. Le vieillard ne s'est fâché que lorsque Mitterrand et Mendès France ont mis, politiquement, son pouvoir en jeu. Jusque-là, il était vaguement bénisseur, ne comprenant rien, attendant que les choses se calment, persuadé qu'il allait les reprendre en main... » Le professeur d'université caricatural? « C'est presque toujours – ça l'était aussi de mon temps – un monsieur qui a fait une thèse et qui la récite tout le reste de sa vie. C'est aussi quelqu'un qui possède un pouvoir auquel il est farouchement attaché : celui d'imposer aux gens, au nom d'un savoir qu'il a accumulé, ses propres idées, sans que ceux qui l'écoutent aient le droit de le contester... » Le savoir? « C'est toujours quelque chose qui n'est pas ce qu'on croyait, qui ne colle plus parce qu'une nouvelle observation, une nouvelle expérience ont été faites avec de meilleures méthodes ou de meilleurs instruments. » L'Université? « Elle est faite pour former des hommes contestants... Or nous avons encore aujourd'hui ces îlots ridicules que sont les cours " ex cathedra " faits par des messieurs qui ne se contestent jamais... » Dans ces articles, Sartre donna ses définitions, ses interprétations, ses conceptions des événements de mai, en prenant comme ennemi direct son ancien camarade Raymond Aron. « Quand Aron vieillissant, écrivit-il notamment, répète indéfiniment à ses étudiants les idées de sa thèse, écrite avant la guerre de 1939, sans que ceux-ci puissent exercer sur lui le moindre contrôle critique, il exerce un pouvoir réel, mais qui n'est certainement pas fondé sur un savoir digne de ce nom... C'est le système actuel... qu'il faut supprimer... Cela suppose qu'on ne considère plus, comme Aron, que penser seul derrière son bureau – et penser la même chose depuis trente ans – représente l'exercice de l'intelligence. Cela suppose surtout que chaque enseignant accepte d'être jugé et contesté par ceux auxquels il enseigne... Il faut, maintenant que la France entière a vu de Gaulle tout nu, que les étudiants puissent regarder Raymond Aron tout nu. On ne lui rendra ses vêtements que s'il accepte la contestation [12]. »

Quelle mouche avait donc piqué Sartre pour qu'il fît publiquement, de Raymond Aron, sa tête de Turc absolue, le bouc émissaire de tous les étudiants contestataires? Quel sursaut de colère le poussa donc alors pour qu'il s'en prît, et avec autant de violence, à son compagnon de chambre des années 25? Et pourquoi, en plein 68, un tel retour à ses vingt ans, comme il apparaît tout au long de ces articles? « Vous n'imaginez pas le nombre de bêtises qu'on m'a enseignées quand j'étais étudiant », écrit-il notamment, ou encore: « Je me souviens de Gurvitch... De la même manière, Brunschvicg – nous écoutions ses cours à la Sorbonne parce que nous le trouvions plus malin que les autres... L'Université n'est plus du tout la même que celle qui était la nôtre, il y a trente ou quarante ans... Mais nous étions peu nombreux et nous nous prenions, hélas, pour une élite... » Que les événements de mai 68, prenant position sur la pédagogie universitaire, remettant en question le savoir figé, le système caduc de notation et les cours magistraux, aient reporté notre écrivain, dans un grand flash-back nostalgique, vers ses propres expériences d'étudiant à la Sorbonne et à l'École normale et qu'il les ait évoquées de son propre chef pour en tirer une argumentation personnelle, voilà en tout cas un élément à consigner. Car ce ne fut jamais vraiment son genre de revenir sur sa jeunesse, de raconter ses guerres, ou de jouer les grands-pères qui évoquent leurs vingt ans. « Ce que je reproche à tous ceux qui ont insulté les étudiants, disait-il enfin, c'est de n'avoir pas vu qu'ils exprimaient une revendication neuve, celle de souveraineté. Dans la démocratie, tous les hommes doivent être souverains, c'est-à-dire pouvoir décider, non pas seuls, chacun dans son coin, mais ensemble, de ce qu'ils font. »

Pendant que Sartre exprimait dans les colonnes des hebdomadaires français sa conception de la démocratie, il expérimentait dans les réunions publiques avec les étudiants ce que pouvaient être les limites de ce nouveau pouvoir. Le 20 mai 1968, il prit la parole dans le grand amphithéâtre de la Sorbonne investie, depuis une semaine, nuit et jour par les étudiants. A l'annonce de la venue de Sartre, des milliers de jeunes prirent littéralement d'assaut ce magnifique lieu aux bois dorés; et comme rien ni personne ne pouvait plus les empêcher d'y entrer en surnombre, ils bravèrent toutes les consignes de sécurité. « Ça faisait vraiment spectacle, raconte Arlette qui accompagnait Sartre ce jour-là; il y avait une atmosphère de tohu-bohu indescriptible, de remue-ménage enfumé. Sartre était très fatigué, cette séance ne l'amusait pas beaucoup; et il tanguait, en avançant, dans un état physique qui n'était pas bien fameux. » Toujours est-il qu'il donna le change, lorsqu'il réussit à se retrouver au centre de la tribune. Désorganisation triomphante, joie de la parole débridée; les questions furent difficiles à contrôler : ça fusait de partout, on l'interrogea sur les sujets les plus divers. « Qu'est-ce que vous entendez par démocratie dans une société de classe? » « Que pensez-vous du développement actuel de la Tunisie? » « Estimez-vous que la gauche française aurait pu, sinon prendre le pouvoir, du moins prendre les conditions de prendre le pouvoir? » « Y a-t-il, à votre avis, quelle que soit la situation, des formes de culture qu'on puisse mettre à la poubelle? » Insatiable, le public chaleureux pressait encore et encore le philosophe de parler. Comme si cette voix basse et forcenée – dont on ne pouvait croire qu'elle sortait d'un corps si petit, si banal – parvenait à stimuler encore et encore l'intérêt. « Le Parti communiste français, lança par exemple Sartre, s'est durci et sclérosé. Toute action, donc, autour de lui, était impossible. Voilà pourquoi on a affaire en France à des stéréotypes de la gauche. La C.G.T. a une attitude de suivisme; il lui a fallu accompagner le mouvement pour le coiffer. Elle a voulu éviter surtout cette démocratie sauvage que vous avez créée, et qui dérange toutes les institutions. Ce qui est en train de se former, c'est une nouvelle conception d'une société basée sur la pleine démocratie, une liaison du socialisme et de la liberté [13]. »

Dans cette invraisemblable cohue, les codes étaient abolis, tous les écarts possibles. « Le camarade en haut a la parole », affirmait le meneur des débats qui ne maîtrisait pas grand-chose. « Camarade Sartre, es-tu solidaire des ouvriers en lutte? », lui lançait-on de la tribune du premier étage. Puis une caméra apparut, avec des sun-lights, qui aveuglèrent brutalement l'orateur. Bruits divers et houleux. « Arrête ta caméra! – C'est un film pour les usines... – Jean-Paul est tout à fait d'accord... » Étranges apostrophes! Presque personne, dans son entourage, n'appelait Sartre « Jean-Paul »! Il répondit sans faire de véritable révélation, ni de retentissante déclaration. Il fit acte de présence, ne disant pas grand-chose, mais disant tout au plus – au-delà du discours – qu'il était là, avec les étudiants, en totale communion d'esprit, à l'intérieur de cette Bastille symbolique qu'ils avaient ravie au pouvoir : la Sorbonne. « Vous avez à *réinventer* votre tradition, ajouta-t-il encore, une tradition que la révolution culturelle doit se donner elle-même. » Ce fut là son message de solidarité, son seul conseil. La dernière question l'embarrassa : « Camarade Sartre, que pensez-vous des théories de Marcuse? – Écoutez bien, esquiva-t-il, on ne va pas discuter de ça ici. C'est un philosophe... Marcuse dit que les seuls éléments par lesquels on peut changer la société sont les éléments marginaux : " Notre espoir ne peut venir que des sans-espoirs ", écrit-il dans son dernier livre, *L'Homme unidimensionnel.* Non seulement je suis d'accord avec lui, mais je pense que c'est l'un des sens de l'insurrection des étudiants. » La voix avançait, posée et lente. La voix martelait, régulière, rythmant les mots qu'elle voulait renforcer : une présence. « Je vais vous quitter maintenant, annonça-t-il malgré les cris, je suis fatigué. Sinon, je finirais par ne vous dire que des bêtises. Il vaut mieux que je m'en aille. Je voudrais encore insister sur la nouveauté du débat que vous avez instauré entre écrivains et étudiants. Celui-là est le premier. Vous en aurez tant que vous voudrez. Au revoir. » A l'extérieur de la salle bondée, partout dans les couloirs, dans la cour de la Sorbonne, d'autres groupes massés pouvaient entendre Sartre parler : des haut-parleurs avaient été installés en haut de chaque colonne, derrière chaque porte. Raphaël Sorin avait amené là son oncle, Elias Canetti, de passage à Paris. « Canetti écouta, depuis la cour de la Sorbonne, raconte Sorin, mais on ne comprenait presque rien. Tout ce que l'on entendait, tout ce que l'on reconnaissait, c'était la voix de Sartre, symbolique et précise, et Canetti me disait que bien peu d'écrivains au monde auraient pu produire parmi les étudiants ce phénomène de massification [14]. »

Quelques jours plus tard, le poète Aragon fut interpellé par Dany Cohn-Bendit, alors qu'il passait sur le boulevard Saint-Michel. L'altercation fut décevante. Sartre, à la Sorbonne, avait semblé séduire les foules étudiantes, malgré ses soixante-trois ans. Quelques mois plus tard, cependant, une petite anicroche, un incident de parcours, prouva que ses pouvoirs de conviction étaient limités; son rôle de référence moins réel qu'on aurait pu le croire.

« Sartre, sois clair, sois bref : nous voulons discuter des consignes à adopter. » Le 10 février 1969, dans la salle de la Mutualité, sur le pupitre, près du micro, écrits au crayon sur un papier, ces quelques mots ravageurs dont Sartre prend connaissance juste avant de faire son discours. Quelques jours auparavant, il a été contacté par Jean-Marcel Bouguereau, Jean-Marc Salmon et André Glucksmann : serait-il prêt à participer, en compagnie de Michel Foucault, à un meeting de protestation contre l'expulsion de trente-quatre étudiants de l'Université? Il s'agirait également de prendre position sur la nouvelle loi proposée par le ministre Edgar Faure pour une réforme de l'Université. « Sartre a tout de suite accepté de venir, nous déclarera plus tard Jean-Marcel Bouguereau, il a demandé à recevoir l'ensemble des dossiers pour faire le tour du problème, nous les lui avons déposés sous sa porte un soir, il a travaillé toute la nuit et s'en est beaucoup servi dans ses déclarations [15]. » Dans la salle de la Mutualité, ce jour-là, une foule compacte d'étudiants. Sur l'estrade, professeurs du supérieur et délégués des mouvements étudiants : un meeting, somme toute, banal, avec, à l'ordre du jour, des décisions concrètes à prendre sur les récentes mesures prises par le gouvernement. « J'ai senti dès le départ que je n'avais rien à y faire, écrit Sartre quelques jours après la réunion. Ces consignes à adopter, cela ne me regardait pas : on en propose aux camarades quand on est de la même classe d'âge, avec les mêmes intérêts [16]. » Le mot clef, Sartre venait lui-même de le lâcher, trouvant de son propre chef une explication à cette première gifle qu'il venait de recevoir de la part des étudiants. Il était Sartre : mais que représentait Sartre pour des foules d'étudiants de vingt ans qui ne l'avaient peut-être même pas lu? Il était Sartre : mais qu'avait-il donc à dire de particulièrement sartrien à un meeting interne dont tout – âge, classe socioprofessionnelle, intérêts – le séparait de fait? Il était Sartre : mais de quelle utilité technique pouvait bien être son apport, puisqu'il avait déjà donné tous les gages possibles de sa sympathie absolue? « Je leur ai simplement dit, poursuit-il encore, qu'ils devaient combattre la presse *sur son terrain*, expliquer aux travailleurs et même aux petits-bourgeois pourquoi ils refusaient la loi Faure. Mais je les ai déçus et je le comprends : on venait de juger arbitrairement leurs camarades, pour eux le problème était de répondre à la violence par la violence et non d'analyser une loi. » Alors, doit-on dater du 10 février 1969 une certaine mise à mort de l'écrivain mythique? Doit-on voir dans cette impatience des étudiants à son égard une chiquenaude symbolique? Doit-on plutôt, dans ce « Sartre, sois bref », lire une provocation perfide, touchant droit au but le philosophe dans un de ses travers les plus perceptibles : la logorrhée verbale?

Non seulement Sartre retint la leçon du 10 février 1969, mais il en parla publiquement, se fit même contre son propre personnage l'avocat des étudiants, s'adressa en pensée aux parents réfractaires : « Pères, ne l'oubliez pas, déclara-t-il quelque temps plus tard, vos enfants sont votre unique avenir. Il dépend de vous que vous les massacriez... ou qu'ils vous sauvent du néant : car vous ne vous sauverez pas tout seuls, je vous le dis. Retenez en tout cas que, si vos fils sont révolutionnaires, c'est parce que vos lâchetés ont fait leur destin. Ils ne vous l'expliqueront pas; la parole a explosé en mai, ils en sont soûls, ils n'ont plus rien à dire à ces enfants endurcis, pourris, meurtris, qu'on nomme des adultes. Nous vous l'expliquerons. Qui, nous? Quelques adultes moins putrides ou plus conscients de leur putréfaction [17]. » On reconnaît la thématique de la préface à *Aden Arabie* de Paul Nizan. Et Sartre l'Intouchable qui vient d'être contesté par ses amis de toujours, les jeunes générations, et Sartre le monument historique dont le marbre vient d'être écorché, trouve à cet incident une issue, une parade : il persiste et signe, s'attribuant le rôle d'intermédiaire, de porte-voix, entre les étudiants et leurs pères. Et lui, largement en âge d'être le grand-père de tous ces contestataires, choisit de jouer les grands-pères gâteaux, se faisant l'avocat des petits-fils contre les pères. On a vu ses parties de boxe et ses soirées sur la plage, lorsque, à vingt-cinq ans, au lycée du Havre, il encanaillait ses élèves qui n'étaient alors ses cadets que de cinq ans, six ans à peine. On a vu ses rencontres autour d'un bock de bière à la sortie des lycées Pasteur et Condorcet, et ses discussions interminables avec ses futurs étudiants en philosophie affamés de savoir. On l'a vu, plus tard, à l'âge de quarante, cinquante, soixante ans désirer, rechercher, susciter le contact avec ses cadets. Et, lorsqu'il acheva sa carrière, il sut trouver ses interlocuteurs favoris parmi ces étudiants qui demandaient des rendez-vous et venaient lui exposer leurs questions, leurs débats personnels. Toujours, on l'a vu, il y prit un plaisir extrême. Avec l'âge, Sartre trouva dans ces échanges comme l'occasion d'une perpétuelle remise en cause de lui-même. Remise en cause à laquelle il se livra toujours, sans se dérober, avec la plus extrême civilité; mais peut-être, parfois, avec ce que l'on appellera le « fameux masochisme sartrien ». Dès la rentrée 1968, d'ailleurs, il est à nouveau contacté par Geismar, à un moment où l'on cherche à mettre en place un bulletin de liaison entre les différentes organisations gauchistes sur le thème « Mai pas mort ». « C'est clair, nous expliquera Geismar, j'avais envie de reprendre avec lui la discussion échevelée de la nuit de Mai, et savoir s'il était disposé à travailler avec nous dans ce que nous appelions le " mouvement "... Nous avons déjeuné ensemble et je lui ai proposé de mettre son nom sur notre bulletin *Interluttes*... Là encore, j'ai senti un malentendu : il raisonnait en termes de groupes politiques de Mai, comme si c'était une somme positive de groupes opposés, cherchant avant tout à ce que tout le monde soit d'accord... alors que nous vivions la renaissance de ces groupes métabolisés en un véritable mouvement, mais comme une recherche difficile [18]. » Dans les échanges et les discussions, ils finiront par trouver, quelques années plus tard, un consensus, des outils communs.

Pourtant ces images de Sartre en canadienne élimée à la Sorbonne, à la Mutualité, ces images d'un homme présent pour certaines causes politiques, sont loin de rendre compte de la vie qu'il mène ou des intérêts qui l'absorbent au cours de ces années 68-69-70. Le centre de sa vie, ces trois années-là, sa véritable passion, c'est bien ce monumental *Flaubert* qu'il termine enfin maintenant. Et, contrairement aux apparences, son intérêt ne le porte vraiment ni aux événements de mai – n'est-il pas désormais sur la marge? – ni au militantisme de façade – ne s'y adonne-t-il pas de manière assez mécanique? –, sa véritable passion c'est ce *Flaubert*, sur lequel il travaille depuis déjà trente ans, sur lequel il a amassé des milliers et des milliers de feuillets remplis sur quelques lignes puis biffés, et qu'il ne peut plus organiser.

La rédaction du *Flaubert* est une nouvelle période de fatigues, de tensions et de drogues. Il recommence à prendre de la corydrane, comme pendant la rédaction de la *Critique*; il devient nerveux et bizarre. On le voit, de manière répétée, bouger ses bras, coudes repliés, comme s'il était affublé de bizarres ailerons : tics inquiétants. Il boit et fume, comme aux pires moments. Certains, parmi ses proches, tentent les pires subterfuges pour le calmer : Arlette, par exemple, le supplie de signer sur son petit carnet des promesses officielles datées et signées, certifiant que l'ère de la corydrane est terminée, ainsi que celle du tabac et de l'alcool. Et puis elle intervient plus avant, emporte des paquets de feuillets, les trie, les tape à la machine pour que Sartre y voie clair dans cet invraisemblable manuscrit. Quant au Castor, comme toujours, elle relit tout, méthodiquement, biffe, corrige et commente, selon la règle d'exigence dont elle ne s'est jamais départie.

« Flaubert représente, pour moi, l'opposé exact de ma propre conception de la littérature : un désengagement total et la recherche d'un idéal formel qui n'est pas du tout le mien... Flaubert a commencé à me fasciner précisément parce que je voyais en lui, à tous points de vue, le contraire de moi-même. Je me demandais : " Comment un tel homme était-il possible? " » Dans un entretien accordé au journal anglais *New Left*, un an avant la publication de *L'Idiot de la famille*, Sartre tente d'énumérer les motivations qui l'ont entraîné dans la genèse et la réalisation de son projet [19]. « Pourquoi Flaubert? », lui avait demandé dès l'année 1964 la journaliste du *Monde* Jacqueline Piatier. « Parce qu'il est à l'opposé de ce que je suis, avait-il déjà répondu du tac au tac. On a besoin de se frotter à ce qui vous conteste. " J'ai souvent pensé contre moi-même ", ai-je écrit dans *Les Mots*. Cette phrase-là non plus n'a pas été comprise. On y a vu un aveu de masochisme.

Mais c'est ainsi qu'il faut penser : se soulever contre tout ce qu'on peut avoir d'*inculqué* en soi [20]. » Le *Flaubert* tout entier va témoigner de l'extraordinaire permanence du projet sartrien fondamental.

Donc Flaubert, et surtout l'« enfant Gustave » comme il l'appelle volontiers, est l'opposé de l'enfant Poulou, « ce petit garçon sûr de lui qui a des certitudes profondes... et tout l'amour pour s'individualiser et s'affirmer [21] ». Car les trois premiers tomes de *L'Idiot de la famille* vont se donner pour projet une investigation serrée et maniaque de la petite enfance de l'enfant Gustave. Sartre chercha, dans les trajectoires individuelles du père, de la mère, du frère aîné, de la sœur cadette, dans les caractéristiques socio-économiques de la famille Flaubert, dans les événements historiques de l'époque, des éléments d'explication à ce bizarre enfant que fut Gustave : enfant-sandwich, enfant balourd, qui ne savait pas lire à l'âge de sept ans, mais qui à treize ans écrivait déjà des lettres et des livres. « Achille [le fils aîné] dut être enfant prodige. Et Caroline, la dernière venue, apprit en se jouant, écrit Sartre dans les premières pages de *L'Idiot*. Entre ces deux merveilles, Gustave est coincé : inférieur à celle-ci comme à celui-là, il a pauvre mine... » Croisant les éléments significatifs de l'histoire familiale, les éléments déterminants de l'histoire nationale, Sartre offre au lecteur un énorme livre qui se lit pourtant comme un livre d'aventures. « Quant au degré de vérité de cet ouvrage, expliquait-il à Arlette, au moment de reposer la plume, je n'en sais rien. Enfant, je me racontais des histoires, je n'ai pas cessé. C'est peut-être la dernière histoire que je me raconte... »

Si l'enfant Gustave est l'anti-Poulou, l'un et l'autre cependant cheminent ensemble, mais dans la main, depuis presque toujours. Car Sartre a lu Flaubert dès l'âge de huit ans, puis l'a relu à l'E.N.S., retrouvé encore pendant les années havraises, intimement découvert enfin dans les longs mois d'ennui de la drôle de guerre. Il avait alors repris *L'Éducation sentimentale* et consacré au « faux beau style de Flaubert » quelques pages absolument dévastatrices et incendiaires de ses carnets, s'amusant à déchiqueter « les grosses malices normandes qui gênent », « la faiblesse congénitale du verbe qui entraîne sa banalité », les « platitudes », les « plus malheureux effets [22] »... De Sartre à Flaubert, donc, et sans conteste, c'est une longue histoire d'amour-haine et, depuis toujours, une véritable relation d'intimité littéraire. Pendant l'occupation, enfin, Sartre se plongea dans la correspondance de Flaubert : dès l'année 1943, il l'avait décidé, il écrirait sur Flaubert. Car, outre le Poulou en creux qu'était l'enfant Gustave et les motivations purement personnelles de ce choix, Sartre avait trouvé, dans la problématique flaubertienne et la documentation

II

De la soumission au ressentiment

Comment Flaubert ressentira-t-il cette condamnation. Comment l'aliénation radicale de sa vie — jusqu'à la mort elle-même — sera-t-elle subjectivement reçue ? Son attitude réflexive en face du verdict aliéné restera-t-elle identique depuis la chute et la découverte jusqu'à la crise de Pont-Audemer ? Telles sont les premières questions que nous devons nous poser.

Au départ — c'est-à-dire à sept ans — la réponse est claire : il ne peut qu'accepter le verdict dans la soumission. C'est que la sentence le frappe dans son amour : il est en pleine vassalité, on ne change pas si vite, d'autant que l'élan du petit vassal est soutenu par les structures objectives d'un milieu semi-féodal. Comment contester le jugement adorable de l'homme que la famille vénère, que respecte Rouen tout entier, dont les sourires, à telle heure encore, dilataient le cœur de l'enfant ? S'il aime à ce point le magistrat, il faut qu'il *aime aussi* la décision finale. Celle-ci le désespère mais il ne la refuse pas : comment le ferait-il, d'ailleurs, sans condamner son père. Et dans ce moment capital, comment ruiner l'autorité du chef de famille sans que la famille entière s'écroule ? Il est plus économique, en somme, de se laisser détruire, de s'anéantir, mode inviable, dans la substance Flaubert, de préférer son

~~jusque dans la ...~~

qui s'y rapportait, une véritable mine pour sa recherche. Si bien qu'en 1954, lorsqu'il élabora avec Roger Garaudy le projet d'une comparaison de méthodes sur un sujet commun, c'est tout de suite à Flaubert que Sartre pensa. « En trois mois, racontera plus tard Sartre, j'ai rempli une douzaine de cahiers. C'était rapide et superficiel, mais je me servais déjà des méthodes psychanalytique et marxiste... je les ai montrés à Pontalis, qui m'a suggéré d'en faire un livre. Je m'y suis donc mis et j'ai rédigé une étude d'environ mille pages, que j'ai abandonnée vers 1955. Quelque temps après, je me suis dit que je ne pouvais pas continuer à abandonner mes travaux en cours de route... et qu'il fallait que je finisse un jour quelque chose dans ma vie. Ce besoin d'aller jusqu'au bout, cette résolution ne m'ont pas quitté depuis. Le *Flaubert* m'a tenu dix ans, et je peux dire que depuis *Les Séquestrés d'Altona* je n'ai fait que ça [23]. » L'histoire de Sartre avec Flaubert tient donc en quelques dates : 1943, pour la décision initiale; 1954, pour la décision concrète; 1956, pour la première version; 1960-1970, pour la rédaction quotidienne. Avec, au total, près de quatre ou cinq versions complètes du manuscrit, reprises « de fond en comble » chaque fois, avant de parvenir à la version finale qui paraît au printemps 1971.

Au nombre des motivations essentielles dans cette croisade pour l'enfant Gustave, donc, la richesse de la documentation. « Il y a très peu de personnages de l'Histoire ou de la littérature, explique Sartre, qui aient laissé une telle masse d'informations sur eux-mêmes. La correspondance de Flaubert occupe treize volumes de près de six cents pages chacun [24]. » Sans compter les innombrables témoignages que lui consacrent, dans leur journal, les frères Goncourt, sans compter les lettres de George Sand, sans compter, surtout, les œuvres de jeunesse de Flaubert lui-même, ces « autobiographies » comme les nomme Sartre, et « encore mille autres choses » selon l'expression de l'enquêteur ravi. Une mine, vierge de toute investigation, qui allait attirer Sartre comme un pays lointain et inconnu attire le grand voyageur ou l'explorateur. L'enfant Gustave serait donc son Far West, entre les événements de 1848 au collège de Croisset et l'appartement familial de la rue du Gros-Horloge, à Rouen.

Pour s'attaquer à la mine Flaubert, Sartre n'y alla pas de main morte : il conçut son plan de bataille comme le carrefour de toutes les interrogations, de toutes les méthodes qui l'avaient précédemment tenté. Le projet du *Flaubert* consistait de fait à « abandonner les analyses théoriques qui ne menaient finalement nulle part, pour essayer de donner un exemple concret de ce qu'on pouvait faire [25] ». Et l'analyse de l'enfant Gustave, de sa naïveté, de sa crise d'hystérie, de ses retards et de ses balourdises, bénéficia des recherches sartriennes de tous temps, de tous ordres : *L'Imagination*, *L'Imaginaire*, *L'Être et le Néant*, « Questions de méthode », soit toute l'œuvre philosophique sartrienne, se retrouva mobilisée pour sonder les raisons de l'éclosion du génie. « L'étude de Flaubert représente pour moi, affirme-t-il encore, une suite à l'un de mes premiers livres, *L'Imaginaire*... [où] j'ai essayé de prouver que les objets imaginaires – les images – étaient une absence... C'est tout le problème des rapports entre le réel et l'imaginaire que j'essaie d'étudier à partir de sa vie et de son œuvre. Finalement, à travers tout cela, il est possible de poser la question : " Quel était le *monde social imaginaire* de la rêveuse bourgeoisie de 1848 ? " [26] » Cette nouvelle tentative biographique, à la suite des Baudelaire, Genet, Freud et autres Mallarmé ou Tintoretto, ce nouveau projet d'explication d'une vie, cette tentation d'« écrire tout ce qu'il y a à dire sur Flaubert », ce rêve absolu que, selon Sartre, nourrit « tout auteur [27] », il va les mettre ici en œuvre et pour la dernière fois, en subsumant tous les essais précédemment tentés. « Comment puis-je étudier un homme, insiste-t-il encore, avec toutes ces méthodes et comment, au cours de cette étude, ces méthodes vont-elles se conditionner l'une l'autre ? [A cet égard] mon étude sur Baudelaire était très insuffisante, extrêmement mauvaise, même... il est [aussi] évident que l'étude du conditionnement de Genet par les événements de son histoire objective est insuffisante, très très insuffisante [28]. » L'enfant Gustave bénéficia donc d'une rencontre au sommet des approches « psychanalytique et marxiste », de la philosophie, de la critique littéraire, de l'histoire nationale et de l'histoire familiale. « Mon idéal serait, hasarde l'auteur, que le lecteur puisse tout à la fois sentir, comprendre et connaître la personnalité de Flaubert, comme totalement individuelle mais aussi comme totalement représentative de son époque [29]. »

Projet superbe et insensé, dans sa démesure. Projet tellement sartrien, tellement obsessionnellement sartrien, que c'en est presque une gageure. Car, en sondant la genèse de ce génie littéraire du XIXe siècle, en s'interrogeant sur « ce qui est intéressant... la décision d'écrire », en analysant « l'imaginaire comme détermination cardinale d'une personne », Sartre revient, avec quarante-cinq ans de distance, sur les préoccupations très exactes qu'il eut en ses années d'École normale, lorsqu'il choisit de traiter, pour son diplôme d'études supérieures : « L'image dans la vie psychologique : rôle et nature ». Lorsque, également, énonçant fièrement à ses petits camarades ses projets d'avenir, il affirmait déjà, et sans le moindre doute, qu'il s'acharnerait, dans ses écrits, à lier de façon permanente littérature et philosophie. Et le vieux créateur qui reprend sans cesse, avec une telle constance, certitude, rigueur, ses feuillets sur Flaubert, n'est-il pas semblable à celui qui, en 1927-1928, enferré dans des explications philosophiques interminables, se faisait cruellement taquiner par Aron ou Nizan, avant que l'un d'eux ne veuille bien – suprême bienveillance – l'aider généreusement à traduire ses théories complexes pour le reste du monde?

Tout le sens de l'œuvre sartrienne, tout le projet du créateur au sens fort que fut Jean-Paul Sartre, sont dans ces quelques lignes, dans ce long labour sans rupture qui, de l'année 1927 à l'année 1972, s'acharne autour de la même problématique, autour de la même racine, sans le moindre détour. Projet rigoureusement imperméable aux préoccupations des années 70, qui tente toujours et toujours de rendre compte de l'apparition du symbolique dans le social, avec une méthode radicalement phénoménologique. Ou comment l'imaginaire individuel s'articule face à l'imaginaire social. L'œuvre sartrienne s'achève avec *L'Idiot de la famille*: tout à la fois une somme de toutes les œuvres, de toutes les méthodes, de tous les genres qui l'ont précédé, mais également un aboutissement inachevé de toutes ces recherches, qui vient donner à toutes les pages que Sartre écrivit, et malgré les apparences, une cohérence extrême. Ses pièces de théâtre, ses essais littéraires, ses articles de critique, ses biographies, ses romans et ses essais philosophiques apparaissent désormais comme autant de coups de sonde, comme autant d'approches limitées, en attente du *Flaubert*. La trajectoire de l'œuvre sartrienne, que nous regarderons désormais rétrospectivement, apparaît maintenant comme une trajectoire strictement personnelle, assimilable à aucune autre, presque impossible encore à cerner, trop éclatée, trop polymorphe. Le projet sartrien, avec sa constance, sa permanence, son aridité? Bizarrement intemporel, bizarrement décalé, et fort peu en prise sur les grands débats d'idées contemporains.

« Je voudrais qu'on lise mon étude comme un roman, souhaitera gentiment l'auteur du *Flaubert*, puisque c'est l'histoire en effet d'un apprentissage qui conduit à l'échec de toute une vie. Je voudrais en même temps qu'on le lise en pensant que c'est la vérité, que c'est un roman *vrai*... Ce livre, je l'ai écrit au fil de la plume, avec un réel plaisir [30]. » Les contemporains lurent-il *L'Idiot* comme un roman, comme un roman *vrai*, avec autant de plaisir que l'auteur avait mis à l'écrire? Le lurent-ils, seulement? En 1985, on donnait, chez Gallimard, pour le chiffre de vente des trois premiers volumes additionnés, en édition cartonnée et depuis leur publication : 27 000 exemplaires. Mais que représentait ce chiffre en regard d'un texte que Sartre annonçait comme son œuvre maîtresse? Et pourquoi la presse fut-elle donc si pauvre, au moment d'en rendre compte? Acheta-t-on le livre, mais sans le lire? On raconte même qu'un ami de Sartre, journaliste dans un hebdomadaire français, s'adressa directement à l'auteur pour lui transmettre la perplexité du comité de rédaction : on ne savait à qui confier l'article critique pour rendre compte de *L'Idiot*, tout le monde se défilait devant l'ampleur de la tâche, peut-être Sartre aurait-il une idée...

Anecdote significative du creux où il est tombé. « Sartre, sois bref », lui recommandaient déjà les étudiants en février 1969. Et, de fait, depuis quelques années déjà, il se trouve complètement marginal. Structuralisme, lacanisme, althussérianisme n'éveillèrent chez lui presque aucun mouvement, aucune critique, aucun signe. Oh, ce n'est pas qu'il s'oppose à ses collègues, Althusser, Lacan, Foucault, Barthes ou Lévi-Strauss, qui drainent alors la plupart des lecteurs du Quartier latin. Non, Sartre est à leur égard particulièrement courtois : ni pour, ni contre. Simplement, il n'est pas là. Il aurait pu se trouver ouvert, dans une certaine mesure, à certaines controverses, à certains débats avec eux. Même pas. Il est à leur égard très libéral, il les accepte, il les côtoie, et aucun d'entre eux ne semble même le gêner. Il est muet, tout simplement. Muet, lorsque Althusser enterre les manuscrits du jeune Marx. Muet, lorsque Lacan lance le grand débat sur le langage. Quelques mots, tout de même, lorsque Foucault sort ses superbes sommes sur la folie ou la prison. Alors, le penseur Sartre, au tournant des années 60? Absent, tout simplement. Comme si les débats de ses contemporains n'embrayaient pas sur ses propres préoccupations intellectuelles. « Un homme, fait de tous les hommes, etc. », écrivait-il en achevant *Les Mots*. Tout en rédigeant ces mots-là, pourtant, isolé, solitaire, il poursuivait allégrement son projet personnel, son dialogue un peu absurde et décalé, avec les grands hommes, avec Flaubert, avec l'éternité. Impavide, il interroge le XIXe siècle, dans une exploration solitaire du phénomène de la création. Sartre ne s'intéresse plus à son époque? Son époque ne s'intéresse plus à Sartre. C'est un peu comme un divorce, un grand silence, une espèce de dérive.

A peine remarquerait-on çà et là, dans le *Flaubert*, des traces pudiques, comme celles que l'on retrouva, tels des sédiments archaïques de sa propre histoire : certain personnage de *La Nausée*, certaines descriptions du *Mur*. « Il y a incontestablement dans mon livre, expliqua-t-il un jour, une attaque constante contre la bourgeoisie de l'époque, dont la famille Flaubert est représentative [31]. »

Ce qu'on ne saurait, en tout cas, omettre, c'est certainement l'extraordinaire va-et-vient historique que Sartre effectua entre XIXe et XXe siècles. Les pieds dans la grande crise du XXe siècle, la tête dans la révolution de 1848. Vivant au jour le jour les grèves, les pétitions, les manifestations contre un régime caduc, travaillant à sa table sur la révolution de 1830 telle que la vécut la bourgeoisie rouennaise. Fut-il donc plus proche des étudiants révolutionnaires de mai 1968 ou des collégiens révoltés de 1831, ce petit piéton populaire qui arpentait tous les jours son périmètre montparnassien ? Tout au long de son travail, il assimila, en les comparant, les deux situations historiques. C'est l'été 1968 et Sartre, écrivant sur la longue table encombrée devant sa fenêtre ouverte, rédige l'épisode de la révolte des collégiens à Rouen. En 1831, Louis-Philippe s'est débarrassé de La Fayette, ouvrant la voie à la réaction et, peu de temps avant l'entrée de Gustave Flaubert au collège de garçons de Rouen, une véritable « épreuve de force » s'engage entre les élèves et les autorités du collège; motif officiel : refus de la confession quotidienne. « Je tire mon chapeau, explique alors Sartre, à ces gamins de quatorze ans qui ont élaboré une telle stratégie, tout en sachant très bien qu'on allait les renvoyer. Il ont d'abord eu affaire à l'aumônier... puis à un autre fonctionnaire... puis au principal qui les a expulsés. C'est alors un tollé dans tout le collège – comme ils l'avaient espéré. Les élèves de quatrième lancent des œufs pourris sur le principal adjoint et deux d'entre eux sont renvoyés. Le lendemain, à l'aube, les externes de la classe se réunissent et font le serment de venger leurs camarades. Le jour suivant, à six heures du matin, les pensionnaires leur ouvrent les portes : tous ensemble, ils s'emparent des bâtiments et les occupent. En 1831, déjà ! Du haut de leur forteresse, ils bombardent le conseil académique qui s'est réuni pour délibérer dans un immeuble voisin. Pendant ce temps, le principal se traîne aux pieds des plus anciens élèves, les suppliant – avec succès – de ne pas se solidariser avec les " occupants ". En fin de compte, les élèves de quatrième n'obtiennent pas la réintégration de leurs camarades renvoyés mais les autorités doivent promettre qu'il n'y aura aucune sanction contre ceux qui ont occupé les locaux. Trois jours plus tard, les élèves découvrent qu'on les a dupés : le collège est fermé. Exactement comme aujourd'hui [32] ! » L'écrivain, louvoyant entre la réalité historique quotidienne du livre qu'il écrit et de la vie qu'il mène, croise et recroise les liens entre les deux époques. Lors de son entretien avec Cohn-Bendit, on l'épinglera à plusieurs reprises, traçant des parallèles identiques, tentant en vain d'attirer son interlocuteur sur son propre terrain. A propos de la méfiance ressentie par les ouvriers, par exemple, à l'égard des étudiants, Sartre insiste :

« Cette méfiance n'est pas naturelle, elle est acquise. Elle n'existait pas au début du XIXe siècle et n'est apparue qu'après les massacres de juin 1848. – A Billancourt, répond sans adhérer Cohn-Bendit, les ouvriers n'ont pas laissé les étudiants entrer dans l'usine [33]. » Amusant dialogue!

Tel fut donc le Sartre de 68, dans une présence-absence aux événements de mai, tout pénétré de la France de la Restauration, des soulèvements de 1830, de la révolution de 1848. Tout attentif, aussi, à réaliser minutieusement cette espèce d'inceste littéraire qu'il était en train d'achever. Et Sartre entrait, pour l'éternité, dans l'intimité du grand homme de lettres, abominait Flaubert parce que balourd, maladroit, « normand », sympathisait avec Stendhal et Mallarmé, récoltait auprès des frères Goncourt les informations nécessaires, entrait enfin dans la longue chaîne en abyme des écrivains français, rendant à Flaubert ce que Flaubert avait accordée à La Bruyère... Il allait, de fait, s'attaquer à la sexualité de sa victime, la retourner, la détailler, pour comprendre encore et toujours comment Flaubert entra de manière si magistrale dans la personnalité de Mme Bovary, par exemple. « Tout l'art de Flaubert est là, affirme-t-il, dans ce rapport sado-masochiste qu'il entretient avec ses personnages... il écrit de l'intérieur de ses personnages et c'est toujours de lui qu'il parle [34]. » Et nous, lecteurs, saurons tout, absolument tout, sur cette sexualité passive du grand Gustave.

Que fut donc ce *Flaubert* qu'on crut comprendre, parfois, comme un exemple monstrueusement étiré de la *Critique de la raison dialectique*? Si la thèse de la somme nous semble, en l'état actuel des recherches développées, la seule vraiment valable, précisons toutefois que ce fut une somme inachevée. Toutes les œuvres de Sartre, dira-t-on, furent à leur manière inachevées : inachevé, *L'Être et le Néant*, attendant sa *Morale*. Inachevés, *Les Chemins de la liberté*, attendant leur quatrième tome. Inachevée, la *Critique de la raison dialectique*, attendant sa deuxième partie. Inachevé, le *Mallarmé*, inachevé, le *Tintoret*, « Le séquestré de Venise », inachevée, encore, la *Morale*. Le quatrième tome de *L'Idiot de la famille*, toutefois – qui devait essentiellement porter sur *Madame Bovary* –, et le cinquième tome – qu'il ébaucha aussi – furent les seules œuvres inachevées de Sartre pour raisons purement physiologiques : la cécité de l'écrivain survint à l'automne de l'année 1973, lui interdisant dès lors tout travail d'écriture. Avec quelle ardeur, pourtant, il parlait de ce livre à venir! Avec quelle certitude, il évoquait son achèvement, quelques mois seulement avant de devenir aveugle! « Il y a ce *Flaubert*, expliquait-il encore au printemps 1972, que je fais depuis tant d'années que je ne l'abandonnerai jamais. Je le finirai, parce que ce serait absurde de ne pas le finir, étant donné que peut-être un jour, indépendamment de sa valeur, ce genre de livre pourra servir à des masses. On ne peut pas savoir ce que sera la culture, après, d'une manière ou d'une autre [35]. » Eh bien, non, il ne le terminera pas, ce *Flaubert* auquel il tenait tant. Et la volonté de l'écrivain sera vaincue net par la santé de l'écrivain, par cette ombre brutale qui descendra sur son œil gauche, par cette nuit soudaine, l'arrachant à Flaubert, à Emma Bovary. « *L'Idiot de la famille*, qui est peut-être l'échec le plus complet, expliqua-t-il alors, retrouve toutes les autres œuvres qui se sont brisées. Ce serait à chercher, pourquoi j'envisage de faire des œuvres qui sont toujours plus longues que celles que j'écris vraiment. » Et, poursuivant sa pensée, il ajouta, dans un de ses rares moments d'affectivité ouverte : « Il faut compter, dit-il, avec la vie des gens qui écrivent : elle se projette dans l'écrit d'une manière ou d'une autre, là en le cassant, en l'arrêtant. C'est assez mélancolique pour un auteur [36]. » Sartre n'achèvera donc pas son *Flaubert*, pas plus que de Gaulle n'achèvera son mandat : le président de la République, désavoué par le peuple lors du référendum du printemps 1969, démissionna comme prévu. Lorsque de Gaulle mourut, deux ans plus tard, Sartre lâcha brutalement : « Je n'ai jamais eu d'estime pour lui [37]. »

Inachèvement, reconnaissance, immortalité, autant de thèmes qui revenaient dans *Les Mots*. Autant d'obsessions qui apparaissaient dans ses rêves de l'époque – il aurait bien voulu les analyser : rapide échange avec Pontalis, on n'en avait plus jamais parlé. Au comité de rédaction des *Temps modernes*, on s'était peu à peu ouverts à la psychanalyse, on avait publié certains textes proposés par J.-B. Pontalis, même si Sartre continuait d'affirmer : « L'inconscient n'existe pas. » Et puis un jour, en avril 1969, à la suite de l'affaire de « L'homme au magnétophone », Pingaud et Pontalis – « la droite des *Temps modernes* », dira sèchement Sartre – quittent brutalement le comité de rédaction. « Je manque une réunion du comité de rédaction et j'apprends que *le* texte va sortir, raconte calmement Pontalis. J'apprends aussi que Sartre, prenant la décision, a alors ajouté : " Ça va emmerder Pontalis. " Le comité s'est raidi dans une réaction corporatiste, suivant la position de Sartre; on a donc décidé d'un compromis [38]. » Pontalis et Pingaud étaient violemment opposés à ce que ce texte intitulé « L'homme au magnétophone » fût livré au public. Le compromis établissait qu'au texte litigieux seraient jointes trois explications signées Sartre, Pingaud et Pontalis. A la suite de quoi les deux « oppositionnels » quitteraient la revue. « Dialogue psychanalytique », était-il écrit en page 1824 dans cette livraison d'avril 1969 des *T.M.* C'était présenté sous la rubrique « Témoignage » avec une petite explication : ce texte était parvenu par la poste à la rédaction du journal et se présentait comme la transcription d'une séance d'analyse, enregistrée au magnétophone.

« A. – Vous allez rester là, docteur! Vous allez rester là et vous n'allez pas toucher à votre appareil, vous allez rester là et n'essayez surtout pas de me faire le coup de la collocation [internement].

Dr X. – Je ne vous ferai pas le coup de la collocation si vous quittez cette pièce.

A. – Je ne quitte pas cette pièce! J'ai des comptes à vous demander; et des comptes importants, et vous allez me répondre. Et je ne vous les demande pas uniquement en mon nom, mais au nom de... Allez, soyez gentil et asseyez-vous; ne nous fâchons pas! Vous allez voir... ça ne fera pas mal! il ne s'agit pas de vous enculer! »

Quinze pages d'une violence verbale et d'une tension peu communes : le rapport de forces analysé/analysant éclate à chaque ligne. « Je ne suis pas " un faux ami " de la psychanalyse mais un compagnon de route critique », explique Sartre dans son texte, à l'appui de ce qu'il caractérise comme une « situation limite ». Et il attaque : « Les analystes peuvent donner des motivations du " passage à l'acte ", mais l'acte lui-même, qui intériorise, dépasse et conserve les motivations morbides dans l'unité d'une tactique... ils ne se sont pas souciés d'en rendre compte. C'est qu'il faudrait réintroduire la notion de sujet. » Voilà, c'est dit, ce que Sartre refuse dans la relation analytique, c'est la chosification du patient, du malade. « En Angleterre, en Italie, poursuit-il, A. sujet incontestable de cette brève histoire trouverait des interlocuteurs valables : une nouvelle génération de psychiatres cherchent à établir entre eux-mêmes et les personnes qu'ils soignent un lien de réciprocité... Il ne me paraît pas impossible qu'un jour les psychanalystes de stricte obédience les rejoignent. En attendant, je présente ici ce " Dialogue " à titre de scandale bénéfique et bénin. » Trois ans auparavant, Sartre avait accepté de préfacer l'ouvrage de Ronald D. Laing et David G. Cooper *Reason and Violence* : une approche par deux « antipsychiatres » de certains textes sartriens. « Ce qui me séduit dans votre livre, avait-il alors écrit, c'est votre souci constant de réaliser une approche " existentielle " des malades mentaux. » C'est à eux qu'il se référait, attaquant les « psychanalystes de stricte obédience »; c'est aux expériences de Laing, de Cooper, de Balint, de Basaglia qu'il apportait sa caution philosophique et même éthique.

Coup de force? Pontalis, surtout, répondit brièvement : « Ce qui m'intéresse, c'est que Sartre nous dise avoir été " fasciné " par le compte rendu de l'exploit contestataire de A. se dressant face à son oppresseur féodal... Mais conclure de ce fragment tragi-comique que le temps est venu pour les analysés de suivre le mot d'ordre lu à Censier : " Analysés, levez-vous! " à moins qu'ils n'émigrent en Italie.. cela me paraît une réponse un peu précipitée. » Première conséquence de mai 68 à l'intérieur même de la micro-société des *Temps modernes*, cette affaire fit beaucoup de bruit dans la presse de l'époque, et entérina encore un peu plus cette image gauchiste que Sartre se plaisait à donner de lui-même.

Dans les premiers temps des mouvements gauchistes, tout à Flaubert, Sartre n'avait donc joué qu'un rôle tout à fait mineur, accompagnant certains meetings, exposant certaines thèses personnelles, comme en écho lointain : ni maître à penser, ni référence pour les acteurs de 68, il ne fut pour eux, dans un premier temps, qu'un brave compagnon de route un peu élimé, somme toute, qu'un vieux penseur bourgeois humaniste et dépassé. Et les groupes maos les plus sectaires, les plus rigides, ceux qui se référaient, avec Althusser, aux textes marxistes originels pour attaquer les révisionnistes et restaurer les vrais principes qui feraient œuvre révolutionnaire, ces groupes, donc, caricaturaient dans leur presse les pratiques de vedettariat des intellectuels qui se laissaient traiter comme des personnalités. Le marxisme de Sartre, d'ailleurs, leur apparaissait comme beaucoup trop individualiste et personnel – une vague dérive pseudo-idéaliste –, et ils ressentaient à son égard une immense méfiance théorique. Lukács, Marcuse, les premières textes de Lapassade, et surtout les travaux d'Althusser : telles étaient leurs références théoriques. Sartre, ils l'avaient lu, mais avec scepticisme... « Moi, près de deux ans après mai 68, expliquera Sartre pour sa part, j'en étais encore à réfléchir sur ce qui s'était passé et que je n'avais pas bien compris : je n'avais pas vu ce que voulaient ces jeunes ni quel pouvait être dans cette affaire le rôle de vieux cons dont j'étais; alors, j'avais suivi, je les avais comblés de félicitations, j'avais été parler avec eux à la Sorbonne, mais ça ne voulait rien dire. Je n'ai vraiment compris qu'après, quand j'ai eu des rapports plus étroits avec eux [39]. »

Ces rapports plus étroits commencent au moment où les groupes maoïstes voient régulièrement leurs publications saisies, leurs directeurs arrêtés sur les ordres de Raymond Marcellin, le ministre de l'Intérieur; ils décident alors, malgré la distance intellectuelle et politique qui les sépare de Sartre, de s'adresser à lui, pour utiliser son nom et son prestige, comme un véritable bouclier. Le 22 mars 1970, Jean-Pierre Le Dantec, directeur du journal *La Cause du peuple* – publié par le groupe maoïste la Gauche prolétarienne –, était arrêté et son journal saisi. Il fut immédiatement remplacé par un nouveau directeur, Michel Le Bris qui fut à son tour arrêté près de dix jours plus tard. Le problème, désormais, pour les maos devenait simple : ou bien ils étaient définitivement étranglés par un ministre de l'Intérieur qui les avait à l'œil, ou bien ils trouvaient une issue de secours et Sartre en était une. Pourtant, Alain Geismar refuse d'analyser le rcours à Sartre comme une simple « opération parapluie ». « Ceux qui ne se limitaient pas à un concept " prolétariat étroit " recherchaient auprès de lui une relation avec un intellectuel d'un type nouveau. Le plus simple était donc d'aller voir chez celui qui incarnait l'intellectuel avec un grand I comment cela pouvait être possible. Et il se trouve aussi que la présence de Sartre nous arrangeait, mais nous aurions pu trouver d'autres solutions... Il nous a fait d'ailleurs sentir que notre requête auprès de lui était un grand honneur qu'on lui faisait, tout en voulant rester d'une discrétion fabuleuse à notre égard... Nous voulions *absolument*, pour notre part, qu'il s'implique davantage, et c'est ce qu'il a fait à partir de ce déjeuner, par des bouts de discussion [40]. » Le déjeuner dont parle Geismar eut lieu à La Coupole le 15 avril 1970 : il y avait là Sartre, Pierre Victor et d'autres. Le 28 avril 1970, Sartre acceptait de devenir le directeur de *La Cause du peuple*. Le 23 septembre suivant, il acceptait encore de devenir celui de *Tout*, organe du groupe V.L.R. (Vive la Révolution). Le 15 janvier 1971, enfin, celui de *J'accuse*. Entre-temps, le Parlement avait voté la loi anticasseurs, qui avait permis au ministre de l'Intérieur de dissoudre la Gauche prolétarienne le 27 mai 1970. L'alliance conjoncturelle de Sartre avec les maos était déterminée par les circonstances et presque appelée par elles, sans véritable consensus idéologique préalable. Logiquement, donc, elle aurait pu donner lieu à des lendemains tristes. Pendant deux pleines années, pourtant, Sartre partagea certains moments de la vie militante de ses nouveaux camarades maos, vécut pleinement une nouvelle radicalisation de ses activités politiques, écrivit des articles, défila, témoigna, pénétra dans les usines, bref accompagna les groupes dans la plupart de leurs actions.

La Cause du peuple, dont il devenait avec le numéro de mai 1970, le directeur-gérant était un journal de quatre à huit pages, de format moyen, où les impressions de couleur rouge et noire sur un mauvais papier beige accentuaient largement l'agressivité des propos. « *La Cause du peuple*, journal communiste révolutionnaire prolétarien », disait le titre qu'accompagnaient sur la droite une effigie de Mao Tsé-toung, une faucille et un marteau. Dès que Sartre en devint directeur, son nom figura sur la dernière page, mais il apparut également, ainsi que celui de Simone de Beauvoir, en tout petits caractères, au bas de presque toutes les pages, un peu comme un sceau, comme un tampon indélébile, dernier gage de l'inviolabilité de la publication. Un détail, pourtant, permet de mesurer, et depuis le début, les limites de cette alliance Sartre-*La Cause du peuple.* « Jean-Paul Sartre a décidé de prendre la direction-gérance de *La Cause du peuple*, disait un encadré le 1er mai 1970, dans une lettre ci-jointe il en explique les raisons. » Et Sartre d'expliquer qu'« il s'agit de faire échec à la manœuvre du gouvernement qui consiste à ruiner ce journal par des saisies répétées et à le discréditer en faisant croire que ses articles sont des appels au meurtre ». Et il ajoutait : « En prenant les fonctions de directeur-responsable, j'affirme ma solidarité avec tous les actes qui, comme ceux qui ont été incriminés, traduiront la violence qui existe aujourd'hui *réellement* dans les masses pour en souligner le caractère révolutionnaire. S'il plaît au gouvernement de me déférer à la justice, il ne pourra empêcher mon procès d'être politique [41]. » Une semaine plus tard, dans le numéro suivant, paraissait toutefois un rectificatif. « Il fallait lire, disait l'encadré, non : " J'affirme ma solidarité avec tous les actes ", mais : " J'affirme ma solidarité avec tous les articles ". » Une petite coquille qui, déjà, ciblait très exactement les limites dans lesquelles Sartre allait emboîter le pas à la Gauche prolétarienne : solidarité de plume, donc; mais distance critique sur les actions politiques.

Au moment où Sartre acceptait que son nom servît de couverture au journal, les titres en étaient devenus particulièrement violents et le style avait pris l'allure – depuis le mois de décembre 1969 – d'un romantisme prolétarien échevelé. « Nous sommes les nouveaux partisans », affirmaient-ils, participant comme les autres à l'invention collective d'un psychodrame historique de choix, accumulant les références : « La mort n'éblouit pas les yeux des partisans », « Brisons les barreaux des prisons pour nos frères ». Enfin, enfonçant le clou, on lançait : « Vive la nouvelle résistance ! » Appel au soulèvement dans la société civile, appel aux jeunes, aux soldats, aux ouvriers, aux prisonniers, aux immigrés, aux femmes, aux vieux. « Nous voulons troubler l'ordre capitaliste pour construire la France populaire », répétait-on partout. Avec, en dernière page et en contrepoint, une citation de Mao Tsé-toung : « Les cinq continents se soulèvent en tempêtes qui fulminent. » Grande croisade pour traquer partout où elle se trouve l'idéologie bourgeoise, pour la dénoncer, pour la combattre, pour la remplacer par l'idéologie prolétarienne. Et pour révéler, entre autres scandales, ceux de la police, de la liberté de la presse, de l'exploitation et de la hiérarchie au sein des usines. C'est l'appel à la violence ouvrière pour répondre à la violence capitaliste, l'appel à la séquestration des patrons, à la révolte contre les flics, au refus de l'appropriation du capital par l'État ou les patrons. Analyse marxiste revue et corrigée par la révolution chinoise, grande nostalgie de la résistance contre l'occupant fasciste de la Seconde Guerre mondiale : quand les maos de la G.P. furent couverts par Sartre, ils étaient passés à l'an II de la lutte de classes. Et les figurines de petits groupes de travailleurs qui, le poing levé, en rouge et en noir, accompagnaient leurs textes, étaient comme une référence obligée à la Révolution culturelle chinoise, importée sur les rives de la Seine.

Au cœur de cette nouvelle éthique de l'héroïsme révolutionnaire, quelle présence pouvait donc avoir un philosophe essoufflé, penché quotidiennement sur la névrose du plus bourgeois de nos écrivains du XIXe siècle? « Un député, ça peut se lyncher », « Un patron, ça se séquestre », affirmaient les « nouveaux partisans », « Les petits chefs, ça se mate », « Le combat de la liberté se mène avec colère ». Va-et-vient complexe et échevelé pour l'écrivain qui cherche, dès à présent, à concilier ces nouveaux défis, ces nouvelles contradictions. « As-tu toujours été maître des révisions de ta pensée? », lui demandera quelque temps plus tard, en décembre 1972, un des dirigeants de la Gauche prolétarienne, Pierre Victor – c'était le pseudonyme de Benny Lévy qui deviendrait son dernier secrétaire. « Ce qui peut poser problème à certains d'entre nous, poursuivait Victor, c'est le fait que tu ne puisses pas écrire plus de choses immédiatement utiles pour le mouvement issu de mai; qu'à la place, tu continues *Flaubert*... Ne serait-il pas plus utile que tu écrives un roman populaire [42]? » Si Sartre dut faire face à de nouvelles contradictions dans sa pratique de l'écriture et de la politique, on ne se priva pas, dans les milieux maoïstes, de lui rappeler, chaque fois que cela était utile, à quel point il différait de l'intellectuel révolutionnaire idéal. Accusations, attaques diverses, remises en question : il ne fut pas épargné par ses camarades de combat. Car le problème n'était pas simple : il s'agissait que Sartre acceptât, à l'âge de soixante-sept ans, de renoncer à ce livre entrepris et à tout l'édifice théorique qu'il y avait mis en œuvre, pour devenir brutalement un autre type d'intellectuel, avec d'autres projets, d'autres manuscrits, d'autres présupposés théoriques. « Il y a de nombreuses années que j'étudie Flaubert, répondit-il simplement à son interlocuteur, avec des techniques et des méthodes que j'ai essayé de changer. Je ne pense pas que cela puisse être remis en question par les masses sur-le-champ. [Si je n'abandonne pas Flaubert c'est] que les trois volumes déjà écrits en demandent un quatrième. Je les ai relus récemment, et j'ai trouvé, presque à toutes les pages, qu'ils exigent une fin. – Mais cet intérêt idéologique, insista encore son interlocuteur, pourrait peut-être se fondre plus étroitement aux exigences de la révolution idéologique, non? – Si tu crois que c'est facile, répondit un Sartre un peu accablé. Il ne suffit pas qu'on me le demande, il faut que je sache ce que c'est, un roman populaire. Si ça peut être utile en 1972... Les romans populaires du XIXe siècle ont-ils été utiles?... Et puis, tu sais, il y a l'âge. Je suis vieux. J'aurai de la chance si je finis *Flaubert*. Alors après, un roman populaire, on peut essayer... si vous me laissez le temps. Comme vous me mettez à contribution assez souvent, je suis obligé de travailler moins. Il y a à faire, avec vous... A soixante-sept ans, le plus que je puisse rêver, c'est qu'il me reste quelques années pour voir le début de la révolution. L'avenir est fermé. Et toi, tu me demandes de commencer à cet âge-là une deuxième carrière littéraire [43]. »

Dialogue de sourds, dialogue un peu pathétique. Car, on le voit bien ici, Sartre s'applique, à force de bonne volonté, à force d'autocritique, à convaincre, à chercher. Tenace? Assurément, lorsqu'il s'agit de poursuivre son *Flaubert*, auquel rien, semble-t-il, ne pourrait alors le faire renoncer. Tenace et pourtant las, tel il nous apparaît dans cette scène assez dure : c'est la première fois qu'on l'entend évoquer son âge, ses problèmes de santé et la fin de sa vie qui approche. La robustesse Schweitzer aurait-elle ses limites? Il semble maintenant accepter avec une certaine résignation que son orgueil sartrien n'ait pas toutes les vertus, toutes les magies et, à soixante-sept ans, percevoir ses premières limites. Et celui qui se sabordait, de son plein gré, à coups de corydrane, de whisky, de tabac et autres amphétamines, se protège maintenant, s'épargne et parle de fatigue. « [Mai 68] c'est arrivé un peu tard pour moi, explique-t-il encore au cours du même entretien. Ça serait arrivé quand j'avais cinquante ans, c'était mieux. Parce que tout ce que je fais maintenant avec vous, ça suppose que j'aie cinquante ans. Pour aller jusqu'au bout des exigences qu'on peut avoir avec un intellectuel connu, il faut que cet intellectuel ait quarante-cinq, cinquante ans. Par exemple, je ne peux pas aller jusqu'au bout des manifestations, parce que j'ai une jambe qui ne va plus [44]. » Fait exceptionnel, pour un homme qui fut si résistant à la douleur, pour un homme qui ne mentionnait jamais ses limites, il fut, ce jour-là, étrangement négatif sur ses capacités physiques. « De toute manière, ajouta-t-il, je n'aurai d'efficacité directe que pendant trois ou quatre ans. A partir de soixante-dix ans, si vous persistez à vous mêler aux gens qui agissent, on vous transporte sur les lieux en bagnole avec une chaise pliante, vous êtes une gêne pour tout le monde, et l'âge vous transforme en potiche. Je le dis sans mélancolie aucune. »

Malgré les problèmes de santé, d'âge, d'idéologie, d'expérience, qui le séparaient de ses camarades maos, Sartre s'engagea avec eux sur une espèce de consensus, une certaine « conception de la démocratie directe » : ce fut le « lien essentiel » entre eux et lui. Sur le terrain, d'ailleurs, et les événements politiques allaient lui en donner l'occasion, il allait expérimenter ces nouveaux outils théoriques d'approche de la réalité politique, il allait mesurer les limites de cette nouvelle presse dans laquelle il entrait : la presse révolutionnaire.

Depuis le mois de mai 1968, nombre d'intellectuels connus s'étaient mobilisés et continuaient de le faire, renouvelant leurs appels, leurs protestations, et témoignant, par leur présence, chaque fois que cela se révélait nécessaire, leur opposition au pouvoir en place. A côté de Sartre, donc, on verra presque toujours, au cours des mois qui vont suivre, la calvitie souriante de Michel Foucault, on entendra la voix rocailleuse de Maurice Clavel, on reconnaîtra Claude Mauriac à sa grande physionomie longiligne, d'autres encore. Trio ou quatuor, presque exclusivement composé de philosophes : les témoins de l'époque, les accusateurs du régime. Qu'il fût ou non accompagné des autres philosophes critiques de l'époque, c'est lui seul qui fut jugé par la presse française lorsqu'il accepta de prendre la direction de *La Cause du peuple*. Le quotidien gaulliste *La Nation* expliqua tout simplement cet acte comme un geste de vedettariat : le besoin de « tenir la vedette » et de « soigner sa publicité ». Quant aux communistes, ils écrivirent dans *L'Humanité* que Sartre avait, dans l'affaire, commis une bévue essentielle en apportant sa caution à de « grossières provocations » gauchistes. Rien de très nouveau, somme toute, dans ces images de Sartre telles que les répercutèrent alors la presse de droite d'un côté, la presse communiste de l'autre. Un article, pourtant, parmi tous ceux qui parurent alors, et ricanèrent de ce nouvel avatar sartrien, tenta de trouver une interprétation plus sereine et moins polémique : ce fut un encadré de Raymond Barrillon, dans *Le Monde*, intitulé sobrement : « M. Jean-Paul Sartre et la violence. » Il commença par apprécier, dans ce geste, « le risque encouru par un homme qui entend rester fidèle à lui-même », par rappeler que « toute sa carrière politique » depuis la Libération avait été « une suite cohérente de refus motivés » et répondait au « besoin permanent de mettre sa propre solitude au service des délaissés, des isolés et des minoritaires». Puis il affirma : « Qu'on l'approuve ou qu'on le condamne, un tel engagement mérite d'être pris au sérieux... La révolte sartrienne mérite réflexion. On s'interdit de rire d'un homme qui s'engage à l'âge même où beaucoup sont portés à la douce philosophie de la " compréhension ", de l'oubli et de l'indifférence à ce que sera demain la peine d'autrui [45]! » « On s'interdit de rire d'un homme qui s'engage à l'âge même... » : dans cette phrase courageuse, parle le respect forcé qu'entraîne la conjonction de deux sortes de valeurs, l'âge et l'expérience d'une part, la générosité et la cohérence de l'autre. N'est-ce donc pas un portrait du vieux Sartre que dessine ici Barrillon? N'est-ce pas là en fait la première photographie publique de ce nouveau personnage qui commence maintenant à s'imposer aux médias, de ce nouveau rôle sartrien qui va persister jusqu'à sa mort?

Très vite, à partir du jour où Sartre accepte de protéger le journal maoïste de sa propre inviolabilité, les événements se précipitent et entraînent avec eux Sartre et la famille sartrienne. Le 25 mai 1970, à la Mutualité, c'est un nouveau meeting pour protester contre l'arrestation des deux précédents directeurs de *La Cause du peuple*, Le Dantec et Le Bris : Sartre préside. Le 27 mai 1970, au palais de justice, à Paris, Sartre va porter témoignage au procès de Le Dantec et Le Bris : le journal ne sera pas interdit, mais ses deux ex-directeurs condamnés. Agitations de rue et manifestations violentes suivent de près ces décisions du tribunal. Le 4 juin 1970, Sartre et ses amis décident donc la création de l'Association des amis de *La Cause du peuple*, avec comme couverture Simone de Beauvoir et Liliane Siegel. Les 20 et 26 juin 1970, l'association donne une séance spectaculaire : distribution sauvage du journal dans certains quartiers populaires de Paris. Il y a là Sartre, bien sûr, et Simone de Beauvoir, mais aussi des journalistes comme Jean-Edern Hallier ou Jean-Francis Held; des gens du spectacle comme Samy Frey ou Patrice Chéreau. Robert Gallimard, Éric Losfeld et Claude Lanzmann, pour leur part, vont jouer le rôle de témoins, « déguisés » en passant anonymes. Le photographe de la maison Gallimard mitraille la scène. D'abord devant l'église d'Alésia, dans le XIVe arrondissement, puis sur les grands boulevards, entre la rue du Faubourg-Poissonnière et le boulevard Bonne-Nouvelle; quartier animé, à cette heure de midi, devant l'affiche du cinéma Rex qui propose, cette semaine-là, *La Vengeance du shérif*, western de série B avec Robert Mitchum : Sartre et les autres commencent à distribuer le journal à tous les passants qu'ils rencontrent, vingt-huit vendeurs sauvages, en tout.

« Demandez *La Cause du peuple...* » « Demandez *La Cause*

du peuple... » Sartre va vers les passants, distribue le journal. « Demandez *La Cause du peuple...* » Il commence timidement. Il parle de sa voix timbrée, mais avec un certain malaise. « Demandez *La Cause du peuple...* » Les gens sortent des bureaux, de plus en plus nombreux et Sartre se raffermit dans son rôle de vendeur à la criée. La voix s'amplifie, sûre d'elle, plus forte encore et plus timbrée. « Demandez *La Cause du peuple...* » Ça y est, dix minutes plus tard, Sartre est devenu vendeur de journaux, il parle fort, provocateur, il crie presque : « Demandez *La Cause du peuple*! » Les observateurs camouflés en passants ne manquèrent pas de percevoir l'étrange métamorphose. « Il a fait son boulot comme un véritable camelot », raconte Robert Gallimard, admiratif. Alors des policiers arrivent, les « embarquent », les accompagnent au commissariat. Une heure et quart de vérifications d'identité, Sartre est relâché le premier. « Deux poids, deux mesures », titrera *La Cause du peuple*, le 10 juillet, ajoutant au récit de la vente sauvage une question insolente : « Êtes-vous une " personnalité "? – Deux poids, deux mesures », répondent-ils. Pour sa part, Sartre raconta calmement sur les ondes de la radio nationale : « Il ne s'est rien passé du tout. Nous avons été arrêtés, enfin interpellés, parce que nous avions distribué les journaux de *La Cause du peuple* qui, comme vous le savez, n'est pas un journal autorisé mais au contraire un journal illégalement saisi toutes les semaines. En suite de quoi, on nous a transportés au commissariat, où d'ailleurs nous avons été *extrêmement* bien traités... » Et, à la question du journaliste : « Vous ne cherchez pas à vous faire arrêter? » Sartre répondra : « Non, je suis très content au contraire de ne pas être arrêté. Cela me permettra de témoigner au procès de ceux qui sont arrêtés, eux. Je cherche à mettre le gouvernement devant ses responsabilités [46]. »

Sartre parvint-il à mettre le gouvernement devant ses responsabilités? Il agaça, certainement, dérangea, troubla, mais parvint-il cette fois-là à aller aussi loin que lors de ce fameux automne 1960, pendant la guerre d'Algérie, au moment où allaient et revenaient les convocations d'inculpation à son adresse? L'automne de l'année 1970 rejoignit l'automne de l'année 1960 dans le cycle des rapports de force entre Sartre l'Intouchable et le ministre de l'Intérieur. Mais, cette fois, Sartre s'engagea encore plus loin dans la provocation publique : le 21 octobre s'ouvrait le procès Geismar, au cours duquel il devait comparaître comme témoin. Mais il ne parut pas à la barre et envoya aux magistrats de la 17e chambre correctionnelle un télégramme qui disait : « Les jeux sont faits, et on ne m'entendra pas plus que les autres fois où j'ai témoigné. Je pense qu'il est plus important pour moi de témoigner dans la rue et devant l'opinion publique. » Effectivement, il témoigna ce jour-là dans la rue, cherchant, par cette provocation, à donner la preuve que toute justice d'État n'est qu'un leurre. Le mercredi 21 octobre 1970, donc, Sartre donna à voir la première de ces images qui resteront légendaires : lui, ce petit bonhomme portant sur un pull blanc, un blouson de peau et tricot beige et, sur ce blouson, une canadienne à col de fausse fourrure, debout sur un tonneau de fuel, et parlant, un micro à la main, devant des ouvriers, à la sortie des usines de Renault-Billancourt. Ce mercredi de l'automne 1970, il est quatorze heures trente, place Bir-Hakeim, et Sartre parle : « Camarades, dit-il, en ce moment je devrais témoigner au palais de justice pour le procès de Geismar, mais je préfère venir témoigner devant vous... Geismar, celui qu'on juge, c'est le peuple lui-même. C'est-à-dire le peuple qui, en découvrant à la fois la violence dont il est capable et la force qu'il a, se dresse contre ceux qui veulent l'asservir... Il y a une autre raison pour laquelle je suis venu parler devant vous : c'est que je suis un intellectuel et que voilà un siècle l'alliance des prolétaires a existé. Elle représente une force considérable. Depuis le début de ce siècle-ci, elle n'existe plus, c'est cela qu'il faut réaliser. Non pour que les intellectuels donnent des conseils aux ouvriers, mais pour constituer une nouvelle masse unie qui changera le point de vue des intellectuels, qui les transformera dans leur action même et fera à ce moment-là une union solide et redoutable. C'est un commencement le fait que vous vouliez bien m'écouter. Il faudra que nous nous rencontrions dans d'autres occasions encore. Pour l'instant, je vous dis seulement : " Libérons Geismar " [47]. »

« Les ouvriers ne se sont pas dérangés, explique André Guérin dans son article de *L'Aurore*, et Sartre n'a guère eu pour auditoire qu'une poignée de maoïstes amenés par lui... A-t-on ri autour du tonneau d'huile? Ce n'est pas sûr. Le spectacle de cet homme fatigué s'obstinant dans le personnage qu'il s'est récemment donné a été trouvé plutôt affligeant. Quand comprendra-t-il qu'on ne peut, à perpétuité, poursuivre une carrière tapageuse partie de Saint-Germain-des-Prés et du temps des walkyries à queue-de-cheval en se faisant applaudir dans un répertoire de palinodies de plus en plus pénibles. On pardonnerait tout à un médiocre, dépourvu d'autres moyens. Mais M. Jean-Paul Sartre... demeure un grand romancier et un grand dramaturge [48]. » Du respect de Raymond Barrillon à l'affliction d'André Guérin, du journal *Le Monde* au journal *L'Aurore*, les journalistes français cherchent leurs mots, comment pourraient-ils concilier les différents éléments du puzzle Sartre : ici, un vieillard cohérent et généreux; là, un écrivain de valeur âgé, mais affligeant et tapageur? Dernière image, presque caricaturale, celle d'un philosophe au visage las, avec quelques éléments majeurs pour planter le décor : le tonneau de fuel, les ouvriers, le micro, la canadienne. Mais si *L'Aurore* stigmatise ce risible philosophe fatigué sur son risible tonneau d'huile, encore tient-on à saluer la valeur de l'écrivain et du dramaturge... Respect traditionnel du journaliste français pour ses intellectuels, quels que soient leurs excès.

« Nous avions dit : l'été sera chaud, et l'été a été chaud. A présent, nous disons : la rentrée sera brûlante. Il faut qu'elle le soit, et elle le sera ! » A l'automne 1970, les dirigeants de *La Cause du peuple* forcent la note. Entre-temps, d'ailleurs, pour faire face à ces projets musclés, Sartre était également devenu directeur du journal *Ce que nous voulons : Tout*, rédigé par le groupe maoïste libertaire Vive la Révolution, au sein duquel on retrouvait, parmi d'autres éléments, Roland Castro. « J'accepte de diriger *Tout*, écrivait Sartre, comme j'ai accepté de diriger *La Cause du peuple*, dont je suis encore directeur. Ces deux journaux ne sont pas d'accord sur beaucoup de points et je ne suis personnellement pas forcément d'accord avec tout ce qu'on pourra y lire. La question n'est pas là : les procès ridicules et indignes que le gouvernement fait, par un tribunal d'exception, aux vendeurs de *La Cause du peuple* montrent que la classe dirigeante a l'intention de supprimer rapidement toute presse révolutionnaire... Puisqu'on ne m'a même pas inculpé dans les procès qui se déroulent à présent, terminait Sartre, provocateur, je me mets à la disposition de tout journal révolutionnaire pour obliger la classe bourgeoise, ou à me faire un procès politique, dont l'objet sera clairement, cette fois, la liberté de la presse, ou à démasquer, en ne m'inculpant pas, l'illégalité délibérée de la répression [49]. » De *La Cause du peuple* à *Tout*, malgré la similitude des combats et des ennemis à dénoncer, deux styles, pourtant, tellement différents. *Tout* était un grand journal polychrome et bariolé, aux insultes toniques, aux lettres de tous genres, aux articles sur les sujets les plus divers, des plus politiques aux plus strictement sexuels : le souffle anarchisant était assurément, là, plus vivace que dans *La Cause du peuple*, strictement dogmatique et sectaire. Sartre, du moins à ce moment-là, couvrit les deux publications; des slogans plus combatifs de la Gauche prolétarienne aux mots d'ordre plus libidinaux de Vive la Révolution : « Désembourber l'avenir », projetaient ces derniers qui ajoutaient, joyeux : « Les enragés n'ont pas fini de vivre. »

Quels combats réservait donc cette rentrée brûlante, en dehors du procès Geismar et du premier tonneau de Billancourt? Sartre siégea, le 12 décembre, dans la ville de Lens, comme président d'un tribunal populaire, pour protester contre la mort de seize mineurs, à la suite d'un coup de grisou dans les Houillères du Nord. « La vraie question, déclara-t-il, c'est de dire :

qui est responsable des meurtres de Fouquières? On a ôté l'affaire aux assises en la confiant à un tribunal d'exception car la justice bourgeoise n'est pas une justice... C'est du peuple seul qu'émane l'idée de justice [50]. » Puis ce fut, en février 1971, une grande action lancée contre les conditions de détention dans les prisons françaises; Foucault, Domenach, Vidal-Naquet et d'autres organisèrent un groupe d'information sur les prisons. Ils allaient s'attacher à suivre et à développer mouvements et grèves de la faim qui naissaient en chaîne et exploseraient comme une traînée de poudre dans les centrales de Meulun, de Toul, de Limoges, de Nancy-Charles III, de Thionville, etc. « Qu'est-ce qu'un détenu?, déclarera Sartre, à l'occasion d'une conférence de presse le 5 janvier 1972. C'est un homme qu'on détient contre sa volonté. Pourquoi le détient-on? Parce qu'il a osé se révolter individuellement contre notre sinistre société... On nous ment. Un gouvernement issu de la peur nous cache les informations. On nous opprime, on nous exploite, mais nous rentrons coucher chez nous. Eux, ils ne rentrent pas, puisqu'ils sont détenus [51]. » Sartre se mobilisa encore, et avec lui les siens, contre les attentats racistes qui visaient des travailleurs immigrés. Il manifesta, toujours avec Foucault, Clavel, Mauriac, à la Goutte-d'Or, à Paris, à Ivry, dans la banlieue sud, et prit la tête d'une délégation pour se rendre place Vendôme, devant le ministère de la Justice.

Puis ce fut, le lundi 14 février 1972, sa deuxième séance à l'intérieur de la régie Renault, à Billancourt. Il s'agissait alors de soutenir une grève de la faim ignorée de tous, et par laquelle des ouvriers licenciés tentaient d'obtenir leur réintégration. « A quinze heures trente, raconte Jean-Pierre Barou, Sartre pénétrait dans une fourgonnette Renault louée par les maos... On roula en silence. Les deux bancs de bois, ajoutés pour la circonstance dans le fourgon, ne cessaient de chahuter. Le chauffeur annonça : " On a passé la porte " [52]. » Ainsi Sartre entra-t-il clandestinement à l'intérieur de l'île Seguin, accompagné de journalistes et de militants maoïstes, pour essayer de découvrir le secret de cette usine « soi-disant nationalisée » mais qui est une « sorte de bagne ». Le petit groupe fut rapidement expulsé par des vigiles, avec une certaine violence, et la presse couvrit largement l'événement. Cependant – et là le témoignage de Barou permet de comprendre l'ensemble de l'affaire –, si Sartre pénétra cette seconde fois sur le territoire de la Régie nationale, ce fut moins par simple provocation, comme on le croit souvent, que comme dernier recours d'une action qui, sans son soutien, serait restée dans le plus complet silence, les uns et les autres s'étant successivement défilés pour intervenir. « A midi, raconte Barou, Pierre Victor exposa la question; l'impasse dans laquelle se trouvaient les maos, l'opération projetée pour l'après-midi. Sartre travaillait encore sur son *Flaubert*. Il avait posé la plume pour descendre... Il écouta Pierre Victor... " Tu es notre dernière chance... " Sartre ne fut pas surpris. J'entends encore sa voix chaude et éraillée : " C'est d'accord " [53]. »

Malgré ses soutiens ponctuels à des actions politiques de cet ordre, malgré sa couverture pour trois journaux maoïstes – il avait, en janvier 1971, pris également la direction de *J'accuse*, qui fusionnerait plus tard avec *La Cause du peuple* –, tout n'allait pourtant pas pour le mieux entre Sartre et les maos. Et si ces deux années de militantisme gauchiste lui donnèrent, définitivement, l'occasion de prendre le grand large face au P.« C. »F. – comme les gauchistes l'appelaient désormais –, certaines tensions, pourtant, se firent jour, à différents moments. Ainsi lorsque, au cours de l'été 1970, Sartre fut interrogé par deux journalistes de *L'Idiot international*, Jean-Edern Hallier et Thomas Savigneau, il tenta de définir le statut et la mission de l'intellectuel révolutionnaire par opposition à l'intellectuel classique, et fut amené à analyser sa récente expérience aux côtés des révolutionnaires maoïstes. « La direction de *La Cause du peuple* m'a radicalisé, déclara-t-il. Je me considère maintenant comme disponible pour toutes tâches politiquement justes qui me seront demandées. Je n'ai pas pris la direction de *La Cause du peuple* comme la caution d'un libéral qui défend la liberté de la presse. Je l'ai fait comme un acte qui m'engageait aux côtés de gens que j'aime beaucoup, dont je ne partage certainement pas toutes les idées, mais c'est un engagement qui n'est pas simplement formel... » Puis vinrent les réticences, lorsqu'on lui demanda de donner son jugement sur la qualité de la presse révolutionnaire, sur le grossissement systématique de petites informations dans un sens souvent contestable. « Je conçois la presse révolutionnaire, déclara-t-il, comme à la fois rendant compte des actions positives mais à la fois de ce qui ne l'est pas. Et tant qu'on restera dans le discours triomphaliste, on restera sur le plan de *L'Huma*. C'est une chose qu'il faut éviter. Il y a de vieilles techniques de mensonge que je n'aime pas... Il y a plus grave : les journaux bourgeois disent plus la vérité que la presse révolutionnaire. Même s'ils mentent, ils mentent moins. Ils mentent plus habilement. Ils s'arrangent pour déconsidérer en tenant compte des faits. Il est tout de même terrible de constater que les journaux révolutionnaires ne sont pas supérieurs en vérité aux journaux bourgeois, mais plutôt inférieurs. C'est qu'ils ne la veulent pas, la vérité, les révolutionnaires ! On leur a bourré le mou, ils vivent avec des espèces de rêves. Il faut créer le goût de la vérité, pour tous et pour nous-mêmes [54]. »

Cette lucidité critique, on le voit, ne fut pas tendre ; mais elle ne l'empêcha pas de poursuivre son parcours de compagnon de route des maos, jusqu'à l'été 1973, c'est-à-dire tant que dura l'équipe de *La Cause du peuple* et tant qu'il conserva l'usage de la vue. « Ça craquait », commentera plus tard Pierre Victor, à l'appui de ces tensions-là. Il y eut encore une crise dans le journal au moment du crime de Bruay-en-Artois lorsque certains, allant très vite en besogne, firent globalement le procès d'une bourgeoisie qu'ils estimaient *a priori* coupable, *puisqu'*il s'agissait du meurtre d'une fille d'ouvrier. « Ouverture d'un débat sur *La Cause du peuple*: autocritique, écrivit Sartre. En 1970, *La Cause du peuple* faisait entendre des voix neuves. Aujourd'hui, elle est édifiante comme un comité de patronage. Certes, il y a une orientation radicale à conserver, mais de mauvaises habitudes sont prises, dont nous mettrons longtemps à nous défaire. Il faut, par exemple, tenir davantage compte de l'Ennemi, de ses raisons, expliquer sa tactique. » Et Sartre signa, accompagnant son nom d'un « en accord avec l'ensemble du comité de rédaction [55] ».

Quels éléments primèrent donc pour Sartre dans ces « années maos »? L'activisme, le journalisme révolutionnaire, les débats théoriques, la dénonciation du pouvoir en place? Il semble, en fait, que ç'ait été une espèce de camaraderie, de convivialité chaleureuse qu'il n'avait jamais trouvées auparavant dans les groupes politiques qu'il avait fréquentés. « J'ai eu des rapports avec les communistes, les trotskistes, expliquera-t-il dans un entretien, mais la camaraderie n'apparaissait jamais. On parlait de politique et après cela, bonsoir! tandis qu'avec les maos il y avait un vrai rapport humain. On était, quand on se parlait, des gars qui avaient décidé de faire quelque chose ensemble mais qui étaient originellement les gars qui auraient pu se rencontrer pour aller au cinéma ou faire des choses et d'autres. Je n'ai jamais cessé de parler philosophie avec Benny... J'étais attiré par la conception morale de l'action et des rapports humains. C'était cela, d'abord pour moi, les maos [56]. » Camaraderie et métaphysique : telles semblent avoir été les deux valeurs principales que Sartre découvrit dans le groupe maoïste. Et, paradoxalement, à partir de ses discussions politiques avec eux, c'est la philosophie qu'il retrouva. Il militait avec un groupe de jeunes étudiants qui auraient pu être ses petits-fils et dont presque tout, au départ, le séparait : il y retrouva, pourtant, au détour des rencontres, la joie des échanges philosophiques, une joie du même ordre que celle qu'il avait éprouvée lorsque, cinquante ans plus tôt, avec Nizan, avec Aron, avec Beauvoir, plus tard avec Merleau-Ponty, il communiquait avec des interlocuteurs philosophes. Avec Benny Lévy (Pierre

Victor), en particulier, il trouva, semble-t-il, un terrain d'entente, dans des discussions et des problématiques communes, tournant toujours autour du politique. « Je ne suis pas mao, affirmera Sartre à de nombreuses reprises. Violence, spontanéité, moralité : tels sont, pour les maos, les trois caractères immédiats de l'action révolutionnaire [57]. » On insistera également sur le radicalisme des maos, sur leur activisme extrême, que Sartre perçut certainement, depuis sa retraite flaubertienne, comme de vraies qualités d'action. Et cette France vieillie et poussiéreuse qu'était la France des années 60, à la tête de laquelle avait gardé le pouvoir un homme du XIXe siècle, le général de Gaulle, Sartre la regardera céder sous les coups des groupes gauchistes avec une jubilation certaine. « Les étudiants et les ouvriers découvrirent que la vieille société bourgeoise était foutue et ne se protégeait de la mort que par la matraque des flics », expliquera-t-il encore.

Que restera-t-il, somme toute, de cette période mao dans la carrière de Sartre? Il restera une relation d'amitié avec un des leaders de la Gauche prolétarienne, Pierre Victor : normalien et philosophe, il va devenir en 1973 et jusqu'à la mort de Sartre son dernier secrétaire et son dernier interlocuteur. Relation controversée et délicate à analyser. Il restera également la mobilisation *pour* l'aventure de Lip : prise de pouvoir ouvrier à l'intérieur d'une usine, euphorie du passage à l'acte, jubilation de la démocratie directe de l'autogestion. Il restera, peut-être, surtout, l'aventure *Libé.* Car Sartre va accepter de créer avec d'autres, dès le mois de juin 1971, une agence de presse révolutionnaire : l'agence de presse Libération, puis le quotidien *Libération* dont le premier numéro verra le jour le 23 mai 1973. Pour mener à bien cette entreprise, il décidera d'ailleurs, de son propre chef, de se mettre pour quelque temps en vacances de son travail d'écriture, c'est-à-dire de son *Flaubert.* Car le projet de *Libération*, c'est pour lui comme un nouveau livre, une des applications concrètes de son soutien aux gauchistes de 68, de ses années maos. « J'abandonne la littérature et la philosophie pendant six mois, explique-t-il alors, je veux qu'il soit bien dit que j'ai fait tout ce que j'ai pu pour ce journal. » Déjà, dès ses premières prises de parole en mai, en juin 1968, il s'était attaqué à l'un des grands coupables de la société française : la presse bourgeoise. Si « l'opinion publique française – comme toutes les opinions publiques –, déclarait-il alors, est bête, c'est qu'elle est mal informée, et mal informée parce que la presse ne fait pas son travail ». Et de raconter la mise en place de comités d'action révolutionnaire « devant le kiosque à journaux du carrefour Raspail-Montparnasse », les discussions spontanées sur le trottoir, la naissance de ces effervescences publiques qui font « dans la rue, assure-t-il, le travail qui devrait être celui de la presse[58] ». Puis il avait suivi de près les développements et les excès de la presse révolutionnaire et groupusculaire; il en avait même, on l'a vu, fait l'analyse critique dans un entretien à *L'Idiot international.*

Simultanément, Sartre va pratiquer deux types d'écriture : il va analyser et éloigner de lui, par Flaubert interposé, le problème de l'écriture littéraire, de l'écriture cérémonie héritée du XIXe siècle. Et, en même temps, se passionner pour l'écriture de presse, travailler à l'invention d'un style qui rende compte des « communications parlées » et qui serait *Libération.* Simultanément, donc, il accroche ses wagons d'écrivain à deux mondes : un monde qui meurt et un monde qui naît. Simultanément, il s'attelle à deux projets complémentaires et antagonistes : liquidation de l'héritage acquis et invention de nouvelles formes d'écriture. Parlera-t-on d'« avant-garde », en citant l'aventure de *Libération*? Il y eut certes, dans ce projet, une indéniable recherche de modes d'information encore inédits, des tentatives concrètes qui relevaient de l'expérimentation pure et simple, de véritables risques, de réels défis. Défis techniques, financiers, et idéologiques. Sartre donna de l'argent – les 30 000 francs qu'il avait reçus pour les entretiens Sartre-Gavi-Victor : *On a raison de se révolter.* Il donna des idées, il donna de son temps, et il le fit savoir, pour tenter cette aventure. Il participa aux conférences de presse qui annonçaient la création du quotidien, il se rendit seul à Lille, à Lyon, il accepta enfin une invitation pour prendre part à l'émission radiophonique « Radioscopie » où il tenta de parler le moins possible de lui-même et le plus possible de *Libération.* Cette aventure était, en fait, le moyen le plus concret de sortir de son expérience politico-agitatrice au contact des maoïstes : il s'engageait, ainsi, à mettre en œuvre plusieurs des idées qu'il avait développées avec eux, dans l'espèce de consensus qui s'était mis en place. « Nous croyons à la démocratie directe, expliqua-t-il, et nous voulons que le peuple parle au peuple... Si l'on arrivait à trouver un moyen de faire passer ce qu'il y a de saisissant dans le langage populaire, ce serait une nouvelle écriture... il faut réinventer les gestes, les intonations... si nous trouvions ce style, qui devrait être le style de *tous* les articles de *Libé,* je pense que nous passerons[59]. » Et il rappela son émotion lorsque, à l'évocation du nouveau type de presse qu'ils allaient créer, il entendait des ouvriers, des grévistes, des manifestants exprimer leur enthousiasme, leur soulagement, leur délivrance presque. « Nous voulons, affirmait-il encore, que ce soient les *acteurs* d'un événement que nous consultiions, nous voulons que ce soient eux qui aient la parole... » Financement populaire, parole populaire, fonctionnement dans le sens d'une démocratie directe librement assumée, le projet de *Libération* n'était-il pas ce contre-pouvoir idéal dont avaient rêvé tous les organes de presse révolutionnaire, dont avaient parlé tous les meetings depuis 68? Et Sartre, jubilant devant ce rêve concret, s'embarqua dans le vaisseau *Libé* avec d'autres et comme un adolescent heureux, jouant tout ou presque dans cette affaire, acceptant même, à la grande surprise de certains, de renoncer pour un temps à *Flaubert*, prouvant par là qu'aucun des deux projets ne prévalait sur l'autre, du moins dans son esprit. Aucun projet, d'ailleurs, ne prévaudra non plus sur l'autre lorsque à l'automne 1973 Sartre devient aveugle. Il laisse là et *Flaubert* et *Libé*, incapable désormais et définitivement d'écrire, de lire, de travailler.

Entre Flaubert et les maos, Sartre aura, là encore, bouclé la boucle. En automne 1945, il avait émergé du silence de la Seconde Guerre mondiale, emporté par l'extraordinaire explosion de la presse renaisssante. Puis il avait suivi, dans les conflits et les détours, les différents mouvements de cette presse au cours des années 50, des années 60 : on rappellera par exemple la création des *Temps modernes* ou l'épisode *Nékrassov* avec l'incident Sartre-Lazareff. L'aventure *Libération* met un point d'orgue à tous les dialogues, réussis ou manqués, que Sartre tenta d'instaurer avec les médias de son temps. Et le soutien qu'il donna à cette petite équipe si décriée dans la presse bourgeoise, n'est-il pas une gageure, une réussite? Boucle bouclée, aussi, dans le pragmatisme de ses interventions politiques : après l'expérience du R.D.R., en 1947, il s'était mis en roue libre face à toute nouvelle tentative politique dans le cadre d'un parti; dès lors, il donnerait, de l'extérieur, son appui ponctuel à diverses organisations, dont la moindre ne serait pas le P.C.F.; en 1970, sollicité par les maos, il va retrouver une mouvance gauchiste un peu anarchisante, renouer avec le plaisir de talonner le parti communiste sur sa gauche, d'accompagner ponctuellement toutes ces petites initiatives d'effervescence sociale qui déjà, depuis les années 30, le liaient à la société civile, à une idée alors abstraite de démocratie directe. Ces nouvelles expériences journalistique et politique qu'il venait de développer avec le concours des gauchistes français, il les avait nourries de toutes ses tentatives passées et de toutes ses passions. Il les avait menées de manière chaotique et intermittente, dans les moments de repos que voulait bien lui accorder son outil principal de travail qui maintenant renâclait, se cabrait, refusait parfois d'avancer : son corps, à peine âgé de soixante-sept ans, mais bien usé, bien essoufflé alors. Personne cependant à l'époque ne perçut ou ne voulut percevoir que l'œuvre de Sartre était finie.

« Le cancer de la nation », titre alors l'hebdomadaire d'extrême droite *Minute* qui lance dans son article un nouveau : « En prison, Sartre ! » Accusé pour certains articles couverts de son nom dans les journaux gauchistes, il est encore, pour *Minute*, le bouc émissaire absolu de cette France en mutation. « Attention, cet homme pourrait être toxicomane », avaient d'ailleurs écrit en manière de provocation les rédacteurs de *Tout*, sous une petite photo de Sartre et en regard d'un article assez banal portant sur les nouvelles techniques de dépistage de la toxicomanie. « On signale dès à présent, écrivaient-ils encore, à la doctoresse et aux flics, que le directeur de publication de *Tout* correspond en tous points aux symptômes habituels de la toxicomanie... Tenue négligée... attitude équivoque... fréquente des toxicomanes notoires... a l'habitude de se cacher dans des endroits insolites : fonds des bistrots, tribunes de meetings, arrière-salles diverses [60]... » En fait d'endroit insolite, il allait désormais se cacher boulevard Edgar-Quinet pour la dernière étape de sa vie : tandis qu'il devenait aveugle, il s'installait dans un nouvel appartement, contraint de quitter le boulevard Raspail sur la demande du propriétaire ; il allait prendre également un nouveau secrétaire, de nouvelles habitudes de vie, dans une phase pénible, sans recours. Le 30 janvier 1969, Mme Mancy mourait, à l'âge de quatre-vingt-sept ans. Sartre, malgré le choc, se désintéressa dans une certaine mesure de la gestion de ses papiers, de ses reliques. Comme il se désintéressa largement de son nouveau déménagement, des meubles qu'on acheta pour Edgar-Quinet, du transport de ses manuscrits inachevés,

À L'OMBRE DE LA TOUR

« Je devais rejoindre Arlette dans une espèce d'hôpital pour acteurs mutilés, où elle était infirmière bénévole. Cela se passait à la campagne, où elle exerçait une activité révolutionnaire en faveur des paysans. Je me trouvais au coin de la rue Jacob et de la rue Bonaparte et je devais prendre la rue de l'Université qui menait à cet endroit. Alors je m'aperçus que j'avais oublié quelque chose, mes gants peut-être, et je retournai sur mes pas. Il se mit à pleuvoir à verse, tonnerre, tempête, je ne sentais pas la pluie, mais tout cela se traduisait par une nuit totale, on n'y voyait rien. Derrière moi marchait un ouvrier dont je me méfiai et qui me dit : " On n'y voit rien... Quel orage! " Je répondais quelque chose comme : " Oh oui, alors! ", bien que sachant que moi, au moins, je pouvais voir le porche de ma propre maison... Là-dessus, je me réveillai [1]. »

Sartre fit cet étrange rêve le vendredi 10 février 1961, au matin, alors qu'il avait passé la nuit chez Arlette; au réveil, elle avait scrupuleusement consigné dans un petit carnet le récit que Sartre en donnait : c'était l'époque où il parlait d'entreprendre, avec Pontalis, une psychanalyse. Pressentiment d'une cécité à venir? Angoisse diffuse de la mort? Pourquoi rêva-t-il, si précisément, et plus de douze ans auparavant, de cette « nuit totale »? Pourquoi la pluie qui ne mouille pas? L'hôpital pour acteurs mutilés? Pourquoi le tonnerre, la tempête? Et pourquoi les gants oubliés? Pourquoi la méfiance de l'ouvrier? Et le privilège de celui qui, malgré la « nuit totale », peut pourtant « voir le porche de sa propre maison »? L'interprétation des rêves, si elle était une science, pourrait peut-être ici fournir des clefs précieuses sur l'inconscient sartrien, sur ses obsessions, ses projections de lui-même pour la vie à venir. Sut-il, confusément, dès l'année 1961, qu'il deviendrait aveugle? Que ses excès de corydrane, que ses transgressions de régime produiraient, inévitablement, l'accident? Le vertige, la pudeur imposent un temps d'arrêt. A l'automne 1973, il entra dans les années d'ombre.

•

« Mon métier d'écrivain est complètement détruit... L'unique but de ma vie, c'était d'écrire... En un sens, ça m'ôte toute raison d'être : j'ai été et je ne suis plus, si vous voulez... Je suis un homme de l'écrit et il est trop tard pour que je change... Si j'avais perdu la vue à quarante ans, cela aurait pu être différent... Ce travail de l'écriture, ce travail du sens par le style, c'est précisément celui que je ne peux plus accomplir, faute de pouvoir me corriger... J'étais habitué à écrire seul, à lire seul... Cette dépendance m'est un peu déplaisante[2]. » Le 21 juin 1975, pour son soixante-dixième anniversaire, Sartre accepta de répondre aux questions de Michel Contat, au cours d'un entretien qui parut dans les pages du *Nouvel Observateur* sous le titre rembrandtien : « Autoportrait à soixante-dix ans ». Cet entretien, on le voit, n'a rien de complaisant, rien d'optimiste : c'est le constat plat, cruel, par Sartre et dans la meilleure veine sartrienne, de sa dégradation physiologique, de ses handicaps et des nouveaux défis auxquels il tente de faire face. Cet entretien, Sartre ne l'a pas souhaité mais il l'a accepté : il va donc parler de lui puisqu'on le lui demande, et il va le faire sans détour, toujours au nom de cette fameuse catégorie de la transparence. D'autres auraient esquivé, gênés. Sartre s'y livra à plein, de sa voix basse, sereine et évidente, proférant avec le plus grand naturel et sans le moindre larmoiement une sanction tellement définitive, tellement désespérée sur son propre état de santé, qu'on a du mal à imaginer vieillesse d'écrivain se terminer dans des conditions aussi dramatiques.

A partir de l'automne 1973, l'écrivain Sartre n'est plus. Il va encore cahoter un peu moins de sept ans, dans le noir, interdit de lumière, à part les rares moments où une illusion de vision latérale lui était parfois donnée : alors, disait-il, il voyait vaguement bouger des formes et c'était tout. L'usage de son œil droit, il l'avait déjà perdu à l'âge de quatre ans. Son œil gauche, le seul valide, le lâche désormais : il en a soixante-sept. Hypertension, thrombose d'une veine temporale, triple hémorragie du fond de l'œil, fragilité des artères, affaiblissement des défenses dû à l'âge, excès divers, surtout, en tabac, alcool et drogues multiples : le diagnostic est clair. Et la cécité, coup d'arrêt définitif à sa carrière d'écrivain, n'est en fait qu'un épiphénomène de toutes ses crises d'hypertension, de ses somnolences, de ses absences, de ses troubles de l'équilibre et de la circulation du sang, dans le cerveau, dans les bras, dans les jambes. Précocement, le corps de Sartre, cet outil dont il demanda tant dans ses années de gloire, va le lâcher.

Dépendant désormais de son entourage pour sa vie quotidienne, nourriture, déplacements, visites aux médecins, Sartre va tenter, dans son orgueil célèbre, de se passer de l'assistance des autres. « Mais je vois, je vois », disait-il parfois, pour ne pas gêner, ou pour se convaincre. Dépendant désormais également de son entourage pour sa vie intellectuelle, Sartre va vivre, ou survivre, prenant connaissance des journaux quotidiens ou des ouvrages qui l'intéressaient lorsqu'un de ses proches lui en fera la lecture, expérimentant un nouveau rapport à la pensée, de nouvelles « techniques d'écriture » ou d'élaboration intellectuelle à plusieurs, poursuivant dans le collectif des réflexions qu'il ne pouvait plus mener à bien tout seul, puisque désormais incapable de les consigner et surtout de les relire.

Il vivra désormais différemment, au rythme des autres, au rythme des sons et de la musique, acceptant avec simplicité la perte de son autonomie, de son absolue maîtrise de ses décisions. Cette simplicité intrigue : comment un homme, se demande-t-on, nanti d'un tel orgueil, d'une telle puissance physique, d'un tel contrôle sur sa vie privée qu'il cloisonnait comme personne, comment un homme qui avait, par la force exceptionnelle de ses moyens intellectuels et psychologiques, construit une œuvre considérable et construit autour de cette œuvre un réseau très intégré qui dépendait de lui et qu'il entretenait, comment un tel homme donc parvient-il à endurer l'effondrement brutal de tout le système qu'il avait – père pélican légendaire – institué, développé, consolidé? Sartre fit preuve, au dire de ses proches, d'une forme de stoïcisme, recevant ces conséquences des années sous corydrane sans jamais se résigner, sans afficher d'amertume. Mais en inventant toujours des stratégies pour biaiser avec la cécité, pour trouver des angles de côté où mieux distinguer les formes, où mieux capter la lumière. Un jour, à Rome, il surprit ainsi le Castor : un taxi était venu les chercher à leur hôtel pour les conduire dans un restaurant qu'ils connaissaient bien. « Ce n'est pas la bonne route », dit Sartre au bout de cinq minutes, prouvant qu'il était plus présent qu'on ne l'imaginait!

Bien que son métier d'écrivain fût « complètement détruit », comme il l'énonça lui-même, il poursuivit en effet pourtant jusqu'au bout ce qui pouvait, de loin, ressembler à une « activité intellectuelle », comme si la machine à penser sartrienne ne devait s'arrêter jamais. Pendant ces sept années – en dehors des graves crises au cours desquelles, périodiquement, il dut garder le lit et tomba dans des périodes d'absence et de somnolence presque complètes – il laissa tourner les machines au ralenti, comme un haut fourneau en hibernation, ne cédant jamais complètement, mais sauvant la face coûte que coûte, dans la mesure de ses moyens physiques ébranlés. Tous les matins, avec Pierre Victor, il travaillerait sur des projets communs. A partir de l'été 1974, il entreprendrait avec le Castor une série d'entretiens au magnétophone – « Nous allons nous interroger réciproquement sur nos vies », avait-il annoncé très fier à Robert Gallimard – dans un travail qui tenterait de fournir une « suite aux *Mots* ». On aura l'occasion d'analyser, plus tard, ce que devinrent tous ces projets. Car il devait commencer par expérimenter ce nouveau territoire qui était devenu le sien et où l'on viendrait dès lors lui rendre visite, au 29 du boulevard Edgar-Quinet.

Le boulevard Edgar-Quinet est une artère bizarre, un peu champêtre avec sa grande contre-allée centrale, un peu morbide avec ses marbreries funéraires, ses orchidées de plastique mauve pour le cimetière du Montparnasse qu'elle longe sur sa face ouest, un peu populaire enfin, avec dès l'aube, les mercredis et samedis, le déploiement des étalages du marché : fruits et légumes, poissons, viandes, fromages, produits exotiques, ventes à la criée... la grande bousculade. Le boulevard Edgar-Quinet est une artère bizarre, entre boulevard Raspail et gare du Montparnasse, prenant racine dans le vieux Montparnasse, et débouchant sur les nouvelles réalisations des années 70 : la tour de cinquante-six étages, la gare, le centre commercial, et bien sûr le grand magasin Inno, premier de la sorte dans la capitale. Le boulevard Edgar-Quinet, pourtant, n'est-il pas l'artère la plus sartrienne de Paris, moins légendaire que la place Saint-Germain-des-Prés où il vécut les grandes années, mais en fait plus authentiquement sartrienne? Lorsque au retour du Havre il habita Paris, les hôtels qu'il fréquenta alors appartenaient tous à ce périmètre sacré : avenue du Maine, rue Delambre, rue de la Gaîté, rue Cels, enserrant Edgar-Quinet. Quartier populaire dans cette fin des années 30, avec – comme disait Prévert – ses putains et ses bars louches, ce périmètre restait, dans ses dispositions topographiques, voisin des cafés de Montparnasse. C'est encore boulevard Edgar-Quinet, au coin de la rue d'Odessa, de la rue Delambre et de la rue de la Gaîté que Paul Hilbert – le personnage de la nouvelle « Érostrate » dans *Le Mur* – choisit de tirer ses coups de revolver. Et ceux qui furent touchés par cette nouvelle peuvent-ils éviter de passer à ce carrefour sans y ressentir comme une nostalgie littéraire? Les deux adresses successives de Sartre, Raspail puis Edgar-Quinet, vont le rapprocher chaque fois davantage du « carrefour d'Érostrate ». Et son corps, en 1980, sera enterré cimetière du Montparnasse, juste à droite en entrant par la porte Edgar-Quinet, immédiatement de l'autre côté du mur d'enceinte, sur le boulevard.

Le 29 du boulevard Edgar-Quinet est un immeuble moderne particulièrement laid, qui n'offre en façade qu'un long mur vertical assez étroit, et qui se coince, derrière le magasin Inno, dans une sorte de jardin intérieur biscornu et délaissé où végètent quelques arbres sinistres et déplumés, écrasés par les cinquante-six étages de la tour Montparnasse qui étouffe, de sa masse grise, tout espace alentour. Un de ces immeubles modernes qui impose, avant d'accéder aux appartements, un parcours extrêmement complexe pour les non-initiés ou bien tout simplement pour les individus qui ne sont pas dotés de ce sixième sens si mal partagé qu'on nomme le sens de l'orientation : escalier raide, par lequel on débouche en montant sur le fameux jardin intérieur pelé et miteux, sur lequel s'ouvrent des entrées d'immeubles aux noms romantiques : A1, A2, B1, B2... Une fois l'entrée correcte repérée, on cherche l'ascenseur pour accéder aux étages. Et partout, partout, l'ombre écrasante de la tour Montparnasse trop proche. Sartre ne vit jamais vraiment ni l'appartement ni l'immeuble ni la tour Montparnasse, mais il expérimenta ce parcours difficile, ces escaliers, ces ascenseurs, ce tour de jardin, pour accéder à son trois-pièces, au dixième étage, entrée A2. Et ses proches lui racontèrent cet immeuble triste sur jardin délaissé, entre cité d'étudiants sinistre pour pays de l'Est et H.L.M. de banlieue bâtie à la va-vite; ils lui racontèrent aussi la forme de ce trois-pièces où pénétrait encore largement l'immense barre de la tour qui semblait éclipser toute lumière et d'où l'on pouvait apercevoir, les jours de beau temps, un morceau de la tour Eiffel. « Mais je ne l'aime plus, dira Sartre un jour de tristesse, désignant ce nouveau logement. Celui-là, expliquera-t-il, c'est celui où je ne travaille plus [3]. »

Le 29 du boulevard Edgar-Quinet, que Sartre n'aimait plus – et d'ailleurs l'avait-il jamais aimé? –, deviendra désormais le P.C. de toutes ses rencontres : réunions de travail, comités de rédaction des *Temps modernes*, interviews de journalistes, rencontres amoureuses, tout se passera maintenant à l'ombre de la tour. Et la petite ruche de la famille Sartre va bientôt s'y concentrer, Arlette succédant à Michelle, succédant à Wanda, succédant à Liliane, succédant à Hélène, succédant au Castor, etc. Et toutes ces dames, qui avaient été tenues par Sartre dans une savante architecture du cloisonnement, vont maintenant se rencontrer ou du moins se succéder, se passer le relais, se tenir au courant des ordonnances médicales, des régimes à suivre : une vraie famille. De même, pour les périodes de vacances – que Sartre respecta d'ailleurs scrupuleusement jusqu'à sa mort et, paradoxalement, aux dates impératives des vacances scolaires –, les habitudes instaurées depuis la Seconde Guerre vont rituellement et malgré la cécité se perpétuer, immuables : trois semaines pour Arlette, deux semaines pour Wanda, un mois pour le Castor. Avec la première, il irait dans leur maison du Midi où elle lui faisait la lecture, où ils se promenaient lentement. Avec la deuxième, ce serait selon, à Capri, à Venise, à Florence. Avec la troisième, enfin, inévitablement dans leur appartement de l'hôtel Nazionale à Rome, où il répondrait à ses questions sur magnétophone. Avec la quatrième, encore, sa nouvelle amie grecque, il passerait une ou plusieurs semaines à Athènes, ou dans une île, indifféremment. Telle se déroula donc l'existence géographique de ce vieux monsieur aveugle et essoufflé qui était toujours Sartre et qui, au bras des dames, se réjouissait encore de manger un cassoulet, une saucisse fumée ou un munster à point. Telle se déroula son existence, veillée par ses femmes qui obéissaient désormais à un emploi du temps féroce, et où se succédaient pour la nuit, à tour de rôle, seules le Castor et Arlette, la compagne légendaire de cinquante années de complicité et la fille adoptive. Et toutes les autres continueront à passer, au jour dit, à l'heure dite, dans des allées et venues ritualisées. « Des scènes de genre à la Feydeau », nous confiera l'une d'entre elles plus tard.

A quoi s'occupait-il lors de ce qu'il nommait ses « heures vides », quand on ne l'entraînait pas à des activités intellectuelles? Il y avait désormais, chez lui, un poste de télévision devant lequel avec Arlette, le vendredi soir, le dimanche soir, il ne manquait jamais une séance du « Ciné-club ». Assis très près du poste, ils « regardaient » tous deux, pendant qu'Arlette, à toute allure et à voix basse, lui décrivait scrupuleusement les scènes, les mouvements, les visages des acteurs. Et puis elle lui lisait, des heures durant, tel gros roman chinois du XVIe siècle auquel il avait pris goût, ou encore l'*Histoire de la Révolution française* de Claude Manceron. Il y avait, chez le Castor, un électrophone, sur lequel ils disposaient des disques de musique classique, de musique contemporaine, qu'ils avaient jadis choisis ensemble. Il y avait, chez lui, une petite radio sur laquelle il écoutait désormais longuement les programmes de France-Musique : avec la cécité, il cessa de jouer du piano, gêné de ne plus pouvoir déchiffrer, mais il accrut l'écoute active et l'analyse de ce qu'il écoutait. Pour le journal *Le Monde*, il accorda en 1977 un long entretien sur la musique et reprit, avec Lucien Malson, les thèmes qu'il avait développés dans les années 50, au moment de sa préface à *L'Artiste et sa conscience*, de René Leibowitz. Il parla des musiques extra-européennes, de la « musique prolétarienne », de la difficulté de parler de « sens » en matière musicale, opposa musique et politique, rapprocha musique et folie, admit enfin que la note était et restait pour lui, qui avait appris la musique soixante années plus tôt, « quelque chose de privilégié [4] ».

Entre-temps, il continuait d'être sollicité pour des signatures, des pétitions, des interviews, des soutiens financiers. Entre-temps, le film *Sartre par lui-même* tourné en 1972 par Astruc et Contat préparait sa sortie pour l'automne 1976; il y racontait sa vie, entouré de ses amis des *Temps modernes.* Entre-temps, le livre d'entretiens qu'il avait organisé avec Gavi et Victor, et dont les droits d'auteur allaient au quotidien *Libération*, *On a raison de se révolter*, avait été publié par Gallimard dans une collection de poche, « La France sauvage »; Michel Sicard préparait un gros numéro de la revue *Obliques* qui lui était entièrement consacré; un colloque sur son œuvre allait se tenir à Cerisy-la-Salle; Contat et Rybalka, après leur monumental travail bibliographique sur *Les Écrits de Sartre* – il avait paru en 1970 –, mettaient la dernière main au premier volume de Sartre dans l'illustre collection de la Pléiade consacré à ses romans; son ami John Gérassi l'interrogeait régulièrement pour une biographie qu'il avait en préparation et l'écrivain Jean-Pierre Enard publiait aux éditions du Sagittaire un mince livre à la couverture rouge intitulé *Le Dernier Dimanche de Sartre*; la revue *L'Arc* lui consacrerait un article; *Le Magazine littéraire*, un numéro complet en septembre 1975; l'année suivante, ce serait la publication du dernier volume des *Situations*, le numéro X, et puis, en édition de poche, *L'Être et le Néant.* Il y aurait également une nouvelle représentation de *Nékrassov*, dans une mise en scène de Georges Werler, au théâtre de l'Est parisien. Et puis, toujours, de nouvelles traductions à l'étranger – comme celle de *L'Idiot de la famille* en Allemagne et en Amérique –, des adaptations de ses pièces, des étudiants étrangers qui solliciteraient un entretien pour des recherches qu'ils avaient entreprises sur ses romans, sur sa philosophie. Bref, la maison Sartre tournait, la boutique poursuivait ses activités au ralenti, comme si elle avait été en travaux, les produits et les sous-produits Sartre continuaient de se vendre, mais sans excès. « Aujourd'hui, on parle de moi comme d'un mort vivant, dira-t-il à Victor en janvier 1977 [5]. J'étais mort depuis le *Flaubert* et même sans doute un peu avant... j'écrivais, on ne me lisait plus. »

Malgré toutes ses morts symboliques, Sartre continua de vivre et de penser. Et, puisque, seul, cela lui était désormais inutile, il entreprit de le faire avec d'autres. Avec d'autres, donc, il engagea certains projets qui devaient, disait-il, faire partie de son œuvre. Le Castor poursuivrait avec lui à Rome les entretiens autobiographiques au magnétophone. Pierre Victor deviendrait son dernier secrétaire, son dernier interlocuteur, et viendrait ponctuellement, tous les matins, sonner boulevard Edgar-Quinet, pour travailler avec lui pendant les sept dernières années de sa vie. La décision d'engager Victor comme secrétaire avait pourtant eu lieu un peu par hasard, sous la pression des circonstances et prenait, de la part de Sartre, le sens d'un acte de solidarité. Victor – de son vrai nom Benny Lévy – était apatride, d'une famille juive orientale, qui avait dû s'exiler du Caire en 1957, après l'expédition franco-anglo-israélienne de Suez; sa condition civique restait donc extrêmement précaire – « une des raisons objectives de ma fameuse paranoïa, nous dira-t-il, mais pas la seule [6] » – d'autant qu'avec ses activités politiques, il risquait gros s'il était arrêté : c'est pourquoi il avait pris le pseudonyme de Pierre Victor, qui restera d'ailleurs sa véritable identité pour tout le groupe jusqu'en 1980; se présentait parfois aux rendez-vous qu'il donnait muni d'une fausse barbe mal collée et de lunettes de soleil; ne signait pratiquement jamais ses articles; et avait, enfin, acquis cette image troublante et mystérieuse du chef mao puissant et occulte, protégé derrière toute une série de gadgets, hyper-actif et invisible, véritable éminence grise. A plusieurs reprises le directeur de l'École normale supérieure, Robert Flacelière, était intervenu, mais sans succès, auprès du pourtant archicube président de la République, Georges Pompidou, pour obtenir la naturalisation de son élève. « J'ai honte d'être français », avait alors dit Flacelière. Et puis *La Cause du peuple* s'était dissoute, le mouvement mao commençait à s'effriter, Victor devait continuer tous les mois de se présenter au commissariat pour faire valider sa situation, les choses devenaient encore plus délicates. « C'est Geismar, nous dira Lévy, qui a eu l'idée d'en parler à Sartre; et c'est Liliane Siegel qui a posé la question » : si Sartre décidait d'engager Victor comme secrétaire et s'il le salariait, cela lui rendrait déjà un fier service! Sartre accepta immédiatement : « Comme ça, tu m'aideras à finir mon *Flaubert* », lui dit-il. C'était l'automne 1973, sa vue déclinait, et l'arrivée auprès de lui de ce garçon intelligent et stimulant semblait à ce moment-là convenir à tout le monde. « C'est de tous les gens que j'ai connus, devait dire Sartre à son sujet dans son entretien de 1975, le seul qui de ce point de vue me donne toute satisfaction. » Il voulait parler, bien sûr, du travail conjoint d'intellectuel et de militant que Victor s'efforçait de mener alors de front. « Sartre appréciait en lui la radicalité de ses ambitions, écrira plus tard Simone de Beauvoir, et le fait que, comme Sartre lui-même, il voulait tout. " Naturellement, on n'arrive pas à tout, mais il faut vouloir tout. " Peut-être Sartre se trompait-il, poursuit-elle, mais peu importe, c'est ainsi qu'il voyait Victor [7]. »

Si la décision d'engager un nouveau secrétaire semblait

convenir à la plupart des membres de la famille sartrienne, certains pourtant, dont Arlette, n'y furent pas immédiatement favorables. « Il y avait Puig, nous explique-t-elle aujourd'hui, qui venait chez moi tous les matins pour faire son travail de secrétariat : rendez-vous, sollicitations diverses, droits d'adaptation des pièces, etc. ; il s'est donc demandé tristement : " S'il y a un nouveau secrétaire, qu'est-ce que je deviens, moi ? " » Et puis Arlette craignait aussi que Victor ne devînt le « Schoenmann » de Sartre, avec le mauvais souvenir de ce Schoenmann, secrétaire de Russell, qui, au tribunal contre les crimes de guerre du Viêt-nam, proférait, au nom de Russell, et sans vergogne, des opinions de son cru [8]. Favorable, par contre, à l'arrivée de Victor, Simone de Beauvoir qui commente maintenant : « Il s'est beaucoup fait tirer l'oreille au début pour accepter ce travail ; mais c'était un garçon jeune, un militant, qui connaissait très bien la philosophie de Sartre et qui avait, en plus, un certain frottis philosophique : Sartre a été un peu pris au mirage et il a misé sur lui. D'ailleurs Victor a eu, au début, je crois, une certaine affection pour Sartre, il s'est vite rendu compte à quel point Sartre avait besoin de lui. Je ne pense pas qu'à ce moment-là, il avait de mauvaises intentions à son égard. Il a fait le travail qu'on lui demandait ; c'est après que les choses ont changé [9]. »

Victor avait consacré des heures et des heures à convaincre les militants, exposé avec une énergie considérable ses théories politico-philosophiques dans des discussions agitées et brûlantes. Il entraîna ainsi dans ses développements, dans ses interrogations, dans ses lectures, un Sartre de quarante ans son aîné, mais dont la pugnacité s'était, depuis quelque temps, affaiblie. Qui était donc, au juste, ce Pierre Victor, ce Benny Lévy dont personne dans le grand public n'eut connaissance avant ces entretiens avec Sartre qu'ils publieront conjointement dans trois numéros successifs du *Nouvel Observateur* de mars 1980, soit quelques jours avant la mort de Sartre ? Qui était donc ce jeune normalien philosophe, né au Caire dans une famille cultivée, et qui communiquait scrupuleusement à Robert Gallimard par petits mots laconiques la liste des livres qu'il désirait recevoir pour en faire la lecture à Sartre ? « Quand je l'ai connu, en 1970, expliquera Sartre lui-même, il était assez éloigné de mes idées : il venait d'un autre horizon intellectuel, le marxisme-léninisme althussérien, qui l'avait formé. Il avait lu certains de mes ouvrages philosophiques, mais il ne les acceptait pas totalement. J'ai eu la chance d'avoir affaire avec lui à une pensée qui était solide, qui se tenait et qui s'opposait à la mienne sans la rejeter en bloc. C'est la condition pour avoir un rapport vrai entre deux intellectuels, un rapport qui leur permette d'avancer mutuellement [10]. » La joute de ces deux intelligences se mènera sans trêve au fil des crises de Sartre, au fil des événements politiques contemporains. « Quand je suis arrivé en Europe, après 1956, racontera plus tard Lévy, comme pour beaucoup de juifs dans cette situation, mon problème, c'était de me " retrouver " là où j'étais, de savoir ce qu'était la France pour moi... Celui qui m'a permis de le faire, c'est Sartre. C'est-à-dire qu'à l'âge de quatorze, quinze ans, c'est avec Sartre que je me suis senti vraiment " dans la langue française " [11]. »

De langue maternelle française mais apatride, Victor trouvera dans les livres de Sartre les premiers outils d'une intégration potentielle. Puis viendront les signes de solidarité concrète : par le travail de secrétaire, il obtiendra une carte de séjour déjà plus confortable; par l'intervention directe de Sartre, enfin, auprès du président de la République, Valéry Giscard d'Estaing, il deviendra définitivement français. « L'homme m'est sympathique », dira plus tard Sartre de Giscard, dans un entretien dont il souhaitera qu'on ne le diffuse qu'après sa mort. « Il m'a un jour rendu service et je lui en sais gré [12]. » Mystérieusement, il faisait ici allusion à la naturalisation de Victor que le président de la République française lui avait accordée, à lui, Sartre : un salut sartrien à un homme d'État n'est-il pas une chose si rare qu'elle vaille la peine d'être soulignée? « Sartre m'avait écrit, nous dira pour sa part le président Giscard d'Estaing, pour me demander de lui rendre ce service. Il m'expliquait que sa vue baissait, que la lecture et la rédaction lui étaient désormais impossibles; qu'il avait donc besoin de ce garçon pour finir son œuvre. Le dossier, je ne vous le cache pas, était bien difficile à plaider, il s'agissait d'un ancien militant extrémiste. Mais, pour ma part, il était hors de question que je ne mette pas tout en œuvre pour rendre ce service à Sartre. Et cela, pour deux raisons : tout d'abord parce qu'il se portait garant de ce garçon qui allait, disait-il, se réintégrer désormais. Et surtout parce qu'il m'affirmait qu'il en avait besoin pour finir son œuvre. J'ai donc réglé ce problème, avec toute la discrétion possible, et je crois que Sartre m'en a su gré. Certes, nous ne partagions ni les mêmes convictions, ni les mêmes croyances, mais j'ai toujours eu le plus grand respect pour la tradition française qu'il représentait [13]. »

« Les premiers temps de cette relation ont été les plus durs, explique maintenant Benny Lévy, si durs que parfois j'ai songé à arrêter ce type de travail. J'arrivais, je sonnais et, souvent, Sartre ne m'entendait même pas. Il sommeillait seul, à l'intérieur, assis dans son grand fauteuil, et à travers la porte je pouvais entendre la radio que Simone de Beauvoir avait laissée branchée sur France-Musique, avant de partir, pour qu'il ne s'ennuie pas trop. En fait, c'était une lutte contre la mort. J'avais le sentiment de lutter pendant des heures contre les forces du sommeil, contre les forces du désintérêt, ou encore, plus simplement, contre le dodelinement de la tête... Oui, en fait, pendant les premiers temps, ce que je faisais, c'était vraiment du bouche-à-bouche [14]. » Pierre Victor entrait et se trouvait alors dans cette grande pièce : à droite le canapé avec des rayonnages de livres; à gauche, la grande table de travail; au fond, la baie vitrée donnant sur la tour. Et, le dos à la fenêtre, à contre-jour pour que la lumière ne le gêne pas, Sartre dans son grand fauteuil. « Sartre à dû faire face, poursuit Lévy, à un long travail d'accommodation sur son corps, à un véritable apprentissage de sa dépendance envers les autres. Si j'ai songé à arrêter, au début, c'est que je désespérais parfois que ce fût possible. Malgré les difficultés, j'ai poursuivi pourtant jour après jour cette lutte contre la mort, parce que j'avais la conviction que c'était la seule manière de manifester qu'il était vivant. » Et puis, peu à peu, les choses s'organisèrent d'elles-mêmes, lectures, discussions, projets vinrent stimuler l'intelligence sartrienne adossée à la tour Montparnasse, et qui ne demandait que cela... Par glissements successifs, le programme de travail des deux philosophes enfermés porta sur le *Flaubert*, puis sur la Révolution française, puis sur les hérésies religieuses et la Gnose, puis elles aboutirent directement à des préoccupations purement ontologiques. Victor lisait à Sartre des ouvrages entiers, et puis ils discutaient, violemment, sans complaisance, dans un affrontement intellectuel qui ne laissait aucune part au ménagement, à la demi-mesure. « J'aime bien travailler avec Victor, confiera d'ailleurs Sartre à Robert Gallimard. Il m'amuse, on s'engueule vraiment [15]. »

Pendant sept années, ainsi, et peu à peu, Victor prendra dans la vie intellectuelle puis, tout naturellement, dans la vie matérielle, dans la vie quotidienne de Sartre, une place prépondérante, bientôt incontournable. Il croisera le Castor, Liliane, Michelle, Arlette dans ces allées et venues à l'ombre de la tour. « Avec Simone de Beauvoir au début, raconte encore Lévy, on se faisait des signes; mais nous avons fonctionné selon un mode de complicité implicite : je ne lui ai jamais dit comment je vivais la chose; peut-être m'a-t-elle alors pris pour un garde-malade, je ne sais pas. Mais souvent, elle me paraissait désarmée, troublée, dépassée par la situation. Au fond, aux pires moments, tous les gens qui aimaient Sartre mettaient en commun tous leurs efforts, en taisant les conflits virtuels, pour que, coûte que coûte, la vie l'emporte. Cette complicité-là si forte et pourtant implicite a certainement été à la base du malentendu qui naîtra plus tard avec Simone de Beauvoir; elle a certainement "subi" notre relation, sans comprendre vraiment ce qu'elle représentait. » Une équipe sartrienne, donc, soudée dans une lutte aveugle, et toutes tensions aplanies, contre la mort, mais une équipe artificielle, faite de bric et de broc, d'individus qui se croisaient sans se connaître, qui se faisaient des signes sans s'expliquer, de gens qui avaient pour point commun leur tendresse à l'égard de Sartre, de gens qu'il avait jusqu'alors tenus cloisonnés les uns des autres et qui, sous la pression des circonstances, allaient d'abord se croiser puis se rencontrer dans ce bizarre ballet où chacun était pour l'autre un étranger, un inconnu, comme des personnages de Pirandello en quête d'une fusion fictive. Michelle ne rencontrera vraiment Arlette qu'après la mort de Sartre. Victor ne s'adressera réellement à Arlette que deux ou trois ans avant la mort de Sartre, et ainsi de suite... Ce que Sartre ne maîtrisera plus, mais absolument plus, à partir d'un certain moment, ce seront les interactions de tous ces individus, attirance, rejet, sympathie, haine tacite, haine exprimée, il y en aura pour tous les goûts. Mais n'anticipons pas.

Sartre, enfermé dans son *Flaubert*, avait cessé, depuis bien longtemps, de se tenir au courant des dernières publications philosophiques et para-philosophiques; il était resté à l'écart des grands débats d'idées de ses contemporains. Victor, brutalement peut-être, boulimique et hypermnésique dans ses lectures philosophiques, entretint Sartre de ses propres idées, jusqu'à l'en gaver presque. Et Sartre aima sans doute ces séances échevelées et animées qui remettaient à flot ses lectures en retard, dans un domaine de références qui était intégralement le sien. Philosophe affaibli et handicapé, face à philosophe activiste, développant une énergie considérable à convaincre son interlocuteur : la partie n'était-elle pas, dès le départ, pipée? Mais Sartre n'était-il pas homme à se remettre en question, à naviguer avec plaisir dans les discussions toniques et contradictoires avec ses cadets? Victor était alors à peine âgé de vingt-huit ans, il avait été un leader maoïste souvent controversé pour son assurance excessive, pour son « dogmatisme verbal », le radicalisme de certains de ses propos, ou ses tendances « paranoïaques » pour éviter la police. Sur sa personnalité, plus précisément, les réflexions ne manquent pas. Réflexions qui s'étalonnent, d'ailleurs, selon un éventail assez large, depuis la description de Pierre Goldmann – « un talmudiste égaré dans le maoïsme [16] » – et l'attaque sans faille de Roland Castro – « le type le moins humaniste de tout le gauchisme, un monstre de cynisme et de mysticisme mélangé [17] » – jusqu'au jugement de François Châtelet – « un philosophe absolument fasciné par la Loi [18] » –, à celui d'un ancien camarade mao – « un fou de morale... qui retournait les salles dans un discours parfait, un peu écrasant d'intelligence [19] » – ou à la formule de Maurice Clavel – « un homme de nulle part et, peut-être à ce titre, sartrien redoutable [20] ».

Une relation très particulière, donc, s'articula entre les deux philosophes. Une relation dans laquelle les échanges intellectuels furent la part capitale, sous-tendue cependant par un ensemble de liens affectifs et symboliques. Glissements successifs : Victor est un mutant, il va délaisser l'Histoire pour s'enfermer dans l'étude du texte originel dans son acception la plus stricte; préférant le silence à la parole prématurée; s'enfonçant dans la seule activité intellectuelle qui lui parût vraiment noble : l'analyse interne des textes, exhaustive, pure et dure, exclusive, partiale. Et l'on ne comprendrait rien aux dernières années de Sartre si l'on se refusait à examiner toutes les pistes, toutes les voies de la grande joute intellectuelle Sartre-Lévy qui se livra alors, à l'ombre de la tour. Âpreté, violence, provocation réciproque, affrontement ludique, Sartre fut-il toujours totalement convaincu? Ou bien, parfois, ne laissa-t-il pas courir Victor comme un jeune chien fou en cavale, en se disant, par-devers soi, qu'il parviendrait bien à le convaincre? Alors, doit-on accorder du crédit à l'expression d'Olivier Todd qui parle de « détournement de vieillard », et qui atteste par là même que d'autres perçurent ainsi la relation? Et que signifiait alors pour Victor « travailler avec Sartre »? Sartre était toujours Sartre et, *à la fois*, il n'était plus Sartre. Sartre exigeait que le mythe de la fraternité fût respecté entre eux, mais que signifiait donc pour le public extérieur cette égalité brutalement présentée à leurs yeux entre un philosophe-qui-était-un-monument-historique-et-l'intellectuel-français-du-siècle et ce jeune garçon inconnu, sans passé, sans publication, qui le tutoyait? Assurément, Victor était coincé dans un rapport de forces impossible : face à Sartre, il avait complètement le pouvoir. Il était celui qui très ponctuellement sonnait à la porte à onze heures du matin, celui qui le réveillait de ses somnolences, celui qui était payé pour le sortir de sa torpeur, commander les livres et les lui lire. Il devait donc travailler *pour* Sartre, tout en travaillant *avec* Sartre, c'est-à-dire jouer avec lui au vieux mythe de l'égalité. De toute façon, et dès le départ, la relation était faussée. Sartre, d'ailleurs, le verra fort bien qui expliquera dans un entretien à *Libération* en 1977 : « Ou je suis un vieux con que tu manœuvres ou un grand homme auprès duquel tu viens nourrir tes idées. Voilà les deux possibilités. Il reste précisément la bonne : c'est qu'on soit des égaux [21]. » En fait, pour Victor, travailler avec Sartre c'est mettre en place une structure d'un volontarisme exacerbé – « du bouche-à-bouche », nous a-t-il expliqué – pour empêcher Sartre de dériver dans la somnolence. Et si sa présence quotidienne auprès de Sartre empêche le vieil homme de sombrer précocement dans une stagnation sénile, si elle lui insuffle – comme on fait une transfusion sanguine – des restes de vie par des efforts de volonté extrême, n'est-ce pas là en même temps une relation un peu artificielle?

D'ailleurs, outre le travail proprement dit, Sartre se plut à multiplier les moments de « camaraderie » qu'il avait naguère partagés avec les militants de la G.P. Invité par Victor à dîner dans la communauté où celui-ci vivait en banlieue parisienne, il accepta souvent, ravi, des rencontres avec des inconnus, qui avaient pour séduction le fait d'être jeunes, donc toniques, donc subversifs en puissance. Victor avait été initié par Sartre à la gastronomie, il avait appris à aimer les cassoulets, les choucroutes, les charcuteries lourdes et bien grasses, à fréquenter des restaurants comme Maître Albert, Les Marronniers, des brasseries comme Le Balzar; il allait maintenant à son tour inviter Sartre à partager sa propre convivialité, ses propres rituels gastronomiques, ses tablées de dix à douze couverts chaleureuses et désordonnées. Et Sartre allait aimer jouer à l'intrus anonyme dans ces groupes d'amis, allait aimer se sentir intégré à ces moments de connivence et de plaisanteries, comme si ces escapades malicieuses le régénéraient un temps, dans un appel peut-être implicite au mythe faustien ou bien dans la jouissance ponctuelle d'échapper aux siens : les amis des *Temps modernes*, ceux de sa propre génération, ou ceux de son passé. Et peu à peu le fameux « je pense contre moi-même » allait peut-être devenir « je pense contre les sartriens ». On verra évoluer cette relation Sartre-Victor, ultime trahison du petit homme à l'égard de lui-même, cette relation de camarades et de philosophes; on la verra évoluer dans ses glissements intellectuels successifs comme dans ses implications politiques. Dans le regard des autres, aussi.

« Ce qui m'a choqué – ce qui a d'ailleurs choqué tout le monde –, raconte Robert Gallimard, la première fois que je les ai vus ensemble, c'est que Lévy avait l'air d'un petit garçon; et qui, en plus, tutoyait Sartre, car Sartre ne tutoyait personne, à commencer par le Castor : cela m'a vraiment épaté. Et puis Lévy le regardait d'une manière tellement admirative, et Sartre était content [22]. » Au fond, chacun aujourd'hui, dans l'entourage de Sartre – et malgré les tensions toujours actuelles –, rend compte de cette relation avec Victor dans ses propres termes, mais selon un consensus tout à fait inattendu. Comme s'il s'agissait d'une fugue, d'une escapade. Sartre aurait trouvé en Victor le copain idéal pour l'accompagner dans ces heures buissonnières auxquelles ses proches n'avaient pas accès. Les anciens des *Temps modernes*, le Castor et les autres, il les plantait là avec leurs comités de rédaction auxquels il s'ennuyait au point de s'y endormir, pour l'affrontement sans trêve avec Victor qui l'épuisait, certes, mais qui l'amusait, mais qui le stimulait, mais qui le forçait au combat. « Nous, les anciens des *Temps modernes*, reconnaît aujourd'hui Jean Pouillon, nous représentions pour lui le passé, nous étions devenus pour lui un peu " ringards " et Sartre n'était pas homme à se satisfaire de cela. Il voulait toujours avoir un projet, toujours aller de l'avant, et il avait vraiment l'impression que Victor lui apportait cela [23]. » Et peut-être une des forces de Victor fut alors paradoxalement son refus, presque exagéré parfois, de percevoir ou de respecter la faiblesse physique de Sartre. « Parfois, raconte Arlette, il posait une question cruciale et extrêmement complexe au moment où Sartre commençait à s'épuiser; parfois, il lui lisait des textes, très fort, avec une espèce de fougue et de flamme, presque avec exaltation : c'était assez impressionnant. » Affrontement de deux attitudes? Sartre, qui, on le sait, avait toujours entretenu avec la pensée des relations profondément ludiques, ne qualifiait-il pas, parfois, Victor de « vertuiste »? « De temps en temps, poursuit Arlette, j'essayais de faire entrer de l'air, d'apporter à Sartre un thé, un médicament, pour le détendre un peu de la pression intellectuelle [24]. » Cette jeunesse, cette vigueur de la pensée et du langage auxquelles Sartre fut tellement sensible chez Victor, Simone de Beauvoir reconnaît elle-même les avoir remarquées. « A ce moment-là, poursuit-elle, il y a eu beaucoup chez Sartre le désir de rester dans le coup, de se survivre, d'aller plus loin qu'il ne l'avait jamais fait, dans le domaine de la révolution, dans le domaine de la subversion. Et comme il ne se sentait plus de possibilité personnelle de faire quelque chose, il fallait qu'il fasse confiance à quelqu'un d'autre. Il n'y voyait plus, il ne se sentait plus d'avenir personnel, ni philosophique ni politique; il a donc remisé ses rêves d'avenir, les a délégués à Victor, à cet intellectuel militant que lui-même ne pouvait plus être; il a aussi trouvé près de lui une atmosphère de camaraderie qui lui plaisait beaucoup; mais la suite des événements a montré qu'en faisant confiance à Victor il s'est très profondément trompé [25]. »

Nouvelle donne déterminante, donc, dans la vie de Sartre, cet attelage Sartre-Victor va venir bouleverser irrémédiablement toute l'architecture intellectuelle antérieure. Discussions avec le Castor? Comités de rédaction des *Temps modernes*? Échanges intellectuels avec les « anciens des *Temps modernes* »? Tout cela semble caduc pour Sartre, désormais, depuis que Victor et sa personnalité volontariste, ses allures d'ouragan pathétique, ses exigences radicales et ses remises en question sans répit sont entrés dans sa vie. Même si, au fond, tout le monde sait bien que l'« expérimentation de nouvelles techniques d'écriture à deux » que Sartre veut mettre en place est bien plus le projet illusoire d'un vieux monsieur qui refuse de céder, qu'une idée vraiment viable. N'a-t-il pas d'ailleurs avoué lui-même avoir toujours effectué le « travail du sens par le style »? N'a-t-il pas expliqué souvent qu'il pensait *en écrivant*? Tous les efforts passionnés de Victor prennent alors, à la lumière de cette évidence fatidique, l'allure de pathétiques et fières tentatives vouées à l'échec absolu. Et Victor aurait donc été le seul à *croire*, de manière à la fois insensée et belle, qu'une œuvre à deux en sortirait et que Sartre poursuivait ses activités de pensée. Et Victor, y croyant, aurait ainsi insufflé à Sartre, outre l'illusion de la discussion, celle de la création toujours en train. C'est clair, pour les amis des *Temps modernes* qui avaient connu Sartre à l'âge de trente, quarante ans, beaucoup de signes de la dégradation qu'ils percevaient maintenant, ces signes inévitables, douloureux et patents venaient troubler les images de *leur* Sartre, de ce Sartre surprenant, subversif, corrosif, grinçant, rapide, provocateur, associateur d'idées et d'images comme personne, fulgurant d'intuitions et de théories, magistral fabricant de discours. « C'était horriblement pénible pour moi, nous dit aujourd'hui Jean Pouillon, lorsque je déjeunais avec le Castor et lui à La Palette ou à La Coupole, de le voir renverser la moitié de sa fourchette sur son pantalon – cela exaspérait le Castor – puis de me rendre compte qu'il suivait difficilement une conversation normale : le Castor parlait assez vite, et je lui répondais, et Sartre intervenait pour ajouter quelque chose de très pertinent, mais avec un quart d'heure de retard. Il aurait fallu que nous fussions seul avec lui, pour parler à son propre rythme. Il aurait fallu que nous-mêmes fissions le travail que Victor faisait. Si nous avions voulu le faire, Bost, Lanzmann ou moi-même, nous aurions pu le faire; mais nous avions nos activités et nous manquions de temps [26]. »

Effectivement, Victor n'avait pas connu, comme les amis des *T.M.* ou comme le Castor, cette image du Sartre en gloire que les différents signes de la dégradation enterraient chaque jour un peu plus. Il avait connu Sartre déjà âgé, déjà fatigué et son regard libre de toute nostalgie allait l'aider à transmettre au vieil homme cette information bienfaisante : que somme toute, pour lui, Sartre était toujours Sartre. D'autant que Victor se sentait presque plus en présence de l'œuvre que de l'homme lui-même. « Il connaissait à ce moment-là, affirme Arlette, l'œuvre sartrienne mieux que Sartre lui-même; et sa mémoire prodigieuse lui permettait de repérer toutes les butées de sa philosophie. Parfois, Sartre ne se souvenait plus très bien ce qu'il avait écrit et Victor le lui rappelait [27]. »

Le plus pathétique, peut-être, dans toute cette histoire, fut sans doute que chacun, dans l'entourage de Sartre, y voyait clairement et simultanément les incontestables avantages et les inévitables pièges. Chacun savait et voyait les limites évidentes de ce rêve fou et grandiose d'un avenir intellectuel à deux que Sartre nourrissait encore dans sa tête et que Victor l'aidait à nourrir. Chacun sentait aussi que cette illusion prolongeait l'avenir de Sartre, même si l'on savait à l'évidence que ce duel de philosophes à l'ombre de la tour n'avait aucune chance de déboucher sur une œuvre quelconque. Mais comment se comporte-t-on face à un écrivain aveugle, fier et stoïque qui vous affirme avec un grand sourire sur le visage qu'il va publier un livre à deux avant la fin de l'année? Qui aurait le cœur de le priver de cette joie, fût-elle absurde? « Entre eux, la partie n'était pas égale, dit Simone de Beauvoir; Sartre était presque toujours insatisfait de leurs discussions qui tournaient en rond. » « " Aujourd'hui, on a encore ramé ", me disait-il souvent », raconte Arlette. « Victor était d'une très grande vanité, nous confiera Pouillon; un jour, au comité des *Temps modernes*, il avait demandé d'un ton de procureur que tout le monde, excepté lui, fît un retour sur son passé, une autocritique de ses textes antérieurs; ce que Sartre, auparavant, n'aurait jamais supporté. » « Victor avait un côté Vichinski, dont Sartre ne se rendait pas compte », souligne Simone de Beauvoir. D'ailleurs Arlette ne rappelle-t-elle pas elle-même certains irréductibles décalages dans leur tentative de pensée commune? « L'affrontement des idées n'a pas pleinement eu lieu. Il y eut, parfois, entre eux, de courtes crises de colère. » Et puis quand Victor commença à découvrir le judaïsme, auquel Sartre ne connaissait pas grand-chose, pouvaient-ils vraiment se comprendre? Les limites, donc, de cette nouvelle étape furent visibles par chacun. Et cette relation était peut-être bancale, mais elle avait le mérite d'exister, d'occuper Sartre, de l'entretenir encore. « Victor l'aidait sans doute à se défendre, à se protéger des femmes dont il aurait été certainement prisonnier sans lui », commente un proche. « Victor l'aidait à vivre », ajoute Simone de Beauvoir. « Il faisait pour Sartre ce qu'aucun de nous ne faisait, admet Jean Pouillon. Et après tout, je peux même comprendre que Victor ait essayé de convaincre Sartre : quand on aime quelqu'un – et Victor avait indéniablement pour Sartre une réelle admiration –, quand on est persuadé de détenir la vérité, quoi de plus naturel que d'essayer de le persuader? Non, je n'accuserai pas Victor d'être un Machiavel. » D'autres témoignages insistent sur un autre aspect de la relation : Victor aurait protégé Sartre contre le Castor, qui devenait de plus en plus possessive à son égard et qui l'agaçait un peu. Alors, inéluctablement, la présence de plus en plus prégnante de Victor dans la vie de Sartre prit progressivement la forme d'un clivage passé/avenir, d'un conflit *Temps modernes*/post-maoïsme, d'un rapport de forces du Sartre années 40-60 contre le Sartre années 70-80. Cela se passait bien entre Sartre et Sartre, c'était une trahison des années fortes par les années de vieillesse, dans la ligne de ce qu'il avait toujours fait, dans l'inattendu, le rebondissement, le renouvellement, la logique des cycles. C'était aussi, étrangement, une véritable illustration de son roman *Une défaite*, écrit à l'âge de vingt ans et jamais publié : le face-à-face Frédéric-Richard, conçu en 1925, n'allait-il pas très exactement se reproduire cinquante ans plus tard entre Victor et Sartre? « Leurs causeries, écrivait alors Sartre, dépassaient toujours le sec appareil dialectique. » « Il faut être juste, analyse encore aujourd'hui Simone de Beauvoir, Sartre n'était plus très très chaleureux pour venir aux *Temps modernes*. Ça lui faisait un peu piétinement. Il les trouvait un peu routiniers, il aurait voulu vraiment autre chose, il n'avait plus envie de discuter avec de vieux sartriens dont il savait à l'avance ce qu'ils lui diraient. Oui, il faut être juste, il était attiré par le nouveau, par la jeunesse, par le renouvellement de lui-même [28]. » Et Jean Pouillon, à la fois lucide et impuissant devant la nécessité et la fatalité de cette dernière trahison de Sartre, ajoute, dans une métaphore puissante : « C'était ça le malheur. Victor fonctionnait comme une prothèse : on ne pouvait pas le remplacer comme prothèse. On ne pouvait que se lamenter sur la *nature* de cette prothèse [29]. » Le conflit était donc inévitable entre Sartre-et-sa-prothèse et les vieux sartriens des *Temps modernes*. Il ne va pourtant éclater vraiment qu'en 1978, soit près de cinq ans après l'arrivée de Victor dans la vie quotidienne de Sartre. Cinq ans au cours desquels ils auront largement le temps de s'attaquer à des projets divers, avant que le conflit ne vienne tout casser.

Au premier plan de tous les travaux qu'ils menèrent ensemble, celui commandé par la chaîne de télévision française, Antenne 2. Les diverses tribulations de ce projet d'émissions télévisées, le récit surtout de son échec sont, à eux seuls, symptomatiques de la place malaisée occupée par Sartre au sein de l'État français. En avril 1974, les Français avaient appris par les ondes la mort brutale de leur président, Georges Pompidou; peu de temps après, les élections présidentielles amenaient au pouvoir un autre style d'individu, qui aurait avec Sartre des relations civiles et cordiales, l'ancien ministre des Finances du général de Gaulle, Valéry

Giscard d'Estaing. Très peu de temps après son élection, l'O.R.T.F. éclate, une deuxième chaîne de télévision est annoncée pour janvier 1975, le président nommé s'appelle Marcel Jullian, c'est un homme du Midi, un ancien éditeur, un individu large d'esprit et peu vindicatif. Très vite, il reçoit des propositions, lance des projets, de manière éclectique et sympathique; essayant par-ci de réintégrer tel journaliste sportif remercié après mai 68, par-là d'ouvrir les antennes à des voix jugées trop discordantes, faisant confiance à son flair et à son inexpérience télévisuelle. « Vive la liberté! », lui avait lancé Maurice Clavel dans son télégramme de félicitations. C'est ainsi que, sur la suggestion de Clavel, Marcel Jullian avait accepté avec enthousiasme l'idée d'un « projet Sartre ». De novembre 1974 à septembre 1975, ce seront près d'une vingtaine de rencontres, appels téléphoniques, délibérations diverses entre deux véritables équipes : celle de Sartre d'un côté; celle du directeur de la deuxième chaîne, de l'autre. Car ce fut bien là l'une des limites de cette rencontre et de ce projet : Jullian était allé à Sartre, en s'imaginant qu'il « aboutirait à le libérer », selon ses propres termes, « de son entourage, de ses préventions contre la télévision et ses séides, de ses phantasmes de maudit [30] ». Jullian était allé à Sartre, plein d'une ferveur idéaliste, refusant de voir certaines réalités : les nécessaires limites politiques que lui imposait son statut de directeur d'un organe d'information d'État; l'absence de véritable concertation financière dès le départ avec Sartre lui-même, compte tenu de l' « espèce de crainte révérentielle » ressentie à son égard et dont parle, pour sa part, Jean-Didier Wolfromm, alors directeur de cabinet de Jullian [31]; l'embarras, enfin, de Jullian, lorsque, allant à Sartre comme vers un monument historique trop tôt enfoui pour le ressusciter et le libérer, il se trouva tout simplement devant un vieux monsieur diminué, entouré d'une équipe qu'il apprécia fort peu. Ces limites allaient donc, dès le départ, réduire les marges de manœuvre, comme peau de chagrin. Toujours est-il que, malgré ces handicaps de départ massifs, Sartre se mit au travail et son équipe avec, et que, pendant près de neuf mois, ce projet le tint en alerte, l'intéressa, occupa ses journées de travail.

« Mon métier d'écrivain est complètement détruit, expliquait-il à Michel Contat en 1975. Cependant, je peux encore parler. C'est pour cela que mon prochain travail sera, si la télévision réussit à trouver le financement, une série d'émissions où j'essaierai de parler des soixante-quinze années de ce siècle. Ce travail, je le fais en commun avec Simone de Beauvoir, Pierre Victor et Philippe Gavi, qui ont aussi leurs idées à exprimer et qui, de plus, se chargent de la besogne de rédaction que je suis incapable de faire moi-même : je parle devant eux et ils prennent des notes, par exemple, ou bien nous discutons et eux rédigent ensuite le projet sur lequel nous nous sommes entendus [32]. » Plus tard, il affirmera encore qu'il considère ces émissions « comme devant faire partie de [son] œuvre ». N'était-ce d'ailleurs pas une belle idée, que celle qui consistait à raconter en dix émissions d'une heure trente d'antenne l'histoire de la France du XXᵉ siècle, vue « à travers la subjectivité d'un Français intellectuel, fils d'intellectuel, né en 1905 »? Telle avait été, en effet, la contre-proposition de Sartre lorsque Jullian lui avait suggéré d'intervenir en son nom propre dans une série : « Les intellectuels face au peuple ». Peu à peu, l'équipe Sartre orienta encore le projet dans le sens de la révolte au XXᵉ siècle, qu'elle sous-traita dans des commissions spécialisées : ainsi virent le jour des textes et des exposés qui tentaient de cerner révolte intellectuelle, révolte ouvrière, révolte féministe... En tout, près de quatre-vingts historiens, chercheurs ou universitaires furent embarqués dans le projet, contactés par Victor, Gavi, Glucksmann, Rancière ou Simone de Beauvoir. « Nous y avons investi une somme de travail assez considérable, raconte Daniel Lindenberg, chargé de préparer une étude sur Nizan [33], tous absolument certains que le projet serait mené à bien. » Un synopsis d'une trentaine de pages fut rédigé, un réalisateur – François Truffaut – fut pressenti qui refusa et passa le relais à Roger Louis, et l'affaire sembla suivre son chemin pendant quelques mois. Bien embarquée, malgré les innombrables tensions, discussions, prises de bec entre toutes les équipes en présence : en ces années de post-maoïsme, en effet, l'ouvriérisme agressif s'était un peu atténué dans ses revendications idéologiques et sectaires, mais reprenait toujours avec virulence certains thèmes, dont ceux entre autres du pouvoir ouvrier, dans des aspects plus concrets, comme ceux de l'affaire Lip, toute récente. Et puis, face à ce discours post-mao un peu modifié, les féministes, que Simone de Beauvoir avait largement fait entrer dans le projet, revendiquaient haut et clair des prérogatives qui leur semblaient évidentes : tous tirèrent à hue et à dia ce projet Sartre tombé du ciel, occasion politique et cynique de tirer parti, en la piégeant, d'une télévision d'État qui leur avait toujours confisqué la parole. Sartre fut parfois un peu oublié, un peu maltraité, à certains moments même agressé par ces intellectuels en mal de pouvoir médiatique; certes, il avait besoin de son équipe puisqu'il avait besoin de scribes, mais ses propres interventions furent tout de même perçues par tous comme parfaitement autonomes, comme celles d'un homme qui sait où il va, qui mesure les limites dans lesquelles il accepte de se laisser manipuler. Et lorsque toute l'affaire capota, en septembre 1975, certains affirmèrent que Sartre lâcha prise très vite – peut-être soulagé au fond de cette aventure qui l'obligeait à trop de conflits – alors que d'autres, dans son entourage, auraient accepté de négocier avec Jullian, de céder sur des compromis même défavorables.

Les tractations de détails ont-elles leur importance? A vrai dire, il semble infiniment plus intéressant de considérer cette aventure comme le dernier des rendez-vous manqués entre Sartre et les médias audiovisuels d'État. Rendez-vous manqués qui commencent, en fait, en 1947 lors de cette série particulièrement houleuse qui s'intitulait « La Tribune des *Temps modernes* ». Infiniment plus intéressant, également, d'analyser ce qui, en cette affaire, émarge aux relations de Sartre avec l'État en général, avec les hommes d'État en particulier. Car si l'on a suivi les éclats antigaullistes de Sartre, les égards prosartriens de De Gaulle, l'on connaît moins par contre les relations civiles, courtoises et prosartriennes d'un Giscard – « Je suis resté, pour ma part, toujours très favorable au projet », nous a-t-il confirmé de vive voix – ou les réticences très nettes, très claires et très hostiles d'un Chirac, le Premier ministre de l'époque. Derrière les tribulations de l'équipe Sartre face à l'équipe Jullian, en effet, derrière ces dix heures de « Sartre dans le siècle » qui ne virent pas le jour, derrière ces prétextes financiers, ces manipulations souterraines, ces communiqués de presse trop publics, se profile en fait l'opposition profonde de deux hommes politiques au pouvoir, dans leur relation avec les intellectuels. De Gaulle avait tôt fait de réclamer qu'on n'emprisonne pas Voltaire, Giscard envoyé à Sartre un petit mot de sympathie en apprenant la nouvelle de sa cécité puis exprimé son soutien au libéralisme de Jullian, Chirac par contre manifesta dès le début au directeur de la chaîne son opposition absolue au projet Sartre. Traditions, traditions : c'est qu'on ne manie pas impunément un intellectuel français de premier rang, et quelque sulfureux qu'il soit, dans notre république; c'est qu'on ne choisit pas impunément une attitude libérale ou rigide sans toucher à certaines images légendaires, sans rappeler les conflits avec l'État des Voltaire, des Rousseau, des Hugo, des Zola; sans, enfin, ressusciter le poids charismatique, symbolique et mythologique de l'Intellectuel dans la tradition française.

Alors, censure? Pas censure? On achoppa officiellement sur une exigence de Jullian : ne poursuivre les négociations qu'après réalisation d'une « émission pilote ». Sartre répliqua sans condition qu'il n'avait « plus l'âge de passer des examens », mais auparavant, et Jean-Didier Wolfromm l'admet, « il y a eu vraie censure lorsque le conseil d'administration de la T.V. a refusé l'avant-projet, un petit film de six minutes. A cause d'un plan sur le journal *Libération*! ». Bref, si Sartre avait, au début, accepté la proposition de Jullian à « condition d'être entièrement libre », plus tard, au moment de la conférence de presse annonçant la rupture définitive, il expliqua clairement : « J'ai vu que la proposition de départ de travailler en liberté était absurde. Celle-ci vient à point, afin qu'il soit bien entendu que, moi, je romps l'engagement. J'ai toujours été opposé à la télévision. J'ai cru pouvoir changer, maintenant c'est fini, je me retire, je dis adieu, je n'y travaillerai jamais ni en France ni ailleurs [34]. »

Pendant que passaient, une à une, les crises d'hypertension pendant que s'organisaient dans les trouées d'équilibre projets intellectuels et entretiens au magnétophone, Sartre, entouré de son réseau, de sa famille, prenait par eux connaissance de la marche du monde, de la révolution portugaise par exemple, ou des répressions en Tchécoslovaquie contre les intellectuels dissidents. Par son réseau, par sa famille, il allait continuer d'être informé, d'être sollicité, il allait être ainsi maintenu dans une semi-activité un peu artificielle mais que peu, dans le grand public, regardèrent comme telle. C'est ainsi qu'on s'adressa à lui encore et toujours pour des signatures, des soutiens financiers, des pétitions, des déclarations. Et certains purent ironiser à loisir lorsqu'ils virent apparaître le nom de Sartre pour soutenir, pêle-mêle, nationalistes basques, condamnés à mort espagnols, soldats français emprisonnés, instituteur en grève de la faim, ouvriers polonais gardés à vue, prisonniers marocains, nigérians, argentins, italiens, iraniens, polisariens... Outre ces soutiens de plume, il intervint physiquement, se déplaçant ici avec Arlette, là au bras de Michelle, ici encore en compagnie du Castor, pour une manifestation de soutien aux Arméniens ou pour un appel en faveur d'intellectuels soviétiques dissidents. Et puis il fit encore quelques voyages à portée politique : Portugal, Allemagne, Italie, Moyen-Orient.

En février 1973, dans une interview à l'hebdomadaire allemand *Der Spiegel,* Sartre avait entre autres déclaré : « Il y a un phénomène qui est très intéressant, c'est le groupe Baader-Meinhof. Je pense que c'est vraiment un groupe révolutionnaire, mais je pense aussi qu'il a commencé peut-être un peu trop tôt. » Ces déclarations, l'avocat d'Andreas Baader, Me Klaus Croissant, les avait lues avec intérêt et c'est lui qui, le moment venu, prit l'initiative de contacter le philosophe français : son client, pour protester contre ses conditions de détention, était alors en train de mener une grève de la faim dont un autre détenu Holger Meins venait d'ailleurs de mourir. Sartre fit plusieurs demandes écrites au gouvernement allemand, demandant l'autorisation de rendre visite à Baader dans sa cellule. Après plusieurs refus, il parvient tout de même à obtenir le droit de se rendre à la prison de Stammheim, près de Stuttgart où il restera avec Baader, en tout et pour tout, vingt-cinq minutes. C'était le mercredi 4 décembre 1974 : arrivé de Paris en compagnie de Pierre Victor et de Jean-Marcel Bouguereau, pour *Libération,* il sera conduit près de Baader par l'avocat Croissant et assisté de Dany Cohn-Bendit comme interprète pour la conférence de presse qui allait suivre. « Baader se trouve dans une cellule isolée, entièrement blanche, déclara-t-il devant plus de cent cinquante journalistes, où aucun son n'est perceptible, si ce n'est, trois fois par jour, les pas des gardiens. La lumière du jour est filtrée par un grillage, la lumière électrique reste allumée toute la journée... Les conditions de vie dans la prison sont intolérables. Selon la convention des droits de l'homme, un prisonnier reste un homme qui a les mêmes qualités qu'un homme libre. Mais le gouvernement et les autorités pénitentiaires ouest-allemandes ont une singulière manière de considérer les prisonniers politiques [35]. » Il réussit encore à convaincre Heinrich Böll de se joindre à lui pour lancer un appel en faveur d'une commission internationale pour la protection des prisonniers politiques. Mais derrière toute cette mise en scène : voyage, conférence de presse en Allemagne puis en France, la plate bienveillance des propos sartriens éveille les soupçons. En effet, les choses se passèrent fort mal entre lui et Baader. « Je croyais trouver un ami, et j'ai un juge en face de moi », lui avait lancé l'ex-militant de la Rote Armee Fraktion, ulcéré des déclarations de Sartre qui avait exprimé ses réticences à l'égard des méthodes politiques de leur groupe. « Le terrorisme qui peut se justifier en Amérique latine par exemple, avait-il notamment déclaré, n'est pas valable politiquement dans les pays d'Europe occidentale. Le meurtre du juge von Drenkmann est, par exemple, un acte explicable mais politiquement pas juste [36]. » « On s'est fait un peu avoir dans ce voyage, commente amèrement Benny Lévy. Aujourd'hui, je regrette. » Les ministres allemands concernés, et que Sartre avait mis en cause, répondirent dans la presse à ces déclarations qu'ils jugèrent fausses, et surtout à cette intervention qui, à leur avis, « manquait de tact ». Un pétard mouillé, donc, que ce voyage? Un gâchis du nom, du pouvoir, de la santé de Sartre qui n'avait, somme toute, convaincu absolument personne, et, qui plus est, en volant au secours d'une cause indéfendable et d'un prisonnier qui l'injuriait.

Très différents du voyage à Francfort, les voyages à Athènes furent souvent fort chaleureux. Sartre allait y retrouver une amie, Hélène, dont il s'était épris quelques années plus tôt. Victor accompagnait, conscient bien sûr de la « couverture » qu'il était alors. « Je n'ai rien compris de ses rapports avec les femmes, nous dira-t-il avec humour. De la même manière que lui n'a rien compris aux miens. » Un jour, au cours de ces voyages, Sartre accepta de donner une conférence à l'université d'Athènes. « C'était la première fois, poursuit Victor, que je voyais ce qu'il représentait à l'étranger. L'entrée dans la grande salle fut un moment très émouvant. Sartre entra, et l'on entendit alors des applaudissements lents, interminables. C'était comme une ferveur. Comme un immense merci [37]. »

Pour le Portugal, par contre, ce fut un voyage de soutien : la révolution des œillets, depuis Pâques 1974, faisait renaître, dans les milieux de l'extrême gauche européenne, des flambées de sympathie et d'enthousiasme, avec la certitude que l'on assistait là au dernier spasme romantique révolutionnaire européen. Accompagné de Pierre Victor et de Simone de Beauvoir, Sartre se rendit à Lisbonne et voyagea dans le pays au cours de la deuxième semaine d'avril 1975. Voyage d'hommage et de sympathie, voyage d'information politique aussi, dans la lignée de ceux qu'il avait acceptés, naguère, ou effectués de lui-même, à Cuba, au Brésil ou ailleurs. Il rencontra au Portugal des ouvriers, des paysans, des femmes, des soldats et des intellectuels. Ce fut, pour lui, comme un devoir. Car la dictature Salazar-Caetano avait duré près de quarante-huit ans, et avec elle s'effondrait un des derniers bastions fascistes, le plus vieux et le plus pourri, s'effondrait une situation politique et sociale parmi les plus rétrogrades d'Europe. La révolution des œillets rouges, ses chansons, sa gaieté, et jusqu'au soutien de l'armée pour renverser Salazar, tous ces éléments résonnaient dans les mouvements de gauche comme une véritable fête. Sartre, fatigué et heureux, se rendit sur les lieux de la fête et au retour, pour *Libération,* il raconta ce qu'il avait senti : « Il peut se constituer un autre pouvoir, expliqua-t-il, le pouvoir du travail. Pas sous la forme d'un parti, mais par exemple sous la forme de coopératives. Dans les usines autogérées, c'est l'entente d'éléments populaires qui font une action susceptible de n'être entreprise ni par l'Assemblée, ni par les militaires : là, il y a la position d'une nouvelle autorité. » En dehors du thème de l'autogestion, il revint aussi sur celui de la culture, plus particulièrement de la « dynamisation culturelle » : « Les écrivains que j'ai rencontrés s'interrogeaient sur la possibilité d'une littérature populaire, d'une œuvre collective, d'une animation dans les villages : comment avoir un certain rapport avec les paysans, les intéresser à partir de la culture paysanne proprement dite? », exposa-t-il encore [38]. Les lecteurs furent-ils déçus de ce « retour de Portugal » un peu sommaire, un peu attendu? Les lecteurs perçurent-ils un Sartre moins pugnace et qui n'innovait plus?

Pourtant, il continua d'être sollicité par les journalistes pour juger ponctuellement tel ou tel événement, pour donner le « mot de Sartre » sur la question. Catherine Clément, en novembre 1979, l'interrogea sur « la gauche, le désespoir et l'espoir » pour *Le Matin-Magazine.* Ivan Levaï, en janvier 1980, l'invita à son émission « Expliquez-vous » sur Europe I : « Nous revenons à la guerre froide, expliqua Sartre. Nous sommes dans une situation assez critique. » Il venait là rendre compte de son opposition à la déportation de l'académicien dissident Andreï Sakharov en Union soviétique, il venait confirmer qu'il appelait, avec d'autres, au boycott sanction des jeux Olympiques qui devaient se tenir à Moscou. Il attaquait donc, sans compromis, et au nom des droits de l'homme, le régime de l'Union soviétique, tout en affirmant, de la même voix : « Je n'emboîte pas le pas à l'impérialisme américain [39]. » Des réponses brèves, nettes, mais un peu faibles.

Sartre n'était-il pas, en fait, depuis longtemps déjà, silencieux? Question sans doute artificielle pour un homme qui ne disparut jamais vraiment de la scène publique, mais dont la « dérive » s'effectua sans heurt, progressivement et presque naturellement. Sa voix resta dans nos oreilles, mais s'atténua peu à peu. Sa colère de même. Quant à sa vigueur physique, elle s'en allait elle aussi lentement, et chaque nouvelle apparition publique laissait à ceux qui l'aimaient un sentiment étrange fait de malaise et de colère. Où était-il donc, notre Sartre? Était-il là encore dans ce petit bonhomme, obèse et boursouflé, mal rasé, tremblant, aveugle, marchant à petits pas? Un jour, un poète fou qui venait régulièrement lui réclamer de l'argent lui avait, par l'entrebâillement de la porte, envoyé un coup de couteau dans la main. On le vit avancer, dans les restaurants de Montparnasse, la main gauche bandée, petit vieillard fragile, cramponné au bras d'une dame, tâtonnant dans les quelques mètres qu'il faisait encore en public, entre la portière d'une voiture et le fauteuil d'un restaurant. Ces scènes-là, tous les habitués de La Coupole, de la Closerie purent les voir régulièrement, accédant publiquement à cet étonnant baromètre de la santé sartrienne, repérant la cécité, la sénilité précoce, les tremblements, les faiblesses, l'obésité. Et les gens qui déjeunaient là se glissaient avec consternation des mots de connivence et, à voix basse, se retournaient, surpris, ne parvenant parfois pas à réprimer un : « Mais, c'est Sartre... » profondément ému. Certains, aussi, lui en voulaient vraiment de ce qu'il était devenu : Sartre leur appartenait, et la dégradation, la déchéance, ils les rejetaient. On n'efface pas un mythe. D'autres l'en aimèrent davantage, qui, comme Françoise Sagan, lui témoignèrent publiquement leur affection de toujours. Le 21 juin 1979 – ce serait son dernier anniversaire –, elle lui envoya une superbe lettre, « lettre d'amour à Sartre », qui parut dans les colonnes du *Matin de Paris.* En 1984, Françoise Sagan raconta, dans un très beau livre, *Avec mon meilleur souvenir,* les déjeuners et les éclats de rire qu'ils partagèrent alors.

Les deux dernières images de Sartre, dans les interventions publiques qu'il tint à assurer, restent dans toutes les mémoires. Le 26 juin 1979, il fit partie de la délégation d'intellectuels qui se rendit à l'Élysée pour demander au président de la République de soutenir plus activement l'action de la France dans son aide aux « boat people » fuyant le Viêt-nam, le Cambodge et leurs régimes totalitaires, dans des conditions désespérées. On le vit redescendre doucement les marches du perron présidentiel; soutenu par André Glucksmann d'un côté, par Raymond Aron de l'autre. Les deux hommes avaient le même âge, et cette présence côte à côte d'Aron en costume-cravate, en pleine possession de tous ses moyens physiques, et de Sartre en blouson et polo, plus diminué que jamais, provoqua un réel malaise; surtout lorsque l'on entendit Aron glisser à l'oreille de Sartre, pour se faire reconnaître : « Mon petit camarade... » Trois mois plus tard, le 26 septembre, Sartre fut accompagné en voiture au cimetière du Père-Lachaise, le jour de l'enterrement de Pierre Goldmann, qui était membre du comité de rédaction des *Temps modernes,* assassiné quelques jours plus tôt. Sartre et le Castor, debout près d'une tombe, suivirent de loin, à l'écart de la foule, cet hommage public. Mais, comme toujours, quand il le fallait, ils étaient là.

Au début de l'année 1978, une altercation violente opposa directement Simone de Beauvoir à Pierre Victor : la compagne de cinquante années de vie partagée, au dernier secrétaire, complice quotidien des matinées du philosophe aveugle. Par glissements successifs, Victor avait découvert, au fil de ses lectures, l'œuvre d'Emmanuel Levinas – un des premiers introducteurs de la phénoménologie en France –, il avait commencé à s'intéresser à la Cabbale, puis décidé de remonter encore dans ses recherches, d'approfondir ses compétences en se lançant dans l'étude de la langue hébraïque. Parcours un peu insolite, de l'extérieur, pour ce juif non croyant qui n'avait aucune vocation religieuse, aucune formation, et qui était issu d'une famille qui n'observait le rythme des fêtes qu'avec une certaine distance critique. Par glissements successifs encore, Victor entretiendra Sartre de ses nouveaux centres d'intérêt, de la Cabbale vers l'histoire du peuple juif, vers la langue hébraïque, vers le Talmud enfin. « Il va quand même pas se faire rabbin! », avait dit un jour Sartre à Arlette dans un rire affectueux, devant certaines obstinations qu'il trouvait parfois exagérées chez Victor. Dans la ligne de ces nouvelles aventures, Victor avait programmé un voyage en Israël qui eut lieu quelques mois seulement après la visite à Jérusalem du président Sadate. Quelques jours à peine où Sartre, accompagné d'Arlette et de Victor, recevrait, dans sa belle chambre pour hôtes illustres en face de la porte de Jaffa, les personnalités israéliennes qui accepteraient de venir discuter autour de lui. « Il s'agissait pour Victor, raconte Arlette Elkaïm, de raviver l'esprit Sadate qui était en train de se banaliser dans la tête des Israéliens et des Arabes. De ranimer la flamme de la rencontre, en quelque sorte [40]. » Sartre reçut des intellectuels israéliens comme Menahem Brinker ou Ely Ben Gal, des intellectuels palestiniens comme Raymonda Tawil dans des discussions qui, toujours selon l'avis d'Arlette, restèrent « très artificielles ». Mais Sartre était ravi, souriant; il fut même vraiment heureux lorsque, dans un restaurant de Jéricho, il fut abordé par une jeune femme enthousiaste, Tal Auhalo : « Bonjour, monsieur Sartre, lui dit-elle. Merci d'exister ! » Dans la droite ligne de ce voyage, Victor avait préparé un texte d'entretiens avec Sartre sur le conflit israélo-arabe, texte qui devait servir de « fil rouge » au voyage. C'est ce texte, très précisément, qui allait faire éclater le conflit.

« Que les gens m'appellent " conscience universelle ", y déclarait notamment Sartre, ça me plaît plutôt, mais je ne suis pas conscience universelle. Je suis conscience particulière.

Victor : Puisque tu n'es pas Salomon ni la conscience universelle, de quel lieu parles-tu?

Sartre : J'ai l'idée subjective que le lieu où je suis, la France, est au fond le plus apte à jouer un rôle. De Paris peuvent venir des suggestions. Vu de leur point de vue, Paris peut formuler des suggestions pour un point de départ.

Victor : On retrouve la conscience universelle. Paris, c'est le XVIIIe siècle. C'est la Révolution française.

Sartre : Oui, tu sais que je suis fidèle à la Révolution française. Pour tout te dire, je dis : " C'est Paris " parce qu'il faut bien dire quelque chose, mais dans le fond, c'est tout simple : c'est l'idée que je peux me mettre en tiers dans une contestation... »

Victor avait envoyé le texte à Jean Daniel, le directeur du *Nouvel Observateur*, pour publication. « J'ai d'abord réagi en journaliste, nous explique Daniel. Je me suis dit : " Sartre, ça ce publie. " Mais le texte n'était pas bon, il était pauvrement écrit et exprimait des idées assez curieuses où l'on ne reconnaissait pas Sartre [41]. » Jacques-Laurent Bost, alors rédacteur dans cet hebdomadaire, y prit connaissance de ce texte signé « Sartre-Victor » et alerta le Castor. « Bost nous a téléphoné de *L'Observateur*, commente-t-elle, atterrée. En effet, ce reportage était nul : ils n'avaient passé que quatre jours en Israël, ce qui est vraiment trop peu pour se faire une idée. Jamais Sartre n'aurait fait cela tout seul; le texte était vraiment trop faible et Victor, qui ne savait pas écrire, en avait profité pour se servir du nom de Sartre. J'ai dit moi-même à Sartre que nous trouvions ce texte lamentable. Il a répondu : " Laissez donc tomber, je n'y attache pas d'importance " [42]. » C'est précisément là, à ce point du récit, que certains témoignages s'écartent les uns des autres, autour de la réaction de Sartre à cette première « impasse ». Et si ces témoignages divergent, c'est sans aucun doute que Sartre se comporta dans cette affaire, à l'égard des uns et des autres, de manière - disons - sélective. « C'était très dans son caractère », nous confirmera un proche. Silencieux à l'égard des uns, à peine contrarié devant les autres, tout à fait indifférent ou un peu en colère? Les témoins nous restituent leurs souvenirs. Jean Pouillon, pour sa part, raconte la scène : « Sartre a été furieux, dit-il. Cela ne l'arrangeait pas : il n'avait pas tellement envie que nous ayons raison contre Victor; même si ce texte avait été écrit par Victor, il avait donné son aval, et il a été très mécontent de notre coup d'arrêt. Je crois aujourd'hui que, même si cette intervention l'a fait souffrir, nous avons eu raison d'agir ainsi [43]. » Le clivage passé/présent prenait, dans cette scène, une ampleur tout à fait neuve; les tensions, qui avaient été, jusque-là, tant bien que mal avalées par le courant de la vie, éclataient dans un processus désormais irréversible. Et Sartre, qui aurait tant aimé ne mécontenter personne, se retrouvait alors écartelé entre le Sartre du passé - Castor et *Temps modernes* - et le Sartre du présent - Victor et Arlette. Son attitude, d'ailleurs, dans cette affaire, s'en ressentit : il avait entendu la critique sans appel du Castor et avait laissé faire. Il avait pourtant - signe patent - négligé de transmettre l'information à Victor. Qui l'apprit, de la bouche du Castor, au cours d'un comité des *Temps modernes.* « Quand j'en parlai à Victor, écrit Simone de Beauvoir, il se mit en colère : jamais on ne lui avait fait pareil affront... Bientôt, à une réunion des *Temps modernes,* qui eut lieu chez moi, sans Sartre, il y eut une violente altercation entre Victor, Pouillon et Horst, à propos de l'article que ceux-ci trouvaient détestable; Victor les insulta, déclara par la suite que nous étions tous des morts, que lui seul était vivant et ne remit plus les pieds aux réunions [44]. » « Ce jour-là, nous expliquera Benny Lévy, j'ai vraiment explosé, de toute ma violence rentrée, parce qu'ils ne comprenaient pas. J'ai même traité je ne sais qui de vieux grammairien [45]. » Sartre était absent le jour de la première et de la dernière altercation directe entre son passé et son présent, et cela n'est-il pas déjà largement symbolique? Il avait laissé faire, avait accepté sans mot dire que « son » article fût interdit par le tribunal sartrien, avait négligé de transmettre la pénible information de « censure », avait provoqué implicitement un affrontement entre les deux parties antagonistes dont il n'avait pas le courage de se séparer. Lassitude? Lâcheté? Impuissance? « Sartre n'était pas très à l'aise en face de ce texte, intervient maintenant Benny Lévy, et cela, je peux le comprendre : il n'en avait pas pris personnellement l'initiative, il savait que certains des passages pouvaient gêner les Israéliens, cela lui a posé un problème, et il a laissé faire [46]. » Il n'empêche : c'était un précédent, et les deux clans allaient désormais s'éviter, se raidir, se surveiller à vue... Les fils tendus depuis 1973 avaient craqué pour un incident qui n'en valait peut-être pas la peine, mais aucune réconciliation ne semblait plus possible. On avait vu, souvent, le trio Sartre-Beauvoir-Victor participer à des entretiens, des meetings, des voyages. Désormais, on ne verra plus que Sartre seul avec le Castor ou Sartre seul avec Victor. « Jusqu'alors, écrira plus tard Simone de Beauvoir, les amis de Sartre avaient toujours été les miens. Victor fut la seule exception. Je ne doutais pas de son attachement pour Sartre ni de celui de Sartre pour lui [47]. » Effectivement, à partir de ce jour-là et pendant deux ans, les cloisonnements artificiellement abolis par la cécité de Sartre vont se reformer comme avant, le Castor et Victor s'éviteront rigoureusement et entraîneront dans leur sillage tous les autres membres de la tribu en deux clans violemment hostiles l'un à l'autre, recomposant, de manière irréconciliable, les deux vies de Sartre.

C'est dans ces conditions, par exemple, que se déroula, en mars 1979, un colloque organisé par *Les Temps modernes* – Victor en était la cheville ouvrière – sur le thème « La paix maintenant? » et qui réunissait intellectuels palestiniens et intellectuels israéliens. Il y avait là entre autres Ben Gal, Margalit, Harkabi, Steinsaltz, du côté israélien; Dakkak, Watad, Nazzal, Charaf ou encore Edward Saïd du côté palestinien. « C'était un après-midi lugubre, raconte Saïd, il pleuvait des cordes, et nous avons d'abord déjeuné dans la brasserie alsacienne du carrefour de l'Odéon. Sartre ne semblait comprendre aucune langue étrangère, ni l'allemand, ni l'anglais, et même lorqu'on parlait français, il était complètement absent. Le lendemain, nous nous sommes réunis dans l'appartement de Michel Foucault : il voulait bien nous héberger, mais ne voulait pas entrer dans les discussions. Pour ma part, poursuit-il, je suis intervenu violemment dès le second jour pour affirmer que je n'avais rien à faire dans ce colloque si Sartre ne parlait pas. Que j'étais venu à Paris pour entendre la position de Sartre, et que je n'aimais pas du tout l'idée que l'on me faisait venir là pour m'étriper avec des Israéliens, pour jouer les animaux de cirque, les gladiateurs, dans le but de distraire quelques intellectuels parisiens. Puis Sartre a enfin parlé. Il a fait un discours qui n'était que platitudes : formules rituelles sans la moindre émotion, nous donnant la triste impression – à tous, tant Israéliens que Palestiniens – que nous étions devenus magiquement subhumains. Plus tard, je me suis approché de lui, je me suis mis à genoux pour lui parler de très près, il m'a une fois de plus répété son respect à l'égard de Sadate, et ce fut tout. Ce colloque fut pour moi un mauvais souvenir, conclut Edward Saïd, un vrai désastre. Et tout le monde, selon moi, pensa de même [48]. »

Pourtant Sartre ne cessait de parler de son prochain livre, celui qu'il était en train de préparer avec Victor et qui s'intitulerait *Pouvoir et Liberté.* « Ce livre-là, expliquait-il à ce sujet, c'est pour moi la politique et la morale que je voudrais avoir terminé à la fin de ma vie [49]. » Ils avaient discuté des heures et des heures et fait transcrire par Rosine, une des amies de la communauté de Victor, l'ensemble des bandes : huit cents pages en tout qu'Arlette avait été chargée de relire à Sartre ligne à ligne pendant un été, à Junas. « Cela n'est ni fait ni à faire », répétait-il souvent à Arlette, apparemment insatisfait. Alors ils procédèrent à de nouveaux entretiens : une vingtaine de pages, qu'Arlette relut ligne à ligne, que Sartre écouta, corrigea, réécouta encore. « Il était urgent pour nous, dit aujourd'hui Lévy, de mettre la charrue avant les bœufs, car la conjoncture politique d'une nouvelle droite montante se faisait alors vraiment menaçante. Nous avons donc prélevé de nos réflexions la partie où la métaphysique pouvait se dire en langue politique. Ces entretiens devaient être publiés à l'automne 1980, suivis des fondements de nos réflexions qui tournaient surtout autour de la révision par Sartre du concept de l'être pour autrui. Au fur et à mesure que nous travaillions ensemble sur ce texte, poursuit-il, c'est devenu une plaisanterie entre nous de s'interroger l'un l'autre : " Comment vont-*ils* réagir ? " en insistant sur ce " ils " à la fois abstrait et incontournable. Ce qui était acquis, entre nous, c'est qu'il n'y aurait en aucun cas le cinéma de 1978 ; on pensait qu'ils seraient choqués, mais on n'imaginait pas la violence qui a suivi [50]. » Chacun avait été secoué par la dernière altercation ; chacun se raidit donc dans une position plus dure encore : « Sartre dérape, s'étaient dit en substance les amis des *Temps modernes*, il faut empêcher la dérive » ; quant à Victor, violemment blessé que son investissement affectif et intellectuel à l'égard de Sartre fût ainsi rayé d'un trait de plume par des gens avec lesquels Sartre, depuis des années, ne discutait plus, il décida : « Eh bien, ce sera la dernière fois qu'ils auront le dessus ! »

En tout cas, cette fois-là, c'est Victor qui déposa en personne le texte des entretiens à Jean Daniel, dans son bureau de la rue d'Aboukir. « J'emporte le texte à la maison, nous expliquera Jean Daniel, où dînait ce soir-là Pierre Nora. Nous le lisons attentivement : c'était troublant, il y avait un tournant dans sa pensée, mais c'était fermement écrit, tout en marquant des changements étonnants sur des thèmes essentiels... Toute cette nuit-là, chez moi, le téléphone a sonné sans arrêt : Lanzmann, au nom de Simone de Beauvoir, Bost, Pouillon, qui m'adjuraient de ne pas publier ces entretiens. Je me suis alors demandé ce que je devais faire et le lendemain, au journal, j'ai montré le texte à Horst qui a émis une opinion différente : " Ils sont tous très excités, m'a-t-il déclaré, ils jouent les gardiens du Temple, et moi aussi qui devrais l'être, je ne le suis pas : ce texte ne me dérange pas. " Alors, poursuit Jean Daniel, je me suis préparé à appeler Sartre en présence de Horst; mais je n'ai même pas eu le temps de le faire, Sartre m'appelait de lui-même. Sa voix était d'une netteté parfaite, il parlait avec une autorité extrême. " Je crois savoir que vous êtes dans les tourments, me dit-il, je sais que mes amis ont fait votre siège. *C'est moi, Sartre,* qui vous demande de publier ce texte, et de le publier intégralement. Si jamais vous ne souhaitez pas le faire, je le publierai ailleurs, mais je vous serais reconnaissant de le faire. Je sais que mes amis vous ont contacté, mais je sais aussi qu'ils se trompent : c'est que l'itinéraire de ma pensée leur échappe, à tous, y compris au Castor... " Rarement, explique encore Daniel, Sartre avait été aussi net, aussi précis, aussi maître de sa pensée et de son verbe. D'ailleurs, quand je lui ai parlé d'une erreur dans le texte, et que je me suis inquiété de lui en faire repérer la ligne, je lui ai demandé : " Vous avez le texte près de vous ? – Je l'ai en tête ", me répondit-il. Et, en effet, il le connaissait par cœur. " Je compte sur vous, me dit-il en terminant. D'ailleurs, il y a encore de nombreux sujets sur lesquels je souhaiterais reprendre avec vous la discussion, la violence, par exemple. Et je le ferai volontiers, si le temps m'en est laissé. "[51] »

Il n'y eut pas, cette fois-là, d'affrontement direct entre Simone de Beauvoir et Victor : d'ailleurs, comment y en aurait-il eu, ils ne se voyaient pas ? La scène, par contre, opposa directement Sartre au Castor : c'est chez lui, boulevard Edgar-Quinet, qu'il lui avait fait lire les entretiens. L'un et l'autre, semble-t-il, se trouvèrent alors dans une situation absolument nouvelle, devant une absence totale de consensus minimal. « Sartre ne se mettait jamais en colère, nous racontera Arlette, c'était un homme solide, qui n'était contrarié par rien. Après cette scène, pour la première fois, il a exprimé une *immense* contrariété. Auparavant, il ne m'avait jamais parlé de tensions avec le Castor; après cette crise, pour la première fois, il m'a dit qu'il ne la comprenait pas; qu'à la lecture des entretiens, elle était entrée dans une grande fureur; qu'elle avait pleuré; qu'elle avait jeté le texte en travers de la pièce; qu'il avait voulu expliquer. " Mais parlons-en, Castor ", disait-il; qu'elle n'avait pas voulu, pas pu en parler [52]. » Apparemment, Sartre fut donc très profondément bouleversé par cette inéluctable altération de ses relations avec le Castor. D'ailleurs, au cours des deux mois qui séparèrent cette scène de la fin de sa vie, leurs liens profonds purent-ils vraiment se rétablir? « J'ai encore déjeuné avec ces deux muses austères, disait-il à Arlette lorsqu'il rentrait de ses déjeuners avec le Castor et son amie Sylvie, elles ne m'ont pas adressé la parole [53]. » « Je voudrais partir avec vous deux en vacances à Belle-Île pour Pâques, disait-il d'autre part à Sylvie, et qu'on ne reparle plus de tout cela [54]. »

Il avait transgressé un désir du Castor, et il le savait, et il s'était raidi contre elle, presque délibérément, avec obstination, contre son passé, contre les gardiens du Temple, contre le tribunal sartrien. « Sartre s'est entêté, analyse aujourd'hui très lucidement Simone de Beauvoir, parce qu'on était contre lui; il a redoublé d'entêtement par faiblesse. Il fallait qu'il se guinde dans une espèce de fausse force et, comme il était faible et brisé, il n'en parlait que plus fort. Comme, d'autre part, il n'était plus lui-même, il n'en subissait que plus directement l'influence de Victor. Ce dont Sartre ne s'est pas rendu compte, surtout, dans ces derniers entretiens, c'est que Victor l'avait entraîné à se renier. Non, il ne saisissait pas du tout la proportion du reniement que lui infligeait Victor, avec son côté Vichinski. Faute d'avoir un jugement ouvert, sûr de lui, Sartre s'est raidi : il avait beaucoup misé sur Victor, et il ne voulait pas accepter de s'être trompé. Il pensait qu'il sautait un pas que je ne voulais pas sauter, il pensait que je ne le comprenais pas, il a cru à une manipulation de ma part, à une manipulation des *Temps modernes*, alors qu'il avait été manipulé par Victor et par Arlette – vers laquelle il s'était habilement tourné après la crise de 1978. Il a été très déchiré par tout cela, il n'avait pas envie de se rendre compte de la vérité... Sartre, ajoute-t-elle encore, ne déléguait à personne le soin d'être l'avenir de Sartre, mais il n'avait plus ses yeux, il n'avait plus d'avenir, il savait bien qu'il était condamné à mort de manière assez proche, alors [55]... »

Sartre, imposant sa volonté à Jean Daniel de sa voix timbrée et inébranlable, n'est-ce pas l'image la plus forte de l'entêtement du vieux monsieur qui continue à imposer sa décision, coûte que coûte, contre l'enfermement, contre la censure, contre la stagnation, contre toute conduite raisonnable? « Allez, Robert, avait-il dit après toutes ces crises à Robert Gallimard, vous n'allez pas faire comme tous les autres, vous n'allez pas m'engueuler à votre tour! Vous vous rendez compte, avait-il encore ajouté, me faire condamner au nom des sartriens, c'est à mourir de rire! Mais vous verrez, quand le livre sortira, j'arriverai bien à les convaincre [56]. » Quant à Arlette, elle analyse les événements : « Ce n'est pas tant la critique qui l'a gêné, dit-elle, que l'appropriation par le groupe des *Temps modernes* de la Vérité sartrienne. " Ils me traitent comme un mort qui a l'inconvenance de se manifester ", m'a-t-il dit. Par ses séances de travail avec Victor, il venait casser tout ce que les autres avaient déjà achevé, il venait remettre en question le livre de Simone de Beauvoir, *Tout compte fait*, où elle faisait un bilan de leurs vies, il venait déranger le groupe des *Temps modernes*, qu'il perçut désormais comme des tuteurs [57]. » Et elle déplore encore que personne, parmi les membres du comité de rédaction des *Temps modernes*, n'ait pris la peine de venir voir Sartre pour discuter précisément avec lui de ces entretiens, pour lui exposer leurs critiques détaillées, ce qui l'aurait aidé à comprendre... « Lui en parler? m'a répondu Jean Pouillon. A quoi bon? D'ailleurs je n'ai même pas voulu lire ces entretiens. A quoi cela aurait-il servi que j'en parle à Sartre? On aurait pu s'engueuler... Ou bien je ne le convainquais pas, et on ne se voyait plus; ou bien je le convainquais, mais au prix de quoi? Qu'aurais-je fait alors? Je serais venu tous les matins le voir, mais cela aurait fait garde-malade [58]. »

Dans cette histoire pénible, en fait, tout le monde eut le mauvais rôle. Et les amis de toujours, garants d'une Vérité sartrienne. Et les nouvelles relations qui le brusquent peut-être et, avec son propre accord, le remettent profondément en question. La véritable scission engagée dès 1973 va empoisonner les dernières années de Sartre. Et lui, tiraillé entre ces deux structures très fortes au demeurant, va se comporter comme il le fit souvent : repli sur soi, envie de ne pas savoir, de concilier l'inconciliable : lâcheté? Mais Sartre n'était pas homme à s'arrêter de vivre, de travailler, de se transformer malgré les soucis physiques; bien au contraire, on eut parfois le sentiment que, comme attiré par un vertige, il s'amusait à vivre.

D'ailleurs, à part les proches qui enduraient avec douleur ce dernier conflit, presque personne ne se rendit vraiment compte de ces tensions qui restèrent, bourgeoisement, dans les coulisses de la « famille ». C'est pourtant dans cette atmosphère viciée de clans que Sartre fut admis le 20 mars en urgence à l'hôpital Broussais, sur le diagnostic d'un œdème pulmonaire. Exactement contemporains de toutes ces contrariétés de coulisses, paraissaient dans *Le Nouvel Observateur* les fameux entretiens pour lesquels Pierre Victor abandonnait définitivement son pseudonyme et redevenait Benny Lévy. Six années avaient passé depuis la publication du dernier volume de *Situations*, sept, depuis le troisième tome de *L'Idiot de la famille*, cinq enfin, depuis *On a raison de se révolter*. Durant trois semaines successives, les lecteurs allaient découvrir avec étonnement ces entretiens Jean-Paul Sartre - Benny Lévy intitulés « L'Espoir maintenant ». Découverte publique et brutale de ce dont seuls les proches avaient été tenus informés. La teneur des propos, cumulée à cette nouvelle forme de dialogue – à laquelle Sartre ne s'était jamais prêté auparavant –, provoqua une surprise considérable. En effet, on n'était pas face à une interview de Sartre par un journaliste ou un spécialiste – comme cela avait été le cas cinq ans et trois ans plus tôt dans les interviews qu'il accorda à Catherine Chaîne pour parler des femmes, à Michel Contat pour cet « Autoportrait à soixante-dix ans ». Car ce n'était nullement Benny Lévy s'adressant respectueusement à Sartre pour obtenir de sa bouche des compléments d'informations, voire des explications sur son œuvre philosophique. Mais c'était des séquences de leurs séances de travail prélevées çà et là au cours des dernières années et qui avaient *la forme même* qu'avaient eue leurs relations : camaraderie décontractée et informelle, égalité des deux partenaires. Et le tutoiement réciproque, qui choqua tant, n'était en fait que le moindre des écarts. Dans les groupuscules de mai 68 et d'après-mai, le tutoiement était un rituel auquel ne dérogeaient que les exclus. Or Sartre s'intégra fort vite ; mais ce mode de camaraderie, qui présentait un Sartre à armes égales avec un inconnu de moins de trente ans, qui n'avait rien écrit, rien publié, et qui jouait à la fraternité avec l'Intellectuel numéro un du pays, provoqua un réel émoi. D'ailleurs les propos que Sartre tenait là ne faisaient qu'amplifier le malaise. Sartre avait disparu intellectuellement depuis le dernier *Flaubert*, il avait réémergé, par touches, sur la scène politique ; mais on ne savait somme toute rien de la vie qu'il menait depuis 1973. Et voilà que, brutalement, il réapparaissait là, dans un rôle absolument inattendu, et qui laissait tout le monde pantois.

« Depuis quelque temps, commençait Benny Lévy, tu t'interroges sur l'espoir et la désespérance. Ce sont des thèmes que tu n'abordais guère dans tes écrits.

Sartre : – En tout cas, pas de la même manière. Car j'ai toujours pensé que chacun vit avec de l'espoir...

Lévy : – Dans *L'Être et le Néant*... tu ne parlais peut-être pas d'espoir, mais tu parlais de désespoir.

Sartre : – Oui, je parlais de désespoir, mais, comme je l'ai bien souvent dit, ce n'était pas le contraire de l'espoir... Je n'ai jamais été désespéré pour ma part, ni n'ai envisagé, de près ou de loin, le désespoir comme une qualité qui pouvait m'appartenir. Par conséquent, c'était en effet Kierkegaard qui m'influençait beaucoup là-dessus.

Lévy : – C'est curieux, puisque tu n'aimes pas vraiment Kierkegaard.

Sartre : – Oui, mais j'ai quand même subi son influence. C'étaient des mots qui me semblaient pouvoir avoir pour d'autres une réalité. Je voulais donc en tenir compte dans ma philosophie. C'était la mode. »

Et l'entretien se déroulait, bizarre. Les questions philosophiques serrées qu'envoyait sans relâche Lévy démontraient sa connaissance profonde de l'œuvre de Sartre. Sartre, pour sa part, parlait de manière entièrement neuve : rhétorique moins percutante, affadissement de la pensée, mollesse des arguments. D'où venait exactement l'impression de malaise que tout le monde ressentit alors? Des nouvelles positions de Sartre? Du nouveau style de ces entretiens? Ou bien, plutôt, de ce que cette rencontre intellectuelle privée fût si brutalement et si inopinément projetée en pleine lumière? Et qu'elle exhibât l'image d'un nouveau Sartre, tellement moins tonique, tellement moins pugnace, décevant : un autre Sartre?

La publication de ces entretiens fut la première pièce publique qui informa les lecteurs sur les dernières années de Sartre. Après sa mort, des explications allaient se multiplier, les différents acteurs de ces moments-là livrant, tour à tour, des pièces à conviction pour ce grand dossier qui devenait, somme toute, résolument public. Ce fut une succession de dépositions entre l'automne 1981 et l'automne 1984. Simone de Beauvoir, la première, décida de parler et de dévoiler ses informations : son livre, *La Cérémonie des adieux*, qui parut chez Gallimard dix-huit mois après la mort de Sartre, était un récit méticuleux et clinique, un journal des dix dernières années de la vie de Sartre. Devant ce livre, écrit comme en exorcisme, les lecteurs réagirent comme ils l'avaient toujours fait à l'égard de ce couple devenu mythique : avec respect ou rejet radical. Certains trouvèrent dans ce livre le témoignage d'« une infinie tendresse », d'autres le repoussèrent, le jugeant « insupportable ». Pourtant, personne ne dit à quel point la veine y était « beauvoirienne », dans la même thématique et la même couleur littéraire que certaines de ses œuvres antérieures, comme *Une mort très douce*, *La Vieillesse*, ou encore certains passages de *Tout compte fait*. « Voici le premier de mes livres, écrivait le Castor, – le seul sans doute – que vous n'aurez pas lu avant qu'il soit imprimé. Il vous est tout entier consacré et ne vous concerne pas... Ce vous que j'emploie est un leurre, un artifice théorique. Personne ne l'entend; je ne parle à personne. En vérité, c'est aux amis de Sartre que je m'adresse [59]. » A partir de *La Cérémonie des adieux*, les conflits de la famille sartrienne devinrent tout à fait publics, et Arlette, mise en cause directement, répondit, à la suite de certains articles tendancieux, dans une lettre ouverte destinée à Simone de Beauvoir, qui parut dans *Libération*. « J'apparais, lui écrivit-elle notamment, – pour la première fois – dans vos mémoires, où vous m'attribuez le rôle de Bécassine, à propos de ces entretiens. Je m'en consolerais aisément si, en réduisant chacun à quelques schémas caractériels ou autres, vous ne trahissiez pas Sartre par la même occasion. Continuer à me taire serait une lâcheté, vous êtes allée trop loin... Quand nous étions Sartre et moi en tête à tête, poursuit-elle, j'essayais de lui servir d'yeux, autant que cela était possible... Rien ne vous empêchait, en tout cas, de vous asseoir près de lui, feuillets en main, et de lui faire part de vos critiques, point par point. Ce n'est pas trop de dire qu'il a été surpris que vous n'en fassiez rien [60]. » Quelques mois après ce dialogue public, lorsque à Pâques 1982 furent publiés les premiers inédits de Sartre consécutifs à sa mort – *Les Carnets de la drôle de guerre* et les *Cahiers pour une morale* –, certains journalistes s'intéressèrent à celle qui était l'exécutrice testamentaire de l'écrivain, sa fille adoptive, Arlette, et lui demandèrent des interviews : cette personnalité inconnue de l'entourage de Sartre, et qui avait désormais un rôle capital dans la gestion de son œuvre, intriguait. Enfin, à l'automne 1984, Benny Lévy décida de s'exprimer à son tour : il publia aux éditions Verdier un étrange petit livre intitulé *Le Nom de l'homme : dialogue avec Sartre*. Contrairement à toute attente, Lévy n'entra pas le moins du monde dans la polémique et proposa un livre de philosophe, tout entier tourné vers une étude dense et coriace de l'œuvre sartrienne, vers une lecture judaïque, absolument subjective et personnelle de l'ensemble des textes de Sartre, attestant par là une connaissance absolument remarquable de cette œuvre : Lévy se déplaçait, comme nul autre, entre le *Saint Genet*, la *Critique*, le *Flaubert*, le *Baudelaire*, les *Réflexions*, etc., rapprochant les thèmes, les concepts, tissant sa propre voie, résolument isolée, dans les maquis et les labyrinthes de l'œuvre sartrienne.

Ainsi apparaissaient, par plaques, certains moments privés des dernières années de l'écrivain. Ainsi émergeait, par séquences, la personnalité de certains de ses proches dont le grand public ne connaissait même pas le nom. Ainsi s'écrivit, peu à peu et comme en un feuilleton étiré sur des années, l'histoire lentement complétée d'un écrivain aveugle qui s'obstinait à vivre et à penser contre lui-même, contre tout le monde, et qui s'appelait Sartre. Surprenante et douloureuse, l'histoire de sa vieillesse se laissa découvrir avec une étonnante parcimonie mais, somme toute, au bout du compte, on eut l'impression – fausse, au demeurant – de tout connaître de ces conflits intimes.

Au moment où l'on découvrait dans *Le Nouvel Observateur* la série d'entretiens avec Benny Lévy, Sartre était au service des urgences de l'hôpital Broussais. Au chevet du malade se succédaient les intimes. Il y eut même un médecin qui fit un grand plaisir à Sartre en lui affirmant qu'il avait lu les derniers numéros du *Nouvel Observateur* et que ses propos l'avaient vivement intéressé. Benny Lévy avait accepté, pour le début d'avril 1980, de faire un reportage pour le *Corriere della Sera* à Jérusalem puis au Caire. « C'est dans ma ville natale, au Caire, nous racontera-t-il, qu'on m'apprit que Sartre avait été hospitalisé, et qu'il était à l'agonie. Je suis rentré précipitamment du Caire et je lui ai rendu visite à l'hôpital; il était en salle de réanimation, les deux bras attachés par des perfusions, sans aucune mobilité; j'entre dans la pièce, il se relève : " Ah, Victor, on va reprendre bientôt, tu sais... " Il voulait absolument, poursuit Lévy, parler de ce que nous ferions quand nous retravaillerions ensemble, il voulait être tenu au courant des différents intérêts qu'avaient manifestés journalistes et éditeurs étrangers pour nos entretiens; certains nous avaient même déjà contactés pour acheter les droits et les publier en plaquette [61]. » Ainsi, dans les visites rigoureusement cloisonnées par le Castor et par Arlette, chacun des membres de la « famille » put venir s'entretenir, à tour de rôle, avec le philosophe qui parlait de la vie qui continue. Un jour, à Pouillon qui lui tendait un verre d'eau parce qu'il avait soif, il envoya d'une voix gaie : « La prochaine fois, ce sera du whisky, et ce sera chez moi [62] ! » Sartre mourut le 15 avril 1980, à vingt et une heures, dans le lit qu'il occupait à l'hôpital Broussais, et alors qu'Arlette le veillait. La nouvelle tomba moins d'une heure plus tard à l'agence France-Presse, qui répercuta.

« Jean-Paul Sartre est mort », titra *Libération* comme on lance un cri. La première page lui était entièrement consacrée, avec une grande photo du philosophe – au début des années 70 –, rigolard, les mains sur les genoux, en attente de témoigner pour un énième procès, assis sur un banc du palais de justice.

« L'immense Sartre, commentait Serge July, occupa le siècle comme Voltaire et Hugo le leur... lui qui fut partout, depuis quarante ans, de toutes les écritures, de tous les combats... » « Sartre est mort », annonça *Le Matin* sur toute sa page, avec l'étrange photo d'un homme à lunettes, lisant ou écrivant sous une grande lumière blanche. « Avec lui disparaît l'un des rares hommes vraiment libres de notre époque, disait le commentaire, l'un des seuls honnêtes hommes au sein d'une époque trouble et impuissante. » « Mort de Jean-Paul Sartre », écrivit *Le Figaro*, dans sa une, tandis que, dans les pages intérieures, Jean d'Ormesson saluait en lui « le dernier des maîtres de la pensée française ». « Ses rapports avec le Parti communiste ne furent pas simples », note à son tour laconiquement dans *L'Humanité* Georges Marchais, qui en profite pour saluer « l'un des grands esprits de notre temps ». « La mort de Jean-Paul Sartre », annonçait enfin sur toute la première page *Le Monde*, dans son édition, l'après-midi, en consacrant plus de huit pleines pages, ce jour-là, à « l'histoire passionnée d'un intellectuel engagé ». Pas un quotidien, national ou régional, pas un hebdomadaire, de droite ou de gauche, qui ne consacrât à l'événement plusieurs pages de biographie, même sommaire, ou de photos. Les hebdomadaires, quelques jours plus tard, avaient, à leur tour, fait le plein des signataires prestigieux, des témoignages inédits. *L'Express*, *Le Nouvel Observateur*, *Le Point*, *Les Nouvelles littéraires* participèrent de cette inflation de mots, consacrant à leur dossier Sartre leur couverture, ainsi qu'une quinzaine, une vingtaine parfois de pages intérieures : plus qu'ils n'avaient jamais consacré à un événement littéraire!

Témoignages de tous les témoins possibles, extraits de ses œuvres, rappel de toutes les dates clefs ou présumées telles, de tous les voyages, de toutes les publications, en une espèce d'album de famille où chacun retrouvait consignés les grands moments du siècle. Une sorte de surenchère délirante qui n'avait, au fond peut-être, qu'une seule et véritable signification : rendre compte, à la fois, d'une dette considérable à l'égard de Sartre; rendre compte, surtout, de l'impuissance à exprimer cette dette. Car ce délire d'informations dérapait parfois vers la comptabilisation un peu maniaque, le dénombrement pur et simple : Sartre était donc l'auteur d'une cinquantaine d'ouvrages qui représentaient en tout près de quinze mille pages. Ou bien, selon une autre échelle, Sartre pouvait être considéré comme l'auteur d'environ six cents livres, articles et entretiens... Et ce débat sur la quantité de mots, la quantité de pages, n'était-il pas, à lui seul, une des plus belles preuves de l'impuissance à le cerner? *Libération* et *Le Matin* décidèrent alors de confectionner un numéro spécial Sartre qui lui serait intégralement consacré : un vrai magazine d'une trentaine de pages, un souvenir. Le premier choisit pour la couverture le philosophe penché et en contre-jour, marchant sur une plage lituanienne, dans les années 50; le second préféra une illustration noire et rouge, genre album de famille, avec la photo du petit garçon aux longues boucles qu'il commenta lui-même dans *Les Mots* : plus de cent mille exemplaires furent tirés et vendus, dans les deux cas. Le vendredi soir, la veille de l'enterrement, Bernard Pivot décida d'annuler l'émission « Apostrophes » qui avait été originellement prévue, pour composer un plateau « spécial Sartre » qui donna d'ailleurs lieu à un étrange face-à-face Benny Lévy-Raymond Aron.

A l'inflation verbale de la presse française succéda sans tarder celle de la presse étrangère. Première page et photos pour le *New York Times* et le *Washington Post* : « Malgré sa rupture avec le P.C.F. en 1956, notait pourtant ce dernier, l'homme restait un communiste. » Amusant va-et-vient de l'image de Sartre, bringuebalée çà et là dans le monde, sujette à toutes les projections, à toutes les approximations les plus fantasques. D'ailleurs, à Moscou, les *Izvestia* n'annonçaient-ils pas la nouvelle – phénomène unique dans le monde – en cinq lignes sèches, se bornant à affirmer qu'il avait été un « écrivain, un philosophe et un polémiste célèbre »? De Rome, le président de la République italienne, Sandro Pertini, envoya un message à Simone de Beauvoir, saluant « une des voix les plus influentes et les plus originales de la conscience française, pour les plus hautes valeurs humaines de liberté et de justice ». Et les quotidiens de toute l'Italie emboîtèrent le pas à leur président, dans des témoignages fraternels. « Notre ami, notre maître », titra Rossana Rossanda, dans un article chaleureux qui se terminait par ces quelques phrases : « Il a vécu et il est mort en courant, généreusement, sautant tous les obstacles, tombant, se relevant et repensant, remettant tout en question. Une vie splendide. » Au Brésil, Jorge Amado rappela que venait de mourir l'homme « le plus important de l'après-guerre, celui qui a exercé la plus grande influence sur le monde d'aujourd'hui ». A Athènes, c'est Melina Mercouri et Jules Dassin qui saluèrent la disparition de cet « activiste de la liberté »; à Londres, Sir Alfred Ayer exprima son émotion devant la « grande perte » qui venait d'avoir lieu « pour la culture française ». « C'est un géant qui vient de mourir », commenta à son tour depuis Tokyo le professeur Takeshi Ebisaka, qui avait traduit plusieurs œuvres de Sartre. « Il a incarné le XXe siècle, commentait-il, non seulement par son œuvre, mais par son attitude devant la vie. » Depuis le Vatican même, parvenaient des témoignages dans *L'Osservatore Romano*, témoignages réticents – on l'imagine – sur « la disparition de l'une des figures les plus en vue et les plus discutables de l'intelligentsia européenne ». Devant l'Unesco même, le président de la République du Venezuela tint à proposer un hommage officiel. A leur tour, depuis Jérusalem, Le Caire, Pékin, Belgrade, Varsovie, Buenos Aires, Madrid, Budapest, journalistes et intellectuels prirent et reprirent la parole pour dire et redire émotion, chagrin, conscience de la perte.

Les personnalités de tous bords, de tous domaines, à l'étranger comme en France, furent soumises par les journalistes à un véritable talonnage, sollicitées de raconter et raconter encore, pressées comme par l'urgence. « Je ressens la disparition de Jean-Paul Sartre, avait déclaré de son plein gré le président de la République française, comme celle d'une des grandes lueurs d'intelligence de notre temps. Jean-Paul Sartre rejetait tous les honneurs, poursuivait-il. Il ne convient pas que l'hommage du président de la République paraisse contredire ce choix intime. » L'Élysée ne diffusa donc pas de communiqué officiel à ce sujet à l'issue du conseil des ministres du mercredi. Mais le président de la République, toujours respectueux du choix de Sartre, fit téléphoner à la « famille ». Il s'enquit des modalités souhaitées pour l'enterrement, proposa des funérailles officielles, donna des directives pour que l'on facilitât l'établissement du trajet choisi, se fit enfin représenter aux obsèques par son directeur de cabinet, Jacques Wahl. Et puis il fit dire aux proches qu'il irait, en personne, s'incliner à l'hôpital sur la dépouille mortelle de l'écrivain : « Je suis arrivé à l'hôpital, où le directeur m'attendait pour me saluer, raconte le président Giscard d'Estaing. Puis j'ai tourné à gauche et, sous un hangar, j'ai trouvé le cercueil de Sartre avec, à côté, un autre cercueil. Je suis resté là une heure. Personne d'autre n'est venu. A l'extérieur, il y avait tant d'agitation dans la presse, tant d'informations sur l'enterrement qui aurait lieu deux jours plus tard, et je me trouvais là, seul, recueilli devant le cercueil de Sartre, sous un hangar banal et anonyme. En repartant, je me disais que Sartre eût aimé cet hommage sans parade du premier personnage de l'État [63]. »

« Pour Sartre, déclara à son tour l'ancien leader de mai 68 Dany Cohn-Bendit, sollicité par l'A.F.P., le problème n'était pas de rassembler des hommes, mais de rassembler des idées. Il ne demeurera pas un symbole en tant que guide qu'il ne voulait pas être, mais en tant qu'homme qui désirait fondamentalement la liberté. Je crois, concluait-il, que, dans ce désir, énormément de gens se reconnaissent. » En effet, le journal des travailleurs immigrés *Sans frontière* publia, sous la plume de Saïd Bouziri, un bel éditorial : « Sartre à Barbès, lisait-on, c'était essayer de briser le silence, empêcher que les immigrés ne deviennent les " boucs émissaires " de tout, et empêcher surtout que la peur ne s'installe dans leur cœur... Il s'agissait d'une tentative de dialogue entre Sartre et le tiers monde présent ici... La mort de Sartre laisse un vide monumental... » Et dans toutes les Antilles, les journaux écrivaient, en créole, des articles de la même veine que celui-ci, débordants de gratitude. « Sartre, un mal nèg », titrait par exemple le journal créole *Grif an tè*. « Un mal nèg », devaient nous expliquer des intellectuels martiniquais – Vincent Placoly, René Achéen et Roland Suvélor –, on pourrait traduire cela par « un grand bonhomme », « un type exceptionnel ». Les seuls grincements à ce concert de louanges provenaient, en revanche, de certains pays arabes : « A mon avis, déclara le politologue palestinien Nafez Nazzal, sa dévotion à Israël l'emportait sur le reste. » Puis ce devint le tourbillon, et l'auberge espagnole : on ressortit le texte de *Bariona* pour prouver qu'il y avait en Sartre un chrétien méconnu ; on ressortit des documents divers, parfois dénués d'intérêt.

Sartre était mort, et la vie continuait, et tous ceux qui l'avaient aimé écoutaient, orphelins, impuissants, ces hommages monter de partout. Ils se disaient aussi que, désormais, ils ne pourraient plus comme avant, devant un événement politique, une décision à prendre, se demander à eux-mêmes, et dans l'attente du choix : « Mais, au fait, qu'en pense Sartre ? » Oui, c'était bien une conscience critique qui venait de disparaître et toute la semaine qui suivit fut endeuillée d'articles et de rappels. Déclarations d'hommes politiques, échos de la presse étrangère : on n'en finissait plus de dire et de redire les étapes, les œuvres, les scènes, les amitiés, les voyages. Et l'on avait le vertige de tant de traces mêlées, sa dernière invention, son premier entretien, on le revit bébé en boucles blondes posant devant un bateau à Thiviers et pendant l'occupation dans le jardin de Gide, on le vit à Capri, à Saint-Germain-des-Prés, à la Goutte-d'Or, dans les maquis cubains, on le vit parler, on le vit se taire, on le vit sourire à une dame et parler sur son tonneau ; on le vit avec Aron poser pour la photo de promotion de Normale Sup en 1925 et avec Aron sortir de l'Élysée en 1979 ; on le vit manifester, poser avec ses élèves, avec ses comédiens, fumer des cigares, des cigarettes, des pipes ; on le vit au théâtre, au tribunal, devant des portes de prisons ou sur des tribunes ; on le vit sur un lac chinois et sur une plage lituanienne, avec Moravia, avec Godard, avec Khrouchtchev, Périer, Nasser, Foucault, Nizan et Fidel Castro ; on le vit avec le Castor, avec Genet, avec Jean Cau, avec Michelle, avec Arlette : indicible mélange !

Durant la nuit de veille auprès de la dépouille mortelle de Sartre, les anciens des *Temps modernes* avaient parlé, raconté, bu jusqu'à cinq heures du matin, lorsque les infirmières les chassèrent de la pièce. « Je ne dirai pas que c'était gai, nous dira Jean Pouillon, mais c'était bien, nous sommes allés chercher du whisky et nous nous sommes retrouvés [64]. » Puis Bost, Pouillon et Lanzmann avaient pris en main l'organisation des obsèques. Ils se rendirent au cimetière du Montparnasse pour rencontrer le directeur, demander une faveur; rien, en fait, n'avait été prévu; Sartre avait simplement souhaité être inciné et, surtout, surtout, échapper à la place qui lui avait été réservée, au cimetière du Père-Lachaise, aux côtés de son beau-père. Le directeur du cimetière du Montparnasse reçut très civilement les trois amis de Sartre et leur promit une tombe, d'abord provisoire, à gauche en entrant, puis une place définitive, dans la première allée de droite. « Vous verrez, leur dit-il, c'est très calme, et ce n'est pas très loin de Baudelaire. D'ailleurs, si mes souvenirs sont bons, Sartre avait écrit un livre sur Baudelaire, n'est-ce pas? » Il leur serra la main, un à un, puis, s'approchant de Pouillon, ajouta avec une fierté de circonstance : « Je savais bien qu'il viendrait chez nous [65]. » Alors on régla le déroulement de l'enterrement : levée du corps à l'hôpital, d'où partira à quatorze heures le cortège; parcours dans le XIVe arrondissement, croisant tous les lieux sartriens, avant d'entrer au cimetière du Montparnasse, par la porte Edgar-Quinet.

Ils arrivèrent en masse au cimetière du Montparnasse, avec leurs enfants sur leurs épaules, pour qu'ils voient ça. Ce fut un rassemblement énorme, bigarré, inattendu, la vague d'une foule déferlante. Bousculades, cris, bagarres. Un homme tomba dans la fosse, sur le cercueil. C'était samedi après-midi et plus de cinquante mille personnes avaient tenu, symboliquement, à être là. Ce fut, ce jour-là, sous un ciel gris et plombé la longue marche désordonnée du « peuple de Sartre », sur un parcours sartrien de plus de trois kilomètres, dans la spontanéité et la bousculade. Certains affirmèrent qu'en passant devant le célèbre restaurant La Coupole, ils avaient vu les garçons de café, dehors, s'incliner devant le cortège. « On entre dans un mort comme dans un moulin », avait un jour écrit Sartre dans sa préface à *Flaubert*. Assurément, dans les scènes de cet enterrement, dans les bagarres et les mélanges, tout portait à le croire : et ce peuple de Sartre, bariolé, mouvant, hétérogène, tumultueux et sympathique, en portait peut-être les marques. C'était modeste et noble à la fois, sobre et incontrôlé. Sartre s'en allait, provoquant dans son départ l'une des manifestations les plus étranges du pouvoir intellectuel en cette fin du XXe siècle. Le petit homme solitaire, l'isolé, l'anarchiste, le père sans descendance entrait ce jour-là dans une sorte de légende. Catapulté malgré lui au pinacle officiel. Clochard forcé de traîner derrière lui tous les enfants du siècle et d'endosser de force des habits de lumière. L'écrivain réfractaire aux honneurs recevait, impuissant, son tribut d'hommages et de gloire. Plus de folie, plus de défense. Tombant, glissant, dégringolant à l'infini dans la fosse vulgaire de la gloire. A New York, les services culturels de l'ambassade de France avaient organisé, en guise d'hommage, le jour même de l'enterrement, la projection du film *Sartre par lui-même.* Au milieu de la foule, une toute petite dame au teint foncé, au chignon tiré, s'y rendit, seule et anonyme. C'était Dolorès Vanetti.

Des millions de mots d'hommages pour saluer son départ, des milliers de dépêches d'agences – « Biographie longue », « Biographie courte » – qui se croisent dans le monde entier et dans toutes les langues, des analyses, des synthèses, des photos, des citations, des anecdotes, des tentatives vaines pour le saisir domaine par domaine, des masses et des masses d'archives, de mots, de papiers, de discours, en une incroyable surenchère verbale. Et pourtant, un grand blanc : aucune ode funèbre véritable, à l'image de celles qu'il rédigea lui-même sur le tombeau de ses copains, Camus, Merleau, Nizan, Gide, Togliatti, Fanon... Personne, pourtant, pour prendre la parole sur un mode à la fois lyrique et global – de celui qui fut le sien – lorsqu'il saluait, pour sa part, et avec panache, la vie de ses amis disparus. Dernière parade de l'Intouchable? Impuissance à saisir sa polyvalence? Perpétuellement fuyant, mobile, mouvant jusqu'au vertige, Sartre serait donc parvenu, jusqu'au jour de sa mort, à se défiler, à échapper aux filets, au rets, au marbre et au bronze patiné. « La mort, je n'y pense pas, avait-il expliqué deux années plus tôt. Elle ne vient pas dans ma vie, elle sera dehors. Un jour, ma vie cessera mais je veux qu'elle ne soit obérée par la mort en aucun cas. Je veux, insistait le philosophe, que ma mort ne rentre pas dans ma vie, ne la définisse pas, que je sois toujours un appel à vivre. »

NOTES

I. EN MARCHE VERS LE GÉNIE! 1905-1939

Pleins feux sur Jean-Baptiste

1. Cette lettre ainsi que toutes les lettres de Jean-Baptiste Sartre citées dans cet ouvrage proviennent du fonds d'archives privées de la famille Sartre. Elles ont été retrouvées grâce à la perspicacité de Michèle Schmitt-Joannou, au cours de son enquête dans le Sud-Ouest.
2. Archives de l'École polytechnique.
3. Témoignage de Mme Raynaud, rencontre avec Annie Cohen-Solal le 23 avril 1984.
4. Ces notations, ainsi que toutes celles qui suivront dans ce chapitre, proviennent du dossier personnel de Jean-Baptiste Sartre.
5. Correspondance inédite de l'état-major de la Marine, escadre de l'Extrême-Orient avec la France, années 1898-1899, Service historique de la Marine.
6. Archives familiales privées.

Les malheurs d'Anne-Marie

1. Catalogue Albert Schweitzer, exposition de la B.N. et universitaire de Strasbourg, 1975.
2. Les lettres citées dans ce chapitre proviennent également des archives privées de la famille Sartre retrouvées à Périgueux.

Bestiaire privé d'un enfant-roi

1. *Les Mots,* Gallimard, 1963, p. 17.
2. *Ibid.*, p. 23.
3. *Ibid.*, p. 13.
4. *Ibid.*, p. 48.
5. *Ibid.*, p. 31.
6. *Ibid.*, p. 91.
7. *L'Histoire d'Alsace racontée aux petits enfants* par l'oncle Hansi et *Le Grand Livre de l'oncle Hansi,* éditions Herscher, Paris, réédition 1983.
8. Archives famille Sartre-Schweitzer.

9. *Les Mots*, p. 132.
10. *Ibid.*, p. 22.
11. Extrait de « Matériaux autobiographiques », inédit, préparé par Sartre pour le scénario des émissions télévisées (projet Jullian, 1975). Archives Daniel Lindenberg.
12. *Les Mots*, p. 150.
13. *Ibid.*, p. 148.
14. *Ibid.*, p. 56.
15. Ces informations sur Nick Carter et les autres lectures de Sartre enfant proviennent de Jean-Paul Mougin de la revue *A suivre*, et de Pierre Pascal.
16. *Les Mots*, p. 114.
17. *Ibid.*, p. 183.
18. *Ibid.*, p. 184.

Scènes de vie rochelaise

1. « Jésus la Chouette professeur de province », in *Les Écrits de Sartre*, Gallimard, 1970.
2. Entretien avec Gérassi, cité dans Sartre, *Œuvres romanesques*, Pléiade, Gallimard, 1981.
3. Témoignage du chanoine Raymond de Magondeaux recueilli par Michèle Schmitt, avril 1983.
4. Témoignage de Guy Toublanc, entretien avec A.C.-S. le 14 février 1984.
5. Témoignage rapporté par Gaston Blanchard à A.C.-S. le 20 février 1984.
6. *La Cérémonie des adieux*, Gallimard, 1981, p. 373.
7. Extrait de « Matériaux autobiographiques », *op. cit.*
8. Fernand Braudel et Ernest Labrousse, *Histoire économique et sociale de la France*, t. IV, 1er vol., archives 1880-1914, P.U.F., 1979.
9. Entretien de Sartre avec Catherine Chaîne, *Le Nouvel Observateur*, janvier-février 1977.
10. *La Cérémonie des adieux*, p. 186.
11. Extrait de « Matériaux autobiographiques », *op. cit.*
12. Lettre datée de septembre 1921.

Mille Socrates

1. Jean-Paul Sartre, préface à *Aden Arabie* de Paul Nizan, Maspero, 1960.
2. Archives famille Sartre-Lannes, Périgueux.
3. Témoignage de Georges Canguilhem, rencontres avec A.C.-S. les 8 juin 1982 et 24 mars 1983.
4. Sur les khâgneux et normaliens de ces années-là, voir la thèse de J.-F. Sirinelli.
5. Texte inédit, archives Michel Rybalka.
6. Paul Nizan, *La Conspiration*, Gallimard, 1938.
7. Publié dans *Les Écrits de Sartre.*
8. Texte inédit, mais dont un extrait figure dans *Le Magazine littéraire*, spécial Sartre, 1970.
9. « Matériaux autobiographiques », p. 11.
10. Témoignage de René Frédet, rencontres avec A.C.-S. les 23 mars et 29 juin 1983.
11. Voir *The Philosophy of Jean-Paul Sartre*, La Salle, Illinois, Paul-Arthur Schilpp, interview de Sartre, pp. 5-51.
12. Archives Henriette Nizan.
13. Archives nationales.
14. Allusion à *l'Enéide* de Virgile qui commence par « *Timeo Danaos et dona ferentes* ». (Je crains les Grecs, même lorsqu'ils nous apportent des présents.)

15. Allusion au recueil de Victor Hugo, *Chansons des rues et des bois.*
16. « Archicube », dans le lexique normalien, signifie « ancien élève ».
17. Pour toutes ces scènes de revue, témoignage de Georges Canguilhem, rencontres avec A.C.-S. les 8 juin 1982 et 24 mars 1983.
18. Signifie « catholiques pratiquants » et « athées ».
19. Voir le livre de Jean Bruhat, *Il n'est jamais trop tard,* Albin Michel, 1982 et témoignage de Jean Bruhat, rencontres avec A.C.-S. les 9 octobre 1978 et 14 avril 1980.
20. Sur les canulars de Sartre : témoignage de Jean Baillou, rencontre avec A.C.-S. le 9 juin 1982, témoignage d'Émile Delavenay, rencontre avec A.C.-S. le 16 mai 1983. Témoignages de René Frédet, de Georges Lefranc.
21. *Lettres au Castor et à quelques autres,* Gallimard, 1983, p. 35.
22. Témoignage d'Armand Bérard, rencontre avec A.C.-S. le 16 avril 1983.
23. Témoignage de Jean Baillou, rencontre avec A.C.-S. le 9 juin 1982.
24. Voir Raymond Aron, *Le Spectateur engagé* et *Mémoires,* Julliard, 1981 et 1983.
25. Archives Henriette Nizan.
26. *Aden Arabie,* p. 54.
27. Témoignage de Georges Lefranc, rencontre avec A.C.-S. le 26 mai 1982.
28. Témoignage de Raymond Aron, rencontres avec A.C.-S. les 30 avril 1980 et 9 mars 1983.
29. Archives École normale supérieure, registre des lectures d'élèves.
30. *Carnets de la drôle de guerre,* p. 111.
31. *Les Nouvelles littéraires,* novembre 1926.
32. Pour tout ce qui concerne la personnalité de Sartre en ces années de préparation et d'École normale, j'ai encore bénéficié de très nombreux témoignages comme ceux de : René Aillet, correspondance avec A.C.-S. les 24 septembre, 11 octobre et 1er novembre 1982; Marcel Bouisset, correspondance avec A.C.-S. le 7 avril 1983; Maurice Deixonne, correspondance avec A.C.-S. le 27 avril 1983; Étienne Fuzellier, rencontres avec A.C.-S., 1983; Henri Guillemin, correspondance avec A.C.-S. le 7 juin 1982; Vladimir Jankélévitch, lettre à A.C.-S. le 2 juillet 1982; Olivier Lacombe, conversation téléphonique avec A.C.-S. le 21 mars 1983; Robert Lucot, correspondance avec A.C.-S. le 3 avril 1983; André Monchoux, correspondance avec A.C.-S. le 23 mars 1983; Marcel Paquot, correspondance avec A.C.-S. le 23 mars 1983; Louis Robert, correspondance avec A.C.-S. le 25 mars 1983; Édouard Selzer, rencontre avec A.C.-S. le 1er juin 1983; Pierre Vilar, rencontre avec A.C.-S. le 2 juin 1982; Robert-Léon Wagner, rencontre avec A.C.-S. le 28 avril 1980.
33. Archives Arlette Elkaïm-Sartre.
34. Lettre inédite, datée du 11 octobre 1923. Archives Sartre-Lannes, Périgueux.
35. Témoignage de Jeanne Virmouneix, rencontre avec Michèle Schmitt, avril 1984.
36. Entretien avec Catherine Chaîne : « Sartre et les femmes », *Le Nouvel Observateur,* février 1977.
37. *Lettres au Castor...,* p. 15.
38. *Ibid.,* p. 33.
39. *Ibid.*
40. *Ibid.,* p. 29.
41. *Une défaite,* pp. 81-82.
42. Notamment Jean Baillou, rencontre avec A.C.-S. le 9 juin 1982.
43. *Une défaite,* p. 36.
44. Voir entretiens avec C. Chaîne.
45. *Ibid.*
46. Témoignage de Maurice de Gandillac, rencontres avec A.C.-S. les 22 avril 1980, 10 mai 1982 et 27 février 1985.
47. *Les Mémoires d'une jeune fille rangée,* Gallimard, 1958, p. 467.
48. *Ibid.,* p. 468.
49. *Ibid.,* p. 480.
50. *Carnets de la drôle de guerre,* Gallimard, 1983, p. 99.
51. *Lettres au Castor...,* pp. 42-44.

52. *Simone de Beauvoir aujourd'hui*, entretiens avec Alice Schwarzer, Paris, Mercure de France, 1984, p. 115.

Un seul Socrate

1. Discours de distribution des prix, inédit (pour les premiers paragraphes); archives du lycée du Havre consultées grâce à monsieur le proviseur Claude Chartrel, rencontres avec A.C.-S. les 27 et 28 mai 1983.
2. *Lettres au Castor...*, p. 46.
3. Sartre, *Œuvres romanesques*, p. 1736.
4. Témoignage de Jean Giustiniani, rencontres avec A.C.-S. les 28 et 29 mai 1983.
5. Témoignages de Robert Marchandeau, dans *Bulletin des anciens élèves du lycée François-Ier*, nº 75, spécial Sartre, qui m'a été aimablement communiqué par André Vogel, 27 mai 1983.
6. Témoignage de Pierre Guitard, *ibid.*
7. Témoignage de René Picard, *ibid.*
8. Témoignage de Pierre Brument, rencontre avec A.C.-S. le 27 mai 1983.
9. Témoignage de Jacques-Laurent Bost, rencontre avec A.C.-S. le 25 novembre 1982.
10. Témoignage de Georges Le Sidaner, *Bulletin des anciens élèves, op. cit.*
11. Dossier de carrière de Sartre, archives du ministère de l'Éducation.
12. *La Cérémonie des adieux*, p. 332.
13. Pour tout ce qui concerne le séjour de Sartre dans la ville du Havre, j'ai encore bénéficié des témoignages de : Francis Bobée, rencontre avec A.C.-S. le 29 mai 1982; Claire Bost, rencontre avec A.C.-S. le 18 juillet 1982; Jacques Levavasseur, communication téléphonique avec A.C.-S. le 14 novembre 1982. Il faut encore noter, dans le bulletin spécial Sartre de l'Association des anciens élèves du lycée François-Ier, les témoignages de : Roger Fleury, Albert Palle, Daniel Palmer.
14. *La Force de l'âge*, I, Gallimard, 1968, p. 25.
15. *Carnets de la drôle de guerre*, pp. 329-331.
16. *Lettres au Castor...*, p. 9.
17. Cité dans Sartre, *Œuvres romanesques*, p. XLIV.
18. *Ibid.*, p. 11.
19. *Ibid.*, pp. 34, 1739, 13, 65, 66, 1739.
20. *Les Mémoires d'une jeune fille rangée*, p. 476.
21. *Œuvres romanesques*, p. 1728.
22. *Ibid.*, p. 1755.
23. Jean-Toussaint Desanti, *Introduction à la phénoménologie*, Gallimard, 1976, p. 32.
24. *Carnets de la drôle de guerre*, p. 111.
25. J.-T. Desanti, *op. cit.*, p. 148.
26. *Carnets de la drôle de guerre*, p. 226.
27. *Ibid.*, p. 225.
28. *La Transcendance de l'Ego*, Vrin, 1966, p. 18.
29. *Ibid.*, p. 13.
30. *Ibid.*, p. 86.
31. *Ibid.*
32. François H. Lapointe, *Jean-Paul Sartre and His Critics, an International Bibliography* (1938-1980), Philosophy Documentation Center, Bomling Green State University, U.S.A., 1981, p. 329.
33. *Carnets de la drôle de guerre*, p. 226.
34. Correspondance inédite Sartre-Paulhan, archives Paulhan.
35. *Carnets de la drôle de guerre*, p. 226.
36. Textes inédits de ces conférences havraises, communiqués par Simone de Beauvoir, archives S. de Beauvoir.
37. Traduction littérale : « Cela coule sur moi comme de l'eau sur un canard huilé. »
38. Témoignage de Maurice de Gandillac, rencontres avec A.C.-S. les 10 mai 1982 et 27 février 1985.

39. Information transmise par Jean-François Sirinelli, qui a rencontré Susini en novembre 1980.
40. J.-B. Duroselle, *Politique étrangère de la France: La Décadence, 1932-1939,* Points, Le Seuil, 1979, pp. 57-61.
41. Pierre Mac Orlan, *Le Mystère de la malle nº 1,* Christian Bourgois, 1984, pp. 185-186.
42. *Ibid.*, pp. 162 et 163.
43. Témoignage de Raymond Aron, rencontre avec A.C.-S. le 9 mars 1983.
44. Témoignage de Henri Brunschwig, rencontre avec A.C.-S. le 18 mars 1983.
45. *Carnets de la drôle de guerre,* p. 332.
46. Pour tous ces détails sur la vie berlinoise de Sartre, j'ai aussi bénéficié des informations données par Henri Jourdan, lettres à A.C.-S. des 6 mars et 9 mai 1983.
47. *Carnets de la drôle de guerre,* pp. 341-342.
48. *Ibid.*, p. 345.
49. *Ibid.*, pp. 82-83.
50. *Ibid.*, p. 225.
51. Anecdote transmise par Eugène Susini à J.-F. Sirinelli.
52. Raymonde Vincent, *Le Temps d'apprendre à vivre,* Julliard, 1982, pp. 261-262.

Humeur noire, folie et voyages divers

1. *Carnets de la drôle de guerre,* p. 111.
2. *L'Imagination,* P.U.F., 1936, pp. 201-202.
3. *La Force de l'âge,* I, p. 241.
4. Rencontre de S. de Beauvoir avec A.C.-S. le 27 mars 1983.
5. *La Force de l'âge,* I, p. 292.
6. *Carnets de la drôle de guerre,* pp. 14-15.
7. *Ibid.*, p. 102.
8. *Ibid.*, p. 102.
9. *La Force de l'âge,* I, p. 293.
10. *Ibid.*, p. 279.
11. *Ibid.*, p. 278.
12. *Ibid.*, p. 277.
13. *Lettres au Castor...*, p. 109.
14. *L'Âge de raison,* Pléiade, pp. 453-454.
15. *Ibid.*, p. 342.
16. Cité dans Sartre, *Œuvres romanesques,* p. 1689.
17. *Lettres au Castor...*, pp. 52-53.
18. *Ibid.*, p. 99.
19. *Ibid.*, p. 79.
20. Texte de *La Nausée,* censuré, Pléiade, pp. 1736-1737.
21. Cité dans Marcel Jean; *Autobiographie du surréalisme,* Le Seuil, 1978, p. 335. L'article de Breton s'intitule « Du temps que les surréalistes avaient raison », cet article sera signé par vingt-six surréalistes ou sympathisants, parmi lesquels on trouve les noms de Dali, Éluard, Ernst, Magritte, Péret, Man Ray, Tanguy...
22. Témoignage de Colette Audry, rencontre avec A.C.-S. le 9 décembre 1982.
23. *Le Cheval de Troie,* Gallimard, 1935, pp. 58-60.
24. *Ibid.*, p. 196.
25. *La Force de l'âge,* I, p. 272.
26. *Lettres au Castor...*, p. 113.

Un intermède express : deux années de bonheur

1. Témoignage de Robert Gallimard, rencontre avec A.C.-S., le 18 novembre 1982.

2. *Lettres au Castor...*, p. 114.
3. *Ibid.*, p. 114.
4. *Ibid.*, p. 115.
5. Témoignage de Jacques-Laurent Bost, rencontre avec A.C.-S. le 25 novembre 1982.
6. Correspondance J.-P.S. avec la maison Gallimard, citée dans *Œuvres romanesques,* pp. 1691-1694.
7. *Ibid.*, pp. 1691-1694.
8. *Ibid.*
9. *Ibid.*, pp. 1693-1694.
10. Voir à ce sujet le dossier paru dans *Le Débat,* nº 29, mars 1984.
11. *Lettres au Castor...*, p. 146.
12. Qui deviendra, à partir des années 50, l'interlocuteur éditorial de Sartre dans la maison.
13. Correspondance Pléiade, p. 1694.
14. Témoignage de Raoul Lévy, rencontres avec A.C.-S. les 21 et 27 janvier 1983.
15. Témoignage de Gérard Blanchet, rencontres avec A.C.-S. les 6 janvier et 26 juillet 1983.
16. Témoignage de Bernard Pingaud, élève de philosophie dans une classe parallèle à celle de Sartre, rencontre avec A.C.-S. le 3 février 1983; sur *Le Trait d'union,* voir aussi son article paru dans *Le Matin,* le 15 avril 1981.
17. Témoignage de Jacques Ghinsberg, rencontre avec A.C.-S. le 21 décembre 1982.
18. Alfred Tomatis, *L'Oreille et la Vie,* Laffont, 1977, pp. 37-39.
19. Archives du ministère de l'Éducation, dossier de carrière de Sartre.
20. Pour tout ce qui concerne l'expérience d'enseignement de Sartre au lycée Pasteur, j'ai aussi bénéficié du témoignage de Jean Pouillon, qui fut le stagiaire de Sartre après l'agrégation de philosophie, rencontre avec A.C.-S. le 17 août 1982. Témoignage également de Mlle Martin, qui fut secrétaire du censeur de 1937 à 1942, rencontre avec Marie Nimier, 12 octobre 1982.
21. Lettre datée du 27 juillet 1937.
22. *Cahiers de la Petite Dame,* tome 3, 1938-1945 Gallimard 19.
23. Pour le dossier de presse, voir *Œuvres romanesques,* pp. 1701-1711.
24. Pour le dossier de presse du *Mur,* voir *Œuvres romanesques,* pp. 1810-1817.
25. *Lettres au Castor...*, p. 217.
26. *Ibid.*, p. 210.
27. *Le Mur,* in *Œuvres romanesques,* p. 386.
28. Sur *le roman à thèse,* voir le livre de Susan Suleiman, P.U.F., 1983.
29. Correspondance Paulhan inédite, archives Paulhan, lettre de juillet 1937.
30. *Ibid.*, 21 juillet 1937.
31. *Ibid.*, 13 août 1938.
32. *Ibid.*, 13 sept. 1938.
33. Correspondance inédite Sartre-Paulhan, archives Paulhan, lettre de 1938.
34. Casablanca, été 1938.
35. Lettre datée 1939, sans plus de précision.
36. Successivement, ses articles sur Dos Passos, Mauriac, Faulkner, *N.R.F. février* 1938; août 1938; février 1939.
37. *L'Action française,* 13 avril 1939.
38. *Gringoire,* 16 mars 1939.
39. Pour tout ce qui concerne l'histoire des mouvements d'extrême droite pendant les années 30: voir J.-F. Sirinelli, « Action française, main basse sur le Quartier Latin », dans la revue *L'Histoire,* nº 51, décembre 1982.
40. *Ce Soir,* 16 mai 1938.
41. *N.R.F.*, novembre 1938.
42. Témoignage de Gérard Blanchet.
43. Voir à ce sujet: Claude-Jean Philippe, *Le Roman du cinéma,* Fayard, 1984.
44. Extrait de *Qu'est-ce que la littérature?*, 1947.
45. *Lettres au Castor...*, pp. 214-215.
46. *Ibid.*, p. 233.

47. *Ibid.*, p. 188.
48. *Ibid.*, p. 268.
49. *Ibid.*, p. 271.
50. *Marianne*, 23 novembre et 7 décembre 1938.

II. UNE MÉTAMORPHOSE : 1939-1945

Une guerre à la Kafka

1. *Situations X*, Gallimard, 1976, p. 179.
2. Lettre à Jean Paulhan, 23 septembre 1939.
3. *La Cérémonie des adieux*, pp. 451 et 489.
4. Témoignage conservé aux Archives nationales de France, dossier « Camps de prisonniers ».
5. Lettre à Jean Paulhan, 13 décembre 1939.
6. Lettre à Adrienne Monnier, du 23 février 1940, citée dans *Œuvres romanesques*, p. 1911.
7. *Carnets de la drôle de guerre*, p. 60.
8. *Ibid.*, pp. 195-196.
9. *La Mort dans l'âme*, variante. *Œuvres romanesques*, p. 2055.
10. *La Cérémonie des adieux*, p. 337.
11. Lettre à Simone de Beauvoir, datée du 12 janvier 1940, citée dans *Œuvres romanesques*, p. 1903.
12. Archives nationales, *op. cit.*
13. *Ibid.*
14. *La Cérémonie des adieux*, p. 360.
15. Lettre à Simone de Beauvoir, datée du 13 avril 1940, citée dans *Œuvres romanesques*, p. 1906.
16. Archives nationales, *op. cit.*
17. *Ibid.*
18. *Ibid.*
19. Lettre à Simone de Beauvoir, datée du 22 octobre 1939, citée dans *Œuvres romanesques*, p. 1895.
20. Lettre à Jean Paulhan, 13 décembre 1939.
21. Lettre à Simone de Beauvoir, datée du 26 octobre 1939, citée dans *Œuvres romanesques*.
22. *Ibid.*, 6 janvier 1940.
23. *Ibid.*
24. *Carnets de la drôle de guerre*, p. 297.
25. *Ibid.*, p. 95 et 96.
26. *Ibid.*, 23 avril 1940.
27. *Ibid.*
28. *Ibid.*, 9 janvier 1940.
29. *Ibid.*
30. *Ibid.*, 15 janvier 1940.
31. *Ibid.*
32. *Ibid.*, 3 décembre 1940.
33. *Ibid.*, 26 octobre 1939.
34. *Ibid.*, 6 janvier 1940.
35. Cité dans *Œuvres romanesques*, p. 1860.
36. Lettre à Simone de Beauvoir, datée du 23 octobre 1939.
37. *Ibid.*, 15 avril 1940.
38. *Ibid.*, 4 mai 1940.
39. *Ibid.*, 25 janvier 1940.
40. *Ibid.*, 25 janvier 1940.
41. *Ibid.*, 1er mai 1940.

42. *Ibid.*, 27 novembre 1939.
43. *Ibid.*, 12 janvier 1940.
44. *Ibid.*, 11 janvier 1940.
45. *Ibid.*, 23 mars 1940.
46. Archives nationales, *op. cit.*
47. *La Force de l'âge*, II, pp. 476 et 479.
48. *Lettres au Castor...*, p. 391.
49. Interview de Sartre par Claire Vervin, pour son article « Lectures de prisonniers », *Les Lettres françaises*, 2 décembre 1944, p. 3.
50. *Lettres au Castor...*, pp. 291 et 658.
51. *Ibid.*, p. 307.
52. *La Mort dans l'âme*, pages de journal, paru dans la revue *Messages, exercice du silence*, Bruxelles, 1942, cité dans *Les Écrits de Sartre*, pp. 638-649.
53. *Ibid.*
54. *Ibid.*
55. *Ibid.*
56. *La Cérémonie des adieux*, p. 490.
57. *Les Chemins de la liberté*, III, *La Mort dans l'âme*, Livre de poche, p. 45.
58. *Ibid.*, p. 233.
59. Lettre à Jean Paulhan, 9 juin 1940.
60. *La Cérémonie des adieux*, pp. 490-491.
61. *Ibid.*
62. Archives nationales, *op. cit.*

Une captivité altière

1. « Lectures de prisonniers », *op. cit.*
2. Jean-Paul Sartre, « Journal de Mathieu », carnet inédit, in *Les Temps modernes*, septembre 1982.
3. *Ibid.*, p. 450.
4. Conversation avec John Gérassi, 1973, citée dans *Œuvres romanesques*, p. LXI.
5. *Les Temps modernes*, *op. cit.*, p. 460.
6. Variante de *La Mort dans l'âme*, in *Œuvres romanesques*, p. 1580.
7. In *Jean-Paul Sartre, un film*, p. 67, et *Œuvres romanesques*, p. 2147.
8. Conversation avec John Gérassi, 1973, in *Œuvres romanesques*, p. LXI.
9. *Les Temps modernes*, *op. cit.*
10. *Ibid.*, p. 457.
11. *Ibid.*
12. *Ibid.*, pp. 451-452.
13. *Ibid.*
14. In Marius Perrin, *Avec Sartre au Stalag XIID*, Paris, 1980, pp. 128-129.
15. *Les Temps modernes*, *op. cit.*, p. 472.
16. *La Cérémonie des adieux*, p. 338.
17. *Ibid.*
18. Témoignage de Jacques-Laurent Bost, rencontre avec A.C.-S., le 25 novembre 1982.
19. *La Cérémonie des adieux*, pp. 410-411.
20. Marius Perrin, *op. cit.*, pp. 107-108.
21. *Ibid.*, pp. 453-458.
22. *Ibid.*, p. 463.
23. *Ibid.*, pp. 65-66.
24. *Ibid.*
25. *Un théâtre de situations*, Gallimard, 1973, pp. 61-62.
26. Marius Perrin, *op. cit.*, pp. 93, sqq.
27. Archives nationales, *op. cit.*
28. *La Cérémonie des adieux*, p. 238.
29. *Les Écrits de Sartre*, p. 564.
30. *La Cérémonie des adieux*, p. 237.
31. *Les Écrits de Sartre*, *op. cit.*

32. *Les Temps modernes*, pp. 474-475.
33. Marius Perrin, *op. cit.*, pp. 127-128.
34. *Les Temps modernes*. p. 466.
35. Marius Perrin, *op. cit.*, p. 149.
36. *Les Temps modernes, op. cit.*
37. « Lectures de prisonniers », in *Les Lettres françaises, op. cit.*
38. *La Cérémonie des adieux, op. cit.*

« Socialisme et Liberté »

1. *Situations IV*, pp. 348-349.
2. Ernst Jünger, *Premier Journal parisien*, 1941-1943, Christian Bourgois, 1980, p. 15.
3. Pour tout ce qui concerne la contamination de la littérature française sous l'occupation, voir : Gérard Loiseaux, *La Littérature de la défaite et de la collaboration*, publications de la Sorbonne, Paris, 1984.
4. *La Cérémonie des adieux*, p. 492.
5. *La Force de l'âge*, II, pp. 459-460.
6. Témoignage de Jean-Daniel Jurgensen, rencontre avec A.C.-S. le 25 octobre 1982.
7. J.-B. Pontalis, extraits d'un livre en préparation, dont l'auteur a eu l'obligeance de nous communiquer certains passages, et témoignage de J.-B. Pontalis, rencontres avec A.C.-S. les 11 et 18 mai 1983.
8. Témoignage de Raoul Lévy, rencontres avec A.C.-S. les 21 et 27 janvier 1983.
9. Dominique Desanti, « Le Sartre que je connais », in *Jeune Afrique*, daté du 8 novembre 1964.
10. Témoignages de Dominique et Jean-Toussaint Desanti, rencontre avec A.C.-S. le 7 juillet 1982.
11. Témoignage de Georges Chazelas, rencontre avec A.C.-S. le 20 septembre 1982.
12. Témoignage de Jean Pouillon, rencontre avec A.C.-S. le 17 août 1982.
13. Témoignage de Georges Chazelas, déjà cité.
14. Dominique Desanti, in *Jeune Afrique, op. cit.*
15. Cf. Stéphane Courtois, *Le P.C.F. dans la guerre*, Ramsay, 1980.
16. Témoignage des Desanti, déjà cité.
17. Témoignage de G. Chazelas, déjà cité.
18. Témoignage de Louis François, inspecteur général de l'Éducation nationale, recueilli en 1947, aux Archives nationales de France, sous la cote 72 AJ 49.
19. Témoignage de Simone Debout, rencontre avec A.C.-S. le 21 juillet 1982.
20. Témoignage de Raoul Lévy, 21 et 27 janvier 1983.
21. Témoignage de Simone Debout, 21 juillet 1982.
22. Témoignage de Raoul Lévy, déjà cité.
23. Témoignage de Jean-Toussaint Desanti, déjà cité.
24. Témoignage de Raoul Lévy, déjà cité.
25. Témoignage de Jean-Toussaint Desanti, déjà cité.
26. Archives ministère Éducation nationale, dossier Sartre.
27. *La Force de l'âge*, II, p. 562.
28. *Ibid.*
29. Témoignage de Mme Pierre Kaan, rencontre avec A.C.-S. le 23 septembre 1982.
30. Témoignage de Mme Pierre Kaan, déjà cité.
31. Témoignage de Jean Rabaut, rencontre avec A.C.-S. le 23 août 1982.
32. *La Force de l'âge*, II, p. 566.
33. *Ibid.*
34. In Gisèle Freund, *Le Monde et ma caméra*, Denoël, 1970, p. 94.
35. Lettre de Jean-Paul Sartre à Jean Paulhan, correspondance inédite, archives Jacqueline Paulhan. Lettre non datée, mais probablement envoyée autour du 26 août 1939.
36. André Gide, *Journal 1939-1942*, Gallimard, 1946, p. 123.
37. *Ibid.*, 15 septembre 1941, pp. 158-159.
38. *La Force de l'âge*, II, p. 567.

39. Correspondance André Gide-Roger Martin du Gard, p. 237.
40. *La Force de l'âge*, II, p. 567.
41. *André Malraux*, par Jean Lacouture, Le Seuil, 1973, p. 276.
42. Témoignage de Colette Audry, rencontre avec A.C.-S. le 9 décembre 1982.
43. *La Cérémonie des adieux*, p. 459.
44. *La Force de l'âge*, II, p. 573.
45. Témoignage de Simone Debout, déjà cité.
46. Témoignage de Jean Pouillon, déjà cité.
47. Voir *Situations IV*, p. 193.
48. Témoignage de Raoul Lévy, déjà cité.
49. Témoignage des Desanti, déjà cité.
50. Témoignage de Georges Chazelas, déjà cité.
51. Témoignage de Raoul Lévy, déjà cité.
52. Témoignage de Jacques Debû-Bridel, rencontre avec A.C.-S. le 8 octobre 1982. Il voulait en fait parler de S. Jollivet.
53. *Ibid.*
54. Témoignage de Jean Pouillon, déjà cité.
55. *La Force de l'âge*, II, p. 554.
56. Cité dans Michel Contat et Michel Rybalka, *Les Écrits de Sartre*, pp. 634-637.
57. Jean-Toussaint Desanti, *Un destin philosophique*, Grasset, 1982, p. 149.

Dans l'impasse

1. *La Force de l'âge*, II, p. 606.
2. *Ibid.*, p. 576.
3. *Ibid.*, p. 579.
4. *Situations III*, Gallimard, 1949, p. 11.
5. *Ibid.*, pp. 18-22.
6. *Un théâtre de situations*, pp. 223-240.
7. *La Force de l'âge*, II, p. 556.
8. *Les Lettres françaises* clandestines, nº 12.
9. *Comoedia*, 19 juin 1943, p. 1.
10. *La Gerbe*, 17 juin 1943.
11. *Un théâtre de situations.*
12. *Les Écrits de Sartre*, p. 165.
13. Archives Paulhan, lettre inédite.
14. Pour tout ce qui concerne le théâtre français sous l'occupation, j'ai bénéficié des témoignages de Christian Casadesus, rencontres avec A.C.-S. les 10 mai et 14 octobre 1982.
15. *La Force de l'âge*, II, p. 595.
16. *Lettres au Castor...*, tome 1.
17. *Carnets de la drôle de guerre*, p. 224.
18. *L'Être et le Néant*, Gallimard, 1943, p. 610.
19. *Ibid.*, p. 606.
20. *Ibid.*, p. 607.
21. *Ibid.*, p. 44.
22. André Gorz, *Le Traître*, Le Seuil, 1958, p. 243.
23. *Les Nouvelles littéraires*, 29 octobre 1964.
24. « Les pieds dans le plat », dans *Le Nouvel Observateur*, 21 avril 1980.
25. *Situations I*, Gallimard, 1947, p. 109.
26. *Alger républicain*, 20 octobre 1938.
27. *Situations I*, p. 133.
28. *Les Lettres françaises* clandestines, avril 1943.

Un écrivain qui résistait...

1. Entretien inédit avec Gérassi, en 1973, *Œuvres romanesques*, p. LXIII.
2. Cf. *Lettres au Castor...*, p. 827, été 1943.

3. Abréviation utilisée par Sartre pour « toute petite Kosakiewicz », opposant ainsi Wanda, la plus jeune, à Olga, l'aînée.
4. *Lettres au Castor...*, pp. 831-832.
5. *La Force de l'âge*, II, pp. 632 sqq.
6. *Les Don Quichotte et les autres*, Guy Roblot, 1979, p. 140.
7. Jacques Debû-Bridel, *La Résistance intellectuelle en France*, Julliard, 1970, p. 95.
8. Témoignage de Jean Lescure, rencontre avec A.C.-S. le 21 septembre 1982.
9. *Les Lettres françaises* clandestines, nº 6, avril 1943.
10. *Ibid.*, nº 15, avril 1944.
11. Jean Kanapa, *Comme si la lutte entière*, p. 256.
12. Témoignage de Jean Bruller-Vercors, rencontre avec A.C.-S. le 22 septembre 1982.
13. Archives du ministère de l'Éducation.
14. Témoignage de Mme Pierre Kaan, rencontre avec A.C.-S. le 23 septembre 1982.
15. L'un des pseudonymes de Pierre Kaan.
16. Témoignage de Pierre Piganiol, rencontre avec A.C.-S. le 14 décembre 1983.
17. Dossier des papiers Oudard, conservé aux Archives nationales.
18. Cf. *Les Écrits de Sartre*, pp. 110-111 : les hypothèses de Georges Michel me semblent tout à fait pertinentes. Cependant, il est tout à fait impossible, comme le signalent Contat et Rybalka, d'attribuer ce texte à l'année 1941 et à l'expérience de « Socialisme et Liberté » : tous les témoins du groupe interrogés à ce sujet – Debout, Desanti, Chazelas – ont confirmé mes doutes. Par contre – et les éléments historiques du texte lui-même en sont un témoignage patent –, il y a tout lieu de mettre ce texte en rapport avec la période 1943 et les rencontres de Pierre Kaan.
19. Texte inédit, Archives nationales.
20. *La Force de l'âge*, II, p. 636.
21. *Ibid.*, pp. 641, puis 655.
22. *Ibid.*, p. 644.
23. Témoignage de S. de Beauvoir, rencontre avec A.C.-S. le 22 mars 1983.
24. Témoignage de Jean Balladur, rencontre avec A.C.-S. le 16 novembre 1982.
25. Notes de cours de Jean Balladur, archives personnelles.
26. Témoignage de Jean Balladur, déjà cité.
27. Témoignage de Jean Chouleur, rencontre avec A.C.-S. le 22 février 1983.
28. Cf. ce que dit Sartre lui-même dans *Un théâtre de situations*, pp. 105-106 : « Alain disait qu'un professeur ne doit pas passionner ses élèves... »
29. Témoignage de Robert Misrahi, rencontre avec A.C.-S. le 7 octobre 1982.
30. Cf. le dossier de carrière de Sartre, archives du ministère de l'Éducation.

Chef spirituel pour mille jeunes gens

1. *La Force de l'âge*, II, p. 659.
2. Selon S. de Beauvoir, voir *La Force de l'âge*, II, p. 650.
3. *Lettres au Castor...*, p. 834.
4. *La Force de l'âge*, II, p. 605.
5. *Ibid.*, p. 662.
6. *Lettres au Castor...*, p. 319.
7. Lettre inédite, archives Paulhan.
8. *Situations I*, pp. 229-230.
9. Selon S. de Beauvoir, voir *La Force de l'âge*, II, pp. 653, 654, 655.
10. *La Force de l'âge*, p. 658.
11. *Lettres au Castor...*, p. 835.
12. *Combat*, 15 avril 1947.
13. Archives privées du lycée du Havre.
14. Scénario inédit, archives I.D.H.E.C., communiqué grâce à l'obligeance de Marianne de Fleury.
15. Cf. Nino Frank, *Petit Cinéma sentimental*, pp. 167-174.

16. *Ibid.* et témoignage de Nino Frank, rencontre avec A.C.-S. le 25 février 1983.
17. *Les Lettres françaises* clandestines, 15 avril 1944, p. 4.
18. *Lettres au Castor...*, p. 835.
19. *Un théâtre de situations*, p. 238.
20. *Combat*, 9 février 1945.
21. *Un théâtre de situations*, p. 238.
22. C'est ce qu'affirme Sartre lui-même dans *Situations IX*, Gallimard, 1972, p. 10.
23. Alain Laubreaux, dans *Je suis partout*, 4 juin 1944.
24. Cité par Pierre-Marie Dioudonnat, dans : *L'Argent nazi à la conquête de la presse française, 1940-1944*, Jean Picollec, 1981, p. 262.
25. *Germinal*, 30 juin 1944.
26. *Horizon*, juillet 1945.
27. Lettre inédite (1944?), archives Paulhan.
28. *Journal des années noires*, Gallimard, 1947, p. 475, le 30 mai 1944.
29. Témoignage de Guillaume Hanoteau, rencontre avec A.C.-S. le 14 octobre 1982.
30. Le texte de l'exposé et de la discussion se trouvent dans *Un théâtre de situations*, pp. 22-50.
31. *La Force de l'âge*, II, p. 667.
32. *Ibid*, pp. 675-676.
33. *Les Yeux ouverts dans Paris insurgé*, Julliard, 1944, p. 13.
34. Série inédite de sept articles dans *Combat* : I, 29 août 1944, pp. 1 et 2 : « Colère d'une ville ».
35. 1er septembre 1944 : « Espoirs et angoisses de l'insurrection. »
36. 2 septembre 1944 : « La délivrance est à nos portes. »
37. 4 septembre 1944 : « Un jour de victoire parmi les balles. »
38. *Les Lettres françaises*, nº 20, 9 septembre 1944.
39. *France libre*, novembre 1945.
40. *République française*, novembre 1945.
41. *Les Temps modernes*, nº 1, octobre 1945.
42. *Clarté*, nº 9, 29 août 1945.
43. Janet Flanner, *Paris journal 1944-1965*, Harcourt Brace Jovanovich, 1977, p. 3, traduction A.C.-S.
44. Claude Morgan, *op. cit.*, p. 154.
45. Témoignage de Guillaume Hanoteau, rencontre avec A.C.-S. le 4 octobre 1982.
46. Témoignage de Jean Lescure, rencontre avec A.C.-S. le 21 septembre 1982.
47. Témoignage de Jacques Debû-Bridel, rencontre avec A.C.-S. le 8 octobre 1982.
48. *Ibid.*
49. *La Force de l'âge*, II, p. 644.
50. Témoignage de Vercors, rencontre avec A.C.-S. le 22 septembre 1982.
51. Lettre inédite, archives Paulhan, datée du 10 décembre 1944.
52. *Ibid.*, datée du 1er octobre 1944.
53. Cf. le texte complet dans *Les Écrits de Sartre*, pp. 653-658.
54. Déclarations de Michel Butor, dans le numéro spécial de *Obliques* : « Sartre et les Arts », 1981, pp. 67-69.
55. « Signification de Sartre », dans *Messages*, 1943, pp. 413-424.
56. Lettres inédites, archives Paulhan, datées de 1944, sans indication de mois.

De Buffalo Bill au président Roosevelt

1. D'après *Les Mots*, pp. 181-182.
2. Notes inédites de Sartre, archives Simone de Beauvoir.
3. *Situations I*, pp. 14-24.
4. *La Force de l'âge*, I, p. 159.
5. *Sartoris*, pp. 119-121.
6. *Situations I*, p. 9.
7. *Ibid.*, p. 68.
8. *Situations III*, pp. 122-123.

9. *La Cérémonie des adieux*, p. 304.
10. *Situations I*, pp. 113-115.
11. Denis de Rougemont, *Journal d'une époque, 1926-1946*, Gallimard, p. 514.
12. Témoignage d'Henriette Nizan, rencontre avec A.C.-S. le 23 février 1982.
13. En effet, au moment même où Sartre lançait son premier article, éclatait dans la presse américaine la nouvelle de la création imminente de la Central Intelligence Agency, par le général Donovan. « Gestapo américaine », s'insurgeait notamment le sénateur Homer Capehart en février 1945. Sur tous ces problèmes intérieurs américains, contemporains de ce voyage, voir le très riche ouvrage d'Anthony Cave Brown, *The Last Hero : Wild Bill Donovan*, Times Books, octobre 1982.
14. Voir à ce sujet, J.-B. Duroselle, *L'Abîme*, Imprimerie nationale, 1982.
15. *New York Times*, 25 janvier 1945.
16. *Ibid.*, 30 janvier 1945 et *Pour la victoire*, 3 février 1945.
17. *New York Times*, 1er février 1945.
18. *Le Figaro*, 25 janvier 1945.
19. *France-Amérique*, 11 février 1945.
20. *Ibid.*, 4 février 1945.
21. *Ibid.*
22. Témoignage de Denis de Rougemont, rencontre avec A.C.-S. le 11 juillet 1983.
23. Voir texte dans *Vogue*, juillet 1945, et « *New Writing in France* » in *Œuvres romanesques*, pp. 1917-1921.
24. Témoignage de Denis de Rougemont, déjà cité.
25. In Stéphane Pizella, *Les Nuits du bout du monde*, André Bonne, 1953.
26. *Situations III*, p. 78.
27. *Ibid.*, pp. 120-121.
28. In Claude Lévi-Strauss, *Le Regard éloigné*, Plon, 1983, pp. 348, 350, 358.
29. In Pizella, *op. cit.*, pp. 177-179.
30. « Un Français à New York », dans *Combat*, 2 février 1945.
31. *Ibid.*, 4 février 1945.
32. *Situations III*, pp. 116-117.
33. « Nick's Bar, New York City », in *Jazz 47*, cité dans *Les Écrits de Sartre*, pp. 680-682.
34. Témoignage de Dolorès Vanetti, rencontre avec A.C.-S. le 4 mai 1983.
35. Cette reconstitution a été possible grâce aux articles de presse et aux photos des archives de Paule Neuvéglise, et provenant de son mari, Robert Villers. Complétés par les mille pages de documents fournis par le F.B.I., le Department of State et le Department of the Air Force.
36. *Le Figaro*, 11 et 12 mars 1945.
37. *Combat*, 8 et 9 mars 1945.
38. *Combat*, 12, 14 et 30 juillet 1945.
39. Témoignage de Vladimir Pozner, rencontre avec A.C.-S. le 3 novembre 1982.
40. *Combat*, 5 avril 1945.
41. *Combat*, 7 juin 1945.
42. « Ce que j'ai appris du problème noir », in *Le Figaro*, 16 juin 1945.
43. *Situations III*, pp. 99-100.
44. Voir Addison Gayle, *Richard Wright : Ordeal of a Native Son*, Doubleday, 1980, pp. 162 et 171.
45. Anecdote relatée par Pizella, *op. cit.*, p. 156.
46. *La Cérémonie des adieux*, p. 292.

III. LES ANNÉES SARTRE : 1945-1956

Paris : l'existentialisme est arrivé

1. Témoignage de Marc Beigbeder, rencontre avec A.C.-S. le 12 juillet 1984.
2. *Lettres au Castor...*, 1er mai 1940, tome 2, p. 201.

3. *La Force de l'âge*, p. 497.
4. *Œuvres romanesques*, p. 1911.
5. *Le Monde*, avril 1947.
6. *Combat*, 8 septembre 1945.
7. *Terre des hommes*, 3 novembre 1945.
8. *Le Figaro*, 3 novembre 1945.
9. *Terre des hommes*, 3 novembre 1945.
10. Témoignage de Maurice Nadeau, rencontre avec A.C.-S. le 11 juillet 1984.
11. *Petite Histoire de l'existentialisme*, Club Maintenant, 1946, pp. 84-86.
12. *Pour ou contre l'existentialisme*, Atlas, 1948.
13. *Samedi soir*, 3 novembre 1945.
14. *Ibid.*
15. *Ibid.*
16. Cité par Georgette Elgey, *La République des illusions*, Fayard, 1965, p. 509.
17. *Samedi soir*, 17 novembre 1945.
18. *Ibid.*, 23 février 1946.
19. *Ibid.*, 21 décembre 1946.
20. *Ibid.*, 24 novembre 1945.
21. *Ibid.*, 15 décembre 1945.
22. *Ibid.*, 24 avril 1946.
23. Cité dans *Œuvres romanesques*, p. 1927.
24. *Le Crapouillot*, nº 32, pp. 60 et 61.
25. *Les Nouvelles littéraires*, 15 novembre 1945.
26. Interview dans *Paru*, décembre 1945.
27. *Le Monde*, 11 et 15 décembre 1945.
28. *Les Lettres françaises*, 24 novembre 1945.
29. Christine Cronan, *Petit Catéchisme de l'existentialisme pour les profanes*, Dumoulin, 1948.
30. *Le Crapouillot*, nº 32, pp. 60 et 61.
31. Voir à ce sujet Jules Leroy, *Saint-Germain-des-Prês, capitale des lettres*, André Bonne, 1952.
32. Cité dans le beau livre de Guillaume Hanoteau, *L'Âge d'or de Saint-Germain-des-Prés*, p. 119.
33. *Terre des hommes*, 3 novembre 1945.
34. *Combat*, 8 septembre 1945.

New York : Sartre is beautiful

1. *Time Magazine*, 28 janvier 1946.
2. *Lettres au Castor...*, p. 325.
3. *Ibid.*
4. *Cahiers pour une morale*, appendice I, pp. 573-578.
5. *Lettres au Castor...*, p. 330.
6. *New York Post*, 9 avril 1946.
7. Témoignage de Dolorès Vanetti, rencontres avec A.C.-S., mai 1983 à New York.
8. *Lettres au Castor...*, p. 335.
9. *Life Magazine*, 17 juin 1946.
10. Témoignage de Henry Peyre, rencontre avec A.C.-S. le 18 mai 1982 et lettre à A.C.-S. le 14 mai 1982.
11. Victor Brombert, *The Intellectual Hero*, Viking Press, 1960.
12. *Atlantic Monthly*, août 1946, texte et traduction dans *Les Écrits de Sartre*, pp. 150-151.
13. *Yale French Studies*, printemps-été 1948.
14. Témoignage de Harry Levine, lettre à A.C.-S. du 26 mars 1982.
15. *The New Yorker*, 16 mars 1946.
16. *Salmagundi*, nº 56, printemps 1982.
17. Partisan Review Press, 1947.

18. Témoignage de William Barrett, entretien téléphonique avec A.C.-S. le 25 mai 1982.
19. Témoignage de Irving Howe, rencontre avec A.C.-S. le 20 mai 1982 à New York.
20. Témoignage de William Phillips, rencontre avec A.C.-S. le 15 maì 1983.
21. *Salmagundi, op. cit.*
22. Témoignage de Norbert Guterman, entretien téléphonique avec A.C.-S. le 17 mai 1982, New York.
23. Herbert Marcuse, « Existentialism : Remarks on J.-P. Sartre's *L'Être et le Néant* », dans *Philosophy and Phenomenological Research VIII*, mars 1948, pp. 309-336, réédité dans *Studies in Critical Philosophy*, Boston, Beacon Press, 1973.
24. Témoignage de Erving Goffman, rencontre avec A.C.-S. le 11 mars 1982 à Philadelphie.
25. Dans *La Force des choses*, II, Gallimard, 1963, p. 414, Simone de Beauvoir raconte toutefois qu'elle-même et Sartre rencontrèrent Wright Mills au cours de l'un de leurs voyages.
26. Témoignage d'Arthur Miller, rencontre avec A.C.-S. le 19 mai 1982, à New York.
27. *Situations III*, p. 132.
28. *Lettres au Castor...*, pp. 333-335.
29. *La Force des choses*, I, p. 101.
30. *Lettres au Castor...*, pp. 334-335.
31. Témoignage d'Henriette Nizan, *Les Nouvelles littéraires*, avril 1983.

Dans la salle des machines

1. Dans *Dimanche matin*, p. 210 et dans *Les Enfants naturels*, p. 122.
2. Témoignage de Jean Cau, rencontre avec A.C.-S. le 20 juin 1984.
3. Voir à ce sujet : Juliette Gréco, *Jujube*, Stock, 1983.
4. Témoignage de Louis Nagel, rencontre avec A.C.-S. le 11 juillet 1984.
5. *Situations X*, p. 202.
6. Voir *Œuvres romanesques*, p. LXIX.
7. Anecdote citée dans Juliette Gréco, *Jujube, op. cit.*
8. Publiée, huit ans plus tard, dans *La Revue juive*, Genève, 10e année, nos 6-7, juin-juillet 1947, pp. 212-213.
9. Page 306.
10. Dans « Entretien avec Madeleine Chapsal », *Les Écrivains en personne*, Julliard, 1960, pp. 203-233.
11. Témoignage de François Périer, rencontre avec A.C.-S. le 28 mai 1982.
12. *Le Figaro*, 25 avril 1949.
13. *Lettres au Castor...*, p. 337.
14. *Cahiers pour une morale*, p. 13.

Deuxième choc du concret

1. Successivement : « La Nationalisation de la littérature », novembre 1945 ; « Matérialisme et Révolution », juin et juillet 1946 ; « Qu'est-ce que la littérature ? », en six épisodes, de février à juillet 1947 ; « Écrire pour son époque », enfin, en juin 1948, qui deviendra immédiatement, traduit en allemand, en anglais et en italien : « *Der Schriftsteller und seine Zeit* » ; « *We Write For Our Own Time* » ; « *Scrivere per il proprio tempo* ».
2. *Qu'est-ce que la littérature?*, pp. 307-308.
3. *Les Lettres françaises*, 28 décembre 1945, p. 89.
4. Éditions Nagel, 1947, p. 61.
5. *Les Temps modernes*, juillet 1946, pp. 31-32.
6. *Le Figaro littéraire*, 29 mai 1947.
7. *L'Humanité*, 4 avril 1947.

8. *Situations IV*, Gallimard, 1964, p. 206.
9. *Ibid.*, p. 354.
10. *Combat*, 18 octobre 1947.
11. Émissions inédites, texte de l'I.N.A.
12. Témoignage de Raymond Aron, rencontre avec A.C.-S. le 9 mars 1983.
13. *La Force des choses*, I, p. 194.
14. *L'Ordre de Paris*, 22 octobre 1947.
15. *Ibid.*
16. *Ibid.*, 24 octobre 1947.
17. *Carrefour*, 29 octobre 1949.
18. *Ibid.*
19. *Combat*, 22 octobre 1947.
20. Texte des émissions inédit, archives I.N.A.
21. *Entretiens sur la politique*, p. 22.
22. Témoignage de Gilles Martinet, entretiens avec A.C.-S. les 30 août et 1er septembre 1984 à Rome.
23. *Franc-Tireur*, 11 mars 1948.
24. *L'Humanité*, 11 décembre 1948 : « Pour services rendus ».
25. *Bataille socialiste*, 19 mars 1948.
26. *La Gauche-R.D.R.*, nº 1.
27. *Le Monde*, 28 février 1948.
28. *Le Figaro*, 20 janvier 1948.
29. *La Gauche-R.D.R.*, nº 3, 16-30 juin 1948.
30. *Ibid.*, p. 3.
31. *New York Herald Tribune*, 16 mars 1948.
32. *La Gauche-R.D.R.*, nº 3.
33. *Entretiens sur la politique*, pp. 37, 40 et 51.
34. *La Gauche-R.D.R.*, octobre 1948.
35. *Franc-Tireur*, 14 décembre 1948.
36. Témoignage de David Rousset, rencontre avec A.C.-S. le 8 septembre 1982.
37. *La Gauche-R.D.R.*, novembre 1948.
38. Témoignage de David Rousset, déjà cité.
39. *On a raison de se révolter*, Gallimard, 1974, p. 29.
40. *Ibid.*
41. *Franc-Tireur*, 30 juin 1948.
42. *On a raison de se révolter*, p. 30.
43. *Bulletin intérieur R.D.R.*, mai 1949.
44. *Ibid.*, juin 1949.
45. *Le Monde*, 27 octobre 1949.
46. *Situations IV*, « Merleau-Ponty vivant ».
47. Témoignage de Paul Fraisse, rencontre avec A.C.-S. le 1er novembre 1982.
48. Février 1949, p. 3.
49. *Peuple du monde*, 18 juin 1949.
50. *Politique étrangère*, juin 1949.
51. Témoignage de David Rousset, déjà cité.
52. Cette analyse n'aurait pu être menée à bien sans les archives de Jean-René Chauvin.

Dans l'impasse bis

1. *La Force des choses*, p. 217.
2. *International Herald Tribune*, 17 mars 1984.
3. Témoignage de Bernard Pingaud, rencontre avec A.C.-S. le 3 février 1983.
4. Correspondance Nimier-Chardonne, Gallimard, 1984, p. 95.
5. *Journée de lectures*, Gallimard, p. 251.
6. Grasset, p. 66.
7. Pp. 18 et 19.
8. *Le Dernier des Mohicans*, Fasquelle, 1956, p. 10.

9. *Esprit*, nº spécial Cinquantenaire, janvier 1983, p. 74 : « Les belles années, de la guerre d'Indochine à mai 68 ».
10. Voir le texte dans *Les Écrits de Sartre*, p. 146.
11. Jean Cocteau, *Journal : Le Passé défini*, Gallimard, 1984, pp. 314, 317-318.
12. Dans *Glas*, Denoël-Gonthier, 1980.
13. *Le Passé défini, op. cit.*, p. 282 : 21-23 juillet 1952; pp. 302, 311.
14. Cité par Jean Cocteau, *op. cit.*, p. 324.
15. *Journal* de Claudel, Pléiade, tome 2, Gallimard, 1969; lettre ainsi datée : Brangues, le 18 août 1952.
16. Article publié dans *La Littérature et le Mal*, Gallimard, 1957, toutefois ici repris et modifié.
17. Cité par Cocteau, *op. cit.*, p. 391.
18. *Ibid.*, p. 322.
19. Voir le dossier constitué sur la pièce dans *Les Écrits de Sartre*, pp. 231-240; ainsi que le numéro « Spécial Sartre » de *L'Avant-Scène théâtrale*, nºs 402-403, 1968.
20. *La Force des choses*, I, Coll. Folio, p. 330.
21. *Paris-Presse-l'Intransigeant*, samedi 9 juin 1951, p. 7.
22. *La Force des choses*, I, coll. Folio, p. 333.
23. *Ibid.*, p. 143.
24. Témoignage de Gilles Martinet, rencontre avec A.C.-S. les 30 août et 1er septembre 1984 : récit d'une conférence donnée à Milan par Sartre en 1958, sur l'invitation de Rossana Rossanda. Gilles Martinet, y ayant précédé Sartre de quelques semaines, avait donné, de la situation politique française, un tableau fort différent, et infiniment moins pessimiste, moins « catastrophiste », si l'on préfère.
25. Témoignage d'Alberto Moravia, rencontre avec A.C.-S., les 30 août et 31 août 1984, à Rome.
26. Texte inédit du manuscrit de *La Reine Albemarle*, archives privées.
27. *Ibid.*
28. Texte inédit du manuscrit de *La Reine Albemarle*, fonds Sartre à la Bibliothèque nationale. Ce manuscrit a pu être consulté grâce à l'amabilité de Mme Mauricette Berne.
29. *Situations IV*, p. 442; texte paru en premier lieu dans *France-Observateur*, le 24 juillet 1952.
30. Pour tout ce qui concerne les relations de Sartre avec l'Italie, le conseiller culturel de l'Ambassade de France à Rome, Paul Tabet, m'a apporté son très précieux concours.
31. Cité dans Mary Welsh Hemingway, *How it Was*, Knopf éditeur, 1951, pp. 280 et 281.
32. *La Cérémonie des adieux*, entretiens avec Simone de Beauvoir, 1974, p. 389.
33. « Gide vivant », dans *Situations IV*, pp. 85-89.
34. *Les Temps modernes*, janvier 1950.
35. *Situations IV*, p. 227.
36. *Ibid.*, p. 232.
37. *Ibid.*, p. 228.
38. Dans *Action*, 24 janvier 1952.
39. *L'Affaire Henri Martin*, Gallimard, 1953, pp. 57-58.
40. *Ibid.*, pp. 156-157.
41. Cité par Jean Orieux, *Voltaire*, coll. Champs, Flammarion, 1977, 2e partie, p. 192.

Des pigeons et des chars

1. Dominique Desanti, *Les Staliniens*, Marabout, p. 303.
2. *Paris-Presse-l'Intransigeant*, 13 juin 1951, p. 7.
3. *Situations IV*, pp. 248-249.
4. *La Force des choses*, II, p. 281.
5. *L'Express*, 9 novembre 1956, et « Le Fantôme de Staline », *Les Temps modernes*, novembre 1956, repris dans *Situations VII*, Gallimard, 1965.

6. « Les communistes et la paix », repris dans *Situations VI*, Gallimard, 1964, p. 80.
7. *Ibid.*, p. 86.
8. *Situations IV*, p. 249.
9. « Les communistes et la paix », p. 134.
10. *Ibid.*, p. 134.
11. *La Force des choses*, I, p. 158.
12. Cf. Albert Camus, *Essais*, Pléiade, p. 772.
13. « Réponse à Albert Camus », *Les Temps modernes*, nº 82, août 1952, repris dans *Situations IV*, p. 90.
14. *Situations X*, p. 196.
15. Cité par Jean-Pierre Rioux, *La France de la IVe République*, collections Points Histoire, Le Seuil, 1980, p. 11.
16. *Libération*, 16 octobre 1952 et *Ce Soir*, 17 octobre 1952.
17. Dominique Desanti, *op. cit.*, p. 353.
18. *Ce Soir, ibid.*
19. Dominique Desanti, *op. cit.*, p. 357.
20. Témoignage de Jean-Pierre Delilez, rencontre avec A.C.-S. en mai 1982.
21. Témoignage de Gilles Martinet, rencontre avec A.C.-S. les 30 août et 1er septembre 1984, à Rome.
22. *Les Lettres françaises*, 1er-8 janvier 1953.
23. Dominique Desanti, *op. cit.*, p. 358.
24. *La Force des choses*, II, p. 20.
25. Témoignage de Gilles Martinet déjà cité.
26. *Le Monde*, 1er janvier 1953.
27. Congrès des peuples pour la paix, décembre 1952.
28. *Le Monde*, 25 septembre 1954.
29. *Ce soir*, 17 décembre 1952.
30. *Le Monde*, 1er janvier 1953.
31. Voir *Les Écrits de Sartre*, pp. 704-705.
32. *Ibid.*
33. Archives du F.B.I.
34. *Défense de la paix*, juin 1953.
35. *France-Observateur*, 19 mars 1943.
36. Correspondance Etiemble, lettre numéro 154.
37. 6 mars 1953.
38. Maurice Merleau-Ponty, *Sens et Non-Sens*, Nagel, 1978, p. 73.
39. « Merleau-Ponty vivant », première version inédite.
40. *Combat*, samedi 31 octobre-dimanche 1er novembre 1953.
41. Catalogue Albert Schweitzer, Bibliothèque nationale et universitaire de Strasbourg, 1975.
42. *La Force des choses*, II, pp. 43 sqq.
43. Voir *Paul Nizan, communiste impossible* de Annie Cohen-Solal et Henriette Nizan, Grasset, Paris, 1980.
44. *Libération*, 15 juillet 1954, p. 3.
45. *Ibid.*
46. 17-18 juillet 1954, p. 3.
47. 19 juillet 1954, p. 3.
48. 20 juillet 1954, p. 3.
49. *Ibid.*
50. *Ibid.*
51. Jacques-Francis Rolland, *Un dimanche inoubliable près des casernes*, Grasset, 1984, p. 279.
52. *Paris-Presse-l'Intransigeant*, 7 juin 1951.
53. *Situations X*, p. 220.
54. Voir *Les Écrits de Sartre*, p. 283.
55. *Cahiers libres pour la jeunesse*, nº 1, 15 février 1960, entretien recueilli par Jacques-Alain Miller et Raphaël Sorin.
56. *Combat*, 7 juin 1955.

57. *Libération*, 7 juin 1955.
58. *Le Monde*, 1er juin 1955.
59. *Arts*, 15-21 juin 1955.
60. *Discours sur l'imposture*, 1978.
61. *Théâtre populaire*, numéro 14, « Nékrassov juge de sa critique ».
62. *France-Soir*, 24 février 1978.
63. 8 juin 1955, p. 2.
64. Pour tout ce qui concerne *Nékrassov* : archives Georges Werler, rencontres avec A.C.-S. les 1er et 22 février 1983 ; témoignage de Maurice Delarue, ancien stagiaire de Sartre et dramaturge de la pièce en 1978 au T.E.P., rencontre avec A.C.-S. le 22 février 1983.
65. *Kean*, p. 87, texte de la pièce dans l'édition du Centre dramatique national de Reims, *Théâtre-Revue 17*, programme, 1983.
66. Manuscrit inédit, consultable à la Bibliothèque nationale à Paris, où le fonds Sartre est entre les mains de Mme Mauricette Berne.
67. Cf. *supra*, p. 46-63.
68. *Sartre, un film*, pp. 110-111.
69. *On a raison de se révolter*, p. 41.
70. Entretien avec Jacqueline Piatier, *Le Monde*, 18 avril 1964.
71. *L'Express*, 9 novembre 1956.
72. *Les Mots*, p. 212.

IV. UN HOMME QUI S'ÉVEILLE : 1956-1980

Vous êtes formidables...

1. *Situations IV*, p. 62 ; voir aussi historique de l'article dans Contat et Rybalka, pp. 309-310.
2. *Ibid.*, p. 58.
3. Contat et Rybalka, pp. 309-310. Le texte originel avait été commandé à l'écrivain par le journal *Le Monde*. Mais le résultat fut jugé tellement violent que *Le Monde* renonça à le publier. C'est finalement une version édulcorée et adoucie qui parut plus tard dans *Les Temps modernes*.
4. *Situations IV*, p. 65.
5. *Ibid.*, p. 60.
6. *Ibid.*
7. *Ibid.*, p. 68.
8. *Ibid.*, p. 59.
9. *Ibid.*, p. 66.
10. *Ibid.*, p. 67.
11. Edgar Morin, *Autocritique*, Le Seuil, 1959.
12. *La Force des choses*, I, p. 284.
13. Cf. *infra*, p. 401.
14. Voir Contat et Rybalka, p. 288.
15. Témoignage de Dionys Mascolo, rencontres avec A.C.-S. les 18, 24 et 26 octobre 1984.
16. *Situations V*, p. 26.
17. *Ibid.*, p. 27.
18. *Ibid.*, p. 30.
19. *Ibid.*, p. 32.
20. *Ibid.*, p. 34.
21. *Ibid.*, pp. 38-39.
22. *Ibid.*, pp. 47-48.
23. Voir Pierre Viansson-Ponté, *Histoire de la république gaullienne*, Fayard, 1971, puis en poche coll. Bouquins, Laffont, p. 16.
24. *Ibid.*, p. 30.

25. *Situations V*, Gallimard, 1964, p. 98.
26. *Ibid.*, p. 100.
27. *Ibid.*, p. 128.
28. *Ibid.*, p. 137.
29. *Ibid.*, p. 138.
30. *Ibid.*, p. 144.
31. Voir Pierre Viansson-Ponté, *op. cit.*, p. 128.
32. Témoignage de Jean Pouillon, rencontres avec A.C.-S. les 16 et 25 octobre 1984.
33. *La Cérémonie des adieux*, p. 417.
34. *Ibid.*, p. 406.
35. Madeleine Chapsal, *Les Écrivains en personne*, Julliard, 1960, p. 206.
36. *Ibid.*, p. 208.
37. Témoignage de Claude Faux, rencontre avec A.C.-S. le 16 août 1982.
38. *Situations IV*, pp. 291-346.
39. Chapsal, *op. cit.*, p. 222.
40. Article paru dans *L'Arc*, nº 30, p. 83.
41. *L'Express*, 10 septembre 1959.
42. *Les Séquestrés d'Altona*, Livre de poche, pp. 279-280.
43. Témoignage d'Arlette Elkaïm, rencontre avec A.C.-S. le 11 novembre 1984.
44. *Les Séquestrés d'Altona*, *op. cit.*, pp. 374-375.
45. *L'Arc*, nº 30, 1966.
46. *L'Arc*, nº 30, 1960.
47. Témoignage de Michelle Vian, rencontre avec A.C.-S. le 10 juin 1982.
48. *Le Scénario Freud*, Gallimard, 1984, p. 49.
49. John Huston, *An Open Book*, Knopf, New York, 1980, pp. 294-296.
50. *Ibid.*, p. 294.
51. *Ibid.*, p. 296.
52. *Lettres au Castor...*, tome 2, p. 357.
53. Huston, *op. cit.*, p. 295.
54. *Lettres au Castor...*, p. 358.
55. *Ibid.*, p. 360.
56. Huston, *op. cit.*, p. 295.
57. *Lettres au Castor...*, p. 261.
58. Huston, *op. cit.*, p. 296.
59. *Ibid.*
60. *Lettres au Castor...*, p. 361, p. 358.
61. Témoignage de Robert Gallimard, rencontre avec A.C.-S. le 18 novembre 1982.
62. *Critique de la raison dialectique*, Gallimard, 1960, p. 755.
63. Témoignage de Jean Pouillon, rencontre avec A.C.-S. les 16 et 25 octobre 1984.
64. *Ibid.*
65. Chapsal, *op. cit.*, p. 211.
66. Francis Jeanson, *Sartre dans sa vie*, Le Seuil, 1974, p. 214.
67. Témoignage de Marceline Loridan, rencontre avec A.C.-S. le 18 octobre 1984.
68. Jeanson, *op. cit.*, *ibid.*
69. Texte dans *Les Écrits de Sartre*, pp. 723-729.
70. *Ibid.*

Un sulfureux ambassadeur

1. *Situations V*, p. 15.
2. *Ibid.*, p. 20.
3. *Ibid.*, p. 17.
4. *La Force des choses*, II, p. 78.
5. Texte inédit de l'émission « Voici la Chine » de Claude Roy et Albert Riera, diffusée le 24 mars 1956, archives de l'I.N.A.

6. « La Chine que j'ai vue », *France-Observateur,* 1er et 8 décembre 1955.
7. *Ibid.*
8. Dans le *Quotidien des ouvriers,* cité par *Libération,* 6 mai 1983.
9. « Figures de Sartre », *Magazine littéraire,* septembre 1981, pp. 21-22.
10. « Fidel Castro parle... », textes réunis par Jacques Grignon-Dumoulin, *Cahiers libres,* François Maspero.
11. *Obliques,* pp. 293-297.
12. *Ibid.*
13. *Ibid.*
14. *Le Nouvel Observateur,* 24 mars 1960.
15. *La Force des choses,* II, p. 286.
16. Inédit, fonds Sartre de la Bibliothèque nationale, repris en partie dans les articles des 14 et 15 juillet 1960.
17. « Ouragan sur le sucre », 10 et 11 juillet 1960.
18. Archives privées.
19. Archives du F.B.I.
20. D'après Simone de Beauvoir, *La Force des choses,* II, pp. 310-358.
21. Jean Lacouture, *André Malraux,* Le Seuil, 1973, p. 366.
22. *La Cérémonie des Adieux,* p. 465.
23. Dépêche A.F.P. *Le Monde,* 1er septembre 1960.
24. Archives personnelles.
25. *La Force des choses,* II, p. 350.
26. *Tout compte fait,* Gallimard, 1972, p. 324.
27. Témoignage de Bertrand Dufourcq, qui fut conseiller culturel de France à Moscou, rencontre avec A.C.-S. le 15 octobre 1984.
28. Lena Zonina est décédée à Moscou, le 2 février 1985, à l'âge de soixante-deux ans; elle venait de publier son dernier livre, *Sentiers de notre temps : Réflexions sur les romanciers français dans les années 60 et 70.*
29. *Situations VI,* pp. 23 à 68.
30. Témoignage de Bertrand Dufourcq qui fut conseiller culturel de France à Tokyo et accueillit Sartre, rencontre avec A.C.-S. le 15 octobre 1984.
31. Voir « le combat pour la liberté », article sur Sartre au Japon par Takeshi Ebisaka, dans *Le Magazine littéraire,* septembre 1981, pp. 19-20.
32. Témoignage de Yehoshua Rash, rencontre avec A.C.-S. le 18 septembre 1982.
33. Témoignage de Menahem Brinker, rencontre avec A.C.-S. le 27 juillet 1982.
34. Témoignage de Gabriel Cohen, dans *Le Matin,* 27 avril 1980.
35. Ces enregistrements me sont parvenus grâce aux efforts conjugués de Dani Karavan, Amalia et Fiska Furstenberg, Arieh et Rachel Aharoni. D'intéressantes informations m'ont été, de plus, fournies par Nathan Shaham sur la perception de Sartre par les écrivains de la gauche israélienne.

L'Intouchable

1. Hamon et Rotman, *Les Porteurs de valises,* Albin Michel, 1979, p. 73.
2. *Tracts surréalistes,* tome 2, réunis par Maurice Nadeau, p. 391.
3. Témoignage de Dionys Mascolo, rencontres avec A.C.-S. les 18, 24 et 26 octobre 1984.
4. Archives personnelles de Dionys Mascolo.
5. Témoignage de Roland Dumas, rencontre avec A.C.-S. le 15 octobre 1984.
6. *Ibid.*
7. *Le Procès du réseau Jeanson,* Maspero, pp. 104-105.
8. *Ibid.*, p 12.
9. *Le Monde,* 25-26 septembre 1960.
10. Témoignage de Paule Thévenin, conversation téléphonique avec A.C.-S. le 23 octobre 1984.
11. *L'Aurore,* 25-26 septembre 1960.
12. *Le Figaro,* 21 septembre 1960.
13. *L'Express,* 20 septembre 1960.

14. *La Croix,* 24 septembre 1960.
15. *Le Monde,* 24 septembre 1960.
16. *Le Monde,* 22 septembre 1960.
17. *Le Droit à l'insoumission,* dossier des « 121 », p. 32.
18. Cité, *ibid.*, p. 34.
19. *Ibid.*, pp. 34-35.
20. *Ibid.*, p. 32.
21. *Ibid.*, p. 33.
22. *La Croix,* 4 octobre 1960.
23. *Le Populaire de Paris,* 4 octobre 1960 : « Les pyromanes ».
24. *Ibid.*, 3 octobre 1960.
25. *Le Figaro,* 7 octobre 1960.
26. *L'Aurore,* 7 octobre 1960.
27. *Réforme,* 1er octobre 1960.
28. Témoignage de Roland Dumas, rencontre avec A.C.-S. le 15 octobre 1984.
29. *Paris-Jour,* 2 octobre 1960.
30. *Le Dossier des 121,* p. 58.
31. Témoignages de Jean Pouillon, rencontres avec A.C.-S. les 16 et 25 octobre 1984.
32. Témoignage de Claude Faux, rencontre avec A.C.-S. le 16 août 1982.
33. Témoignage de Jean Pouillon déjà cité.
34. *Ibid.*
35. Témoignage de Roland Dumas déjà cité.
36. *La Cérémonie des adieux,* pp. 466-467.
37. *Le Monde, Combat* et *Le Figaro,* 2 décembre 1960.
38. Témoignage de Dionys Mascolo, déjà cité.
39. Témoignage de Claude Lanzmann, rencontre avec A.C.-S. le 9 mai 1983.
40. *Situations III,* pp. 299 sqq.
41. *Ibid.*
42. *El-Moudjahid,* 1er, 15, 30 décembre 1957, cité dans *Pour la révolution africaine,* Maspero, 1964, pp. 85 sqq.
43. *La Force des choses,* II, p. 421.
44. Archives Maspero, lettre inédite.
45. *Situations V,* p. 173.
46. *Ibid.*
47. *Ibid.*, p. 186.
48. *Ibid.*, p. 175.
49. *Ibid.*, p. 185.
50. Voir, à ce sujet, l'article d'Yves Lacoste, « Du tiers-mondisme à l'anti-tiers-mondisme », paru dans *L'Autre Journal,* mai 1985.
51. *Situations IV,* p. 127.
52. *Situations IV,* pp. 136-137.
53. *Ibid.*, p. 139.
54. *Ibid.*, p. 138.
55. *Le Magazine littéraire,* 1971, spécial Nizan.
56. *Situations IV,* p. 188.
57. *Situations IV,* p. 189.
58. *Ibid.*, p. 258.
59. *Ibid.*, p. 287.
60. Rencontre avec A.C.-S. le 15 octobre 1984.
61. Témoignage de Robert Gallimard, rencontre avec A.C.-S. le 22 février 1985.
62. *Combat,* 30 janvier 1964.
63. *Le Monde,* 2 juin 1955.
64. *Le Monde,* 18 avril 1964.
65. Témoignage de J.-B. Pontalis, rencontre avec A.C.-S. le 29 avril 1985.
66. *Le Figaro,* 23 octobre 1964.
67. *Le Monde,* 25-26 octobre 1964.
68. *Rivarol,* 29 octobre 1964.
69. *Nouveaux Blocs-Notes,* pp. 431-433.
70. Archives de l'Académie Nobel, Stockholm, communiqué par M. Bjurström.

71. Témoignage de Carl-Gustav Bjurström, rencontre avec A.C.-S. le 21 mai 1985.
72. *L'Express*, 27 octobre-1er novembre 1964, p. 71.
73. Témoignage de Louis Audibert, rencontre avec A.C.-S. le 21 mai 1985.
74. *L'Arc*, octobre 1966.
75. *Cahiers de philosophie*, février 1966.
76. Témoignage de Régis Debray, rencontre avec A.C.-S. le 27 mai 1985.
77. Témoignage de Georges Canguilhem, rencontre avec A.C.-S. le 8 juin 1982.
78. En juin 1985, le metteur en scène américain John Strasberg décida, dans le cadre de son école d'acteurs, de donner une série de représentations des *Troyennes* : ce fut la deuxième mise en scène de la pièce.

Entre Flaubert et les maos

1. *Paese Sera*, 24 août 1968.
2. A.F.P. *Le Monde*, 3 décembre 1968.
3. Rencontre avec A.C.-S. le 25 mai 1984.
4. *Tribunal Russell, le jugement final*, coll. Idées, Gallimard, p. 367.
5. *Au cœur du Viêt-nam*, 96 photos de Pic, Maspero, 1968.
6. *Le Nouvel Observateur*, 26 avril-3 mai 1967.
7. En ce qui concerne les années 60, voir Maurice Achard et Anne-Marie Métailié, *Les Années soixante*, Anne-Marie Métailié éditeur, 1980.
8. *La Révolte étudiante : les animateurs parlent*, Le Seuil, 1968, p. 70.
9. Témoignage de Alain Geismar, rencontre avec A.C.-S. le 12 février 1985.
10. Voir *Les Écrits de Sartre*, pp. 463-464.
11. *De Sartre à Foucault, vingt ans d'entretiens à l'Observateur*, Hachette, 1984.
12. *Le Nouvel Observateur*, 19 juin et 26 juin 1968.
13. *Le Monde*, 22 mai 1968.
14. Témoignage de Raphaël Sorin, rencontre avec A.C.-S. le 21 février 1985.
15. Témoignage de Jean-Marcel Bouguereau, rencontre avec A.C.-S. le 26 août 1984.
16. *Le Nouvel Observateur*, 17 mars 1969.
17. *Ibid.*
18. Témoignage d'Alain Geismar, rencontre avec A.C.-S. le 12 février 1985.
19. *New Left Review*, repris dans *Le Nouvel Observateur*, janvier 1970, repris encore dans *Situations X*.
20. *Le Monde*, 18 avril 1964.
21. *Le Monde*, 14 mai 1971.
22. *Carnets de la drôle de guerre*, pp. 129-132.
23. *Le Monde*, 14 mai 1971.
24. *Situations IX*, p. 116.
25. *Ibid.*, p. 113.
26. *Ibid.*, pp. 118-119.
27. *Obliques*, 1975, p. 26.
28. *Situations IX*, pp. 113-114.
29. *Ibid.*, p. 114.
30. *Le Monde*, 14 mai 1971.
31. *Ibid.*
32. *Situations IX*, p. 120.
33. *De Sartre à Foucault*, *op. cit.*, p. 31.
34. *Situations IX*, p. 118.
35. *Sartre, un film*, p. 130.
36. *Obliques*, p. 26.
37. Voir *Romans*, Pléiade, p. XCII.
38. Rencontre avec A.C.-S. le 18 mai 1983.
39. *Situations X*, p. 185.
40. Rencontre avec A.C.-S. le 12 février 1985.
41. *La Cause du peuple*, 1er mai 1970.
42. *On a raison de se révolter*, pp. 71-73.

43. *Ibid.*, p. 72.
44. *Ibid.*, p. 73.
45. *Le Monde*, 29 avril 1970.
46. Archives inédites I.N.A.
47. *L'Idiot international*, novembre 1970, pp. 8 et 9.
48. *L'Aurore*, 22 octobre 1970.
49. *Tout*, 23 septembre 1970, p. 8.
50. *J'accuse*, janvier 1971, pp. 17-19.
51. *La Cause du peuple*, 5 janvier 1972.
52. *Libération*, 17 avril 1980.
53. *Ibid.*
54. *L'Idiot international*, 1er septembre 1970, « L'Ami du peuple ».
55. *La Cause du peuple*, juin 1972.
56. Entretien inédit avec F.M. Samuelson, 23 octobre 1978, 7 juin 1979.
57. *Situations X*, pp. 38 et 47.
58. *Le Nouvel Observateur*, 19 juin 1968.
59. « Radioscopie », 7 février 1973.
60. *Tout*, 1er février 1971.

A l'ombre de la tour

1. Archives inédites d'Arlette Elkaïm-Sartre.
2. *Situations X*, pp. 134, 135, 139.
3. *La Cérémonie des adieux*, p. 86. Autre information, récemment apprise de la bouche de Maurice de Gandillac, sur cet immeuble du 29, boulevard Edgar-Quinet : il était l'œuvre de l'architecte Lecaisne, l'un de leurs condisciples de l'hypokhâgne du lycée Louis-le-Grand, et il était construit à l'emplacement d'un ancien bordel. Rencontre avec A.C.-S. le 27 février 1985.
4. *Le Monde*, 28 juillet 1977.
5. *Libération*, 6 janvier 1977.
6. Témoignage de Benny Lévy, rencontre avec A.C.-S. le 19 février 1985.
7. *La Cérémonie des adieux*, p. 141.
8. Témoignages de Simone de Beauvoir (rencontre avec A.C.-S. le 6 mars 1985) et d'Arlette Elkaïm-Sartre (le 5 mars 1985).
9. *Ibid.*
10. *Situations X*, p. 211.
11. *Le Matin*, 16 janvier 1982.
12. A Radio-Luxembourg.
13. Témoignage de Valéry Giscard d'Estaing, rencontre avec A.C.-S. le 6 mai 1985.
14. Témoignage de Benny Lévy, rencontre avec A.C.-S. le 25 février 1985.
15. Témoignage de Robert Gallimard, rencontre avec A.C.-S. le 22 février 1985.
16. Pierre Goldmann, *Souvenirs d'un juif polonais né en France*, Le Seuil, 1975.
17. Roland Castro, *1989*, B. Barrault, 1984.
18. Témoignage de François Châtelet, rencontre avec A.C.-S. le 29 janvier 1985.
19. *Libération*, 24 décembre 1984.
20. *Ibid.*
21. *Libération*, 6 janvier 1977.
22. Témoignage de Robert Gallimard, rencontre avec A.C.-S. le 22 février 1985.
23. Témoignage de Jean Pouillon, rencontre avec A.C.-S. le 7 mars 1985.
24. Témoignage d'Arlette Elkaïm, rencontre avec A.C.-S. le 5 mars 1985.
25. Témoignage de Simone de Beauvoir, rencontre avec A.C.-S. le 6 mars 1985.
26. Témoignage de Jean Pouillon, déjà cité.
27. Témoignage d'Arlette Elkaïm, déjà cité.
28. Témoignage de Simone de Beauvoir, déjà cité.
29. Témoignage de Jean Pouillon, déjà cité.
30. *Délit de vagabondage*, Grasset, p. 299.
31. *Le Matin*, 8 juillet 1980, et rencontre avec A.C.-S. le 28 février 1983.
32. *Situations X*, pp. 134 et 154.

33. Témoignage de Daniel Lindenberg, rencontre avec A.C.-S. le 20 février 1985.
34. *Le Monde*, 27 septembre 1975.
35. *Le Monde*, 6 décembre 1974.
36. *Ibid.*
37. Témoignage de Benny Lévy, déjà cité.
38. *Libération*, 22-26 avril 1975.
39. Compte rendu dans *Le Matin*, 26 janvier 1980.
40. Témoignage d'Arlette Elkaïm, déjà cité.
41. Témoignage de Jean Daniel, rencontre avec A.C.-S. le 28 février 1985.
42. Témoignage de Simone de Beauvoir, déjà cité.
43. Témoignage de Jean Pouillon, déjà cité.
44. *La Cérémonie des adieux*, p. 140, à part le membre de phrase « que lui seul était vivant » ajouté lors de la rencontre avec A.C.-S. du 6 mars 1985.
45. Témoignage de Benny Lévy, déjà cité.
46. *Ibid.*
47. *La Cérémonie des adieux*, p. 140.
48. Témoignage d'Edward Saïd, rencontre avec A.C.-S. le 17 mai 1982 à New York.
49. *Libération*, 6 janvier 1977.
50. Témoignage de Benny Lévy, déjà cité.
51. Témoignage de Jean Daniel, déjà cité.
52. Témoignage d'Arlette Elkaïm, déjà cité.
53. *Ibid.*
54. Témoignage de Simone de Beauvoir, déjà cité.
55. *Ibid.*
56. Témoignage de Robert Gallimard, déjà cité.
57. Témoignage de Arlette Elkaïm, déjà cité.
58. Témoignage de Jean Pouillon, déjà cité.
59. *La Cérémonie des adieux*, préface.
60. *Libération*, 3 décembre 1981.
61. Témoignage de Benny Lévy, déjà cité.
62. Témoignage de Jean Pouillon, déjà cité.
63. Témoignage de Valéry Giscard d'Estaing, déjà cité.
64. Témoignage de Jean Pouillon, déjà cité.
65. *Ibid.*

BIBLIOGRAPHIE

ŒUVRES DE SARTRE

L'Imagination, P.U.F., 1936.
La Transcendance de l'Ego, Vrin, 1937.
La Nausée, Gallimard, 1938.
Le Mur, Gallimard, 1939.
Esquisse d'une théorie des émotions, Hermann, 1939.
L'Imaginaire, Gallimard, 1940.
L'Être et le Néant, Gallimard, 1943.
Les Mouches, Gallimard, 1943.
Huis clos, Gallimard, 1944.
Les Chemins de la liberté, tome I : *L'Âge de raison*, Gallimard, 1945.
Les Chemins de la liberté, tome II : *Le Sursis*, Gallimard, 1945.
L'existentialisme est un humanisme, Nagel, 1946.
Morts sans sépulture, Gallimard, 1946.
La Putain respectueuse, Gallimard, 1946.
Réflexions sur la question juive, Gallimard, 1946.
Baudelaire, Gallimard, 1946.
Situations I, Gallimard, 1947.
Les jeux sont faits, Nagel, 1947.
Les Mains sales, Gallimard, 1948.
L'Engrenage, Nagel, 1948.
Situations II, Gallimard, 1948.
Les Chemins de la liberté, tome III : *La Mort dans l'âme*, Gallimard, 1949.
Situations III, Gallimard, 1949.
Entretiens sur la politique, avec la collaboration de Gérard Rosenthal et de David Rousset, Gallimard, 1949.
Le Diable et le Bon Dieu, Gallimard, 1951.
Saint Genet, comédien et martyr, Gallimard, 1952.
L'Affaire Henri Martin, Gallimard, 1953.
Kean, Gallimard, 1954.
Nékrassov, Gallimard, 1955.
Les Séquestrés d'Altona, Gallimard, 1959.
Critique de la raison dialectique, précédé de *Questions de méthode*, Gallimard, 1960.
Les Mots, Gallimard, 1963.
Situations IV, Gallimard, 1964.
Situations V, Gallimard, 1964.
Situations VI, Gallimard, 1964.
Les Troyennes, Gallimard, 1965.

Situations VII, Gallimard, 1965.
L'Idiot de la famille, tomes I et II, Gallimard, 1971.
Situations VIII, Gallimard, 1972.
Situations IX, Gallimard, 1972.
L'Idiot de la famille, tome II, Gallimard, 1972.
Un théâtre de situations, Gallimard, 1973.
On a raison de se révolter (avec Philippe Gavi et Pierre Victor), Gallimard, 1974.
Situations X, Gallimard, 1976.

PUBLICATIONS POSTHUMES

Œuvres romanesques, Bibliothèque de la Pléiade, édition établie par Michel Contat, Michel Rybalka, avec la collaboration de Geneviève Idt et George H. Bauer, Gallimard, 1981.
Les Carnets de la drôle de guerre, Gallimard, 1983.
Cahiers pour une morale, Gallimard, 1983.
Lettres au Castor et à quelques autres, tomes I et II, Gallimard, 1983.
Le Scénario Freud, préfacé par J.-B. Pontalis, Gallimard, 1984.
Critique de la raison dialectique, tome II, Gallimard, 1985.

NUMÉROS SPÉCIAUX DE REVUES CONSACRÉS À SARTRE

L'Arc, nº 30, 1966.
L'Avant-Scène théâtrale, nº 402-403, 1968.
Le Magazine littéraire, nº 55-56, septembre 1971.
Le Magazine littéraire, nº 103-104, septembre 1975.
Le Magazine littéraire, nº 176, septembre 1981.
Obliques, Sartre, 1979.
Obliques, Sartre et les arts, 1981.

BIBLIOGRAPHIES

CONTAT, Michel et RYBALKA, Michel, *Les Écrits de Sartre*, Gallimard, 1970.
LAPOINTE, François H., *Jean-Paul Sartre and His Critics, An International Bibliography, 1938-1975*, Philosophy Documentation Center, Bowling Green State University, Bowling Green, Ohio, 43403, U.S.A.
WILCOCKS, Robert, *Jean-Paul Sartre : A Bibliography of International Criticism*, University of Alberta Press, 1975.

BIBLIOGRAPHIE GÉNÉRALE

AARON, Daniel, *Wrighters On The Left*, Avon, New York, 1961.
ACHARD, Maurice et MÉTAILIÉ, Anne-Marie, *Les Années soixante*, A.-M. Métailié, 1980.
AGULHON, Maurice, *1848 ou L'Apprentissage de la République*, Points, Le Seuil, 1973.
AÏT, Ahmed Hocine, *Mémoires d'un combattant*, Sylvie Messinger, 1983.
ALLEG, Henri, *La Question*, Minuit, 1961.
–, *Prisonniers de guerre*, Minuit, 1961.
AMOUROUX, Henri, *La Vie des Français sous l'occupation*, Fayard, 1961.
–, *La Grande Histoire des Français sous l'occupation*, 6 tomes, Laffont, 1976.
ANDREU, Pierre et GROVER, Frédéric, *Drieu La Rochelle*, Hachette, 1979.
ARON, Jean-Paul, *Les Modernes*, Gallimard, 1984.
ARON, Raymond, *Essai sur les libertés*, Calmann-Lévy, 1965.

–, *Histoire et Dialectique de la violence*, Gallimard, 1973.
–, *Les Marxismes imaginaires*, Gallimard, 1970.
–, *Mémoires*, Julliard, 1983.
–, *L'Opium des intellectuels*, Calmann-Lévy, 1955.
–, *D'une Sainte Famille à l'autre*, Gallimard, 1969.
–, *Le Spectateur engagé*, Julliard, 1981.
ARON, Robert, *Histoire de l'épuration*, Fayard, 1975.
ARONSON, Ronald, *Sartre: Philosoph In The World*, Schocken, New York, Verso. Londres.
AUDRY, Colette, *Sartre et la Réalité humaine*, Seghers, 1966.
AZÉMA, Jean-Pierre, *De Munich à la Libération*, Points, Le Seuil, 1979.
BARNES, HAZEL E., *Humanistic Existentialism : The Literature of Possibility*, Lincoln. University of Nebraska Press, 1959.
–, *Sartre*, Lippincott, New York, 1973.
–, *Sartre and Flaubert*, University of Chicago Press, 1982.
BARRETT, William, *The Truands*, Doubleday, New York, 1982.
BEAUVOIR, Simone de, *La Cérémonie des adieux*, Gallimard, 1981.
–, *La Force de l'âge*, I et II, Gallimard, 1960.
–, *La Force des choses*, I et II, Gallimard, 1963.
–, *L'Invitée*, Gallimard, 1943.
–, *La Longue Marche*, Gallimard, 1957.
–, *Les Mandarins*, Gallimard, 1954.
–, *Les Mémoires d'une jeune fille rangée*, Gallimard, 1958.
–, *Tout compte fait*, Gallimard, 1972.
–, *La Vieillesse*, Gallimard, 1970.
(Bibliographie) *Les Écrits de Simone de Beauvoir*, par Gontier Fernande et Francis Claude, Gallimard, 1979.
BEIGBEDER, Marc, *L'Homme Sartre*, Bordas, 1947.
BELVÈZE, commandant de, *Lettres 1824-1875*, Bourges, 1882.
BOSWORTH, Patricia, *Montgomery Clift. A Biography*, Bantam Books, New York, 1978.
BOURGET, Pierre, *Paris 1940-1944*, Plon, 1979.
BOUTANG, Pierre et PINGAUD, Bernard, *Sartre est-il un possédé?*, La Table ronde, 1946.
BRASSAÏ, *The Secret Paris Of The Thirties*, Pantheon Books, 1976.
BRAUDEL, Fernand et LABROUSSE, Ernest, *Histoire économique et sociale de la France*, tome IV, 1er volume, années 1880-1914, P.U.F., 1979.
BRÉE, Germaine, *Camus and Sartre*, Delta Books, New York, 1972.
BRIOSI, Sandro, *Il Pensiero di Sartre*, Longo, Ravenna, 1978.
BROMBERT, Victor, *The Hero in Literature*, Fawcett, Greenwich, Connecticut, 1969.
BUIN, Yves, *Que peut la littérature?*, U.G.E., 1965.
BUISSON, Ferdinand, *La Foi laïque*, Hachette, 1912.
BURNIER, Michel-Antoine, *Les Existentialistes et la Politique*, Gallimard, 1966.
–, *Le Testament de Sartre*, Orban, 1983.
BUSSON, Jean-Pierre, « Les Officiers de la république », in *L'Histoire*, nº 36, juillet-août 1981.
CALLOT, Jean-Pierre, *Histoire de l'École polytechnique*, Charles Lavauzelle, 1982.
CAMPBELL, Robert, *Jean-Paul Sartre, une littérature philosophique*, éditions Pierre Ardent, 1945.
CAMUS, Albert, *Essais*, Bibliothèque de la Pléiade, Gallimard, 1965,
CARCO, Francis, *Brumes*, Albin Michel, 1935.
CASARÈS, Maria, *Résidente privilégiée*, Fayard, 1980.
CASTRO, Roland, *1989*, B. Barrault, 1984.
Catalogue Albert Schweitzer, exposition de la Bibliothèque nationale et universitaire de Strasbourg, 1975.
Catalogue Bibliothèque nationale, exposition 1913.
CAU, Jean, *Croquis de mémoire*, Julliard, 1985.
CAUTE, David, *Les Compagnons de route*, Laffont, 1979.
–, *Le Communisme et les Intellectuels*, Gallimard, 1967.
CAVE BROWN, Anthony, *The Last Hero : Wild Bill Donovan*, Times Books, octobre 1982.

CAWS, Peter, *Sartre, Routeledge and Kegan,* Londres, Boston, 1979.
CHAPSAL, Madeleine, *Les Écrivains en personne,* Julliard, 1960.
La Charente-Maritime, ouvrage collectif, éditions Bordessoules, 1981.
CLARIS, Gaston, *Notre École polytechnique,* Imprimeries réunies, 1895.
CLAUDEL, Paul, *Œuvres complètes,* Bibliothèque de la Pléiade, tome 2, Gallimard, 1969.
COCTEAU, Jean, *Journal : Le Passé défini,* Gallimard, 1984.
Au cœur du Viêt-nam, 96 photos de Pic, Maspero, 1968.
Actes du Colloque *Les Protestants dans les débuts de la IIIe République, 1871-1885,* publié par la Société d'histoire du protestantisme français, 1979.
COLOMBEL, Jeannette, *Sartre ou le parti de vivre,* Grasset, 1981.
–, *Sartre, textes et débats,* Hachette, 1985.
COMPAGNON, Antoine, *La Troisième République des Lettres,* Le Seuil, 1983.
Correspondance inédite de l'état-major de la Marine, escadre de l'Extrême-Orient avec la France, années 1898-1899, Service historique de la Marine.
CORTI, José, *Souvenirs désordonnés,* José Corti, 1983.
COURTOIS, Stéphane, *Le P.C.F. dans la guerre,* Ramsay, 1980.
CRAIB, Ian, *Existentialism and Sociology : A Study of Jean-Paul Sartre,* Cambridge University Press, 1976.
CRONAN, Christine, *Petit Catéchisme de l'existentialisme pour les profanes,* éditions Dumoulin, 1948.
CUMING, Robert D., *Starting Point : An Introduction to the Dialectic of Existence,* Chicago University Press, 1979.
DANIEL, Jean, *L'Ère des ruptures,* Grasset, 1979.
–, *Le Temps qui reste,* Gallimard, 1984.
DANTO, Arthur C., *Jean-Paul Sartre,* Viking Press, New York, 1975.
DEBÛ-BRIDEL, Jacques, *La Résistance intellectuelle en France,* Julliard, 1970.
DELALE, Alain et RAGACHE, Gilles, *La France de 68,* Le Seuil, 1978.
DERRIDA, Jacques, *Glas,* Denoël-Gonthier, 1980.
DESANTI, Dominique, « Le Sartre que je connais », in *Jeune Afrique,* 8 novembre 1964.
–, *Les Staliniens,* Marabout, 1975.
DESANTI, Jean-Toussaint, *Un destin philosophique,* Grasset, 1982.
–, *Introduction à la phénoménologie,* Gallimard, 1976.
DIOUDONNAT, Pierre-Marie, *L'Argent nazi à la conquête de la presse française, 1940-1944,* Jean Picollec, 1981.
DROZ, Bernard et LEVER, Évelyne, *Histoire de la Guerre d'Algérie,* Points, Le Seuil, 1982.
DUROSELLE, J.-B., *Politique étrangère de la France : La Décadence, 1932-1939,* Points, Le Seuil, 1979.
–, *L'Abîme,* Imprimerie nationale, 1982.
ELGEY, Georgette, *La République des illusions,* Fayard, 1965.
ÉNARD, Jean-Pierre, *Le Dernier Dimanche de Sartre,* Le Sagittaire, 1978.
ENCREVÉ, André, *Protestants français au milieu du XIXe siècle, les réformés de 1848 à 1870,* thèse de doctorat d'État, université de Paris IV, 1983.
FANON, Frantz, *L'An V de la révolution algérienne,* Maspero, 1959.
–, *Les Damnés de la Terre,* Maspero, 1961.
–, *Peau noire, Masque blanc,* Le Seuil, 1952.
–, *Pour la révolution africaine,* Maspero, 1964.
FAYOLLE, Gérard, *La Vie quotidienne en Périgord au temps de Jacquou le Croquant,* Hachette, 1977.
FEININGER, Andreas, *The Face of New York,* Crown Publishers, Inc., New York, 1954.
FEJTÖ, François, *La Tragédie hongroise,* Pierre Horay, 1956.
FERRIÈRES, Gabriel, *Jean Cavaillès,* Le Seuil, 1982.
« Fidel Castro parle... », textes réunis par Jacques Grignon-Dumoulin, *Cahiers libres,* François Maspero, 1960.
FLANNER, Janet, *Paris c'était hier,* Mazarine, 1981.
–, *Paris, Journal 1944-1965,* Harcourt Brace Jovanovitch, New York, 1977.
–, *Uncollected Writings,* Harcourt Brace Jovanovitch, New York, 1979.

FLOURET, Jean, *Cinq siècles d'enseignement secondaire à La Rochelle (1504-1972)*, Quartier latin, La Rochelle, 1973.
FONTAINE, André, *Histoire de la guerre froide*, Le Seuil, 1967.
FRANK, Bernard, *Le Dernier des Mohicans*, Fasquelle, 1956.
–, *La Panoplie littéraire*, Julliard, 1958.
–, *Les Rats*, Flammarion, 1985.
FRANK, Nino, *Petit Cinéma sentimental*.
FREUND, Gisèle, *Mémoires de l'œil*, Le Seuil, 1977.
–, *Le Monde et ma caméra*, Denoël, 1970.
FROMENT-MEURICE, Marc, *Sartre et l'Existentialisme*, Nathan, 1984.
GARAUDY, Roger, *Une littérature de fossoyeurs: un faux prophète : Jean-Paul Sartre*, Éditions sociales, 1948.
–, « Questions à Jean-Paul Sartre », *Clarté*, 1960.
GAYLE, Addison, *Richard Wright : Ordeal of a Native Son*. Doubleday, 1980.
GENDZIER, Irène, *Frantz Fanon*, Le Seuil, 1976.
GEORGE, François, *Deux Études sur Sartre*, Bourgois, 1976.
GIDE, André, *Correspondance avec Roger Martin du Gard*,
–, *Journal 1939-1942*, Gallimard, 1946.
–, *Cahiers de la Petite Dame*, 1937-1945, Gallimard, 1976.
GLOZER, Laszlo, *Wols photographe*, Centre Pompidou, 1978.
GOFFIN, Robert, *Jazz From the Congo to the Metropolitan*, Doubleday, Doran and Co, New York, 1944.
GOFFMANN, Erving, *Asiles*, Minuit, 1973.
GOLDMANN, Pierre, *Souvenirs d'un juif polonais né en France*, Le Seuil, 1975.
GONTARD, Maurice, *L'Œuvre scolaire de la IIIe République; l'enseignement primaire en France de 1878 à 1914*, Institut pédagogique national, 1965.
GORZ, André, *Adieux au prolétariat*, Le Seuil, 1980.
–, *Le Socialisme difficile*, Le Seuil, 1967.
–, *Le Traître*, Le Seuil, 1958.
GRANET, Marie, *Défense de la France*, P.U.F., 1960.
GRÉCO, Juliette, *Jujube*, Stock, 1983.
GUÉHENNO, Jean, *Journal des années noires*, Gallimard, 1947.
GUÉRIN, Daniel, *Quand l'Algérie s'insurgeait*, La Pensée sauvage, 1979.
GUNTHER, John, *Inside U.S.A.*, Harper and Brothers, New York, 1947.
HAMON, Hervé et ROTMAN, Patrick, *Les Porteurs de valises*, Albin Michel, 1979.
HANOTEAU, Guillaume, *L'Âge d'or de Saint-Germain-des-Prés*.
HELLER, Gerhard, *Un Allemand à Paris*, Le Seuil, 1981.
HERVÉ, Pierre, *Lettre à Sartre et à quelques autres par la même occasion*, 1954.
HOUBARD, Jacques, *Un père dénaturé*, Julliard, 1964.
HUSZAR, George B. de, *The Intellectuals*, Free Press, Glencoe, 1960.
ISHERWOOD, Christopher, *Adieu à Berlin*, Hachette, 1980.
ISSACHAROFF, Michael et VILQUIN, Jean-Claude, *Sartre et la Mise en signe*, Klincksieck, 1980.
JAMESON, Frederick R., *Sartre : The Origins of a Style*, Yale University Press, New Haven, 1961.
–, *Marxism and Form*, Princeton University Press, 1971.
JANZ, Curt-Paul, *Nietzsche*, Gallimard, 1984.
JARDIN, André et TUDESQ, André-Jean, *La France des notables*, Le Seuil, 1973.
Jazz et Photographie, catalogue, A.R.C. et musée de l'Homme, 1984.
JEANSON, Francis, *Le Problème moral et la Pensée de Sartre*, Le Seuil, 1947.
–, *Un quidam nommé Sartre*, Le Seuil, 1966.
–, *Sartre par lui-même*, Le Seuil, 1955.
–, *Sartre dans sa vie*, Le Seuil, 1974.
JULLIAN, Marcel, *Délit de vagabondage*, Grasset, 1978.
JÜNGER, Ernst, *Premier Journal parisien*, Christian Bourgois, 1980.
KANAPA, Jean, *Comme si la lutte entière*.
KERN, Edith, *Existential Thought and Fictional Technic : Kierkegaard, Sartre, Beckett*, Yale University Press, New Haven, 1970.
LACOUTURE, Jean, *André Malraux*, Le Seuil, 1973.
LAING, Ronald D. et COOPER, David G., *Reason and Violence*, Tavistock, Londres, 1964.

LAURENT, Jacques, *Paul et Jean-Paul,* Grasset, 1951.
LECARME, Jacques, *Les Critiques de notre temps et Sartre,* Garnier, 1973.
LEGRAND, Louis, *L'Influence du positivisme dans l'œuvre de Jules Ferry : les origines de la laïcité,* Marcel Rivière, 1951.
LEJEUNE, Philippe, *Le Pacte autobiographique,* Le Seuil, 1975.
LE ROY, Eugène, *Jacquou le Croquant,* Gallimard, 1982.
LEROY, Jules, *Saint-Germain-des-Prés, capitale des lettres,* André Bonne, 1952.
LÉVI-STRAUSS, Claude, *La Pensée sauvage,* Plon, 1962.
–, *Le Regard éloigné,* Plon, 1983.
LÉVY, Benny, *Le nom de l'homme, dialogue avec Sartre,* Verdier, 1984.
LOISEAUX, Gérard, *La Littérature de la défaite et de la collaboration,* publications de la Sorbonne, Paris, 1984.
MAC ORLAN, Pierre, *Le Mystère de la malle nº 1,* Christian Bourgois, 1984.
MARCUSE, Herbert, « Existentialism : Remarks on J.-P. Sartre's *L'Être et le Néant* » dans *Philosophy and Phenomenological Research VIII,* mars 1948, pp. 309-336, réédité dans *Studies in Critical Philosophy,* Boston, Beacon Press, 1973.
MASCHINO, Maurice, *L'Engagement,* Maspero, 1961.
MAURIAC, François : *Nouveaux Blocs-Notes,* Flammarion, 1965.
MERLEAU-PONTY, Maurice, *Les Aventures de la dialectique,* Gallimard, 1955.
–, *Sens et Non-Sens,* Nagel, 1948.
–, *Signes,* Gallimard, 1961.
–, *Le Visible et l'Invisible,* Gallimard, 1964.
MICHEL, Georges, *Mes années Sartre,* Hachette, 1981.
MORGAN, Claude, *Les Don Quichotte et les Autres,* Guy Roblot, 1979.
MORIN, Edgard, *Autocritique,* Le Seuil, 1959.
MOUNIER, Emmanuel, *Œuvres,* tomes 3 et 4, Le Seuil, 1962.
MURDOCH, Iris, *Sartre,* Collins, Londres, 1953.
–, *Sartre, Romantic Rationalist,* Yale University Press, 1953.
NAVILLE, Pierre, *L'Intellectuel communiste,* Rivière, 1956.
NIMIER, Roger, *Correspondance avec Chardonne,* Gallimard, 1984.
–, *Journées de lecture,* Gallimard, 1965.
NIZAN, Paul, *Le Cheval de Troie,* Grasset, 1935.
–, *La Conspiration,* Gallimard, 1938.
ORIEUX, Jean, *Voltaire,* Flammarion, 1977.
PAXTON, Robert, *Vichy France,* Knopf, New York, 1972.
PÉCAUT, Félix, *L'Éducation publique et la Vie nationale,* Hachette, 1898.
PERRIN, Marius, *Avec Sartre au Stalag XII D,* Delarge, 1980.
Petite Histoire de l'existentialisme, éditions Club Maintenant, 1946.
PEYRE, Henri, *Jean-Paul Sartre,* Columbia University Press, New York, 1968.
PHILIPPE, Claude-Jean, *Le Roman du cinéma,* Fayard, 1984.
PIZELLA, Stéphane, *Les Nuits du bout du monde,* André Bonne, 1953.
POMMARÈDE, Pierre, *La Séparation de l'Église et de l'État en Périgord,* Pierre Fanlac éditeur, Périgueux, 1976.
–, *Le Périgord oublié,* Pierre Fanlac éditeur, Périgueux, 1977.
POSTER, Mark, *Existential Marxism in Post-War France : From Sartre to Althusser,* Princeton University Press, 1975.
Pour ou contre l'existentialisme, éditions Atlas, 1948.
PRINCE, Gerald J., *Métaphysique et Technique dans l'œuvre romanesque de Sartre,* Droz, Genève, 1968.
QUENEAU, Raymond, *Pierrot mon ami,* Gallimard, 1938.
RAHV, Betty, T., *From Sartre To The New Novel,* Kennikat Press, New York, 1974.
La Révolte étudiante : les animateurs parlent, Le Seuil, 1968.
REBÉRIOUX, Madeleine, *La République radicale,* Le Seuil, 1975.
RICATEAU, Maurice, *La Rochelle deux cents ans huguenote, 1500-1700,* 1978. La Charente-Maritime, La Rochelle.
RIOUX, Jean-Pierre, *La France de la IVᵉ République,* Points Histoire, Le Seuil, 1980.
ROCAL, Georges, *Croquants du Périgord,* Pierre Fanlac éditeur, Périgueux, 1970.

–, *Vieilles Coutumes du Périgord,* Pierre Fanlac éditeur, Périgueux, 1971.
ROLLAND, Jacques-Francis, *Un dimanche inoubliable près des casernes,* Grasset, 1984.
ROUGEMONT, Denis de, *Journal d'une époque, 1926-1946,* Gallimard, 1968.
ROY, Claude, *Les Yeux ouverts dans Paris insurgé,* Julliard, 1944.
SAINT-EXUPÉRY, Antoine de, *Écrits de guerre,* Gallimard, 1982.
De Sartre à Foucault, vingt ans d'entretiens à L'Observateur, Hachette, 1984.
SCHAFF, Adam, *Marx oder Sartre?,* Deutscher Verlag, Berlin, 1965.
SCHELER, Lucien, *La Grande Espérance des poètes,* Temps actuels, 1982.
SCHILPP, Paul-Arthur, *The Philosophy of Jean-Paul Sartre,* Open Court, La Salle, Illinois, 1982.
SEEBERGER, frères, *La France vue par...,* Belfond, 1979.
SENDICK-SIÉGEL, Liliane, *Sartre, images d'une vie,* Gallimard, 1978.
SERVAN-SCHREIBER, Jean-Jacques, *La Guerre d'Algérie, Paris-Match-Éditions nº 1,* 1982.
Simone de Beauvoir aujourd'hui, entretiens avec Alice Schwarzer, Mercure de France, 1984.
SPIEGELBERG, Herbert, *The Phenomenological Movement,* La Haye, Nijhoff, 1960.
Sud, revue, special Faulkner, 1983.
SUHL, Benjamin, *Jean-Paul Sartre: The Philosopher as Literary Critic,* Columbia University Press, New York, 1970.
SULEIMAN-RUBIN, Susan, *Le Roman à thèse,* P.U.F., 1983.
THODY, Philip, *Jean-Paul Sartre. A Literary and Political Study,* Hamilton, Londres, 1960.
–, *Sartre. A Biographical Introduction,* Studio Vista, Londres, 1971.
TITZENTHAKER, Waldemar, *Berlin,* Verlag Berlin, 1968.
TODD, Olivier, *Un fils rebelle,* Grasset, 1981.
TOMATIS, Alfred, *L'Oreille et la Vie,* Laffont, 1977.
Tribunal Russell, le jugement final, coll. Idées, Gallimard, 1968.
TROISFONTAINES, Roger, *Le Choix de Jean-Paul Sartre,* Aubier, 1945.
TRUC, Gonzague, *De Jean-Paul Sartre à Louis Lavelle,* Tissot, 1946.
VAÏSSE, Maurice, *Le Putsch d'Alger,* éditions Complexe, 1983.
VERDÈS-LEROUX, Jeanine, *Au service du Parti,* Le P.C.F., les Intellectuels et la culture, 1944-1956, Fayard, 1983.
VERSTRAETEN, Pierre, *Violence et Éthique,* Gallimard, 1972.
VIAN, Boris, *Chroniques de jazz,* La Jeune Parque, 1967.
–, *Chroniques du menteur,* Bourgois, 1974.
–, *Manuel de Saint-Germains-des-Prés,* Chêne, 1974.
–, *Textes et Chansons,* Julliard, 1966.
VIANSSON-PONTÉ, Pierre, *Histoire de la république gaullienne,* Fayard, 1971.
VIDAL-NAQUET, Pierre, *La Torture dans la république,* Minuit, 1972.
VINCENT, Raymonde, *Le Temps d'apprendre à vivre,* Julliard, 1982.
WAHL, Jean, *Esquisse pour une histoire de l'existentialisme,* éditions de l'Arche, 1949.
WARNOCK, Mary, *The Philosophy of Jean-Paul Sartre,* Hutchinson, Londres, 1965.
–, *Sartre, A Collection of Critical Essays,* Doubleday, New York, 1971.
WEBER, Eugen, *La Fin des terroirs, modernisation de la France rurale 1870-1914,* Fayard/ Éditions Recherches, 1983. Édition originale publiée par Stanford University Press, 1976, sous le titre *Peasants into Frenchmen.*
WILKINSON, James D., *The Intellectual Resistance in Europe,* Harvard University Press, Cambridge, 1981.
WINOCK, Michel, *Histoire politique de la revue* Esprit, Le Seuil, 1975.
–, *La République se meurt,* Le Seuil, 1978.
ZEVACO, Michel, *Fausta,* Fayard, 1941.
–, *Fausta vaincue,* Fayard, 1942.
–, *Les Pardaillan,* Fayard, 1941.

JOURNAUX ET REVUES DÉPOUILLÉS

Action
L'Action française
Alger républicain
Arts
L'Aurore
Carrefour
La Cause du peuple
Ce Soir
Clarté
Combat
Comoedia
Congrès des peuples pour la paix
Le Crapouillot
Défense de la paix
Esprit
L'Express
Le Figaro
Le Figaro littéraire
France-Amérique
France Libre
France-Observateur
France-Soir
Franc-Tireur
La Gauche-R.D.R
La Gerbe
Germinal
Horizon
L'Humanité
L'Idiot international
International Herald Tribune
J'accuse
Je suis partout
Jeune Afrique
Les Lettres françaises
Les Lettres françaises clandestines
Libération
Life Magazine
Message
Le Monde
New Yorker
New York Herald Tribune
New York Post
Les Nouvelles littéraires
Le Nouvel Observateur
L'Ordre de Paris
Paris-Journal
Paris-Presse-l'Intransigeant
Partisan Review
Partisans
Paru
Peuple du monde
Politics
Politique étrangère
Le Populaire de Paris
Pour la victoire
République française
La Revue juive de Genève
Salmagundi
Samedi soir
Les Temps modernes
Terre des hommes
Time Magazine
Tout
Vive la Révolution!
Vogue
Yale French Studies

ARCHIVES CONSULTÉES

Archives de l'ambassade de France à New York
Archives de l'ambassade de France à Rome
Archives de l'Académie Nobel à Stockholm
Archives d'Antenne 2
Archives de la Bibliothèque Nationale
Archives de l'E.N.S., rue d'Ulm
Archives de l'École polytechnique
Archives des éditions Gallimard
Archives des éditions Maspero-La Découverte
Archives du F.B.I. (U.S. Department of Justice;
U.S. Department of State;
U.S. Department of the Air Force.)
Archives de l'I.D.H.E.C.
Archives sonores de l'I.N.A.
Archives du lycée Condorcet à Paris
Archives du lycée du Havre
Archives du lycée Henri-IV à Paris
Archives du lycée de La Rochelle
Archives du lycée Pasteur à Neuilly
Archives de la Marine (ministère de la Défense)
au fort de Vincennes
Archives du ministère de l'Éducation
Archives du Quai d'Orsay
Archives nationales de France
Archives de Radio-Luxembourg
Archives de la R.T.B.
Archives régionales de la ville de Périgueux

Archives privées :

Jean Balladur
Simone de Beauvoir
Thierry Bodin
Georges Canguilhem
Jean-René Chauvin
Mme Roland Dorgelès
Arlette Elkaïm-Sartre
Jacques Ghinsberg
Daniel Lindenberg
Dionys Mascolo
Henriette Nizan
Jacqueline Paulhan
Michel Rybalka
famille Sartre-Lannes
famille Sartre-Schweitzer
Robert Villers

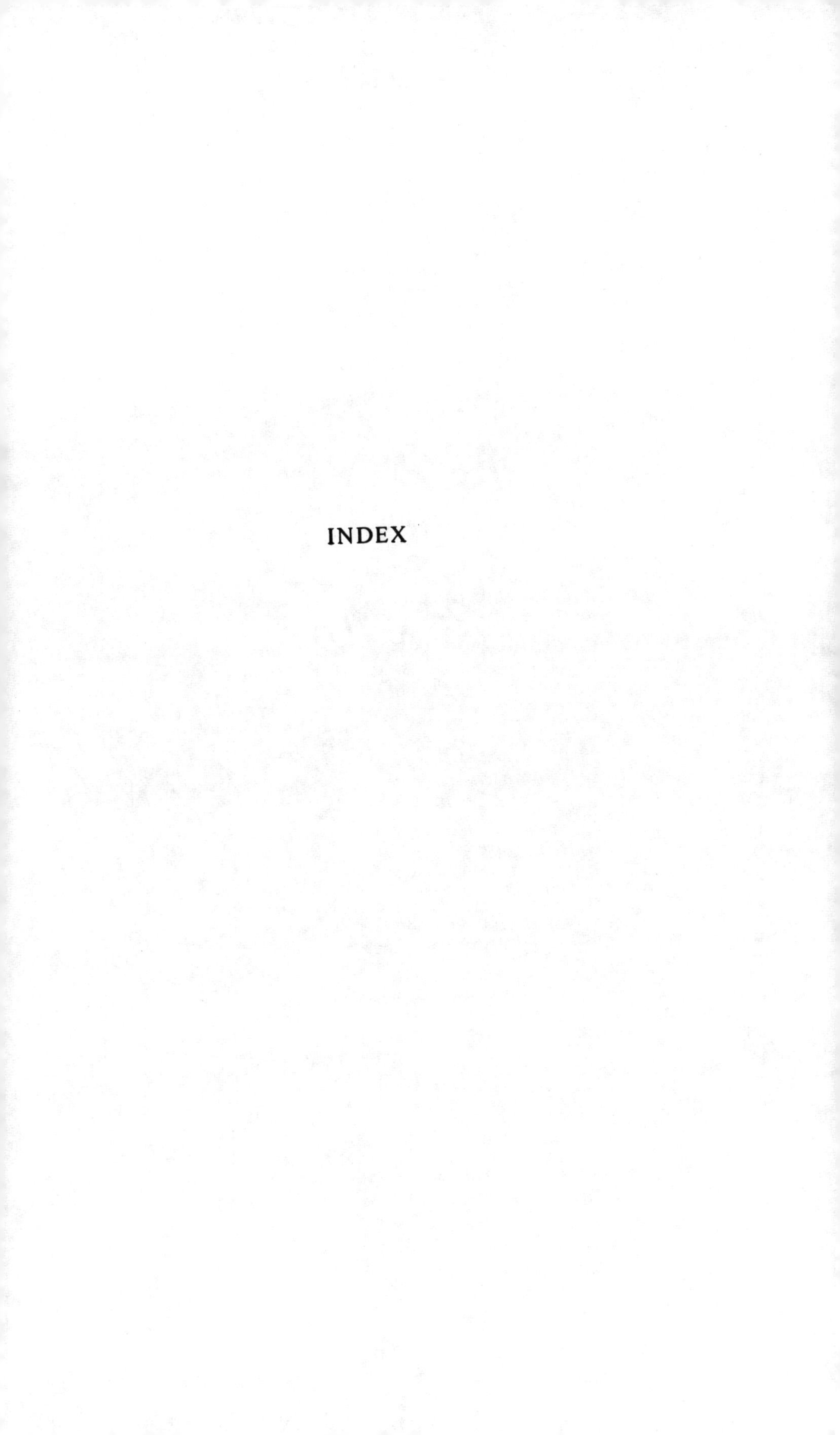

INDEX

REMERCIEMENTS

Ce livre est né d'une rencontre : en 1981, par l'intermédiaire de Fanchita Gonzalez Maspéro, j'ai été contactée par l'éditeur André Schiffrin, qui dirige à New York les Éditions Pantheon. Il m'a suggéré, puis convaincue, d'entreprendre cette biographie, et m'a donné la possibilité de travailler quotidiennement pendant près de quatre ans dans l'univers de Sartre. André Schiffrin est donc le véritable instigateur de cette aventure sartrienne : son talent éditorial – croire en vous résolument et paisiblement, suggérer sans imposer, critiquer sans accabler – a vraiment permis de mener à bien l'élaboration de ce livre. A son nom j'associe celui de son équipe de Pantheon Books à New York, et surtout, à Paris, celui de Mary Kling.

De très nombreux témoins, collaborateurs ou amis ont accepté d'apporter leur concours à mon enquête : Lionel Abel, René Achéen, Arieh Aharoni, Rachel Aharoni, René Aillet, Jean-Pierre Alacchi, Jeanne Allard, Noël Arnaud, Raymond Aron, Aaron Ascher, Louis Audibert, Colette Audry, Louis Autin, Armand Bachelier, Jean Baillou, Jean Balladur, docteur Baron, William Barrett, Karel Bartosek, Marc Beigbeder, Armand Bérard, Mauricette Berne, Mlle Billoux, Tom Bishop, Carl-Gustav Bjurström, Louis Blanc, Gaston Blanchard, Gérard Blanchet, Francis Bobée, Thierry Bodin, Jean-Marie Borzeix, Claire Bost, Jacques-Laurent Bost, Jean-Marcel Bouguereau, Marcel Bouisset, Jacques Boutineau, Dominique Braut-Klar, Marie-Sophie Brianceau, Menahem Brinker, Victor Brombert, Jean Bruhat, Jean Bruller-Vercors, Pierre Brument, Henri Brunschwig, Jean-Pierre Busson, Jean-Pierre Callot, Georges Canguilhem, Michel Cantal-Dupart, Mlle Carpentier, Christian Casadesus, Jean Cau, Claude Chartrel, Jerome Charyn, François Châtelet, amiral Chatelle, Jean-René Chauvin, Georges Chazelas, Jean Chouleur, Stéphane Courtois, Robert

Cruège, Jean Daniel, Simone Debout, Régis Debray, Jacques Debû-Bridel, Maurice Deixonne, Maurice Delarue, Émile Delavenay, Jean-Pierre Delilez, Alex Derczansky, Dominique Desanti, Jean-Toussaint Desanti, Mme Roland Dorgelès, Michel Drouin, Bertrand Dufourcq, Roland Dumas, docteur Durieux, Hector Elisabeth, André Encrevé, François Erval, Patrick Esclafer de la Rode, Etiemble, Pierre Fanlac, Denise Fargeot, Beatrice Farwell, Claude Faux, toute l'équipe du F.B.I. américain – John R. Burke, Louis P. Goelz, James K. Hall, Russell A. Powell, Robert M. Smalley, Darnall C. Stewart, John H. Wright –, Marianne de Fleury, Roger Fleury, Renée-Claire Fox, Paul Fraisse, Nino Frank, René Frédet, Anne Frejer, Amalia Furstenberg, Fiska Furstenberg, Étienne Fuzellier, le patriarche, et toute la tribu Fuzellier – Isabelle, Ljiljana, Raymond, Vladimir –, Maurice de Gandillac, Jean Gatel, Philippe Gavi, Alain Geismar, Jacques Ghinsberg, Valéry Giscard d'Estaing, Jean Giustiniani, Erving Goffman, Michel Gordey, Maître Grangé, Jeanyves Guérin, Henri Guillemin, Norbert Guterman, Guillaume Hanoteau, Charles Hernu, Pierre Hervé, Stanley Hoffmann, Irving Howe, Ilios Iannakakis, Joris Ivens, Roger Jaccou, Vladimir Jankélévitch, Jean-Noël Jeanneney, Henri Jourdan, Jean-Daniel Jurgensen, Mme Pierre Kaan, Dani Karavan, Lucien Karhausen, Jean Karoubi, Hughes de Kerett, Brigitte de Kergorlay, Edith Kurzweil, Olivier Lacombe, Claude Lanzmann, Georges Lefranc, Éric Lemaresquier, Jean Lescure, Jacques Levavasseur, Harry Levine, Laurent Lévi-Strauss, Benny Lévy, Raoul Lévy, Haviva Limon, Youzek Limon, Daniel Lindenberg, Gérard Loiseaux, Marceline Loridan, Robert Lucot, chanoine Raymond de Puiffe de Magondeaux, Mlle Martin, Gilles Martinet, Dionys Mascolo, Suzanne Merleau-Ponty, Alain Meyer, Arthur Miller, Robert Misrahi, Selim Mohor, André Monchoux, Alberto Moravia, Jean-Paul Mougin, Maurice Nadeau, Louis Nagel, Marie Nimier, Nadine Nimier, Henriette Nizan, Mme de Nomazy, Marcel Paquot, Geneviève Pastier, Jacqueline Paulhan, général Pauly, François Périer, Marc Perrin de Brichambaut, M. Petitmengin, Henri Peyre, Claude-Jean Philippe, William Phillips, Jean Pierre, Pierre Piganiol, Bernard Pingaud, Vincent Placoly, J.-B. Pontalis, Jean Pouillon, Vladimir Pozner, Jean Rabaut, Jacques-René Rabier, Alain D. Ranwez, Yehoshua Rash, Mme Raynaud, Jeannine Richet, Louis Robert, Denis de Rougemont, David Rousset, Susan Rubin-Suleiman, Michel Rybalka, Edward Saïd, Olga de Saint-Affrique, François-Marie Samuelson, Alain Savary, Judith Schlanger, Michèle Schmitt-Joannou, Louis Schweitzer, Édouard Selzer, Nathan Shaham, Jean-François Sirinelli, Raphaël Sorin, Michel Suchod, Roland Suvélor, Paul Tabet, Paule Thévenin, André Tiercet, Guy Toublanc, Maurice Vaïsse, Dolorès Vanetti,

Michelle Vian, P.C.V., Monique Vignal, Pierre Vilar, Jeanne Virmouneix, André Vogel, Robert-Léon Wagner, Georges Werler, Jean-Didier Wolfromm.

Simone de Beauvoir et Arlette Elkaïm-Sartre, témoins privilégiées, m'ont constamment reçue avec chaleur et complicité. En acceptant de m'ouvrir leurs archives personnelles, en parlant, en rectifiant, en précisant chaque fois que cela était utile, elles ont joué un rôle essentiel dans ma longue traque de la vérité-Sartre.

Pour l'analyse, pour les hypothèses de travail et pour les innombrables reprises de chaque épisode, Christian Bachmann fut l'irremplaçable ami : les interrogations communes, le partage des doutes et des découvertes ont rendu pratiquement impossible la délimitation des idées qui sont les siennes de celles qui me sont propres.

C'est Paule Neuvéglise, enfin, qui m'a symboliquement ouvert les portes de la rue Sébastien-Bottin et conseillée tout au long de ce travail. Robert Gallimard puis toute l'équipe de la maison Gallimard se sont mobilisés autour de ce projet pour la mise au point du manuscrit et la réalisation de ce livre avec compétence, conviction et enthousiasme.

Que chacun trouve ici l'expression de ma sincère gratitude.

Sources des documents in-texte.

Archives Fondation Nobel, Stockholm : p. 571 ; Archives Thierry Bodin : p. 101 ; Archives Mme Roland Dorgelès : p. 62, 63 ; Archives de l'École Polytechnique : p. 16 ; Archives familiales : p. 57, 69, 70, 596 ; Archives du Ministère de la Marine : p. 34, 35.

Crédits photographiques.

A.F.P. : 36, 41 ; U.P.I.-A.F.P. : 33, 46 ; Robert Cohen-Agip : 32, 45, 49, 55 ; Archives de l'École Polytechnique, Palaiseau, Photos H. Josse-Éditions Gallimard : 5, 6, 7 ; Archives Gisèle Freund : 11 ; Archives Israël Government Press Office : 47 ; Archives Kibboutz Merhavia : 48 ; Archives du Ministère de la Marine, Vincennes, Photo H. Josse-Éditions Gallimard : 8 ; Archives Robert Villers : 28 ; Bernand : 42 ; Brassaï : 25 ; Annie Cohen-Solal : 2 ; Collection Jacques Boutineau, Thiviers : 3 ; Collection G. Canguilhem : 19, 20 ; Collections particulières, Photos Éditions Gallimard : 4, 9, 10, 12, 13, 14, 15, 16, 17, 18, 21, 23, 24 ; Gisèle Freund : 1, 40 ; Brinon-Gamma : 34 ; Sas-Gamma : 50 ; Keystone : 38, 44 ; Yves Manciet : 30 ; Paris-Match/de Potier : 35 ; Berretty-Rapho : 43 ; Doisneau-Rapho : 31 ; Niépce-Rapho : 53 ; Jacques Robert-Éditions Gallimard : 51, 52 ; Melloul-Sygma : 54 ; Papillon-Sygma : 27 ; William Leftwich-*Time Magazine :* 29 ; Lapi-Viollet : 26 ; Archives C. Raimond-Dityvon/Viva : 22 ; X-D.R. : 37, 39, 56, 57.

I. EN MARCHE VERS LE GÉNIE!

1905-1939

II. UNE MÉTAMORPHOSE DANS LA GUERRE

1939-1945

III. LES ANNÉES SARTRE

1945-1956

IV. UN HOMME QUI S'ÉVEILLE

1956-1980

DU MÊME AUTEUR

Aux Éditions Grasset

PAUL NIZAN, COMMUNISTE IMPOSSIBLE (avec la collaboration d'Henriette Nizan), 1980.

Composé et achevé d'imprimer
par le Société Nouvelle Firmin-Didot
à Mesnil-sur-l'Estrée, le 16 décembre 1985.
Dépôt légal : décembre 1985.
1er dépôt légal : octobre 1985.
Numéro d'imprimeur : 3649
ISBN 2-07-070527-7/Imprimé en France

37102